CO

GERMAN
SCHOOL
DICTIONARY
AND
GRAMMAR
GERMAN ▸ ENGLISH ENGLISH ▸ GERMAN

HarperCollins*Publishers*

First published in this edition 1994

© HarperCollins Publishers 1994

First reprint 1995

ISBN 0 00 470390-1

Lorna Sinclair Knight
Veronika Schnorr Ute Nicol
Peter Terrell Ilse McLean

contributors
Helga Holtkamp Horst Kopleck
Eva Vennebusch John Whitlam

editorial staff
Anne Dickinson Val McNulty
Joyce Littlejohn Megan Thomson
Linda Chestnutt

editorial management
Vivian Marr

---

*A catalogue record for this book is
available from the British Library*

Typeset by Morton Word Processing Ltd, Scarborough

*Printed in Great Britain by
HarperCollins Manufacturing, Glasgow*

Introduction

We are delighted you have decided to buy the **Collins German School Dictionary and Grammar**. This book is designed to give you, in one handy volume, comprehensive and authoritative answers to all your vocabulary and grammar queries.

In the dictionary section you will find:

- in-depth vocabulary coverage which will more than meet your examination needs
- indicators to guide you to the most appropriate translation
- modern, idiomatic phrases showing words in their context
- the most common words in each language are highlighted and treated in depth

The grammar section contains further essential information on:

- all the basic rules and structures of German
- German verbs
- avoiding pitfalls in translation

We hope you will enjoy using this book and that it will be an invaluable reference tool for all your German language studies.

Contents

Using the Dictionary

The various typefaces, type sizes, symbols, abbreviations and brackets used throughout this dictionary all convey useful information. Take time to establish what they indicate and this will help you get the most out of your dictionary.

Finding the word you want

The information above the line at the top of each page helps you to locate, quickly and easily, the entry you want to consult. At the outside margin, the first and last entries on that page are shown, separated by an arrow. Information about which side of the dictionary you are using is shown at the inside margin. For example:

anbelangen → anführen *DEUTSCH-ENGLISCH* 10

Headwords

The words you look up in a dictionary are known as headwords and are printed in **bold** type. The phonetic spelling is given in square brackets immediately after the headword. An explanation of these symbols is given on page xii. Information about the usage or register of certain headwords appears in round brackets, usually abbreviated and in italics, eg (*umg*), (*COMM*). Explanations of these are given on pages vii-ix.

Where appropriate, words related to headwords are grouped within the same entry in a slightly smaller bold type than the headword.

> **zweiteilig** *adj* (*Gruppe*) two-piece; (*Fernsehfilm*) two-part; (*Kleidung*) two-piece; **zweitens** *adv* secondly;

> **confuse** [...] *vt* virwirren; (*sth with sth*) verwechseln; ~ **d** *adj* verwirrt; **confusing** *adj* virwirrend;

Translations

Headword translations are given in ordinary type and, where more than one meaning or usage exists, these are separated by a semi-colon. Often you will find other words in italics in brackets before the translations. These are called "indicators" and they offer suggested contexts in which the headword might appear, or provide synonyms.

> **eng** [...] *adj* narrow; (*Kleidung*) tight; (*fig: Horizont*) narrow, limited; (*Freundschaft, Verhältnis*) close...

> **paralyse** [...] (*BRIT*) *vt* (*MED*) lähmen, paralysieren; (*fig: organisation, production etc*) lahmlegen

> **entscheiden** [...] *adj* decided; (*entschlossen*) resolute...

> **proportion** [...] *n* Verhältnis *nt*; (*share*) Teil *m*...

Key words

Special treatment is given to certain German and English words which are considered "key" words in each language. The reason they are "key" is that they occur very frequently or have several types of usage (eg **sein, auch; get, that**).

Grammatical information

Parts of speech are given in abbreviated form in italics after the phonetic spellings of headwords, eg **Gewissen** [...] **(-s, -)** *nt.* A lozenge indicates a change in part of speech and different meanings are split into separate categories and numbered accordingly.

Adjectives are normally shown in their basic form (eg **rund** *adj*), but where they are only used attributively (ie before a noun) feminine and neuter endings follow in brackets (**hohe(r, s)** *adj attrib*).

A list of all the abbreviations used in the dictionary is given on pages vii-ix.

Compound blocks in German

Compound blocks are used to present as much information as possible about words with the same root form in a compact and logical manner. They function by listing certain words in smaller type under the root form to which they are related. The part of speech *zW* indicates the beginning of a compound block. For example, at **Haus, Hausfrau, hausgemacht** and **Haushalt** are included in the entry in a smaller type-face. Usually the root form is replaced by a swung dash where it recurs in the entry, thus Hausfrau, hausgemacht and Haushalt are shown as **~frau, h~gemacht** and **~halt**. Sometimes, however, it is more helpful to show the word in full, and where necessary this has been done.

All the related forms appear in alphabetical order. Where headwords which are not related to the root form interrupt the alphabetical order, any subsequent related forms are treated in a compound block (in alphabetical order) directly after those headwords.

> **Haus** [. . .] **(-es, Häuser)** *nt* house; **nach ~e** home; **zu ~e** at home; **~angestellte** *f* domestic servant; **~apotheke** *f* medicine cabinet; **~arbeit** *f* house-work; (*SCH*) homework; **~arzt** *m* family doctor; **~aufgabe** *f* (*SCH*) homework; **~besitzer(in)** *m(f)* house-owner; **~besuch** *m* (*von Arzt*) house call
> **Häuserblock** [. . .] *m* block (of houses)
> **Häusermakler** [. . .] *m* estate agent (*BRIT*), real estate agent (*US*)
> **Haus-** *zW*: **~frau** *f* housewife; **~flur** *m* hallway; **h~gemacht** *adj* home-made; **~halt** *m* house-hold; . . .

Abbreviations

Abkürzung	*abk, abbr*	abbreviation
Akkusativ	*acc*	accusative
Adjektiv	*adj*	adjective
Adverb	*adv*	adverb
Landwirtschaft	*AGR*	agriculture
Akkusativ	*akk*	accusative
Anatomie	*ANAT*	anatomy
Architektur	*ARCHIT*	architecture
Astrologie	*ASTROL*	astrology
Astronomie	*ASTRON*	astronomy
attributiv	*attrib*	attributive
Kraftfahrzeuge	*AUT*	automobiles
Hilfsverb	*aux*	auxiliary
Luftfahrt	*AVIAT*	aviation
besonders	*bes*	especially
Biologie	*BIOL*	biology
Botanik	*BOT*	botany
britisch	*BRIT*	British
Chemie	*CHEM*	chemistry
Film	*CINE*	cinema
Handel	*COMM*	commerce
Komparativ	*compar*	comparative
Computer	*COMPUT*	computing
Konjunktion	*conj*	conjunction
Kochen und Backen	*COOK*	cooking
zusammengesetztes Wort	*cpd*	compound
Dativ	*dat*	dative
bestimmter Artikel	*def art*	definite article
Diminutiv	*dimin*	diminutive
kirchlich	*ECCL*	ecclesiastical
Eisenbahn	*EISENB*	railways
Elektrizität	*ELEK, ELEC*	electricity
besonders	*esp*	especially
und so weiter	*etc*	et cetera
etwas	*etw*	something
Euphemismus, Hüllwort	*euph*	euphemism
Interjektion, Ausruf	*excl*	exclamation
Femininum	*f*	feminine
übertragen	*fig*	figurative
Finanzwesen	*FIN*	finance
nicht getrennt gebraucht	*fus*	(phrasal verb) inseparable
Genitiv	*gen*	genitive
Geographie	*GEOG*	geography

Grammatik	*GRAM*	grammar
Geschichte	*HIST*	history
unpersönlich	*impers*	impersonal
unbestimmter Artikel	*indef art*	indefinite article
umgangssprachlich (! vulgär)	*inf(!)*	informal (! particularly offensive)
Infinitiv, Grundform	*infin*	infinitive
nicht getrennt gebraucht	*insep*	inseparable
unveränderlich	*inv*	invariable
unregelmäßig	*irreg*	irregular
jemand	*jd*	somebody
jemandem	*jdm*	(to) somebody
jemanden	*jdn*	somebody
jemandes	*jds*	somebody's
Rechtswesen	*JUR*	law
Kochen und Backen	*KOCH*	cooking
Komparativ	*kompar*	comparative
Konjunktion	*konj*	conjunction
Sprachwissenschaft	*LING*	linguistics
Literatur	*LITER*	of literature
Maskulinum	*m*	masculine
Mathematik	*MATH*	mathematics
Medizin	*MED*	medicine
Meteorologie	*MET*	meteorology
militärisch	*MIL*	military
Bergbau	*MIN*	mining
Musik	*MUS*	music
Substantiv, Hauptwort	*n*	noun
nautisch, Seefahrt	*NAUT*	nautical, naval
Nominativ	*nom*	nominative
Neutrum	*nt*	neuter
Zahlwort	*num*	numeral
Objekt	*obj*	object
oder	*od*	or
sich	*o.s.*	oneself
Parlament	*PARL*	parliament
abschätzig	*pej*	pejorative
Photographie	*PHOT*	photography
Physik	*PHYS*	physics
Plural	*pl*	plural
Politik	*POL*	politics
Partizip Perfekt	*pp*	past participle
Präposition	*präp, prep*	preposition
Typographie	*PRINT*	printing
Pronomen, Fürwort	*pron*	pronoun
Psychologie	*PSYCH*	psychology

1. Vergangenheit, Imperfekt	*pt*	past tense
Radio	*RAD*	radio
Eisenbahn	*RAIL*	railways
Religion	*REL*	religion
jemand(-en, -em)	*sb*	someone, somebody
Schulwesen	*SCH*	school
Naturwissenschaft	*SCI*	science
Singular, Einzahl	*sg*	singular
etwas	*sth*	something
Konjunktiv	*sub*	subjunctive
Subjekt	*subj*	(grammatical) subject
Superlativ	*superl*	superlative
Technik	*TECH*	technology
Nachrichtentechnik	*TEL*	telecommunications
Theater	*THEAT*	theatre
Fernsehen	*TV*	television
Typographie	*TYP*	printing
umgangssprachlich (! vulgär)	*umg(!)*	informal (! particularly offensive)
Hochschulwesen	*UNIV*	university
unpersönlich	*unpers*	impersonal
unregelmäßig	*unreg*	irregular
(nord)amerikanisch	*US*	(North) America
gewöhnlich	*usu*	usually
Verb	*vb*	verb
intransitives Verb	*vi*	intransitive verb
reflexives Verb	*vr*	reflexive verb
transitives Verb	*vt*	transitive verb
Zoologie	*ZOOL*	zoology
zusammengesetztes Wort	*zW*	compound
zwischen zwei Sprechern	-	change of speaker
ungefähre Entsprechung	≃	cultural equivalent
eingetragenes Warenzeichen	®	registered trademark

German Noun Endings

After many noun entries on the German-English side of the dictionary, you will find two pieces of grammatical information, separated by commas, to help you with the declension of the noun, eg: **-, -n** or **-(e)s, -e**.

The first item shows you the genitive singular form, and the second gives the plural form. The hyphen stands for the word itself and the other letters are endings. Sometimes an umlaut is shown over the hyphen, which means an umlaut must be placed on the vowel of the word, eg:

dictionary entry	genitive singular	plural
Mann *m* **-(e)s, ⸚er**	**Mannes** or **Manns**	**Männer**
Jacht *f* **-, -en**	**Jacht**	**Jachten**

This information is not given when the noun has one of the regular German noun endings shown overleaf, and you should refer to this table in such cases.

Similarly, genitive and plural endings are not shown when the German entry is a compound consisting of two or more words which are to be found elsewhere in the dictionary, since the compound form takes the endings of the LAST word of which it is formed, eg:

for **Nebenstraße**   see **Straße**
for **Schneeball**   see **Ball**

— *Regular German Noun Endings* —

nom		gen	pl
-ant	*m*	-anten	-anten
-anz	*f*	-anz	-anzen
-ar	*m*	-ar(e)s	-are
-chen	*nt*	-chens	-chen
-e	*f*	-e	-en
-ei	*f*	-ei	-eien
-elle	*f*	-elle	-ellen
-ent	*m*	-enten	-enten
-enz	*f*	-enz	-enzen
-ette	*f*	-ette	-etten
-eur	*m*	-eurs	-eure
-euse	*f*	-euse	-eusen
-heit	*f*	-heit	-heiten
-ie	*f*	-ie	-ien
-ik	*f*	-ik	-iken
-in	*f*	-in	-innen
-ine	*f*	-ine	-inen
-ion	*f*	-ion	-ionen
-ist	*m*	-isten	-isten
-ium	*nt*	-iums	-ien
-ius	*m*	-ius	-iusse
-ive	*f*	-ive	-iven
-keit	*f*	-keit	-keiten
-lein	*nt*	-leins	-lein
-ling	*m*	-lings	-linge
-ment	*nt*	-ments	-mente
-mus	*m*	-mus	-men
-schaft	*f*	-schaft	-schaften
-tät	*f*	-tät	-täten
-tor	*m*	-tors	-toren
-ung	*f*	-ung	-ungen
-ur	*f*	-ur	-uren

Phonetic Symbols

l*ie*	[aɪ]	w*ei*t	d*ay*	[eɪ]
n*ow*	[aʊ]	H*au*t	g*i*rl	[ɜː]
*a*bove	[ə]	bitt*e*	b*oa*rd	[ɔː]
g*o*	[əʊ]	*o*ben	r*oo*t	[uː]	H*u*t
gr*ee*n	[iː]	v*ie*l	c*o*me	[ʌ]	B*u*tler
p*i*ty	[ɪ]	B*i*schof	sal*on*	[ɔ̃]	Champign*on*
r*o*t	[ɒ.ɔ]	P*o*st	av*an*t (garde)	[ã]	*En*semble
f*u*ll	[ʊ]	P*u*lt	f*air*	[ɛə]	m*eh*r
			b*ee*r	[ɪə]	B*ie*r
*b*et	[b]	*B*all	t*oy*	[ɔɪ]	H*eu*
*d*im	[d]	*d*ann	p*u*re	[ʊə]	
*f*ace	[f]	*F*aß	*w*ine	[w]	
*g*o	[g]	*G*ast	*th*in	[θ]	
*h*it	[h]	*H*err	*th*is	[ð]	
*y*ou	[j]	*j*a			
*c*at	[k]	*k*alt	H*a*st	[a]	m*a*sh
*l*ick	[l]	*L*ast	h*a*ben	[aː]	
*m*ust	[m]	*M*ast	*En*semble	[ã]	av*an*t (garde)
*n*ut	[n]	*N*uß	M*e*tall	[e]	m*e*ths
ba*ng*	[ŋ]	la*ng*	h*ä*ßlich	[ɛ]	
*p*epper	[p]	*P*akt	Cous*in*	[ɛ̃]	
*s*it	[s]	Ra*ss*e	v*i*tal	[i]	
*sh*ame	[ʃ]	*Sch*al	M*o*ral	[o]	
*t*ell	[t]	*T*al	Champign*on*	[õ]	sal*on*
*v*ine	[v]	*w*as	*ö*kono-misch	[ø]	
lo*ch*	[x]	Ba*ch*	g*ö*nnen	[œ]	
*z*ero	[z]	Ha*s*e	H*eu*	[ɔy]	t*oy*
lei*s*ure	[ʒ]	*G*enie	k*u*lant	[u]	
			ph*y*sisch	[y]	
*b*at	[æ]		M*ü*ll	[ʏ]	
f*ar*m	[ɑː]	*B*ahn	i*ch*	[ç]	
s*e*t	[e]	*K*ette			

Dictionary

DEUTSCH - ENGLISCH
GERMAN - ENGLISH

A a

Aal [aːl] (-(e)s, -e) *m* eel
Aas [aːs] (-es, -e *od* **Äser**) *nt* carrion;
~**geier** *m* vulture

SCHLÜSSELWORT
---

ab [ap] *präp +dat* from; **Kinder ab 12 Jahren** children from the age of 12; **ab morgen** from tomorrow; **ab sofort** as of now
♦ *adv* **1** off; **links ab** to the left; **der Knopf ist ab** the button has come off; **ab nach Hause!** off you go home
2 (*zeitlich*): **von da ab** from then on; **von heute ab** from today, as of today
3 (*auf Fahrplänen*): **München ab 12.20** leaving Munich 12.20
4: **ab und zu** *od* **an** now and then *od* again

Abänderung ['ap'ɛndərʊŋ] *f* alteration
Abbau ['apbaʊ] (-(e)s) *m* (+gen) dismantling; (*Verminderung*) reduction (in); (*Verfall*) decline (in); (*MIN*) mining; quarrying; (*CHEM*) decomposition; **a~en** *vt* to dismantle; (*MIN*) to mine; to quarry; (*verringern*) to reduce; (*CHEM*) to break down
abbeißen ['apbaɪsən] (*unreg*) *vt* to bite off
abbekommen ['apbəkɔmən] (*unreg*) *vt* (*Deckel, Schraube, Band*) to loosen; **etwas ~** (*beschädigt werden*) to get damaged; (: *Person*) to get injured
abbestellen ['apbəʃtɛlən] *vt* to cancel
abbezahlen ['apbətsaːlən] *vt* to pay off
abbiegen ['apbiːgən] (*unreg*) *vi* to turn off; (*Straße*) to bend ♦ *vt* to bend; (*verhindern*) to ward off
abbilden ['apbɪldən] *vt* to portray
Abbildung *f* illustration
abblenden ['apblɛndən] *vt, vi* (*AUT*) to dip (*BRIT*), to dim (*US*)
Abblendlicht *nt* dipped (*BRIT*) *od* dimmed (*US*) headlights *pl*
abbrechen ['apbrɛçən] (*unreg*) *vt, vi* to

break off; (*Gebäude*) to pull down; (*Zelt*) to take down; (*aufhören*) to stop; (*COMPUT*) to abort
abbrennen ['apbrɛnən] (*unreg*) *vt* to burn off; (*Feuerwerk*) to let off ♦ *vi* (*aux sein*) to burn down
abbringen ['apbrɪŋən] (*unreg*) *vt*: **jdn von etw ~** to dissuade sb from sth; **jdn vom Weg ~** to divert sb
abbröckeln ['apbrœkəln] *vt, vi* to crumble off *od* away
Abbruch ['apbrʊx] *m* (*von Verhandlungen etc*) breaking off; (*von Haus*) demolition; **jdm/etw ~ tun** to harm sb/sth; **a~reif** *adj* only fit for demolition
abbrühen ['apbryːən] *vt* to scald; **abgebrüht** (*umg*) hard-boiled
abbuchen ['apbuːxən] *vt* to debit
abbürsten ['apbyrstən] *vt* to brush off
abdanken ['apdaŋkən] *vi* to resign; (*König*) to abdicate
Abdankung *f* resignation; abdication
abdecken ['apdɛkən] *vt* to uncover; (*Tisch*) to clear; (*Loch*) to cover
abdichten ['apdɪçtən] *vt* to seal; (*NAUT*) to caulk
abdrehen ['apdreːən] *vt* (*Gas*) to turn off; (*Licht*) to switch off; (*Film*) to shoot ♦ *vi* (*Schiff*) to change course
Abdruck ['apdrʊk] *m* (*Nachdrucken*) reprinting; (*Gedrucktes*) reprint; (*Gips~, Wachs~*) impression; (*Finger~*) print; **a~en** *vt* to print, to publish
abdrücken ['apdrʏkən] *vt* (*Waffe*) to fire; (*Person*) to hug, to squeeze
Abend ['aːbənt] (-s, -e) *m* evening; **guten ~** good evening; **zu ~ essen** to have dinner *od* supper; **a~** *adv*: **heute a~** this evening; ~**brot** *nt* supper; ~**essen** *nt* supper; ~**kasse** *f* box office; ~**kleid** *nt* evening dress; ~**kurs** *m* evening classes *pl*; ~**land** *nt* (*Europa*) West; **a~lich** *adj* eve-

ning; ~**mahl** nt Holy Communion; ~**rot** nt sunset; **a~s** adv in the evening

Abenteuer ['a:bəntɔʏər] (**-s, -**) nt adventure; **a~lich** adj adventurous

Abenteurer (**-s, -**) m adventurer; ~**in** f adventuress

aber ['a:bər] konj but; (jedoch) however ♦ adv: **tausend und -- ~ tausend** thousands upon thousands; **das ist ~ schön** that's really nice; **nun ist ~ Schluß!** now that's enough!; **vielen Dank -- ~ bitte!** thanks a lot — you're welcome; **A~glaube** m superstition; ~**gläubisch** adj superstitious

aberkennen ['ap'ɛrkɛnən] (unreg) vt (JUR): **jdm etw ~** to deprive sb of sth, to take sth (away) from sb

abermals ['a:bərma:ls] adv once again

Abf. abk (= Abfahrt) dep.

abfahren ['apfa:rən] (unreg) vi to leave, to depart ♦ vt to take od cart away; (Strecke) to drive; (Reifen) to wear; (Fahrkarte) to use

Abfahrt ['apfa:rt] f departure; (SKI) descent; (Piste) run; ~**slauf** m (SKI) descent, run down; ~**szeit** f departure time

Abfall ['apfal] m waste; (von Speisen etc) rubbish (BRIT), garbage (US); (Neigung) slope; (Verschlechterung) decline; ~**eimer** m rubbish bin (BRIT), garbage can (US); **a~en** (unreg) vi (auch fig) to fall od drop off; (POL, vom Glauben) to break away; (sich neigen) to fall od drop away

abfällig ['apfɛlɪç] adj disparaging, deprecatory

abfangen ['apfaŋən] (unreg) vt to intercept; (Person) to catch; (unter Kontrolle bringen) to check

abfärben ['apfɛrbən] vi to lose its colour; (Wäsche) to run; (fig) to rub off

abfassen ['apfasən] vt to write, to draft

abfertigen ['apfɛrtɪgən] vt to prepare for dispatch, to process; (an der Grenze) to clear; (Kundschaft) to attend to

abfeuern ['apfɔʏərn] vt to fire

abfinden ['apfɪndən] (unreg) vt to pay off ♦ vr to come to terms; **sich mit jdm ~/nicht ~** to put up with/not get on with sb

Abfindung f (von Gläubigern) payment; (Geld) sum in settlement

abflauen ['apflauən] vi (Wind, Erregung) to die away, to subside; (Nachfrage, Geschäft) to fall od drop off

abfliegen ['apfli:gən] (unreg) vi (Flugzeug) to take off; (Passagier auch) to fly ♦ vt (Gebiet) to fly over

abfließen ['apfli:sən] (unreg) vi to drain away

Abflug ['apflu:k] m departure; (Start) take-off; ~**zeit** f departure time

Abfluß ['apflʊs] m draining away; (Öffnung) outlet

Abflußrohr nt drain pipe; (von sanitären

Anlagen auch) waste pipe

abfragen ['apfra:gən] vt (bes SCH) to test orally (on)

Abfuhr ['apfu:r] (**-, -en**) f removal; (fig) snub, rebuff

abführen ['apfy:rən] vt to lead away; (Gelder, Steuern) to pay ♦ vi (MED) to have a laxative effect

Abführmittel ['apfy:rmɪtəl] nt laxative, purgative

abfüllen ['apfʏlən] vt to draw off; (in Flaschen) to bottle

Abgabe ['apga:bə] f handing in; (von Ball) pass; (Steuer) tax; (eines Amtes) giving up; (einer Erklärung) giving

Abgang ['apgaŋ] m (von Schule) leaving; (THEAT) exit; (MED: Ausscheiden) passing; (: Fehlgeburt) miscarriage; (Abfahrt) departure; (der Post, von Waren) dispatch

Abgas ['apga:s] nt waste gas; (AUT) exhaust

abgeben ['apge:bən] (unreg) vt (Gegenstand) to hand od give in; (Ball) to pass; (Wärme) to give off; (Amt) to hand over; (Schuß) to fire; (Erklärung, Urteil) to give; (darstellen, sein) to make ♦ vr: **jdm /etw ~** to associate with sb/bother with sth; **jdm etw ~** (überlassen) to let sb have sth

abgebrüht ['apgəbry:t] (umg) adj (skrupellos) hard-boiled

abgehen ['apge:ən] (unreg) vi to go away, to leave; (THEAT) to exit; (Baby) to be aborted; (Knopf etc) to come off; (abgezogen werden) to be taken off; (Straße) to branch off ♦ vt (Strecke) to go od walk along; **etw geht jdm ab** (fehlt) sb lacks sth

abgelegen ['apgəle:gən] adj remote

abgemacht ['apgəmaxt] adj fixed; ~**!** done!

abgeneigt ['apgənaɪkt] adj disinclined

Abgeordnete(r) ['apgə'ɔrdnətə(r)] mf member of parliament; elected representative

abgeschlossen ['apgəʃlɔsən] adj attrib (Wohnung) self-contained

abgeschmackt ['apgəʃmakt] adj tasteless

abgesehen ['apgəze:ən] adj: **es auf jdn/ etw ~ haben** to be after sb/sth; ~ **von ...** apart from ...

abgespannt ['apgəʃpant] adj tired out

abgestanden ['apgəʃtandən] adj stale; (Bier auch) flat

abgestorben ['apgəʃtɔrbən] adj numb; (BIOL, MED) dead

abgetragen ['apgətra:gən] adj shabby, worn out

abgewinnen ['apgəvɪnən] (unreg) vt: **einer Sache etw/Geschmack ~** to get sth/ pleasure from sth

abgewöhnen ['apgəvø:nən] vt: **jdm/sich etw ~** to cure sb of sth/give sth up

abgleiten ['apglaɪtən] (unreg) vi to slip,

slide

abgöttisch ['apgœtɪʃ] adj: ~ **lieben** to idolize

abgrenzen ['apgrɛntsən] vt (auch fig) to mark off; to fence off

Abgrund ['apgrʊnt] m (auch fig) abyss

abhacken ['aphakən] vt to chop off

abhaken ['apha:kən] vt (auf Papier) to tick off

abhalten ['aphaltən] (unreg) vt (Versammlung) to hold; **jdn von etw** ~ (fernhalten) to keep sb away from sth; (hindern) to keep sb from sth

abhanden [ap'handən] adj: ~ **kommen** to get lost

Abhandlung ['aphandlʊŋ] f treatise, discourse

Abhang ['aphaŋ] m slope

abhängen ['aphɛŋən] vt (Bild) to take down; (Anhänger) to uncouple; (Verfolger) to shake off ♦ vi (unreg: Fleisch) to hang; **von jdm/etw** ~ to depend on sb/sth

abhängig ['aphɛŋɪç] adj: ~ **(von)** dependent (on); **A~keit** f: **A~keit (von)** dependence (on)

abhärten ['aphɛrtən] vt, vr to toughen (o.s.) up; **sich gegen etw** ~ to inure o.s. to sth

abhauen ['aphaʊən] (unreg) vt to cut off; (Baum) to cut down ♦ vi (umg) to clear off od out

abheben ['aphe:bən] (unreg) vt to lift (up); (Karten) to cut; (Masche) to slip; (Geld) to withdraw, to take out ♦ vi (Flugzeug) to take off; (Rakete) to lift off; (KARTEN) to cut ♦ vr to stand out

abheften ['aphɛftən] vt (Rechnungen etc) to file away

abhetzen ['aphɛtsən] vr to wear od tire o.s. out

Abhilfe ['aphɪlfə] f remedy; ~ **schaffen** to put things right

abholen ['apho:lən] vt (Gegenstand) to fetch, to collect; (Person) to call for; (am Bahnhof etc) to pick up, to meet

abholzen ['aphɔltsən] vt (Wald) to clear

abhorchen ['aphɔrçən] vt (MED) to listen to a patient's chest

abhören ['aphø:rən] vt (Vokabeln) to test; (Telefongespräch) to tap; (Tonband etc) to listen to

Abhörgerät nt bug

Abitur [abi'tu:r] (-s, -e) nt German school-leaving examination; **~i'ent(in)** m(f) candidate for school-leaving certificate

Abk. abk (= Abkürzung) abbr.

abkapseln ['apkapsəln] vr to shut od cut o.s. off

abkaufen ['apkaʊfən] vt: **jdm etw** ~ (auch fig) to buy sth from sb

abkehren ['apke:rən] vt (Blick) to avert, to turn away ♦ vr to turn away

abklingen ['apklɪŋən] (unreg) vi to die away; (Radio) to fade out

abknöpfen ['apknœpfən] vt to unbutton; **jdm etw** ~ (umg) to get sth off sb

abkochen ['apkɔxən] vt to boil

abkommen ['apkɔmən] (unreg) vi to get away; **A~** (-s, -) nt agreement; **von der Straße/von einem Plan** ~ to leave the road/give up a plan

abkömmlich ['apkœmlɪç] adj available, free

abkratzen ['apkratsən] vt to scrape off ♦ vi (umg) to kick the bucket

abkühlen ['apky:lən] vt to cool down ♦ vr (Mensch) to cool down od off; (Wetter) to get cool; (Zuneigung) to cool

abkürzen ['apkʏrtsən] vt to shorten; (Wort auch) to abbreviate; **den Weg** ~ to take a short cut

Abkürzung f (Wort) abbreviation; (Weg) short cut

abladen ['apla:dən] (unreg) vt to unload

Ablage ['apla:gə] f (für Akten) tray; (für Kleider) cloakroom

ablassen ['aplasən] (unreg) vt (Wasser, Dampf) to let off; (vom Preis) to knock off ♦ vi: **von etw** ~ to give sth up, to abandon sth

Ablauf ['aplaʊf] m (Abfluß) drain; (von Ereignissen) course; (einer Frist, Zeit) expiry (BRIT), expiration (US); **a~en** (unreg) vi (abfließen) to drain away; (Ereignisse) to happen; (Frist, Zeit, Paß) to expire ♦ vt (Sohlen) to wear (down od out)

ablegen ['aple:gən] vt to put od lay down; (Kleider) to take off; (Gewohnheit) to get rid of; (Prüfung) to take, to sit; (Zeugnis) to give

Ableger (-s, -) m layer; (fig) branch, offshoot

ablehnen ['aple:nən] vt to reject; (Einladung) to decline, to refuse ♦ vi to decline, to refuse

ablehnend adj (Haltung, Antwort) negative; (Geste) disapproving; **ein ~er Bescheid** a rejection

Ablehnung f rejection; refusal

ableiten ['aplaɪtən] vt (Wasser) to divert; (deduzieren) to deduce; (Wort) to derive

Ableitung f diversion; deduction; derivation; (Wort) derivative

ablenken ['aplɛŋkən] vt to turn away, to deflect; (zerstreuen) to distract ♦ vi to change the subject

Ablenkung f distraction

ablesen ['aple:zən] (unreg) vt to read out; (Meßgeräte) to read

abliefern ['apli:fərn] vt to deliver; **etw bei jdm/einer Dienststelle** ~ to hand sth over to sb/in at an office

Ablieferung f delivery

abliegen ['apli:gən] (unreg) vi to be some distance away; (fig) to be far removed

ablösen ['aplø:zən] vt (abtrennen) to take

off, to remove; (*in Amt*) to take over from; (*Wache*) to relieve

Ablösung *f* removal; relieving

abmachen ['apmaxən] *vt* to take off; (*vereinbaren*) to agree

Abmachung *f* agreement

abmagern ['apma:gərn] *vi* to get thinner

Abmagerungskur *f* diet; **eine ~ machen** to go on a diet

Abmarsch ['apmarʃ] *m* departure

abmelden ['apmɛldən] *vt* (*Zeitungen*) to cancel; (*Auto*) to take off the road ♦ *vr* to give notice of one's departure; (*im Hotel*) to check out; **jdn bei der Polizei ~** to register sb's departure with the police

abmessen ['apmɛsən] (*unreg*) *vt* to measure

Abmessung *f* measurement

abmontieren ['apmɔnti:rən] *vt* to take off

abmühen ['apmy:ən] *vr* to wear o.s. out

Abnahme ['apna:mə] *f* (+*gen*) removal; (*COMM*) buying; (*Verringerung*) decrease (in)

abnehmen ['apne:mən] (*unreg*) *vt* to take off, to remove; (*Führerschein*) to take away; (*Prüfung*) to hold; (*Maschen*) to decrease ♦ *vi* to decrease; (*schlanker werden*) to lose weight; **(jdm) etw ~** (*Geld*) to get sth (out of sb); (*kaufen, auch: glauben*) to buy sth (from sb); **jdm Arbeit ~** to take work off sb's shoulders

Abnehmer (**-s, -**) *m* purchaser, customer

Abneigung ['apnaigʊŋ] *f* aversion, dislike

abnorm [ap'nɔrm] *adj* abnormal

abnutzen ['apnutsən] *vt* to wear out

Abnutzung *f* wear (and tear)

Abonnement [abɔn(ə)'ma:] (**-s, -s**) *nt* subscription

Abonnent(in) [abo'nɛnt(ɪn)] *m(f)* subscriber

abonnieren [abo'ni:rən] *vt* to subscribe to

Abordnung ['ap'ɔrdnʊŋ] *f* delegation

abpacken ['apakən] *vt* to pack

abpassen ['apasən] *vt* (*Person, Gelegenheit*) to wait for; (*in Größe: Stoff etc*) to adjust

abpfeifen ['apfaifən] (*unreg*) *vt, vi* (*SPORT*): **(das Spiel) ~** to blow the whistle (for the end of the game)

Abpfiff ['apfif] *m* final whistle

abplagen ['appla:gən] *vr* to wear o.s. out

abprallen ['appralən] *vi* to bounce off; to ricochet

abputzen ['apputsən] *vt* to clean

abraten ['apra:tən] (*unreg*) *vi*: **jdm von etw ~** to advise sb against sth, to warn sb against sth

abräumen ['aprɔymən] *vt* to clear up *od* away

abreagieren ['apreagi:rən] *vt*: **seinen Zorn (an jdm/etw) ~** to work one's anger off (on sb/sth) ♦ *vr* to calm down

abrechnen ['aprɛçnən] *vt* to deduct, to take off ♦ *vi* to settle up; (*fig*) to get even

Abrechnung *f* settlement; (*Rechnung*) bill

Abrede ['apre:də] *f*: **etw in ~ stellen** to deny *od* dispute sth

abregen ['apre:gən] (*umg*) *vr* to calm *od* cool down

Abreise ['apraizə] *nf* departure; **a~n** *vi* to leave, to set off

abreißen ['apraisən] (*unreg*) *vt* (*Haus*) to tear down; (*Blatt*) to tear off

abrichten ['aprɪçtən] *vt* to train

abriegeln ['apri:gəln] *vt* (*Tür*) to bolt; (*Straße, Gebiet*) to seal off

Abriß ['aprɪs] (**-sses, -sse**) *m* (*Übersicht*) outline

Abruf ['apru:f] *m*: **auf ~** on call; **a~en** (*unreg*) *vt* (*Mensch*) to call away; (*COMM*: *Ware*) to request delivery of

abrunden ['aprundən] *vt* to round off

abrüsten ['aprʏstən] *vi* to disarm

Abrüstung *f* disarmament

abrutschen ['aprutʃən] *vi* to slip; (*AVIAT*) to sideslip

Abs. *abk* (= *Absender*) sender, from

Absage ['apza:gə] *f* refusal; **a~n** *vt* to cancel, to call off; (*Einladung*) to turn down ♦ *vi* to cry off; (*ablehnen*) to decline

absägen ['apzɛ:gən] *vt* to saw off

absahnen ['apza:nən] *vt* to skim

Absatz ['apzats] *m* (*COMM*) sales *pl*; (*Bodensatz*) deposit; (*neuer Abschnitt*) paragraph; (*Treppen~*) landing; (*Schuh~*) heel; **~gebiet** *nt* (*COMM*) market

abschaben ['apʃa:bən] *vt* to scrape off; (*Möhren*) to scrape

abschaffen ['apʃafən] *vt* to abolish, to do away with

Abschaffung *f* abolition

abschalten ['apʃaltən] *vt, vi* (*auch umg*) to switch off

abschätzen ['apʃɛtsən] *vt* to estimate; (*Lage*) to assess; (*Person*) to size up

abschätzig ['apʃɛtsɪç] *adj* disparaging, derogatory

Abschaum ['apʃaum] (**-(e)s**) *m* scum

Abscheu ['apʃɔy] (**-(e)s**) *m* loathing, repugnance; **a~erregend** *adj* repulsive, loathsome; **a~lich** [ap'ʃɔylɪç] *adj* abominable

abschicken ['apʃɪkən] *vt* to send off

abschieben ['apʃi:bən] (*unreg*) *vt* to push away; (*Person*) to pack off; (: *POL*) to deport

Abschied ['apʃi:t] (**-(e)s, -e**) *m* parting; (*von Armee*) discharge; (*von jdm*) **~ nehmen** (of) to say goodbye (to sb), to take one's leave (of sb); **seinen ~ nehmen** (*MIL*) to apply for discharge; **~sbrief** *m* farewell letter; **~sfeier** *f* farewell party

abschießen ['apʃi:sən] (*unreg*) *vt* (*Flugzeug*) to shoot down; (*Geschoß*) to fire; (*umg*: *Minister*) to get rid of

abschirmen ['apʃɪrmən] vt to screen
abschlagen ['apʃlaːgən] (unreg) vt (abhacken, COMM) to knock off; (ablehnen) to refuse; (MIL) to repel
abschlägig ['apʃlɛːgɪç] adj negative
Abschlagszahlung f interim payment
abschleifen ['apʃlaɪfən] (unreg) vt to grind down; (Rost) to polish off ♦ vr to wear off
Abschlepp- ['apʃlɛp] zW: **~dienst** m (AUT) breakdown service (BRIT), towing company (US); **a~en** vt to (take in) tow; **~seil** nt towrope
abschließen ['apʃliːsən] (unreg) vt (Tür) to lock; (beenden) to conclude, to finish; (Vertrag, Handel) to conclude ♦ vr (sich isolieren) to cut o.s. off; **~d** adj concluding
Abschluß ['apʃlʊs] m (Beendigung) close, conclusion; (COMM: Bilanz) balancing; (von Vertrag, Handel) conclusion; **zum ~** in conclusion; **~feier** f (SCH) end-of-term party; **~prüfung** f final exam
abschmieren ['apʃmiːrən] vt (AUT) to grease, to lubricate
abschneiden ['apʃnaɪdən] (unreg) vt to cut off ♦ vi to do, to come off
Abschnitt ['apʃnɪt] m section; (MIL) sector; (Kontroll~) counterfoil; (MATH) segment; (Zeit~) period
abschöpfen ['apʃœpfən] vt to skim off
abschrauben ['apʃraʊbən] vt to unscrew
abschrecken ['apʃrɛkən] vt to deter, to put off; (mit kaltem Wasser) to plunge in cold water; **~d** adj deterrent; **~des Beispiel** warning
abschreiben ['apʃraɪbən] (unreg) vt to copy; (verlorengeben) to write off; (COMM) to deduct
Abschrift ['apʃrɪft] f copy
Abschuß ['apʃʊs] m (eines Geschützes) firing; (Herunterschießen) shooting down; (Tötung) shooting
abschüssig ['apʃʏsɪç] adj steep
abschütteln ['apʃʏtəln] vt to shake off
abschwächen ['apʃvɛçən] vt to lessen; (Behauptung, Kritik) to tone down ♦ vr to lessen
Abschweifung [apʃvaɪfʊŋ] f digression
abschwellen ['apʃvɛlən] (unreg) vi (Geschwulst) to go down; (Lärm) to die down
abschwören ['apʃvøːrən] vi (+dat) to renounce
absehbar adj foreseeable; **in ~er Zeit** in the foreseeable future; **das Ende ist ~** the end is in sight
absehen ['apzeːən] (unreg) vt (Ende, Folgen) to foresee ♦ vi: **von etw ~** to refrain from sth; (nicht berücksichtigen) to leave sth out of consideration
abseilen ['apzaɪlən] vr (Bergsteiger) to abseil (down)
abseits ['apzaɪts] adv out of the way ♦ präp +gen away from; **A~** nt (SPORT) offside

Absend- ['apzɛnd] zW: **a~en** (unreg) vt to send off, to dispatch; **~er (-s, -)** m sender
absetzen ['apzɛtsən] vt (niederstellen, aussteigen lassen) to put down; (abnehmen) to take off; (COMM: verkaufen) to sell; (FIN: abziehen) to deduct; (entlassen) to dismiss; (König) to depose; (streichen) to drop; (hervorheben) to pick out ♦ vr (sich entfernen) to clear off; (sich ablagern) to be deposited
Absetzung f (FIN: Abzug) deduction; (Entlassung) dismissal; (von König) deposing; (Streichung) dropping
absichern ['apzɪçərn] vt to make safe; (schützen) to safeguard ♦ vr to protect o.s.
Absicht ['apzɪçt] f intention; **mit ~** on purpose; **a~lich** adj intentional, deliberate
absinken ['apzɪŋkən] (unreg) vi to sink; (Temperatur, Geschwindigkeit) to decrease
absitzen ['apzɪtsən] (unreg) vi to dismount ♦ vt (Strafe) to serve
absolut [apzoˈluːt] adj absolute; **A~ismus** [-ˈtɪsmʊs] m absolutism
absolvieren [apzɔlˈviːrən] vt (SCH) to complete
absonder- ['apzɔndər] zW: **~lich** adj odd, strange; **~n** vt to separate; (ausscheiden) to give off, to secrete ♦ vr to cut o.s. off; **A~ung** f separation; (MED) secretion
abspalten ['apʃpaltən] vt to split off
abspannen [apʃpanən] vt (Pferde) to unhitch; (Wagen) to uncouple
abspeisen ['apʃpaɪzən] vt (fig) to fob off
abspenstig ['apʃpɛnstɪç] adj: **(jdm) ~ machen** to lure away (from sb)
absperren ['apʃpɛrən] vt to block od close off; (Tür) to lock
Absperrung f (Vorgang) blocking od closing off; (Sperre) barricade
abspielen ['apʃpiːlən] vt (Platte, Tonband) to play; (SPORT: Ball) to pass ♦ vr to happen
absplittern ['apʃplɪtərn] vt to chip off
Absprache ['apʃpraːxə] f arrangement
absprechen ['apʃprɛçən] (unreg) vt (vereinbaren) to arrange; **jdm etw ~** to deny sb sth
abspringen ['apʃprɪŋən] (unreg) vi to jump down/off; (Farbe, Lack) to flake off; (AVIAT) to bale out; (sich distanzieren) to back out
Absprung ['apʃprʊŋ] m jump
abspülen ['apʃpyːlən] vt to rinse; (Geschirr) to wash up
abstammen ['apʃtamən] vi to be descended; (Wort) to be derived
Abstammung f descent; derivation
Abstand ['apʃtant] m distance; (zeitlich) interval; **davon ~ nehmen, etw zu tun** to refrain from doing sth; **~ halten** (AUT) to keep one's distance; **mit ~ der beste** by far the best
abstatten ['apʃtatən] vt (Dank) to give; (Besuch) to pay

abstauben ['apʃtaubən] *vt, vi* to dust; (*umg: stehlen*) to pinch; (: *schnorren*) to scrounge

Abstecher ['apʃtɛçər] (**-s,** -) *m* detour

abstehen ['apʃteːən] (*unreg*) *vi* (*Ohren, Haare*) to stick out; (*entfernt sein*) to stand away

absteigen ['apʃtaigən] (*unreg*) *vi* (*vom Rad etc*) to get off, to dismount; **in einem Gasthof** ~ to put up at an inn; (**in die zweite Liga**) ~ to be relegated (to the second division)

abstellen ['apʃtɛlən] *vt* (*niederstellen*) to put down; (*entfernt stellen*) to pull out; (*hinstellen: Auto*) to park; (*ausschalten*) to turn *od* switch off; (*Mißstand, Unsitte*) to stop; (*ausrichten*): ~ **auf** +*akk* to gear to

Abstellgleis *nt* siding

Abstellkammer *f* boxroom

Abstellraum *m* storage room

abstempeln ['apʃtɛmpəln] *vt* to stamp

absterben ['apʃtɛrbən] (*unreg*) *vi* to die; (*Körperteil*) to go numb

Abstieg ['apʃtiːk] (**-(e)s,** -e) *m* descent; (*SPORT*) relegation; (*fig*) decline

abstimmen ['apʃtiman] *vi* to vote ♦ *vt*: ~ (**auf** +*akk*) (*Instrument*) to tune (to); (*Interessen*) to match (with); (*Termine, Ziele*) to fit in (with) ♦ *vr* to agree

Abstimmung *f* vote

Abstinenz [apsti'nɛnts] *f* abstinence; teetotalism; **~ler(in)** (**-s,** -) *m(f)* teetotaller

abstoßen ['apʃtoːsən] (*unreg*) *vt* to push off *od* away; (*verkaufen*) to unload; (*anekeln*) to repel, to repulse; **~d** *adj* repulsive

abstrakt [ap'strakt] *adj* abstract ♦ *adv* abstractly, in the abstract

abstreiten ['apʃtraitən] (*unreg*) *vt* to deny

Abstrich ['apʃtriç] *m* (*Abzug*) cut; (*MED*) smear; **~e machen** to lower one's sights

abstufen ['apʃtuːfən] *vt* (*Hang*) to terrace; (*Farben*) to shade; (*Gehälter*) to grade

abstumpfen ['apʃtumpfən] *vt* (*auch fig*) to dull, to blunt ♦ *vi* to become dulled

Absturz ['apʃturts] *m* fall; (*AVIAT*) crash

abstürzen ['apʃtyrtsən] *vi* to fall; (*AVIAT*) to crash

absuchen ['apzuːxən] *vt* to scour, to search

absurd [ap'zurt] *adj* absurd

Abszeß [aps'tsɛs] (**-sses,** -**sse**) *m* abscess

Abt [apt] (**-(e)s,** ⸚**e**) *m* abbot

Abt. *abk* (= *Abteilung*) dept.

abtasten ['aptastən] *vt* to feel, to probe

abtauen ['aptauən] *vt, vi* to thaw

Abtei [ap'tai] (**-,** -**en**) *f* abbey

Abteil [ap'tail] (**-(e)s,** -**e**) *nt* compartment; '**a~en** *vt* to divide up; (*abtrennen*) to divide off; **~ung** *f* (*in Firma, Kaufhaus*) department; (*in Krankenhaus*) section; (*MIL*) unit

abtippen ['aptipən] *vt* (*Text*) to type up

abtransportieren ['aptransportiːrən] *vt* to take away, to remove

abtreiben ['aptraibən] (*unreg*) *vt* (*Boot, Flugzeug*) to drive off course; (*Kind*) to abort ♦ *vi* to be driven off course; to abort

Abtreibung *f* abortion

abtrennen ['aptrɛnən] *vt* (*lostrennen*) to detach; (*entfernen*) to take off; (*abteilen*) to separate off

abtreten ['aptreːtən] (*unreg*) *vt* to wear out; (*überlassen*) to hand over, to cede ♦ *vi* to go off; (*zurücktreten*) to step down

Abtritt ['aptrit] *m* resignation

abtrocknen ['aptrɔknən] *vt, vi* to dry

abtun ['aptuːn] (*unreg*) *vt* to take off; (*Gewohnheit*) to give up; (*fig*) to dismiss

abwägen ['apvɛːgən] (*unreg*) *vt* to weigh up

abwälzen ['apvɛltsən] *vt* (*Schuld, Verantwortung*): ~ (**auf** +*acc*) to shift (onto)

abwandeln ['apvandəln] *vt* to adapt

abwandern ['apvandərn] *vi* to move away; (*FIN*) to be transferred

abwarten ['apvartən] *vt* to wait for ♦ *vi* to wait

abwärts ['apvɛrts] *adv* down

Abwasch ['apvaʃ] (**-(e)s**) *m* washing-up; **a~en** (*unreg*) *vt* (*Schmutz*) to wash off; (*Geschirr*) to wash (up)

Abwasser ['apvasər] (**-s,** -**wässer**) *nt* sewage

abwechseln ['apvɛksəln] *vi, vr* to alternate; (*Personen*) to take turns; **~d** *adj* alternate

Abwechslung *f* change

abwegig ['apveːgiç] *adj* wrong

Abwehr ['apveːr] (**-**) *f* defence; (*Schutz*) protection; (*~dienst*) counterintelligence (service); **a~en** *vt* to ward off; (*Ball*) to stop

abweichen ['apvaiçən] (*unreg*) *vi* to deviate; (*Meinung*) to differ

abweisen ['apvaizən] (*unreg*) *vt* to turn away; (*Antrag*) to turn down; **~d** *adj* (*Haltung*) cold

abwenden ['apvɛndən] (*unreg*) *vt* to avert ♦ *vr* to turn away

abwerfen ['apvɛrfən] (*unreg*) *vt* to throw off; (*Profit*) to yield; (*aus Flugzeug*) to drop; (*Spielkarte*) to discard

abwerten ['apveːrtən] *vt* (*FIN*) to devalue

abwertend *adj* (*Worte, Sinn*) pejorative

abwesend ['apveːzənt] *adj* absent

Abwesenheit ['apveːzənhait] *f* absence

abwickeln ['apvikəln] *vt* to unwind; (*Geschäft*) to wind up

abwimmeln ['apviməln] (*umg*) *vt* (*Menschen*) to get shot of

abwischen ['apviʃən] *vt* to wipe off *od* away; (*putzen*) to wipe

Abwurf ['apvurf] *m* throwing off; (*von Bomben etc*) dropping; (*von Reiter, SPORT*) throw

abwürgen ['apvyrgən] (*umg*) *vt* to scotch;

(*Motor*) to stall
abzahlen ['aptsɑːlən] *vt* to pay off
abzählen ['aptsɛːlən] *vt, vi* to count (up)
Abzahlung *f* repayment; **auf ~ kaufen** to buy on hire purchase
abzapfen ['aptsapfən] *vt* to draw off; **jdm Blut ~** to take blood from sb
abzäunen ['aptsɔynən] *vt* to fence off
Abzeichen ['aptsaiçən] *nt* badge; (*Orden*) decoration
abzeichnen ['aptsaiçnən] *vt* to draw, to copy; (*Dokument*) to initial ♦ *vr* to stand out; (*fig: bevorstehen*) to loom
Abziehbild *nt* transfer
abziehen ['aptsiːən] (*unreg*) *vt* to take off; (*Tier*) to skin; (*Bett*) to strip; (*Truppen*) to withdraw; (*subtrahieren*) to take away, to subtract; (*kopieren*) to run off ♦ *vi* to go away; (*Truppen*) to withdraw
abzielen ['aptsiːlən] *vi*: **~ auf** +*akk* to be aimed at
Abzug ['aptsuːk] *m* departure; (*von Truppen*) withdrawal; (*Kopie*) copy; (*Subtraktion*) subtraction; (*Betrag*) deduction; (*Rauch~*) flue; (*von Waffen*) trigger
abzüglich ['aptsyːklɪç] *präp* +*gen* less
abzweigen ['aptsvaigən] *vi* to branch off ♦ *vt* to set aside
Abzweigung *f* junction
ach [ax] *excl* oh; **~ ja!** (oh) yes; **~ so!** (oh) I see; **mit A~ und Krach** by the skin of one's teeth
Achse ['aksə] *f* axis; (*AUT*) axle
Achsel ['aksəl] (-, -n) *f* shoulder; **~höhle** *f* armpit
acht [axt] *num* eight; **~ Tage** a week; **A~** *f* -, **-en** eight; (*beim Eislaufen etc*) figure (of) eight; **~e(r, s)** *adj* eighth; **A~el** *num* eighth
Acht *f* -, **-en**: **sich in ~ nehmen (vor** +*dat*) to be careful (of), to watch out (for); **etw außer ~ lassen** to disregard sth; **a~bar** *adj* worthy; **a~en** *vt* to respect ♦ *vi*: **a~en (auf** +*akk*) to pay attention (to); **a~en, daß ...** to be careful that ...
ächten ['ɛçtən] *vt* to outlaw, to ban
Achterbahn ['axtər-] *f* roller coaster
Achterdeck *nt* (*NAUT*) afterdeck
acht- *zW*: **~fach** *adj* eightfold; **~geben** (*unreg*) *vi*: **~geben (auf** +*akk*) to pay attention (to); **~hundert** *num* eight hundred; **~los** *adj* careless; **~mal** *adv* eight times; **~sam** *adj* attentive
Achtung ['axtuŋ] *f* attention; (*Ehrfurcht*) respect ♦ *excl* look out!; (*MIL*) attention!; **alle ~!** good for you/him *etc*
achtzehn *num* eighteen
achtzig *num* eighty
ächzen ['ɛçtsən] *vi* to groan
Acker ['akər] (-s, ¨) *m* field; **~bau** *m* agriculture; **a~n** *vt, vi* to plough; (*umg*) to slog away

ADAC [aːdeːʔaːˈtseː] *abk* (= *Allgemeiner Deutscher Automobil-Club*) ≈ AA, RAC
addieren [aˈdiːrən] *vt* to add (up)
Addition [aditsiˈoːn] *f* addition
ade [aˈdeː] *interj* bye!
Adel ['aːdəl] (-s) *m* nobility; **a~ig** *adj* noble
adeln *vt* to raise to the peerage
Ader ['aːdər] (-, -n) *f* vein
Adjektiv ['atjɛktiːf] (-s, -e) *nt* adjective
Adler ['aːdlər] (-s, -) *m* eagle
adlig *adj* noble
Admiral [atmiˈraːl] (-s, -e) *m* admiral
Adopt- *zW*: **a~ieren** [adɔpˈtiːrən] *vt* to adopt; **~ion** [adɔptsiˈoːn] *f* adoption; **~iveltern** [adɔpˈtiːf-] *pl* adoptive parents; **~ivkind** *nt* adopted child
Adreßbuch *nt* directory; (*privat*) address book
Adress- *zW*: **~e** [aˈdrɛsə] *f* address; **a~ieren** [adrɛˈsiːrən] **~ieren (an** +*akk*) to address (to)
Adria ['aːdria] (-) *f* Adriatic
Advent [atˈvɛnt] (-(e)s, -e) *m* Advent; **~skalender** *m* Advent calendar; **~skranz** *m* Advent wreath
Adverb [atˈvɛrp] *nt* adverb
aero- [aero] *präfix* aero
Aerobic [aeˈrɔbik] *nt* aerobics *sg*
Affäre [aˈfɛːrə] *f* affair
Affe ['afə] (-n, -n) *m* monkey
affektiert [afɛkˈtiːrt] *adj* affected
Affen- *zW*: **a~artig** *adj* like a monkey; **mit a~artiger Geschwindigkeit** like a flash; **~hitze** (*umg*) *f* incredible heat; **~schande** (*umg*) *f* crying shame
affig ['afɪç] *adj* affected
Afrika ['aːfrika] (-s) *nt* Africa; **~ner(in)** [-ˈkaːnər(ɪn)] (-s, -) *m(f)* African; **a~nisch** *adj* African
After ['aftər] (-s, -) *m* anus
AG [aːˈgeː] *abk* (= *Aktiengesellschaft*) ≈ Ltd. (*BRIT*); ≈ Inc. (*US*)
Agent [aˈgɛnt] *m* agent; **~ur** *f* agency
Aggregat [agreˈgaːt] (-(e)s, -e) *nt* aggregate; (*TECH*) unit
Aggress- *zW*: **~ion** [agresiˈoːn] *f* aggression; **a~iv** [agreˈsiːf] *adj* aggressive; **~ivität** [agresiviˈtɛːt] *f* aggressiveness
Agrarpolitik [aˈgraːr-] *f* agricultural policy
Ägypt- *zW*: **~en** [ɛˈgypt] (-s) *nt* Egypt; **~er(in)** (-s, -) *m(f)* Egyptian; **ä~isch** *adj* Egyptian
ah [aː] *excl* ah
aha [aˈhaː] *excl* aha
ähneln ['ɛːnəln] *vi* +*dat* to be like, to resemble ♦ *vr* to be alike *od* similar
ahnen ['aːnən] *vt* to suspect; (*Tod, Gefahr*) to have a presentiment of
ähnlich ['ɛːnlɪç] *adj* (+*dat*) similar (to); **Ä~keit** *f* similarity
Ahnung ['aːnuŋ] *f* idea, suspicion; presentiment; **a~slos** *adj* unsuspecting

Ahorn ['a:horn] (-s, -e) *m* maple
Ähre ['ɛ:rə] *f* ear
Aids [e:dz] *nt* AIDS *sg*
Akademie [akade'mi:] *f* academy
Akademiker(in) [aka'de:mikər(ɪn)] (-s, -) *m(f)* university graduate
akademisch *adj* academic
akklimatisieren [aklimati'zi:rən] *vr* to become acclimatized
Akkord [a'kɔrt] (-(e)s, -e) *m* (MUS) chord; **im ~ arbeiten** to do piecework
Akkordeon [a'kɔrdeɔn] (-s, -s) *nt* accordion
Akkusativ ['akuzati:f] (-s, -e) *m* accusative
Akne ['aknə] *f* acne
Akrobat(in) [akro'ba:t(ɪn)] (-en, -en) *m(f)* acrobat
Akt [akt] (-(e)s, -e) *m* act; (KUNST) nude
Akte ['aktə] *f* file; **~nkoffer** *m* attaché case; **a~nkundig** *adj* on the files; **~nschrank** *m* filing cabinet; **~ntasche** *f* briefcase
Aktie ['aktsiə] *f* share
Aktien- *zW:* **~gesellschaft** *f* joint-stock company; **~index** (-(es), -e *od* -indices) *m* share index; **~kurs** *m* share price
Aktion [aktsi'o:n] *f* campaign; (Polizei~, Such~) action; **~är** [-'nɛ:r] (-s, -e) *m* shareholder
aktiv [ak'ti:f] *adj* active; (MIL) regular; **~ieren** [-'vi:rən] *vt* to activate; **A~i'tät** *f* activity
Aktualität [aktuali'tɛ:t] *f* topicality; (einer Mode) up-to-dateness
aktuell [aktu'ɛl] *adj* topical; up-to-date
Akupunktur [akupuŋk'tu:ər] *f* acupuncture
Akustik [a'kʊstɪk] *f* acoustics *pl*
akut [a'ku:t] *adj* acute
Akzent [ak'tsɛnt] *m* accent; (Betonung) stress
akzeptieren [aktsep'ti:rən] *vt* to accept
Alarm [a'larm] (-(e)s, -e) *m* alarm; **~anlage** *f* alarm system; **a~bereit** *adj* standing by; **~bereitschaft** *f* stand-by; **a~ieren** [-'mi:rən] *vt* to alarm
Alban- [al'ba:n] *zW:* **~er(in)** [al'ba:nər(m)] (-s, -) *m(f)* (GEOG) Albanian; **~ien** (-s) *nt* Albania; **a~isch** *adj* Albanian
albern ['albərn] *adj* silly
Album ['album] (-s, Alben) *nt* album
Alge ['algə] *f* algae
Algebra ['algebra] (-) *f* algebra
Alger- [al'ge:r] *zW:* **~ien** (-s) *nt* Algeria; **~ier(in)** (-s, -) *m(f)* Algerian; **a~isch** *adj* Algerian
alias ['a:lias] *adv* alias
Alibi [a'libi] (-s, -s) *nt* alibi
Alimente [ali'mɛntə] *pl* alimony *sg*
Alkohol ['alkoho:l] (-s, -e) *m* alcohol; **a~frei** *adj* non-alcoholic; **~iker(in)** [alko'ho:likər(ɪn)] (-s, -) *m(f)* alcoholic; **a~isch** *adj* alcoholic; **~verbot** *nt* ban on alcohol

All [al] (-s) *nt* universe; **a~'abendlich** *adj* every evening; **'a~bekannt** *adj* universally known

---

alle(r, s) ['alə(r, s)] *adj* **1** (sämtliche) all; **wir alle** all of us; **alle Kinder waren da** all the children were there; **alle Kinder mögen ...** all children like ...; **alle beide** both of us/them; **sie kamen alle** they all came; **alles Gute** all the best; **alles in allem** all in all
2 (mit Zeit- oder Maßangaben) every; **alle vier Jahre** every four years; **alle fünf Meter** every five metres
♦ *pron* everything; **alles was er sagt** everything he says, all that he says
♦ *adv* (zu Ende, aufgebraucht) finished; **die Milch ist alle** the milk's all gone, there's no milk left; **etw alle machen** to finish sth up

---

Allee [a'le:] *f* avenue
allein [a'laɪn] *adv* alone; (ohne Hilfe) on one's own, by oneself ♦ *konj* but, only; **nicht ~** (nicht nur) not only; **A~erziehende(r)** *mf* single parent; **A~gang** *m:* **im A~gang** on one's own; **~stehend** *adj* single
allemal ['alə'ma:l] *adv* (jedesmal) always; (ohne weiteres) with no bother; **ein für ~** once and for all
allenfalls ['alənfals] *adv* at all events; (höchstens) at most
aller- ['alər] *zW:* **~beste(r, s)** *adj* very best; **~dings** *adv* (zwar) admittedly; (gewiß) certainly
Allergie [aler'gi:] *f* allergy; **all'ergisch** *adj* allergic
aller- *zW:* **~hand** (umg) *adj inv* all sorts of; **das ist doch ~hand!** that's a bit much; **~hand!** (lobend) good show!; **A~'heiligen** *nt* All Saints' Day; **~höchstens** *adv* at the very most; **~lei** *adj inv* all sorts of; **~letzte(r, s)** *adj* very last; **~seits** *adv* on all sides; **prost ~seits!** cheers everyone!
Allerwelts- in *zW* (Durchschnitts-) common; (nichtssagend) commonplace
alles *pron* everything; **~ in allem** all in all; **~ Gute!** all the best!
Alleskleber (-s, -) *m* multi-purpose glue
allgemein ['algə'maɪn] *adj* general; **im ~en** in general; **~gültig** *adj* generally accepted
Allgemeinwissen *nt* general knowledge
Alliierte(r) [ali'i:rtə(r)] *m* ally
all- *zW:* **~jährlich** *adj* annual; **~mählich** *adj* gradual; **A~tag** *m* everyday life; **~täglich** *adj, adv* daily; (gewöhnlich) commonplace; **~tags** *adv* on weekdays; **~'wissend** *adj* omniscient; **~zu** *adv* all too; **~zuoft** *adv* all too often; **~zuviel** *adv*

too much

Allzweck- ['altsvɛk-] *in zW* multi-purpose
Alm [alm] **(-, -en)** *f* alpine pasture
Almosen ['almo:zən] **(-s, -)** *nt* alms *pl*
Alpen ['alpən] *pl* Alps
Alphabet [alfa'be:t] **(-(e)s, -e)** *nt* alphabet;
  a~isch *adj* alphabetical
Alptraum ['alptraum] *m* nightmare

─────── SCHLÜSSELWORT ───────

als [als] *konj* **1** *(zeitlich)* when; *(gleichzeitig)*
as; **damals, als ...** (in the days) when ...;
gerade, als ... just as ...
2 *(in der Eigenschaft)* than; **als Antwort** as
an answer; **als Kind** as a child
3 *(bei Vergleichen)* than; **ich kam später
als er** I came later than he (did) *od* later
than him; **lieber ... als ...** rather ... than ...;
nichts als Ärger nothing but trouble
4: **als ob/wenn** as if

──────────────────────────────

also ['alzo:] *konj* so; *(folglich)* therefore; **~
gut** *od* **schön!** okay then; **~, so was!** well
really!; **na ~!** there you are then!
Alt [alt] **(-s, -e)** *m (MUS)* alto
alt *adj* old; **alles beim ~en lassen** to leave
everything as it was
Altar [al'ta:r] **(-(e)s, -äre)** *m* altar
Altbau *m* old building
altbekannt *adj* long-known
Alt'eisen *nt* scrap iron
Alten(wohn)heim *nt* old people's home
Alter ['altər] **(-s, -)** *nt* age; *(hohes)* old age;
im ~ von at the age of; **a~n** *vi* to grow
old, to age
Alternativ- [alterna'ti:f] *in zW* alternative;
~e *f* alternative
Alters- *zW*: **~grenze** *f* age limit; **~heim**
nt old people's home; **~rente** *f* old age
pension; **a~schwach** *adj (Mensch)* frail;
~versorgung *f* old age pension
Altertum *nt* antiquity
alt- *zW*: **A~glas** *nt* glass for recycling;
A~glascontainer *m* bottle bank; **~klug**
adj precocious; **~modisch** *adj* old-
fashioned; **A~papier** *nt* waste paper;
A~stadt *f* old town
Alufolie ['a:lufo:liə] *f* aluminium foil
Aluminium [alu'mi:niʊm] **(-s)** *nt* aluminium, aluminum *(US)*; **~folie** *f* tinfoil
Alzheimer-Krankheit ['æltshaɪmə*-] *f* Alz-
heimer's (disease)
am [am] = **an dem**; **~ Schlafen** *(umg)*
sleeping; **~ 15. März** on March 15th; **~
besten/schönsten** best/most beautiful
Amateur [ama'tø:r] *m* amateur
Amboß ['ambɔs] **(-sses, -sse)** *m* anvil
ambulant [ambu'lant] *adj* outpatient
Ambulanz [ambu'lants] *f* outpatients *sg*
Ameise ['a:maɪzə] *f* ant
Ameisenhaufen *m* ant hill
Amerika [a'me:rika] **(-s)** *nt* America;

~ner(in) [-'ka:nər(ɪn)] **(-s, -)** *m(f)* American; **a~nisch** [-'ka:nɪʃ] *adj* American
Amnestie [amnɛs'ti:] *f* amnesty
Ampel ['ampəl] **(-, -n)** *f* traffic lights *pl*
amputieren [ampu'ti:rən] *vt* to amputate
Amsel ['amzəl] **(-, -n)** *f* blackbird
Amt [amt] **(-(e)s, ¨er)** *nt* office; *(Pflicht)*
duty; *(TEL)* exchange; **a~ieren** [am'ti:rən]
vi to hold office; **a~lich** *adj* official
Amts- *zW*: **~richter** *m* district judge;
~stunden *pl* office hours; **~zeit** *f* period
of office
amüsant [amy'zant] *adj* amusing
amüsieren [amy'zi:rən] *vt* to amuse ♦ *vr* to
enjoy o.s.

─────── SCHLÜSSELWORT ───────

an [an] *präp +dat* **1** *(räumlich: wo?)* at; *(auf,
bei)* on; *(nahe bei)* near; **an diesem Ort** at
this place; **an der Wand** on the wall; **zu
nahe an etw** too near to sth; **unten am
Fluß** down by the river; **Köln liegt am
Rhein** Cologne is on the Rhine
2 *(zeitlich: wann?)*: **an diesem Tag** on
this day; **an Ostern** at Easter
3: **arm an Fett** low in fat; **an etw sterben**
to die of sth; **an (und für) sich** actually
♦ *präp +akk* **1** *(räumlich: wohin?)* to; **er
ging ans Fenster** he went (over) to the
window; **etw an die Wand hängen/
schreiben** to hang/write sth on the
wall
2 *(zeitlich: woran?)*: **an etw denken** to
think of sth
3 *(gerichtet an)* to; **ein Gruß/eine Frage an
dich** greetings/a question to you
♦ *adv* **1** *(ungefähr)* about; **an die hundert**
about a hundred
2 *(auf Fahrplänen)*: **Frankfurt an 18.30** arriving Frankfurt 18.30
3 *(ab)*: **von dort/heute an** from there/
today onwards
4 *(angeschaltet, angezogen)* on; **das Licht
ist an** the light is on; **ohne etwas an** with
nothing on; *siehe auch* **am**

──────────────────────────────

analog [ana'lo:k] *adj* analogous; **A~ie** [-
'gi:] *f* analogy
Analyse [ana'ly:zə] *f* analysis
analysieren [analy'zi:rən] *vt* to analyse
Ananas ['ananas] **(-, - od -se)** *f* pineapple
Anarchie [anar'çi:] *f* anarchy
Anatomie [anato'mi:] *f* anatomy
anbahnen ['anba:nən] *vt, vr* to open up
Anbau ['anbau] *m (AGR)* cultivation; *(Gebäude)* extension; **a~en** *vt (AGR)* to cultivate; *(Gebäudeteil)* to build on
anbehalten ['anbəhaltən] *(unreg)* *vt* to
keep on
anbei [an'baɪ] *adv* enclosed
anbeißen ['anbaɪsən] *(unreg)* *vt* to bite into
♦ *vi* to bite; *(fig)* to swallow the bait; **zum**

A~ (umg) good enough to eat

anbelangen ['anbəlaŋən] vt to concern; **was mich anbelangt** as far as I am concerned

anbeten ['anbe:tən] vt to worship

Anbetracht ['anbətraxt] m: **in ~ +gen** in view of

anbiedern ['anbi:dərn] vr: **sich ~ (bei)** to make up (to)

anbieten ['anbi:tən] (unreg) vt to offer ♦ vr to volunteer

anbinden ['anbɪndən] (unreg) vt to tie up; **kurz angebunden** (fig) curt

Anblick ['anblɪk] m sight; **a~en** vt to look at

anbrechen ['anbrɛçən] (unreg) vt to start; (Vorräte) to break into ♦ vi to start; (Tag) to break; (Nacht) to fall

anbrennen ['anbrɛnən] (unreg) vi to catch fire; (KOCH) to burn

anbringen ['anbrɪŋən] (unreg) vt to bring; (Ware) to sell; (festmachen) to fasten

Anbruch ['anbrʊx] m beginning; **~ des Tages/der Nacht** dawn/nightfall

anbrüllen ['anbrʏlən] vt to roar at

Andacht ['andaxt] (-, -en) f devotion; (Gottesdienst) prayers pl

andächtig ['andɛçtɪç] adj devout

andauern ['andaʊərn] vi to last, to go on; **~d** adj continual

Anden ['andən] pl Andes

Andenken ['andɛŋkən] (-s, -) nt memory; souvenir

andere(r, s) ['andərə(r, s)] adj other; (verschieden) different; **ein ~s Mal** another time; **kein ~r** nobody else; **von etw ~m sprechen** to talk about something else; **~rseits** adv on the other hand

andermal adv: **ein ~** some other time

ändern ['ɛndərn] vt to alter, to change ♦ vr to change

andernfalls ['andərnfals] adv otherwise

anders ['andərs] adv: ~ **(als)** differently (from); **wer ~?** who else?; **jd/irgendwo ~** sb/somewhere else; **~ aussehen/klingen** to look/sound different; **~artig** adj different; **~herum** adv the other way round; **~wo** adv somewhere else; **~woher** adv from somewhere else

anderthalb ['andərt'halp] adj one and a half

Änderung ['ɛndərʊŋ] f alteration, change

anderweitig ['andər'vaɪtɪç] adj other ♦ adv otherwise; (anderswo) elsewhere

andeuten ['andɔʏtən] vt to indicate; (Wink geben) to hint at

Andeutung f indication; hint

Andrang ['andraŋ] m crush

andrehen ['andre:ən] vt to turn od switch on; **jdm etw ~** (umg) to unload sth onto sb

androhen ['andro:ən] vt: **jdm etw ~** to threaten sb with sth

aneignen ['an'aɪgnən] vt: **sich** dat **etw ~** to acquire sth; (widerrechtlich) to appropriate sth

aneinander [an'aɪ'nandər] adv at /on/to etc one another od each other; **~geraten** (unreg) vi to clash

Anekdote [anek'do:tə] f anecdote

anekeln ['an'e:kəln] vt to disgust

Anemone [ane'mo:nə] f anemone

anerkannt ['an'ɛrkant] adj recognized, acknowledged

anerkennen ['an'ɛrkɛnən] (unreg) vt to recognize, to acknowledge; (würdigen) to appreciate; **~d** adj appreciative

Anerkennung f recognition, acknowledgement; appreciation

anfachen ['anfaxən] vt to fan into flame; (fig) to kindle

anfahren ['anfa:rən] (unreg) vt to deliver; (fahren gegen) to hit; (Hafen) to put into; (fig) to bawl out ♦ vi to drive up; (losfahren) to drive off

Anfahrt ['anfa:rt] f (Anfahrtsweg, Anfahrtszeit) departure

Anfall ['anfal] m (MED) attack; **a~en** (unreg) vt to attack; (fig) to overcome ♦ vi (Arbeit) to come up; (Produkt) to be obtained

anfällig ['anfɛlɪç] adj delicate; ~ **für etw** prone to sth

Anfang ['anfaŋ] (-(e)s, -fänge) m beginning, start; **von ~ an** right from the beginning; **zu ~** at the beginning; ~ **Mai** at the beginning of May; **a~en** (unreg) vt, vi to begin, to start; (machen) to do

Anfänger(in) ['anfɛŋər(ɪn)] (-s, -) m(f) beginner

anfänglich ['anfɛŋlɪç] adj initial

anfangs adv at first; **A~buchstabe** m initial od first letter

anfassen ['anfasən] vt to handle; (berühren) to touch ♦ vi to lend a hand ♦ vr to feel

anfechten ['anfɛçtən] (unreg) vt to dispute; (beunruhigen) to trouble

anfertigen ['anfɛrtɪgən] vt to make

anfeuern ['anfɔʏərn] vt (fig) to spur on

anflehen ['anfle:ən] vt to implore

anfliegen ['anfli:gən] (unreg) vt to fly to

Anflug ['anflu:k] m (AVIAT) approach; (Spur) trace

anfordern ['anfɔrdərn] vt to demand; (COMM) to requisition

Anforderung f (+gen) demand (for)

Anfrage ['anfra:gə] f inquiry; **a~n** vi to inquire

anfreunden ['anfrɔʏndən] vr to make friends

anfügen ['anfy:gən] vt to add; (beifügen) to enclose

anfühlen ['anfy:lən] vt, vr to feel

anführen ['anfy:rən] vt to lead; (zitieren) to quote; (umg: betrügen) to lead up the gar-

den path
Anführer m leader
Anführung f leadership; (Zitat) quotation; **~szeichen** pl quotation marks, inverted commas
Angabe ['anga:bə] f statement; (TECH) specification; (umg: Prahlerei) boasting; (SPORT) service
angeben ['ange:bən] (unreg) vt to give; (anzeigen) to inform on; (bestimmen) to set ♦ vi (umg) to boast; (SPORT) to serve
Angeber (-s, -; umg) m show-off; **Angeberei** (umg) f showing off
angeblich ['ange:plɪç] adj alleged
angeboren ['angəbo:rən] adj inborn, innate
Angebot ['angəbo:t] nt offer; ~ (an +dat) (COMM) supply (of)
angebracht ['angəbraxt] adj appropriate, in order
angegriffen ['angəgrɪfən] adj exhausted
angeheitert ['angəhaɪtərt] adj tipsy
angehen ['ange:ən] (unreg) vt to concern; (angreifen) to attack; (bitten): **jdn ~ (um)** to approach sb (for) ♦ vi (Feuer) to light; (umg: beginnen) to begin; **~d** adj prospective
Angehörige(r) mf relative
Angeklagte(r) ['angəkla:ktə(r)] mf accused
Angel ['aŋəl] (-, -n) f fishing rod; (Tür~) hinge
Angelegenheit ['angəle:gənhaɪt] f affair, matter
Angel- zW: **~haken** m fish hook; **a~n** vt to catch ♦ vi to fish; **~n** (-s) nt angling, fishing; **~rute** f fishing rod
angemessen ['angəmɛsən] adj appropriate, suitable
angenehm ['angəne:m] adj pleasant; **~!** (bei Vorstellung) pleased to meet you
angeregt ['angəre:kt] adj animated, lively
angesehen ['angəze:ən] adj respected
angesichts ['angəzɪçts] präp +gen in view of, considering
angespannt ['angəʃpant] adj (Aufmerksamkeit) close; (Arbeit) hard
Angestellte(r) ['angəʃtɛltə(r)] mf employee
angetan ['angəta:n] adj: **von jdm/etw ~ sein** to be impressed by sb/sth; **es jdm ~ haben** to appeal to sb
angetrunken ['angətruŋkən] adj tipsy
angewiesen ['angəvi:zən] adj: **auf jdn/etw ~ sein** to be dependent on sb/sth
angewöhnen ['angəvø:nən] vt: **jdm/sich etw ~** to get sb/become accustomed to sth
Angewohnheit ['angəvo:nhaɪt] f habit
angleichen ['anglaɪçən] (unreg) vt, vr to adjust
Angler ['aŋlər] (-s, -) m angler
angreifen ['angraɪfən] (unreg) vt to attack; (anfassen) to touch; (Arbeit) to tackle; (beschädigen) to damage
Angreifer (-s, -) m attacker

Angriff ['angrɪf] m attack; **etw in ~ nehmen** to make a start on sth
Angst [aŋst] (-, ⸚e) f fear; **jdm ist a~** sb is afraid od scared; **~ haben (vor +dat)** to be afraid od scared (of); **~ haben um jdn/etw** to be worried about sb/sth; **jdm a~ machen** to scare sb; **~hase** (umg) m chicken, scaredy-cat
ängst- ['ɛŋst] zW: **~igen** vt to frighten ♦ vr: **sich ~igen (vor +dat od um)** to worry (o.s.) (about); **~lich** adj nervous; (besorgt) worried; **Ä~lichkeit** f nervousness
anhaben ['anha:bən] (unreg) vt to have on; **er kann mir nichts ~** he can't hurt me
anhalt- ['anhalt] zW: **~en** (unreg) vt to stop ♦ vi to stop; (andauern) to persist; (jdm) **etw ~en** to hold sth up (against sb); **jdn zur Arbeit/Höflichkeit ~en** to make sb work/be polite; **~end** adj persistent; **A~er** (-s, -) m hitch-hiker; **per A~er fahren** to hitch-hike; **A~spunkt** m clue
anhand [an'hant] präp +gen with
Anhang ['anhaŋ] m appendix; (Leute) family; supporters pl
anhäng- ['anhɛŋ] zW: **~en** (unreg) vt to hang up; (Wagen) to couple up; (Zusatz) to add (on); **A~er** (-s, -) m supporter; (AUT) trailer; (am Koffer) tag; (Schmuck) pendant; **A~erschaft** f supporters pl; **~lich** adj devoted; **A~lichkeit** f devotion; **A~sel** (-s, -) nt appendage
Anhäufung ['anhɔyfuŋ] f accumulation
anheben ['anhe:bən] (unreg) vt to lift up; (Preise) to raise
anheizen ['anhaɪtsən] vt (Stimmung) to lift; (Morale) to boost
Anhieb ['anhi:b] m: **auf ~** at the very first go; (kurz entschlossen) on the spur of the moment
Anhöhe ['anhø:ə] f hill
anhören ['anhø:rən] vt to listen to; (anmerken) to hear ♦ vr to sound
animieren [ani'mi:rən] vt to encourage, to urge on
Anis [a'ni:s] (-es, -e) m aniseed
Ank. abk (= Ankunft) arr.
Ankauf ['ankaʊf] m (von Wertpapieren, Devisen, Waren) purchase
ankaufen ['ankaʊfən] vt to purchase, to buy
Anker ['aŋkər] (-s, -) m anchor; **vor ~ gehen** to drop anchor; **a~n** vt, vi to anchor
Anklage ['ankla:gə] f accusation; (JUR) charge; **~bank** f dock; **a~n** vt to accuse; **jdn (eines Verbrechens) a~n** (JUR) to charge sb (with a crime)
Ankläger ['anklɛ:gər] m accuser
Anklang ['anklaŋ] m: **bei jdm ~ finden** to meet with sb's approval
Ankleidekabine f changing cubicle
ankleiden ['anklaɪdən] vt, vr to dress
anklopfen ['anklɔpfən] vi to knock

anknüpfen ['anknʏpfən] *vt* to fasten *od* tie on; *(fig)* to start ♦ *vi (anschließen)*: ~ **an** +*akk* to refer to

ankommen ['ankɔmən] *(unreg) vi* to arrive; *(näherkommen)* to approach; *(Anklang finden)*: **bei jdm (gut)** ~ to go down well with sb; **es kommt darauf an** it depends; *(wichtig sein)* that (is what) matters; **es darauf ~ lassen** to let things take their course; **gegen jdn/etw** ~ to cope with sb/sth; **bei jdm schlecht** ~ to go down badly with sb

ankreuzen ['ankrɔʏtsən] *vt* to mark with a cross; *(hervorheben)* to highlight

ankündigen ['ankʏndɪgən] *vt* to announce

Ankündigung *f* announcement

Ankunft ['ankʊnft] (-, **-künfte**) *f* arrival; ~**szeit** *f* time of arrival

ankurbeln ['ankʊrbəln] *vt (AUT)* to crank; *(fig)* to boost

Anlage ['anla:gə] *f* disposition; *(Begabung)* talent; *(Park)* gardens *pl*; *(Beilage)* enclosure; *(TECH)* plant; *(FIN)* investment; *(Entwurf)* layout

Anlaß ['anlas] (**-sses, -lässe**) *m*: ~ (**zu**) cause (for); *(Ereignis)* occasion; **aus** ~ +*gen* on the occasion of; ~ **zu etw geben** to give rise to sth; **etw zum** ~ **nehmen** to take the opportunity of sth

anlassen *(unreg) vt* to leave on; *(Motor)* to start ♦ *vr (umg)* to start off

Anlasser (**-s, -**) *m (AUT)* starter

anläßlich ['anlɛslɪç] *präp* +*gen* on the occasion of

Anlauf ['anlauf] *m* run-up; **a~en** *(unreg) vi* to begin; *(neuer Film)* to show; *(SPORT)* to run up; *(Fenster)* to mist up; *(Metall)* to tarnish ♦ *vt* to call at; **rot a~en** to blush; **angelaufen kommen** to come running up

anlegen ['anle:gən] *vt* to put; *(anziehen)* to put on; *(gestalten)* to lay out; *(Geld)* to invest ♦ *vi* to dock; **etw an etw** *akk* ~ to put sth against *od* on sth; **ein Gewehr** ~ (auf +*akk*) to aim a weapon (at); **es auf etw** *akk* ~ to be out for sth/to do sth; **sich mit jdm** ~ *(umg)* to quarrel with sb

Anlegestelle *f* landing place

anlehnen ['anle:nən] *vt* to lean; *(Tür)* to leave ajar; *(sich)* **an etw** *akk* ~ to lean on/against sth

Anleihe ['anlaiə] *f (FINANZ)* loan

anleiten ['anlaitən] *vt* to instruct

Anleitung *f* instructions *pl*

anlernen ['anlɛrnən] *vt* to teach, to instruct

anliegen ['anli:gən] *(unreg) vi (Kleidung)* to cling; **A~** (**-s, -**) *nt* matter; *(Wunsch)* wish; ~**d** *adj* adjacent; *(beigefügt)* enclosed

Anlieger (**-s, -**) *m* resident; „~ **frei**" "residents only"

anmachen ['anmaxən] *vt* to attach; *(Elektrisches)* to put on; *(Zigarette)* to light; *(Salat)* to dress

anmaßen ['anma:sən] *vt*: **sich** *dat* **etw** ~ *(Recht)* to lay claim to sth; ~**d** *adj* arrogant

Anmaßung *f* presumption

anmelden ['anmɛldən] *vt* to announce ♦ *vr (sich ankündigen)* to make an appointment; *(polizeilich, für Kurs etc)* to register

Anmeldung *f* announcement; appointment; registration

anmerken ['anmɛrkən] *vt* to observe; *(anstreichen)* to mark; **sich** *dat* **nichts** ~ **lassen** to not give anything away

Anmerkung *f* note

Anmut ['anmu:t] (-) *f* grace; **a~en** *vt* to give a feeling; **a~ig** *adj* charming

annähen ['annɛ:ən] *vt* to sew on

annähern ['annɛ:ərn] *vr* to get closer; ~**d** *adj* approximate

Annäherung *f* approach; ~**sversuch** *m* advances *pl*

Annahme ['anna:mə] *f* acceptance; *(Vermutung)* assumption

annehm- ['anne:m] *zW*: ~**bar** *adj* acceptable; ~**en** *(unreg) vt* to accept; *(Namen)* to take; *(Kind)* to adopt; *(vermuten)* to suppose, to assume ♦ *vr (+gen)* to take care (of); **A~lichkeit** *f* comfort

Annonce [a'nõ:sə] *f* advertisement

annoncieren [anõ'si:rən] *vt, vi* to advertise

annullieren [anʊ'li:rən] *vt* to annul

Anode [a'no:də] *f* anode

anonym [ano'ny:m] *adj* anonymous

Anorak ['anorak] (**-s, -s**) *m* anorak

anordnen ['an'ɔrdnən] *vt* to arrange; *(befehlen)* to order

Anordnung *f* arrangement; order

anorganisch ['an'ɔrɡa:nɪʃ] *adj* inorganic

anpacken ['anpakən] *vt* to grasp; *(fig)* to tackle; **mit** ~ to lend a hand

anpassen ['anpasən] *vt*: (**jdm**) ~ to fit (on sb); *(fig)* to adapt ♦ *vr* to adapt

anpassungsfähig *adj* adaptable

Anpfiff ['anpfɪf] *m (SPORT)* (starting) whistle; kick-off; *(umg)* rocket

anprallen ['anpralən] *vi*: ~ (**gegen** *od* **an** +*akk*) to collide (with)

anprangern ['anpraŋərn] *vt* to denounce

anpreisen ['anpraizən] *(unreg) vt* to extol

Anprobe ['anpro:bə] *f* trying on

anprobieren ['anprobi:rən] *vt* to try on

anrechnen ['anrɛçnən] *vt* to charge; *(fig)* to count; **jdm etw hoch** ~ to value sb's sth greatly

Anrecht ['anrɛçt] *nt*: ~ (**auf** +*akk*) right (to)

Anrede ['anre:də] *f* form of address; **a~n** *vt* to address; *(belästigen)* to accost

anregen ['anre:gən] *vt* to stimulate; **angeregte Unterhaltung** lively discussion; ~**d** *adj* stimulating

Anregung *f* stimulation; *(Vorschlag)* suggestion

anreichern ['anraiçərn] *vt* to enrich

Anreise ['anraizə] *f* journey; **a~n** *vi* to ar-

rive
Anreiz ['anraits] *m* incentive
Anrichte ['anrıçtə] *f* sideboard; **a~n** *vt* to
serve up; **Unheil a~n** to make mischief
anrüchig ['anrʏçıç] *adj* dubious
anrücken ['anrʏkən] *vi* to approach; (*MIL*)
to advance
Anruf ['anruːf] *m* call; **a~en** (*unreg*) *vt* to
call out to; (*bitten*) to call on; (*TEL*) to ring
up, to phone, to call
ans [ans] = **an das**
Ansage ['anzaːgə] *f* announcement; **a~n** *vt*
to announce ♦ *vr* to say one will come;
~r(in) (**-s, -**) *m(f)* announcer
ansammeln ['anzaməln] *vt* (*Reichtümer*) to
amass ♦ *vr* (*Menschen*) to gather, to assemble ♦ (*Wasser*) to collect
Ansammlung *f* collection; (*Leute*) crowd
ansässig ['anzɛsıç] *adj* resident
Ansatz ['anzats] *m* start; (*Haar~*) hairline;
(*Hals~*) base; (*Verlängerungsstück*) extension; (*Veranschlagung*) estimate; **~punkt** *m*
starting point
anschaffen ['anʃafən] *vt* to buy, to
purchase
Anschaffung *f* purchase
anschalten ['anʃaltən] *vt* to switch on
anschau- ['anʃau] *zW*: **~en** *vt* to look at;
~lich *adj* illustrative; **A~ung** *f* (*Meinung*)
view; **aus eigener A~ung** from one's own
experience
Anschein ['anʃain] *m* appearance; **allem ~
nach** to all appearances; **den ~ haben** to
seem, to appear; **a~end** *adj* apparent
Anschlag ['anʃlaːk] *m* notice; (*Attentat*) attack; (*COMM*) estimate; (*auf Klavier*) touch;
(*Schreibmaschine*) character; **a~en**
['anʃlaːgən] (*unreg*) *vt* to put up; (*beschädigen*) to chip; (*Akkord*) to strike;
(*Kosten*) to estimate ♦ *vi* to hit; (*wirken*) to
have an effect; (*Glocke*) to ring; (*Hund*) to
bark; **an etw** *akk* **a~en** to hit against sth
anschließen ['anʃliːsən] (*unreg*) *vt* to connect up; (*Sender*) to link up ♦ *vi*: **an etw**
akk **~** to adjoin sth; (*zeitlich*) to follow sth
♦ *vr*: **sich jdm/etw ~** to join sb/sth; (*beipflichten*) to agree with sb/sth; **sich an etw**
akk **~** to adjoin sth; **~d** *adj* adjacent; (*zeitlich*) subsequent ♦ *adv* afterwards
Anschluß ['anʃlus] *m* (*ELEK, EISENB*) connection; (*von Wasser etc*) supply; **im ~ an**
+akk following; **~ finden** to make friends
anschmiegsam ['anʃmiːkzaːm] *adj* affectionate
anschnallen ['anʃnalən] *vt* to buckle on ♦
vr to fasten one's seat belt
anschneiden ['anʃnaidən] (*unreg*) *vt* to cut
into; (*Thema*) to introduce
anschreiben ['anʃraibən] (*unreg*) *vt* to
write (up); (*COMM*) to charge up; (*benachrichtigen*) to write to
anschreien ['anʃraiən] (*unreg*) *vt* to shout

at
Anschrift ['anʃrıft] *f* address
Anschuldigung ['anʃuldıguŋ] *f* accusation
anschwellen ['anʃvɛlən] (*unreg*) *vi* to swell
(up)
anschwindeln ['anʃvındəln] *vt* to lie to
ansehen ['anzeːən] (*unreg*) *vt* to look at;
jdm etw ~ to see sth (from sb's face);
jdn/etw als etw ~ to look on sb/sth as
sth; **~ für** to consider; **A~** (**-s**) *nt* respect;
(*Ruf*) reputation.
ansehnlich ['anzeːnlıç] *adj* fine-looking;
(*beträchtlich*) considerable
ansetzen ['anzɛtsən] *vt* (*festlegen*) to fix;
(*entwickeln*) to develop; (*Fett*) to put on;
(*Blätter*) to grow; (*zubereiten*) to prepare ♦
vi (*anfangen*) to start, to begin; (*Entwicklung*) to set in; (*dick werden*) to put on
weight ♦ *vr* (*Rost etc*) to start to develop; **~
an** *+akk* (*anfügen*) to fix on to; (*anlegen, an
Mund etc*) to put to
Ansicht ['anzıçt] *f* (*Anblick*) sight; (*Meinung*) view, opinion; **zur ~** on approval;
meiner ~ nach in my opinion; **~skarte** *f*
picture postcard; **~ssache** *f* matter of
opinion
anspannen ['anʃpanən] *vt* to harness;
(*Muskel*) to strain
Anspannung *f* strain
anspielen ['anʃpiːlən] *vi* (*SPORT*) to start
play; **auf etw** *akk* **~** to refer *od* allude to
sth
Anspielung *f*: **~** (**auf** *+akk*) reference (to),
allusion (to)
Ansporn ['anʃpɔrn] (**-(e)s**) *m* incentive
Ansprache ['anʃpraːxə] *f* address
ansprechen ['anʃprɛçən] (*unreg*) *vt* to
speak to; (*bitten, gefallen*) to appeal to ♦ *vi*:
(*auf etw* *akk*) to react (to sth); **jdn auf
etw** *akk* (**hin**) **~** to ask sb about sth; **~d**
adj attractive
anspringen ['anʃprıŋən] (*unreg*) *vi* (*AUT*)
to start ♦ *vt* to jump at
Anspruch ['anʃprux] *m* (*Recht*): **~** (**auf**
+akk) claim (to); **hohe Ansprüche stellen/
haben** to demand/expect a lot;
jdn/etw in ~ nehmen to occupy sb/take
up sth; **a~slos** *adj* undemanding; **a~svoll**
adj demanding
anstacheln ['anʃtaxəln] *vt* to spur on
Anstalt ['anʃtalt] (**-, -en**) *f* institution; **~en
machen, etw zu tun** to prepare to do sth
Anstand ['anʃtant] *m* decency
anständig ['anʃtɛndıç] *adj* decent; (*umg*)
proper; (*groß*) considerable
anstandslos *adv* without any ado
anstarren ['anʃtarən] *vt* to stare at
anstatt [an'ʃtat] *präp* *+gen* instead of ♦
konj: **~ etw zu tun** instead of doing sth
Ansteck- ['anʃtɛk] *zW*: **a~en** *vt* to pin on;
(*MED*) to infect; (*Pfeife*) to light; (*Haus*) to
set fire to ♦ *vr*: **ich habe mich bei ihm an-**

gesteckt I caught it from him ♦ *vi* (*fig*) to be infectious; **a~end** *adj* infectious; **~ung** *f* infection

anstehen ['anʃteːən] (*unreg*) *vi* to queue (up) (*BRIT*), to line up (*US*)

ansteigen ['anʃtaɪɡən] *vt* (*Straße*) to climb; (*Gelände, Temperatur, Preise*) to rise

anstelle [an'ʃtɛlə] *präp* +*gen* in place of; **~n** ['an-] *vt* (*einschalten*) to turn on; (*Arbeit geben*) to employ; (*machen*) to do ♦ *vr* to queue (up) (*BRIT*), to line up (*US*); (*umg*) to act

Anstellung *f* employment; (*Posten*) post, position

Anstieg ['anʃtiːk] (-(e)s, -e) *m* (+*gen*) climb; (*fig: von Preisen etc*) increase (in)

anstiften ['anʃtɪftən] *vt* (*Unglück*) to cause; **jdn zu etw ~** to put sb up to sth

Anstifter (-s, -) *m* instigator

anstimmen ['anʃtɪmən] *vt* (*Lied*) to strike up with; (*Geschrei*) to set up

Anstoß ['anʃtoːs] *m* impetus; (*Ärgernis*) offence; (*SPORT*) kick-off; **der erste ~** the initiative; **~ nehmen an** +*dat* to take offence at; **a~en** (*unreg*) *vt* to push; (*mit Fuß*) to kick ♦ *vi* to knock, to bump; (*mit der Zunge*) to lisp; (*mit Gläsern*): **a~en** (auf +*akk*) to drink (to), to drink a toast (to)

anstößig ['anʃtøːsɪç] *adj* offensive, indecent

anstreichen ['anʃtraɪçən] (*unreg*) *vt* to paint

Anstreicher (-s, -) *m* painter

anstrengen ['anʃtrɛŋən] *vt* to strain; (*JUR*) to bring ♦ *vr* to make an effort; **angestrengt** *adv* as hard as one can; **~d** *adj* tiring

Anstrengung *f* effort

Anstrich ['anʃtrɪç] *m* coat of paint

Ansturm ['anʃturm] *m* rush; (*MIL*) attack

Antarktis [ant''arktɪs] (-) *f* Antarctic

antasten ['antastən] *vt* to touch; (*Recht*) to infringe upon; (*Ehre*) to question

Anteil ['antaɪl] (-s, -e) *m* share; (*Mitgefühl*) sympathy; **~ nehmen an** +*dat* to share in; (*sich interessieren*) to take an interest in; **~nahme** (-) *f* sympathy

Antenne [an'tɛnə] *f* aerial

Anti- ['anti] *in zW* anti; **~alko'holiker** *m* teetotaller; **a~autori'tär** *adj* anti-authoritarian; **~biotikum** [antibi'oːtikum] (-s, -ka) *nt* antibiotic

antik [an'tiːk] *adj* antique; **A~e** *f* (*Zeitalter*) ancient world; (*Kunstgegenstand*) antique

Antilope [anti'loːpə] *f* antelope

Antiquariat [antikvari'aːt] (-(e)s, -e) *nt* secondhand bookshop

Antiquitäten [antikvi'tɛːtən] *pl* antiques; **~händler** *m* antique dealer

antiseptisch ['-'zɛptɪʃ] *adj* antiseptic

Antrag ['antraːk] (-(e)s, -träge) *m* proposal; (*PARL*) motion; (*Gesuch*) application

antreffen ['antrɛfən] (*unreg*) *vt* to meet

antreiben ['antraɪbən] (*unreg*) *vt* to drive on; (*Motor*) to drive; (*anschwemmen*) to wash up ♦ *vi* to be washed up

antreten ['antreːtən] (*unreg*) *vt* (*Amt*) to take up; (*Erbschaft*) to come into; (*Beweis*) to offer; (*Reise*) to start, to begin ♦ *vi* (*MIL*) to fall in; (*SPORT*) to line up; **gegen jdn ~** to play/fight (against) sb

Antrieb ['antriːp] *m* (*auch fig*) drive; **aus eigenem ~** of one's own accord

antrinken ['antrɪŋkən] (*unreg*) *vt* (*Flasche, Glas*) to start to drink from; **sich** *dat* **Mut/einen Rausch ~** to give o.s. Dutch courage/get drunk; **angetrunken sein** to be tipsy

Antritt ['antrɪt] *m* beginning, commencement; (*eines Amts*) taking up

antun ['antuːn] (*unreg*) *vt*: **jdm etw ~** to do sth to sb; **sich** *dat* **Zwang ~** to force o.s.; **sich** *dat* **etwas ~** to (try to) take one's own life

Antwort ['antvɔrt] (-, -en) *f* answer, reply; **a~en** *vi* to answer, to reply

anvertrauen ['anfɛrtrauən] *vt*: **jdm etw ~** to entrust sb with sth; **sich jdm ~** to confide in sb

anwachsen ['anvaksən] (*unreg*) *vi* to grow; (*Pflanze*) to take root

Anwalt ['anvalt] (-(e)s, -wälte) *m* solicitor; lawyer; (*fig*) champion

Anwältin ['anvɛltin] *f siehe* **Anwalt**

Anwärter ['anvɛrtər] *m* candidate

anweisen ['anvaɪzən] (*unreg*) *vt* to instruct; (*zuteilen*) to assign

Anweisung *f* instruction; (*COMM*) remittance; (*Post~, Zahlungs~*) money order

anwend- ['anvɛnd] *zW*: **~bar** ['anvɛnt-] *adj* practicable, applicable; **~en** (*unreg*) *vt* to use, to employ; (*Gesetz, Regel*) to apply; **A~ung** *f* use; application

anwesend ['anveːzənt] *adj* present; **die A~en** those present

Anwesenheit *f* presence

anwidern ['anviːdərn] *vt* to disgust

Anwohner(in) ['anvoːnər(ɪn)] (-s, -) *m(f)* neighbour

Anzahl ['antsaːl] *f*: **~ (an** +*dat*) number (of); **a~en** *vt* to pay on account; **~ung** *f* deposit, payment on account

Anzeichen ['antsaɪçən] *nt* sign, indication

Anzeige ['antsaɪɡə] *f* (*Zeitungs~*) announcement; (*Werbung*) advertisement; (*bei Polizei*) report; **~ erstatten gegen jdn** to report sb (to the police); **a~n** *vt* (*zu erkennen geben*) to show; (*bekanntgeben*) to announce; (*bei Polizei*) to report

anziehen ['antsiːən] (*unreg*) *vt* to attract; (*Kleidung*) to put on; (*Mensch*) to dress; (*Seil*) to pull tight; (*Schraube*) to tighten; (*Knie*) to draw up; (*Feuchtigkeit*) to absorb ♦ *vr* to get dressed; **~d** *adj* attractive

Anziehung *f* (*Reiz*) attraction; **~skraft** *f*

power of attraction; (*PHYS*) force of gravitation

Anzug ['antsu:k] *m* suit; (*Herankommen*): **im ~ sein** to be approaching

anzüglich ['antsy:klıç] *adj* personal; (*anstößig*) offensive; **A~keit** *f* offensiveness; (*Bemerkung*) personal remark

anzünden ['antsyndən] *vt* to light

Anzünder *m* lighter

anzweifeln ['antsvaıfəln] *vt* to doubt

apathisch [a'pa:tıʃ] *adj* apathetic

Apfel ['apfəl] (**-s**, =) *m* apple; **~saft** *m* apple juice; **~sine** ['-zi:nə] *f* orange

Apostel [a'postəl] (**-s**, -) *m* apostle

Apotheke [apo'te:kə] *f* chemist's (shop), drugstore (*US*); **~r(in)** (**-s**, -) *m(f)* chemist, druggist (*US*)

Apparat [apa'ra:t] (**-(e)s**, -e) *m* piece of apparatus; camera; telephone; (*RADIO*, *TV*) set; **am ~!** speaking!; **~ur** [-'tu:r] *f* apparatus

Appartement [apartə'mã:] (**-s**, -s) *nt* flat

appellieren [ape'li:rən] *vi*: **~ (an** +*akk*) to appeal (to)

Appetit [ape'ti:t] (**-(e)s**, -e) *m* appetite; **guten ~** enjoy your meal; **a~lich** *adj* appetizing; **~losigkeit** *f* lack of appetite

Applaus [ap'laus] (**-es**, -e) *m* applause

Aprikose [apri'ko:zə] *f* apricot

April [a'prıl] (**-(s)**, -e) *m* April

Aquarell [akva'rel] (**-s**, -e) *nt* watercolour

Aquarium [a'kva:riʊm] *nt* aquarium

Äquator [ɛ'kva:tor] (**-s**) *m* equator

Arab- ['arab] *zW*: **~er(in)** (**-s**, -) *m(f)* Arab; **~ien** [a'ra:biən] (**-s**) *nt* Arabia; **a~isch** [a'ra:bıʃ] *adj* Arabian

Arbeit ['arbaıt] (**-**, -en) *f* work *no art*; (*Stelle*) job; (*Erzeugnis*) piece of work; (*wissenschaftliche*) dissertation; (*Klassen~*) test; **das war eine ~** that was a hard job; **a~en** *vi* to work ♦ *vt* to work, to make; **~er(in)** (**-s**, -) *m(f)* worker; (*ungelernt*) labourer; **~erschaft** *f* workers *pl*, labour force; **~geber** (**-s**, -) *m* employer; **~nehmer** (**-s**, -) *m* employee

Arbeits- *in zW* labour; **arbeitsam** *adj* industrious; **~amt** *nt* employment exchange; **~erlaubnis** *f* work permit; **a~fähig** *adj* fit for work, able-bodied; **~gang** *m* operation; **~kräfte** *pl* (*Mitarbeiter*) workforce; **a~los** *adj* unemployed, out-of-work; **~lose(r)** *f(m)* unemployed person; **~losigkeit** *f* unemployment; **~markt** *m* job market; **~platz** *m* job; place of work; (*Großraumbüro*) workstation; **a~scheu** *adj* work-shy; **~tag** *m* work(ing) day; **a~unfähig** *adj* unfit for work; **~zeit** *f* working hours *pl*

Archäologe [arçɛo'lo:gə] (**-n**, -n) *m* archaeologist

Architekt(in) [arçi'tɛkt(ın)] (**-en**, -en) *m(f)* architect; **~ur** [-'tu:r] *f* architecture

Archiv [ar'çi:f] (**-s**, -e) *nt* archive

arg [ark] *adj* bad, awful ♦ *adv* awfully, very

Argentin- [argɛn'ti:n] *zW*: **~ien** (**-s**) *nt* Argentina, the Argentine; **~ier(in)** (**-s**, -) *m(f)* Argentinian; **a~isch** *adj* Argentinian

Ärger ['ɛrgər] (**-s**) *m* (*Wut*) anger; (*Unannehmlichkeit*) trouble; **ä~lich** *adj* (*zornig*) angry; (*lästig*) annoying, aggravating; **ä~n** *vt* to annoy ♦ *vr* to get annoyed

arg- *zW*: **~listig** *adj* cunning, insidious; **~los** *adj* guileless, innocent

Argument [argu'mɛnt] *nt* argument

argwöhnisch *adj* suspicious

Arie ['a:riə] *f* aria

Aristokrat [aristo'kra:t] (**-en**, -en) *m* aristocrat; **~ie** ['ti:] *f* aristocracy

Arktis ['arktıs] (**-**) *f* Arctic

Arm [arm] (**-(e)s**, -e) *m* arm; (*Fluß~*) branch

arm *adj* poor

Armatur [arma'tu:r] *f* (*ELEK*) armature; **~enbrett** *nt* instrument panel; (*AUT*) dashboard

Armband *nt* bracelet; **~uhr** *f* (wrist) watch

Arme(r) *mf* poor man(woman); **die ~n** the poor

Armee [ar'me:] *f* army

Ärmel ['ɛrməl] (**-s**, -) *m* sleeve; **etw aus dem ~ schütteln** (*fig*) to produce sth just like that; **~kanal** *m* English Channel

ärmlich ['ɛrmlıç] *adj* poor

armselig *adj* wretched, miserable

Armut ['armu:t] (**-**) *f* poverty

Aroma [a'ro:ma] (**-s**, Aromen) *nt* aroma; **a~tisch** [aro'ma:tıʃ] *adj* aromatic

arrangieren [arã'ʒi:rən] *vt* to arrange ♦ *vr* to come to an arrangement

Arrest [a'rɛst] (**-(e)s**, -e) *m* detention

arrogant [aro'gant] *adj* arrogant

Arsch [arʃ] (**-es**, =e; *umg!*) *m* arse (*BRIT!*), ass (*US!*)

Art [a:rt] (**-**, -en) *f* (*Weise*) way; (*Sorte*) kind, sort; (*BIOL*) species; **eine ~ (von) Frucht** a kind of fruit; **Häuser aller ~** houses of all kinds; **es ist nicht seine ~, das zu tun** it's not like him to do that; **ich mache das auf meine ~** I do that my (own) way

Arterie [ar'te:riə] *f* artery; **~nverkalkung** *f* arteriosclerosis

artig ['a:rtıç] *adj* good, well-behaved

Artikel [ar'ti:kəl] (**-s**, -) *m* article

Artillerie [artılə'ri:] *f* artillery

Artischocke [arti'ʃɔkə] *f* artichoke

Arznei [a:rts'naı] *f* medicine; **~mittel** *nt* medicine, medicament

Arzt [a:rtst] (**-es**, =e) *m* doctor

Ärztin ['ɛ:rtstın] *f* doctor

ärztlich ['ɛ:rtstlıç] *adj* medical

As [as] (**-ses**, -se) *nt* ace

Asche ['aʃə] *f* (**-**, -n) ash, cinder; **~nbahn** *f* cinder track; ~**nbecher** m ashtray; ~**rmittwoch** m Ash Wednesday

Äser ['ɛːzər] pl von **Aas**

Asi- ['aːzi] zW: ~**en** (-s) nt Asia; ~**at(in)** [azi'aːt(ɪn)] (-**en**, -**en**) m(f) Asian; **a~atisch** [-'aːtɪʃ] adj Asian

asozial ['azotsiaːl] adj antisocial; (Familien) asocial

Aspekt [as'pɛkt] (-(**e)s**, -**e**) m aspect

Asphalt [as'falt] (-(**e)s**, -**e**) m asphalt; **a~ieren** vt [-'tiːrən] to asphalt

aß etc [aːs] vb siehe **essen**

Asse ['asə] pl von **As**

Assistent(in) [asɪs'tɛnt(ɪn)] m(f) assistant

Assoziation [asotsiatsi'oːn] f association

Ast [ast] (-(**e)s**, ⸚**e**) m bough, branch

ästhetisch [ɛs'teːtɪʃ] adj aesthetic

Asthma ['astma] (-s) nt asthma; ~**tiker(in)** [ast'maːtikər(ɪn)] (-s, -) m(f) asthmatic

Astro- [astro] zW: ~'**loge** (-**n**, -**n**) m astrologer; ~**lo'gie** f astrology; ~'**naut** (-**en**, -**en**) m astronaut; ~'**nom** (-**en**, -**en**) m astronomer; ~**no'mie** f astronomy

Asyl [a'zyːl] (-s, -**e**) nt asylum; (Heim) home; (Obdachlosen~) shelter

Atelier [atəli'eː] (-s, -s) nt studio

Atem ['aːtəm] (-s) m breath; **den ~ anhalten** to hold one's breath; **außer ~** out of breath; **a~beraubend** adj breath-taking; **a~los** adj breathless; ~**pause** f breather; ~**zug** m breath

Atheismus [ate'ɪsmʊs] m atheism

Atheist m atheist; **a~isch** adj atheistic

Athen [a'teːn] (-s) nt Athens

Äther ['ɛːtər] (-s, -) m ether

Äthiopien [ɛ'tioːpiən] (-s) nt Ethiopia

Athlet [at'leːt] (-**en**, -**en**) m athlete

Atlantik (-s) m Atlantic (Ocean)

atlantisch adj Atlantic

Atlas ['atlas] (- od -**ses**, -**se** od **Atlanten**) m atlas

atmen ['aːtmən] vt, vi to breathe

Atmosphäre [atmo'sfɛːrə] f atmosphere

atmosphärisch adj atmospheric

Atmung ['aːtmʊŋ] f respiration

Atom [a'toːm] (-s, -**e**) nt atom; **a~ar** [ato'maːr] adj atomic; ~**bombe** f atom bomb; ~**energie** f atomic od nuclear energy; ~**kern** m atomic nucleus; ~**kraftwerk** nt nuclear power station; ~**krieg** m nuclear od atomic war; ~**müll** m atomic waste; ~**strom** m (electricity generated by) nuclear power; ~**versuch** m atomic test; ~**waffen** pl atomic weapons; **a~waffenfrei** adj nuclear-free; ~**zeitalter** nt atomic age

Attentat ['atəntaːt] (-(**e)s**, -**e**) nt: ~ (**auf** +akk) (attempted) assassination (of)

Attentäter ['atəntɛːtər] m (would-be) assassin

Attest [a'tɛst] (-(**e)s**, -**e**) nt certificate

Attraktion [atrak'tsioːn] f (Tourismus,

Zirkus) attraction

attraktiv [atrak'tiːf] adj attractive

Attrappe [a'trapə] f dummy

Attribut [atri'buːt] (-(**e)s**, -**e**) nt (GRAM) attribute

ätzen ['ɛtsən] vi to be caustic

ätzend adj (Säure) corrosive; (fig: Spott) cutting

au [au] excl ouch!; ~ **ja!** oh yes!

SCHLÜSSELWORT

auch [aux] adv **1** (ebenfalls) also, too, as well; **das ist auch schön** that's nice too od as well; **er kommt - ich auch** he's coming - so am I, me too; **auch nicht** not ... either; **ich auch nicht** nor I, me neither; **oder auch** or; **auch das noch!** not that as well!

2 (selbst, sogar) even; **auch wenn das Wetter schlecht ist** even if the weather is bad; **ohne auch nur zu fragen** without even asking

3 (wirklich) really; **du siehst müde aus - bin ich auch** you look tired - (so) I am; **so sieht es auch aus** it looks like it too

4 (auch immer): **wer auch** whoever; **was auch** whatever; **wie dem auch sei** be that as it may; **wie sehr er sich auch bemühte** however much he tried

---
SCHLÜSSELWORT

auf [auf] präp +dat (wo?) on; **auf dem Tisch** on the table; **auf der Reise** on the way; **auf der Post/dem Fest** at the post office/party; **auf der Straße** on the road; **auf dem Land/der ganzen Welt** in the country/the whole world

♦ präp +akk **1** (wohin?) on(to); **auf den Tisch** on(to) the table; **auf die Post gehen** to go to the post office; **auf das Land** into the country; **etw auf einen Zettel schreiben** to write sth on a piece of paper

2: **auf deutsch** in German; **auf Lebenszeit** for my/his lifetime; **bis auf ihn** except for him; **auf einmal** at once; **auf seinen Vorschlag (hin)** at his suggestion

♦ adv **1** (offen) open; **das Fenster ist auf** the window is open

2 (hinauf) up; **auf und ab** up and down; **auf und davon** up and away; **auf!** (los!) come on!

3 (aufgestanden) up; **ist er schon auf?** is he up yet?

♦ konj: **auf daß** (so) that

---

aufatmen ['aufˈaːtmən] vi to heave a sigh of relief

aufbahren ['aufbaːrən] vt to lay out

Aufbau ['aufbau] m (Bauen) building, construction; (Struktur) structure; (aufgebautes Teil) superstructure; **a~en** vt to erect, to build (up); (*Existenz*) to make; (*gestalten*) to construct; **a~en (auf** +*dat*) (*gründen*) to found *od* base (on)

aufbauschen ['aʊfbaʊʃən] *vt* to puff out; (*fig*) to exaggerate

aufbekommen ['aʊfbəkɔmən] (*unreg*) *vt* (*öffnen*) to get open; (*Hausaufgaben*) to be given

aufbessern ['aʊfbɛsərn] *vt* (*Gehalt*) to increase

aufbewahren ['aʊfbəvaːrən] *vt* to keep; (*Gepäck*) to put in the left-luggage office (*BRIT*) *od* baggage check (*US*)

Aufbewahrung *f* (safe)keeping; (*Gepäck~*) left-luggage office (*BRIT*), baggage check (*US*)

aufbieten ['aʊfbiːtən] (*unreg*) *vt* (*Kraft*) to summon (up); (*Armee, Polizei*) to mobilize; (*Brautpaar*) to publish the banns of

aufblasen ['aʊfblaːzən] (*unreg*) *vt* to blow up, to inflate ♦ *vr* (*umg*) to become big-headed

aufbleiben ['aʊfblaɪbən] (*unreg*) *vi* (*Laden*) to remain open; (*Person*) to stay up

aufblenden ['aʊfblɛndən] *vt* (*Scheinwerfer*) to switch on full beam ♦ *vi* (*Fahrer*) to have the lights on full beam; (*AUT: Scheinwerfer*) to be on full beam

aufblicken ['aʊfblɪkən] *vi* to look up; ~ **zu** to look up at; (*fig*) to look up to

aufblühen ['aʊfblyːən] *vi* to blossom, to flourish

aufbrauchen ['aʊfbraʊxən] *vt* to use up

aufbrausen ['aʊfbraʊzən] *vi* (*fig*) to flare up; ~**d** *adj* hot-tempered

aufbrechen ['aʊfbrɛçən] (*unreg*) *vt* to break *od* prise (*BRIT*) open ♦ *vi* to burst open; (*gehen*) to start, to set off

aufbringen ['aʊfbrɪŋən] (*unreg*) *vt* (*öffnen*) to open; (*in Mode*) to bring into fashion; (*beschaffen*) to procure; (*FIN*) to raise; (*ärgern*) to irritate; **Verständnis für etw ~** to be able to understand sth

Aufbruch ['aʊfbrʊx] *m* departure

aufbrühen ['aʊfbryːən] *vt* (*Tee*) to make

aufbürden ['aʊfbʏrdən] *vt*: **jdm etw ~ to** burden sb with sth

aufdecken ['aʊfdɛkən] *vt* to uncover

aufdrängen ['aʊfdrɛŋən] *vt*: **jdm etw ~** to force sth on sb ♦ *vr* (*Mensch*): **sich jdm ~** to intrude on sb

aufdrehen ['aʊfdreːən] *vt* (*Wasserhahn etc*) to turn on; (*Ventil*) to open up

aufdringlich ['aʊfdrɪŋlɪç] *adj* pushy

aufeinander ['aʊfaɪˈnandər] *adv* on top of each other; (*schießen*) at each other; (*vertrauen*) each other; ~**folgen** *vi* to follow one another; ~**folgend** *adj* consecutive; ~**prallen** *vi* to hit one another

Aufenthalt ['aʊfˈɛnthalt] *m* stay; (*Verzögerung*) delay; (*EISENB: Halten*) stop; (*Ort*) haunt

Aufenthaltserlaubnis *f* residence permit

auferlegen ['aʊfɛrleːgən] *vt*: **(jdm)** ~ **to** impose (upon sb)

Auferstehung ['aʊfˈɛrʃteːʊŋ] *f* resurrection

aufessen ['aʊfɛsən] (*unreg*) *vt* to eat up

auffahr- ['aʊfaːr] *zW*: ~**en** (*unreg*) *vi* (*herankommen*) to draw up; (*hochfahren*) to jump up; (*wütend werden*) to flare up; (*in den Himmel*) to ascend ♦ *vt* (*Kanonen, Geschütz*) to bring up; ~**en auf** +*akk* (*Auto*) to run *od* crash into; ~**end** *adj* hot-tempered; **A~t** *f* (*Hausauffahrt*) drive; (*Autobahnauffahrt*) slip road (*BRIT*), (freeway) entrance (*US*); **A~unfall** *m* pile-up

auffallen ['aʊffalən] (*unreg*) *vi* to be noticeable; **jdm ~** to strike sb; ~**d** *adj* striking

auffällig ['aʊffɛlɪç] *adj* conspicuous, striking

auffangen ['aʊffaŋən] (*unreg*) *vt* to catch; (*Funkspruch*) to intercept; (*Preise*) to peg

auffassen ['aʊffasən] *vt* to understand, to comprehend; (*auslegen*) to see, to view

Auffassung *f* (*Meinung*) opinion; (*Auslegung*) view, concept; (*auch: Auffassungsgabe*) grasp

auffindbar ['aʊffɪntbaːr] *adj* to be found

auffordern ['aʊffɔrdərn] *vt* (*befehlen*) to call upon, to order; (*bitten*) to ask

Aufforderung *f* (*Befehl*) order; (*Einladung*) invitation

auffrischen ['aʊffrɪʃən] *vt* to freshen up; (*Kenntnisse*) to brush up; (*Erinnerungen*) to reawaken ♦ *vi* (*Wind*) to freshen

aufführen ['aʊffyːrən] *vt* (*THEAT*) to perform; (*in einem Verzeichnis*) to list, to specify ♦ *vr* (*sich benehmen*) to behave

Aufführung *f* (*THEAT*) performance; (*Liste*) specification

Aufgabe ['aʊfgaːbə] *f* task; (*SCH*) exercise; (*Haus~*) homework; (*Verzicht*) giving up; (*von Gepäck*) registration; (*von Post*) posting; (*von Inserat*) insertion

Aufgang ['aʊfgaŋ] *m* ascent; (*Sonnen~*) rise; (*Treppe*) staircase

aufgeben ['aʊfgeːbən] (*unreg*) *vt* (*verzichten*) to give up; (*Paket*) to send, to post; (*Gepäck*) to register; (*Bestellung*) to give; (*Inserat*) to insert; (*Rätsel, Problem*) to set ♦ *vi* to give up

Aufgebot ['aʊfgəboːt] *nt* supply; (*Ehe~*) banns *pl*

aufgedunsen ['aʊfgədʊnzən] *adj* swollen, puffed up

aufgehen ['aʊfgeːən] (*unreg*) *vi* (*Sonne, Teig*) to rise; (*sich öffnen*) to open; (*klarwerden*) to become clear; (*MATH*) to come out exactly; ~ **(in** +*dat*) (*sich widmen*) to be absorbed (in); **in Rauch/Flammen ~** to go up in smoke/flames

aufgelegt ['aʊfgəleːkt] *adj*: **gut/schlecht ~ sein** to be in a good/bad mood; **zu etw ~ sein** to be in the mood for sth

aufgeregt ['aʊfgəreːkt] *adj* excited

aufgeschlossen ['aʊfgəʃlɔsən] *adj* open, open-minded

aufgeweckt ['aʊfgəvɛkt] *adj* bright, intelligent

aufgießen ['aʊfgi:sən] (*unreg*) *vt* (*Wasser*) to pour over; (*Tee*) to infuse

aufgreifen ['aʊfgraɪfən] (*unreg*) *vt* (*Thema*) to take up; (*Verdächtige*) to pick up, to seize

aufgrund [aʊf'grʊnt] *präp* +*gen* on the basis of; (*wegen*) because of

aufhaben ['aʊfha:bən] (*unreg*) *vt* to have on; (*Arbeit*) to have to do

aufhalsen ['aʊfhalzən] (*umg*) *vt*: **jdm etw ~** to saddle *od* lumber sb with sth

aufhalten ['aʊfhaltən] (*unreg*) *vt* (*Person*) to detain; (*Entwicklung*) to check; (*Tür, Hand*) to hold open; (*Augen*) to keep open ♦ *vr* (*wohnen*) to live; (*bleiben*) to stay; **sich mit etw ~** to waste time over sth

aufhängen ['aʊfhɛŋən] (*unreg*) *vt* (*Wäsche*) to hang up; (*Menschen*) to hang ♦ *vr* to hang o.s.

Aufhänger (-s, -) *m* (*am Mantel*) loop; (*fig*) peg

aufheben ['aʊfhe:bən] (*unreg*) *vt* (*hochheben*) to raise, to lift; (*Sitzung*) to wind up; (*Urteil*) to annul; (*Gesetz*) to repeal, to abolish; (*aufbewahren*) to keep ♦ *vr* to cancel itself out; **bei jdm gut aufgehoben sein** to be well looked after at sb's; **viel A~(s) machen (von)** to make a fuss (about)

aufheitern ['aʊfhaɪtərn] *vt, vr* (*Himmel, Miene*) to brighten; (*Mensch*) to cheer up

aufhellen ['aʊfhɛlən] *vt, vr* to clear up; (*Farbe, Haare*) to lighten

aufhetzen ['aʊfhɛtsən] *vt* to stir up

aufholen ['aʊfho:lən] *vt* to make up ♦ *vi* to catch up

aufhorchen ['aʊfhɔrçən] *vi* to prick up one's ears

aufhören ['aʊfhø:rən] *vi* to stop; **~, etw zu tun** to stop doing sth

aufklappen ['aʊfklapən] *vt* to open

aufklären ['aʊfklɛ:rən] *vt* (*Geheimnis etc*) to clear up; (*Person*) to enlighten; (*sexuell*) to tell the facts of life to; (*MIL*) to reconnoitre ♦ *vr* to clear up

Aufklärung *f* (*von Geheimnis*) clearing up; (*Unterrichtung, Zeitalter*) enlightenment; (*sexuell*) sex education; (*MIL, AVIAT*) reconnaissance

aufkleben ['aʊfkle:bən] *vt* to stick on

Aufkleber (-s, -) *m* sticker

aufknöpfen ['aʊfknœpfən] *vt* to unbutton

aufkommen ['aʊfkɔmən] (*unreg*) *vi* (*Wind*) to come up; (*Zweifel, Gefühl*) to arise; (*Mode*) to start; **für jdn/etw ~** to be liable *od* responsible for sb/sth

aufladen ['aʊfla:dən] (*unreg*) *vt* to load

Auflage ['aʊfla:gə] *f* edition; (*Zeitung*) circulation; (*Bedingung*) condition; **jdm etw**

zur ~ machen to make sth a condition for sb

auflassen ['aʊflasən] (*unreg*) *vt* (*offen*) to leave open; (*aufgesetzt*) to leave on

auflauern ['aʊflaʊərn] *vi*: **jdm ~** to lie in wait for sb

Auflauf ['aʊflaʊf] *m* (*KOCH*) pudding; (*Menschen~*) crowd

aufleben ['aʊfle:bən] *vi* (*Mensch, Gespräch*) to liven up; (*Interesse*) to revive

auflegen ['aʊfle:gən] *vt* to put on; (*Telefon*) to hang up; (*TYP*) to print

auflehnen ['aʊfle:nən] *vt* to lean on ♦ *vr* to rebel

Auflehnung *f* rebellion

auflesen ['aʊfle:zən] (*unreg*) *vt* to pick up

aufleuchten ['aʊflɔɪçtən] *vi* to light up

auflockern ['aʊflɔkərn] *vt* to loosen; (*fig: Eintönigkeit etc*) to liven up

auflösen ['aʊflø:zən] *vt* to dissolve; (*Haare etc*) to loosen; (*Mißverständnis*) to sort out ♦ *vr* to dissolve; to come undone; to be resolved; **(in Tränen) aufgelöst sein** to be in tears

Auflösung *f* dissolving; (*fig*) solution

aufmachen ['aʊfmaxən] *vt* to open; (*Kleidung*) to undo; (*zurechtmachen*) to do up ♦ *vr* to set out

Aufmachung *f* (*Kleidung*) outfit, get-up; (*Gestaltung*) format

aufmerksam ['aʊfmɛrkza:m] *adj* attentive; **jdn auf etw** *akk* **~ machen** to point sth out to sb; **A~keit** *f* attention, attentiveness

aufmuntern ['aʊfmʊntərn] *vt* (*ermutigen*) to encourage; (*erheitern*) to cheer up

Aufnahme ['aʊfna:mə] *f* reception; (*Beginn*) beginning; (*in Verein etc*) admission; (*in Liste etc*) inclusion; (*Notieren*) taking down; (*PHOT*) shot; (*auf Tonband etc*) recording; **a~fähig** *adj* receptive; **~prüfung** *f* entrance test

aufnehmen ['aʊfne:mən] (*unreg*) *vt* to receive; (*hochheben*) to pick up; (*beginnen*) to take up; (*in Verein etc*) to admit; (*in Liste etc*) to include; (*fassen*) to hold; (*notieren*) to take down; (*fotografieren*) to photograph; (*auf Tonband, Platte*) to record; (*FIN: leihen*) to take out; **es mit jdm ~ können** to be able to compete with sb

aufopfern ['aʊf'ɔpfərn] *vt, vr* to sacrifice; **~d** *adj* selfless

aufpassen ['aʊfpasən] *vi* (*aufmerksam sein*) to pay attention; **auf jdn/etw ~** to look after *od* watch sb/sth; **aufgepaßt!** look out!

Aufprall ['aʊfpral] (-s, -e) *m* impact; **a~en** *vi* to hit, to strike

Aufpreis ['aʊfpraɪs] *m* extra charge

aufpumpen ['aʊfpʊmpən] *vt* to pump up

aufräumen ['aʊfrɔʏmən] *vt, vi* (*Dinge*) to clear away; (*Zimmer*) to tidy up

aufrecht ['aufrɛçt] adj (auch fig) upright; ~**erhalten** (unreg) vt to maintain

aufreg- ['aufreːg] zW: ~**en** vt to excite ♦ vr to get excited; ~**end** adj exciting; **A~ung** f excitement

aufreibend ['aufraibənt] adj strenuous

aufreißen ['aufraisən] (unreg) vt (Umschlag) to tear open; (Augen) to open wide; (Tür) to throw open; (Straße) to take up

aufreizen ['aufraitsən] vt to incite, to stir up; ~**d** adj exciting, stimulating

aufrichten ['aufriçtən] vt to put up, to erect; (moralisch) to console ♦ vr to rise; (moralisch): **sich ~ (an** +dat) to take heart (from)

aufrichtig ['aufriçtiç] adj sincere, honest; **A~keit** f sincerity

aufrücken ['aufrykən] vi to move up; (beruflich) to be promoted

Aufruf ['aufruːf] m summons; (zur Hilfe) call; (des Namens) calling out; **a~en** (unreg) vt (Namen) to call out; (auffordern): **jdn a~en (zu)** to call upon sb (for)

Aufruhr ['aufruːr] (-(e)s, -e) m uprising, revolt

aufrührerisch ['aufryːrəriʃ] adj rebellious

aufrunden ['aufrundən] vt (Summe) to round up

Aufrüstung ['aufrystuŋ] f rearmament

aufrütteln ['aufrytəln] vt (auch fig) to shake up

aufs [aufs] = **auf das**

aufsagen ['aufzaːgən] vt (Gedicht) to recite

aufsammeln ['aufzaməln] vt to gather up

aufsässig ['aufzɛsiç] adj rebellious

Aufsatz ['aufzats] m (Geschriebenes) essay; (auf Schrank etc) top

aufsaugen ['aufzaugən] (unreg) vt to soak up

aufschauen ['aufʃauən] vi to look up

aufscheuchen ['aufʃɔyçən] vt to scare od frighten away

aufschieben ['aufʃiːbən] (unreg) vt to push open; (verzögern) to put off, to postpone

Aufschlag ['aufʃlaːk] m (Ärmel~) cuff; (Jacken~) lapel; (Hosen~) turn-up; (Aufprall) impact; (Preis~) surcharge; (Tennis) service; **a~en** [-gən] (unreg) vt (öffnen) to open; (verwunden) to cut; (hochschlagen) to turn up; (aufbauen: Zelt, Lager) to pitch, to erect; (Wohnsitz) to take up ♦ vi (aufprallen) to hit; (teurer werden) to go up; (Tennis) to serve

aufschließen ['aufʃliːsən] (unreg) vt to open up, to unlock ♦ vi (aufrücken) to close up

Aufschluß ['aufʃlus] m information; **a~reich** adj informative, illuminating

aufschnappen ['aufʃnapən] vt (umg) to pick up ♦ vi to fly open

aufschneiden ['aufʃnaidən] (unreg) vt to cut open; (Brot) to cut up; (MED: Geschwür) to lance ♦ vi to brag

Aufschneider (-s, -) m boaster, braggart

Aufschnitt ['aufʃnit] m (slices of) cold meat

aufschrauben ['aufʃraubən] vt (fest~) to screw on; (lösen) to unscrew

aufschrecken ['aufʃrɛkən] vt to startle ♦ vi (unreg) to start up

aufschreiben ['aufʃraibən] (unreg) vt to write down

aufschreien ['aufʃraiən] (unreg) vi to cry out

Aufschrift ['aufʃrift] f (Inschrift) inscription; (auf Etikett) label

Aufschub ['aufʃuːp] (-(e)s, -schübe) m delay, postponement

Aufschwung ['aufʃvuŋ] m (Elan) boost ♦ nt (wirtschaftlich) upturn, boom; (SPORT) circle

Aufsehen ['aufzeːən] (-s) nt sensation, stir

aufsehen (unreg) vi to look up; ~ **zu** to look up at; (fig) to look up to

aufsehenerregend adj sensational

Aufseher(in) (-s, -) m(f) guard; (im Betrieb) supervisor; (Museums~) attendant; (Park~) keeper

aufsein ['aufzain] (unreg; umg) vi (Tür, Geschäft etc) to be open; (Mensch) to be up

aufsetzen ['aufzɛtsən] vt to put on; (Flugzeug) to put down; (Dokument) to draw up ♦ vr to sit up(right) ♦ vi (Flugzeug) to touch down

Aufsicht ['aufziçt] f supervision; **die ~ haben** to be in charge

aufsitzen ['aufzitsən] (unreg) vi (aufrecht hinsitzen) to sit up; (aufs Pferd, Motorrad) to mount, to get on; (Schiff) to run aground; **jdm ~** (umg) to be taken in by sb

aufsparen ['aufʃpaːrən] vt to save (up)

aufsperren ['aufʃpɛrən] vt to unlock; (Mund) to open wide

aufspielen ['aufʃpiːlən] vr to show off

aufspießen ['aufʃpiːsən] vt to spear

aufspringen ['aufʃpriŋən] (unreg) vi (hochspringen) to jump up; (sich öffnen) to spring open; (Hände, Lippen) to become chapped; **auf etw akk ~** to jump onto sth

aufspüren ['aufʃpyːrən] vt to track down, to trace

aufstacheln ['aufʃtaxəln] vt to incite

Aufstand ['aufʃtant] m insurrection, rebellion

aufständisch ['aufʃtɛndiʃ] adj rebellious, mutinous

aufstecken ['aufʃtɛkən] vt to stick on, to pin up; (umg) to give up

aufstehen ['aufʃteːən] (unreg) vi to get up; (Tür) to be open

aufsteigen ['aufʃtaigən] (unreg) vi (hochsteigen) to climb; (Rauch) to rise; **auf etw akk ~** to get onto sth

aufstellen ['aufʃtɛlən] vt (aufrecht stellen)

to put up; (*aufreihen*) to line up; (*nominieren*) to nominate; (*formulieren: Programm etc*) to draw up; (*leisten: Rekord*) to set up

Aufstellung *f* (*SPORT*) line-up; (*Liste*) list

Aufstieg ['aʊfʃtiːk] (-(e)s, -e) *m* (*auf Berg*) ascent; (*Fortschritt*) rise; (*beruflich, SPORT*) promotion

aufstoßen ['aʊfʃtoːsən] (*unreg*) *vt* to push open ♦ *vi* to belch

aufstützen ['aʊfʃtʏtsən] *vt* (*Körperteil*) to prop, to lean; (*Person*) to prop up ♦ *vr*: **sich auf etw** *akk* ~ to lean on sth

aufsuchen ['aʊfzuːxən] *vt* (*besuchen*) to visit; (*konsultieren*) to consult

Auftakt ['aʊftakt] *m* (*MUS*) upbeat; (*fig*) prelude

auftanken ['aʊftaŋkən] *vi* to get petrol (*BRIT*) *od* gas (*US*) ♦ *vt* to refuel

auftauchen ['aʊftaʊxən] *vi* to appear; (*aus Wasser etc*) to emerge; (*U-Boot*) to surface; (*Zweifel*) to arise

auftauen ['aʊftaʊən] *vt* to thaw ♦ *vi* to thaw; (*fig*) to relax

aufteilen ['aʊftaɪlən] *vt* to divide up; (*Raum*) to partition

Aufteilung *f* division; partition

Auftrag ['aʊftraːk] (-(e)s, -träge) *m* order; (*Anweisung*) commission; (*Aufgabe*) mission; **im ~ von** on behalf of; **a~en** [-gən] (*unreg*) *vt* (*Essen*) to serve; (*Farbe*) to put on; (*Kleidung*) to wear out; **jdm etw a~en** to tell sb sth; **dick a~en** (*fig*) to exaggerate; **~geber** (-s, -) *m* (*COMM*) purchaser, customer

auftreiben ['aʊftraɪbən] (*unreg*) *vt* (*umg: beschaffen*) to raise

auftreten ['aʊftreːtən] (*unreg*) *vt* to kick open ♦ *vi* to appear; (*mit Füßen*) to tread; (*sich verhalten*) to behave; **A~** (-s) *nt* (*Vorkommen*) appearance; (*Benehmen*) behaviour

Auftrieb ['aʊftriːp] *m* (*PHYS*) buoyancy, lift; (*fig*) impetus

Auftritt ['aʊftrɪt] *m* (*des Schauspielers*) entrance; (*Szene: auch fig*) scene

auftun ['aʊftuːn] (*unreg*) *vt* to open ♦ *vr* to open up

aufwachen ['aʊfvaxən] *vi* to wake up

aufwachsen ['aʊfvaksən] (*unreg*) *vi* to grow up

Aufwand ['aʊfvant] (-(e)s) *m* expenditure; (*Kosten auch*) expense; (*Luxus*) show

aufwärmen ['aʊfvɛrmən] *vt* to warm up; (*alte Geschichten*) to rake up

aufwärts ['aʊfvɛrts] *adv* upwards; **A~entwicklung** *f* upward trend

Aufwasch *m* washing-up

aufwecken ['aʊfvɛkən] *vt* to wake up, to waken up

aufweisen ['aʊfvaɪzən] (*unreg*) *vt* to show

aufwenden ['aʊfvɛndən] (*unreg*) *vt* to expend; (*Geld*) to spend; (*Sorgfalt*) to devote

aufwendig *adj* costly

aufwerfen ['aʊfvɛrfən] (*unreg*) *vt* (*Fenster etc*) to throw open; (*Probleme*) to throw up, to raise

aufwerten ['aʊfveːrtən] *vt* (*FIN*) to revalue; (*fig*) to raise in value

aufwickeln ['aʊfvɪkəln] *vt* (*aufrollen*) to roll up; (*umg: Haar*) to put in curlers

aufwiegen ['aʊfviːgən] (*unreg*) *vt* to make up for

Aufwind ['aʊfvɪnt] *m* up-current

aufwirbeln ['aʊfvɪrbəln] *vt* to whirl up; **Staub** ~ (*fig*) to create a stir

aufwischen ['aʊfvɪʃən] *vt* to wipe up

aufzählen ['aʊftsɛːlən] *vt* to list

aufzeichnen ['aʊftsaɪçnən] *vt* to sketch; (*schriftlich*) to jot down; (*auf Band*) to record

Aufzeichnung *f* (*schriftlich*) note; (*Tonband~*) recording; (*Film~*) record

aufzeigen ['aʊftsaɪgən] *vt* to show, to demonstrate

aufziehen ['aʊftsiːən] (*unreg*) *vt* (*hochziehen*) to raise, to draw up; (*öffnen*) to pull open; (*Uhr*) to wind; (*umg: necken*) to tease; (*großziehen: Kinder*) to raise, to bring up; (*Tiere*) to rear

Aufzug ['aʊftsuːk] *m* (*Fahrstuhl*) lift, elevator; (*Aufmarsch*) procession, parade; (*Kleidung*) get-up; (*THEAT*) act

aufzwingen ['aʊftsvɪŋən] (*unreg*) *vt*: **jdm etw** ~ to force sth upon sb

Augapfel *m* eyeball; (*fig*) apple of one's eye

Auge ['aʊgə] (-s, -n) *nt* eye; (*Fett~*) globule of fat; **unter vier ~n** in private

Augen- *zW*: **~blick** *m* moment; **im ~blick** at the moment; **a~blicklich** *adj* (*sofort*) instantaneous; (*gegenwärtig*) present; **~braue** *f* eyebrow; **~weide** *f* sight for sore eyes; **~zeuge** *m* eye witness

August [aʊˈgʊst] (-(e)s *od* -, -e) *m* August

Auktion [aʊktsiˈoːn] *f* auction

Aula ['aʊla] (-, **Aulen** *od* -s) *f* assembly hall

SCHLÜSSELWORT

aus [aʊs] *präp* +*dat* **1** (*räumlich*) out of; (*von ... her*) from; **er ist aus Berlin** he's from Berlin; **aus dem Fenster** out of the window

2 (*gemacht/hergestellt aus*) made of; **ein Herz aus Stein** a heart of stone

3 (*auf Ursache deutend*) out of; **aus Mitleid** out of sympathy; **aus Erfahrung** from experience; **aus Spaß** for fun

4: **aus ihr wird nie etwas** she'll never get anywhere

♦ *adv* **1** (*zu Ende*) finished, over; **aus und vorbei** over and done with

2 (*ausgeschaltet, ausgezogen*) out; (*Aufschrift an Geräten*) off; **Licht aus!** lights out!

3 (*in Verbindung mit von*): **von Rom aus**

from Rome; **vom Fenster aus** out of the window; **von sich aus** (*selbständig*) of one's own accord; **von ihm aus** as far as he's concerned

ausarbeiten ['aʊsˌʔarbaɪtən] *vt* to work out
ausarten ['aʊsˌʔartən] *vi* to degenerate; (*Kind*) to become overexcited
ausatmen ['aʊsˌʔaːtmən] *vi* to breathe out
ausbaden ['aʊsˌbaːdən] (*umg*) *vt*: **etw ~ müssen** to carry the can for sth
Ausbau ['aʊsbaʊ] *m* extension, expansion; removal; **a~en** *vt* to extend, to expand; (*herausnehmen*) to take out, to remove; **a~fähig** (*fig*) worth developing
ausbessern ['aʊsbɛsərn] *vt* to mend, to repair
ausbeulen ['aʊsbɔʏlən] *vt* to beat out
Ausbeute ['aʊsbɔʏtə] *f* yield; (*Fische*) catch; **a~n** *vt* to exploit; (*MIN*) to work
ausbild- ['aʊsbɪld-] *zW*: **~en** *vt* to educate; (*Lehrling, Soldat*) to instruct, to train; (*Fähigkeiten*) to develop; (*Geschmack*) to cultivate; **A~er** (**-s, -**) *m* instructor; **A~ung** *f* education; training, instruction; development; cultivation
ausbleiben ['aʊsblaɪbən] (*unreg*) *vi* (*Personen*) to stay away, not to come; (*Ereignisse*) to fail to happen, not to happen
Ausblick ['aʊsblɪk] *m* (*auch fig*) prospect (*lit, fig*), outlook, view
ausbrechen ['aʊsbrɛçən] (*unreg*) *vi* to break out ♦ *vt* to break off; **in Tränen/Gelächter ~** to burst into tears/out laughing
ausbreiten ['aʊsbraɪtən] *vt* to spread (out); (*Arme*) to stretch out ♦ *vr* to spread; **sich über ein Thema ~** to expand *od* enlarge on a topic
ausbrennen ['aʊsbrɛnən] (*unreg*) *vt* to scorch; (*Wunde*) to cauterize ♦ *vi* to burn out
Ausbruch ['aʊsbrʊx] *m* outbreak; (*von Vulkan*) eruption; (*Gefühls~*) outburst; (*von Gefangenen*) escape
ausbrüten ['aʊsbryːtən] *vt* (*auch fig*) to hatch
Ausdauer ['aʊsdaʊər] *f* perseverance, stamina; **a~nd** *adj* persevering
ausdehnen ['aʊsdeːnən] *vt, vr* (*räumlich*) to expand; (*zeitlich, auch Gummi*) to stretch; (*Nebel, fig: Macht*) to extend
ausdenken ['aʊsdɛŋkən] (*unreg*) *vt*: **sich** *dat* **etw ~** to think sth up
Ausdruck ['aʊsdrʊk] *m* expression, phrase; (*Kundgabe, Gesichts~*) expression; (*COMPUT*) print-out, hard copy; **a~en** *vt* (*COMPUT*) to print out
ausdrücken ['aʊsdrʏkən] *vt* (*auch vr: formulieren, zeigen*) to express; (*Zigarette*) to put out; (*Zitrone*) to squeeze
ausdrücklich *adj* express, explicit

ausdrucks- *zW*: **~los** *adj* expressionless, blank; **~voll** *adj* expressive; **A~weise** *f* mode of expression
auseinander [aʊsʔaɪˈnandər] *adv* (*getrennt*) apart; **~ schreiben** *vt* to write as separate words; **~bringen** (*unreg*) *vt* to separate; **~fallen** (*unreg*) *vi* to fall apart; **~gehen** (*unreg*) *vi* (*Menschen*) to separate; (*Meinungen*) to differ; (*Gegenstand*) to fall apart; (*umg: dick werden*) to put on weight; **~halten** (*unreg*) *vt* to tell apart; **~nehmen** (*unreg*) *vt* to take to pieces, to dismantle; **~setzen** *vt* (*erklären*) to set forth, to explain ♦ *vr* (*sich verständigen*) to come to terms, to settle; (*sich befassen*) to concern o.s.; **A~setzung** *f* argument
ausfahren ['aʊsfaːrən] (*unreg*) *vt* (*spazierfahren: im Auto*) to take for a drive; (*: im Kinderwagen*) to take for a walk; (*liefern*) to deliver
Ausfahrt ['aʊsfaːrt] *f* (*des Zuges etc*) leaving, departure; (*Autobahn~*) exit; (*Garagen~ etc*) exit, way out; (*Spazierfahrt*) drive, excursion
Ausfall ['aʊsfal] *m* loss; (*Nichtstattfinden*) cancellation; (*MIL*) sortie; (*Fechten*) lunge; (*radioaktiv*) fall-out; **a~en** (*unreg*) *vi* (*Zähne, Haare*) to fall *od* come out; (*nicht stattfinden*) to be cancelled; (*wegbleiben*) to be omitted; (*Person*) to drop out; (*Lohn*) to be stopped; (*nicht funktionieren*) to break down; (*Resultat haben*) to turn out; **~straße** *f* arterial road
ausfertigen ['aʊsfɛrtɪɡən] *vt* (*förmlich: Urkunde, Paß*) to draw up; (*Rechnung*) to make out
Ausfertigung ['aʊsfɛrtɪɡʊŋ] *f* drawing up; making out; (*Exemplar*) copy
ausfindig ['aʊsfɪndɪç] *adj*: **~ machen** to discover
ausfließen ['aʊsfliːsən] (*unreg*) *vt* (*herausfließen*): **~ (aus)** to flow out (of); (*auslaufen: Öl etc*): **~ (aus)** to leak (out of)
Ausflucht ['aʊsflʊxt] (**-, -flüchte**) *f* excuse
Ausflug ['aʊsfluːk] *m* excursion, outing
Ausflügler ['aʊsflyːklər] (**-s, -**) *m* tripper
Ausfluß ['aʊsflʊs] *m* outlet; (*MED*) discharge
ausfragen ['aʊsfraːɡən] *vt* to interrogate, to question
ausfressen ['aʊsfrɛsən] (*unreg*) *vt* to eat up; (*aushöhlen*) to corrode; (*umg: anstellen*) to be up to
Ausfuhr ['aʊsfuːr] (**-, -en**) *f* export, exportation ♦ *in zW* export
ausführ- ['aʊsfyːr] *zW*: **~en** *vt* (*verwirklichen*) to carry out; (*Person*) to take out; (*Hund*) to take for a walk; (*COMM*) to export; (*erklären*) to give details of; **~lich** *adj* detailed ♦ *adv* in detail; **A~lichkeit** *f* detail; **A~ung** *f* execution, performance; (*Durchführung*) completion; (*Herstellungsart*)

version; (*Erklärung*) explanation

ausfüllen ['aʊsfʏlən] *vt* to fill up; (*Fragebogen etc*) to fill in; (*Beruf*) to be fulfilling for

Ausgabe ['aʊsgaːbə] *f* (*Geld*) expenditure, outlay; (*Aushändigung*) giving out; (*Gepäck~*) left-luggage office; (*Buch*) edition; (*Nummer*) issue; (*COMPUT*) output

Ausgang ['aʊsgaŋ] *m* way out, exit; (*Ende*) end; (*Ausgangspunkt*) starting point; (*Ergebnis*) result; (*Ausgehtag*) free time, time off; **kein** ~ no exit

Ausgangspunkt *m* starting point

Ausgangssperre *f* curfew

ausgeben ['aʊsgeːbən] (*unreg*) *vt* (*Geld*) to spend; (*austeilen*) to issue, to distribute ♦ *vr*: **sich für etw/jdn** ~ to pass o.s. off as sth/sb

ausgebucht ['aʊsgəbuːxt] *adj* (*Vorstellung, Flug, Maschine*) fully booked

ausgedient ['aʊsgədiːnt] *adj* (*Soldat*) discharged; (*verbraucht*) no longer in use; ~ **haben** to have done good service

ausgefallen ['aʊsgəfalən] *adj* (*ungewöhnlich*) exceptional

ausgeglichen ['aʊsgəglɪçən] *adj* (well-) balanced; **A~heit** *f* balance; (*von Mensch*) even-temperedness

ausgehen ['aʊsgeːən] (*unreg*) *vi* to go out; (*zu Ende gehen*) to come to an end; (*Benzin*) to run out; (*Haare, Zähne*) to fall or come out; (*Feuer, Ofen, Licht*) to go out; (*Strom*) to go off; (*Resultat haben*) to turn out; **mir ging das Benzin aus** I ran out of petrol (*BRIT*) *od* gas (*US*); **auf etw** *akk* ~ to aim at sth; **von etw** ~ (*wegführen*) to lead away from sth; (*herrühren*) to come from sth; (*zugrunde legen*) to proceed from sth; **wir können davon** ~, **daß** ... we can take as our starting point that ...; **leer** ~ to get nothing; **schlecht** ~ to turn out badly

Ausgehverbot *nt* curfew

ausgelassen ['aʊsgəlasən] *adj* boisterous, high-spirited

ausgelastet ['aʊsgəlastət] *adj* fully occupied

ausgelernt ['aʊsgəlɛrnt] *adj* trained, qualified

ausgemacht ['aʊsgəmaxt] *adj* settled; (*umg: Dummkopf etc*) out-and-out, downright; **es war eine ~e Sache, daß** ... it was a foregone conclusion that ...

ausgenommen ['aʊsgənɔmən] *präp* +*gen* except ♦ *konj* except; **Anwesende sind** ~ present company excepted

ausgeprägt ['aʊsgəprɛːkt] *adj* distinct

ausgerechnet ['aʊsgəreçnət] *adv* just, precisely; ~ **du/heute** you of all people/today of all days

ausgeschlossen ['aʊsgəʃlɔsən] *adj* (*unmöglich*) impossible, out of the question

ausgeschnitten ['aʊsgəʃnɪtən] *adj* (*Kleid*) low-necked

ausgesprochen ['aʊsgəʃprɔxən] *adj* (*Faulheit, Lüge etc*) out-and-out; (*unverkennbar*) marked ♦ *adv* decidedly

ausgezeichnet ['aʊsgətsaɪçnət] *adj* excellent

ausgiebig ['aʊsgiːbɪç] *adj* (*Gebrauch*) thorough, good; (*Essen*) generous, lavish; ~ **schlafen** to have a good sleep

Ausgleich ['aʊsglaɪç] (-(e)s, -e) *m* balance; (*Vermittlung*) reconciliation; (*SPORT*) equalization; **zum** ~ **einer Sache** *gen* in order to offset sth; **a~en** (*unreg*) *vt* to balance (out); to reconcile; (*Höhe*) to even up ♦ *vi* (*SPORT*) to equalize

ausgraben ['aʊsgraːbən] (*unreg*) *vt* to dig up; (*Leichen*) to exhume; (*fig*) to unearth

Ausgrabung *f* excavation; (*Ausgraben auch*) digging up

Ausguß ['aʊsgʊs] *m* (*Spüle*) sink; (*Abfluß*) outlet; (*Tülle*) spout

aushalten ['aʊshaltən] (*unreg*) *vt* to bear, to stand; (*Geliebte*) to keep ♦ *vi* to hold out; **das ist nicht zum A~** that is unbearable

aushandeln ['aʊshandəln] *vt* to negotiate

aushändigen ['aʊshɛndɪgən] *vt*: **jdm etw** ~ to hand sth over to sb

Aushang ['aʊshaŋ] *m* notice

aushängen ['aʊshɛŋən] (*unreg*) *vt* (*Meldung*) to put up; (*Fenster*) to take off its hinges ♦ *vi* to be displayed ♦ *vr* to hang out

ausharren ['aʊsharən] *vi* to hold out

ausheben ['aʊsheːbən] (*unreg*) *vt* (*Erde*) to lift out; (*Grube*) to hollow out; (*Tür*) to take off its hinges; (*Diebesnest*) to clear out; (*MIL*) to enlist

aushecken ['aʊshɛkən] (*umg*) *vt* to cook up

aushelfen ['aʊshɛlfən] (*unreg*) *vi*: **jdm** ~ to help sb out

Aushilfe ['aʊshɪlfə] *f* help, assistance; (*Person*) (temporary) worker

Aushilfskraft *f* temporary worker

aushilfsweise *adv* temporarily, as a stopgap

ausholen ['aʊshoːlən] *vi* to swing one's arm back; (*zur Ohrfeige*) to raise one's hand; (*beim Gehen*) to take long strides; **weit** ~ (*fig*) to be expansive

aushorchen ['aʊshɔrçən] *vt* to sound out, to pump

aushungern ['aʊshʊŋərn] *vt* to starve out

auskennen ['aʊskɛnən] (*unreg*) *vr* to know a lot; (*an einem Ort*) to know one's way about; (*in Fragen etc*) to be knowledgeable

Ausklang ['aʊsklaŋ] *m* end

auskleiden ['aʊsklaɪdən] *vr* to undress ♦ *vt* (*Wand*) to line

ausklingen ['aʊsklɪŋən] (*unreg*) *vi* (*Ton, Lied*) to die away; (*Fest*) to peter out

ausklopfen ['aʊsklɔpfən] *vt* (*Teppich*) to

beat; (*Pfeife*) to knock out
auskochen ['auskɔxən] *vt* to boil; (*MED*) to sterilize; **ausgekocht** (*fig*) out-and-out
Auskommen ['auskɔmən] (*-s*) *nt*: **sein ~ haben** to have a regular income; **a~** (*unreg*) *vi*: **mit jdm a~** to get on with sb; **mit etw a~** to get by with sth
auskosten ['auskɔstən] *vt* to enjoy to the full
auskundschaften ['auskuntʃaftən] *vt* to spy out; (*Gebiet*) to reconnoitre
Auskunft ['auskunft] (*-, -künfte*) *f* information; (*nähere*) details *pl*, particulars *pl*; (*Stelle*) information office; (*TEL*) directory inquiries *sg*
auslachen ['auslaxən] *vt* to laugh at, to mock
ausladen ['auslaːdən] (*unreg*) *vt* to unload; (*umg: Gäste*) to cancel an invitation to
Auslage ['auslaːgə] *f* shop window (display); **~n** *pl* (*Ausgabe*) outlay *sg*
Ausland ['auslant] *nt* foreign countries *pl*; **im ~** abroad; **ins ~** abroad
Ausländer(in) ['auslɛndər(in)] (*-s, -*) *m(f)* foreigner
ausländisch *adj* foreign
Auslandsgespräch *nt* international call
Auslandsreise *f* trip abroad
auslassen ['auslasən] (*unreg*) *vt* to leave out; (*Wort etc auch*) to omit; (*Fett*) to melt; (*Kleidungsstück*) to let out ♦ *vr*: **sich über etw** *akk* ~ to speak one's mind about sth; **seine Wut** *etc* **an jdm** ~ to vent one's rage *etc* on sb
Auslassung *f* omission
Auslauf ['auslauf] *m* (*für Tiere*) run; (*Ausfluß*) outflow, outlet; **a~en** (*unreg*) *vi* to run out; (*Behälter*) to leak; (*NAUT*) to put out (to sea); (*langsam aufhören*) to run down
Ausläufer ['auslɔyfər] *m* (*von Gebirge*) spur; (*Pflanze*) runner; (*MET: von Hoch*) ridge; (: *von Tief*) trough
ausleeren ['ausl[eː]rən] *vt* to empty
auslegen ['auslɛːgən] *vt* (*Waren*) to lay out; (*Köder*) to put down; (*Geld*) to lend; (*bedecken*) to cover; (*Text etc*) to interpret
Auslegung *f* interpretation
ausleiern ['auslaiərn] *vi* (*Gummi*) to wear out
Ausleihe ['auslaiə] *f* issuing; (*Stelle*) issue desk; **a~n** (*unreg*) *vt* (*verleihen*) to lend; **sich** *dat* **etw a~n** to borrow sth
Auslese ['auslezə] *f* selection; (*Elite*) elite; (*Wein*) choice wine; **a~n** (*unreg*) *vt* to select; (*umg: zu Ende lesen*) to finish
ausliefern ['auslifərn] *vt* to deliver (up), to hand over; (*COMM*) to deliver; **jdm/etw ausgeliefert sein** to be at the mercy of sb/sth
auslöschen ['auslœʃən] *vt* to extinguish; (*fig*) to wipe out, to obliterate

auslosen ['auslozən] *vt* to draw lots for
auslösen ['auslø:zən] *vt* (*Explosion, Schuß*) to set off; (*hervorrufen*) to cause, to produce; (*Gefangene*) to ransom; (*Pfand*) to redeem
Auslöser (*-s, -*) *m* (*PHOT*) release
ausmachen ['ausmaxən] *vt* (*Licht, Radio*) to turn off; (*Feuer*) to put out; (*entdecken*) to make out; (*vereinbaren*) to agree; (*beilegen*) to settle; (*Anteil darstellen, betragen*) to represent; (*bedeuten*) to matter; **macht es Ihnen etwas aus, wenn ...?** would you mind if ...?
ausmalen ['ausmaːlən] *vt* to paint; (*fig*) to describe; **sich** *dat* **etw** ~ to imagine sth
Ausmaß ['ausmaːs] *nt* dimension; (*fig auch*) scale
ausmessen ['ausmesən] (*unreg*) *vt* to measure
Ausnahme ['ausnaːmə] *f* exception; **~fall** *m* exceptional case; **~zustand** *m* state of emergency
ausnahmslos *adv* without exception
ausnahmsweise *adv* by way of exception, for once
ausnehmen ['ausneːmən] (*unreg*) *vt* to take out, to remove; (*Tier*) to gut; (*Nest*) to rob; (*umg: Geld abnehmen*) to clean out; (*ausschließen*) to make an exception of ♦ *vr* to look, to appear; **~d** *adj* exceptional
ausnützen ['ausnytsən] *vt* (*Zeit, Gelegenheit*) to use, to turn to good account; (*Einfluß*) to use; (*Mensch, Gutmütigkeit*) to exploit
auspacken ['auspakən] *vt* to unpack
auspfeifen ['auspfaifən] (*unreg*) *vt* to hiss/boo at
ausplaudern ['ausplaudərn] *vt* (*Geheimnis*) to blab
ausprobieren ['ausprobiːrən] *vt* to try (out)
Auspuff ['auspuf] (*-(e)s, -e*) *m* (*TECH*) exhaust; **~rohr** *nt* exhaust (pipe); **~topf** *m* (*AUT*) silencer
ausradieren ['ausradiːrən] *vt* to erase, to rub out; (*fig*) to annihilate
ausrangieren ['ausrãʒiːrən] (*umg*) *vt* to chuck out
ausrauben ['ausraubən] *vt* to rob
ausräumen ['ausrɔymən] *vt* (*Dinge*) to clear away; (*Schrank, Zimmer*) to empty; (*Bedenken*) to dispel
ausrechnen ['ausrɛçnən] *vt* to calculate, to reckon
Ausrede ['ausreːdə] *f* excuse; **a~n** *vi* to have one's say ♦ *vt*: **jdm etw a~n** to talk sb out of sth
ausreichen ['ausraiçən] *vi* to suffice, to be enough; **~d** *adj* sufficient, adequate; (*SCH*) adequate
Ausreise ['ausraizə] *f* departure; **bei der ~** when leaving the country; **~erlaubnis** *f* exit visa; **a~n** *vi* to leave the country

ausreißen ['ausraɪsən] (*unreg*) *vt* to tear *od* pull out ♦ *vi* (*Riß bekommen*) to tear; (*umg*) to make off, to scram

ausrenken ['ausreŋkən] *vt* to dislocate

ausrichten ['ausrɪçtən] *vt* (*Botschaft*) to deliver; (*Gruß*) to pass on; (*Hochzeit etc*) to arrange; (*in gerade Linie bringen*) to get in a straight line; (*angleichen*) to bring into line; (*TYP*) to justify; **ich werde es ihm ~** I'll tell him; **etwas/nichts bei jdm ~** to get somewhere/nowhere with sb

ausrotten ['ausrɔtən] *vt* to stamp out, to exterminate

ausrücken ['ausrykən] *vi* (*MIL*) to move off; (*Feuerwehr, Polizei*) to be called out; (*umg*: *weglaufen*) to run away

Ausruf ['ausruːf] *m* (*Schrei*) cry, exclamation; (*Bekanntmachung*) proclamation; **a~en** (*unreg*) *vt* to cry out, to exclaim; to call out; **~ezeichen** *nt* exclamation mark

ausruhen ['ausruːən] *vt, vr* to rest

ausrüsten ['ausrystən] *vt* to equip, to fit out

Ausrüstung *f* equipment

ausrutschen ['ausrutʃən] *vi* to slip

Aussage ['auszaːgə] *f* (*JUR*) statement; **a~n** *vt* to say, to state ♦ *vi* (*JUR*) to give evidence

ausschalten ['ausʃaltən] *vt* to switch off; (*fig*) to eliminate

Ausschank ['ausʃaŋk] (-(e)s, -schänke) *m* dispensing, giving out; (*COMM*) selling; (*Theke*) bar

Ausschau ['ausʃau] *f*: **~ halten (nach)** to look out (for), to watch (for); **a~en** *vi*: **a~en (nach)** to look out (for), to be on the look-out (for)

ausscheiden ['ausʃaɪdən] (*unreg*) *vt* to take out; (*MED*) to secrete ♦ *vi*: **~ (aus)** to leave; (*SPORT*) to be eliminated (from) *od* knocked out (of)

Ausscheidung *f* separation; secretion; elimination; (*aus Amt*) retirement

ausschenken ['ausʃeŋkən] *vt* (*Alkohol, Kaffee*) to pour out; (*COMM*) to sell

ausschildern ['ausʃɪldərn] *vt* to signpost

ausschimpfen ['ausʃɪmpfən] *vt* to scold, to tell off

ausschlafen ['ausʃlaːfən] (*unreg*) *vi, vr* to have a good sleep ♦ *vt* to sleep off; **ich bin nicht ausgeschlafen** I didn't have *od* get enough sleep

Ausschlag ['ausʃlaːk] *m* (*MED*) rash; (*Pendel~*) swing; (*Nadel~*) deflection; **den ~ geben** (*fig*) to tip the balance; **a~en** [-gən] (*unreg*) *vt* to knock out; (*auskleiden*) to deck out; (*verweigern*) to decline ♦ *vi* (*Pferd*) to kick out; (*BOT*) to sprout; **a~gebend** *adj* decisive

ausschließen ['ausʃliːsən] (*unreg*) *vt* to shut *od* lock out; (*fig*) to exclude

ausschließlich *adj* exclusive ♦ *adv* exclusively ♦ *präp +gen* exclusive of, excluding

Ausschluß ['ausʃlus] *m* exclusion

ausschmücken ['ausʃmykən] *vt* to decorate; (*fig*) to embellish

ausschneiden ['ausʃnaɪdən] (*unreg*) *vt* to cut out; (*Büsche*) to trim

Ausschnitt ['ausʃnɪt] *m* (*Teil*) section; (*von Kleid*) neckline; (*Zeitungs~*) cutting; (*aus Film etc*) excerpt

ausschreiben ['ausʃraɪbən] (*unreg*) *vt* (*ganz schreiben*) to write out (in full); (*ausstellen*) to write (out); (*Stelle, Wettbewerb etc*) to announce, to advertise

Ausschreitung ['ausʃraɪtʊŋ] *f* (*usu pl*) riot

Ausschuß ['ausʃus] *m* committee, board; (*Abfall*) waste, scraps *pl*; (*COMM: auch*: *~ware f*) reject

ausschütten ['ausʃytən] *vt* to pour out; (*Eimer*) to empty; (*Geld*) to pay ♦ *vr* to shake (with laughter)

ausschweifend ['ausʃvaɪfənt] *adj* (*Leben*) dissipated, debauched; (*Phantasie*) extravagant

aussehen ['auszeːən] (*unreg*) *vi* to look; **A~ (-s)** *nt* appearance; **es sieht nach Regen aus** it looks like rain; **es sieht schlecht aus** things look bad

aussein ['ausaɪn] (*unreg*, *umg*) *vi* (*zu Ende sein*) to be over; (*nicht zu Hause sein*) to be out; (*nicht brennen*) to be out; (*abgeschaltet sein*: *Radio, Herd*) to be off

außen ['ausən] *adv* outside; (*nach ~*) outwards; **~ ist es rot** it's red (on the) outside

Außen- *zW*: **~bordmotor** *m* outboard motor; **~dienst** *m*: **im ~dienst sein** to work outside the office; **~handel** *m* foreign trade; **~minister** *m* foreign minister; **~ministerium** *nt* foreign office; **~politik** *f* foreign policy; **a~politisch** *adj* (*Entwicklung, Lage*) foreign; **~seite** *f* outside; **~seiter (-s, -)** *m* outsider; **~stehende(r)** *f(m)* outsider; **~welt** *f* outside world

außer ['ausər] *präp +dat* (*räumlich*) out of; (*abgesehen von*) except ♦ *konj* (*ausgenommen*) except; **~ Gefahr** out of danger; **~ Zweifel** beyond any doubt; **~ Betrieb** out of order; **~ Dienst** retired; **~ Landes** abroad; **~ sich dat sein** to be beside o.s.; **~ sich akk geraten** to go wild; **~ wenn** unless; **~ daß** except; **~dem** *konj* besides, in addition

äußere(r, s) ['ɔysərə(r, s)] *adj* outer, external

außergewöhnlich *adj* unusual

außerhalb *präp +gen* outside ♦ *adv* outside

äußerlich *adj* external

äußern *vt* to utter, to express; (*zeigen*) to show ♦ *vr* to give one's opinion; (*Krankheit etc*) to show itself

außerordentlich *adj* extraordinary

außerplanmäßig adj unscheduled

äußerst ['ɔysərst] adv extremely, most; **~e(r, s)** adj utmost; (räumlich) farthest; (Termin) last possible; (Preis) highest

Äußerung f remark, comment

aussetzen ['auszɛtsən] vt (Kind, Tier) to abandon; (Boote) to lower; (Belohnung) to offer; (Urteil, Verfahren) to postpone ♦ vi (aufhören) to stop; (Pause machen) to have a break; **jdm/etw ausgesetzt sein** to be exposed to sb/sth; **an jdm/etw etwas ~** to find fault with sb/sth

Aussicht ['auszɪçt] f view; (in Zukunft) prospect; **etw in ~ haben** to have sth in view

Aussichts- zW: **a~los** adj hopeless; **~punkt** m viewpoint; **a~reich** adj promising; **~turm** m observation tower

aussöhnen ['auszø:nən] vt to reconcile ♦ vr to reconcile o.s., to become reconciled

aussondern ['auszɔndərn] vt to separate, to select

aussortieren ['auszɔrti:rən] vt to sort out

ausspannen ['ausʃpanən] vt to spread od stretch out; (Pferd) to unharness; (umg: Mädchen): **(jdm) jdn ~** to steal sb (from sb) ♦ vi to relax

aussperren ['ausʃpɛrən] vt to lock out

ausspielen ['ausʃpi:lən] vt (Karte) to lead; (Geldprämie) to offer as a prize ♦ vi (KARTEN) to lead; **jdn gegen jdn ~** to play sb off against sb; **ausgespielt haben** to be finished

Aussprache ['ausʃpra:xə] f pronunciation; (Unterredung) (frank) discussion

aussprechen ['ausʃprɛçən] (unreg) vt to pronounce; (äußern) to say, to express ♦ vr (sich äußern): **sich ~ (über +akk)** to speak (about); (sich anvertrauen) to unburden o.s. (about od on); (diskutieren) to discuss ♦ vi (zu Ende sprechen) to finish speaking

Ausspruch ['ausʃprux] m saying, remark

ausspülen ['ausʃpy:lən] vt to wash out; (Mund) to rinse

Ausstand ['ausʃtant] m strike; **in den ~ treten** to go on strike

ausstatten ['ausʃtatən] vt (Zimmer etc) to furnish; (Person) to equip, to kit out

Ausstattung f (Ausstatten) provision; (Kleidung) outfit; (Aussteuer) dowry; (Aufmachung) make-up; (Einrichtung) furnishing

ausstechen ['ausʃtɛçən] (unreg) vt (Augen, Rasen, Graben) to dig out; (Kekse) to cut out; (übertreffen) to outshine

ausstehen ['ausʃte:ən] (unreg) vt to stand, to endure ♦ vi (noch nicht dasein) to be outstanding

aussteigen ['ausʃtaigən] (unreg) vi to get out, to alight

ausstellen ['ausʃtɛlən] vt to exhibit, to display; (umg: ausschalten) to switch off; (Rechnung etc) to make out; (Paß, Zeugnis) to issue

Ausstellung f exhibition; (FIN) drawing up; (einer Rechnung) making out; (eines Passes etc) issuing

aussterben ['ausʃtɛrbən] (unreg) vi to die out

Aussteuer ['ausʃtɔyər] f dowry

Ausstieg ['ausʃti:k] (-(e)s, -e) m exit

ausstopfen ['ausʃtɔpfən] vt to stuff

ausstoßen ['ausʃto:sən] (unreg) vt (Luft, Rauch) to give off, to emit; (aus Verein etc) to expel, to exclude; (Auge) to poke out

ausstrahlen ['ausʃtra:lən] vt, vi to radiate; (RADIO) to broadcast

Ausstrahlung f radiation; (fig) charisma

ausstrecken ['ausʃtrɛkən] vt, vr to stretch out

ausstreichen ['ausʃtraiçən] (unreg) vt to cross out; (glätten) to smooth (out)

ausströmen ['ausʃtrø:mən] vi (Gas) to pour out, to escape ♦ vt to give off; (fig) to radiate

aussuchen ['auszu:xən] vt to select, to pick out

Austausch ['austauʃ] m exchange; **a~bar** adj exchangeable; **a~en** vt to exchange, to swap; **~motor** m reconditioned engine

austeilen ['austailən] vt to distribute, to give out

Auster ['austər] (-, -n) f oyster

austoben ['austo:bən] vr (Kind) to run wild; (Erwachsene) to sow one's wild oats

austragen ['austra:gən] (unreg) vt (Post) to deliver; (Streit etc) to decide; (Wettkämpfe) to hold

Australien [aus'tra:liən] (-s) nt Australia

Australier(in) (-s, -) m(f) Australian

australisch adj Australian

austreiben ['austraibən] (unreg) vt to drive out, to expel; (Geister) to exorcize

austreten ['austre:tən] (unreg) vi (zur Toilette) to be excused ♦ vt (Feuer) to tread out, to trample; (Schuhe) to wear out; (Treppe) to wear down; **aus etw ~** to leave sth

austrinken ['austrɪŋkən] (unreg) vt (Glas) to drain; (Getränk) to drink up ♦ vi to finish one's drink, to drink up

Austritt ['austrɪt] m emission; (aus Verein, Partei etc) retirement, withdrawal

austrocknen ['austrɔknən] vt, vi to dry up

ausüben ['aus'y:bən] vt (Beruf) to practise, to carry out; (Funktion) to perform; (Einfluß) to exert; **einen Reiz auf jdn ~** to hold an attraction for sb; **eine Wirkung auf jdn ~** to have an effect on sb

Ausverkauf ['ausfɛrkauf] m sale; **a~en** vt to sell out; (Geschäft) to sell up; **a~t** adj (Karten, Artikel) sold out; (THEAT: Haus) full

Auswahl ['ausva:l] f: **eine ~ (an +dat)** a selection (of), a choice (of)

auswählen ['ausvɛ:lən] vt to select, to choose

Auswander- ['aʊsvandər] *zW:* **~er** *m* emigrant; **a~n** *vi* to emigrate; **~ung** *f* emigration

auswärtig ['aʊsvɛrtɪç] *adj* (*nicht am/vom Ort*) out-of-town; (*ausländisch*) foreign

auswärts ['aʊsvɛrts] *adv* outside; (*nach außen*) outwards; **~ essen** to eat out; **A~spiel** ['aʊsvɛrtsʃpiːl] *nt* away game

auswechseln ['aʊsvɛksəln] *vt* to change, to substitute

Ausweg ['aʊsveːk] *m* way out; **a~los** *adj* hopeless

ausweichen ['aʊsvaɪçən] (*unreg*) *vi:* **jdm/ etw ~** to move aside *od* make way for sb /sth; (*fig*) to side-step sb/sth; **~d** *adj* evasive

ausweinen ['aʊsvaɪnən] *vr* to have a (good) cry

Ausweis ['aʊsvaɪs] (**-es, -e**) *m* identity card; passport; (*Mitglieds~, Bibliotheks~ etc*) card; **a~en** [-zən] (*unreg*) *vt* to expel, to banish ♦ *vr* to prove one's identity; **~papiere** *pl* identity papers; **~ung** *f* expulsion

ausweiten ['aʊsvaɪtən] *vt* to stretch

auswendig ['aʊsvɛndɪç] *adv* by heart; **~ lernen** to learn by heart

auswerten ['aʊsvɛrtən] *vt* to evaluate

Auswertung *f* evaluation, analysis; (*Nutzung*) utilization

auswirken ['aʊsvɪrkən] *vr* to have an effect

Auswirkung *f* effect

auswischen ['aʊsvɪʃən] *vt* to wipe out; **jdm eins ~** (*umg*) to put one over on sb

Auswuchs ['aʊsvuːks] *m* (out)growth; (*fig*) product

auswuchten ['aʊsvʊxtən] *vt* (*AUT*) to balance

auszahlen ['aʊstsaːlən] *vt* (*Lohn, Summe*) to pay out; (*Arbeiter*) to pay off; (*Miterbe*) to buy out ♦ *vr* (*sich lohnen*) to pay

auszählen ['aʊstsɛːlən] *vt* (*Stimmen*) to count; (*BOXEN*) to count out

auszeichnen ['aʊstsaɪçnən] *vt* to honour; (*MIL*) to decorate; (*COMM*) to price ♦ *vr* to distinguish o.s.

Auszeichnung *f* distinction; (*COMM*) pricing; (*Ehrung*) awarding of decoration; (*Ehre*) honour; (*Orden*) decoration; **mit ~** with distinction

ausziehen ['aʊstsiːən] (*unreg*) *vt* (*Kleidung*) to take off; (*Haare, Zähne, Tisch etc*) to pull out; (*nachmalen*) to trace ♦ *vr* to undress ♦ *vi* (*aufbrechen*) to leave; (*aus Wohnung*) to move out

Auszug ['aʊstsuːk] *m* (*aus Wohnung*) removal; (*aus Buch etc*) extract; (*Konto~*) statement; (*Ausmarsch*) departure

Auto ['aʊto] (**-s, -s**) *nt* (motor-)car; **~ fahren** to drive; **~atlas** *m* road atlas; **~bahn** *f* motorway; **~bahndreieck** *nt* motorway junction; **~bahnkreuz** *nt* motorway inter-

section; **~bus** *m* bus; **~fahrer(in)** *m(f)* motorist, driver; **~fahrt** *f* drive; **a~gen** [-'geːn] *adj* autogenous; **~'gramm** *nt* autograph; **~'mat (-en, -en)** *m* machine; **~matik** [aʊto'maːtɪk] *f* (*AUT*) automatic; **a~- 'matisch** *adj* automatic; **a~nom** [-'noːm] *adj* autonomous

Autor(in) ['aʊtɔr, aʊ'toːrɪn, *pl* -'toːrən] (**-s, -en**) *m(f)* author

Auto- *zW:* **~radio** *nt* car radio; **~reifen** *m* car tyre; **~reisezug** *m* motorail train; **~rennen** *nt* motor racing

autoritär [aʊtori'tɛːr] *adj* authoritarian

Autorität *f* authority

Auto- *zW:* **~stopp** *m:* **per ~stopp fahren** to hitch-hike; **~telefon** *nt* car phone; **~unfall** *m* car *od* motor accident; **~verleih** *m* car hire (*BRIT*) *od* rental (*US*); **~wäsche** *f* car wash

Axt [akst] (**-, ⁼e**) *f* axe

B b

Baby ['beːbi] (**-s, -s**) *nt* baby; **~nahrung** *f* baby food; **~sitter** ['beːbɪzɪtər] (**-s, -**) *m* baby-sitter

Bach [bax] (**-(e)s, ⁼e**) *m* stream, brook

Backbord (**-(e)s, -e**) *nt* (*NAUT*) port

Backe ['bakə] *f* cheek

backen (*unreg*) *vt, vi* to bake

Backenzahn *m* molar

Bäcker ['bɛkər] (**-s, -**) *m* baker; **~ei** *f* bakery; (*~laden*) baker's (shop)

Backform *f* baking tin

Back- *zW:* **~obst** *nt* dried fruit; **~ofen** *m* oven; **~pflaume** *f* prune; **~pulver** *nt* baking powder; **~stein** *m* brick

Bad [baːt] (**-(e)s, ⁼er**) *nt* bath; (*Schwimmen*) bathe; (*Ort*) spa

Bade- ['baːdə] *zW:* **~anstalt** *f* (swimming) baths *pl*; **~anzug** *m* bathing suit; **~hose** *f* bathing *od* swimming trunks *pl*; **~mantel** *m* bath(ing) robe; **~meister** *m* baths attendant; **~mütze** *f* bathing cap; **b~n** *vi* to bathe, to have a bath ♦ *vt* to bath; **~ort** *m* spa; **~tuch** *nt* bath towel; **~wanne** *f* bath (tub); **~zimmer** *nt* bathroom

Bagatelle [baga'tɛlə] *f* trifle

Bagger ['bagər] (**-s, -**) *m* excavator; (*NAUT*) dredger; **b~n** *vt, vi* to excavate; to dredge

Bahn [baːn] (**-, -en**) *f* railway, railroad (*US*); (*Weg*) road, way; (*Spur*) lane; (*Renn~*) track; (*ASTRON*) orbit; (*Stoff~*) length;

b~brechend adj pioneering; **~damm** m railway embankment; **b~en** vt: **sich/jdm einen Weg b~en** to clear a way/a way for sb; **~fahrt** f railway journey; **~hof** m station; **auf dem ~hof** at the station; **~hofshalle** f station concourse; **~hofsvorsteher** m station-master; **~linie** f (railway) line; **~steig** m platform; **~übergang** m level crossing, grade crossing (*US*); **~wärter** m signalman

Bahre ['ba:rə] f stretcher
Bakterien [bak'te:riən] pl bacteria pl
Balance [ba'lã:sə] f balance, equilibrium
balan'cieren vt, vi to balance
bald [balt] adv (zeitlich) soon; (beinahe) almost; **~ig** ['baldɪç] adj early, speedy
Baldrian ['baldria:n] (-s, -e) m valerian
Balkan ['balka:n] (-s) m: **der ~** the Balkans pl
Balken ['balkən] (-s, -) m beam; (Trag~) girder; (Stütz~) prop
Balkon [bal'kõ:] (-s, -s od -e) m balcony; (*THEAT*) (dress) circle
Ball [bal] (-(e)s, ⁼e) m ball; (Tanz) dance, ball
Ballast ['balast] (-(e)s, -e) m ballast; (fig) weight, burden
Ballen ['balən] (-s, -) m bale; (*ANAT*) ball; **b~** vt (formen) to make into a ball; (Faust) to clench ♦ vr (Wolken etc) to build up; (Menschen) to gather
Ballett [ba'let] (-(e)s, -e) nt ballet
Ballkleid nt evening dress
Ballon [ba'lõ:] (-s, -s od -e) m balloon
Ballspiel nt ball game
Ballungsgebiet ['baluŋsgəbi:t] nt conurbation
Baltikum ['baltikum] (-s) nt (*GEO*): **das ~** the Baltic States
Bambus ['bambus] (-ses, -se) m bamboo; **~rohr** nt bamboo cane
Banane [ba'na:nə] f banana
Band¹ [bant] (-(e)s, ⁼e) m (Buch~) volume
Band² (-(e)s, ⁼er) nt (Stoff~) ribbon, tape; (Fließ~) production line; (Faß~) hoop; (Ton~) tape; (*ANAT*) ligament; **etw auf ~ aufnehmen** to tape sth; **am laufenden ~** (umg) non-stop
Band³ (-(e)s, -e) nt (Freundschafts~ etc) bond
Band⁴ [bɛnt] (-, -s) f band, group
band etc vb siehe **binden**
Bandage [ban'da:ʒə] f bandage
banda'gieren vt to bandage
Bande ['bandə] f band; (Straßen~) gang
bändigen ['bɛndɪgən] vt (Tier) to tame; (Trieb, Leidenschaft) to control, to restrain
Bandit [ban'di:t] (-en, -en) m bandit
Band- zW: **~nudel** f (*KOCH*: gew pl) ribbon noodles (pl); **~scheibe** f (*ANAT*) disc; **~wurm** m tapeworm
bange ['baŋə] adj scared; (besorgt) anxious;

jdm wird es ~ sb is becoming scared; **jdm ~ machen** to scare sb; **~n** vi: **um jdn/etw ~n** to be anxious od worried about sb/sth
Banjo ['banjo, 'bɛndʒo] (-s, -s) nt banjo
Bank¹ [baŋk] (-, ⁼e) f (Sitz~) bench; (Sand~ etc) (sand)bank, (sand)bar
Bank² (-, -en) f (Geld~) bank
Bankanweisung f banker's order
Bankett [ban'kɛt] (-(e)s, -e) nt (Essen) banquet; (Straßenrand) verge (*BRIT*), shoulder (*US*); **~e** f verge (*BRIT*), shoulder (*US*)
Bankier [baŋki'e:] (-s, -s) m banker
Bank- zW: **~konto** nt bank account; **~leitzahl** f bank sort code number; **~note** f banknote; **~raub** m bank robbery
Bankrott [baŋ'krɔt] (-(e)s, -e) m bankruptcy; **~ machen** to go bankrupt; **b~** adj bankrupt
Bann [ban] (-(e)s, -e) m (*HIST*) ban; (Kirchen~) excommunication; (fig: Zauber) spell; **b~en** vt (Geister) to exorcise; (Gefahr) to avert; (bezaubern) to enchant; (*HIST*) to banish
Banner (-s, -) nt banner, flag
Bar (-, -s) f bar
bar [ba:r] adj (+gen) (unbedeckt) bare; (frei von) lacking (in); (offenkundig) utter, sheer; **~e(s) Geld** cash; **etw (in) ~ bezahlen** to pay sth (in) cash; **etw für ~e Münze nehmen** (fig) to take sth at its face value
Bär [bɛ:r] (-en, -en) m bear
Baracke [ba'rakə] f hut
barbarisch [bar'ba:rɪʃ] adj barbaric, barbarous
Bar- zW: **b~fuß** adj barefoot; **~geld** nt cash, ready money; **b~geldlos** adj noncash
Barhocker m bar stool
Barkauf m cash purchase
Barkeeper ['ba:rki:pər] (-s, -) m barman, bartender
barmherzig [barm'hɛrtsɪç] adj merciful, compassionate
Barometer [baro'me:tər] (-s, -) nt barometer
Baron [ba'ro:n] (-s, -e) m baron; **~in** f baroness
Barren ['barən] (-s, -) m parallel bars pl; (Gold~) ingot
Barriere [bari'ɛ:rə] f barrier
Barrikade [bari'ka:də] f barricade
Barsch [barʃ] (-(e)s, -e) m perch
barsch adj brusque, gruff
Barschaft f ready money
Barscheck m open od uncrossed cheque (*BRIT*), open check (*US*)
Bart [ba:rt] (-(e)s, ⁼e) m beard; (Schlüssel~) bit
bärtig ['bɛ:rtɪç] adj bearded
Barzahlung f cash payment
Base ['ba:zə] f (*CHEM*) base; (Kusine) cousin

Basel ['baːzəl] nt Basle
Basen pl von **Base; Basis**
BASIC ['beːsik] nt (COMPUT) BASIC
basieren [ba'ziːrən] vt to base ♦ vi to be based
Basis ['baːzɪs] (-, **Basen**) f basis
Baß [bas] (**Basses, Bässe**) m bass
Bassin [ba'sɛ̃ː] (-s, -s) nt pool
Baßstimme f bass voice
Bast [bast] (-(e)s, -e) m raffia
basteln vt to make ♦ vi to do handicrafts
bat etc [baːt] vb siehe **bitten**
Bataillon [batal'joːn] (-s, -e) nt battalion
Batik ['baːtik] f (Verfahren) batik
Batist [ba'tɪst] (-(e)s, -e) m batiste
Batterie [batə'riː] f (battery)
Bau [bau] (-(e)s) m (**Bauen**) building, construction; (Aufbau) structure; (Körper~) frame; (~stelle) building site; (pl Baue: Tier~) hole, burrow; (: MIN) working(s); (pl Bauten: Gebäude) building; **sich im ~ befinden** to be under construction; **~arbeiter** m building worker
Bauch [baux] (-(e)s, **Bäuche**) m belly; (ANAT auch) stomach, abdomen; **~fell** nt peritoneum; **b~ig** adj bulbous; **~nabel** m navel; **~redner** m ventriloquist; **~schmerzen** pl stomach-ache; **~tanz** m belly dance; belly dancing; **~weh** nt stomach-ache
bauen ['bauən] vt, vi to build; (TECH) to construct; **auf jdn/etw ~** to depend od count upon sb/sth
Bauer¹ ['bauər] (-n od -s, -n) m farmer; (Schach) pawn
Bauer² (-s, -) nt od m (bird-)cage
Bäuerin ['bɔʏrɪn] f farmer; (Frau des Bauers) farmer's wife
bäuerlich adj rustic
Bauern- zW: **~haus** nt farmhouse; **~hof** m farm(yard)
Bau- zW: **b~fällig** adj dilapidated; **~gelände** f building site; **~genehmigung** f building permit; **~herr** m purchaser; **~kasten** m box of bricks; **~land** nt building land; **b~lich** adj structural
Baum [baum] (-(e)s, **Bäume**) m tree
baumeln ['baumeln] vi to dangle
bäumen ['bɔʏmən] vr to rear (up)
Baum- zW: **~schule** f nursery; **~stamm** m tree trunk; **~stumpf** m tree stump; **~wolle** f cotton
Bau- zW: **~plan** m architect's plan; **~platz** m building site
bausparen vi to save with a building society
Bausparkasse f building society
Bausparvertrag m building society savings agreement
Bau zW: **~stein** m building stone, freestone; **~stelle** f building site; **~teil** nt prefabricated part (of building); **~ten** pl von

Bau; ~weise f (method of) construction; **~werk** nt building; **~zaun** m hoarding
Bayer(in) ['baɪər(ɪn)] m(f) Bavarian
Bayern ['baɪərn] nt Bavaria
bayrisch ['baɪrɪʃ] adj Bavarian
Bazillus [ba'tsɪlʊs] (-, **Bazillen**) m bacillus
beabsichtigen [bə'apzɪçtɪgən] vt to intend
beachten [bə'axtən] vt to take note of; (Vorschrift) to obey; (Vorfahrt) to observe
beachtlich adj considerable
Beachtung f notice, attention, observation
Beamte(r) [bə'amtə(r)] (-n, -n) m official; (Staats~) civil servant; (Bank~ etc) employee
Beamtin f siehe **Beamte(r)**
beängstigend [bə'ɛŋstɪgənt] adj alarming
beanspruchen [bə'anʃprʊxən] vt to claim; (Zeit, Platz) to take up, to occupy; **jdn ~** to take up sb's time
beanstanden [bə'anʃtandən] vt to complain about, to object to
beantragen [bə'antraːgən] vt to apply for, to ask for
beantworten [bə'antvɔrtən] vt to answer
Beantwortung f (+gen) reply (to)
bearbeiten [bə'arbaɪtən] vt to work; (Material) to process; (Thema) to deal with; (Land) to cultivate; (CHEM) to treat; (Buch) to revise; (umg: beeinflussen wollen) to work on
Bearbeitung f processing; cultivation; treatment; revision
Beatmung [bə'aːtmʊŋ] f respiration
beaufsichtigen [bə'aufzɪçtɪgən] vt to supervise
Beaufsichtigung f supervision
beauftragen [bə'auftraːgən] vt to instruct; **jdn mit etw ~** to entrust sb with sth
Beauftragte(r) f(m) (dekl wie adj) representative
bebauen [bə'bauən] vt to build on; (AGR) to cultivate
beben ['beːbən] vi to tremble, to shake; **B~** (-s, -) nt earthquake
Becher ['bɛçər] (-s, -) m mug; (ohne Henkel) tumbler
Becken ['bɛkən] (-s, -) nt basin; (MUS) cymbal; (ANAT) pelvis
bedacht [bə'daxt] adj thoughtful, careful; **auf etw** akk **sein** to be concerned about sth
bedächtig [bə'dɛçtɪç] adj (umsichtig) thoughtful, reflective; (langsam) slow, deliberate
bedanken [bə'daŋkən] vr: **sich (bei jdm) ~** to say thank you (to sb)
Bedarf [bə'darf] (-(e)s) m need, requirement; (COMM) demand; **je nach ~** according to demand; **bei ~** if necessary; **~ an** etw dat **haben** to be in need of sth
Bedarfsfall m case of need
Bedarfshaltestelle f request stop

bedauerlich [bə'dauərlıç] *adj* regrettable
bedauern [bə'dauərn] *vt* to be sorry for; (*bemitleiden*) to pity; **B~** (-s) *nt* regret; **~swert** *adj* (*Zustände*) regrettable; (*Mensch*) pitiable, unfortunate
bedecken [bə'dɛkən] *vt* to cover
bedeckt *adj* covered; (*Himmel*) overcast
bedenken [bə'dɛŋkən] (*unreg*) *vt* to think over, to consider; **B~** (-s, -) *nt* (*Überlegen*) consideration; (*Zweifel*) doubt; (*Skrupel*) scruple
bedenklich *adj* doubtful; (*bedrohlich*) dangerous, risky
Bedenkzeit *f* time to think
bedeuten [bə'dɔʏtən] *vt* to mean; to signify; (*wichtig sein*) to be of importance; **~d** *adj* important; (*beträchtlich*) considerable
bedeutsam *adj* (*wichtig*) significant
Bedeutung *f* meaning; significance; (*Wichtigkeit*) importance; **b~los** *adj* insignificant, unimportant; **b~svoll** *adj* momentous, significant
bedienen [bə'di:nən] *vt* to serve; (*Maschine*) to work, to operate ♦ *vr* (*beim Essen*) to help o.s.; **sich jds/einer Sache ~** to make use of sb/sth
Bedienung *f* service; (*Kellnerin*) waitress; (*Verkäuferin*) shop assistant; (*Zuschlag*) service (charge)
bedingen [bə'dıŋən] *vt* (*verursachen*) to cause
bedingt *adj* (*Richtigkeit, Tauglichkeit*) limited; (*Zusage, Annahme*) conditional
Bedingung *f* condition; (*Voraussetzung*) stipulation; **b~slos** *adj* unconditional
bedrängen [bə'drɛŋən] *vt* to pester, to harass
bedrohen [bə'dro:ən] *vt* to threaten
Bedrohung *f* threat, menace
bedrücken [bə'drʏkən] *vt* to oppress, to trouble
bedürf- [bə'dʏrf] *zW*: **~en** (*unreg*) *vi* +*gen* to need, to require; **B~nis** (-ses, -se) *nt* need; **B~nisanstalt** *f* public convenience, comfort station (*US*); **~tig** *adj* in need, poor, needy
beeilen [bə'ailən] *vr* to hurry
beeindrucken [bə''aindrukən] *vt* to impress, to make an impression on
beeinflussen [bə''ainflusən] *vt* to influence
beeinträchtigen [bə''aintrɛçtigən] *vt* to affect adversely; (*Freiheit*) to infringe upon
beend(ig)en [bə''ɛnd(ıg)ən] *vt* to end, to finish, to terminate
beengen [bə''ɛŋən] *vt* to cramp; (*fig*) to hamper, to oppress
beerben [bə''ɛrbən] *vt*: **jdn ~** to inherit from sb
beerdigen [bə''e:rdıgən] *vt* to bury
Beerdigung *f* funeral, burial; **~sinstitut** *nt* funeral director's
Beere ['be:rə] *f* berry; (*Trauben~*) grape

Beet [be:t] (-(e)s, -e) *nt* bed
befähigen [bə'fɛ:ıgən] *vt* to enable
befähigt *adj* (*begabt*) talented; **~ (für)** (*fähig*) capable (of)
Befähigung *f* capability; (*Begabung*) talent, aptitude
befahrbar [bə'fa:rba:r] *adj* passable; (*NAUT*) navigable
befahren [bə'fa:rən] (*unreg*) *vt* to use, to drive over; (*NAUT*) to navigate ♦ *adj* used
befallen [bə'falən] (*unreg*) *vt* to come over
befangen [bə'faŋən] *adj* (*schüchtern*) shy, self-conscious; (*voreingenommen*) biased
befassen [bə'fasən] *vr* to concern o.s.
Befehl [bə'fe:l] (-(e)s, -e) *m* command, order; **b~en** (*unreg*) *vt* to order ♦ *vi* to give orders; **jdm etw b~en** to order sb to do sth; **~sverweigerung** *f* insubordination
befestigen [bə'fɛstıgən] *vt* to fasten; (*stärken*) to strengthen; (*MIL*) to fortify; **~ an** +*dat* to fasten to
Befestigung *f* fastening; strengthening; (*MIL*) fortification
befeuchten [bə'fɔʏçtən] *vt* to damp(en), to moisten
befinden [bə'fındən] (*unreg*) *vr* to be; (*sich fühlen*) to feel ♦ *vt*: **jdn/etw für od als etw ~** to deem sb/sth to be sth ♦ *vi*: **~ (über +akk)** to decide (on), to adjudicate (on); **B~** (-s) *nt* health, condition; (*Meinung*) view, opinion
befolgen [bə'fɔlgən] *vt* to comply with, to follow
befördern [bə'fœrdərn] *vt* (*senden*) to transport, to send; (*beruflich*) to promote
Beförderung *f* transport; promotion
befragen [bə'fra:gən] *vt* to question
befreien [bə'fraiən] *vt* to set free; (*erlassen*) to exempt
Befreier (-s, -) *m* liberator
Befreiung *f* liberation, release; (*Erlassen*) exemption
befremden [bə'frɛmdən] *vt* to surprise, to disturb; **B~** (-s) *nt* surprise, astonishment
befreunden [bə'frɔʏndən] *vr* to make friends; (*mit Idee etc*) to acquaint o.s.
befreundet *adj* friendly
befriedigen [bə'fri:dıgən] *vt* to satisfy; **~d** *adj* satisfactory
Befriedigung *f* satisfaction, gratification
befristet [bə'frıstət] *adj* limited
befruchten [bə'fruxtən] *vt* to fertilize; (*fig*) to stimulate
Befruchtung *f*: **künstliche ~** artificial insemination
Befugnis [bə'fu:knıs] (-, -se) *f* authorization, powers *pl*
befugt *adj* authorized, entitled
Befund [bə'funt] (-(e)s, -e) *m* findings *pl*; (*MED*) diagnosis
befürchten [bə'fʏrçtən] *vt* to fear
Befürchtung *f* fear, apprehension

befürworten [bə'fy:rvɔrtən] vt to support, to speak in favour of

Befürworter (-s, -) m supporter, advocate

begabt [bə'ga:pt] adj gifted

Begabung [bə'ga:buŋ] f talent, gift

begann etc [bə'gan] vb siehe **beginnen**

begeben [bə'ge:bən] (unreg) vr (gehen) to betake o.s.; (geschehen) to occur; **sich ~ nach** od **zu** to proceed to(wards); **B~heit** f occurrence

begegnen [bə'ge:gnən] vi: **jdm ~** to meet sb; (behandeln) to treat sb; **einer Sache** dat **~** to meet with sth

Begegnung f meeting

begehen [bə'ge:ən] (unreg) vt (Straftat) to commit; (abschreiten) to cover; (Straße etc) to use, to negotiate; (Feier) to celebrate

begehren [bə'ge:rən] vt to desire

begehrt adj in demand; (Junggeselle) eligible

begeistern [bə'gaɪstərn] vt to fill with enthusiasm, to inspire ♦ vr: **sich für etw ~** to get enthusiastic about sth

begeistert adj enthusiastic

Begierde [bə'gi:rdə] f desire, passion

begierig [bə'gi:rɪç] adj eager, keen

begießen [bə'gi:sən] (unreg) vt to water; (mit Alkohol) to drink to

Beginn [bə'gɪn] (-(e)s) m beginning; **zu ~** at the beginning; **b~en** (unreg) vt, vi to start, to begin

beglaubigen [bə'glaubɪgən] vt to countersign

Beglaubigung f countersignature

begleichen [bə'glaɪçən] (unreg) vt to settle, to pay

Begleit- [bə'glaɪt] zW: **b~en** vt to accompany; (MIL) to escort; **~er** (-s, -) m companion; (Freund) escort; (MUS) accompanist; **~schreiben** nt covering letter; **~umstände** pl concomitant circumstances; **~ung** f company; (MIL) escort; (MUS) accompaniment

beglücken [bə'glʏkən] vt to make happy, to delight

beglückwünschen [bə'glʏkvʏnʃən] vt: **~ (zu)** to congratulate (on)

begnadigen [bə'gna:dɪgən] vt to pardon

Begnadigung f pardon, amnesty

begnügen [bə'gny:gən] vr to be satisfied, to content o.s.

Begonie [bə'go:niə] f begonia

begonnen [bə'gɔnən] vb siehe **beginnen**

begraben [bə'gra:bən] (unreg) vt to bury

Begräbnis [bə'grɛ:pnɪs] (-ses, -se) nt burial, funeral

begreifen [bə'graɪfən] (unreg) vt to understand, to comprehend

begreiflich [bə'graɪflɪç] adj understandable

Begrenztheit [bə'grɛntsthaɪt] f limitation, restriction; (fig) narrowness

Begriff [bə'grɪf] (-(e)s, -e) m concept, idea;

im ~ sein, etw zu tun to be about to do sth; **schwer von ~** (umg) slow, dense; **b~sstutzig** adj slow, dense

begründ- [bə'grʏnd] zW: **~en** vt (Gründe geben) to justify; **~et** adj well-founded, justified; **B~ung** f justification, reason

begrüßen [bə'gry:sən] vt to greet, to welcome

Begrüßung f greeting, welcome

begünstigen [bə'gʏnstɪgən] vt (Person) to favour; (Sache) to further, to promote

begutachten [bə'gu:t'axtən] vt to assess

begütert [bə'gy:tərt] adj wealthy, well-to-do

behaart [bə'ha:rt] adj hairy

behäbig [bə'hɛ:bɪç] adj (dick) portly, stout; (geruhsam) comfortable

behagen [bə'ha:gən] vi: **das behagt ihm nicht** he does not like it; **B~** (-s) nt comfort, ease

behaglich [bə'ha:klɪç] adj comfortable, cosy; **B~keit** f comfort, cosiness

behalten [bə'haltən] (unreg) vt to keep, to retain; (im Gedächtnis) to remember

Behälter [bə'hɛltər] (-s, -) m container, receptacle

behandeln [bə'handəln] vt to treat; (Thema) to deal with; (Maschine) to handle

Behandlung f treatment; (von Maschine) handling

beharren [bə'harən] vi: **auf etw** dat **~** to stick od keep to sth

beharrlich [bə'harlɪç] adj (ausdauernd) steadfast, unwavering; (hartnäckig) tenacious, dogged; **B~keit** f steadfastness; tenacity

behaupten [bə'hauptən] vt to claim, to assert, to maintain; (sein Recht) to defend ♦ vr to assert o.s.

Behauptung f claim, assertion

beheben [bə'he:bən] (unreg) vt to remove

beheizen [bə'haɪtsən] vt to heat

behelfen [bə'hɛlfən] (unreg) vr: **sich mit etw ~** to make do with sth

behelfsmäßig adj improvised, makeshift; (vorübergehend) temporary

behelligen [bə'hɛlɪgən] vt to trouble, to bother

beherbergen [bə'hɛrbergən] vt to put up, to house

beherrschen [bə'hɛrʃən] vt (Volk) to rule, to govern; (Situation) to control; (Sprache, Gefühle) to master ♦ vr to control o.s.

beherrscht adj controlled

Beherrschung f rule; control; mastery

beherzigen [bə'hɛrtsɪgən] vt to take to heart

beherzt adj courageous, brave

behilflich [bə'hɪlflɪç] adj helpful; **jdm ~ sein (bei)** to help sb (with)

behindern [bə'hɪndərn] vt to hinder, to impede

Behinderte(r) mf disabled person
Behinderung f hindrance; (Körper~) handicap
Behörde [bə'hø:rdə] f (auch pl) authorities pl
behördlich [bə'hø:rtlıç] adj official
behüten [bə'hy:tən] vt to guard; **jdn vor etw** dat ~ to preserve sb from sth
behutsam [bə'hu:tza:m] adj cautious, careful; **B~keit** f caution, carefulness

─────────── SCHLÜSSELWORT ───────────

bei [baɪ] präp +dat **1** (nahe bei) near; (zum Aufenthalt) at, with; (unter, zwischen) among; **bei München** near Munich; **bei uns** at our place; **beim Friseur** at the hairdresser's; **bei seinen Eltern wohnen** to live with one's parents; **bei einer Firma arbeiten** to work for a firm; **etw bei sich haben** to have sth on one; **jdn bei sich haben** to have sb with one; **bei Goethe** in Goethe; **beim Militär** in the army
2 (zeitlich) at, on; (während) during; (Zustand, Umstand) in; **bei Nacht** at night; **bei Nebel** in fog; **bei Regen** if it rains; **bei solcher Hitze** in such heat; **bei meiner Ankunft** on my arrival; **bei der Arbeit** when I'm etc working; **beim Fahren** while driving

──────────────────────────────────

beibehalten ['baɪbəhaltən] (unreg) vt to keep, to retain
beibringen ['baɪbrɪŋən] (unreg) vt (Beweis, Zeugen) to bring forward; (Gründe) to adduce; **jdm etw** ~ (lehren) to teach sb sth; (zu verstehen geben) to make sb understand sth; (zufügen) to inflict sth on sb
Beichte ['baɪçtə] f confession; **b~n** vt to confess ♦ vi to go to confession
Beichtstuhl m confessional
beide(s) ['baɪdə(s)] pron, adj both; **meine ~n Brüder** my two brothers, both my brothers; **die ersten ~n** the first two; **wir ~** we two; **einer von ~n** one of the two; **alles ~s** both (of them)
beider- ['baɪdər] zW: **~lei** adj inv of both; **~seitig** adj mutual, reciprocal; **~seits** adv mutually ♦ präp +gen on both sides of
beieinander [baɪaɪ'nandər] adv together
Beifahrer ['baɪfa:rər] m passenger; **~sitz** m passenger seat
Beifall ['baɪfal] (-(e)s) m applause; (Zustimmung) approval
beifällig ['baɪfɛlıç] adj approving; (Kommentar) favourable
beifügen ['baɪfy:gən] vt to enclose
beige ['be:ʒə] adj beige, fawn
beigeben ['baɪge:bən] (unreg) vt (zufügen) to add; (mitgeben) to give ♦ vi (nachgeben) to give in
Beihilfe ['baɪhılfə] f aid, assistance; (Studien~) grant; (JUR) aiding and abetting

beikommen ['baɪkɔmən] (unreg) vi +dat to get at; (einem Problem) to deal with
Beil [baɪl] (-(e)s, -e) nt axe, hatchet
Beilage ['baɪla:gə] f (Buch~ etc) supplement; (KOCH) vegetables and potatoes pl
beiläufig ['baɪlɔyfıç] adj casual, incidental ♦ adv casually, by the way
beilegen ['baɪle:gən] vt (hinzufügen) to enclose, to add; (beimessen) to attribute, to ascribe; (Streit) to settle
Beileid ['baɪlaɪt] nt condolence, sympathy; **herzliches** ~ deepest sympathy
beiliegend ['baɪli:gənt] adj (COMM) enclosed
beim [baɪm] = **bei dem**
beimessen ['baɪmɛsən] (unreg) vt (+dat) to attribute (to), to ascribe (to)
Bein [baɪn] (-(e)s, -e) nt leg
beinah(e) ['baɪna:(ə)] adv almost, nearly
Beinbruch m fracture of the leg
beinhalten [bə''ɪnhaltən] vt to contain
beipflichten ['baɪpflıçtən] vi: **jdm/etw** ~ to agree with sb/sth
beisammen [baɪ'zamən] adv together; **B~sein** (-s) nt get-together
Beischlaf ['baɪʃla:f] m sexual intercourse
Beisein ['baɪzaɪn] (-s) nt presence
beiseite [baɪ'zaɪtə] adv to one side, aside; (stehen) on one side, aside; **etw** ~ **legen** (sparen) to put sth by; **jdn/etw** ~ **schaffen** to put sb/get sth out of the way
beisetzen ['baɪzɛtsən] vt to bury
Beisetzung f funeral
Beisitzer ['baɪzɪtsər] (-s, -) m (bei Prüfung) assessor
Beispiel ['baɪʃpi:l] (-(e)s, -e) nt example; **sich** (dat) **an jdm ein** ~ **nehmen** to take sb as an example; **zum** ~ for example; **b~haft** adj exemplary; **b~los** adj unprecedented; **b~sweise** adv for instance od example
beißen ['baɪsən] (unreg) vt, vi to bite; (stechen: Rauch, Säure) to burn ♦ vr (Farben) to clash; **~d** adj biting, caustic; (fig auch) sarcastic
Beistand ['baɪʃtant] (-(e)s, =e) m support, help; (JUR) adviser
beistehen ['baɪʃte:ən] (unreg) vi: **jdm** ~ to stand by sb
beisteuern ['baɪʃtɔyərn] vt to contribute
beistimmen ['baɪʃtɪmən] vi +dat to agree with
Beitrag ['baɪtra:k] (-(e)s, =e) m contribution; (Zahlung) fee, subscription; (Versicherungs~) premium; **b~en** ['baɪtra:gən] (unreg) vt, vi: **b~en** (zu) to contribute (to); (mithelfen) to help (with)
beitreten ['baɪtre:tən] (unreg) vi +dat to join
Beitritt ['baɪtrɪt] m joining, membership
Beiwagen m (Motorrad~) sidecar
Beize ['baɪtsə] f (Holz~) stain; (KOCH) mari-

nade

beizeiten [bar'tsaɪtən] *adv* in time

bejahen [bə'jaːən] *vt* (*Frage*) to say yes to, to answer in the affirmative; (*gutheißen*) to agree with

bejahrt [bə'jaːrt] *adj* aged, elderly

bekämpfen [bə'kɛmpfən] *vt* (*Gegner*) to fight; (*Seuche*) to combat ♦ *vr* to fight

Bekämpfung *f* fight, struggle

bekannt [bə'kant] *adj* (well-)known; (*nicht fremd*) familiar; **mit jdm ~ sein** to know sb; **jdn mit jdm ~ machen** to introduce sb to sb; **das ist mir ~** I know that; **es/sie kommt mir ~ vor** it/she seems familiar; **B~e(r)** *mf* acquaintance; friend; **B~enkreis** *m* circle of friends; **~geben** (*unreg*) *vt* to announce publicly; **~lich** *adv* as is well known, as you know; **~machen** *vt* to announce; **B~machung** *f* publication; announcement; **B~schaft** *f* acquaintance

bekehren [bə'keːrən] *vt* to convert ♦ *vr* to be *od* become converted

Bekehrung *f* conversion

bekennen [bə'kɛnən] (*unreg*) *vt* to confess; (*Glauben*) to profess; **Farbe ~** (*umg*) to show where one stands

Bekenntnis [bə'kɛntnɪs] (**-ses, -se**) *nt* admission, confession; (*Religion*) confession, denomination

beklagen [bə'klaːgən] *vt* to deplore, to lament ♦ *vr* to complain; (*Kind*) lamentable, pathetic

bekleiden [bə'klaɪdən] *vt* to clothe; (*Amt*) to occupy, to fill

Bekleidung *f* clothing

beklemmen [bə'klɛmən] *vt* to oppress

beklommen [bə'klɔmən] *adj* anxious, uneasy; **B~heit** *f* anxiety, uneasiness

bekommen [bə'kɔmən] (*unreg*) *vt* to get, to receive; (*Baby*) to have; (*Zug*) to catch, to get ♦ *vi*: **jdm ~** to agree with sb

bekömmlich [bə'kœmlɪç] *adj* easily digestible

bekräftigen [bə'krɛftɪgən] *vt* to confirm, to corroborate

bekreuzigen [bə'krɔʏtsɪgən] *vt* to cross o.s.

bekümmern [bə'kʏmərn] *vt* to worry, to trouble

bekunden [bə'kʊndən] *vt* (*sagen*) to state; (*zeigen*) to show

belächeln [bə'lɛçəln] *vt* to laugh at

beladen [bə'laːdən] (*unreg*) *vt* to load

Belag [bə'laːk] (**-(e)s, -e**) *m* covering, coating; (*Brot~*) spread; (*Zahn~*) tartar; (*auf Zunge*) fur; (*Brems~*) lining

belagern [bə'laːgərn] *vt* to besiege

Belagerung *f* siege

Belang [bə'laŋ] (**-(e)s**) *m* importance; **~e** *pl* (*Interessen*) interests, concerns; **b~los** *adj* trivial, unimportant

belassen [bə'lasən] (*unreg*) *vt* (*in Zustand*, Glauben) to leave; (*in Stellung*) to retain

belasten [bə'lastən] *vt* to burden; (*fig: bedrücken*) to trouble, to worry; (*COMM: Konto*) to debit; (*JUR*) to incriminate ♦ *vr* to weigh o.s. down; (*JUR*) to incriminate o.s.; **~d** *adj* (*JUR*) incriminating

belästigen [bə'lɛstɪgən] *vt* to annoy, to pester

Belästigung *f* annoyance, pestering

Belastung [bə'lastʊŋ] *f* load; (*fig: Sorge etc*) weight; (*COMM*) charge, debit(ing); (*JUR*) incriminatory evidence

belaufen [bə'laʊfən] (*unreg*) *vr*: **sich ~ auf** *+akk* to amount to

beleben [bə'leːbən] *vt* (*anregen*) to liven up; (*Konjunktur, jds Hoffnungen*) to stimulate ♦ *vr* (*Augen*) to light up; (*Stadt*) to come to life

belebt [bə'leːpt] *adj* (*Straße*) busy

Beleg [bə'leːk] (**-(e)s, -e**) *m* (*COMM*) receipt; (*Beweis*) documentary evidence, proof; (*Beispiel*) example; **b~en** [bə'leːgən] *vt* to cover; (*Kuchen, Brot*) to spread; (*Platz*) to reserve, to book; (*Kurs, Vorlesung*) to register for; (*beweisen*) to verify, to prove; (*MIL: mit Bomben*) to bomb; **~schaft** *f* personnel, staff; **b~t** *adj*: **b~tes Brot** open sandwich

belehren [bə'leːrən] *vt* to instruct, to teach

Belehrung *f* instruction

beleibt [bə'laɪpt] *adj* stout, corpulent

beleidigen [bə'laɪdɪgən] *vt* to insult, to offend

Beleidigung *f* insult; (*JUR*) slander; libel

belesen [bə'leːzən] *adj* well-read

beleuchten [bə'lɔʏçtən] *vt* to light, to illuminate; (*fig*) to throw light on

Beleuchtung *f* lighting, illumination

Belgien ['bɛlgiən] *nt* Belgium; **Belgier(in)** *m(f)* Belgian; **belgisch** *adj* Belgian

belichten [bə'lɪçtən] *vt* to expose

Belichtung *f* exposure; **~smesser** *m* exposure meter

Belieben [bə'liːbən] *nt*: **(ganz) nach ~** (just) as you wish

beliebig [bə'liːbɪç] *adj* any you like ♦ *adv* as you like; **ein ~es Thema** any subject you like *od* want; **~ viel/viele** as much/many as you like

beliebt [bə'liːpt] *adj* popular; **sich bei jdm ~ machen** to make o.s. popular with sb; **B~heit** *f* popularity

beliefern [bə'liːfərn] *vt* to supply

bellen ['bɛlən] *vi* to bark

belohnen [bə'loːnən] *vt* to reward

Belohnung *f* reward

belügen [bə'lyːgən] (*unreg*) *vt* to lie to, to deceive

belustigen [bə'lʊstɪgən] *vt* to amuse

Belustigung *f* amusement

bemalen [bə'maːlən] *vt* to paint

bemängeln [bə'mɛŋəln] *vt* to criticize

bemerk- [bə'mɛrk] zW: **~bar** adj perceptible, noticeable; **sich ~bar machen** (Person) to make od get o.s. noticed; (Unruhe) to become noticeable; **~en** vt (wahrnehmen) to notice, to observe; (sagen) to say, to mention; **~enswert** adj remarkable, noteworthy; **B~ung** f remark; (schriftlich auch) note

bemitleiden [bə'mɪtlaɪdən] vt to pity

bemühen [bə'my:ən] vr to take trouble od pains

Bemühung f trouble, pains pl, effort

benachbart [bə'naxbaːrt] adj neighbouring

benachrichtigen [bə'naːxrɪçtɪgən] vt to inform

Benachrichtigung f notification, information

benachteiligen [bə'naːxtaɪlɪgən] vt to put at a disadvantage; to victimize

benehmen [bə'ne:mən] (unreg) vr to behave; **B~** (-s) nt behaviour

beneiden [bə'naɪdən] vt to envy; **~swert** adj enviable

benennen [bə'nɛnən] (unreg) vt to name

Bengel ['bɛŋəl] (-s, -) m (little) rascal od rogue

benommen [bə'nɔmən] adj dazed

benoten [bə'no:tən] vt to mark

benötigen [bə'nø:tɪgən] vt to need

benutzen [bə'nʊtsən] vt to use

benützen [bə'nʏtsən] vt to use

Benutzer (-s, -) m user

Benutzung f utilization, use

Benzin [bɛnt'si:n] (-s, -e) nt (AUT) petrol (BRIT), gas(oline) (US); **~kanister** m petrol (BRIT) od gas (US) can; **~tank** m petrol tank (BRIT), gas tank (US); **~uhr** f petrol (BRIT) od gas (US) gauge

beobachten [bə''o:baxtən] vt to observe; **Beobachter** (-s, -) m observer; (eines Unfalls) witness; (PRESSE, TV) correspondent; **Beobachtung** f observation

bepacken [bə'pakən] vt to load, to pack

bequem [bə'kve:m] adj comfortable; (Ausrede) convenient; (Person) lazy, indolent; **~en** vr: **sich ~en(, etw zu tun)** to condescend (to do sth); **B~lichkeit** f convenience, comfort; (Faulheit) laziness, indolence

beraten [bə'ra:tən] (unreg) vt to advise; (besprechen) to discuss, to debate ♦ vr to consult; **gut/schlecht ~ sein** to be well/ill advised; **sich ~ lassen** to get advice

Berater (-s, -) m adviser

Beratung f advice; (Besprechung) consultation; **~sstelle** f advice centre

berauben [bə'raubən] vt to rob

berechenbar [bə'rɛçənba:r] adj calculable

berechnen [bə'rɛçnən] vt to calculate; (COMM: anrechnen) to charge; **~d** adj (Mensch) calculating, scheming

Berechnung f calculation; (COMM) charge

berechtigen [bə'rɛçtɪgən] vt to entitle; to authorize; (fig) to justify

berechtigt [bə'rɛçtɪçt] adj justifiable, justified

Berechtigung f authorization; (fig) justification

bereden [bə're:dən] vt (besprechen) to discuss; (überreden) to persuade ♦ vr to discuss

Bereich [bə'raɪç] (-(e)s, -e) m (Bezirk) area; (PHYS) range; (Ressort, Gebiet) sphere

bereichern [bə'raɪçərn] vt to enrich ♦ vr to get rich

bereinigen [bə'raɪnɪgən] vt to settle

bereisen [bə'raɪzən] vt (Land) to travel through

bereit [bə'raɪt] adj ready, prepared; **zu etw ~ sein** to be ready for sth; **sich ~ erklären** to declare o.s. willing; **~en** vt to prepare, to make ready; (Kummer, Freude) to cause; **~halten** (unreg) vt to keep in readiness; **~legen** vt to lay out; **~machen** vt, vr to prepare, to get ready; **~s** adv already; **B~schaft** f readiness; (Polizei) alert; **B~schaftsdienst** m emergency service; **~stehen** (unreg) vi (Person) to be prepared; (Ding) to be ready; **~stellen** vt (Kisten, Pakete etc) to put ready; (Geld etc) to make available; (Truppen, Maschinen) to put at the ready; **~willig** adj willing, ready; **B~willigkeit** f willingness, readiness

bereuen [bə'rɔyən] vt to regret

Berg [bɛrk] (-(e)s, -e) m mountain; hill; **b~ab** adv downhill; **~arbeiter** m miner; **b~auf** adv uphill; **~bahn** f mountain railway; **~bau** m mining

bergen ['bɛrgən] (unreg) vt (retten) to rescue; (Ladung) to salvage; (enthalten) to contain

Berg- zW: **~führer** m mountain guide; **~gipfel** m peak, summit; **b~ig** ['bɛrgɪç] adj mountainous; hilly; **~kamm** m ridge, crest; **~kette** f mountain range; **~mann** m (pl Bergleute) m miner; **~rettungsdienst** m mountain rescue team; **~rutsch** m landslide; **~steigen** nt mountaineering; **~steiger(in)** (-s, -) m(f) mountaineer, climber

Bergung ['bɛrgʊŋ] f (von Menschen) rescue; (von Material) recovery; (NAUT) salvage

Bergwacht f mountain rescue service

Bergwerk nt mine

Bericht [bə'rɪçt] (-(e)s, -e) m report, account; **b~en** vt, vi to report; **~erstatter** (-s, -) m reporter; (newspaper) correspondent

berichtigen [bə'rɪçtɪgən] vt to correct

Berichtigung f correction

Bernstein ['bɛrnʃtaɪn] m amber

bersten ['bɛrstən] (unreg) vi to burst, to split

berüchtigt [bə'rʏçtɪçt] adj notorious, infamous

berücksichtigen [bə'rʏkzɪçtɪgən] *vt* to consider, to bear in mind
Berücksichtigung *f* consideration
Beruf [bə'ruːf] (-(e)s, -e) *m* occupation, profession; (*Gewerbe*) trade; **b~en** (*unreg*) *vt*: **b~en zu** to appoint to ◆ *vr*: **sich auf jdn/etw b~en** to refer *od* appeal to sb/sth ◆ *adj* competent, qualified; **b~lich** *adj* professional
Berufs- *zW*: **~ausbildung** *f* job training; **~berater** *m* careers adviser; **~beratung** *f* vocational guidance; **~geheimnis** *nt* professional secret; **~leben** *nt* professional life; **b~mäßig** [-mɛsɪç] *adj* professional; **~schule** *f* vocational *od* trade school; **~sportler** [-ʃpɔrtlər] *m* professional (sportsman); **b~tätig** *adj* employed; **b~unfähig** *adj* unfit for work; **~verkehr** *m* rush-hour traffic
Berufung *f* vocation, calling; (*Ernennung*) appointment; (*JUR*) appeal; **~ einlegen** to appeal
beruhen [bə'ruːən] *vi*: **auf etw** *dat* **~** to be based on sth; **etw auf sich ~ lassen** to leave sth at that
beruhigen [bə'ruːɪgən] *vt* to calm, to pacify, to soothe ◆ *vr* (*Mensch*) to calm (o.s.) down; (*Situation*) to calm down
Beruhigung *f* soothing; (*der Nerven*) calming; **zu jds ~** (in order) to reassure sb; **~smittel** *nt* sedative
berühmt [bə'ryːmt] *adj* famous; **B~heit** *f* (*Ruf*) fame; (*Mensch*) celebrity
berühren [bə'ryːrən] *vt* to touch; (*gefühlsmäßig bewegen*) to affect; (*flüchtig erwähnen*) to mention, to touch on ◆ *vr* to meet, to touch
Berührung *f* contact
besagen [bə'zaːgən] *vt* to mean
besagt *adj* (*Tag etc*) said
besänftigen *vt* to soothe, to calm
Besatz [bə'zats] (-es, ⸚e) *m* trimming, edging
Besatzung *f* garrison; (*NAUT, AVIAT*) crew; **~smacht** *f* occupying power
beschädigen [bə'ʃɛːdɪgən] *vt* to damage; **Beschädigung** *f* damage; (*Stelle*) damaged spot
beschaffen [bə'ʃafən] *vt* to get, to acquire ◆ *adj*: **das ist so ~, daß** that is such that; **B~heit** *f* (*von Mensch*) constitution, nature
Beschaffung *f* acquisition
beschäftigen [bə'ʃɛftɪgən] *vt* to occupy; (*beruflich*) to employ ◆ *vr* to occupy *od* concern o.s.
beschäftigt *adj* busy, occupied
Beschäftigung *f* (*Beruf*) employment; (*Tätigkeit*) occupation; (*Befassen*) concern
beschämen [bə'ʃɛːmən] *vt* to put to shame; **~d** *adj* shameful; (*Hilfsbereitschaft*) shaming
beschämt *adj* ashamed

beschatten [bə'ʃatən] *vt* to shade; (*Verdächtige*) to shadow
Bescheid [bə'ʃait] (-(e)s, -e) *m* information; (*Weisung*) directions *pl*; **~ wissen (über** +*akk*) to be well-informed (about); **ich weiß ~** I know; **jdm ~ geben** *od* **sagen** to let sb know
bescheiden [bə'ʃaidən] (*unreg*) *vr* to content o.s. ◆ *adj* modest; **B~heit** *f* modesty
bescheinen [bə'ʃainən] (*unreg*) *vt* to shine on
bescheinigen [bə'ʃainɪgən] *vt* to certify; (*bestätigen*) to acknowledge
Bescheinigung *f* certificate; (*Quittung*) receipt
beschenken [bə'ʃɛŋkən] *vt*: **jdn mit etw ~** to give sb sth as a present
bescheren [bə'ʃeːrən] *vt*: **jdm etw ~** to give sb sth as a Christmas present; **jdn ~** to give Christmas presents to sb
Bescherung *f* giving of Christmas presents; (*umg*) mess
beschildern [bə'ʃildərn] *vt* to put signs/a sign on
beschimpfen [bə'ʃimpfən] *vt* to abuse
Beschimpfung *f* abuse; insult
Beschlag [bə'ʃlaːk] (-(e)s, ⸚e) *m* (*Metallband*) fitting; (*auf Fenster*) condensation; (*auf Metall*) tarnish; finish; (*Hufeisen*) horseshoe; **jdn/etw in ~ nehmen** *od* **mit ~ belegen** to monopolize sb/sth; **b~en** [bə'ʃlaːgən] (*unreg*) *vt* to cover; (*Pferd*) to shoe ◆ *vi* (*Fenster etc*) to mist over; **b~en sein (in** *od* **auf** +*dat*) to be well versed (in); **b~nahmen** *vt* to seize, to confiscate; to requisition; **~nahmung** *f* confiscation, sequestration
beschleunigen [bə'ʃlɔynɪgən] *vt* to accelerate, to speed up ◆ *vi* (*AUT*) to accelerate
Beschleunigung *f* acceleration
beschließen [bə'ʃliːsən] (*unreg*) *vt* to decide on; (*beenden*) to end, to close
Beschluß [bə'ʃlus] (-sses, ⸚sse) *m* decision, conclusion; (*Ende*) conclusion, end
beschmutzen [bə'ʃmutsən] *vt* to dirty, to soil
beschönigen [bə'ʃøːnɪgən] *vt* to gloss over
beschränken [bə'ʃrɛŋkən] *vt, vr*: **(sich) ~ (auf** +*akk*) to limit *od* restrict (o.s.) (to)
beschränk- *zW*: **~t** *adj* confined, restricted; (*Mensch*) limited, narrow-minded; **B~ung** *f* limitation
beschreiben [bə'ʃraibən] (*unreg*) *vt* to describe; (*Papier*) to write on
Beschreibung *f* description
beschriften [bə'ʃriftən] *vt* to mark, to label
Beschriftung *f* lettering
beschuldigen [bə'ʃuldɪgən] *vt* to accuse
Beschuldigung *f* accusation
Beschuß *m*: **jdn/etw unter ~ nehmen** (*MIL*) to open fire on sb/sth
beschützen [bə'ʃʏtsən] *vt*: **~ (vor** +*dat*) to

protect (from); **Beschützer** (-s, -) *m* protector

Beschwerde [bəˈʃveːrdə] *f* complaint; (*Mühe*) hardship; ~**n** *pl* (*Leiden*) trouble

beschwerlich [bəˈʃveːrən] *vt* to weight down; (*fig*) to burden ♦ *vr* to complain

beschwerlich *adj* tiring, exhausting

beschwichtigen [bəˈʃvɪçtɪgən] *vt* to soothe, to pacify

beschwindeln [bəˈʃvɪndəln] *vt* (*betrügen*) to cheat; (*belügen*) to fib to

beschwingt [bəˈʃvɪŋt] *adj* in high spirits

beschwipst [bəˈʃvɪpst] (*umg*) *adj* tipsy

beschwören [bəˈʃvøːrən] (*unreg*) *vt* (*Aussage*) to swear to; (*anflehen*) to implore; (*Geister*) to conjure up

beseitigen [bəˈzaɪtɪgən] *vt* to remove

Beseitigung *f* removal

Besen [ˈbeːzən] (-s, -) *m* broom; ~**stiel** *m* broomstick

besessen [bəˈzɛsən] *adj* possessed

besetz- [bəˈzɛts] *zW:* ~**en** *vt* (*Haus, Land*) to occupy; (*Platz*) to take, to fill; (*Posten*) to fill; (*Rolle*) to cast; (*mit Edelsteinen*) to set; ~**t** *adj* full; (*TEL*) engaged, busy; (*Platz*) taken; (*WC*) engaged; **B~tzeichen** *nt* engaged tone; **B~ung** *f* occupation; filling; (*von Rolle*) casting; (*die Schauspieler*) cast

besichtigen [bəˈzɪçtɪgən] *vt* to visit, to have a look at

Besichtigung *f* visit

Besied(e)lung [bəˈziːd(ə)lʊŋ] *f* population

besiegen [bəˈziːgən] *vt* to defeat, to overcome

besinnen [bəˈzɪnən] (*unreg*) *vr* (*nachdenken*) to think, to reflect; (*erinnern*) to remember; **sich anders** ~ to change one's mind

besinnlich *adj* contemplative

Besinnung *f* consciousness; **zur ~ kommen** to recover consciousness; (*fig*) to come to one's senses; **b~slos** *adj* unconscious

Besitz [bəˈzɪts] (-es) *m* possession; (*Eigentum*) property; **b~en** (*unreg*) *vt* to possess, to own; (*Eigenschaft*) to have; ~**er(in)** (-s, -) *m(f)* owner, proprietor; ~**ergreifung** *f* occupation, seizure

besoffen [bəˈzɔfən] (*umg*) *adj* drunk, stoned

besohlen [bəˈzoːlən] *vt* to sole

Besoldung [bəˈzɔldʊŋ] *f* salary, pay

besondere(r, s) [bəˈzɔndərə(r, s)] *adj* special; (*eigen*) particular; (*gesondert*) separate; (*eigentümlich*) peculiar

Besonderheit [bəˈzɔndərhaɪt] *f* peculiarity

besonders [bəˈzɔndərs] *adv* especially, particularly; (*getrennt*) separately

besonnen [bəˈzɔnən] *adj* sensible, level-headed

besorg- [bəˈzɔrg] *zW:* ~**en** *vt* (*beschaffen*) to acquire; (*kaufen auch*) to purchase; (*erle-*

digen: *Geschäfte*) to deal with; (*sich kümmern um*) to take care of; **B~nis** (-, -se) *f* anxiety, concern; ~**t** [bəˈzɔrçt] *adj* anxious, worried; **B~theit** *f* anxiety, worry; **B~ung** *f* acquisition; (*Kauf*) purchase

bespielen [bəˈʃpiːlən] *vt* to record

bespitzeln [bəˈʃpɪtsəln] *vt* to spy on

besprechen [bəˈʃprɛçən] (*unreg*) *vt* to discuss; (*Tonband etc*) to record, to speak onto; (*Buch*) to review ♦ *vr* to discuss, to consult

Besprechung *f* meeting, discussion; (*von Buch*) review

besser [ˈbɛsər] *adj* better; ~**gehen** (*unreg*) *vi unpers*: **es geht ihm besser** he is feeling better; ~**n** *vt* to make better, to improve ♦ *vr* to improve; (*Menschen*) to reform; **B~ung** *f* improvement; **gute B~rung!** get well soon!; **B~wisser** (-s, -) *m* know-all

Bestand [bəˈʃtant] (-(e)s, ⁼e) *m* (*Fortbestehen*) duration, stability; (*Kassen~*) amount, balance; (*Vorrat*) stock; ~ **haben**, **von** ~ **sein** to last long, to endure

beständig [bəˈʃtɛndɪç] *adj* (*ausdauernd*: *auch fig*) constant; (*Wetter*) settled; (*Stoffe*) resistant; (*Klagen etc*) continual

Bestandsaufnahme [bəˈʃtantsʔaufnaːmə] *f* stocktaking

Bestandteil *m* part, component; (*Zutat*) ingredient

bestärken [bəˈʃtɛrkən] *vt*: **jdn in etw** *dat* ~ to strengthen *od* confirm sb in sth

bestätigen [bəˈʃtɛːtɪgən] *vt* to confirm; (*anerkennen, COMM*) to acknowledge

Bestätigung *f* confirmation; acknowledgement

bestatten [bəˈʃtatən] *vt* to bury

Bestattung *f* funeral

Bestattungsinstitut *nt* funeral director's

bestaunen [bəˈʃtaunən] *vt* to marvel at, gaze at in wonder

beste(r, s) [ˈbɛstə(r, s)] *adj* best; **so ist es am** ~ it's best that way; **am** ~**n gehst du gleich** you'd better go at once; **jdn zum** ~**n haben** to pull sb's leg; **einen Witz** *etc* **zum** ~**n geben** to tell a joke *etc*; **aufs** ~ in the best possible way; **zu jds B~n** for the benefit of sb

bestechen [bəˈʃtɛçən] (*unreg*) *vt* to bribe

bestechlich *adj* corruptible

Bestechung *f* bribery, corruption

Besteck [bəˈʃtɛk] (-(e)s, -e) *nt* knife, fork and spoon, cutlery; (*MED*) set of instruments

bestehen [bəˈʃteːən] (*unreg*) *vi* to be; to exist; (*andauern*) to last ♦ *vt* (*Probe, Prüfung*) to pass; (*Kampf*) to win; ~ **auf** +*dat* to insist on; ~ **aus** to consist of

bestehlen [bəˈʃteːlən] (*unreg*) *vt*: **jdn (um etw)** ~ to rob sb (of sth)

besteigen [bəˈʃtaɪgən] (*unreg*) *vt* to climb,

to ascend; (*Pferd*) to mount; (*Thron*) to ascend

Bestell- [bə'ʃtɛl] *zW*: **~buch** *nt* order book; **b~en** *vt* to order; (*kommen lassen*) to arrange to see; (*nominieren*) to name; (*Acker*) to cultivate; (*Grüße, Auftrag*) to pass on; **~ung** *f* (*COMM*) order; (*Bestellen*) ordering

bestenfalls ['bɛstən'fals] *adv* at best

bestens ['bɛstəns] *adv* very well

besteuern [bə'ʃtɔyərn] *vt* (*jdn, Waren*) to tax

Bestie ['bɛstiə] *f* (*auch fig*) beast

bestimm- [bə'ʃtɪm] *zW*: **~en** *vt* (*Regeln*) to lay down; (*Tag, Ort*) to fix; (*beherrschen*) to characterize; (*vorsehen*) to mean; (*ernennen*) to appoint; (*definieren*) to define; (*veranlassen*) to induce; **~t** *adj* (*entschlossen*) firm; (*gewiß*) certain, definite; (*Artikel*) definite ♦ *adv* (*gewiß*) definitely, for sure; **suchen Sie etwas B~tes?** are you looking for something in particular?; **B~theit** *f* firmness; certainty; **B~ung** *f* (*Verordnung*) regulation; (*Festsetzen*) determining; (*Verwendungszweck*) purpose; (*Schicksal*) fate; (*Definition*) definition

Bestleistung *f* best performance

bestmöglich *adj* best possible

bestrafen [bə'ʃtraːfən] *vt* to punish

Bestrafung *f* punishment

bestrahlen [bə'ʃtraːlən] *vt* to shine on; (*MED*) to treat with X-rays

Bestrahlung *f* (*MED*) X-ray treatment, radiotherapy

Bestreben [bə'ʃtreːbən] (**-s**) *nt* endeavour, effort

bestreichen [bə'ʃtraiçən] (*unreg*) *vt* (*Brot*) to spread

bestreiten [bə'ʃtraitən] (*unreg*) *vt* (*abstreiten*) to dispute; (*finanzieren*) to pay for, to finance

bestreuen [bə'ʃtrɔyən] *vt* to sprinkle, to dust; (*Straße*) to grit

bestürmen [bə'ʃtʏrmən] *vt* (*mit Fragen, Bitten etc*) to overwhelm, to swamp

bestürzend [bə'ʃtʏrtsənd] *adj* (*Nachrichten*) disturbing

bestürzt [bə'ʃtʏrtst] *adj* dismayed

Bestürzung *f* consternation

Besuch [bə'zuːx] (**-(e)s, -e**) *m* visit; (*Person*) visitor; **einen ~ machen bei jdm** to pay sb a visit *od* call; **~ haben** to have visitors; **bei jdm auf** *od* **zu ~ sein** to be visiting sb; **b~en** *vt* to visit; (*SCH etc*) to attend; **gut b~t** well-attended; **~er(in)** (**-s, -**) *m(f)* visitor, guest; **~szeit** *f* visiting hours *pl*

betätigen [bə'tɛːtɪgən] *vt* (*bedienen*) to work, to operate ♦ *vr* to involve o.s.; **sich als etw ~** to work as sth

Betätigung *f* activity; (*beruflich*) occupation; (*TECH*) operation

betäuben [bə'tɔybən] *vt* to stun; (*fig: Gewissen*) to still; (*MED*) to anaesthetize

Betäubung *f* (*Narkose*): **örtliche ~** local anaesthetic

Betäubungsmittel *nt* anaesthetic

Bete ['beːtə] *f*: **rote ~** beetroot (*BRIT*), beet (*US*)

beteiligen [bə'tailɪgən] *vr*: **sich ~ (an** +*dat*) to take part (in), to participate (in), to share (in); (*an Geschäft: finanziell*) to have a share (in) ♦ *vt*: **jdn ~ (an** +*dat*) to give sb a share *od* interest (in)

Beteiligte(r) *f(m)* (*Mitwirkender*) partner; (*finanziell*) shareholder

Beteiligung *f* participation; (*Anteil*) share, interest; (*Besucherzahl*) attendance

beten ['beːtən] *vt, vi* to pray

beteuern [bə'tɔyərn] *vt* to assert; (*Unschuld*) to protest

Beteuerung *f* assertion; protestation; assurance

Beton [be'tõː] (**-s, -s**) *m* concrete

betonen [bə'toːnən] *vt* to stress

betonieren [beto'niːrən] *vt* to concrete

Betonung *f* stress, emphasis

betören [bə'tøːrən] *vt* to beguile

betr. *abk* (= *betrifft*) re

Betracht [bə'traxt] *m*: **in ~ kommen** to be considered *od* relevant; **etw in ~ ziehen** to take sth into consideration; **außer ~ bleiben** not to be considered; **b~en** *vt* to look at; (*fig*) to look at, to consider; **~er(in)** (**-s, -**) *m(f)* observer

beträchtlich [bə'trɛçtlɪç] *adj* considerable

Betrachtung *f* (*Ansehen*) examination; (*Erwägung*) consideration

Betrag [bə'traːk] (**-(e)s, ⁻e**) *m* amount; **b~en** [bə'traːgən] (*unreg*) *vt* to amount to ♦ *vr* to behave; **~en** (**-s**) *nt* behaviour

Betreff *m*: **~ Ihr Schreiben vom ...** re your letter of ...

betreffen [bə'trɛfən] (*unreg*) *vt* to concern, to affect; **was mich betrifft** as for me; **~d** *adj* relevant, in question

betreffs [bə'trɛfs] *präp* +*gen* concerning, regarding; (*COMM*) re

betreiben [bə'traibən] (*unreg*) *vt* (*ausüben*) to practise; (*Politik*) to follow; (*Studien*) to pursue; (*vorantreiben*) to push ahead; (*TECH: antreiben*) to drive

betreten [bə'treːtən] (*unreg*) *vt* to enter; (*Bühne etc*) to step onto ♦ *adj* embarrassed; **B~ verboten** keep off/out

Betreuer(in) [bə'trɔyər] (**-s, -**) *m(f)* (*einer Person*) minder; (*eines Gebäude, Arbeitsgebiet*) caretaker; (*SPORT*) coach

Betreuung *f* care

Betrieb [bə'triːp] (**-(e)s, -e**) *m* (*Firma*) firm, concern; (*Anlage*) plant; (*Tätigkeit*) operation; (*Treiben*) traffic; **außer ~ sein** to be out of order; **in ~ sein** to be in operation

Betriebs- *zW*: **~ausflug** *m* works outing; **b~fähig** *adj* in working order; **~ferien** *pl* company holidays (*BRIT*), company vacation sg (US); **~klima** nt (working) atmosphere; **~kosten** pl running costs; **~rat** m workers' council; **b~sicher** adj safe (to operate); **~störung** f breakdown; **~system** nt (COMPUT) operating system; **~unfall** m industrial accident; **~wirtschaft** f economics

betrinken [bə'trɪŋkən] (unreg) vr to get drunk

betroffen [bə'trɔfən] adj (bestürzt) full of consternation; **von etw ~ werden** od **sein** to be affected by sth

betrüben [bə'try:bən] vt to grieve

betrübt [bə'try:pt] adj sorrowful, grieved

Betrug [bə'tru:k] (-(e)s) m deception; (JUR) fraud

betrügen [bə'try:gən] (unreg) vt to cheat; (JUR) to defraud; (Ehepartner) to be unfaithful to ◊ vr to deceive o.s.

Betrüger (-s, -) m cheat, deceiver; **b~isch** adj deceitful; (JUR) fraudulent

betrunken [bə'trʊŋkən] adj drunk

Bett [bɛt] (-(e)s, -en) nt bed; **ins** od **zu ~ gehen** to go to bed; **~bezug** m duvet cover; **~decke** f blanket; (Daunen~) quilt; (Überwurf) bedspread

Bettel- ['bɛtəl] zW: **b~arm** adj very poor, destitute; **~ei** [bɛtə'laɪ] f begging; **b~n** vi to beg

bettlägerig ['bɛtlɛ:gərɪç] adj bedridden

Bettlaken nt sheet

Bettler(in) ['bɛtlər(ɪn)] (-s, -) m(f) beggar

Bett- zW: **~(t)uch** nt sheet; **~vorleger** m bedside rug; **~wäsche** f bed linen; **~zeug** nt bedlinen pl

beugen ['bɔʏgən] vt to bend; (GRAM) to inflect ◊ vr (sich fügen) to bow

Beule ['bɔʏlə] f bump, swelling

beunruhigen [bə'ʊnru:ɪgən] vt to disturb, to alarm ◊ vr to become worried

Beunruhigung f worry, alarm

beurlauben [bə'u:rlaubən] vt to give leave od a holiday to (BRIT), to grant vacation time to (US)

beurteilen [bə'ʊrtaɪlən] vt to judge; (Buch etc) to review

Beurteilung f judgement; review; (Note) mark

Beute ['bɔʏtə] (-) f booty, loot

Beutel (-s, -) m bag; (Geld~) purse; (Tabak~) pouch

Bevölkerung [bə'fœlkərʊŋ] f population

bevollmächtigen [bə'fɔlmɛçtɪgən] vt to authorize

Bevollmächtigte(r) mf authorized agent

bevor [bə'fo:r] konj before; **~munden** vt insep to treat like a child; **~stehen** (unreg) vi: **(jdm) ~stehen** to be in store (for sb); **~stehend** adj imminent, approaching; **~zugen** vt insep to prefer

bewachen [bə'vaxən] vt to watch, to guard

Bewachung f (Bewachen) guarding; (Leute) guard, watch

bewaffnen [bə'vafnən] vt to arm

Bewaffnung f (Vorgang) arming; (Ausrüstung) armament, arms pl

bewahren [bə'va:rən] vt to keep; **jdn vor jdm/etw ~** to save sb from sb/sth

bewähren [bə'vɛ:rən] vr to prove o.s.; (Maschine) to prove its worth

bewahrheiten [bə'va:rhaɪtən] vr to come true

bewährt adj reliable

Bewährung f (JUR) probation

bewältigen [bə'vɛltɪgən] vt to overcome; (Arbeit) to finish; (Portion) to manage

bewandert [bə'vandərt] adj expert, knowledgeable

bewässern [bə'vɛsərn] vt to irrigate

Bewässerung f irrigation

bewegen [bə'we:gən] vt, vr to move; **jdn zu etw ~** to induce sb to do sth; **~d** adj touching, moving

Beweg- [bə'we:k] zW: **~grund** m motive; **b~lich** adj movable, mobile; (flink) quick; **b~t** adj (Leben) eventful; (Meer) rough; (ergriffen) touched

Bewegung f movement, motion; (innere) emotion; (körperlich) exercise; **~sfreiheit** f freedom of movement; (fig) freedom of action; **b~slos** adj motionless

Beweis [bə'vaɪs] (-es, -e) m proof; (Zeichen) sign; **b~en** (unreg) vt to prove; (zeigen) to show; **~mittel** nt evidence

Bewerb- [bə'vɛrb] zW: **b~en** (unreg) vr to apply (for); **~er(in)** (-s, -) m(f) applicant; **~ung** f application

bewerkstelligen [bə'vɛrkʃtɛlɪgən] vt to manage, to accomplish

bewerten [bə'we:rtən] vt to assess

bewilligen [bə'vɪlɪgən] vt to grant, to allow

Bewilligung f granting

bewirken [bə'vɪrkən] vt to cause, to bring about

bewirten [bə'vɪrtən] vt to feed, to entertain (to a meal)

bewirtschaften [bə'vɪrtʃaftən] vt to manage

Bewirtung f hospitality

bewog etc [bə'vo:k] vb siehe **bewegen**

bewohn- [bə'vo:n] zW: **~bar** adj habitable; **~en** vt to inhabit, to live in; **B~er(in)** (-s, -) m(f) inhabitant; (von Haus) resident

bewölkt [bə'vœlkt] adj cloudy, overcast

Bewölkung f clouds pl

Bewunder- [bə'vʊndər] zW: **~er** (-s, -) m admirer; **b~n** vt to admire; **b~nswert** adj admirable, wonderful; **~ung** f admiration

bewußt [bə'vʊst] adj conscious; (absichtlich) deliberate; **sich** dat **einer Sache** gen **~ sein** to be aware of sth; **~los** adj unconscious; **B~losigkeit** f unconsciousness; **B~sein** nt consciousness; **bei B~sein** conscious

bezahlen [bə'tsaːlən] *vt* to pay for
Bezahlung *f* payment
bezaubern [bə'tsaubərn] *vt* to charm
bezeichnen [bə'tsaiçnən] *vt* (*kennzeichnen*) to mark; (*nennen*) to call; (*beschreiben*) to describe; (*zeigen*) to show, to indicate; **~d** *adj*: **~d** (**für**) characteristic (of), typical (of)
Bezeichnung *f* (*Zeichen*) mark, sign; (*Beschreibung*) description
bezeugen [bə'tsɔygən] *vt* to testify to
Bezichtigung [bə'tsɪçtɪgʊŋ] *f* accusation
beziehen [bə'tsiːən] (*unreg*) *vt* (*mit Überzug*) to cover; (*Bett*) to make; (*Haus, Position*) to move into; (*Standpunkt*) to take up; (*erhalten*) to receive; (*Zeitung*) to subscribe to, to take ♦ *vr* (*Himmel*) to cloud over; **etw auf jdn/etw ~** to relate sth to sb/sth; **sich ~ auf** +*akk* to refer to
Beziehung *f* (*Verbindung*) connection; (*Zusammenhang*) relation; (*Verhältnis*) relationship; (*Hinsicht*) respect; **~en haben** (*vorteilhaft*) to have connections *od* contacts; **b~sweise** *adv* or; (*genauer gesagt auch*) that is, or rather
Bezirk [bə'tsɪrk] (*-(e)s, -e*) *m* district
Bezug [bə'tsuːk] (*-(e)s, ⁼e*) *m* (*Hülle*) covering; (*COMM*) ordering; (*Gehalt*) income, salary; (*Beziehung*): **~ (zu)** relation(ship) (to); **in b~ auf** +*akk* with reference to; **~ nehmen auf** +*akk* to refer to
bezüglich [bə'tsyːglɪç] *präp* +*gen* concerning, referring to ♦ *adj* (*GRAM*) relative; **auf etw** *akk* **~** relating to sth
bezwecken [bə'tsvɛkən] *vt* to aim at
bezweifeln [bə'tsvaifəln] *vt* to doubt, to query
BH *m abk von* **Büstenhalter**
Bhf. *abk* (= *Bahnhof*) station
Bibel ['biːbəl] (*-, -n*) *f* Bible
Biber ['biːbər] (*-s, -*) *m* beaver
Biblio- [biblio] *zW:* **~graphie** [-graˈfiː] *f* bibliography; **~thek** [-'teːk] (*-, -en*) *f* library; **~thekar(in)** [-teˈkaːr(ɪn)] (*-s, -e*) *m(f)* librarian
biblisch ['biːblɪʃ] *adj* biblical
bieder ['biːdər] *adj* upright, worthy; (*Kleid etc*) plain
bieg- ['biːg] *zW:* **~en** (*unreg*) *vt, vr* to bend ♦ *vi* to turn; **~sam** ['biːk-] *adj* flexible; **B~ung** *f* bend, curve
Biene ['biːnə] *f* bee
Bienenhonig *m* honey
Bienenwachs *nt* beeswax
Bier [biːr] (*-(e)s, -e*) *nt* beer; **~deckel** *m* beer mat; **~krug** *m* beer mug
Biest [biːst] (*-s, -er* *umg: pej*) *nt* (*Tier*) beast, creature; (*Mensch*) beast
bieten ['biːtən] (*unreg*) *vt* to offer; (*bei Versteigerung*) to bid ♦ *vr* (*Gelegenheit*): **sich jdm ~** to present itself to sb; **sich** *dat* **etw ~ lassen** to put up with sth
Bikini [bi'kiːni] (*-s, -s*) *m* bikini

Bilanz [bi'lants] *f* balance; (*fig*) outcome; **~ ziehen (aus)** to take stock (of)
Bild [bɪlt] (*-(e)s, -er*) *nt* (*auch fig*) picture; photo; (*Spiegel~*) reflection; **~bericht** *m* photographic report
bilden ['bɪldən] *vt* to form; (*erziehen*) to educate; (*ausmachen*) to constitute ♦ *vr* to arise; (*erziehen*) to educate o.s.
Bilderbuch *nt* picture book
Bilderrahmen *m* picture frame
Bild- *zW:* **~fläche** *f* screen; (*fig*) scene; **~hauer** (*-s, -*) *m* sculptor; **b~hübsch** *adj* lovely, pretty as a picture; **b~lich** *adj* figurative; pictorial; **~schirm** *m* television screen; (*COMPUT*) monitor; **b~schön** *adj* lovely; **~ung** [-dʊŋ] *f* formation; (*Wissen, Benehmen*) education
Billard ['bɪljart] (*-s, -e*) *nt* billiards *sg*; **~kugel** *f* billiard ball
billig ['bɪlɪç] *adj* cheap; (*gerecht*) fair, reasonable; **~en** ['bɪlɪgən] *vt* to approve of
Binde ['bɪndə] *f* bandage; (*Arm~*) band; (*MED*) sanitary towel; **~gewebe** *nt* connective tissue; **~glied** *nt* connecting link; **b~n** (*unreg*) *vt* to bind, to tie; **~strich** *m* hyphen; **~wort** *nt* conjunction
Bindfaden *m* string
Bindung *f* bond, tie; (*Ski~*) binding
binnen ['bɪnən] *präp* (+*dat od gen*) within; **B~hafen** *m* river port; **B~handel** *m* internal trade
Binse ['bɪnzə] *f* rush, reed; **~nwahrheit** *f* truism
Bio- [bio] *in zW* bio-; **~chemie** *f* biochemistry; **~graphie** [-graˈfiː] *f* biography; **~loge** [-'loːgə] (*-n, -n*) *m* biologist; **~logie** [-loˈgiː] *f* biology; **b~logisch** [-'loːgɪʃ] *adj* biological; **~top** *m od nt* biotope
Birke ['bɪrkə] *f* birch
Birnbaum *m* pear tree
Birne ['bɪrnə] *f* pear; (*ELEK*) (light) bulb

SCHLÜSSELWORT

bis [bɪs] *präp* +*akk, adv* **1** (*zeitlich*) till, until; (*bis spätestens*) by; **Sie haben bis Dienstag Zeit** you have until *od* till Tuesday; **bis Dienstag muß es fertig sein** it must be ready by Tuesday; **bis auf weiteres** until further notice; **bis in die Nacht** into the night; **bis bald/gleich** see you later/soon
2 (*räumlich*) (up) to; **ich fahre bis Köln** I'm going to *od* I'm going as far as Cologne; **bis an unser Grundstück** (right *od* up) to our plot; **bis hierher** this far
3 (*bei Zahlen*) up to; **bis zu** up to
4: **bis auf etw** *akk* (*außer*) except sth; (*einschließlich*) including sth
♦ *konj* **1** (*mit Zahlen*) to; **10 bis 20** 10 to 20
2 (*zeitlich*) till, until; **bis es dunkel wird** till *od* until it gets dark; **von ... bis ...** from ... to ...

Bischof ['bɪʃɔf] (-s, ⸚e) m bishop
bischöflich ['bɪʃøːflɪç] adj episcopal
bisher [bɪs'heːr] adv till now, hitherto; **~ig** adj till now
Biskuit [bɪs'kviːt] (-(e)s, -s od -e) m od nt (fatless) sponge
Biß [bɪs] (-sses, -sse) m bite
biß etc vb siehe **beißen**
bißchen ['bɪsçən] adj, adv bit
Bissen ['bɪsən] (-s, -) m bite, morsel
bissig ['bɪsɪç] adj (Hund) snappy; (Bemerkung) cutting, biting
bist [bɪst] vb siehe **sein**
bisweilen [bɪs'vaɪlən] adv at times, occasionally
Bit [bɪt] nt (COMPUT) bit
Bitte ['bɪtə] f request; **b~** excl please; (wie b~?) (I beg your) pardon?; (als Antwort auf Dank) you're welcome; **darf ich? -- aber b~!** may I? – please do; **b~ schön!** it was a pleasure; **b~n** (unreg) vt, vi: **b~n (um)** to ask (for); **b~nd** adj pleading, imploring
bitter ['bɪtər] adj bitter; **~böse** adj very angry; **B~keit** f bitterness; **~lich** adj bitter
Blähungen ['blɛ:ʊŋən] pl (MED) wind sg
blamabel [bla'maːbəl] adj disgraceful
Blamage [bla'maːʒə] f disgrace
blamieren [bla'miːrən] vr to make a fool of o.s., to disgrace o.s. ♦ vt to let down, to disgrace
blank [blaŋk] adj bright; (unbedeckt) bare; (sauber) clean, polished; (umg: ohne Geld) broke; (offensichtlich) blatant
blanko ['blaŋko] adv blank; **B~scheck** m blank cheque
Bläschen ['blɛ:sçən] nt bubble; (MED) (small) blister
Blase ['blaːzə] f bubble; (MED) blister; (ANAT) bladder; **~balg** (-(e)s, -bälge) m bellows pl; **b~n** (unreg) vt, vi to blow
Blas- ['blaːs] zW: **~instrument** nt wind instrument; **~kapelle** f brass band
blaß [blas] adj pale
Blässe ['blɛsə] (-) f paleness, pallor
Blatt [blat] (-(e)s, ⸚er) nt leaf; (von Papier) sheet; (Zeitung) newspaper; (KARTEN) hand
blättern ['blɛtərn] vi: **in etw** dat **~** to leaf through sth
Blätterteig m flaky od puff pastry
blau [blau] adj blue; (umg) drunk, stoned; (KOCH) boiled; (Auge) black; **~er Fleck** bruise; **Fahrt ins B~e** mystery tour; **~äugig** adj blue-eyed
Blech [blɛç] (-(e)s, -e) nt tin, sheet metal; (Back~) baking tray; **~büchse** f tin, can; **~dose** f tin, can; **b~en** (umg) vt, vi to fork out; **~schaden** m (AUT) damage to bodywork
Blei [blaɪ] (-(e)s, -e) nt lead
Bleibe ['blaɪbə] f roof over one's head;

b~n (unreg) vi to stay, to remain; **b~nd** adj (Erinnerung) lasting (Schaden) permanent; **b~nlassen** (unreg) vt to leave (alone)
bleich [blaɪç] adj faded, pale; **~en** vt to bleach
Blei- zW: **b~ern** adj leaden; **b~frei** adj (Benzin) lead-free; **~stift** m pencil; **~stiftspitzer** m pencil sharpener
Blende ['blɛndə] f (PHOT) aperture; **b~n** vt to blind, to dazzle; (fig) to hoodwink; **b~nd** (umg) adj grand; **b~nd aussehen** to look smashing
Blick [blɪk] (-(e)s, -e) m (kurz) glance, glimpse; (Anschauen) look; (Aussicht) view; **b~en** vi to look; **sich b~en lassen** to put in an appearance; **~fang** m eye-catcher
blieb etc ['bliːp] vb siehe **bleiben**
blind [blɪnt] adj blind; (Glas etc) dull; **~er Passagier** stowaway; **B~darm** m appendix; **B~darmentzündung** f appendicitis; **B~enschrift** ['blɪndən-] f braille; **B~heit** f blindness; **~lings** adv blindly; **B~schleiche** f slow worm
blinken ['blɪŋkən] vi to twinkle, to sparkle; (Licht) to flash, to signal; (AUT) to indicate ♦ vt to flash, to signal
Blinker (-s, -) m (AUT) indicator
Blinklicht nt (AUT) indicator; (an Bahnübergangen usw) flashing light
blinzeln ['blɪntsəln] vi to blink, to wink
Blitz [blɪts] (-es, -e) m (flash of) lightning; **~ableiter** m lightning conductor; **b~en** vi (aufleuchten) to flash, to sparkle; **es b~t** (MET) there's a flash of lightning; **~licht** nt flashlight; **b~schnell** adj lightning ♦ adv (as) quick as a flash
Block [blɔk] (-(e)s, ⸚e) m block; (von Papier) pad; **~ade** [blɔ'kaːdə] f blockade; **~flöte** f recorder; **b~frei** adj (POL) unaligned; **b~ieren** [blɔ'kiːrən] vt to block ♦ vi (Räder) to jam; **~schrift** f block letters pl
blöd [bløːt] adj silly, stupid; **~eln** ['bløːɪdəln] (umg) vi to act the goat (fam), to fool around; **B~sinn** m nonsense; **~sinnig** adj silly, idiotic
blond [blɔnt] adj blond, fair-haired

─── SCHLÜSSELWORT

bloß [bloːs] adj **1** (unbedeckt) bare; (nackt) naked; **mit der bloßen Hand** with one's bare hand; **mit bloßem Auge** with the naked eye
2 (alleinig, nur) mere; **der bloße Gedanke** the very thought; **bloßer Neid** sheer envy ♦ adv only, merely; **laß das bloß!** just don't do that!; **wie ist das bloß passiert?** how on earth did that happen?

Blöße ['bløːsə] f bareness; nakedness; (fig) weakness

bloßlegen vt to expose
bloßstellen vt to show up
blühen ['bly:ən] vi to bloom (lit), to be in bloom; (fig) to flourish
blühend adj (Pflanze) blooming; (Aussehen) blooming, radiant; (Handel) thriving, booming
Blume ['blu:mə] f flower; (von Wein) bouquet; ~**nkohl** m cauliflower; ~**ntopf** m flowerpot; ~**nzwiebel** f bulb
Bluse ['blu:zə] f blouse
Blut [blu:t] (-(e)s) nt blood; **b~arm** adj anaemic; (fig) penniless; **b~befleckt** adj bloodstained; ~**druck** m blood pressure
Blüte ['bly:tə] f blossom; (fig) prime
Blutegel m leech
bluten vi to bleed
Bluter m (MED) haemophiliac
Bluterguß m haemorrhage; (auf Haut) bruise
Blütezeit f flowering period; (fig) prime
Blut- zW: ~**gruppe** f blood group; **b~ig** adj bloody; **b~jung** adj very young; ~**probe** f blood test; ~**spender** m blood donor; ~**transfusion** f (MED) blood transfusion; ~**ung** f bleeding, haemorrhage; ~**vergiftung** f blood poisoning; ~**wurst** f black pudding
Bö [bø:] (-, -en) f squall
Bock [bɔk] (-(e)s, ⸚e) m buck, ram; (Gestell) trestle, support; (SPORT) buck; ~**wurst** f type of pork sausage
Boden ['bo:dən] (-s, ⸚) m ground; (Fuß~) floor; (Meeres~, Faß~) bottom; (Speicher) attic; **b~los** adj bottomless; (umg) incredible; ~**schätze** pl mineral resources; ~**see** m: der ~**see** Lake Constance; ~**turnen** nt floor exercises pl
Böe ['bø:ə] f squall
Bogen ['bo:gən] (-s, -) m (Biegung) curve; (ARCHIT) arch; (Waffe, MUS) bow; (Papier) sheet
Bohle ['bo:lə] f plank
Bohne ['bo:nə] f bean
bohnern vt to wax, to polish
Bohnerwachs nt floor polish
Bohr- ['bo:r] zW: **b~en** vt to bore; ~**er** (-s, -) m drill; ~**insel** f oil rig; ~**maschine** f drill; ~**turm** m derrick
Boje ['bo:jə] f buoy
Bolivien [bo'li:viən] nt Bolivia
Bolzen ['bɔltsən] (-s, -) m bolt
bombardieren [bɔmbar'di:rən] vt to bombard; (aus der Luft) to bomb
Bombe ['bɔmbə] f bomb
Bombenangriff m bombing raid
Bombenerfolg (umg) m smash hit
Bon (-s, -s) m voucher, chit
Bonbon [bɔ̃'bõ:] (-s, -s) m od nt sweet
Boot [bo:t] (-(e)s, -e) nt boat
Bord [bɔrt] (-(e)s, -e) m (AVIAT, NAUT) board ♦ nt (Brett) shelf; **an** ~ on board

Bordell [bɔr'dɛl] (-s, -e) nt brothel
Bordstein m kerb(stone)
borgen ['bɔrgən] vt to borrow; **jdm etw** ~ to lend sb sth
Borke ['bɔrkə] f (BOT) bark
borniert [bɔr'ni:rt] adj narrow-minded
Börse ['bø:rzə] f stock exchange; (Geld~) purse; ~**nmakler** m stockbroker
Borste ['bɔrstə] f bristle
Borte ['bɔrtə] f edging; (Band) trimming
bös [bø:s] adj = böse
bösartig ['bø:s-] adj malicious
Böschung ['bœʃuŋ] f slope; (Ufer~ etc) embankment
böse ['bø:zə] adj bad, evil; (zornig) angry
boshaft ['bo:shaft] adj malicious, spiteful
Bosheit f malice, spite
Bosnien und Herzegowina ['bɔsniən, hɛrtse'go:vina] nt Bosnia (and) Herzegovina
böswillig ['bø:sviliç] adj malicious
bot etc [bo:t] vb siehe **bieten**
Botanik [bo'ta:nik] f botany
botanisch [bo'ta:niʃ] adj botanical
Bot- ['bo:t] zW: ~**e** (-n, -n) m messenger; ~**schaft** f message, news; (POL) embassy; ~**schafter** (-s, -) m ambassador
Bottich ['bɔtiç] (-(e)s, -e) m vat, tub
Bouillon [bu'ljõ:] (-, -s) f consommé
Bowle ['bo:lə] f punch
Box- ['bɔks] zW: **b~en** vi to box; ~**er** (-s, -) m boxer; ~**handschuh** m boxing glove; ~**kampf** m boxing match
boykottieren [bɔykɔ'ti:rən] vt to boycott
brach etc [bra:x] vb siehe **brechen**
brachte etc ['braxtə] vb siehe **bringen**
Branche ['brã:ʃə] f line of business; ~**nverzeichnis** nt yellow pages pl
Brand [brant] (-(e)s, ⸚e) m fire; (MED) gangrene; **b~en** ['brandən] vi to surge; (Meer) to break; **b~marken** vt to brand; (fig) to stigmatize; ~**salbe** f ointment for burns; ~**stifter** [-ʃtiftər] m arsonist, fire-raiser; ~**stiftung** f arson; ~**ung** f surf
Branntwein ['brantvain] m brandy
Brasilien [bra'zi:liən] nt Brazil
Brat- ['bra:t] zW: ~**apfel** m baked apple; **b~en** (unreg) vt to roast; to fry; ~**en** (-s, -) m roast, joint; ~**hähnchen** nt roast chicken; ~**huhn** nt roast chicken; ~**kartoffeln** pl fried od roast potatoes; ~**pfanne** f frying pan
Bratsche ['bra:tʃə] f viola
Bratspieß m spit
Bratwurst f grilled/fried sausage
Brauch [braux] (-(e)s, Bräuche) m custom; **b~bar** adj usable, serviceable; (Person) capable; **b~en** vt (bedürfen) to need; (müssen) to have to; (inf: verwenden) to use
Braue ['brauə] f brow
brauen vt to brew
Braue'rei f brewery

braun [braun] adj brown; (von Sonne auch) tanned

Bräune ['brɔʏnə] (-) f brownness; (Sonnen~) tan; **b~n** vt to make brown; (Sonne) to tan

braungebrannt adj tanned

Brause ['brauzə] f shower bath; (von Gießkanne) rose; (Getränk) lemonade; **b~n** vi to roar; (auch vr: duschen) to take a shower

Braut [braut] (-, Bräute) f bride; (Verlobte) fiancée

Bräutigam ['brɔʏtɪgam] (-s, -e) m bridegroom; fiancé

Brautpaar nt bride and (bride)groom, bridal pair

brav [bra:f] adj (artig) good; (ehrenhaft) worthy, honest

bravo ['bra:vo] excl well done

BRD ['be:'ɛr'de:] (-) f abk = **Bundesrepublik Deutschland**

Brech- ['brɛç] zW: **~eisen** nt crowbar; **b~en** (unreg) vt, vi to break; (Licht) to refract; (fig: Mensch) to crush; (speien) to vomit; **~reiz** m nausea, retching

Brei [braɪ] (-(e)s, -e) m (Masse) pulp; (KOCH) gruel; (Hafer~) porridge

breit [braɪt] adj wide, broad; **B~e** f width; (esp bei Maßangaben) breadth; (GEOG) latitude; **~en** vr: **etw über etw akk ~en** to spread sth over sth; **B~engrad** m degree of latitude; **~machen** vr to spread o.s. out; **~treten** (unreg; umg) vt to go on about

Brems- ['brɛms] zW: **~belag** m brake lining; **~e** [-zə] f brake; (ZOOL) horsefly; **b~en** [-zən] vi to brake ♦ vt (Auto) to brake; (fig) to slow down; **~flüssigkeit** f brake fluid; **~licht** nt brake light; **~spur** f skid mark(s pl); **~weg** m braking distance

Brenn- ['brɛn] zW: **b~bar** adj inflammable; **b~en** (unreg) vi to burn, to be on fire; (Licht, Kerze etc) to burn ♦ vt (Holz etc) to burn; (Ziegel, Ton) to fire; (Kaffee) to roast; **darauf b~en, etw zu tun** to be dying to do sth; **~(n)essel** f stinging nettle; **~punkt** m (PHYS) focal point; (Mittelpunkt) focus; **~spiritus** m methylated spirits; **~stoff** m fuel

brenzlig ['brɛntslɪç] adj (fig) precarious

Brett [brɛt] (-(e)s, -er) nt board, plank; (Bord) shelf; (Spiel~) board; **~er** pl (SKI) skis; (THEAT) boards; **Schwarze(s) ~** notice board; **~erzaun** m wooden fence; **~spiel** nt board game

Brezel ['bre:tsəl] (-, -n) f pretzel

brichst etc [brɪçst] vb siehe **brechen**

Brief [bri:f] (-(e)s, -e) m letter; **~freund** m penfriend; **~kasten** m letterbox; **b~lich** adj, adv by letter; **~marke** f (postage) stamp; **~öffner** m letter opener; **~papier** nt notepaper; **~tasche** f wallet; **~träger** m

postman; **~umschlag** m envelope; **~waage** f letter scales; **~wechsel** m correspondence

briet etc [bri:t] vb siehe **braten**

Brikett [bri'kɛt] (-s, -s) nt briquette

brillant [brɪl'jant] adj (fig) brilliant; **B~** (-en, -en) m brilliant, diamond

Brille ['brɪlə] f spectacles pl; (Schutz~) goggles pl; (Toiletten~) (toilet) seat; **~ngestell** nt (spectacle) frames

bringen ['brɪŋən] (unreg) vt to bring; (mitnehmen, begleiten) to take; (einbringen: Profit) to bring in; (veröffentlichen) to publish; (THEAT, CINE) to show; (RADIO, TV) to broadcast; (in einen Zustand versetzen) to get; (umg: tun können) to manage; **jdn dazu ~, etw zu tun** to make sb do sth; **jdn nach Hause ~** to take sb home; **jdn um etw ~** to make sb lose sth; **jdn auf eine Idee ~** to give sb an idea

Brise ['bri:zə] f breeze

Brit- ['bri:t] zW: **~e** m Briton; **~in** f Briton; **b~isch** adj British

bröckelig ['brœkəlɪç] adj crumbly

Brocken ['brɔkən] (-s, -) m piece, bit; (Fels~) lump of rock

brodeln ['bro:dəln] vi to bubble

Brokat [bro'ka:t] (-(e)s, -e) m brocade

Brokkoli ['brɔkoli] pl (BOT) broccoli

Brombeere ['brɔmbe:rə] f blackberry, bramble (BRIT)

Bronchien ['brɔnçiən] pl bronchia(l tubes) pl

Bronchitis (-) f bronchitis

Bronze ['brõːsə] f bronze

Brosche ['brɔʃə] f brooch

Broschüre [brɔ'ʃy:rə] f pamphlet

Brot [bro:t] (-(e)s, -e) nt bread; (Laib) loaf

Brötchen ['brø:tçən] nt roll

Bruch [brux] (-(e)s, ⁻e) m breakage; (zerbrochene Stelle) break; (fig) split, breach; (MED: Eingeweide~) rupture, hernia; (Bein~ etc) fracture; (MATH) fraction

brüchig ['brʏçɪç] adj brittle, fragile; (Haus) dilapidated

Bruch- zW: **~landung** f crash landing; **~strich** m (MATH) line; **~stück** nt fragment; **~teil** m fraction; **~zahl** [bruxtsa:l] f (MATH) fraction

Brücke ['brʏkə] f bridge; (Teppich) rug

Bruder ['bru:dər] (-s, ⁻) m brother

brüderlich ['bry:dərlɪç] adj brotherly

Brühe ['bry:ə] f broth, stock; (pej) muck

Brühwürfel m (KOCH) stock cube

brüllen ['brʏlən] vi to bellow, to roar

brummen ['brumən] vi (Bär, Mensch etc) to growl; (Insekt) to buzz; (Motoren) to roar; (murren) to grumble ♦ vt to growl

brünett [brʏ'nɛt] adj brunette, dark-haired

Brunnen ['brunən] (-s, -) m fountain; (tief) well; (natürlich) spring

brüsk [brʏsk] adj abrupt, brusque

Brust [brʊst] (-, ⸚e) *f* breast; (*Männer~*) chest

brüsten ['brʏstən] *vr* to boast

Brust- *zW:* ~**fellentzündung** *f* pleurisy; ~**kasten** *m* chest; ~**schwimmen** *nt* breast-stroke

Brüstung ['brʏstʊŋ] *f* parapet

Brut [bruːt] (-, -en) *f* brood; (*Brüten*) hatching

brutal [bru'taːl] *adj* brutal; **B~i'tät** *f* brutality

brüten ['bryːtən] *vi* (*auch fig*) to brood

Brutkasten *m* incubator

brutto ['brʊto] *adv* gross; **B~einkommen** *nt* gross salary; **B~gehalt** *nt* gross salary; **B~gewicht** *nt* gross weight; **B~lohn** *m* gross wages *pl*; **B~sozialprodukt** *nt* gross national product

Bube ['buːbə] (-n, -n) *m* (*Schurke*) rogue; (*KARTEN*) jack

Buch [buːx] (-(e)s, ⸚er) *nt* book; (*COMM*) account book; ~**binder** *m* bookbinder; ~**drucker** *m* printer

Buche *f* beech tree

buchen *vt* to book; (*Betrag*) to enter

Bücher- ['byːçər] *zW:* ~**brett** *nt* bookshelf; ~**ei** [-'raɪ] *f* library; ~**regal** *nt* bookshelves *pl*, bookcase; ~**schrank** *m* bookcase

Buch- *zW:* ~**fink** *m* chaffinch; ~**führung** *f* book-keeping, accounting; ~**halter(in)** (-s, -) *m(f)* book-keeper; ~**handel** *m* book trade; ~**händler(in)** *m(f)* bookseller; ~**handlung** *f* bookshop

Büchse *f* tin, can; (*Holz~*) box; (*Gewehr*) rifle; ~**nfleisch** *nt* tinned meat; ~**nmilch** *f* (*KOCH*) evaporated milk, tinned milk; ~**nöffner** *m* tin *od* can opener

Buch- *zW:* ~**stabe** ['buːxʃtaːbə] (-ns, -n) *m* letter (of the alphabet); **b~stabieren** [buːxʃta'biːrən] *vt* to spell; **b~stäblich** ['buːxʃtɛːplɪç] *adj* literal

Bucht ['bʊxt] (-, -en) *f* bay

Buchung ['buːxʊŋ] *f* booking; (*COMM*) entry

Buckel ['bʊkəl] (-s, -) *m* hump

bücken ['bʏkən] *vr* to bend

Bückling ['bʏklɪŋ] (*Fisch*) kipper; (*Verbeugung*) bow

Bude ['buːdə] *f* booth, stall; (*umg*) digs *pl* (*BRIT*)

Büffel ['bʏfəl] (-s, -) *m* buffalo

Büfett [bʏ'feː] (-s, -s) *nt* (*Anrichte*) sideboard; (*Geschirrschrank*) dresser; **kaltes ~** cold buffet

Bug [buːk] (-(e)s, -e) *m* (*NAUT*) bow; (*AVIAT*) nose

Bügel ['byːgəl] (-s, -) *m* (*Kleider~*) hanger; (*Steig~*) stirrup; (*Brillen~*) arm; ~**brett** *nt* ironing board; ~**eisen** *nt* iron; ~**falte** *f* crease; **b~frei** *adj* crease-resistant, noniron; **b~n** *vt, vi* to iron

Bühne ['byːnə] *f* stage; ~**nbild** *nt* set, scenery

Buhruf ['buːruːf] *m* boo

buk *etc* [buːk] *vb siehe* **backen**

Bulgarien [bʊl'gaːriən] *nt* Bulgaria

Bullauge *nt* (*NAUT*) porthole

Bull- ['bʊl] *zW:* ~**dogge** *f* bulldog; ~**dozer** ['bʊldoːzər] (-s, -) *m* bulldozer; ~**e** (-n, -n) *m* bull

Bumerang ['buːməraŋ] (-s, -e) *m* boomerang

Bummel ['bʊməl] (-s, -) *m* stroll; (*Schaufenster~*) window-shopping; ~**ant** [-'lant] *m* slowcoach; ~**ei** [-'laɪ] *f* wandering; dawdling; skiving; **b~n** *vi* to wander, to stroll; (*trödeln*) to dawdle; (*faulenzen*) to skive, to loaf around; ~**streik** ['bʊməlʃtraɪk] *m* go-slow

Bund¹ [bʊnt] (-(e)s, ⸚e) *m* (*Freundschafts~ etc*) bond; (*Organisation*) union; (*POL*) confederacy; (*Hosen~, Rock~*) waistband

Bund² (-(e)s, -e) *nt* bunch; (*Stroh~*) bundle

Bündel ['bʏndəl] (-s, -) *nt* bundle, bale; **b~n** *vt* to bundle

Bundes- ['bʊndəs] *in zW* Federal (*bes West German*); ~**bahn** *f* Federal Railways *pl*; ~**bürger** *m* West German citizen; ~**hauptstadt** *f* Federal capital; ~**kanzler** *m* Federal Chancellor; ~**land** *nt* Land; ~**liga** *f* football league; ~**präsident** *m* Federal President; ~**rat** *m* upper house of West German Parliament; ~**regierung** *f* Federal government; ~**republik** *f* Federal Republic (of West Germany); ~**staat** *m* Federal state; ~**tag** *m* West German Parliament; ~**wehr** *f* West German Armed Forces *pl*

bündig *adj* (*kurz*) concise

Bündnis (-ses, -se) *nt* alliance

Bunker ['bʊŋkər] (-s, -) *m* bunker

bunt [bʊnt] *adj* coloured; (*gemischt*) mixed; **jdm wird es zu ~** it's getting too much for sb; **B~stift** *m* coloured pencil, crayon

Burg [bʊrk] (-, -en) *f* castle, fort

Bürge ['bʏrgə] (-n, -n) *m* guarantor; **b~n** *vi*: **b~n für** to vouch for

Bürger(in) ['bʏrgər(in)] (-s, -) *m(f)* citizen; member of the middle class; ~**krieg** *m* civil war; **b~lich** *adj* (*Rechte*) civil; (*Klasse*) middle-class; (*pej*) bourgeois; ~**meister** *m* mayor; ~**recht** *nt* civil rights *pl*; ~**schaft** *f* population, citizens *pl*; ~**steig** *m* pavement

Bürgschaft *f* surety; **~ leisten** to give security

Büro [by'roː] (-s, -s) *nt* office; ~**angestellte(r)** *mf* office worker; ~**klammer** *f* paper clip; ~**kra'tie** *f* bureaucracy; **b~'kratisch** *adj* bureaucratic; ~**schluß** *m* office closing time

Bursch (-en, -en) *m* = **Bursche**

Bursche ['bʊrʃə] (-n, -n) *m* lad, fellow; (*Diener*) servant

Bürste ['byrstə] f brush; **b~n** vt to brush
Bus [bʊs] (-ses, -se) m bus
Busch [bʊʃ] (-(e)s, ⁼e) m bush, shrub
Büschel ['byʃəl] (-s, -) nt tuft
buschig adj bushy
Busen ['bu:zən] (-s, -) m bosom; (*Meer~*) inlet, bay
Buße ['bu:sə] f atonement, penance; (*Geld*) fine
büßen ['by:sən] vi to do penance, to atone ♦ vt to do penance for, to atone for
Bußgeld ['bu:sgɛlt] nt fine
Büste ['bystə] f bust; **~nhalter** m bra
Butter ['bʊtər] (-) f butter; **~blume** f buttercup; **~brot** nt (piece of) bread and butter; (*umg*) sandwich; **~brotpapier** nt greaseproof paper; **~dose** f butter dish; **b~weich** ['bʊtərvaiç] adj soft as butter; (*fig, umg*) soft
b.w. abk (= *bitte wenden*) p.t.o.
bzgl. abk (= *bezüglich*) re
bzw. abk = *beziehungsweise*

C c

ca. abk (= *circa*) approx.
Café [ka'fe:] (-s, -s) nt café
Cafeteria [kafete'ri:a] (-, -s) f cafeteria
Camp- ['kɛmp] zW: **c~en** vi to camp; **~er** (-s, -) m camper; **~ing** (-s) nt camping; **~ingkocher** m camping stove; **~ingplatz** m camp(ing) site
CD f abk (*disc*) CD; **~-Spieler** m CD (player)
Cellist [tʃɛ'lɪst] m cellist
Cello ['tʃɛlo] (-s, -s od Celli) nt cello
Celsius ['tsɛlziʊs] (-) nt Celsius
Chamäleon [ka'mɛ:leɔn] (-s, -s) nt chameleon
Champagner [ʃam'panjər] (-s, -) m champagne
Champignon ['ʃampɪnjõ] (-s, -s) m button mushroom
Chance ['ʃɑ̃:s(ə)] f chance, opportunity
Chaos ['ka:ɔs] (-, -) nt chaos
chaotisch [ka'o:tɪʃ] adj chaotic
Charakter [ka'raktər, pl karak'te:rə] (-s, -e) m character; **c~fest** adj of firm character, strong; **c~i'sieren** vt to characterize; **c~istisch** [karakte'rɪstɪʃ] adj: **c~istisch (für)** characteristic (of), typical (of); **c~los** adj unprincipled; **~losigkeit** f lack of principle; **~schwäche** f weakness of charac-

ter; **~stärke** f strength of character; **~zug** m characteristic, trait
charmant [ʃar'mant] adj charming
Charme [ʃarm] (-s) m charm
Charterflug ['(t)ʃartərflu:k] m charter flight
Chauffeur [ʃɔ'føːr] m chauffeur
Chauvinist [ʃovi'nɪst] m chauvinist, jingoist
Chef [ʃɛf] (-s, -s) m head; (*umg*) boss; **~arzt** m senior consultant; **~in** (*umg*) f boss
Chemie [çe'mi:] (-) f chemistry; **~faser** f man-made fibre
Chemikalie [çemi'ka:liə] f chemical
Chemiker ['çe:mikər] (-s, -) m (industrial) chemist
chemisch ['çe:mɪʃ] adj chemical; **~e Reinigung** dry cleaning
Chicorée [ʃiko're:] (-s) m od f chicory
Chiffre ['ʃɪfrə] f (*Geheimzeichen*) cipher; (*in Zeitung*) box number
Chile ['çi:le, 'tʃi:le] nt Chile
Chin- ['çi:n] zW: **~a** nt China; **~akohl** m Chinese leaves; **~ese** [-'ne:zə] m Chinese; **~esin** f Chinese; **c~esisch** adj Chinese
Chirurg [çi'rʊrk] (-en, -en) m surgeon; **~ie** [-'gi:] f surgery; **c~isch** adj surgical
Chlor [klo:r] (-s) nt chlorine; **~o'form** (-s) nt chloroform
Cholera ['ko:lera] (-) f cholera
cholerisch [ko'le:rɪʃ] adj choleric
Chor [ko:r] (-(e)s, ⁼e) m choir; (*Musikstück, THEAT*) chorus; **~al** [ko'ra:l] (-s, -äle) m chorale
Choreograph [koreo'gra:f] (-en, -en) m choreographer
Christ [krɪst] (-en, -en) m Christian; **~baum** m Christmas tree; **~enheit** f Christendom; **~entum** nt Christianity; **~in** f Christian; **~kind** nt ≈ Father Christmas; (*Jesus*) baby Jesus; **c~lich** adj Christian; **~us** (-) m Christ
Chrom [kro:m] (-s) nt (*CHEM*) chromium; chrome
Chron- ['kro:n] zW: **~ik** f chronicle; **c~isch** adj chronic; **c~ologisch** [-o'lo:gɪʃ] adj chronological
Chrysantheme [kryzan'te:mə] f chrysanthemum
circa ['tsɪrka] adv about, approximately
Clown [klaun] (-s, -s) m clown
Cocktail ['kɔkte:l] (-s, -s) m cocktail
Cola ['ko:la] (-, -s) f Coke (®)
Computer [kɔm'pju:tər] (-s, -) m computer; **~spiel** nt computer game
Conférencier [kõferãsi'e:] (-s, -s) m compère
Cord [kɔrt] (-s) m cord, corduroy
Couch [kautʃ] (-, -es od -en) f couch
Coupé [ku'pe:] (-s, -s) nt (*AUT*) coupé, sports version
Coupon [ku'põ:] (-s, -s) m coupon;

(*Stoff~*) length of cloth
Cousin [ku'zɛ̃:] (**-s, -s**) m cousin; **~e**
[ku'zi:nə] f cousin
Creme [krɛːm] (**-, -s**) f cream; (*Schuh~*)
polish; (*Zahn~*) paste; (*KOCH*) mousse;
c~farben adj cream(-coloured)
cremig adj creamy
Curry ['kœri] (**-s**) m od nt curry powder;
~pulver nt curry powder
Cursor ['kœrsər] m cursor
Cutter ['katər] (**-s, -**) m (*CINE*) editor

D d

SCHLÜSSELWORT

da [daː] adv **1** (*örtlich*) there; (*hier*) here; **da
draußen** out there; **da bin ich** here I am;
da, wo where; **ist noch Milch da?** is there
any milk left?
2 (*zeitlich*) then; (*folglich*) so
3: **da haben wir Glück gehabt** we were
lucky there; **da kann man nichts machen**
nothing can be done about it
♦ konj (*weil*) as, since

dabehalten (*unreg*) vt to keep
dabei [da'baɪ] adv (*räumlich*) close to it;
(*noch dazu*) besides; (*zusammen mit*) with
them; (*zeitlich*) during this; (*obwohl doch*)
but, however; **was ist schon ~?** what of
it?; **es ist doch nichts ~, wenn …** it
doesn't matter if …; **bleiben wir ~** let's
leave it at that; **es bleibt ~** that's settled;
das Dumme/Schwierige ~ the stupid/
difficult part of it; **er war gerade ~, zu gehen** he was just leaving; **~sein** (*unreg*) vi
(*anwesend*) to be present; (*beteiligt*) to be
involved; **~stehen** (*unreg*) vi to stand
around
Dach [dax] (**-(e)s, ≈er**) nt roof; **~boden** m
attic, loft; **~decker** (**-s, -**) m slater, tiler;
~fenster nt skylight; **~luke** f skylight;
~pappe f roofing felt; **~rinne** f gutter
Dachs [daks] (**-es, -e**) m badger
dachte etc ['daxtə] vb siehe **denken**
Dackel ['dakəl] (**-s, -**) m dachshund
dadurch [da'durç] adv (*räumlich*) through
it; (*durch diesen Umstand*) thereby, in that
way; (*deshalb*) because of that, for that reason ♦ konj: **~, daß** because
dafür [da'fyːr] adv for it; (*anstatt*) instead;

er kann nichts ~ he can't help it; **er ist
bekannt ~** he is well-known for that; **was
bekomme ich ~?** what will I get for it?
dafürkönnen unreg (*vt*): **er kann nichts
dafür** he can't help it
dagegen [da'geːgən] adv against it; (*im Vergleich damit*) in comparison with it; (*bei
Tausch*) for it/them ♦ konj however; **ich
habe nichts ~** I don't mind; **ich war ~** I
was against it; **~ kann man nichts tun** one
can't do anything about it; **~halten** (*unreg*) vt (*vergleichen*) to compare with it;
(*entgegnen*) to object to it; **~sprechen**
(*unreg*) vi: **es spricht nichts ~** there's no
reason why not
daheim [da'haɪm] adv at home; **D~** (**-s**) nt
home
daher [da'heːr] adv (*räumlich*) from there;
(*Ursache*) from that ♦ konj (*deshalb*) that's
why
dahin [da'hɪn] adv (*räumlich*) there; (*zeitlich*)
then; (*vergangen*) gone; **~gegen** konj on
the other hand; **~gehend** adv on this matter; **~gestellt** adv: **~gestellt bleiben** to
remain to be seen; **~gestellt sein lassen** to
leave open od undecided
dahinten [da'hɪntən] adv over there
dahinter [da'hɪntər] adv behind it; **~kom-
men** (*unreg*) vi to get to the bottom of it
Dahlie ['daːliə] f dahlia
dalli ['dali] (*umg*) adv chop chop
damalig ['daːmaːlɪç] adj of that time, then
damals ['daːmaːls] adv at that time, then
Damast [da'mast] (**-(e)s, -e**) m damask
Dame [daːmə] f lady; (*SCHACH, KARTEN*)
queen; (*Spiel*) draughts sg; **d~nhaft** adj
ladylike; **~nwahl** f ladies' excuse-me
damit [da'mɪt] adv with it; (*begründend*) by
that ♦ konj in order that, in order to; **was
meint er ~?** what does he mean by that?;
genug ~! that's enough!; **~ eilt es nicht**
there's no hurry
dämlich ['dɛːmlɪç] (*umg*) adj silly, stupid
Damm [dam] (**-(e)s, ≈e**) m dyke; (*Stau~*)
dam; (*Hafen~*) mole; (*Bahn~, Straßen~*)
embankment
dämmen ['dɛmən] vt (*Wasser*) to dam up;
(*Schmerzen*) to keep back
dämmer- zW: **~ig** adj dim, faint; **~n** vi
(*Tag*) to dawn; (*Abend*) to fall; **D~ung** f
twilight; (*Morgen~*) dawn; (*Abend~*) dusk
dämonisch [dɛ'moːnɪʃ] adj demoniacal
Dampf [dampf] (**-(e)s, ≈e**) m steam; (*Dunst*)
vapour; **d~en** vi to steam
dämpfen ['dɛmpfən] vt (*KOCH*) to steam;
(*bügeln*) to iron with a damp cloth; (*fig*) to
dampen, to subdue
Dampf- zW: **~kochtopf** m pressure
cooker; **~schiff** nt steamship; **~walze** f
steamroller
danach [da'naːx] adv after that; (*zeitlich*)
after that, afterwards; (*gemäß*) accordingly;

according to which; according to that; **er sieht ~ aus** he looks it

Däne (-n, -n) m Dane

daneben [da'ne:bən] adv beside it; (im Vergleich) in comparison; **~benehmen** (unreg) vr to misbehave; **~gehen** (unreg) vi to miss; (Plan) to fail

Dän- ['dɛ:n] zW: **~emark** nt Denmark; **~in** f Dane; **d~isch** adj Danish

Dank [daŋk] (-(e)s) m thanks pl; **vielen** od **schönen ~** many thanks; **jdm ~ sagen** to thank sb; **d~** präp (+dat od gen) thanks to; **d~bar** adj grateful; (Aufgabe) rewarding; **~barkeit** f gratitude; **d~e** excl thank you, thanks; **d~en** vi +dat to thank; **d~enswert** adj (Arbeit) worthwhile; rewarding; (Bemühung) kind; **d~sagen** vi to express one's thanks

dann [dan] adv then; **~ und wann** now and then

daran [da'ran] adv on it; (stoßen) against it; **es liegt ~, daß ...** the cause of it is that ...; **gut/schlecht ~ sein** to be well-/badly off; **das Beste/Dümmste ~** the best/stupidest thing about it; **ich war nahe ~, zu ...** I was on the point of ...; **er ist ~ gestorben** he died from it od of it; **~gehen** (unreg) vi to start; **~setzen** vt to stake; **er hat alles ~gesetzt, von Glasgow wegzukommen** he has done his utmost to get away from Glasgow

darauf [da'rauf] adv (räumlich) on it; (zielgerichtet) towards it; (danach) afterwards; **es kommt ganz ~ an, ob ...** it depends whether ...; **die Tage ~** the days following od thereafter; **am Tag ~** the next day; **~folgend** adj (Tag, Jahr) next, following; **~legen** vt to lay od put on top

daraus [da'raus] adv from it; **was ist ~ geworden?** what became of it?; **~ geht hervor, daß ...** this means that ...

Darbietung ['da:rbi:tuŋ] f performance

darf etc [darf] vb siehe **dürfen**

darin [da'rɪn] adv in (there), in it

Dar- ['da:r] zW: **d~legen** vt to explain, to expound, to set forth; **~legung** f explanation; **~leh(e)n** (-s, -) nt loan

Darm [darm] (-(e)s, ⸗e) m intestine; (Wurst~) skin; **~grippe** f (MED) gastric influenza od 'flu; **~saite** f gut string

darstellen ['da:rʃtɛlən] vt (abbilden, bedeuten) to represent; (THEAT) to act; (beschreiben) to describe ♦ vr to appear to be

Darsteller(in) (-s, -) m(f) actor(actress)

Darstellung f portrayal, depiction

darüber [da'ry:bər] adv (räumlich) over it, above it; (fahren) over it; (mehr) more; (währenddessen) meanwhile; (sprechen, streiten) about it; **~ geht nichts** there's nothing like it

darum [da'rum] adv (räumlich) round it ♦ konj that's why; **er bittet ~** he is pleading

for it; **es geht ~, daß ...** the thing is that ...; **er würde viel ~ geben, wenn ...** he would give a lot to ...; **ich tue es ~, weil ...** I am doing it because ...

darunter [da'runtər] adv (räumlich) under it; (dazwischen) among them; (weniger) less; **ein Stockwerk ~** one floor below (it); **was verstehen Sie ~?** what do you understand by that?

das [das] def art the ♦ pron that

Dasein ['da:zain] (-s) nt (Leben) life; (Anwesenheit) presence; (Bestehen) existence

dasein (unreg) vi to be there

daß [das] konj that

dasselbe [das'zɛlbə] art, pron the same

dastehen ['da:ʃte:ən] (unreg) vi to stand there

Datei [da:'tai] f file

Datenbank ['da:tənbaŋk] f data base

Datensichtgerät nt visual display unit, VDU

Datenverarbeitung f data processing

datieren [da'ti:rən] vt to date

Dativ ['da:ti:f] (-s, -e) m dative (case)

Dattel ['datəl] (-, -n) f date

Datum ['da:tum] (-s, Daten) nt date; **Daten** pl (Angaben) data pl

Dauer ['dauər] (-, -n) f duration; (gewisse Zeitspanne) length; (Bestand, Fortbestehen) permanence; **es war nur von kurzer ~** it didn't last long; **auf die ~** in the long run; (auf längere Zeit) indefinitely; **~auftrag** m standing order; **d~haft** adj lasting, durable; **~karte** f season ticket; **~lauf** m jog(ging); **d~n** vi to last; **es hat sehr lang ged~t, bis er ...** it took him a long time to ...; **d~nd** adj constant; **~welle** f perm, permanent wave; **~wurst** f German salami; **~zustand** m permanent condition

Daumen ['daumən] (-s, -) m thumb

Daune ['daunə] f down; **~ndecke** f down duvet, down quilt

davon [da'fɔn] adv of it; (räumlich) away; (weg von) from it; (Grund) because of it; **das kommt ~!** that's what you get; **~ abgesehen** apart from that; **~ sprechen/wissen** to talk/know of od about it; **was habe ich ~?** what's the point?; **~kommen** (unreg) vi to escape; **~laufen** (unreg) vi to run away

davor [da'fo:r] adv (räumlich) in front of it; (zeitlich) before (that); **~ warnen** to warn about it

dazu [da'tsu:] adv (legen, stellen) by it; (essen, singen) with it; **und ~ noch** and in addition; **ein Beispiel/seine Gedanken ~** one example for/his thoughts on this; **wie komme ich denn ~?** why should I?; **~ fähig sein** to be capable of it; **sich ~ äußern** to say something on it; **~gehören** vi to belong to it; **~kommen** (unreg) vi (Ereignisse) to happen too; (an einen Ort) to come along

dazwischen [da'tsvɪʃən] *adv* in between; (*räumlich auch*) between (them); (*zusammen mit*) among them; **der Unterschied ~** the difference between them; **~kommen** (*unreg*) *vi* (*hineingeraten*) to get caught in it; **es ist etwas ~gekommen** something cropped up; **~reden** *vi* (*unterbrechen*) to interrupt; (*sich einmischen*) to interfere; **~treten** (*unreg*) *vi* to intervene

Debatte [de'batə] *f* debate

Deck [dɛk] (-(e)s, -s *od* -e) *nt* deck; **an ~ gehen** to go on deck

Decke *f* cover; (*Bett~*) blanket; (*Tisch~*) tablecloth; (*Zimmer~*) ceiling; **unter einer ~ stecken** to be hand in glove; **~l** (-s, -) *m* lid; **d~n** *vt* to cover ♦ *vr* to coincide

Deckung *f* (*Schützen*) covering; (*Schutz*) cover; (*SPORT*) defence; (*Übereinstimmen*) agreement; **d~sgleich** *adj* congruent

Defekt [de'fɛkt] (-(e)s, -e) *m* fault, defect; **d~** *adj* faulty

defensiv [defɛn'siːf] *adj* defensive

definieren [defi'niːrən] *vt* to define

Definition [definitsi'oːn] *f* definition

Defizit [de'fiːtsɪt] (-s, -e) *nt* deficit

deftig [dɛftɪç] *adj* (*Essen*) large; (*Witz*) coarse

Degen ['deːgən] (-s, -) *m* sword

degenerieren [degene'riːrən] *vi* to degenerate

dehnbar [deːnbaːr] *adj* elastic; (*fig: Begriff*) loose

dehnen *vt, vr* to stretch

Deich [daɪç] (-(e)s, -e) *m* dyke, dike

Deichsel ['daɪksəl] (-, -n) *f* shaft

deichseln (*umg*) *vt* (*fig*) to wangle

dein(e) [daɪn(e)] *adj* (*D~* in *Briefen*) your; **~e(r, s)** *pron* yours; **~er** (*gen von* du) *pron* of you; **~erseits** *adv* on your part; **~esgleichen** *pron* people like you; **~etwegen** *adv* (*für dich*) for your sake; (*wegen dir*) on your account; **~etwillen** *adv*: **um ~etwillen = deinetwegen; ~ige** *pron*: **der/die/das ~ige** yours

dekadent [deka'dɛnt] *adj* decadent

Deklination [deklinatsi'oːn] *f* declension

deklinieren [dekli'niːrən] *vt* to decline

Dekolleté [dekɔl'teː] (-s, -s) *nt* low neckline

Deko- [deko] *zW*: **~rateur** [-ra'tøːr] *m* window dresser; **~ration** [-ratsi'oːn] *f* decoration; (*in Laden*) window dressing; **d~rativ** [-ra'tiːf] *adj* decorative; **d~rieren** [-'riːrən] *vt* to decorate; (*Schaufenster*) to dress

Delegation [delegatsi'oːn] *f* delegation

delegieren [dele'giːrən] *vt*: **~ an** +*akk* (*Aufgaben*) to delegate to

delikat [deli'kaːt] *adj* (*zart, heikel*) delicate; (*köstlich*) delicious

Delikatesse [delika'tɛsə] *f* delicacy; **~n** *pl* (*Feinkost*) delicatessen food; **~ngeschäft** *nt* delicatessen

Delikt [de'lɪkt] (-(e)s, -e) *nt* (*JUR*) offence

Delle ['dɛlə] (*umg*) *f* dent

Delphin [dɛl'fiːn] (-s, -e) *m* dolphin

dem [de(:)m] *art dat von* **der; das**

Demagoge [dema'goːgə] (-n, -n) *m* demagogue

dementieren [demɛn'tiːrən] *vt* to deny

dem- *zW*: **~gemäß** *adv* accordingly; **~nach** *adv* accordingly; **~nächst** *adv* shortly

Demokrat [demo'kraːt] (-en, -en) *m* democrat; **~ie** [-'tiː] *f* democracy; **d~isch** *adj* democratic; **d~isieren** [-i'ziːrən] *vt* to democratize

demolieren [demo'liːrən] *vt* to demolish

Demon- [demɔn] *zW*: **~strant(in)** [-'strant(ɪn)] *m(f)* demonstrator; **~stration** [-stratsi'oːn] *f* demonstration; **d~strativ** [-stra'tiːf] *adj* demonstrative; (*Protest*) pointed; **d~strieren** [-'striːrən] *vt, vi* to demonstrate

Demoskopie [demosko'piː] *f* public opinion research

Demut ['deːmuːt] (-) *f* humility

demütig ['deːmyːtɪç] *adj* humble; **~en** ['deːmyːtɪgən] *vt* to humiliate; **D~ung** *f* humiliation

demzufolge ['deːmtsuːfɔlgə] *adv* accordingly

den [de(:)n] *art akk von* **der**

denen ['deːnən] *pron* (*dat pl*) **der; die; das**

Denk- ['dɛŋk] *zW*: **d~bar** *adj* conceivable; **~en** (-s) *nt* thinking; **d~en** (*unreg*) *vt, vi* to think; **d~faul** *adj* lazy; **~fehler** *m* logical error; **~mal** (-s, ⁼er) *nt* monument; **d~würdig** *adj* memorable; **~zettel** *m*: **jdm einen ~zettel verpassen** to teach sb a lesson

denn [dɛn] *konj* for ♦ *adv* then; (*nach Komparativ*) than; **warum ~?** why?

dennoch ['dɛnɔx] *konj* nevertheless

Denunziant [denʊntsi'ant] *m* informer

deponieren [depo'niːrən] *vt* (*COMM*) to deposit

Depot [de'poː] (-s, -s) *nt* warehouse; (*Bus~, EISENB*) depot; (*Bank~*) strongroom, safe (*US*)

Depression [depresi'oːn] *f* depression

depressiv *adj* depressive

deprimieren [depri'miːrən] *vt* to depress

--- *SCHLÜSSELWORT*

der [deːr] (*f* **die**, *nt* **das**, *gen* **des, der, des**, *dat* **dem, der, dem**, *akk* **den, die, das**, *pl* **die**) *def art* the; **der Rhein** the Rhine; **der Klaus** (*umg*) Klaus; **die Frau** (*im allgemeinen*) women; **der Tod/das Leben** death/life; **der Fuß des Berges** the foot of the hill; **gib es der Frau** give it to the woman; **er hat sich die Hand verletzt** he has hurt his hand

♦ *relativ pron* (*bei Menschen*) who, that; (*bei Tieren, Sachen*) which, that; **der Mann, den ich gesehen habe** the man who *od* whom *od* that I saw
♦ *demonstrativ pron* he/she/it; (*jener, dieser*) that; (*pl*) those; **der/die war es** it was him/her; **der mit der Brille** the one with glasses; **ich will den (da)** I want that one

derart ['de:r''a:rt] *adv* so; (*solcher Art*) such; **~ig** *adj* such, this sort of
derb [dɛrp] *adj* sturdy; (*Kost*) solid; (*grob*) coarse
der- *zW*: **~'gleichen** *pron* such; **~'jenige** *pron* he; she; it; the one (who); that (which); **~'maßen** *adv* to such an extent, so; **~'selbe** *art, pron* the same; **~'weil(en)** *adv* in the meantime; **~'zeitig** *adj* present, current; (*damalig*) then
des [dɛs] *art gen von* **der**
desertieren [dezɛr'ti:rən] *vi* to desert
desgleichen ['dɛs'glaɪçən] *adv* likewise, also
deshalb ['dɛs'halp] *adv* therefore, that's why
Desinfektion [dezɪnfɛktsi'o:n] *f* disinfection; **~smittel** *nt* disinfectant
desinfizieren [dezɪnfi'tsi:rən] *vt* to disinfect
dessen ['dɛsən] *pron gen von* **der**; **das**; **~'ungeachtet** *adv* nevertheless, regardless
Dessert [dɛ'sɛːr] (**-s, -s**) *nt* dessert
destillieren [dɛstɪ'li:rən] *vt* to distil
desto ['dɛsto] *adv* all the, so much the; **~ besser** all the better
deswegen ['dɛs've:gən] *konj* therefore, hence
Detail [de'taɪ] (**-s, -s**) *nt* detail
Detektiv [detɛk'ti:f] (**-s, -e**) *m* detective
deut- ['dɔyt] *zW*: **~en** *vt* to interpret, to explain ♦ *vi*: **~en (auf** +*akk*) to point (to *od* at); **~lich** *adj* clear; (*Unterschied*) distinct; **D~lichkeit** *f* clarity; distinctness
Deutsch [dɔytʃ] *nt* German
deutsch *adj* German; **auf ~** in German; **D~e Demokratische Republik** German Democratic Republic, East Germany; **~es Beefsteak** ≈ hamburger; **D~e** *f* German; **D~er** *m* German; **ich bin D~er** I am German; **D~land** *nt* Germany
Devise [de'vi:zə] *f* motto, device; **~n** *pl* (*FIN*) foreign currency, foreign exchange
Dezember [de'tsɛmbər] (**-s, -**) *m* December
dezent [de'tsɛnt] *adj* discreet
dezimal [detsi'ma:l] *adj* decimal; **D~bruch** *m* decimal (fraction); **D~system** *nt* decimal system
d.h. *abk* (= *das heißt*) i.e.
Dia ['di:a] (**-s, -s**) *nt* (*PHOT*) slide, transparency
Diabetes [dia'be:tɛs] (**-, -**) *m* (*MED*) diabetes
Diagnose [dia'gno:zə] *f* diagnosis

diagonal [diago'na:l] *adj* diagonal; **D~e** *f* diagonal
Dialekt [dia'lɛkt] (**-(e)s, -e**) *m* dialect; **d~isch** *adj* dialectal; (*Logik*) dialectical
Dialog [dia'lo:k] (**-(e)s, -e**) *m* dialogue
Diamant [dia'mant] *m* diamond
Diaprojektor ['di:aprojɛktɔr] *m* slide projector
Diät [di'ɛːt] (**-, -en**) *f* diet
dich [dɪç] (*akk von* **du**) *pron* you; yourself
dicht [dɪçt] *adj* dense; (*Nebel*) thick; (*Gewebe*) close; (*undurchlässig*) (water)tight; (*fig*) concise ♦ *adv*: **~ an/bei** close to; **~bevölkert** *adj* densely *od* heavily populated; **D~e** *f* density; thickness; closeness; (water)tightness; (*fig*) conciseness; **~en** *vt* (*dicht machen*) to make watertight; to seal; (*NAUT*) to caulk; (*LITER*) to compose, to write ♦ *vi* to compose, to write; **D~er(in)** (**-s, -**) *m(f)* poet; (*Autor*) writer; **~erisch** *adj* poetical; **~halten** (*unreg*; *umg*) *vi* to keep one's mouth shut; **D~ung** *f* (*TECH*) washer; (*AUT*) gasket; (*Gedichte*) poetry; (*Prosa*) (piece of) writing
dick [dɪk] *adj* thick; (*fett*) fat; **durch ~ und dünn** through thick and thin; **D~darm** *m* (*ANAT*) colon; **D~e** *f* thickness; fatness; **~flüssig** *adj* viscous; **D~icht** (**-s, -e**) *nt* thicket; **D~kopf** *m* mule; **D~milch** *f* soured milk
die [di:] *def art siehe* **der**
Dieb(in) [di:p, 'di:bɪn] (**-(e)s, -e**) *m(f)* thief; **d~isch** *adj* thieving; (*umg*) immense; **~stahl** (**-(e)s, ²e**) *m* theft
Diele ['di:lə] *f* (*Brett*) board; (*Flur*) hall, lobby
dienen ['di:nən] *vi*: (**jdm**) **~** to serve (sb)
Diener (**-s, -**) *m* servant; **~in** *f* (maid)servant; **~schaft** *f* servants *pl*
Dienst [di:nst] (**-(e)s, -e**) *m* service; **außer ~** retired; **~ haben** to be on duty
Dienstag ['di:nsta:k] *m* Tuesday; **d~s** *adv* on Tuesdays
Dienst- *zW*: **~bote** *m* servant; **~geheimnis** *nt* official secret; **~gespräch** *nt* business call; **d~habend** *adj* (*Arzt*) on duty; **~leistung** *f* service; **d~lich** *adj* official; **~mädchen** *nt* (house)maid; **~reise** *f* business trip; **~stelle** *f* office; **~vorschrift** *f* official regulations *pl*; **~weg** *m* official channels *pl*; **~zeit** *f* working hours *pl*; (*MIL*) period of service
dies ['di:s] *pron* (*demonstrativ: sg*) this; (: *pl*) these; **~bezüglich** *adj* (*Frage*) on this matter; **~e(r, s)** ['di:zə(r, s)] *pron* this (one)
Diesel ['di:zəl] *m* (*Kraftstoff*) diesel
dieselbe [di:'zɛlbə] *pron, art* the same
Dieselöl ['di:zəl'ø:l] *nt* diesel oil
diesig ['di:zɪç] *adj* drizzly
dies- *zW*: **~jährig** *adj* this year's; **~mal** *adv* this time; **~seits** *präp* +*gen* on this

side; **D~seits** (-) *nt* this life
Dietrich ['diːtrɪç] **(-s, -e)** *m* picklock
diffamieren [dɪfa'miːrən] (*pej*) *vt* to defame
differential [dɪferɛntsi'aːl] *adj* differential;
   D~rechnung *f* differential calculus
Differenz [dɪfə'rɛnts] **(-, -en)** *f* (*Unterschied*)
   difference; **~en** *pl* (*geh: Meinungsverschiedenheit*) difference (of opinion)
differenzieren [dɪferɛn'tsiːrən] *vt* to make
   distinctions in; **differenziert** *adj* (*Mensch
   etc*) complex
digital [digi'taːl] *adj* digital
Dikt- [dɪkt] *zW:* **~aphon** [-a'foːn] *nt* dicta-
   phone; **~at** [-'taːt] **(-(e)s, -e)** *nt* dictation;
   ~ator [-'taːtɔr] *m* dictator; **d~atorisch**
   [-a'toːrɪʃ] *adj* dictatorial; **~atur** [-a'tuːr] *f*
   dictatorship; **d~ieren** [-'tiːrən] *vt* to dictate
Dilemma [di'lɛma] **(-s, -s** *od* **-ta)** *nt* dilemma
Dilettant [dilɛ'tant] *m* dilettante, amateur;
   d~isch *adj* amateurish, dilettante
Dimension [dimɛnzi'oːn] *f* dimension
Ding [dɪŋ] **(-(e)s, -e)** *nt* thing, object;
   d~lich *adj* real, concrete; **~s(bums)**
   ['dɪŋks(bʊms)] **(-;** *umg*) *nt* thingummybob
Diphtherie [dɪfte'riː] *f* diphtheria
Diplom [di'ploːm] **(-(e)s, -e)** *nt* diploma,
   certificate; **~at** [-'maːt] **(-en, -en)** *m* diplomat; **~atie** [-a'tiː] *f* diplomacy; **d~atisch**
   [-'maːtɪʃ] *adj* diplomatic; **~ingenieur** *m* qualified engineer
dir [diːr] (*dat von* **du**) *pron* (to) you
direkt [di'rɛkt] *adj* direct; **D~or** *m* director;
   (*SCH*) principal, headmaster; **D~übertra-
   gung** *f* live broadcast
Dirigent [diri'gɛnt] *m* conductor
dirigieren [diri'giːrən] *vt* to direct; (*MUS*)
   to conduct
Dirne ['dɪrnə] *f* prostitute
Diskette [dɪs'ketə] *f* diskette, floppy disk
Diskont [dɪs'kɔnt] **(-s, -e)** *m* discount;
   ~satz *m* rate of discount
Diskothek [dɪsko'teːk] **(-, -en)** *f* dis-
   co(theque)
diskret [dɪs'kreːt] *adj* discreet; **D~ion** *f* discretion
Diskussion [dɪskʊsi'oːn] *f* discussion; debate; **zur ~ stehen** to be under discussion
diskutieren [dɪsku'tiːrən] *vt, vi* to discuss;
   to debate
Distanz [dɪs'tants] *f* distance
distanzieren *vr:* **sich von jdm/etw ~** to
   distance o.s. from sb/sth
Distel ['dɪstəl] **(-, -n)** *f* thistle
Disziplin [dɪstsi'pliːn] *f* discipline
Dividende [divi'dɛndə] *f* dividend
dividieren [divi'diːrən] *vt:* **(durch etw) ~**
   to divide (by sth)
DM [deː'ɛm] *abk* (= *Deutsche Mark*) German Mark
D-Mark ['deːmark] *f* D Mark, German
   Mark

─────── SCHLÜSSELWORT

doch [dɔx] *adv* **1** (*dennoch*) after all; (*sowieso*) anyway; **er kam doch noch** he
came after all; **du weißt es ja doch besser**
you know better than I do anyway; **und
doch ... and yet ...**
2 (*als bejahende Antwort*) yes I do/it does
etc; **das ist nicht wahr - doch!** that's not
true - yes it is!
3 (*auffordernd*): **komm doch** do come; **laß
ihn doch** just leave him; **nicht doch!** oh
no!
4: **sie ist doch noch so jung** but she's still
so young; **Sie wissen doch, wie das ist**
you know how it is(, don't you?); **wenn
doch** if only
♦ *konj* (*aber*) but; (*trotzdem*) all the same;
und doch hat er es getan but still he did
it

─────────────────────

Docht [dɔxt] **(-(e)s, -e)** *m* wick
Dock [dɔk] **(-s, -s** *od* **-e)** *nt* dock
Dogge *f* bulldog
Dogma ['dɔgma] **(-s, -men)** *nt* dogma;
   d~tisch *adj* dogmatic
Dohle ['doːlə] *f* (*ZOOL*) jackdaw
Doktor ['dɔktɔr, *pl* -'toːrən] **(-s, -en)** *m*
   doctor
Dokument [doku'mɛnt] *nt* document
Dokumentar- [dokumɛn'taːr] *zW:* **~be-
richt** *m* documentary; **~film** *m* documen-
   tary (film); **d~isch** *adj* documentary
Dolch [dɔlç] **(-(e)s, -e)** *m* dagger
dolmetschen ['dɔlmɛtʃən] *vt, vi* to inter-
   pret
Dolmetscher [-ʃə, -s, -] *m* interpreter
Dom [doːm] **(-(e)s, -e)** *m* cathedral
dominieren [domi'niːrən] *vt* to dominate ♦
   vi to predominate
Dompfaff ['doːmpfaf] *m* bullfinch
Donau ['doːnau] *f* Danube
Donner ['dɔnər] **(-s, -)** *m* thunder; **d~n** *vi
   unpers* to thunder
Donnerstag ['dɔnərstaːk] *m* Thursday
doof [doːf] (*umg*) *adj* daft, stupid
Doppel ['dɔpəl] **(-s, -)** *nt* duplicate;
   (*SPORT*) doubles; **~bett** *nt* double bed;
   d~deutig *adj* ambiguous; (*pl: Paar*) two-
   fenster *nt*
   double glazing; **~gänger** **(-s, -)** *m* double;
   ~punkt *m* colon; **~stecker** *m* two-way
   adaptor; **d~t** *adj* double; **in d~ter Ausführung** in duplicate; **~verdiener** *m* person with two incomes; (*pl: Paar*) two-
   income family; **~zentner** *m* 100 kilograms;
   ~zimmer *nt* double room
Dorf [dɔrf] **(-(e)s, ⁻er)** *nt* village; **~bewoh-
ner** *m* villager
Dorn¹ [dɔrn] **(-(e)s, -en)** *m* (*BOT*) thorn
Dorn² **(-(e)s, -e)** *m* (*Schnallen~*) tongue,
   pin
dornig *adj* thorny

dörren ['dœrən] *vt* to dry
Dörrobst ['dœr'o:pst] *nt* dried fruit
Dorsch [dɔrʃ] (-(e)s, -e) *m* cod
dort [dɔrt] *adv* there; ~ **drüben** over there; ~**her** *adv* from there; ~**hin** *adv* (to) there; ~**ig** *adj* of that place; in that town
Dose ['do:zə] *f* box; (*Blech~*) tin, can
Dosen *pl von* **Dose; Dosis**
Dosenöffner *m* tin *od* can opener
Dosis ['do:zɪs] (-, **Dosen**) *f* dose
Dotter ['dɔtər] (-s, -) *m* (egg) yolk
Down-Syndrom [daʊn zyn'dro:m] *nt* (*MED*) Down's Syndrome
Drache ['draxə] (-n, -n) *m* (*Tier*) dragon
Drachen (-s, -) *m* kite
Draht [dra:t] (-(e)s, ⁼e) *m* wire; **auf ~ sein** to be on the ball; **d~ig** (*Mann*) wiry; ~**seil** *nt* cable; ~**seilbahn** *f* cable railway, funicular; ~**zange** *f* pliers *pl*
Drama ['dra:ma] (-s, **Dramen**) *nt* drama, play; ~**tiker** [-'ma:tikər] (-s, -) *m* dramatist; **d~tisch** [-'ma:tɪʃ] *adj* dramatic
dran [dran] (*umg*) *adv*: **jetzt bin ich ~!** it's my turn now; *siehe* **daran**
Drang [draŋ] (-(e)s, ⁼e) *m* (*Trieb*): ~ **(nach)** impulse (for), urge (for), desire (for); (*Druck*) pressure
drängeln ['drɛŋəln] *vt, vi* to push, to jostle
drängen ['drɛŋən] *vt* (*schieben*) to push, to press; (*antreiben*) to urge ♦ *vi* (*eilig sein*) to be urgent; (*Zeit*) to press; **auf etw** *akk* ~ to press for sth
drastisch ['drastɪʃ] *adj* drastic
drauf [draʊf] (*umg*) *adv* = **darauf**; **D~gänger** (-s, -) *m* daredevil
draußen ['draʊsən] *adv* outside, out-of-doors
Dreck [drɛk] (-(e)s) *m* mud, dirt; **d~ig** *adj* dirty, filthy
Dreh- ['dre:] *zW*: ~**arbeiten** *pl* (*CINE*) shooting *sg*; ~**bank** *f* lathe; ~**buch** *nt* (*CINE*) script; **d~en** *vt* to turn, to rotate; (*Zigaretten*) to roll; (*Film*) to shoot ♦ *vi* to turn, to rotate ♦ *vr* to turn; (*handeln von*): **es d~t sich um ...** it's about ...; ~**orgel** *f* barrel organ; ~**tür** *f* revolving door; ~**ung** *f* (*Rotation*) rotation; (*Um~, Wendung*) turn; ~**zahl** *f* rate of revolutions; ~**zahlmesser** *m* rev(olution) counter
drei [draɪ] *num* three; **D~eck** *nt* triangle; ~**eckig** *adj* triangular; ~**einhalb** *num* three and a half; ~**erlei** *adj inv* of three kinds; ~**fach** *adj* triple, treble ♦ *adv* three times; ~**hundert** *num* three hundred; **D~'königsfest** *nt* Epiphany; ~**mal** *adv* three times; ~**malig** *adj* three times
dreinreden ['draɪnre:dən] *vi*: **jdm ~** (*dazwischenreden*) to interrupt sb; (*sich einmischen*) to interfere with sb
Dreirad *nt* tricycle
dreißig ['draɪsɪç] *num* thirty
dreist [draɪst] *adj* bold, audacious;

D~igkeit *f* boldness, audacity
drei- *zW*: ~**viertel** *num* three-quarters; **D~viertelstunde** *f* three-quarters of an hour; ~**zehn** *num* thirteen
dreschen ['drɛʃən] (*unreg*) *vt* (*Getreide*) to thresh; (*umg: verprügeln*) to beat up
dressieren [drɛ'si:rən] *vt* to train
drillen ['drɪlən] *vt* (*bohren*) to drill, to bore; (*MIL*) to drill; (*fig*) to train
Drilling *m* triplet
drin [drɪn] (*umg*) *adv* = **darin**
dringen ['drɪŋən] (*unreg*) *vi* (*Wasser, Licht, Kälte*): ~ **(durch/in** +*akk*) to penetrate (through/into); **auf etw** *akk* ~ to insist on sth
dringend ['drɪŋənt] *adj* urgent
dringlich ['drɪŋlɪç] *adj* urgent
Dringlichkeit *f* urgency
drinnen ['drɪnən] *adv* inside, indoors
dritte(r, s) ['drɪtə(r, s)] *adj* third; ~ **Welt** Third World; **D~s Reich** Third Reich; **D~l** (-s, -) *nt* third; ~**ns** *adv* thirdly
droben ['dro:bən] *adv* above, up there
Droge ['dro:gə] *f* drug; **d~nabhängig** *adj* addicted to drugs; ~**nhändler** *m* drug pedlar, pusher; ~**rie** [dro:gə'ri:] *f* chemist's shop
Drogist [dro'gɪst] *m* pharmacist, chemist
drohen ['dro:ən] *vi*: **(jdm) ~** to threaten (sb)
dröhnen ['drø:nən] *vi* (*Motor*) to roar; (*Stimme, Musik*) to ring, to resound
Drohung ['dro:ʊŋ] *f* threat
drollig ['drɔlɪç] *adj* droll
Drossel ['drɔsəl] (-, -n) *f* thrush
drüben ['dry:bən] *adv* over there, on the other side
drüber ['dry:bər] (*umg*) *adv* = **darüber**
Druck [drʊk] (-(e)s, -e) *m* (*PHYS, Zwang*) pressure; (*TYP: Vorgang*) printing; (: *Produkt*) print; (*fig: Belastung*) burden, weight; ~**buchstabe** *m* block letter
drücken ['drʏkən] *vt* (*Knopf, Hand*) to press; (*zu eng sein*) to pinch; (*fig: Preise*) to keep down; (: *belasten*) to oppress, to weigh down ♦ *vi* to press; to pinch ♦ *vr*: **sich vor etw** *dat* ~ to get out of (doing) sth; ~**d** *adj* oppressive
Drucker (-s, -) *m* printer
Drücker (-s, -) *m* button; (*Tür~*) handle; (*Gewehr~*) trigger
Druck- *zW*: ~**e'rei** *f* printing works, press; ~**erschwärze** *f* printer's ink; ~**fehler** *m* misprint; ~**knopf** *m* press stud, snap fastener; ~**sache** *f* printed matter; ~**schrift** *f* block letters *od* printed letters *pl*
drum [drʊm] (*umg*) *adv* = **darum**
drunten ['drʊntən] *adv* below, down there
Drüse ['dry:zə] *f* gland
Dschungel ['dʒʊŋəl] (-s, -) *m* jungle
du [du:] (*nom*) *pron* (*D~ in Briefen*) you; **D~ sagen** = **duzen**

Dübel [ˈdyːbəl] (-s, -) *m* Rawlplug (®)
ducken [ˈdʊkən] *vt* (*Kopf, Person*) to duck; (*fig*) to take down a peg or two ♦ *vr* to duck
Duckmäuser [ˈdʊkmɔʏzər] (-s, -) *m* yesman
Dudelsack [ˈduːdəlzak] *m* bagpipes *pl*
Duell [duˈɛl] (-s, -e) *nt* duel
Duft [dʊft] (-(e)s, ˀe) *m* scent, odour; **d~en** *vi* to smell, to be fragrant; **d~ig** *adj* (*Stoff, Kleid*) delicate, diaphanous
dulden [ˈdʊldən] *vt* to suffer; (*zulassen*) to tolerate ♦ *vi* to suffer
duldsam *adj* tolerant
dumm [dʊm] *adj* stupid; (*ärgerlich*) annoying; **der D~e sein** to be the loser; **~erweise** *adv* stupidly; **D~heit** *f* stupidity; (*Tat*) blunder, stupid mistake; **D~kopf** *m* blockhead
dumpf [dʊmpf] *adj* (*Ton*) hollow, dull; (*Luft*) musty; (*Erinnerung, Schmerz*) vague
Düne [ˈdyːnə] *f* dune
düngen [ˈdʏŋən] *vt* to manure
Dünger (-s, -) *m* dung, manure; (*künstlich*) fertilizer
dunkel [ˈdʊŋkəl] *adj* dark; (*Stimme*) deep; (*Ahnung*) vague; (*rätselhaft*) obscure; (*verdächtig*) dubious, shady; **im ~n tappen** (*fig*) to grope in the dark
Dunkel- *zW*: **~heit** *f* darkness; (*fig*) obscurity; **~kammer** *f* (*PHOT*) dark room; **d~n** *vi unpers* to grow dark; **~ziffer** *f* estimated number of unreported cases
dünn [dʏn] *adj* thin; **~flüssig** *adj* watery, thin
Dunst [dʊnst] (-es, ˀe) *m* vapour; (*Wetter*) haze
dünsten [ˈdʏnstən] *vt* to steam
dunstig [ˈdʊnstɪç] *adj* vaporous; (*Wetter*) hazy, misty
Duplikat [dupliˈkaːt] (-(e)s, -e) *nt* duplicate
Dur [duːr] (-, -) *nt* (*MUS*) major

─────────── *SCHLÜSSELWORT* ───────────

durch [dʊrç] *präp* +*akk* **1** (*hindurch*) through; **durch den Urwald** through the jungle; **die ganze Welt reisen** to travel all over the world
2 (*mittels*) through, by (means of); (*aufgrund*) due to, owing to; **Tod durch Herzschlag/den Strang** death from a heart attack/by hanging; **durch die Post** by post; **durch seine Bemühungen** through his efforts
♦ *adv* **1** (*hindurch*) through; **die ganze Nacht durch** all through the night; **den Sommer durch** during the summer; **8 Uhr durch** past 8 o'clock; **durch und durch** completely
2 (*durchgebraten etc*): **(gut) durch** well-done

durch- *zW*: **~arbeiten** *vt, vi* to work through ♦ *vr* to work one's way through; **~'aus** *adv* completely; (*unbedingt*) definitely; **~aus nicht** absolutely not; **~blättern** *vt* to leaf through
Durchblick [ˈdʊrçblɪk] *m* view; (*fig*) comprehension; **d~en** *vi* to look through; (*umg: verstehen*): **(bei etw) d~en** to understand (sth); **etw d~en lassen** (*fig*) to hint at sth
durchbrechen [ˈdʊrçbrɛçən] (*unreg*) *vt, vi* to break; **durch'brechen** (*unreg*) *vt insep* (*Schranken*) to break through; (*Schallmauer*) to break; (*Gewohnheit*) to break free from
durchbrennen [ˈdʊrçbrɛnən] (*unreg*) *vi* (*Draht, Sicherung*) to burn through; (*umg*) to run away
durchbringen (*unreg*) *vt* (*Kranken*) to pull through; (*unreg; umg: Familie*) to support; (*durchsetzen: Antrag, Kandidat*) to get through; (*vergeuden: Geld*) to get through, to squander
Durchbruch [ˈdʊrçbrʊx] *m* (*Öffnung*) opening; (*MIL*) breach; (*von Gefühlen etc*) eruption; (*der Zähne*) cutting; (*fig*) breakthrough; **zum ~ kommen** to break through
durch- *zW*: **~dacht** [-ˈdaxt] *adj* well thought-out; **~'denken** (*unreg*) *vt* to think out; **'~drehen** *vt* (*Fleisch*) to mince ♦ *vi* (*umg*) to crack up
durcheinander [dʊrçaɪˈnandər] *adv* in a mess, in confusion; (*umg: verwirrt*) confused; **~ trinken** to mix one's drinks; **D~** (-s) *nt* (*Verwirrung*) confusion; (*Unordnung*) mess; **~bringen** (*unreg*) *vt* to mess up; (*verwirren*) to confuse; **~reden** *vi* to talk at the same time
durch- *zW*: **~fahren** (*unreg*) *vi* (*durch Tunnel usw*) to drive through; (*ohne Unterbrechung*) to drive straight through; (*ohne anzuhalten*): **der Zug fährt bis Hamburg ~** the train runs direct to Hamburg; (*ohne Umsteigen*): **können wir ~fahren?** can we go direct?, can we go non-stop?; **D~fahrt** *f* transit; (*Verkehr*) thoroughfare; **D~fall** *m* (*MED*) diarrhoea; **~fallen** (*unreg*) *vi* to fall through; (*in Prüfung*) to fail; **~finden** (*unreg*) *vr* to find one's way through; **~'forschen** *vt insep* to explore; **~fragen** *vr* to find one's way by asking
durchführ- [ˈdʊrçfyːr-] *zW*: **~bar** *adj* feasible, practicable; **~en** *vt* to carry out; **D~ung** *f* execution, performance
Durchgang [ˈdʊrçgaŋ] *m* passage(way); (*bei Produktion, Versuch*) run; (*SPORT*) round; (*bei Wahl*) ballot; „**~ verboten**" "no thoroughfare"
Durchgangslager *nt* transit camp
Durchgangsverkehr *m* through traffic
durchgefroren [ˈdʊrçgəfroːrən] *adj* (*Mensch*) frozen stiff
durchgehen [ˈdʊrçgeːən] (*unreg*) *vt* (*behan-*

deln) to go over ♦ *vi* to go through; (*ausreißen: Pferd*) to break loose; (*Mensch*) to run away; **mein Temperament ging mit mir durch** my temper got the better of me; **jdm etw ~ lassen** to let sb get away with sth; **~d** *adj* (*Zug*) through; (*Öffnungszeiten*) continuous

durch- *zW*: **~greifen** (*unreg*) *vi* to take strong action; **~halten** (*unreg*) *vi* to last out ♦ *vt* to keep up; **~kommen** (*unreg*) *vi* to get through; (*überleben*) to pull through

durch'kreuzen *vt insep* to thwart, to frustrate

durch- *zW*: **~lassen** (*unreg*) *vt* (*Person*) to let through; (*Wasser*) to let in; **'durchlesen** (*unreg*) *vt* to read through; **~'leuchten** *vt insep* to X-ray; **'durchmachen** *vt* to go through; **die Nacht ~machen** to make a night of it: **D~marsch** *m* march through

Durchmesser (-s, -) *m* diameter

durch- *zW*: **~'nässen** *vt insep* to soak (through); **~nehmen** (*unreg*) *vt* to go over; **~numerieren** *vt* to number consecutively; **~queren** [durç'kve:rən] *vt insep* to cross; **D~reiche** *f* (serving) hatch; **D~reise** *f* transit; **auf der D~reise** passing through; (*Güter*) in transit; **~ringen** (*unreg*) *vr* to reach a decision after a long struggle; **~rosten** *vi* to rust through

durchs [durçs] = **durch das**

Durchsage ['durçza:gə] *f* intercom *od* radio announcement

durchschauen ['durçʃauən] *vi* to look *od* see through; (*Person, Lüge*) to see through

durchscheinen ['durçʃainən] (*unreg*) *vi* to shine through; **~d** *adj* translucent

Durchschlag ['durçʃla:k] *m* (*Doppel*) carbon copy; (*Sieb*) strainer; **d~en** ['-ʃlɔ:gən] (*unreg*) *vt* (*entzweischlagen*) to split (in two); (*sieben*) to sieve ♦ *vi* (*zum Vorschein kommen*) to emerge, to come out ♦ *vr* to get by; **d~end** *adj* resounding

durchschneiden ['durçʃnaidən] (*unreg*) *vt* to cut through

Durchschnitt ['durçʃnit] *m* (*Mittelwert*) average; **über/unter dem ~** above/below average; **im ~** on average; **d~lich** *adj* average ♦ *adv* on average

Durchschnittsgeschwindigkeit *f* average speed

Durchschnittswert *m* average

durch- *zW*: **D~schrift** *f* copy; **~sehen** (*unreg*) *vt* to look through; **~setzen** *vt* to enforce ♦ *vr* (*Erfolg haben*) to succeed; (*sich behaupten*) to get one's way; **seinen Kopf ~setzen** to get one's way; **~'setzen** *vt insep* to mix

Durchsicht ['durçzıçt] *f* looking through, checking; **d~ig** *adj* transparent

durch- *zW*: **~sprechen** (*unreg*) *vt* to talk over; **~stehen** (*unreg*) *vt* to live through; **~stöbern** (*auch untr*) *vt* (*Kisten*) to rummage through, to rifle through; (*Haus, Wohnung*) to ransack; **~streichen** (*unreg*) *vt* to cross out; **~'suchen** *vt insep* to search; **D~'suchung** *f* search; **~trieben** [-'tri:bən] *adj* cunning, wily; **~wachsen** *adj* (*Speck*) streaky; (*fig: mittelmäßig*) so-so; **D~wahl** *f* (*TEL*) direct dialling; **~weg** *adv* throughout, completely; **~ziehen** (*unreg*) *vt* (*Faden*) to draw through ♦ *vi* to pass through; **D~zug** *m* (*Luft*) draught; (*von Truppen, Vögeln*) passage

─── *SCHLÜSSELWORT*

dürfen ['dyrfən] (*unreg*) *vi* **1** (*Erlaubnis haben*) to be allowed to; **ich darf das** I'm allowed to (do that); **darf ich?** may I?; **darf ich ins Kino?** can *od* may I go to the cinema?; **es darf geraucht werden** you may smoke

2 (*in Verneinungen*): **er darf das nicht** he's not allowed to (do that); **das darf nicht geschehen** that must not happen; **da darf sie sich nicht wundern** that shouldn't surprise her

3 (*in Höflichkeitsformeln*): **darf ich Sie bitten, das zu tun?** may *od* could I ask you to do that?; **was darf es sein?** what can I do for you?

4 (*können*): **das dürfen Sie mir glauben** you can believe me

5 (*Möglichkeit*): **das dürfte genug sein** that should be enough; **es dürfte Ihnen bekannt sein, daß ...** as you will probably know ...

dürftig ['dyrftıç] *adj* (*ärmlich*) needy, poor; (*unzulänglich*) inadequate

dürr [dyr] *adj* dried-up; (*Land*) arid; (*mager*) skinny; **D~e** *f* aridity; (*Zeit*) drought; (*Magerkeit*) skinniness

Durst [durst] (-(e)s) *m* thirst; **~ haben** to be thirsty; **d~ig** *adj* thirsty

Dusche ['duʃə] *f* shower; **d~n** *vi, vr* to have a shower

Düse ['dy:zə] *f* nozzle; (*Flugzeug~*) jet

Düsen- *zW*: **~antrieb** *m* jet propulsion; **~flugzeug** *nt* jet (plane); **~jäger** *m* jet fighter

Dussel ['dusəl] (-s, -; *umg*) *m* twit

düster ['dy:stər] *adj* dark; (*Gedanken, Zukunft*) gloomy

Dutzend ['dutsənt] (-s, -e) *nt* dozen; **d~(e)mal** *adv* a dozen times; **d~weise** *adv* by the dozen

duzen ['du:tsən] *vt*: **(jdn) ~** to use the familiar form of address "du" (to *od* with sb)

Dynamik [dy'na:mık] *f* (*PHYS*) dynamics *sg*; (*fig: Schwung*) momentum; (*von Mensch*) dynamism

dynamisch [dy'na:mıʃ] *adj* (*auch fig*) dynamic

Dynamit [dyna'mi:t] (-s) *nt* dynamite

Dynamo [dy'na:mo] (-s, -s) m dynamo
D-Zug ['de:tsu:k] m through train

_____ E e

Ebbe ['ɛbə] f low tide
eben ['e:bən] adj level, flat; (glatt) smooth ♦ adv just; (bestätigend) exactly; ~ **deswegen** just because of that; ~**bürtig** adj: jdm ~**bürtig sein** to be sb's equal; **E~e** f plain; (fig) level; ~**falls** adv likewise; ~**so** adv just as
Eber ['e:bər] (-s, -) m boar; ~**esche** f mountain ash, rowan
ebnen ['e:bnən] vt to level
Echo ['ɛço] (-s, -s) nt echo
echt [ɛçt] adj genuine; (typisch) typical; **E~heit** f genuineness
Eck- ['ɛk] zW: ~**ball** m corner (kick); ~**e** f corner; (MATH) angle; **e~ig** adj angular; ~**zahn** m eye tooth
ECU (-, -s) m (FINANZ) ECU
edel ['e:dəl] adj noble; **E~metall** nt rare metal; **E~stein** m precious stone
EDV [e:de:'faʊ] (-) f abk (= elektronische Datenverarbeitung) electronic data processing
Efeu ['e:fɔy] (-s) m ivy
Effekt [ɛ'fɛkt] (-s, -e) m effect
Effekten [ɛ'fɛktən] pl stocks
effektiv [ɛfɛk'ti:f] adj effective, actual
EG ['e:'ge:] f abk (= Europäische Gemeinschaft) EC
egal [e'ga:l] adj all the same
Ego- [e:go] zW: ~**ismus** [-'ɪsmʊs] m selfishness, egoism; ~**ist** [-'ɪst] m egoist; **e~istisch** adj selfish, egoistic
Ehe ['e:ə] f marriage
ehe konj before
Ehe- zW: ~**beratung** f marriage guidance (counselling); ~**bruch** m adultery; ~**frau** f married woman; wife; ~**leute** pl married people; **e~lich** adj matrimonial; (Kind) legitimate
ehemalig adj former
ehemals adv formerly
Ehemann m married man; husband
Ehepaar nt married couple
eher ['e:ər] adv (früher) sooner; (lieber) rather, sooner; (mehr) more
Ehering m wedding ring
Eheschließung f marriage ceremony
eheste(r, s) ['e:əstə(r, s)] adj (früheste) first, earliest; **am** ~**n** (liebsten) soonest;

(meist) most; (wahrscheinlichst) most probably
Ehr- ['e:r] zW: **e~bar** adj honourable, respectable; ~**e** f honour; **e~en** vt to honour
Ehren- ['e:rən] zW: ~**gast** m guest of honour; **e~haft** adj honourable; ~**platz** m place of honour od US honor; ~**runde** f lap of honour; ~**sache** f point of honour; **e~voll** adj honourable; ~**wort** nt word of honour
Ehr- zW: ~**furcht** f awe, deep respect; **e~fürchtig** adj reverent; ~**gefühl** nt sense of honour; ~**geiz** m ambition; **e~geizig** adj ambitious; **e~lich** adj honest; ~**lichkeit** f honesty; **e~los** adj dishonourable; ~**ung** f honour(ing); **e~würdig** adj venerable
Ei [aɪ] (-(e)s, -er) nt egg
ei excl well, well
Eich- zW: ~**e** ['aɪçə] f oak (tree); ~**el** (-, -n) f acorn; ~**hörnchen** nt squirrel; ~**maß** nt standard
Eid [aɪt] (-(e)s, -e) m oath
Eidechse ['aɪdɛksə] f lizard
eidesstattlich adj: ~**e Erklärung** affidavit
Eidgenosse m Swiss
Eidotter ['aɪdɔtər] nt egg yolk
Eier- zW: ~**becher** m eggcup; ~**kuchen** m omelette; pancake; ~**likör** m advocaat; ~**schale** f eggshell; ~**stock** m ovary; ~**uhr** f egg timer
Eifer ['aɪfər] (-s) m zeal, enthusiasm; ~**sucht** f jealousy; **e~süchtig** adj: **e~süchtig (auf** +akk**)** jealous (of)
eifrig ['aɪfrɪç] adj zealous, enthusiastic
Eigelb ['aɪgɛlp] (-(e)s, -) nt egg yolk
eigen ['aɪgən] adj own; (~artig) peculiar; **mit der/dem ihm** ~**en ...** with that ... peculiar to him; **sich** dat **etw zu** ~ **machen** to make sth one's own; **E~art** f peculiarity; characteristic; ~**artig** adj peculiar; **E~bedarf** m: **zum E~bedarf** for (one's own) personal use/domestic requirements; **der Vermieter machte E~bedarf geltend** the landlord showed he needed the house/flat for himself; ~**händig** adj with one's own hand; **E~heim** nt owner-occupied house; **E~heit** f peculiarity; ~**mächtig** adj high-handed; **E~name** m proper name; ~**s** adv expressly, on purpose; **E~schaft** f quality, property, attribute; **E~schaftswort** nt adjective; **E~sinn** m obstinacy; ~**sinnig** adj obstinate; ~**tlich** adj actual, real ♦ adv actually, really; **E~tor** nt own goal; **E~tum** nt property; **E~tümer(in)** (-s, -) m(f) owner, proprietor; ~**tümlich** adj peculiar; **E~tümlichkeit** f peculiarity; **E~tumswohnung** f freehold flat
eignen ['aɪgnən] vr to be suited
Eignung f suitability

Eil- ['aɪl] *zW:* **~bote** *m* courier; **~brief** *m* express letter; **~e** *f* haste; **es hat keine ~e** there's no hurry; **e~en** *vi* (*Mensch*) to hurry; (*dringend sein*) to be urgent; **e~ends** *adv* hastily; **~gut** *nt* express goods *pl*, fast freight (*US*); **e~ig** *adj* hasty, hurried; (*dringlich*) urgent; **es e~ig haben** to be in a hurry; **~zug** *m* semi-fast train, limited stop train

Eimer ['aɪmər] (**-s, -**) *m* bucket, pail

ein [aɪn] *adv:* **nicht ~ noch aus wissen** not to know what to do

ein(e) *num* one ♦ *indef art* a, an

einander [aɪ'nandər] *pron* one another, each other

einarbeiten ['aɪnarbaɪtən] *vt* to train ♦ *vr:* **sich in etw** *akk* **~** to familiarize o.s. with sth

einatmen ['aɪnaːtmən] *vt, vi* to inhale, to breathe in

Einbahnstraße ['aɪnbaːnʃtraːsə] *f* one-way street

Einband ['aɪnbant] *m* binding, cover

einbauen ['aɪnbauən] *vt* to build in; (*Motor*) to install, to fit

Einbaumöbel *pl* built-in furniture *sg*

einbegriffen *adj* included

einberufen ['aɪnbəruːfən] (*unreg*) *vt* to convene; (*MIL*) to call up

einbeziehen ['aɪnbətsiːən] (*unreg*) *vt* to include

einbiegen ['aɪnbiːgən] (*unreg*) *vi* to turn

einbilden ['aɪnbɪldən] *vt:* **sich** *dat* **etw ~** to imagine sth

Einbildung *f* imagination; (*Dünkel*) conceit; **~skraft** *f* imagination

Einblick ['aɪnblɪk] *m* insight

einbrechen ['aɪnbrɛçən] (*unreg*) *vi* (*in Haus*) to break in; (*Nacht*) to fall; (*Winter*) to set in; (*durchbrechen*) to break; **~ in** *+akk* (*MIL*) to invade

Einbrecher (**-s, -**) *m* burglar

einbringen ['aɪnbrɪŋən] (*unreg*) *vt* to bring in; (*Geld, Vorteil*) to yield; (*mitbringen*) to contribute

Einbruch ['aɪnbrʊx] *m* (*Haus~*) break-in, burglary; (*Eindringen*) invasion; (*des Winters*) onset; (*Durchbrechen*) break; (*MET*) approach; (*Penetration*) (*MIL*) penetration; **(bei/vor) der Nacht** at/before nightfall; **e~ssicher** *adj* burglar-proof

einbürgern ['aɪnbʏrgərn] *vt* to naturalize ♦ *vr* to become adopted

Einbuße ['aɪnbuːsə] *f* loss, forfeiture

einbüßen ['aɪnbyːsən] *vt* to lose, to forfeit

einchecken ['aɪntʃɛkən] *vt, vi* to check in

eincremen ['aɪnkreːmən] *vt* to put cream on

eindecken ['aɪndɛkən] *vr:* **sich (mit etw) ~** to lay in stocks (of sth); to stock up (with sth)

eindeutig ['aɪndɔʏtɪç] *adj* unequivocal

eindringen ['aɪndrɪŋən] (*unreg*) *vi:* **~ (in** *+akk*) to force one's way in(to); (*in Haus*) to break in(to); (*in Land*) to invade; (*Gas, Wasser*) to penetrate; **(auf jdn) ~** (*mit Bitten*) to pester (sb)

eindringlich *adj* forcible, urgent

Eindringling *m* intruder

Eindruck ['aɪndrʊk] *m* impression

eindrücken ['aɪndrʏkən] *vt* to press in

eindrucksvoll *adj* impressive

eine(r, s) *pron* one; (*jemand*) someone

eineiig ['aɪn'aɪɪç] *adj* (*Zwillinge*) identical

eineinhalb ['aɪn'aɪn'halp] *num* one and a half

einengen ['aɪn'ɛŋən] *vt* to confine, to restrict

einer- ['aɪnər] *zW:* **'E~'lei** (**-s**) *nt* sameness; **'~'lei** *adj* (*gleichartig*) the same kind of; **es ist mir ~lei** it is all the same to me; **~seits** *adv* on the one hand

einfach ['aɪnfax] *adj* simple; (*nicht mehrfach*) single ♦ *adv* simply; **E~heit** *f* simplicity

einfädeln ['aɪnfɛːdəln] *vt* (*Nadel, Faden*) to thread; (*fig*) to contrive

einfahren ['aɪnfaːrən] (*unreg*) *vt* to bring in; (*Barriere*) to knock down; (*Auto*) to run in ♦ *vi* to drive in; (*Zug*) to pull in; (*MIN*) to go down

Einfahrt *f* (*Vorgang*) driving in; pulling in; (*MIN*) descent; (*Ort*) entrance

Einfall ['aɪnfal] *m* (*Idee*) idea, notion; (*Licht~*) incidence; (*MIL*) raid; **e~en** (*unreg*) *vi* (*Licht*) to fall; (*MIL*) to raid; (*einstürzen*) to fall in, to collapse; (*einstimmen*): **(in etw** *akk*) **e~en** to join in (with sth); **etw fällt jdm ein** sth occurs to sb; **das fällt mir gar nicht ein** I wouldn't dream of it; **sich** *dat* **etwas e~en lassen** to have a good idea

einfältig ['aɪnfɛltɪç] *adj* simple(-minded)

Einfamilienhaus [aɪnfa'miːlɪənhaus] *nt* detached house

einfarbig ['aɪnfarbɪç] *adj* all one colour; (*Stoff etc*) self-coloured

einfetten ['aɪnfɛtən] *vt* to grease

einfließen ['aɪnfliːsən] (*unreg*) *vi* to flow in

einflößen ['aɪnfløːsən] *vt:* **jdm etw ~** to give sb sth; (*fig*) to instil sth in sb

Einfluß ['aɪnflʊs] *m* influence; **~bereich** *m* sphere of influence

einförmig ['aɪnfœrmɪç] *adj* uniform; **E~keit** *f* uniformity

einfrieren ['aɪnfriːrən] (*unreg*) *vi* to freeze (in) ♦ *vt* to freeze

einfügen ['aɪnfyːgən] *vt* to fit in; (*zusätzlich*) to add

Einfuhr ['aɪnfuːr] (**-**) *f* import

einführen ['aɪnfyːrən] *vt* to bring in; (*Mensch, Sitten*) to introduce; (*Ware*) to import

Einführung *f* introduction

Eingabe ['aɪngaːbə] f petition; (COMPUT) input

Eingang ['aɪngaŋ] m entrance; (COMM: Ankunft) arrival; (Erhalt) receipt; **e~s** adv at the outset ♦ präp +gen at the outset of

eingeben ['aɪngeːbən] (unreg) vt (Arznei) to give; (Daten etc) to enter

eingebildet ['aɪngəbɪldət] adj imaginary; (eitel) conceited

Eingeborene(r) ['aɪngəboːrənə(r)] mf native

Eingebung f inspiration

eingedenk ['aɪngədeŋk] präp +gen bearing in mind

eingefleischt ['aɪngəflaɪʃt] adj (Gewohnheit, Vorurteile) deep-rooted

eingehen ['aɪngeːən] (unreg) vi (Aufnahme finden) to come in; (Sendung, Geld) to be received; (Tier, Pflanze) to die; (Firma) to fold; (schrumpfen) to shrink ♦ vt to enter into; (Wette) to make; **auf etw** akk ~ to go into sth; **auf jdn** ~ to respond to sb; **jdm** ~ (verständlich sein) to be comprehensible to sb; **~d** adj exhaustive, thorough

Eingemachte(s) ['aɪngəmaxtə(s)] nt preserves pl

eingenommen ['aɪngənɔmən] adj: ~ **(von)** fond (of), partial (to); ~ **(gegen)** prejudiced (against)

eingeschrieben ['aɪngəʃriːbən] adj registered

eingespielt ['aɪngəʃpiːlt] adj: **aufeinander** ~ **sein** to be in tune with each other

Eingeständnis ['aɪngəʃtɛntnɪs] (-ses, -se) nt admission, confession

eingestehen ['aɪngəʃteːən] (unreg) vt to confess

eingestellt ['aɪngəʃtɛlt] adj: **auf etw** ~ **sein** to be prepared for sth

eingetragen ['aɪngətraːgən] adj (COMM) registered

Eingeweide ['aɪngəvaɪdə] (-s, -) nt innards pl, intestines pl

Eingeweihte(r) ['aɪngəvaɪtə(r)] mf initiate

eingewöhnen ['aɪngəvøːnən] vr: **sich** ~ **in** +akk to settle (down) in

eingleisig ['aɪnglaɪzɪç] adj single-track

eingreifen ['aɪngraɪfən] (unreg) vi to intervene, to interfere; (Zahnrad) to mesh

Eingriff ['aɪngrɪf] m intervention, interference; (Operation) operation

einhaken ['aɪnhaːkən] vt to hook in ♦ vr: **sich bei jdm** ~ to link arms with sb ♦ vi (sich einmischen) to intervene

Einhalt ['aɪnhalt] m: ~ **gebieten** +dat to put a stop to; **e~en** (unreg) vt (Regel) to keep ♦ vi to stop

einhändigen ['aɪnhɛndɪgən] vt to hand in

einhängen ['aɪnhɛŋən] vt to hang; (Telefon) to hang up ♦ vi (TEL) to hang up; **sich bei jdm** ~ to link arms with sb

einheimisch ['aɪnhaɪmɪʃ] adj native;

E~e(r) f(m) local

Einheit ['aɪnhaɪt] f unity; (Maß, MIL) unit; **e~lich** adj uniform; **~spreis** m standard price

einholen ['aɪnhoːlən] vt (Tau) to haul in; (Fahne, Segel) to lower; (Vorsprung aufholen) to catch up with; (Verspätung) to make up; (Rat, Erlaubnis) to ask ♦ vi (einkaufen) to shop

Einhorn ['aɪnhɔrn] nt unicorn

einhüllen ['aɪnhylən] vt to wrap up

einhundert num one hundred, a hundred

einig ['aɪnɪç] adj (vereint) united; **sich** dat ~ **sein** to be in agreement; ~ **werden** to agree

einige(r, s) ['aɪnɪgə(r, s)] adj, pron some ♦ pl some; (mehrere) several; ~**mal** adv a few times; ~**n** vt to unite ♦ vr: **sich** ~**n** (auf +akk) to agree (on)

einigermaßen adv somewhat; (leidlich) reasonably

einig- zW: ~**gehen** (unreg) vi to agree; **E~keit** f unity; (Übereinstimmung) agreement; **E~ung** f agreement; (Vereinigung) unification

einkalkulieren ['aɪnkalkuliːrən] vt to take into account, to allow for

Einkauf ['aɪnkaʊf] m purchase; **e~en** vt to buy ♦ vi to shop; **e~en gehen** to go shopping

Einkaufs- zW: ~**bummel** m shopping spree; ~**korb** m shopping basket; ~**wagen** m shopping trolley; ~**zentrum** nt shopping centre

einklammern ['aɪnklamərn] vt to put in brackets, to bracket

Einklang ['aɪnklaŋ] m harmony

einklemmen ['aɪnklɛmən] vt to jam

einkochen ['aɪnkɔxən] vt to boil down; (Obst) to preserve, to bottle

Einkommen ['aɪnkɔmən] (-s, -) nt income; ~**(s)steuer** f income tax

Einkünfte ['aɪnkynftə] pl income sg, revenue sg

einladen ['aɪnlaːdən] (unreg) vt (Person) to invite; (Gegenstände) to load; **jdn ins Kino** ~ to take sb to the cinema

Einladung f invitation

Einlage ['aɪnlaːgə] f (Programm~) interlude; (Spar~) deposit; (Schuh~) insole; (Fußstütze) support; (Zahn~) temporary filling; (KOCH) noodles pl, vegetables pl etc in soup

einlagern vt to store

Einlaß (-sses, -lässe) m (Zutritt) admission

einlassen ['aɪnlasən] (unreg) vt to let in; (einsetzen) to set in ♦ vr: **sich mit jdm/auf etw** akk ~ to get involved with sb/sth

Einlauf ['aɪnlaʊf] m arrival; (von Pferden) finish; (MED) enema; **e~en** (unreg) vi to arrive, to come in; (in Hafen) to enter; (SPORT) to finish; (Wasser) to run in;

(*Stoff*) to shrink ♦ *vt* (*Schuhe*) to break in ♦ *vr* (*SPORT*) to warm up; (*Motor, Maschine*) to run in; **jdm das Haus e~en** to invade sb's house

einleben ['aɪnle:bən] *vr* to settle down

einlegen ['aɪnle:gən] *vt* (*einfügen: Blatt, Sohle*) to insert; (*KOCH*) to pickle; (*Pause*) to have; (*Protest*) to make; (*Veto*) to use; (*Berufung*) to lodge; (*AUT: Gang*) to engage

einleiten ['aɪnlaɪtən] *vt* to introduce, to start; (*Geburt*) to induce

Einleitung *f* introduction; induction

einleuchten ['aɪnlɔʏçtən] *vi:* (**jdm**) ~ **to be** clear *od* evident (to sb); ~**d** *adj* clear

einliefern ['aɪnli:fərn] *vt:* ~ (**in** +*akk*) to take (into)

Einliegerwohnung ['aɪnli:gərvo:nuŋ] *f* self-contained flat; (*für Eltern, Großeltern*) granny flat

einlösen ['aɪnlø:zən] *vt* (*Scheck*) to cash; (*Schuldschein, Pfand*) to redeem; (*Versprechen*) to keep

einmachen ['aɪnmaxən] *vt* to preserve

einmal ['aɪnma:l] *adv* once; (*erstens*) first; (*zukünftig*) sometime; **nehmen wir ~ an** just let's suppose; **noch ~** once more; **nicht ~** not even; **auf ~** all at once; **es war ~** once upon a time there was/were; **E~'eins** *nt* multiplication tables *pl;* ~**ig** *adj* unique; (*nur einmal erforderlich*) single; (*prima*) fantastic

Einmarsch ['aɪnmarʃ] *m* entry; (*MIL*) invasion; **e~ieren** *vi* to march in

einmischen ['aɪnmɪʃən] *vr:* **sich** ~ (**in** +*akk*) to interfere (with)

einmütig ['aɪnmy:tɪç] *adj* unanimous

Einnahme ['aɪnna:mə] *f* (*von Medizin*) taking; (*MIL*) capture, taking; ~**n** *pl* (*Geld*) takings, revenue *sg;* ~**quelle** *f* source of income

einnehmen ['aɪnne:mən] (*unreg*) *vt* to take; (*Stellung, Raum*) to take up; ~ **für/gegen** to persuade in favour of/against; ~**d** *adj* charming

Einöde ['aɪnʔø:də] *f* desert, wilderness

einordnen ['aɪnʔɔrdnən] *vt* to arrange, to fit in ♦ *vr* to adapt; (*AUT*) to get into lane

einpacken ['aɪnpakən] *vt* to pack (up)

einparken ['aɪnparkən] *vt* to park

einpendeln ['aɪnpɛndəln] *vr* to even out

einpflanzen ['aɪnpflantsən] *vt* to plant; (*MED*) to implant

einplanen ['aɪnpla:nən] *vt* to plan for

einprägen ['aɪnprɛ:gən] *vt* to impress, to imprint; (*beibringen*): (**jdm**) ~ **to impress** (on sb); **sich** *dat* **etw** ~ to memorize sth

einrahmen ['aɪnra:mən] *vt* to frame

einräumen ['aɪnrɔʏmən] *vt* (*ordnend*) to put away; (*überlassen: Platz*) to give up; (*zugestehen*) to admit, to concede

einreden ['aɪnre:dən] *vt:* **jdm/sich etw** ~ to talk sb/o.s. into believing sth

einreiben ['aɪnraɪbən] (*unreg*) *vt* to rub in

einreichen ['aɪnraɪçən] *vt* to hand in; (*Antrag*) to submit

Einreise ['aɪnraɪzə] *f* entry; ~**bestimmungen** *pl* entry regulations; ~**erlaubnis** *f* entry permit; ~**genehmigung** *f* entry permit; **e~n** *vi:* (**in ein Land**) **e~n** to enter (a country)

einrichten ['aɪnrɪçtən] *vt* (*Haus*) to furnish; (*schaffen*) to establish, to set up; (*arrangieren*) to arrange; (*möglich machen*) to manage ♦ *vr* (*in Haus*) to furnish one's house; **sich** ~ (**auf** +*akk*) (*sich vorbereiten*) to prepare o.s. (for); (*sich anpassen*) to adapt (to)

Einrichtung (*Wohnungs~*) furnishings *pl;* (*öffentliche Anstalt*) organization; (*Dienste*) service

einrosten ['aɪnrɔstən] *vi* to get rusty

einrücken ['aɪnrykən] *vi* (*MIL: in Land*) to move in

Eins [aɪns] (-, -en) *f* one; **e~** *num* one; **es ist mir alles e~** it's all one to me

einsam ['aɪnza:m] *adj* lonely, solitary; **E~keit** *f* loneliness, solitude

einsammeln ['aɪnzaməln] *vt* to collect

Einsatz ['aɪnzats] *m* (*Teil*) insert; (*an Kleid*) insertion; (*Verwendung*) use, employment; (*Spiel~*) stake; (*Risiko*) risk; (*MIL*) operation; (*MUS*) entry; **im** ~ in action; **e~bereit** *adj* ready for action

einschalten ['aɪnʃaltən] *vt* (*einfügen*) to insert; (*Pause*) to make; (*ELEK*) to switch on; (*Anwalt*) to bring in ♦ *vr* (*dazwischentreten*) to intervene

einschärfen ['aɪnʃɛrfən] *vt:* **jdm etw** ~ to impress sth (up)on sb

einschätzen ['aɪnʃɛtsən] *vt* to estimate, to assess ♦ *vr* to rate o.s.

einschenken ['aɪnʃɛŋkən] *vt* to pour out

einschicken ['aɪnʃɪkən] *vt* to send in

einschl. *abk* (= *einschließlich*) incl.

einschlafen ['aɪnʃla:fən] (*unreg*) *vi* to fall asleep, to go to sleep

einschläfernd ['aɪnʃlɛ:fərnt] *adj* (*MED*) soporific; (*langweilig*) boring; (*Stimme*) lulling

Einschlag ['aɪnʃla:k] *m* impact; (*fig: Beimischung*) touch, hint; **e~en** (*unreg*) *vt* to knock in; (*Fenster*) to smash, to break; (*Zähne, Schädel*) to smash in; (*AUT: Räder*) to turn; (*kürzer machen*) to take up; (*Ware*) to pack, to wrap up; (*Weg, Richtung*) to take ♦ *vi* to hit; (*sich einigen*) to agree; (*Anklang finden*) to work, to succeed; **in etw** *akk/***auf jdn** **e~en** to hit sth/sb

einschlägig ['aɪnʃlɛ:gɪç] *adj* relevant

einschließen ['aɪnʃli:sən] (*unreg*) *vt* (*Kind*) to lock in; (*Häftling*) to lock up; (*Gegenstand*) to lock away; (*Bergleute*) to cut off; (*umgeben*) to surround; (*MIL*) to encircle; (*fig*) to include, to comprise ♦ *vr* to lock o.s. in

einschließlich *adv* inclusive ♦ *präp* +*gen*

inclusive of, including

einschmeicheln ['aɪnʃmaɪçəln] *vr:* **sich ~ (bei)** to ingratiate o.s. (with)

einschnappen ['aɪnʃnapən] *vi (Tür)* to click to; *(fig)* to be touchy; **eingeschnappt sein** to be in a huff

einschneidend ['aɪnʃnaɪdənt] *adj* drastic

Einschnitt ['aɪnʃnɪt] *m* cutting; *(MED)* incision; *(Ereignis)* decisive point

einschränken ['aɪnʃrɛŋkən] *vt* to limit, to restrict; *(Kosten)* to cut down, to reduce ♦ *vr* to cut down (on expenditure)

Einschränkung *f* restriction, limitation; reduction; *(von Behauptung)* qualification

Einschreib- ['aɪnʃraɪb] *zW:* **~(e)brief** *m* recorded delivery letter; **e~en** *(unreg) vt* to write in; *(Post)* to send recorded delivery ♦ *vr* to register; *(UNIV)* to enrol; **~en** *nt* recorded delivery letter

einschreiten ['aɪnʃraɪtən] *(unreg) vi* to step in, to intervene; **~ gegen** to take action against

einschüchtern ['aɪnʃyçtərn] *vt* to intimidate

einschulen ['aɪnʃuːlən] *vt:* **eingeschult werden** *(Kind)* to start school

einsehen ['aɪnzeːən] *(unreg) vt (hineinsehen in)* to realize; *(Akten)* to have a look at; *(verstehen)* to see; **E~ (-s)** *nt* understanding; **ein E~ haben** to show understanding

einseitig ['aɪnzaɪtɪç] *adj* one-sided

Einsend- ['aɪnzɛnd] *zW:* **e~en** *(unreg) vt* to send in; **~er (-s, -)** *m* sender, contributor; **~ung** *f* sending in

einsetzen ['aɪnzɛtsən] *vt* to put (in); *(in Amt)* to appoint, to install; *(Geld)* to stake; *(verwenden)* to use; *(MIL)* to employ ♦ *vi (beginnen)* to set in; *(MUS)* to come in ♦ *vr* to work hard; **sich für jdn/ etw ~** to support sb/sth

Einsicht ['aɪnzɪçt] *f* insight; *(in Akten)* look, inspection; **zu der ~ kommen, daß ...** to come to the conclusion that ...; **e~ig** *adj (Mensch)* judicious; **e~slos** *adj* unreasonable; **e~svoll** *adj* understanding

Einsiedler ['aɪnziːdlər] *m* hermit

einsilbig ['aɪnzɪlbɪç] *adj (auch fig)* monosyllabic; *(Mensch)* uncommunicative

einspannen ['aɪnʃpanən] *vt (Papier)* to insert; *(Pferde)* to harness; *(umg: Person)* to rope in

Einsparung ['aɪnʃpaːruŋ] *f* economy, saving

einsperren ['aɪnʃpɛrən] *vt* to lock up

einspielen ['aɪnʃpiːlən] *vr (SPORT)* to warm up ♦ *vt (Film: Geld)* to bring in; *(Instrument)* to play in; **sich aufeinander ~** to become attuned to each other; **gut eingespielt** running smoothly

einsprachig ['aɪnʃpraːxɪç] *adj* monolingual

einspringen ['aɪnʃprɪŋən] *(unreg) vi (aushelfen)* to help out, to step into the breach

Einspruch ['aɪnʃprux] *m* protest, objection; **~srecht** *nt* veto

einspurig ['aɪnʃpuːrɪç] *adj (EISENB)* single-track; *(AUT)* single-lane

einst [aɪnst] *adv* once; *(zukünftig)* one day, some day

Einstand ['aɪnʃtant] *m (TENNIS)* deuce; *(Antritt)* entrance (to office)

einstecken ['aɪnʃtɛkən] *vt* to stick in, to insert; *(Brief)* to post; *(ELEK: Stecker)* to plug in; *(Geld)* to pocket; *(mitnehmen)* to take; *(überlegen sein)* to put in the shade; *(hinnehmen)* to swallow

einstehen ['aɪnʃteːən] *(unreg) vi:* **für jdn/ etw ~** to guarantee sb/sth; *(verantworten):* **für etw ~** to answer for sth

einsteigen ['aɪnʃtaɪgən] *(unreg) vi* to get in od on; *(in Schiff)* to go on board; *(sich beteiligen)* to come in; *(hineinklettern)* to climb in

einstellen ['aɪnʃtɛlən] *vt (aufhören)* to stop; *(Geräte)* to adjust; *(Kamera etc)* to focus; *(Sender, Radio)* to tune in; *(unterstellen)* to put; *(in Firma)* to employ, to take on ♦ *vi (Firma)* to take on staff/workers ♦ *vr (anfangen)* to set in; *(kommen)* to arrive; **sich auf jdn ~** to adapt to sb; **sich auf etw** *akk* **~** to prepare o.s. for sth

Einstellung *f (Aufhören)* suspension, cessation; adjustment; focusing; *(von Arbeiter etc)* appointment; *(Haltung)* attitude

Einstieg ['aɪnʃtiːk] **(-(e)s, -e)** *m* entry; *(fig)* approach

einstig ['aɪnstɪç] *adj* former

einstimmig ['aɪnʃtɪmɪç] *adj* unanimous; *(MUS)* for one voice

einstmalig ['aɪnstmaːlɪç] *adj* former

einstmals *adv* once, formerly

einstöckig ['aɪnʃtœkɪç] *adj* two-storeyed

Einsturz ['aɪnʃturts] *m* collapse

einstürzen ['aɪnʃtyrtsən] *vi* to fall in, to collapse

einstweilen *adv* meanwhile; *(vorläufig)* temporarily, for the time being

einstweilig *adj* temporary

eintägig ['aɪntɛːgɪç] *adj* one-day

eintasten ['aɪntastən] *vt* to key (in)

eintauschen ['aɪntauʃən] *vt:* **~ (gegen od für)** to exchange (for)

eintausend ['aɪntauzənt] *num* one thousand

einteilen ['aɪntaɪlən] *vt (in Teile)* to divide (up); *(Menschen)* to assign

einteilig *adj* one-piece

eintönig ['aɪntøːnɪç] *adj* monotonous

Eintopf ['aɪntɔpf] *m* stew; **~gericht** *nt* stew

Eintracht ['aɪntraxt] **(-)** *f* concord, harmony

einträchtig ['aɪntrɛçtɪç] *adj* harmonious

Eintrag ['aɪntraːk] **(-(e)s, ⸚e)** *m* entry; **amtlicher ~** entry in the register; **e~en** *(unreg) vt (in Buch)* to enter; *(Profit)* to yield ♦

vr to put one's name down; **jdm etw e~en** to bring sb sth

einträglich ['aɪntrɛːklɪç] *adj* profitable

eintreffen ['aɪntrɛfən] (*unreg*) *vi* to happen; (*ankommen*) to arrive

eintreten ['aɪntreːtən] (*unreg*) *vi* to occur; (*sich einsetzen*) to intercede ♦ *vt* (*Tür*) to kick open; ~ **in** +*akk* to enter; (*in Club, Partei*) to join

Eintritt ['aɪntrɪt] *m* (*Betreten*) entrance; (*Anfang*) commencement; (*in Club etc*) joining

Eintritts- *zW:* ~**geld** *nt* admission charge; ~**karte** *f* (admission) ticket; ~**preis** *m* admission charge

einüben ['aɪn'yːbən] *vt* to practise

Einvernehmen ['aɪnfɛrneːmən] (*-s, -*) *nt* agreement, harmony

einverstanden ['aɪnfərʃtandən] *excl* agreed, okay ♦ *adj:* ~ **sein** to agree, to be agreed

Einverständnis ['aɪnfərʃtɛntnɪs] *nt* understanding; (*gleiche Meinung*) agreement

Einwand ['aɪnvant] (*-(e)s, ⸚e*) *m* objection

Einwanderer ['aɪnvandərər] *m* immigrant

einwandern *vi* to immigrate

Einwanderung *f* immigration

einwandfrei *adj* perfect ♦ *adv* absolutely

Einwegflasche ['aɪnveːgflaʃə] *f* no-deposit bottle

Einwegspritze *f* disposable syringe

einweichen ['aɪnvaɪçən] *vt* to soak

einweihen ['aɪnvaɪən] *vt* (*Kirche*) to consecrate; (*Brücke*) to open; (*Gebäude*) to inaugurate; ~ (**in** +*akk*) (*Person*) to initiate (in)

Einweihung *f* consecration; opening; inauguration; initiation

einweisen ['aɪnvaɪzən] (*unreg*) *vt* (*in Amt*) to install; (*in Arbeit*) to introduce; (*in Anstalt*) to send

einwenden ['aɪnvɛndən] (*unreg*) *vt:* **etwas ~ gegen** to object to, to oppose

einwerfen ['aɪnvɛrfən] (*unreg*) *vt* to throw in; (*Brief*) to post; (*Geld*) to put in, to insert; (*Fenster*) to smash; (*äußern*) to interpose

einwickeln ['aɪnvɪkəln] *vt* to wrap up; (*fig: umg*) to outsmart

einwilligen ['aɪnvɪlɪgən] *vi:* ~ (**in** +*akk*) to consent (to), to agree (to)

Einwilligung *f* consent

einwirken ['aɪnvɪrkən] *vi:* **auf jdn/etw ~** to influence sb/sth

Einwohner ['aɪnvoːnər] (*-s, -*) *m* inhabitant; ~'**meldeamt** *nt* registration office; ~**schaft** *f* population, inhabitants *pl*

Einwurf ['aɪnvʊrf] *m* (*Öffnung*) slot; (*von Münze*) insertion; (*von Brief*) posting; (*Einwand*) objection; (*SPORT*) throw-in

Einzahl ['aɪntsaːl] *f* singular; **e~en** *vt* to pay in; ~**ung** *f* paying in

einzäunen ['aɪntsɔʏnən] *vt* to fence in

Einzel ['aɪntsəl] (*-s, -*) *nt* (*TENNIS*) singles;

~**fahrschein** *m* one-way ticket; ~**fall** *m* single instance, individual case; ~**handel** *m* retail trade; ~**handelspreis** *m* retail price; ~**heit** *f* particular, detail; **e~n** *adj* single; (*vereinzelt*) the odd ♦ *adv* singly; **e~n angeben** to specify; **der/die e~ne** the individual; **das e~ne** the particular; **ins e~ne gehen** to go into detail(s); ~**teil** *nt* component (part); ~**zimmer** *nt* single room

einziehen ['aɪntsiːən] (*unreg*) *vt* to draw in, to take in; (*Kopf*) to duck; (*Fühler, Antenne, Fahrgestell*) to retract; (*Steuern, Erkundigungen*) to collect; (*MIL*) to draft, to call up; (*aus dem Verkehr ziehen*) to withdraw; (*konfiszieren*) to confiscate ♦ *vi* to move in; (*Friede, Ruhe*) to come; (*Flüssigkeit*) to penetrate

einzig ['aɪntsɪç] *adj* only; (*ohnegleichen*) unique; **das ~e** the only thing; **der/die ~e** the only one; ~**artig** *adj* unique

Einzug ['aɪntsuːk] *m* entry, moving in

Eis [aɪs] (*-es, -*) *nt* ice; (*Speise~*) ice cream; ~**bahn** *f* ice *od* skating rink; ~**bär** *m* polar bear; ~**becher** *m* sundae; ~**bein** *nt* pig's trotters *pl*; ~**berg** *m* iceberg; ~**café** *nt* ice-cream parlour (*BRIT*) *or* parlor (*US*); ~**decke** *f* sheet of ice; ~**diele** *f* ice-cream parlour

Eisen ['aɪzən] (*-s, -*) *nt* iron

Eisenbahn *f* railway, railroad (*US*); ~**abteil** *nt* railway compartment; ~**er** (*-s, -*) *m* railwayman, railway employee, railroader (*US*); ~**schaffner** *m* railway guard; ~**wagen** *m* railway carriage

Eisenerz *nt* iron ore

eisern ['aɪzərn] *adj* iron; (*Gesundheit*) robust; (*Energie*) unrelenting; (*Reserve*) emergency

Eis- ['aɪs] *zW:* **e~frei** *adj* clear of ice; ~**hockey** *nt* ice hockey; **e~ig** ['aɪzɪç] *adj* icy; **e~kalt** *adj* icy cold; ~**kunstlauf** *m* figure skating; ~**laufen** *nt* ice skating; ~**pickel** *m* ice-axe; ~**schießen** *nt* ≈ curling; ~**schrank** *m* fridge, ice-box (*US*); ~**würfel** *m* ice cube; ~**zapfen** *m* icicle; ~**zeit** *f* ice age

eitel ['aɪtəl] *adj* vain; **E~keit** *f* vanity

Eiter ['aɪtər] (*-s*) *m* pus; **e~ig** *adj* suppurating; **e~n** *vi* to suppurate

Eiweiß (*-es, -e*) *nt* white of an egg; (*CHEM*) protein

Ekel¹ ['eːkəl] (*-s*) *m* nausea, disgust

Ekel² (*-s, -*) *nt* (*umg: Mensch*) nauseating person

ekelerregend *adj* nauseating, disgusting

ekelhaft *adj* nauseating, disgusting

ekelig *adj* nauseating, disgusting

ekeln *vt* to disgust ♦ *vr:* **sich ~** (**vor** +*dat*) to loathe, to be disgusted (at); **es ekelt jdn** *od* **jdm** sb is disgusted

eklig *adj* nauseating, disgusting

Ekstase [εk'sta:zə] f ecstasy
Ekzem [εk'tse:m] (-s, -e) nt (MED) eczema
Elan [e'la:n] (-s) m elan
elastisch [e'lastıʃ] adj elastic
Elastizität [elastitsi'tε:t] f elasticity
Elch [εlç] (-(e)s, -e) m elk
Elefant [ele'fant] m elephant
elegant [ele'gant] adj elegant
Eleganz [ele'gants] f elegance
Elek- [e'lek] zW: **~triker** [-trikər] (-s, -) m
electrician; **e~trisch** [-trıʃ] adj electric;
e~trisieren [-tri'zi:rən] vt (auch fig) to
electrify; (Mensch) to give an electric shock
to ♦ vr to get an electric shock; **~trizität**
[-tritsi'tε:t] f electricity; **~trizitätswerk** nt
power station; (Gesellschaft) electric power
company
Elektro- [e'lεktro] zW: **~de** [-'tro:də] f elec-
trode; **~herd** m electric cooker; **~n** (-s,
-en) nt electron; **~nenrechner** m computer; **~nik** f electronics sg; **e~nisch** adj
electronic; **e~nische Post** electronic mail;
e~nischer Briefkasten electronic mailbox;
~rasierer m electric razor
Elektrotechnik f electrical engineering
Element [ele'mεnt] (-s, -e) nt element;
(ELEK) cell, battery; **e~ar** [-'ta:r] adj el-
ementary; (naturhaft) elemental
Elend [e'e:lεnt] (-(e)s) nt misery; **e~** adj mis-
erable; **~sviertel** nt slum
elf [εlf] num eleven; **E~** (-, -en) f (SPORT)
eleven
Elfe f elf
Elfenbein nt ivory
Elfmeter m (SPORT) penalty (kick)
Elite [e'li:tə] f elite
Elixier [elı'ksi:r] (-s, -e) nt elixir
Ellbogen m elbow
Elle ['εlə] f ell; (Maß) yard
Ellenbogen m elbow
Ell(en)bogenfreiheit f (fig) elbow room
Ellipse [ε'lıpsə] f ellipse
Elsaß ['εlzas] (- od -sses) nt: **das ~** Alsace
Elster ['εlstər] (-, -n) f magpie
Eltern ['εltərn] pl parents; **~beirat** m (SCH)
≈ PTA (BRIT), parents' council; **~haus** nt
home; **e~los** adj parentless
Email [e'ma:j] (-s, -s) nt enamel; **e~lieren**
[ema'ji:rən] vt to enamel
Emanzipation [emantsipatsi'o:n] f emanci-
pation
emanzi'pieren vt to emancipate
Embryo ['εmbryo] (-s, -s od Embryonen)
m embryo
Emi- zW: **~grant(in)** m(f) emigrant; **~gra-
tion** [emigratsi'o:n] f emigration;
e~grieren [-'gri:rən] vi to emigrate
Emissionen [emisi'o:nən] fpl emissions
Empfang [εm'pfaŋ] (-(e)s, ²e) m reception;
(Erhalten) receipt; **in ~ nehmen** to receive;
e~en (unreg) vt to receive ♦ vi (schwanger
werden) to conceive

Empfäng- [εm'pfεŋ] zW: **~er** (-s, -) m receiver; (COMM) addressee, consignee;
e~lich adj receptive, susceptible; **~nis** (-,
-se) f conception; **~nisverhütung** f contraception
Empfangs- zW: **~bestätigung** f acknowledgement; **~dame** f receptionist; **~schein**
m receipt; **~zimmer** nt reception room
empfehlen [εm'pfe:lən] (unreg) vt to
recommend ♦ vr to take one's leave;
~swert adj recommendable
Empfehlung f recommendation
empfiehlst etc [εm'pfi:lst] vb siehe emp-
fehlen
empfind- [εm'pfınt] zW: **~en** [-dən] (unreg)
vt to feel; **~lich** adj sensitive; (Stelle) sore;
(reizbar) touchy; **~sam** adj sentimental;
E~ung [-duŋ] f feeling, sentiment
empfohlen [εm'pfo:lən] vb siehe emp-
fehlen
empor [εm'po:r] adv up, upwards
empören [εm'pø:rən] vt to make indignant;
to shock ♦ vr to become indignant; **~d** adj
outrageous
Emporkömmling [εm'po:rkœmlıŋ] m upstart, parvenu
Empörung f indignation
emsig ['εmzıç] adj diligent, busy
End- ['εnt] in zW final; **~e** (-s, -n) nt end;
am ~e at the end; (schließlich) in the end;
am ~e sein to be at the end of one's
tether; **~e Dezember** at the end of December; **zu ~e sein** to be finished; **e~en** vi to
end; **e~gültig** adj final, definite
Endivie [εn'di:viə] f endive
End- zW: **e~lich** adj final; (MATH) finite ♦
adv finally; **e~lich!** at last!; **komm e~lich!**
come on!; **e~los** adj endless, infinite;
~spiel nt final(s); **~spurt** m (SPORT) final
spurt; **~station** f terminus; **~ung** f ending
Energie [enεr'gi:] f energy; **~bedarf** m energy requirement; **e~los** adj lacking in energy, weak; **~versorgung** f supply of energy; **~wirtschaft** f energy industry
energisch [e'nεrgıʃ] adj energetic
eng [εŋ] adj narrow; (Kleidung) tight; (fig:
Horizont) narrow, limited; (Freundschaft,
Verhältnis) close; **~ an etw** dat close to sth
Engagement [ãgaʒə'mã:] (-s, -s) nt engagement; (Verpflichtung) commitment
engagieren [ãga'ʒi:rən] vt to engage ♦ vr
to commit o.s.; **ein engagierter Schriftsteller** a committed writer
Enge ['εŋə] f (auch fig) narrowness;
(Land~) defile; (Meer~) straits pl; **jdn in
die ~ treiben** to drive sb into a corner
Engel ['εŋəl] (-s, -) m angel; **e~haft** adj
angelic
engherzig adj petty
England nt England
Engländer(in) m(f) Englishman(woman)
englisch adj English

Engpaß *m* defile, pass; *(fig, Verkehr)* bottleneck

en gros [ã'groː] *adv* wholesale

engstirnig ['ɛŋʃtɪrnɪç] *adj* narrow-minded

Enkel ['ɛŋkəl] **(-s, -)** *m* grandson; **~in** *f* granddaughter

Enkelkind *nt* grandchild

enorm [e'nɔrm] *adj* enormous

Ensemble [ã'sãbəl] **(-s, -s)** *nt* company, ensemble

entbehren [ɛnt'beːrən] *vt* to do without, to dispense with

entbehrlich *adj* superfluous

Entbehrung *f* deprivation

entbinden [ɛnt'bɪndən] *(unreg)* *vt (+gen)* to release (from); *(MED)* to deliver ♦ *vi* to give birth

Entbindung *f* release; *(MED)* confinement; **~sheim** *nt* maternity hospital

entdeck- [ɛnt'dɛk] *zW:* **~en** *vt* to discover; **E~er (-s, -)** *m* discoverer; **E~ung** *f* discovery

Ente ['ɛntə] *f* duck; *(fig)* canard, false report

enteignen [ɛnt'aɪgnən] *vt* to expropriate; *(Besitzer)* to dispossess

enterben [ɛnt'ɛrbən] *vt* to disinherit

entfallen [ɛnt'falən] *(unreg)* *vi* to drop, to fall; *(wegfallen)* to be dropped; **jdm ~** *(vergessen)* to slip sb's memory; **auf jdn ~** to be allotted to sb

entfalten [ɛnt'faltən] *vt* to unfold; *(Talente)* to develop ♦ *vr* to open; *(Mensch)* to develop one's potential

Entfaltung *f* unfolding; *(von Talenten)* development

entfern- [ɛnt'fɛrn] *zW:* **~en** *vt* to remove; *(hinauswerfen)* to expel ♦ *vr* to go away, to withdraw; **~t** *adj* distant; **weit davon ~t sein, etw zu tun** to be far from doing sth; **E~ung** *f* distance; *(Wegschaffen)* removal; **E~ungsmesser (-s, -)** *m (PHOT)* rangefinder

entfremden [ɛnt'frɛmdən] *vt* to estrange, to alienate

Entfremdung *f* alienation, estrangement

entfrosten [ɛnt'frɔstən] *vt* to defrost

Entfroster (-s, -) *m (AUT)* defroster

entführ- [ɛnt'fyːr] *zW:* **~en** *vt* to carry off, to abduct; to kidnap; **E~er** *m* kidnapper; **E~ung** *f* abduction; kidnapping

entgegen [ɛnt'geːgən] *präp +dat* contrary to, against ♦ *adv* towards; **~bringen** *(unreg)* *vt* to bring; **jdm etw ~bringen** *(fig)* to show sb sth; **~gehen** *(unreg)* *vi +dat* to go to meet, to go towards; **~gesetzt** *adj* opposite; *(widersprechend)* opposed; **~halten** *(unreg)* *vt (fig)* to object; **E~kommen** *nt* obligingness; **~kommen** *(unreg)* *vi +dat* to approach; to meet; *(fig)* to accommodate; **~kommend** *adj* obliging; **~nehmen** *(unreg)* *vt* to receive, to accept; **~sehen** *(un-*

reg) *vi +dat* to await; **~setzen** *vt* to oppose; **~treten** *(unreg)* *vi +dat* to step up to; *(fig)* to oppose, to counter; **~wirken** *vi +dat* to counteract

entgegnen [ɛnt'geːgnən] *vt* to reply, to retort

entgehen [ɛnt'geːən] *(unreg)* *vi (fig)*: **jdm ~** to escape sb's notice; **sich *dat* etw ~ lassen** to miss sth

entgeistert [ɛnt'gaɪstərt] *adj* thunderstruck

Entgelt [ɛnt'gɛlt] **(-(e)s, -e)** *nt* compensation, remuneration

entgleisen [ɛnt'glaɪzən] *vi (EISENB)* to be derailed; *(fig: Person)* to misbehave; **~ lassen** to derail

entgräten [ɛnt'grɛːtən] *vt* to fillet, to bone

Enthaarungscreme [ɛnt'haːrʊŋs-] *f* hair-removing cream

enthalten [ɛnt'haltən] *(unreg)* *vt* to contain ♦ *vr:* **sich (von etw) ~** to abstain (from sth), to refrain (from sth)

enthaltsam [ɛnt'haltzaːm] *adj* abstinent, abstemious

enthemmen [ɛnt'hɛmən] *vt:* **jdn ~** to free sb from his inhibitions

enthüllen [ɛnt'hylən] *vt* to reveal, to unveil

Enthusiasmus [ɛntuzi'asmʊs] *m* enthusiasm

entkommen [ɛnt'kɔmən] *(unreg)* *vi:* **~ (aus *od* +dat)** to get away (from), to escape (from)

entkräften [ɛnt'krɛftən] *vt* to weaken, to exhaust; *(Argument)* to refute

entladen [ɛnt'laːdən] *(unreg)* *vt* to unload; *(ELEK)* to discharge ♦ *vr (ELEK, Gewehr)* to discharge; *(Ärger etc)* to vent itself

entlang [ɛnt'laŋ] *adv* along; **~ dem Fluß, den Fluß ~** along the river; **~gehen** *(unreg)* *vi* to walk along

entlarven [ɛnt'larfən] *vt* to unmask, to expose

entlassen [ɛnt'lasən] *(unreg)* *vt* to discharge; *(Arbeiter)* to dismiss

Entlassung *f* discharge; dismissal

entlasten [ɛnt'lastən] *vt* to relieve; *(Achse)* to relieve the load on; *(Angeklagten)* to exonerate; *(Konto)* to clear

Entlastung *f* relief; *(COMM)* crediting

entlegen [ɛnt'leːgən] *adj* remote

entlocken [ɛnt'lɔkən] *vt:* **(jdm etw) ~** to elicit (sth from sb)

entmündigen [ɛnt'myndɪgən] *vt* to certify

entmutigen [ɛnt'muːtɪgən] *vt* to discourage

entnehmen [ɛnt'neːmən] *(unreg)* *vt +dat* to take out of, to take from; *(folgern)* to infer from

entrahmen [ɛnt'raːmən] *vt* to skim

entreißen [ɛnt'raɪsən] *(unreg)* *vt:* **jdm etw ~** to snatch sth (away) from sb

entrichten [ɛnt'rɪçtən] *vt* to pay

entrosten [ɛnt'rɔstən] *vt* to derust

entrüst- [ɛnt'ryst] *zW:* **~en** *vt* to incense,

to outrage ♦ *vr* to be filled with indignation; ~**et** *adj* indignant, outraged; **E~ung** *f* indignation

entrümpeln *vt* to clear out

entschädigen [ɛnt'ʃɛːdɪgən] *vt* to compensate

Entschädigung *f* compensation

entschärfen [ɛnt'ʃɛrfən] *vt* to defuse; (*Kritik*) to tone down

Entscheid [ɛnt'ʃaɪt] (-(e)s, -e) *m* decision; e~**en** (*unreg*) *vt, vi, vr* to decide; e~**end** *adj* decisive; (*Stimme*) casting; ~**ung** *f* decision

entschieden [ɛnt'ʃiːdən] *adj* decided; (*entschlossen*) resolute; **E~heit** *f* firmness, determination

entschließen [ɛnt'ʃliːsən] (*unreg*) *vr* to decide

entschlossen [ɛnt'ʃlɔsən] *adj* determined, resolute; **E~heit** *f* determination

Entschluß [ɛnt'ʃlus] *m* decision; e~**freudig** *adj* decisive; ~**kraft** *f* determination, decisiveness

entschuldigen [ɛnt'ʃʊldɪgən] *vt* to excuse ♦ *vr* to apologize

Entschuldigung *f* apology; (*Grund*) excuse; **jdn um ~ bitten** to apologize to sb; ~! excuse me; (*Verzeihung*) sorry

entsetz- [ɛnt'zɛts] *zW:* ~**en** *vt* to horrify; (*MIL*) to relieve ♦ *vr* to be horrified *od* appalled; **E~en** (-s) *nt* horror, dismay; ~**lich** *adj* dreadful, appalling; ~**t** *adj* horrified

Entsorgung [ɛnt'zɔrgʊŋ] *f* (*von Kraftwerken, Chemikalien*) (waste) disposal

entspannen [ɛnt'ʃpanən] *vt, vr* (*Körper*) to relax; (*POL: Lage*) to ease

Entspannung *f* relaxation, rest; (*POL*) détente; ~**spolitik** *f* policy of détente

entsprechen [ɛnt'ʃprɛçən] (*unreg*) *vi* +*dat* to correspond to; (*Anforderungen, Wünschen*) to meet, to comply with; ~**d** *adj* appropriate ♦ *adv* accordingly

entspringen [ɛnt'ʃprɪŋən] (*unreg*) *vi* (+*dat*) to spring (from)

entstehen [ɛnt'ʃteːən] (*unreg*) *vi:* ~ (**aus** *od* **durch**) to arise (from), to result (from)

Entstehung *f* genesis, origin

entstellen [ɛnt'ʃtɛlən] *vt* to disfigure; (*Wahrheit*) to distort

entstören [ɛnt'ʃtøːrən] *vt* (*RADIO*) to eliminate interference from; (*AUT*) to suppress

enttäuschen [ɛnt'tɔʏʃən] *vt* to disappoint

Enttäuschung *f* disappointment

entwaffnen [ɛnt'vafnən] *vt* (*lit, fig*) to disarm

entwässern [ɛnt'vɛsərn] *vt* to drain

Entwässerung *f* drainage

entweder ['ɛntveːdər] *konj* either

entwenden [ɛnt'vɛndən] (*unreg*) *vt* to purloin, to steal

entwerfen [ɛnt'vɛrfən] (*unreg*) *vt* (*Zeichnung*) to sketch; (*Modell*) to design; (*Vertrag, Gesetz etc*) to draft

entwerten [ɛnt'veːrtən] *vt* to devalue; (*stempeln*) to cancel

Entwerter (-s, -) *m* ticket punching machine

entwickeln [ɛnt'vɪkəln] *vt, vr* (*auch PHOT*) to develop; (*Mut, Energie*) to show (o.s.), to display (o.s.)

Entwicklung [ɛnt'vɪklʊŋ] *f* development; (*PHOT*) developing

Entwicklungs- *zW:* ~**hilfe** *f* aid for developing countries; ~**jahre** *pl* adolescence *sg*; ~**land** *nt* developing country

entwöhnen [ɛnt'vøːnən] *vt* to wean; (*Süchtige*) (**einer Sache** *dat od* **von etw**) ~ to cure (of sth)

Entwöhnung *f* weaning; cure, curing

entwürdigend [ɛnt'vʏrdɪgənt] *adj* degrading

Entwurf [ɛnt'vʊrf] *m* outline, design; (*Vertrags~, Konzept*) draft

entziehen [ɛnt'tsiːən] (*unreg*) *vt* (+*dat*) to withdraw (from), to take away (from); (*Flüssigkeit*) to draw (from), to extract (from) ♦ *vr* (+*dat*) to escape (from); (*jds Kenntnis*) to be outside *od* beyond; (*der Pflicht*) to shirk (from)

Entziehung *f* withdrawal; ~**sanstalt** *f* drug addiction/alcoholism treatment centre; ~**skur** *f* treatment for drug addiction/alcoholism

entziffern [ɛnt'tsɪfərn] *vt* to decipher; to decode

entzücken [ɛnt'tsʏkən] *vt* to delight; **E~** (-s) *nt* delight; ~**d** *adj* delightful, charming

entzünden [ɛnt'tsʏndən] *vt* to light, to set light to; (*fig, MED*) to inflame; (*Streit*) to spark off ♦ *vr* (*auch fig*) to catch fire; (*Streit*) to start; (*MED*) to become inflamed

Entzündung *f* (*MED*) inflammation

entzwei [ɛnt'tsvaɪ] *adv* broken; in two; ~**brechen** (*unreg*) *vt, vi* to break in two; ~**en** *vt* to set at odds ♦ *vr* to fall out; ~**gehen** (*unreg*) *vi* to break (in two)

Enzian ['ɛntsiaːn] (-s, -e) *m* gentian

Epidemie [epide'miː] *f* epidemic

Epilepsie [epilε'psiː] *f* epilepsy

Episode [epi'zoːdə] *f* episode

Epoche [e'pɔxə] *f* epoch; e~**machend** *adj* epoch-making

Epos ['eːpɔs] (-s, Epen) *nt* epic (poem)

er [eːr] (*nom*) *pron* he; it

erarbeiten [ɛr'arbaɪtən] *vt* to work for, to acquire; (*Theorie*) to work out

erbarmen [ɛr'barmən] *vr* (+*gen*) to have pity *od* mercy (on); **E~** (-s) *nt* pity

erbärmlich [ɛr'bɛrmlɪç] *adj* wretched, pitiful; **E~keit** *f* wretchedness

erbarmungslos [ɛr'barmʊŋsloːs] *adj* pitiless, merciless

erbau- [ɛr'baʊ] *zW:* ~**en** *vt* to build, to erect; (*fig*) to edify; **E~er** (-s, -) *m* builder;

~**lich** adj edifying

Erbe¹ ['ɛrbə] (**-n, -n**) m heir

Erbe² nt inheritance; (fig) heritage

erben vt to inherit

erbeuten [ɛr'bɔytən] vt to carry off; (MIL) to capture

Erb- [ɛrb] zW: ~**faktor** m gene; ~**folge** f (line of) succession; ~**in** f heiress

erbittern [ɛr'bɪtərn] vt to embitter; (erzürnen) to anger

erbittert [ɛr'bɪtərt] adj (Kampf) fierce, bitter

erblassen [ɛr'blasən] vi (to turn) pale

erbleichen [ɛr'blaiçən] (unreg) vi to (turn) pale

erblich ['ɛrplɪç] adj hereditary

erblinden [ɛr'blɪndən] vi to go blind

erbosen [ɛr'boːzən] vt to anger ♦ vr to grow angry

erbrechen [ɛr'brɛçən] (unreg) vt, vr to vomit

Erbschaft f inheritance, legacy

Erbse ['ɛrpsə] f pea

Erbstück nt heirloom

Erd- [eːrd] zW: ~**achse** f earth's axis; ~**atmosphäre** f earth's atmosphere; ~**beben** nt earthquake; ~**beere** f strawberry; ~**boden** m ground; ~**e** f earth; **zu ebener** ~**e** at ground level; **e~en** vt (ELEK) to earth

erdenklich [ɛr'dɛŋklɪç] adj conceivable

Erd- zW: ~**gas** nt natural gas; ~**geschoß** nt ground floor; ~**kunde** f geography; ~**nuß** f peanut; ~**öl** nt (mineral) oil

erdrosseln [ɛr'drɔsəln] vt to strangle, to throttle

erdrücken [ɛr'drʏkən] vt to crush

Erdrutsch m landslide

Erdteil m continent

erdulden [ɛr'dʊldən] vt to endure, to suffer

ereifern [ɛr'|aifərn] vr to get excited

ereignen [ɛr'|aignən] vr to happen

Ereignis [ɛr'|aignɪs] (**-ses, -se**) nt event; **e~los** adj uneventful; **e~reich** adj eventful

ererbt [ɛr'|ɛrpt] adj (Haus) inherited; (Krankheit) hereditary

erfahren [ɛr'faːrən] (unreg) vt to learn, to find out; (erleben) to experience ♦ adj experienced

Erfahrung f experience; **e~sgemäß** adv according to experience

erfassen [ɛr'fasən] vt to seize; (fig: einbeziehen) to include, to register; (verstehen) to grasp

erfind- [ɛr'fɪnd] zW: ~**en** (unreg) vt to invent; **E~er** (**-s, -**) m inventor; ~**erisch** adj inventive; **E~ung** f invention

Erfolg [ɛr'fɔlk] (**-(e)s, -e**) m success; (Folge) result; **e~en** vi to follow; (sich ergeben) to result; (stattfinden) to take place; (Zahlung) to be effected; **e~los** adj unsuccessful; ~**losigkeit** f lack of success; **e~reich** adj successful; **e~versprechend** adj promising

erforderlich adj requisite, necessary

erfordern [ɛr'fɔrdərn] vt to require, to demand

erforschen [ɛr'fɔrʃən] vt (Land) to explore; (Problem) to investigate; (Gewissen) to search

Erforschung f exploration; investigation; searching

erfreuen [ɛr'frɔyən] vr: **sich ~ an** +dat to enjoy ♦ vt to delight; **sich einer Sache** gen ~ to enjoy sth

erfreulich [ɛr'frɔylɪç] adj pleasing, gratifying; ~**erweise** adv happily, luckily

erfrieren [ɛr'friːrən] vi to freeze (to death); (Glieder) to get frostbitten; (Pflanzen) to be killed by frost

erfrischen [ɛr'frɪʃən] vt to refresh

Erfrischung f refreshment; ~**sgetränk** nt (liquid) refreshment; ~**sraum** m snack bar, cafeteria

erfüllen [ɛr'fʏlən] vt (Raum etc) to fill; (fig: Bitte etc) to fulfil ♦ vr to come true

ergänzen [ɛr'gɛntsən] vt to supplement, to complete ♦ vr to complement one another

Ergänzung f completion; (Zusatz) supplement

ergeben [ɛr'geːbən] (unreg) vt to yield, to produce ♦ vr to surrender; (folgen) to result ♦ adj devoted, humble; **sich etw** dat ~ (sich hingeben) to give o.s. up to sth, to yield to sth; **dem Trunk** ~ addicted to drink

Ergebnis [ɛr'geːpnɪs] (**-ses, -se**) nt result; **e~los** adj without result, fruitless

ergehen [ɛr'geːən] (unreg) vi to be issued, to go out ♦ vi unpers: **es ergeht ihm gut/schlecht** he's faring od getting on well/badly ♦ vr: **sich in etw** dat ~ to indulge in sth; **etw über sich** ~ **lassen** to put up with sth

ergiebig [ɛr'giːbɪç] adj productive

Ergonomie [ɛrgono'miː] f ergonomics

Ergonomik f = **Ergonomie**

ergreifen [ɛr'graifən] (unreg) vt (auch fig) to seize; (Beruf) to take up; (Maßnahmen) to resort to; (rühren) to move; ~**d** adj moving, touching

ergriffen [ɛr'grɪfən] adj deeply moved

Erguß [ɛr'gʊs] m discharge; (fig) outpouring, effusion

erhaben [ɛr'haːbən] adj raised, embossed; (fig) exalted, lofty; **über etw** akk ~ **sein** to be above sth

erhalten [ɛr'haltən] (unreg) vt to receive; (bewahren) to preserve, to maintain; **gut** ~ in good condition

erhältlich [ɛr'hɛltlɪç] adj obtainable, available

Erhaltung f maintenance, preservation

erhärten [ɛr'hɛrtən] vt to harden; (These) to substantiate, to corroborate

erheben [ɛr'heːbən] (unreg) vt to raise; (Protest, Forderungen) to make; (Fakten) to

ascertain, to establish ♦ *vr* to rise (up); **sich über etw** *akk* ~ to rise above sth
erheblich [ɛr'heːplıç] *adj* considerable
erheitern [ɛr'haɪtərn] *vt* to amuse, to cheer (up)
Erheiterung *f* exhilaration; **zur allgemeinen** ~ to everybody's amusement
erhitzen [ɛr'hɪtsən] *vt* to heat ♦ *vr* to heat up; (*fig*) to become heated
erhoffen [ɛr'hɔfən] *vt* to hope for
erhöhen [ɛr'høːən] *vt* to raise; (*verstärken*) to increase
erhol- [ɛr'hoːl] *zW*: ~**en** *vr* to recover; (*entspannen*) to have a rest; ~**sam** *adj* restful; **E~ung** *f* recovery; relaxation, rest; ~**ungsbedürftig** *adj* in need of a rest, run-down; **E~ungsgebiet** *nt* ≈ holiday area; **E~ungsheim** *nt* convalescent/rest home
erhören [ɛr'høːrən] *vt* (*Gebet etc*) to hear; (*Bitte etc*) to yield to
erinnern [ɛr''ınərn] *vt*: ~ (**an** +*akk*) to remind (of) ♦ *vr*: **sich (an etw** *akk*) ~ to remember (sth)
Erinnerung *f* memory; (*Andenken*) reminder
erkältet [ɛr'kɛltət] *adj* with a cold; ~ **sein** to have a cold
Erkältung *f* cold
erkennbar *adj* recognizable
erkennen [ɛr'kɛnən] (*unreg*) *vt* to recognize; (*sehen, verstehen*) to see
erkennt- *zW*: ~**lich** *adj*: **sich** ~**lich zeigen** to show one's appreciation; **E~lichkeit** *f* gratitude; (*Geschenk*) token of one's gratitude; **E~nis** (-, -se) *f* knowledge; (*das Erkennen*) recognition; (*Einsicht*) insight; **zur E~nis kommen** to realize
Erkennung *f* recognition
Erkennungszeichen *nt* identification
Erker ['ɛrkər] (-s, -) *m* bay; ~**fenster** *nt* bay window
erklär- [ɛr'klɛːr] *zW*: ~**bar** *adj* explicable; ~**en** *vt* to explain; ~**lich** *adj* explicable; (*verständlich*) understandable; **E~ung** *f* explanation; (*Aussage*) declaration
erkranken [ɛr'kraŋkən] *vi* to fall ill
Erkrankung *f* illness
erkund- [ɛr'kund] *zW*: ~**en** *vt* to find out, to ascertain; (*bes MIL*) to reconnoitre, to scout; ~**igen** *vr*: **sich** ~**igen (nach)** to inquire (about); **E~igung** *f* inquiry; **E~ung** *f* reconnaissance, scouting
erlahmen [ɛr'laːmən] *vi* to tire; (*nachlassen*) to flag, to wane
erlangen [ɛr'laŋən] *vt* to attain, to achieve
Erlaß [ɛr'las] (-sses, -lässe) *m* decree; (*Aufhebung*) remission
erlassen (*unreg*) *vt* (*Verfügung*) to issue; (*Gesetz*) to enact; (*Strafe*) to remit; **jdm etw** ~ to release sb from sth
erlauben [ɛr'laubən] *vt*: (**jdm etw**) ~ to allow od permit (sb (to do) sth) ♦ *vr* to permit o.s., to venture
Erlaubnis [ɛr'laupnıs] (-, -se) *f* permission; (*Schriftstück*) permit
erläutern [ɛr'lɔytərn] *vt* to explain
Erläuterung *f* explanation
Erle ['ɛrlə] *f* alder
erleben [ɛr'leːbən] *vt* to experience; (*Zeit*) to live through; (*mit*~) to witness; (*noch mit*~) to live to see
Erlebnis [ɛr'leːpnıs] (-ses, -se) *nt* experience
erledigen [ɛr'leːdıgən] *vt* to take care of, to deal with; (*Antrag etc*) to process; (*umg: erschöpfen*) to wear out; (: *ruinieren*) to finish; (: *umbringen*) to do in
erleichtern *vt* to make easier; (*fig: Last*) to lighten; (*lindern, beruhigen*) to relieve
Erleichterung *f* facilitation; lightening; relief
erleiden [ɛr'laɪdən] (*unreg*) *vt* to suffer, to endure
erlernen [ɛr'lɛrnən] *vt* to learn, to acquire
erlesen [ɛr'leːzən] *adj* select, choice
erleuchten [ɛr'lɔyçtən] *vt* to illuminate; (*fig*) to inspire
Erleuchtung *f* (*Einfall*) inspiration
Erlös [ɛr'løːs] (-es, -e) *m* proceeds *pl*
erlösen [ɛr'løːzən] *vt* to redeem, to save
Erlösung *f* release; (*REL*) redemption
ermächtigen [ɛr'mɛçtıgən] *vt* to authorize, to empower
Ermächtigung *f* authorization; authority
ermahnen [ɛr'maːnən] *vt* to exhort, to admonish
Ermahnung *f* admonition, exhortation
ermäßigen [ɛr'mɛːsıgən] *vt* to reduce
Ermäßigung *f* reduction
ermessen [ɛr'mɛsən] (*unreg*) *vt* to estimate, to gauge; **E~** (-s) *nt* estimation; discretion; **in jds E~ liegen** to lie within sb's discretion
ermitteln [ɛr'mıtəln] *vt* to determine; (*Täter*) to trace ♦ *vi*: **gegen jdn** ~ to investigate sb
Ermittlung [ɛr'mıtluŋ] *f* determination; (*Polizei~*) investigation
ermöglichen [ɛr'møːklıçən] *vt* (+*dat*) to make possible (for)
ermorden [ɛr'mɔrdən] *vt* to murder
Ermordung *f* murder
ermüden [ɛr'myːdən] *vt, vi* to tire; (*TECH*) to fatigue; ~**d** *adj* tiring; (*fig*) wearisome
Ermüdung *f* fatigue; ~**serscheinung** *f* sign of fatigue
ermutigen [ɛr'muːtıgən] *vt* to encourage
ernähr- [ɛr'nɛːr] *zW*: ~**en** *vt* to feed, to nourish; (*Familie*) to support ♦ *vr* to support o.s., to earn a living; **sich** ~**en von** to live on; **E~er** (-s, -) *m* breadwinner; **E~ung** *f* nourishment; nutrition; (*Unterhalt*) maintenance

ernennen [ɛr'nɛnən] (*unreg*) *vt* to appoint
Ernennung *f* appointment
erneu- [ɛr'nɔʏ] *zW:* **~ern** *vt* to renew; to restore; to renovate; **E~erung** *f* renewal; restoration; renovation; **~t** *adj* renewed, fresh ♦ *adv* once more
ernst [ɛrnst] *adj* serious; **E~** (**-es**) *m* seriousness; **das ist mein E~** I'm quite serious; **im E~** in earnest; **E~ machen mit etw** to put sth into practice; **E~fall** *m* emergency; **~gemeint** *adj* meant in earnest; **~haft** *adj* serious; **E~haftigkeit** *f* seriousness; **~lich** *adj* serious
Ernte ['ɛrntə] *f* harvest; **e~n** *vt* to harvest; (*Lob etc*) to earn
ernüchtern [ɛr'nʏçtərn] *vt* to sober up; (*fig*) to bring down to earth
Erober- [ɛr'o:bər] *zW:* **~er** (**-s**, **-**) *m* conqueror; **e~n** *vt* to conquer; **~ung** *f* conquest
eröffnen [ɛr'œfnən] *vt* to open ♦ *vr* to present itself; **jdm etw ~** to disclose sth to sb
Eröffnung *f* opening
erörtern [ɛr'œrtərn] *vt* to discuss
Erotik [e'ro:tɪk] *f* eroticism
erotisch *adj* erotic
erpress- [ɛr'prɛs] *zW:* **~en** *vt* (*Geld etc*) to extort; (*Mensch*) to blackmail; **E~er** (**-s**, **-**) *m* blackmailer; **E~ung** *f* extortion; blackmail
erprobt [ɛr'pro:pt] *adj* (*Gerät, Medikamente*) proven, tested
erraten [ɛr'ra:tən] (*unreg*) *vt* to guess
erreg- [ɛr're:g] *zW:* **~en** *vt* to excite; (*ärgern*) to infuriate; (*hervorrufen*) to arouse, to provoke ♦ *vr* to get excited *od* worked up; **E~er** (**-s**, **-**) *m* causative agent; **E~ung** *f* excitement
erreichbar *adj* accessible, within reach
erreichen [ɛr'raɪçən] *vt* to reach; (*Zweck*) to achieve; (*Zug*) to catch
errichten [ɛr'rɪçtən] *vt* to erect, to put up; (*gründen*) to establish, to set up
erringen [ɛr'rɪŋən] (*unreg*) *vt* to gain, to win
erröten [ɛr'rø:tən] *vi* to blush, to flush
Errungenschaft [ɛr'rʊŋənʃaft] *f* achievement; (*umg: Anschaffung*) acquisition
Ersatz [ɛr'zats] (**-es**) *m* substitute; replacement; (*Schaden~*) compensation; (*MIL*) reinforcements *pl*; **~dienst** *m* (*MIL*) alternative service; **~reifen** *m* (*AUT*) spare tyre; **~teil** *nt* spare (part)
erschaffen [ɛr'ʃafən] (*unreg*) *vt* to create
erscheinen [ɛr'ʃaɪnən] (*unreg*) *vi* to appear
Erscheinung *f* appearance; (*Geist*) apparition; (*Gegebenheit*) phenomenon; (*Gestalt*) figure
erschießen [ɛr'ʃi:sən] (*unreg*) *vt* to shoot (dead)
erschlagen [ɛr'ʃla:gən] (*unreg*) *vt* to strike dead

erschöpf- [ɛr'ʃœpf] *zW:* **~en** *vt* to exhaust; **~end** *adj* exhaustive, thorough; **E~ung** *f* exhaustion
erschrecken [ɛr'ʃrɛkən] *vt* to startle, to frighten ♦ *vi* to be frightened *od* startled; **~d** *adj* alarming, frightening
erschrocken [ɛr'ʃrɔkən] *adj* frightened, startled
erschüttern [ɛr'ʃʏtərn] *vt* to shake; (*fig*) to move deeply
Erschütterung *f* shaking; shock
erschweren [ɛr'ʃve:rən] *vt* to complicate
erschwinglich *adj* within one's means
ersetzen [ɛr'zɛtsən] *vt* to replace; **jdm Unkosten** *etc* **~** to pay sb's expenses *etc*
ersichtlich [ɛr'zɪçtlɪç] *adj* evident, obvious
ersparen [ɛr'ʃpa:rən] *vt* (*Ärger etc*) to spare; (*Geld*) to save
Ersparnis (**-**, **-se**) *f* saving

─────── **SCHLÜSSELWORT** ───────

erst [e:rst] *adv* **1** first; **mach erst mal die Arbeit fertig** finish your work first; **wenn du das erst mal hinter dir hast** once you've got that behind you
2 (*nicht früher als, nur*) only; (*nicht bis*) not till; **erst gestern** only yesterday; **erst morgen** not until tomorrow; **erst als** only when, not until; **wir fahren erst später** we're not going until later; **er ist (gerade) erst angekommen** he's only just arrived
3: **wäre er doch erst zurück!** if only he were back!

─────────────────────────────

erstatten [ɛr'ʃtatən] *vt* (*Kosten*) to (re)pay; **Anzeige** *etc* **gegen jdn ~** to report sb; **Bericht ~** to make a report
Erstaufführung ['e:rstʔaʊffy:rʊŋ] *f* first performance
erstaunen [ɛr'ʃtaʊnən] *vt* to astonish ♦ *vi* to be astonished; **E~** (**-s**) *nt* astonishment
erstaunlich *adj* astonishing
erst- ['e:rst] *zW:* **E~ausgabe** *f* first edition; **~beste(r, s)** *adj* first that comes along; **~e(r, s)** *adj* first
erstechen [ɛr'ʃtɛçən] (*unreg*) *vt* to stab (to death)
erstehen [ɛr'ʃte:ən] (*unreg*) *vt* to buy ♦ *vi* to (a)rise
erstens ['e:rstəns] *adv* firstly, in the first place
ersticken [ɛr'ʃtɪkən] *vt* (*auch fig*) to stifle; (*Mensch*) to suffocate; (*Flammen*) to smother ♦ *vi* (*Mensch*) suffocate; (*Feuer*) to be smothered; **in Arbeit ~** to be snowed under with work
erst- *zW:* **~klassig** *adj* first-class; **E~kommunion** *f* first communion; **~malig** *adj* first; **~mals** *adv* for the first time
erstrebenswert [ɛr'ʃtre:bənsve:rt] *adj* desirable, worthwhile

erstrecken [ɛrˈʃtrɛkən] *vr* to extend, to stretch

ersuchen [ɛrˈzuːxən] *vt* to request

ertappen [ɛrˈtapən] *vt* to catch, to detect

erteilen [ɛrˈtailən] *vt* to give

Ertrag [ɛrˈtraːk] (**-(e)s, ⁼e**) *m* yield; (*Gewinn*) proceeds *pl*

ertragen (*unreg*) *vt* to bear, to stand

erträglich [ɛrˈtrɛːklɪç] *adj* tolerable, bearable

ertrinken [ɛrˈtrɪŋkən] (*unreg*) *vi* to drown; **E~** (**-s**) *nt* drowning

erübrigen [ɛrˈyːbrɪɡən] *vt* to spare ♦ *vr* to be unnecessary

erwachen [ɛrˈvaxən] *vi* to awake

erwachsen [ɛrˈvaksən] *adj* grown-up; **E~e(r)** *mf* adult; **E~enbildung** *f* adult education

erwägen [ɛrˈvɛːɡən] (*unreg*) *vt* to consider

Erwägung *f* consideration

erwähn- [ɛrˈvɛːn] *zW:* **~en** *vt* to mention; **~enswert** *adj* worth mentioning; **E~ung** *f* mention

erwärmen [ɛrˈvɛrmən] *vt* to warm, to heat ♦ *vr* to get warm, to warm up; **sich ~ für** to warm to

Erwarten *nt:* **über meinen/unseren** *usw* **~** beyond my/our *etc* expectations; **wider ~** contrary to expectations

erwarten [ɛrˈvartən] *vt* to expect; (*warten auf*) to wait for; **etw kaum ~ können** to be hardly able to wait for sth

Erwartung *f* expectation; **e~sgemäß** *adv* as expected; **e~svoll** *adj* expectant

erwecken [ɛrˈvɛkən] *vt* to rouse, to awake; **den Anschein ~** to give the impression

Erweis [ɛrˈvais] (**-es, -e**) *m* proof; **e~en** (*unreg*) *vt* to prove ♦ *vr:* **sich ~en** (**als**) to prove (to be); **jdm einen Gefallen/Dienst e~en** to do sb a favour/service

Erwerb [ɛrˈvɛrp] (**-(e)s, -e**) *m* acquisition; (*Beruf*) trade; **e~en** (*unreg*) *vt* to acquire

erwerbs- *zW:* **~los** *adj* unemployed; **E~quelle** *f* source of income; **~tätig** *adj* (gainfully) employed

erwidern [ɛrˈviːdərn] *vt* to reply; (*vergelten*) to return

erwischen [ɛrˈvɪʃən] (*umg*) *vt* to catch, to get

erwünscht [ɛrˈvʏnʃt] *adj* desired

erwürgen [ɛrˈvʏrɡən] *vt* to strangle

Erz [eːrts] (**-es, -e**) *nt* ore

erzähl- [ɛrˈtsɛːl] *zW:* **~en** *vt* to tell ♦ *vi:* **sie kann gut ~en** she's a good story-teller; **E~er** (**-s, -**) *m* narrator; **E~ung** *f* story, tale

Erzbischof *m* archbishop

erzeug- [ɛrˈtsɔʏɡ] *zW:* **~en** *vt* to produce; (*Strom*) to generate; **E~nis** (**-ses, -se**) *nt* product, produce; **E~ung** *f* production, generation

erziehen [ɛrˈtsiːən] (*unreg*) *vt* to bring up;

(*bilden*) to educate, to train

Erzieher(in) (**-s, -**) *m(f)* (*Berufsbezeichnung*) teacher

Erziehung *f* bringing up; (*Bildung*) education

Erziehungsbeihilfe *f* educational grant

Erziehungsberechtigte(r) *mf* parent; guardian

erzielen [ɛrˈtsiːlən] *vt* to achieve, to obtain; (*Tor*) to score

erzwingen [ɛrˈtsvɪŋən] (*unreg*) *vt* to force, to obtain by force

es [ɛs] (*nom, akk*) *pron* it

Esche [ˈɛʃə] *f* ash

Esel [ˈeːzəl] (**-s, -**) *m* donkey, ass

Eskalation [ɛskalatsiˈoːn] *f* escalation

Eskimo [ˈɛskimo] (**-s, -s**) *m* eskimo

eßbar [ˈɛsbaːr] *adj* eatable, edible

Eßbesteck *nt* knife, fork and spoon

Eßecke *f* dining area

essen [ˈɛsən] (*unreg*) *vt, vi* to eat; **E~** (**-s, -**) *nt* meal; food

Essig [ˈɛsɪç] (**-s, -e**) *m* vinegar; **~gurke** *f* gherkin

Eß- [ˈɛs] *zW:* **~kastanie** *f* sweet chestnut; **~löffel** *m* tablespoon; **~tisch** *m* dining table; **~waren** *pl* foodstuffs, provisions; **~zimmer** *nt* dining room

etablieren [etabliˈiːrən] *vr* to become established; to set up in business

Etage [eˈtaːʒə] *f* floor, storey; **~nbetten** *pl* bunk beds; **~nwohnung** *f* flat

Etappe [eˈtapə] *f* stage

Etat [eˈtaː] (**-s, -s**) *m* budget

etc *abk* (= *et cetera*) etc

etepetete [eːtəpeˈteːtə] (*umg*) *adj* fussy

Ethik [ˈeːtɪk] *f* ethics *sg*

ethisch [ˈeːtɪʃ] *adj* ethical

Etikett [etiˈkɛt] (**-(e)s, -e**) *nt* label; tag; **~e** *f* etiquette, manners *pl*

etliche [ˈɛtlɪçə] *pron pl* some, quite a few

etliches *pron* a thing or two

Etui [ɛtˈviː] (**-s, -s**) *nt* case

etwa [ˈɛtva] *adv* (*ungefähr*) about; (*vielleicht*) perhaps; (*beispielsweise*) for instance; **nicht ~** by no means; **~ig** [ˈɛtvaɪç] *adj* possible

etwas *pron* something; anything; (*ein wenig*) a little ♦ *adv* a little

euch [ɔʏç] *pron* (*akk von ihr*) you; yourselves; (*dat von ihr*) (to) you

euer [ˈɔʏər] *pron* (*gen von ihr*) of you ♦ *adj* your

Eule [ˈɔʏlə] *f* owl

eure *adj f siehe* **euer**

eure(r, s) [ˈɔʏrə(r, s)] *pron* yours; **~rseits** *adv* on your part; **~s** *adj nt siehe* **euer**; **~sgleichen** *pron* people like you; **~twegen** *adv* (*für euch*) for your sakes; (*wegen euch*) on your account; **~twillen** *adv:* **um ~twillen = euretwegen**

eurige [ˈɔʏrɪɡə] *pron:* **der/die/das ~** yours

Euro- *zW:* **~pa** [ɔy'roːpə] *nt* Europe;
~päer(in) [ɔyro'pɛːər(ɪn)] *mf* European;
e~päisch *adj* European; **~pameister**
[ɔy'roːpə-] *m* European champion;
~scheck *m (FINANZ)* eurocheque
Euter ['ɔytər] **(-s, -)** *nt* udder
ev. *abk = evangelisch*
evakuieren [evaku'iːrən] *vt* to evacuate
evangelisch [evaŋ'geːlɪʃ] *adj* Protestant
Evangelium [evaŋ'geːliʊm] *nt* gospel
eventuell [eventu'ɛl] *adj* possible ♦ *adv*
possibly, perhaps
evtl. *abk = eventuell*
EWG [eːveː'geː] **(-)** *f abk (= Europäische
Wirtschaftsgemeinschaft)* EEC, Common
Market
ewig ['eːvɪç] *adj* eternal; **E~keit** *f* eternity
exakt [ɛ'ksakt] *adj* exact
Examen [ɛ'ksaːmən] **(-s, - od Examina)** *nt*
examination
Exemplar [ɛksɛm'plaːr] **(-s, -e)** *nt* specimen; *(Buch~)* copy; **e~isch** *adj* exemplary
exerzieren [ɛksɛr'tsiːrən] *vi* to drill
Exil [ɛ'ksiːl] **(-s, -e)** *nt* exile
Existenz [ɛksɪs'tɛnts] *f* existence; *(Unterhalt)* livelihood, living; *(pej: Mensch)* character; **~minimum (-s)** *nt* subsistence level
existieren [ɛksɪs'tiːrən] *vi* to exist
exklusiv [ɛksklu'ziːf] *adj* exclusive; **~e** [-
'ziːvə] *adv* exclusive of, not including ♦
präp +gen exclusive of, not including
exotisch [ɛ'ksoːtɪʃ] *adj* exotic
Expedition [ɛkspediʦi'oːn] *f* expedition
Experiment [ɛksperi'mɛnt] *nt* experiment;
e~ell *adj* experimental; **e~ieren** *vi* to experiment
Experte [ɛks'pɛrtə] **(-n, -n)** *m* expert, specialist
Expertin *f* expert, specialist
explo- [ɛksplo] *zW:* **~dieren** [-'diːrən] *vi* to
explode; **E~sion** [-zi'oːn] *f* explosion; **~siv**
adj explosive
Export [ɛks'pɔrt] **(-(e)s, -e)** *m* export; **~eur**
[-'tøːr] *m* exporter; **~handel** *m* export
trade; **e~ieren** [-'tiːrən] *vt* to export;
~land *nt* exporting country
Expreßgut [ɛks'prɛs-] *nt* express goods *pl*,
express freight
Expreßzug *m* express (train)
extra ['ɛkstra] *adj inv (umg: gesondert)* separate; *(besondere)* extra ♦ *adv (gesondert)*
separately; *(speziell)* specially; *(absichtlich)*
on purpose; *(vor Adjektiven, zusätzlich)*
extra; **E~ (-s, -s)** *nt* extra; **E~ausgabe** *f*
special edition; **E~blatt** *nt* special edition
Extrakt [ɛks'trakt] **(-(e)s, -e)** *m* extract
extravagant *adj* extravagant
extrem [ɛks'treːm] *adj* extreme; **~istisch**
[-'mɪstɪʃ] *adj (POL)* extremist; **E~itäten** [-
'tɛːtən] *pl* extremities
exzentrisch [ɛks'tsɛntrɪʃ] *adj* eccentric
Exzeß [ɛks'tsɛs] **(-sses, -sse)** *m* excess

F f

Fa. *abk (= Firma)* firm; *(in Briefen)* Messrs
Fabel ['faːbəl] **(-, -n)** *f* fable; **f~haft** *adj*
fabulous, marvellous
Fabrik [fa'briːk] *f* factory; **~ant** [-'kant] *m*
(Hersteller) manufacturer; *(Besitzer)* in-
dustrialist; **~arbeiter** *m* factory worker;
~at [-'kaːt] **(-(e)s, -e)** *nt* manufacture,
product; **~gelände** *nt* factory site
Fach [fax] **(-(e)s, ⁻er)** *nt* compartment;
(Sachgebiet) subject; **ein Mann vom ~** an
expert; **~arbeiter** *m* skilled worker; **~arzt**
m (medical) specialist; **~ausdruck** *m* technical term
Fächer ['fɛçər] **(-s, -)** *m* fan
Fach- *zW:* **~geschäft** *nt* specialist shop;
~hochschule *f* ≈ technical college;
~kraft *f* skilled worker, trained employee;
f~kundig *adj* expert, specialist; **f~lich** *adj*
professional; expert; **~mann** *(pl* **-leute)** *m*
specialist; **f~männisch** *adj* professional;
~schule *f* technical college; **f~simpeln** *vi*
to talk shop; **~werk** *nt* timber frame
Fackel ['fakəl] **(-, -n)** *f* torch
fad(e) [faːt, 'faːdə] *adj* insipid; *(langweilig)*
dull
Faden ['faːdən] **(-s, ⁻)** *m* thread;
f~scheinig *adj (auch fig)* threadbare
fähig ['fɛːɪç] *adj:* **~ (zu** *od* **+gen)** able
(of); able (to); **F~keit** *f* ability
fahnden ['faːndən] *vi:* **~ nach** to search for
Fahndung *f* search; **~sliste** *f* list of
wanted criminals, wanted list
Fahne ['faːnə] *f* flag, standard; **eine ~ haben** *(umg)* to smell of drink; **~nflucht** *f*
desertion
Fahrausweis *m* ticket
Fahrbahn *f* carriageway *(BRIT)*, roadway
Fähre ['fɛːrə] *f* ferry
fahren ['faːrən] *(unreg) vt* to drive; *(Rad)* to
ride; *(befördern)* to drive, to take; *(Rennen)*
to drive in ♦ *vi (sich bewegen)* to go;
(Schiff) to sail; *(abfahren)* to leave; **mit
dem Auto/Zug ~** to go *od* travel by car/
train; **mit der Hand ~ über** +*akk* to pass
one's hand over
Fahr- *zW:* **~er(in) (-s, -)** *m(f)* driver; **~er-
flucht** *f* hit-and-run; **~gast** *m* passenger;
~geld *nt* fare; **~karte** *f* ticket; **~karten-
ausgabe** *f* ticket office; **~kartenautomat**
m ticket machine; **~kartenschalter** *m*

ticket office; **f~lässig** *adj* negligent; **f~lässige Tötung** manslaughter; **~lehrer** *m* driving instructor; **~plan** *m* timetable; **f~planmäßig** *adj* scheduled; **~preis** *m* fare; **~prüfung** *f* driving test; **~rad** *nt* bicycle; **~radweg** *m* cycle lane; **~schein** *m* ticket; **~scheinentwerter** *m* (automatic) ticket stamping machine

Fährschiff ['fɛːɐʃɪf] *nt* ferry(-boat)
Fahrschule *f* driving school
Fahrstuhl *m* lift, elevator (US)
Fahrt [faːrt] (-, -en) *f* journey; (*kurz*) trip; (*AUT*) drive; (*Geschwindigkeit*) speed; **gute ~!** I have a good journey
Fährte ['fɛːrtə] *f* track, trail
Fahrtkosten *pl* travelling expenses
Fahrtrichtung *f* course, direction
Fahrzeug *nt* vehicle; **~brief** *m* log book
fair [fɛːr] *adj* fair
Faktor ['faktɔr] *m* factor
Fakultät [fakʊl'tɛːt] *f* faculty
Falke ['falkə] (-n, -n) *m* falcon
Fall [fal] (-(e)s, ⸚e) *m* (*Sturz*) fall; (*Sachverhalt, JUR, GRAM*) case; **auf jeden ~, auf alle Fälle** in any case; (*bestimmt*) definitely; **auf keinen ~!** no way!; **~e** *f* trap; **f~en** (*unreg*) *vi* to fall; **etw f~en lassen** to drop sth
fällen ['fɛlən] *vt* (*Baum*) to fell; (*Urteil*) to pass
fallenlassen (*unreg*) *vt* (*Bemerkung*) to make; (*Plan*) to abandon, to drop
fällig ['fɛlɪç] *adj* due
falls [fals] *adv* in case, if
Fallschirm *m* parachute; **~springer** *m* parachutist
falsch [falʃ] *adj* false; (*unrichtig*) wrong
fälschen ['fɛlʃən] *vt* to forge
fälsch- *zW:* **~lich** *adj* false; **~licherweise** *adv* mistakenly; **F~ung** *f* forgery
Falte ['faltə] *f* (*Knick*) fold, crease; (*Haut~*) wrinkle; (*Rock~*) pleat; **f~n** *vt* to fold; (*Stirn*) to wrinkle
faltig *adj* (*Hände, Haut*) wrinkled; (*zerknittert: Rock*) creased
familiär [famili'ɛːr] *adj* familiar
Familie [fa'miːliə] *f* family
Familien- *zW:* **~betrieb** *m* family business; **~kreis** *m* family circle; **~mitglied** *nt* member of the family; **~name** *m* surname; **~stand** *m* marital status
Fan [-s, -s] *m* fan
Fanatiker [fa'naːtikər] (-s, -) *m* fanatic
fanatisch *adj* fanatical
fand *etc* [fant] *vb siehe* **finden**
Fang [faŋ] (-(e)s, ⸚e) *m* catch; (*Jagen*) hunting; (*Kralle*) talon, claw; **f~en** (*unreg*) *vt* to catch ♦ *vr* to get caught; (*Flugzeug*) to level out; (*Mensch: nicht fallen*) to steady o.s.; (*fig*) to compose o.s.; (*in Leistung*) to get back on form
Farb- ['farb] *zW:* **~abzug** *m* colour print;

~aufnahme *f* colour photograph; **~band** *m* typewriter ribbon; **~dia** *nt* colour slide; **~e** *f* colour; (*zum Malen etc*) paint; (*Stoffarbe*) dye; **f~echt** *adj* colourfast
färben ['fɛrbən] *vt* to colour; (*Stoff, Haar*) to dye
farben- ['farbən-] *zW:* **~blind** *adj* colourblind; **~freudig** *adj* colourful; **~froh** *adj* colourful, gay
Farb- *zW:* **~fernsehen** *nt* colour television; **~film** *m* colour film; **~foto** *nt* colour photograph; **f~ig** *adj* coloured; **~ige(r)** *mf* coloured (person); **~kasten** *m* paintbox; **f~lich** *adj* colour; **f~los** *adj* colourless; **~stift** *m* coloured pencil; **~stoff** *m* dye; **~ton** *m* hue, tone
Färbung ['fɛrbʊŋ] *f* colouring; (*Tendenz*) bias
Farn [farn] (-(e)s, -e) *m* fern; bracken
Fasan [fa'zaːn] (-(e)s, -e(n)) *m* pheasant
Fasching ['faʃɪŋ] (-s, -e *od* -s) *m* carnival
Faschismus [fa'ʃɪsmʊs] *m* fascism
Faschist *m* fascist
Faser ['faːzər] (-, -n) *f* fibre; **f~n** *vi* to fray
Faß [fas] (-sses, Fässer) *nt* vat, barrel; (*für Öl*) drum; **Bier vom ~** draught beer
Fassade [fa'saːdə] *f* façade
fassen ['fasən] *vt* (*ergreifen*) to grasp, to take; (*inhaltlich*) to hold; (*Entschluß etc*) to take; (*verstehen*) to understand; (*Ring etc*) to set; (*formulieren*) to formulate, to phrase ♦ *vr* to calm down; **nicht zu ~** unbelievable
Fassung ['fasʊŋ] *f* (*Umrahmung*) mounting; (*Lampen~*) socket; (*Wortlaut*) version; (*Beherrschung*) composure; **jdn aus der ~ bringen** to upset sb; **f~slos** *adj* speechless
fast [fast] *adv* almost, nearly
fasten ['fastən] *vi* to fast; **F~zeit** *f* Lent
Fastnacht *f* Shrove Tuesday; carnival
faszinieren [fastsi'niːrən] *vt* to fascinate
fatal [fa'taːl] *adj* fatal; (*peinlich*) embarrassing
faul [faul] *adj* rotten; (*Person*) lazy; (*Ausreden*) lame; **daran ist etwas ~** there's something fishy about it; **~en** *vi* to rot; **~enzen** *vi* to idle; **F~enzer** (-s, -) *m* idler, loafer; **F~heit** *f* laziness; **~ig** *adj* putrid
Faust [faust] (-, Fäuste) *f* fist; **auf eigene ~** off one's own bat; **~handschuh** *m* mitten
Favorit [favo'riːt] (-en, -en) *m* favourite
faxen ['faksən] *vt* to fax; **jdm etw ~** to fax sth to sb
FCKW *m abk* (= *Fluorchlorkohlenwasserstoff*) CFC
FDP [ɛfdeː'peː] (-) *f abk* (= *Freie Demokratische Partei*) Free Democratic Party
Februar ['feːbruaːr] (-(s), -e) *m* February
fechten ['fɛçtən] (*unreg*) *vi* to fence
Feder ['feːdər] (-, -n) *f* feather; (*Schreib~*) pen nib; (*TECH*) spring; **~ball** *m* shuttle-

cock; ~**bett** nt continental quilt; ~**halter** m penholder, pen; f~**leicht** adj light as a feather; f~**n** vi (nachgeben) to be springy; (sich bewegen) to bounce ♦ vt to spring; ~**ung** f (AUT) suspension

Fee [fe:] f fairy

Fegefeuer nt purgatory

fegen ['fe:gən] vt to sweep

fehl [fe:l] adj: ~ **am Platz** od **Ort** out of place; ~**en** vi to be wanting od missing; (abwesend sein) to be absent; etw ~**t** jdm sb lacks sth; **du** ~**st mir** I miss you; **was** ~**t ihm?** what's wrong with him?; **F~er** (-s, -) m mistake, error; (Mangel, Schwäche) fault; ~**erfrei** adj faultless; without any mistakes; ~**erhaft** adj incorrect; faulty; ~**erlos** adj flawless, perfect; **F~geburt** f miscarriage; ~**gehen** (unreg) vi to go astray; **F~griff** m blunder; **F~konstruktion** f badly designed thing; ~**schlagen** (unreg) vi to fail; **F~start** m (SPORT) false start; **F~zündung** f (AUT) misfire, backfire

Feier ['faɪər] (-, -n) f celebration; ~**abend** m time to stop work; ~**abend machen** to stop, to knock off; **jetzt ist** ~**abend!** that's enough!; f~**lich** adj solemn; ~**lichkeit** f solemnity; ~**lichkeiten** pl (Veranstaltungen) festivities; f~**n** vt, vi to celebrate; ~**tag** m holiday

feig(e) ['faɪg(ə)] adj cowardly

Feige f fig

Feigheit f cowardice

Feigling m coward

Feile [faɪlə] f file

feilschen vi to haggle

fein [faɪn] adj fine; (vornehm) refined; (Gehör etc) keen; ~! great!

Feind [faɪnt] (-(e)s, -e) m enemy; f~**lich** adj hostile; ~**schaft** f enmity; f~**selig** adj hostile; ~**seligkeit** f hostility

Fein- zW: f~**fühlig** adj sensitive; ~**gefühl** nt delicacy, tact; ~**heit** f fineness; refinement; keenness; **~kostgeschäft** nt delicatessen (shop); ~**schmecker** (-s, -) m gourmet

Feinwäsche f delicate clothing (when washing)

Feld [fɛlt] (-(e)s, -er) nt field; (SCHACH) square; (SPORT) pitch; ~**herr** m commander; ~**stecher** (-s, -) m binoculars pl; ~**weg** m path

Feldzug m (fig) campaign

Felge ['fɛlgə] f (wheel) rim

Fell [fɛl] (-(e)s, -e) nt fur; coat; (von Schaf) fleece; (von toten Tieren) skin

Fels [fɛls] (-en, -en) m rock; (Klippe) cliff

Felsen ['fɛlzən] (-s, -) m = **Fels**; f~**fest** adj firm

feminin [femi'ni:n] adj feminine; (pej) effeminate

Fenster ['fɛnstər] (-s, -) nt window; ~**bank** f windowsill; ~**laden** m shutter; ~**leder** nt

chamois (leather); ~**platz** m window seat; ~**scheibe** f windowpane

Ferien ['fe:riən] pl holidays, vacation sg (US); ~ **haben** to be on holiday; ~**kurs** m holiday course; ~**lager** nt holiday camp; ~**reise** f holiday; ~**wohnung** f holiday apartment

Ferkel ['fɛrkəl] (-s, -) nt piglet

fern [fɛrn] adj, adv far-off, distant; ~ **von hier** a long way (away) from here; **der F~e Osten** the Far East; **F~amt** nt (TEL) exchange; **F~bedienung** f remote control; **F~e** f distance; ~**er** adj further ♦ adv further; (weiterhin) in future; **F~gespräch** nt trunk call; **F~glas** nt binoculars pl; ~**halten** (unreg) vt, vr to keep away; **F~licht** nt (AUT) full beam; **F~meldeamt** nt international exchange; **F~rohr** nt telescope; **F~ruf** m (förmlich) telephone number; **F~schreiben** nt telex; **F~sehapparat** m television set; ~**sehen** (-s) nt television; **im F~sehen** on television; ~**sehen** (unreg) vi to watch television; **F~seher** m television; **F~sprecher** m telephone; **F~sprechzelle** f telephone box od booth (US); **F~steuerung** f remote control; **F~straße** f ≈ 'A' road (BRIT); highway (US); **F~verkehr** m long-distance traffic

Ferse ['fɛrzə] f heel

fertig ['fɛrtɪç] adj (bereit) ready; (beendet) finished; (gebrauchs~) ready-made; ~**bringen** (unreg) vt (fähig sein) to be capable of; **F~gericht** nt precooked meal; **F~haus** nt kit house, prefab; **F~keit** f skill; ~**machen** vt (beenden) to finish; (umg: Person) to finish; (: körperlich) to exhaust; (: moralisch) to get down ♦ vr to get ready; ~**stellen** vt to complete

Fessel ['fɛsəl] (-, -n) f fetter; f~**n** vt to bind; (mit Fesseln) to fetter; (fig) to spellbind; f~**nd** adj fascinating, captivating

Fest (-(e)s, -e) nt party; festival; **frohes** ~! Happy Christmas!

fest [fɛst] adj firm; (Nahrung) solid; (Gehalt) regular ♦ adv (schlafen) soundly; ~**e Kosten** fixed cost; ~**angestellt** adj permanently employed; ~**binden** (unreg) vt to tie, to fasten; ~**bleiben** (unreg) vi to stand firm; **F~essen** nt banquet; ~**halten** (unreg) vt to seize, to hold fast; (Ereignis) to record ♦ vr: **sich** ~**halten (an** +dat) to hold on (to); ~**igen** vt to strengthen; **F~igkeit** f strength; **F~ival** ['fɛstival] (-s, -s) nt festival; **F~land** nt mainland; ~**legen** vt to fix ♦ vr to commit o.s.; ~**lich** adj festive; ~**liegen** (unreg) vi (feststehen: Termin) to be confirmed, be fixed; ~**machen** vt to fasten; (Termin etc) to fix; **F~nahme** f arrest; ~**nehmen** (unreg) vt to arrest; **F~rede** f address; ~**setzen** vt to fix, to settle; **F~spiele** pl (Veranstaltung) festival sg; ~**stehen** (unreg) vi to be certain; ~**stel-**

len vt to establish; (*sagen*) to remark; **F~tag** m feast day, holiday; **F~ung** f fortress; **F~wochen** pl festival sg
Fett [fɛt] (-(e)s, -e) nt fat, grease
fett adj fat; (*Essen etc*) greasy; (*TYP*) bold; **~arm** adj low fat; **~en** vt to grease; **F~fleck** m grease stain; **~ig** adj greasy, fatty
Fetzen ['fɛtsən] (-s, -) m scrap
feucht [fɔyçt] adj damp; (*Luft*) humid; **F~igkeit** f dampness; humidity
Feuer ['fɔyər] (-s, -) nt fire; (*zum Rauchen*) a light; (*fig: Schwung*) spirit; **~alarm** m fire alarm; **f~fest** adj fireproof; **~gefahr** f danger of fire; **f~gefährlich** adj inflammable; **~leiter** f fire escape ladder; **~löscher** (-s, -) m fire extinguisher; **~melder** (-s, -) m fire alarm; **f~n** vt, vi (*auch fig*) to fire; **~stein** m flint; **~treppe** f fire escape; **~wehr** (-, -en) f fire brigade; **~wehrauto** nt fire engine; **~wehrmann** m fireman; **~werk** nt fireworks pl; **~zeug** nt (cigarette) lighter
Fichte ['fɪçtə] f spruce, pine
Fieber ['fiːbər] (-s, -) nt fever, temperature; **f~haft** adj feverish; **~thermometer** nt thermometer; **fiebrig** adj (*Erkältung*) feverish
fiel etc [fiːl] vb siehe **fallen**
fies [fiːs] (*umg*) adj nasty
Figur [fi'guːr] (-, -en) f figure; (*Schach~*) chessman, chess piece
Filet [fi'leː] (-s, -s) nt (*KOCH*) fillet
Filiale [fili'aːlə] f (*COMM*) branch
Film [fɪlm] (-(e)s, -e) m film; **~aufnahme** f shooting; **f~en** vt, vi to film; **~kamera** f cine-camera
Filter ['fɪltər] (-s, -) m filter; **f~n** vt to filter; **~papier** nt filter paper; **~zigarette** f tipped cigarette
Filz [fɪlts] (-es, -e) m felt; **f~en** vt (*umg*) to frisk ♦ vi (*Wolle*) to mat; **~stift** m felt-tip pen
Finale [fi'naːlə] (-s, -(s)) nt finale; (*SPORT*) final(s)
Finanz [fi'nants] f finance; **~amt** nt Inland Revenue Office; **~beamte(r)** m revenue officer; **f~iell** [-tsi'ɛl] adj financial; **f~ieren** [-'tsiːrən] vt to finance; **f~kräftig** adj financially strong; **~minister** m Chancellor of the Exchequer (*BRIT*), Minister of Finance
Find- ['fɪnd] zW: **f~en** (*unreg*) vt to find; (*meinen*) to think ♦ vr to be (found); (*sich fassen*) to compose o.s.; **ich f~e nichts dabei, wenn ...** I don't see what's wrong if ...; **das wird sich f~en** things will work out; **~er** (-s, -) m finder; **~erlohn** m reward (*for sb who finds sth*); **f~ig** adj resourceful
fing etc [fɪŋ] vb siehe **fangen**
Finger ['fɪŋər] (-s, -) m finger; **~abdruck** m fingerprint; **~hut** m thimble; (*BOT*) foxglove; **~nagel** m fingernail; **~spitze** f

fingertip
fingiert adj made-up, fictitious
Fink [fɪŋk] (-en, -en) m finch
Finn- [fɪn] zW: **~e** (-n, -n) m Finn; **~in** f Finn; **f~isch** adj Finnish; **~land** nt Finland
finster ['fɪnstər] adj dark, gloomy; (*verdächtig*) dubious; (*verdrossen*) grim; (*Gedanke*) dark; **F~nis** (-) f darkness, gloom
Firma ['fɪrma] (-, -men) f firm
Firmen- ['fɪrmən] zW: **~inhaber** m owner of firm; **~schild** nt (shop) sign; **~zeichen** nt trademark
Firnis ['fɪrnɪs] (-ses, -se) m varnish
Fisch [fɪʃ] (-(e)s, -e) m fish; **~e** pl (*ASTROL*) Pisces sg; **f~en** vt, vi to fish; **~er** (-s, -) m fisherman; **~e'rei** f fishing, fishery; **~fang** m fishing; **~geschäft** nt fishmonger's (shop); **~gräte** f fishbone
fit [fɪt] adj fit
Fitneß ['fɪtnəs] (-, -) f (physical) fitness
fix [fɪks] adj fixed; (*Person*) alert, smart; **~ und fertig** finished; (*erschöpft*) done in; **~ieren** [fɪ'ksiːrən] vt to fix; (*anstarren*) to stare at
flach [flax] adj flat; (*Gefäß*) shallow
Fläche ['flɛçə] f area; (*Ober~*) surface
Flachland nt lowland
flackern ['flakərn] vi to flare, to flicker
Flagge ['flagə] f flag
flaggen vi to fly a flag
Flamingo [fla'mɪŋgo] (-s, -s) m (*ZOOL*) flamingo
flämisch ['flɛːmɪʃ] adj (*LING*) Flemish
Flamme ['flamə] f flame
Flandern ['flandərn] nt Flanders
Flanell [fla'nɛl] (-s, -e) m flannel
Flanke ['flaŋkə] f flank; (*SPORT: Seite*) wing
Flasche ['flaʃə] f bottle; (*umg: Versager*) wash-out
Flaschen- zW: **~bier** nt bottled beer; **~öffner** m bottle opener; **~zug** m pulley
flatterhaft adj flighty, fickle
flattern ['flatərn] vi to flutter
flau [flau] adj weak, listless; (*Nachfrage*) slack; **jdm ist ~** sb feels queasy
Flaum [flaum] (-(e)s) m (*Feder*) down; (*Haare*) fluff
flauschig ['flauʃɪç] adj fluffy
Flaute ['flautə] f calm; (*COMM*) recession
Flechte ['flɛçtə] f plait; (*MED*) dry scab; (*BOT*) lichen; **f~n** (*unreg*) vt to plait; (*Kranz*) to twine
Fleck [flɛk] (-(e)s, -e) m spot; (*Schmutz~*) stain; (*Stoff~*) patch; (*Makel*) blemish; **nicht vom ~ kommen** (*auch fig*) not to get any further; **vom ~ weg** straight away
Flecken (-s, -) m = **Fleck**; **f~los** adj spotless; **~mittel** nt stain remover; **~wasser** nt stain remover
fleckig adj spotted; stained
Fledermaus ['fleːdərmaus] f bat

Flegel ['fle:gəl] (**-s, -**) m (*Mensch*) lout; **f~haft** adj loutish, unmannerly; **~jahre** pl adolescence sg

flehen ['fle:ən] vi to implore; **~tlich** adj imploring

Fleisch [flaɪʃ] (**-(e)s**) nt flesh; (*Essen*) meat; **~brühe** f beef tea, meat stock; **~er** (**-s, -**) m butcher; **~e'rei** f butcher's (shop); **f~ig** adj fleshy; **f~los** adj meatless, vegetarian

Fleiß [flaɪs] (**-es**) m diligence, industry; **f~ig** adj diligent, industrious

fletschen ['fletʃən] vt (*Zähne*) to show

flexibel [flɛ'ksi:bəl] adj flexible

Flicken ['flɪkən] (**-s, -**) m patch; **f~** vt to mend

Flieder ['fli:dər] (**-s, -**) m lilac

Fliege ['fli:gə] f fly; (*Kleidung*) bow tie; **f~n** (*unreg*) vt, vi to fly; **auf jdn/etw f~n** (*umg*) to be mad about sb/sth; **~npilz** m toadstool; **~r** (**-s, -**) m flier, airman

fliehen ['fli:ən] (*unreg*) vi to flee

Fliese ['fli:zə] f tile

Fließ- ['fli:s] zW: **~band** nt production od assembly line; **f~en** (*unreg*) vi to flow; **f~end** adj flowing; (*Rede, Deutsch*) fluent; (*Übergänge*) smooth

flimmern ['flɪmərn] vi to glimmer

flink [flɪŋk] adj nimble, lively

Flinte ['flɪntə] f rifle; shotgun

Flitterwochen pl honeymoon sg

flitzen ['flɪtsən] vi to flit

Flocke ['flɔkə] f flake

flog etc [flo:k] vb siehe **fliegen**

Floh [flo:] (**-(e)s, ⁼e**) m flea; **~markt** m flea market

florieren [flo'ri:rən] vi to flourish

Floskel ['flɔskəl] (**-, -n**) f set phrase

Floß [flo:s] (**-es, ⁼e**) nt raft, float

floß etc vb siehe **fließen**

Flosse ['flɔsə] f fin

Flöte ['flø:tə] f flute; (*Block~*) recorder

Flötist(in) [flø'tɪst(ɪn)] m(f) flautist

flott [flɔt] adj lively; (*elegant*) smart; (*NAUT*) afloat; **F~e** f fleet, navy

Fluch [flu:x] (**-(e)s, ⁼e**) m curse; **f~en** vi to curse, to swear

Flucht [flʊxt] (**-, -en**) f flight; (*Fenster~*) row; (*Zimmer~*) suite; **f~artig** adj hasty

flücht- ['flʏçt] zW: **~en** vi, vr to flee, to escape; **~ig** adj fugitive; (*vergänglich*) transitory; (*oberflächlich*) superficial; (*eilig*) fleeting; **F~igkeitsfehler** m careless slip; **F~ling** m fugitive, refugee

Flug [flu:k] (**-(e)s, ⁼e**) m flight; **im ~** airborne, in flight; **~blatt** nt pamphlet

Flügel ['fly:gəl] (**-s, -**) m wing; (*MUS*) grand piano

Fluggast m airline passenger

flügge ['flʏgə] adj (fully-)fledged

Flug- ['flu:k] zW: **~gesellschaft** f airline (company); **~hafen** m airport; **~lärm** m aircraft noise; **~linie** f airline; **~plan** m flight schedule; **~platz** m airport; (*klein*) airfield; **~reise** f flight; **~verkehr** m air traffic; **~zeug** nt (aero)plane, airplane (*US*); **~zeugentführung** f hijacking of a plane; **~zeughalle** f hangar; **~zeugträger** m aircraft carrier

Flunder ['flʊndər] (**-, -n**) f flounder

flunkern ['flʊŋkərn] vi to fib, to tell stories

Fluor ['flu:or] (**-s**) nt fluorine

Flur [flu:r] (**-(e)s, -e**) m hall; (*Treppen~*) staircase

Fluß [flʊs] (**-sses, ⁼sse**) m river; (*Fließen*) flow; **im ~ sein** (*fig*) to be in a state of flux

flüssig ['flʏsɪç] adj liquid; **F~keit** f liquid; (*Zustand*) liquidity; **~machen** vt (*Geld*) to make available

flüstern ['flʏstərn] vt, vi to whisper

Flut [flu:t] (**-, -en**) f (*auch fig*) flood; (*Gezeiten*) high tide; **f~en** vi to flood; **~licht** nt floodlight

Fohlen ['fo:lən] (**-s, -**) nt foal

Föhn [fø:n] (**-(e)s, -e**) m (*warmer Fallwind*) föhn

Föhre ['fø:rə] f Scots pine

Folge ['fɔlgə] f series, sequence; (*Fortsetzung*) instalment; (*Auswirkung*) result; **in rascher ~** in quick succession; **etw zur ~ haben** to result in sth; **~n haben** to have consequences; **einer Sache** dat **~ leisten** to comply with sth; **f~n** vi +dat to follow; (*gehorchen*) to obey; **jdm f~n können** (*fig*) to follow od understand sb; **f~nd** adj following; **f~ndermaßen** adv as follows; in the following way; **f~rn** vt: **f~rn (aus)** to conclude (from); **~rung** f conclusion

folglich adv consequently

folgsam adj obedient

Folie ['fo:liə] f foil

Folklore ['fɔlklo:r] f folklore

Folter ['fɔltər] (**-, -n**) f torture; (*Gerät*) rack; **f~n** vt to torture

Fön [fø:n] (**-(e)s, -e**; ®) m hair-dryer

Fondue [fõ'dy:] (**-s, -s** od **-, -s**) nt od f (*KOCH*) fondue

fönen vt to (blow) dry

Fönfrisur f blow-dry hairstyle

Fontäne [fɔn'tɛ:nə] f fountain

Förder- ['fœrdər] zW: **~band** nt conveyor belt; **~korb** m pit cage; **f~lich** adj beneficial

fordern ['fɔrdərn] vt to demand

fördern ['fœrdərn] vt to promote; (*unterstützen*) to help; (*Kohle*) to extract; **Förderung** f promotion; help; extraction

Forderung ['fɔrdəruŋ] f demand

Forelle [fo'rɛlə] f trout

Form [fɔrm] (**-, -en**) f shape; (*Gestaltung*) form; (*Guß~*) mould; (*Back~*) baking tin; **in ~ sein** to be in good form od shape; **in ~ von** in the shape of

Formali'tät f formality

Format [fɔr'maːt] (-(e)s, -e) nt format; *(fig)* distinction

formbar adj malleable

Formel (-, -n) f formula

formell [fɔr'mɛl] adj formal

formen vt to form, to shape

Formfehler m faux-pas, gaffe; *(JUR)* irregularity

formieren [-'miːrən] vt to form ♦ vr to form up

förmlich ['fœrmlɪç] adj formal; *(umg)* real; **F~keit** f formality

formlos adj shapeless; *(Benehmen etc)* informal

Formu'lar (-s, -e) nt form

formu'lieren vt to formulate

forsch [fɔrʃ] adj energetic, vigorous

forschen vi: ~ **(nach)** to search (for); *(wissenschaftlich)* to (do) research; **~d** adj searching

Forscher (-s, -) m research scientist; *(Natur~)* explorer

Forschung ['fɔrʃʊŋ] f research

Forst [fɔrst] (-(e)s, -e) m forest

Förster ['fœrstər] (-s, -) m forester; *(für Wild)* gamekeeper

fort [fɔrt] adv away; *(verschwunden)* gone; *(vorwärts)* on; **und so** ~ and so on; **in einem** ~ on and on; **~bestehen** *(unreg)* vi to survive; **~bewegen** vt, vr to move away; **~bilden** vr to continue one's education; **~bleiben** *(unreg)* vi to stay away; **F~dauer** f continuance; **~fahren** *(unreg)* vi to depart; *(fortsetzen)* to go on, to continue; **~führen** vt to continue, to carry on; **~gehen** *(unreg)* vi to go away; **~geschritten** adj advanced; **~müssen** *(unreg)* vi to have to go; **~pflanzen** vr to reproduce; **F~pflanzung** f reproduction

fortschaffen vt to remove

fortschreiten *(unreg)* vi to advance

Fortschritt ['fɔrtʃrɪt] m advance; **~e machen** to make progress; **f~lich** adj progressive

fort- *zW:* **~setzen** vt to continue; **F~setzung** f continuation; *(folgender Teil)* instalment; **F~setzung folgt** to be continued; **~während** adj incessant, continual

Foto ['foːto] (-s, -s) nt photo(graph); **~apparat** m camera; **~'graf** m photographer; **~gra'fie** f photography; *(Bild)* photograph; **f~gra'fieren** vt to photograph ♦ vi to take photographs; **~kopie** f photocopy

Fr. abk (= Frau) Mrs, Ms

Fracht [fraxt] (-, -en) f freight; *(NAUT)* cargo; *(Preis)* carriage; ~ **zahlt Empfänger** *(COMM)* carriage forward; **~er** (-s, -) m freighter, cargo boat; **~gut** nt freight

Frack [frak] (-(e)s, ⸚e) m tails pl

Frage ['fraːgə] (-, -n) f question; **etw in ~ stellen** to question sth; **jdm eine ~ stellen** to ask sb a question, to put a question to

sb; **nicht in** ~ **kommen** to be out of the question; **~bogen** m questionnaire; **f~n** vt, vi to ask; **~zeichen** nt question mark

fraglich adj questionable, doubtful

fraglos adv unquestionably

Fragment [fra'gmɛnt] nt fragment

fragwürdig ['fraːkvʏrdɪç] adj questionable, dubious

Fraktion [fraktsi'oːn] f parliamentary party

frankieren [fraŋ'kiːrən] vt to stamp, to frank

franko ['fraŋko] adv post-paid; carriage paid

Frankreich ['fraŋkraɪç] (-s) nt France

Franse ['franzə] f fringe

Franzose [fran'tsoːzə] m Frenchman

Französin [fran'tsøːzɪn] f Frenchwoman

französisch adj French

fraß etc [fras] vb siehe **fressen**

Fratze ['fratsə] f grimace

Frau [frau] (-, -en) f woman; *(Ehe~)* wife; *(Anrede)* Mrs, Ms; ~ **Doktor** Doctor; **~enarzt** m gynaecologist; **~enbewegung** f feminist movement; **~enzimmer** nt female, broad *(US)*

Fräulein ['frɔʏlaɪn] nt young lady; *(Anrede)* Miss, Ms

fraulich ['fraulɪç] adj womanly

frech [frɛç] adj cheeky, impudent; **F~heit** f cheek, impudence

frei [fraɪ] adj free; *(Stelle, Sitzplatz)* free, vacant; *(Mitarbeiter)* freelance; *(unbekleidet)* bare; **sich** dat **einen Tag** ~ **nehmen** to take a day off; **von etw** ~ **sein** to be free of sth; **im F~en** in the open air; ~ **sprechen** to talk without notes; ~ **Haus** *(COMM)* carriage paid; ~ **er Wettbewerb** fair/open competition; **F~bad** nt open-air swimming pool; **~bekommen** *(unreg)* vt: **jdn ~bekommen** to get sb freed; **einen Tag ~bekommen** to get a day off; **~gebig** adj generous; **~halten** *(unreg)* vt to keep free; **~händig** adv *(fahren)* with no hands; **F~heit** f freedom; **~heitlich** adj liberal; **F~heitsstrafe** f prison sentence; **F~karte** f free ticket; **~lassen** *(unreg)* vt to (set) free; **~legen** vt to expose; **~lich** adv certainly, admittedly; **ja ~lich** yes of course; **F~lichtbühne** f open-air theatre; **F~lichtmuseum** nt open-air museum; **~machen** vt *(Post)* to frank ♦ vr to arrange to be free; *(entkleiden)* to undress; **Tage ~machen** to take days off; **~sprechen** *(unreg)* vt: **~sprechen (von)** to acquit (of); **F~spruch** m acquittal; **~stehen** *(unreg)* vi: **es steht dir** ~, **das zu tun** you're free to do that ♦ vt *(leerstehen: Wohnung, Haus)* to lie/stand empty; **~stellen** vt: **jdm etw ~stellen** to leave sth (up) to sb; **F~stoß** m free kick

Freitag m Friday; **f~s** adv on Fridays

frei- *zW:* **~willig** adj voluntary; **F~zeit** f

spare *od* free time; **F~zeitzentrum** *nt* leisure centre; **~zügig** *adj* liberal, broadminded; (*mit Geld*) generous

fremd [frɛmt] *adj* (*unvertraut*) strange; (*ausländisch*) foreign; (*nicht eigen*) someone else's; **etw ist jdm ~** sth is foreign to sb; **~artig** *adj* strange; **f~enführer** *m* (*tourist*) guide; **F~enverkehr** *m* tourism; **F~enzimmer** *nt* guest room; **f~körper** *m* foreign body; **~ländisch** *adj* foreign; **F~sprache** *f* foreign language; **F~wort** *nt* foreign *od* loan word

Frequenz [fre'kvɛnts] *f* (*RAD*) frequency

fressen ['frɛsən] (*unreg*) *vt, vi* to eat

Freude ['frɔydə] *f* joy, delight

freudig *adj* joyful, happy

freuen ['frɔyən] *vt unpers* to make happy *od* pleased ♦ *vr* to be glad *od* happy; **freut mich!** pleased to meet you; **sich auf etw akk ~** to look forward to sth; **sich über etw akk ~** to be pleased about sth

Freund [frɔynt] (-(e)s, -e) *m* friend; boyfriend; **~in** [-dɪn] *f* friend; girlfriend; **f~lich** *adj* kind, friendly; **f~licherweise** *adv* kindly; **~lichkeit** *f* friendliness, kindness; **~schaft** *f* friendship; **f~schaftlich** *adj* friendly

Frieden ['fri:dən] (-s, -) *m* peace; **im ~** in peacetime

Friedens- *zW:* **~schluß** *m* peace agreement; **~vertrag** *m* peace treaty; **~zeit** *f* peacetime

fried- ['fri:t] *zW:* **~fertig** *adj* peaceable; **F~hof** *m* cemetery; **~lich** *adj* peaceful

frieren ['fri:rən] (*unreg*) *vt, vi* to freeze; **ich friere, es friert mich** I'm freezing, I'm cold

Friesland *nt* Friesland

frigid(e) [fri'gi:t, fri'gi:də] *adj* frigid

Frikadelle [frika'dɛlə] *f* rissole

Frikassee [frika'se:] (-s, -s) *nt* (*KOCH*) fricassee

frisch [frɪʃ] *adj* fresh; (*lebhaft*) lively; **~ gestrichen!** wet paint!; **sich ~ machen** to freshen (o.s.) up; **F~e** *f* freshness; liveliness

Friseur [fri'zø:r] *m* hairdresser

Friseuse [fri'zø:zə] *f* hairdresser

frisieren [fri'zi:rən] *vt* to do (one's hair); (*fig: Abrechnung*) to fiddle, to doctor ♦ *vr* to do one's hair

Frisiersalon *m* hairdressing salon

frißt *etc* [frɪst] *vb siehe* **fressen**

Frist (-, -en) *f* period; (*Termin*) deadline; **f~gerecht** *adj* within the stipulated time *od* period; **f~los** *adj* (*Entlassung*) instant

Frisur [fri'zu:r] *f* hairdo, hairstyle

frivol [fri'vo:l] *adj* frivolous

froh [fro:] *adj* happy, cheerful; **ich bin ~, daß ...** I'm glad that ...

fröhlich ['frø:lɪç] *adj* merry, happy; **F~keit** *f* merriness, gaiety

fromm [frɔm] *adj* pious, good; (*Wunsch*) idle

Frömmigkeit ['frœmɪçkaɪt] *f* piety

Fronleichnam [fro:n'laɪçna:m] (-(e)s) *m* Corpus Christi

Front [frɔnt] (-, -en) *f* front; **f~al** [frɔn'ta:l] *adj* frontal

fror *etc* [fro:r] *vb siehe* **frieren**

Frosch [frɔʃ] (-(e)s, -e) *m* frog; (*Feuerwerk*) squib; **~mann** *m* frogman; **~schenkel** *m* frog's leg

Frost [frɔst] (-(e)s, -e) *m* frost; **~beule** *f* chilblain

frösteln ['frœstəln] *vi* to shiver

frostig *adj* frosty

Frostschutzmittel *nt* anti-freeze

Frottee [frɔ'te:] (-(s), -s) *nt od m* towelling

Frottier(hand)tuch [frɔ'ti:r(hant)tu:x] *nt* towel

Frucht [fruxt] (-, -e) *f* (*auch fig*) fruit; (*Getreide*) corn; **f~bar** *adj* fruitful, fertile; **~barkeit** *f* fertility; **f~ig** *adj* (*Geschmack*) fruity; **f~los** *adj* fruitless; **~saft** *m* fruit juice

früh [fry:] *adj, adv* early; **heute ~** this morning; **F~aufsteher** (-s, -) *m* early riser; **F~e** *f* early morning; **~er** *adj* earlier; (*ehemalig*) former ♦ *adv* formerly; **~er war das anders** that used to be different; **~estens** *adv* at the earliest; **F~jahr** *nt* spring; **F~ling** *m* spring; **~reif** *adj* precocious; **F~stück** *nt* breakfast; **~stücken** *vi* to (have) breakfast; **F~stücksbüfett** *nt* breakfast buffet; **~zeitig** *adj* early; (*pej*) untimely

frustrieren [frus'tri:rən] *vt* to frustrate

Fuchs [fuks] (-es, -e) *m* fox

fuchsen (*umg*) *vt* to rile, to annoy

fuchsteufelswild *adj* hopping mad

fuchteln ['fuxtəln] *vi* to gesticulate wildly

Fuge ['fu:gə] *f* joint; (*MUS*) fugue

fügen ['fy:gən] *vt* to place, to join ♦ *vr:* **sich ~ (in +akk)** to be obedient (to); (*anpassen*) to adapt oneself (to) ♦ *vr* (*unpers*) to happen

fügsam ['fy:kza:m] *adj* obedient

fühl- *zW:* **~bar** *adj* perceptible, noticeable; **~en** *vt, vi, vr* to feel; **F~er** (-s, -) *m* feeler

fuhr *etc* [fu:r] *vb siehe* **fahren**

führen ['fy:rən] *vt* to lead; (*Geschäft*) to run; (*Name*) to bear; (*Buch*) to keep ♦ *vi* to lead ♦ *vr* to behave

Führer ['fy:rər] (-s, -) *m* leader; (*Fremden~*) guide; **~schein** *m* driving licence

Führung ['fy:ruŋ] *f* leadership; (*eines Unternehmens*) management; (*MIL*) command; (*Benehmen*) conduct; (*Museums~*) conducted tour; **~szeugnis** *nt* certificate of good conduct

Fülle ['fylə] *f* wealth, abundance; **f~n** *vt* to fill; (*KOCH*) to stuff ♦ *vr* to fill (up)

Füllen (-s, -) *nt* foal

Füller (-s, -) *m* fountain pen

Füllfederhalter *m* fountain pen

Füllung f filling; (*Holz~*) panel
fummeln ['fʊməln] (*umg*) vi to fumble
Fund [fʊnt] (-(e)s, -e) m find
Fundament [-da'mɛnt] nt foundation; **fun‐
damen'tal** adj fundamental
Fundbüro nt lost property office, lost and
found (*US*)
Fundgrube f (*fig*) treasure trove
fundiert [fun'diːrt] adj sound
fünf [fynf] num five; **~hundert** num five
hundred; **F~kampf** m pentathlon; **~te(r,
s)** adj fifth; **F~tel** (-s, -) nt fifth; **~zehn**
num fifteen; **~zig** num fifty
Funk [fʊŋk] (-s) m radio, wireless; **~e (-ns,
-n)** m (*auch fig*) spark; **f~eln** vi to sparkle;
~en (-s, e) m (*auch fig*) spark; **f~en** vi
(*durch Funk*) to signal, to radio; (*umg: rich‐
tig funktionieren*) to work ♦ vt (*Funken
sprühen*) to shower with sparks; **endlich
hat es bei ihm gef~t** (*umg*) the penny has
finally dropped, he's finally got it; **~er (-s,
-)** m radio operator; **~gerät** nt radio set;
~rufempfänger m pager, paging device;
~streife f police radio patrol; **~telefon** nt
cellphone
Funktion [fʊŋktsi'oːn] f function; **f~ieren**
[-'niːrən] vi to work, to function
für [fyːr] präp +akk for; **was ~** what kind
od sort of; **das F~ und Wider** the pros and
cons pl; **Schritt ~ Schritt** step by step;
F~bitte f intercession
Furche [fʊrçə] f furrow
Furcht [fʊrçt] (-) f fear; **f~bar** adj terrible,
frightful
fürchten ['fʏrçtən] vt to be afraid of, to
fear ♦ vr: **sich ~ (vor +dat)** to be afraid
(of)
fürchterlich adj awful
furchtlos adj fearless
furchtsam adj timid
füreinander [fyːr'aɪ'nandər] adv for each
other
Furnier [fʊr'niːr] (-s, -e) nt veneer
fürs [fyːrs] = **für das**
Fürsorge ['fyːrzɔrgə] f care; (*Sozial~*) wel‐
fare; **~r(in) (-s, -)** m(f) welfare worker;
~unterstützung f social security, welfare
benefit (*US*); **fürsorglich** adj attentive, car‐
ing
Fürsprache f recommendation; (*um
Gnade*) intercession
Fürsprecher m advocate
Fürst [fʏrst] (-en, -en) m prince; **~entum**
nt principality; **~in** f princess; **f~lich** adj
princely
Furunkel [fu'rʊŋkəl] (-s, -) nt od m (*MED*)
boil
Fuß [fuːs] (-es, ⁼e) m foot; (*von Glas, Säule
etc*) base; (*von Möbel*) leg; **zu ~** on foot;
~ball m football; **~ballplatz** m football
pitch; **~ballspiel** nt football match;
~ballspieler m footballer; **~boden** m

floor; **~bremse** f (*AUT*) footbrake; **~ende**
nt foot; **~gänger(in) (-s, -)** m(f) pedestrian;
~gängerzone f pedestrian precinct; **~na‐
gel** m toenail; **~note** f footnote; **~spur** f
footprint; **~tritt** m kick; (*Spur*) footstep;
~weg m footpath
Futter ['fʊtər] (-s, -) nt fodder, feed; (*Stoff*)
lining; **~al (-'raːl) (-s, -e)** nt case
füttern ['fʏtərn] vt to feed; (*Kleidung*) to
line
Futur [fu'tuːr] (-s, -e) nt future

G g

g abk = **Gramm**
gab etc [gaːp] vb siehe **geben**
Gabe ['gaːbə] f gift
Gabel ['gaːbəl] (-, -n) f fork; **~ung** f fork
gackern ['gakərn] vi to cackle
gaffen ['gafən] vi to gape
Gage ['gaːʒə] f fee; salary
gähnen ['gɛːnən] vi to yawn
Galerie [galə'riː] f gallery
Galgen ['galgən] (-s, -) m gallows sg;
~frist f respite; **~humor** m macabre hu‐
mour
Galle ['galə] f gall; (*Organ*) gall-bladder;
~nstein m gallstone
Galopp [ga'lɔp] (-s, -s od -e) m gallop;
g~ieren [-'piːrən] vi to gallop
Gamasche [ga'maʃə] f gaiter; (*kurz*) spat
gammeln ['gaməln] (*umg*) vi to bum
around
Gammler(in) (-s, -; pej) m(f) layabout,
loafer (*inf*)
Gang [gaŋ] (-(e)s, ⁼e) m walk; (*Boten~*) er‐
rand; (*~art*) gait; (*Abschnitt eines Vorgangs*)
operation; (*Essens~, Ablauf*) course; (*Flur
etc*) corridor; (*Durch~*) passage; (*TECH*)
gear; **in ~ bringen** to start up; (*fig*) to get
off the ground; **in ~ sein** to be in opera‐
tion; (*fig*) to be under way
gang adj: **~ und gäbe** usual, normal
gängig ['gɛŋɪç] adj common, current;
(*Ware*) in demand, selling well
Ganove [ga'noːvə] (-n, -n; umg) m crook
Gans [gans] (-, ⁼e) f goose
Gänse- ['gɛnzə] zW: **~blümchen** nt daisy;
~füßchen (*umg*) pl (*Anführungszeichen*)
inverted commas; **~haut** f goose pimples
pl; **~marsch** m: **im ~marsch** in single file;
~rich (-s, -e) m gander
ganz [gants] adj whole; (*vollständig*) com‐

plete ♦ *adv* quite; (*völlig*) completely; ~ **Europa** all Europe; **sein ~es Geld** all his money; ~ **und gar nicht** not at all; **es sieht ~ so aus** it really looks like it; **aufs G~e gehen** to go for the lot

gänzlich ['gɛntslɪç] *adj* complete, entire ♦ *adv* completely, entirely

Ganztagsschule *f* all-day school

gar [gaːr] *adj* cooked, done ♦ *adv* quite; ~ **nicht/nichts/keiner** not/nothing/nobody at all; ~ **nicht schlecht** not bad at all

Garage [ga'raːʒə] *f* garage

Garantie [garan'tiː] *f* guarantee; **g~ren** *vt* to guarantee; **er kommt g~rt** he's guaranteed to come

Garbe ['garbə] *f* sheaf; (*MIL*) burst of fire

Garde *f* guard

Garderobe [gardə'roːbə] *f* wardrobe; (*Abgabe*) cloakroom; **~nfrau** *f* cloakroom attendant

Gardine [gar'diːnə] *f* curtain

garen ['gaːrən] *vt, vi* to cook

gären ['gɛːrən] (*unreg*) *vi* to ferment

Garn [garn] (-(e)s, -e) *nt* thread; yarn (*auch fig*)

Garnele [gar'neːlə] *f* shrimp, prawn

garnieren [gar'niːrən] *vt* to decorate; (*Speisen, fig*) to garnish

Garnison [garni'zoːn] (-, -en) *f* garrison

Garnitur [garni'tuːr] *f* (*Satz*) set; (*Unterwäsche*) set of (matching) underwear; **erste ~** (*fig*) top rank; **zweite ~** second rate

garstig ['garstɪç] *adj* nasty, horrid

Garten ['gartən] (-s, ⸚) *m* garden; **~arbeit** *f* gardening; **~gerät** *nt* gardening tool; **~haus** *nt* summerhouse; **~lokal** *nt* beer garden; **~schere** *f* pruning shears *pl*; **~tür** *f* garden gate

Gärtner(in) ['gɛrtnər(ɪn)] (-s, -) *m(f)* gardener; **~ei** [-'raɪ] *f* nursery; (*Gemüse~*) market garden (*BRIT*), truck farm (*US*)

Gärung ['gɛːrʊŋ] *f* fermentation

Gas [gaːs] (-es, -e) *nt* gas; ~ **geben** (*AUT*) to accelerate, to step on the gas; **~hahn** *m* gas tap; **~herd** *m* gas cooker; **~kocher** *m* gas cooker; **~leitung** *f* gas pipe; **~pedal** *nt* accelerator, gas pedal

Gasse ['gasə] *f* lane, alley

Gast [gast] (-es, ⸚e) *m* guest; (*in Lokal*) patron; **bei jdm zu ~ sein** to be sb's guest; **~arbeiter(in)** *m(f)* foreign worker

Gästebuch ['gɛstəbuːx] *nt* visitors' book, guest book

Gast- *zW*: **g~freundlich** *adj* hospitable; **~geber** (-s, -) *m* host; **~geberin** *f* hostess; **~haus** *nt* hotel, inn; **~hof** *m* hotel, inn; **g~ieren** [-'tiːrən] *vi* (*THEAT*) to (appear as a) guest; **g~lich** *adj* hospitable; **~rolle** *f* guest role; **~spiel** *nt* (*THEAT*) guest performance; **~stätte** *f* restaurant; pub; **~wirt** *m* innkeeper; **~wirtschaft** *f* hotel, inn; **~zimmer** *nt* (guest) room

Gaswerk *nt* gasworks *sg*

Gaszähler *m* gas meter

Gatte ['gatə] (-n, -n) *m* husband, spouse

Gatter ['gatər] (-s, -) *nt* railing, grating; (*Eingang*) gate

Gattin *f* wife, spouse

Gattung ['gatʊŋ] *f* genus; kind

Gaudi ['gaudi] (*umg; SÜDD, ÖSTERR*) *nt od f* fun

Gaul [gaul] (-(e)s, Gäule) *m* horse; nag

Gaumen ['gaumən] (-s, -) *m* palate

Gauner ['gaunər] (-s, -) *m* rogue; **~ei** [-'raɪ] *f* swindle

Gaze ['gaːzə] *f* gauze

geb. *abk* = **geboren**

Gebäck [gə'bɛk] (-(e)s, -e) *nt* pastry

gebacken [gə'bakən] *adj* baked; (*gebraten*) fried

Gebälk [gə'bɛlk] (-(e)s) *nt* timberwork

Gebärde [gə'bɛːrdə] *f* gesture; **g~n** *vr* to behave

gebären [gə'bɛːrən] (*unreg*) *vt* to give birth to, to bear

Gebärmutter *f* uterus, womb

Gebäude [gə'bɔydə] (-s, -) *nt* building; **~komplex** *m* (building) complex

Gebell [gə'bɛl] (-(e)s) *nt* barking

geben ['geːbən] (*unreg*) *vt, vi* to give; (*Karten*) to deal ♦ *vb unpers*: **es gibt** there is/are; **there will be** ♦ *vr* (*sich verhalten*) to behave, to act; (*aufhören*) to abate; **jdm etw ~** to give sb sth *od* sth to sb; **ein Wort gab das andere** one angry word led to another; **was gibt's?** what's up?; **was gibt es im Kino?** what's on at the cinema?; **sich geschlagen ~** to admit defeat; **das wird sich schon ~** that'll soon sort itself out

Gebet [gə'beːt] (-(e)s, -e) *nt* prayer

gebeten *vb siehe* **bitten**

Gebiet [gə'biːt] (-(e)s, -e) *nt* area; (*Hoheits~*) territory; (*fig*) field; **g~en** (*unreg*) *vt* to command, to demand; **g~erisch** *adj* imperious

Gebilde [gə'bɪldə] (-s, -) *nt* object

gebildet *adj* cultured, educated

Gebirge [gə'bɪrgə] (-s, -) *nt* mountain chain

Gebiß [gə'bɪs] (-sses, -sse) *nt* teeth *pl*; (*künstlich*) dentures *pl*

gebissen *vb siehe* **beißen**

geblieben [gə'bliːbən] *vb siehe* **bleiben**

geblümt [gə'blyːmt] *adj* (*Kleid, Stoff, Tapete*) floral

geboren [gə'boːrən] *adj* born; (*Frau*) née

geborgen [gə'bɔrgən] *adj* secure, safe

Gebot [gə'boːt] (-(e)s, -e) *nt* command; (*REL*) commandment; (*bei Auktion*) bid

geboten *vb siehe* **bieten**

Gebr. *abk* (= *Gebrüder*) Bros.

gebracht [gə'braxt] *vb siehe* **bringen**

gebraten [gə'braːtən] *adj* fried

Gebräu [gə'brɔy] (-(e)s, -e) *nt* concoction

Gebrauch [gə'braux] (-(e)s, Gebräuche) *m*

use; (*Sitte*) custom; **g~en** *vt* to use

gebräuchlich [gəˈbrɔʏçlɪç] *adj* usual, customary

Gebrauchs- *zW*: **~anweisung** *f* directions *pl* for use; **g~fertig** *adj* ready for use; **~gegenstand** *m* commodity

gebraucht [gəˈbraʊxt] *adj* used; **G~wagen** *m* secondhand *od* used car

gebrechlich [gəˈbrɛçlɪç] *adj* frail

gebrochen [gəˈbrɔxən] *adj* broken

Gebrüder [gəˈbryːdər] *pl* brothers

Gebrüll [gəˈbrʏl] (**-(e)s**) *nt* roaring

Gebühr [gəˈbyːr] (**-, -en**) *f* charge, fee; **nach ~** fittingly; **über ~** unduly; **g~en** *vi*: jdm **g~en** to be sb's due *od* due to sb ♦ *vr* to be fitting; **g~end** *adj* fitting, appropriate ♦ *adv* fittingly, appropriately

Gebühren- *zW*: **~einheit** *f* (*TEL*) unit; **~erlaß** *m* remission of fees; **~ermäßigung** *f* reduction of fees; **g~frei** *adj* free of charge; **g~pflichtig** *adj* subject to a charge

gebunden [gəˈbʊndən] *vb siehe* **binden**

Geburt [gəˈbuːrt] (**-, -en**) *f* birth

Geburtenkontrolle *f* birth control

Geburtenreglung *f* birth control

gebürtig [gəˈbʏrtɪç] *adj* born in, native of; **~e Schweizerin** native of Switzerland

Geburts- *zW*: **~anzeige** *f* birth notice; **~datum** *nt* date of birth; **~jahr** *nt* year of birth; **~ort** *m* birthplace; **~tag** *m* birthday; **~urkunde** *f* birth certificate

Gebüsch [gəˈbyʃ] (**-(e)s, -e**) *nt* bushes *pl*

gedacht [gəˈdaxt] *vb siehe* **denken**

Gedächtnis [gəˈdɛçtnɪs] (**-ses, -se**) *nt* memory; **~feier** *f* commemoration

Gedanke [gəˈdaŋkə] (**-ns, -n**) *m* thought; **sich über etw** *akk* **~n machen** to think about sth

Gedanken- *zW*: **~austausch** *m* exchange of ideas; **g~los** *adj* thoughtless; **~strich** *m* dash; **~übertragung** *f* thought transference, telepathy

Gedeck [gəˈdɛk] (**-(e)s, -e**) *nt* cover(ing); (*Speisenfolge*) menu; **ein ~ auflegen** to lay a place

gedeihen [gəˈdaɪən] (*unreg*) *vi* to thrive, to prosper

Gedenken [gəˈdɛŋkən] *nt*: **zum ~ an jdn** in memory of sb; **g~** (*unreg*) *vi* +*gen* (*sich erinnern*) to remember; (*beabsichtigen*) to intend

Gedenk- *zW*: **~feier** *f* commemoration; **~minute** *f* minute's silence; **~tag** *m* remembrance day

Gedicht [gəˈdɪçt] (**-(e)s, -e**) *nt* poem

gediegen [gəˈdiːgən] *adj* (good) quality; (*Mensch*) reliable, honest

Gedränge [gəˈdrɛŋə] (**-s**) *nt* crush, crowd; **ins ~ kommen** (*fig*) to get into difficulties

gedrängt *adj* compressed; **~ voll** packed

gedrückt *adj* (*deprimiert*) low, depressed

gedrungen [gəˈdrʊŋən] *adj* thickset, stocky

Geduld [gəˈdʊlt] (**-**) *f* patience; **g~en** [gəˈdʊldən] *vr* to be patient; **g~ig** *adj* patient, forbearing; **~sprobe** *f* trial of (one's) patience

gedurft [gəˈdʊrft] *vb siehe* **dürfen**

geehrt [gəˈeːrt] *adj*: **Sehr ~e Frau X!** Dear Mrs X

geeignet [gəˈaɪgnət] *adj* suitable

Gefahr [gəˈfaːr] (**-, -en**) *f* danger; **~ laufen, etw zu tun** to run the risk of doing sth; **auf eigene ~** at one's own risk

gefährden [gəˈfɛːrdən] *vt* to endanger

Gefahrenquelle *f* source of danger

Gefahrenzulage *f* danger money

gefährlich [gəˈfɛːrlɪç] *adj* dangerous

Gefährte [gəˈfɛːrtə] (**-n, -n**) *m* companion; (*Lebenspartner*) partner

Gefährtin *f* (female) companion; (*Lebenspartner*) (female) partner

Gefälle [gəˈfɛlə] (**-s, -**) *nt* gradient, incline

Gefallen¹ [gəˈfalən] (**-s, -**) *m* favour

Gefallen² (**-s**) *nt* pleasure; **an etw** *dat* **Gefallen finden** to derive pleasure from sth

gefallen *pp von* **fallen** ♦ *vi*: **jdm ~** to please sb; **er/es gefällt mir** I like him/it; **das gefällt mir an ihm** that's one thing I like about him; **sich** *dat* **etw ~ lassen** to put up with sth

gefällig [gəˈfɛlɪç] *adj* (*hilfsbereit*) obliging; (*erfreulich*) pleasant; **G~keit** *f* favour; helpfulness; **etw aus G~keit tun** to do sth out of the goodness of one's heart

gefälligst *adv* kindly

gefangen [gəˈfaŋən] *adj* captured; (*fig*) captivated; **G~e(r)** *m(f)* prisoner, captive; **~halten** (*unreg*) *vt* to keep prisoner; **G~nahme** *f* capture; **~nehmen** (*unreg*) *vt* to take prisoner; **G~schaft** *f* captivity

Gefängnis [gəˈfɛŋnɪs] (**-ses, -se**) *nt* prison; **~strafe** *f* prison sentence; **~wärter** *m* prison warder; **~zelle** *f* prison cell

Gefäß [gəˈfɛːs] (**-es, -e**) *nt* vessel (*auch ANAT*), container

gefaßt [gəˈfast] *adj* composed, calm; **auf etw** *akk* **~ sein** to be prepared *od* ready for sth

Gefecht [gəˈfɛçt] (**-(e)s, -e**) *nt* fight; (*MIL*) engagement

Gefieder [gəˈfiːdər] (**-s, -**) *nt* plumage, feathers *pl*

gefleckt [gəˈflɛkt] *adj* spotted, mottled

geflogen [gəˈfloːgən] *vb siehe* **fliegen**

geflossen [gəˈflɔsən] *vb siehe* **fließen**

Geflügel [gəˈflyːgəl] (**-s**) *nt* poultry

Gefolge [gəˈfɔlgə] (**-s, -**) *nt* retinue

Gefolgschaft *f* following

gefragt [gəˈfraːkt] *adj* in demand

gefräßig [gəˈfrɛːsɪç] *adj* voracious

Gefreite(r) [gəˈfraɪtə(r)] *m* lance corporal; (*NAUT*) able seaman; (*AVIAT*) aircraftman

gefrieren [gəˈfriːrən] (*unreg*) *vi* to freeze

Gefrier- zW: **~fach** nt icebox; **~fleisch** nt frozen meat; **g~getrocknet** [-gətrɔknət] adj freeze-dried; **~punkt** m freezing point; **~schutzmittel** nt antifreeze; **~truhe** f deep-freeze

gefroren [gə'froːrən] vb siehe **frieren**

Gefühl [gə'fyːl] (-(e)s, -e) nt feeling; **etw im ~ haben** to have a feel for sth; **g~los** adj unfeeling

gefühls- zW: **~betont** adj emotional; **G~duselei** [-duːzə'laɪ] f over-sentimentality; **~mäßig** adj instinctive

gefüllt [gə'fvlt] adj (KOCH) stuffed

gefunden [gə'fundən] vb siehe **finden**

gegangen [gə'gaŋən] vb siehe **gehen**

gegeben [gə'geːbən] vb siehe **geben** ♦ adj given; **zu ~er Zeit** in good time

gegebenenfalls [gə'geːbənənfals] adv if need be

SCHLÜSSELWORT

gegen ['geːgən] präp +akk **1** against; **nichts gegen jdn haben** to have nothing against sb; **X gegen Y** (SPORT, JUR) X versus Y; **ein Mittel gegen Schnupfen** something for colds

2 (in Richtung auf) towards; **gegen Osten** to(wards) the east; **gegen Abend** towards evening; **gegen einen Baum fahren** to drive into a tree

3 (ungefähr) round about; **gegen 3 Uhr** around 3 o'clock

4 (gegenüber) towards; (ungefähr) around; **gerecht gegen alle** fair to all

5 (im Austausch für) for; **gegen bar** for cash; **gegen Quittung** against a receipt

6 (verglichen mit) compared with

Gegenangriff m counter-attack

Gegenbeweis m counter-evidence

Gegend ['geːgənt] (-, -en) f area, district

Gegen- zW: **g~ei'nander** adv against one another; **~fahrbahn** f oncoming carriageway; **~frage** f counter-question; **~gewicht** nt counterbalance; **~gift** nt antidote; **~leistung** f service in return; **~mittel** nt antidote, cure; **~satz** m contrast; **~sätze überbrücken** to overcome differences; **g~sätzlich** adj contrary, opposite; (widersprüchlich) contradictory; **g~seitig** adj mutual, reciprocal; **sich g~seitig helfen** to help each other; **~spieler** m opponent; **~stand** m object; **~stimme** f vote against; **~stoß** m counterblow; **~stück** nt counterpart; **~teil** nt opposite; **im ~teil** on the contrary; **g~teilig** adj opposite, contrary

gegenüber [geːgən''yːbər] präp +dat opposite; (zu) to(wards); (angesichts) in the face of ♦ adv opposite; **G~** (-s, -) nt person opposite; **~liegen** (unreg) vr to face each other; **~stehen** (unreg) vr to be opposed

(to each other); **~stellen** vt to confront; (fig) to contrast; **G~stellung** f confrontation; (fig) contrast; **~treten** (unreg) vi +dat to face

Gegen- zW: **~verkehr** m oncoming traffic; **~vorschlag** m counterproposal; **~wart** f present; **g~wärtig** adj present ♦ adv at present; **das ist mir nicht mehr g~wärtig** that has slipped my mind; **~wert** m equivalent; **~wind** m headwind; **g~zeichnen** vt, vi to countersign

gegessen [gə'gɛsən] vb siehe **essen**

Gegner ['geːgnər] (-s, -) m opponent; **g~isch** adj opposing; **~schaft** f opposition

gegr. abk (= gegründet) est.

gegrillt [gə'grɪlt] adj grilled

Gehackte(s) [gə'haktə(s)] nt mince(d meat)

Gehalt¹ [gə'halt] (-(e)s, -e) m content

Gehalt² (-(e)s, ⁼er) nt salary

Gehalts- zW: **~empfänger** m salary earner; **~erhöhung** f salary increase; **~zulage** f salary increment

gehaltvoll adj (nahrhaft) nutritious

gehässig [gə'hɛsɪç] adj spiteful, nasty

Gehäuse [gə'hɔyzə] (-s, -) nt case; casing; (von Apfel etc) core

Gehege [gə'heːgə] (-s, -) nt reserve; (im Zoo) enclosure

geheim [gə'haɪm] adj secret; **G~dienst** m secret service, intelligence service; **~halten** (unreg) vr to keep secret; **G~nis** (-ses, -se) nt secret; mystery; **~nisvoll** adj mysterious; **G~nummer** f (TEL) secret number; **G~polizei** f secret police

gehemmt [gə'hɛmt] adj inhibited, self-conscious

gehen ['geːən] (unreg) vt, vi to go; (zu Fuß ~) to walk ♦ vb unpers: **wie geht es (dir)?** how are you od things?; **~ nach** (Fenster) to face; **mir/ihm geht es gut** I'm/he's (doing) fine; **geht das?** is that possible?; **geht's noch?** can you manage?; **es geht** not too bad, O.K.; **das geht nicht** that's not on; **es geht um etw** sth is concerned, it's about sth

gehenlassen (unreg) vr (unbeherrscht sein) to lose control (of o.s.) ♦ vt to let/leave alone; **laß mich gehen!** leave me alone!

geheuer [gə'hɔyər] adj: **nicht ~** eerie; (fragwürdig) dubious

Gehilfe [gə'hɪlfə] (-n, -n) m assistant

Gehilfin f assistant

Gehirn [gə'hɪrn] (-(e)s, -e) nt brain; **~erschütterung** f concussion; **~wäsche** f brainwashing

gehoben [gə'hoːbən] pp of **heben** ♦ adj (Position) elevated; high

geholfen vb siehe **helfen**

Gehör [gə'høːr] (-(e)s) nt hearing; **musikalisches ~** ear; **~ finden** to gain a hearing; **jdm ~ schenken** to give sb a hearing

gehorchen [gə'hɔrçən] vi +dat to obey
gehören [gə'hø:rən] vi to belong ♦ vr *unpers* to be right *od* proper
gehörig adj proper; ~ **zu** *od* +dat belonging to; part of
gehorsam [gə'ho:rza:m] adj obedient; **G~** (**-s**) m obedience
Gehsteig ['ge:ʃtaɪk] m pavement, sidewalk (US)
Gehweg ['ge:ve:k] m pavement, sidewalk (US)
Geier ['gaɪər] (**-s**, -) m vulture
Geige ['gaɪgə] f violin
Geiger (**-s**, -) m violinist
Geigerzähler m geiger counter
geil [gaɪl] adj randy (BRIT), horny (US)
Geisel ['gaɪzəl] (-, -n) f hostage
Geist [gaɪst] (-(e)s, -er) m spirit; (*Gespenst*) ghost; (*Verstand*) mind
geisterhaft adj ghostly
Geistes- zW: **g~abwesend** adj absentminded; **~blitz** m brainwave; **~gegenwart** f presence of mind; **g~krank** adj mentally ill; **~kranke(r)** mf mentally ill person; **~krankheit** f mental illness; **~wissenschaften** pl the arts; **~zustand** m state of mind
geist- zW: **~ig** adj intellectual; mental; (*Getränke*) alcoholic; **~ig behindert** mentally handicapped; **~lich** adj spiritual, religious; clerical; **G~liche(r)** m clergyman; **G~lichkeit** f clergy; **~los** adj uninspired, dull; **~reich** adj clever; witty; **~voll** adj intellectual; (*weise*) wise
Geiz [gaɪts] (-es) m miserliness, meanness; **g~en** vi to be miserly; **~hals** m miser; **g~ig** adj miserly, mean; **~kragen** m miser
gekannt [gə'kant] vb siehe **kennen**
geknickt [gə'knɪkt] adj (*fig*) dejected
gekonnt [gə'kɔnt] adj skilful ♦ vb siehe **können**
Gekritzel [gə'krɪtsəl] (-s) nt scrawl, scribble
gekünstelt [ge'kynstəlt] adj artificial, affected
Gel [ge:l] (-s, -e) nt gel
Gelächter [gə'lɛçtər] (-s, -) nt laughter
geladen [ge'la:dən] adj loaded; (ELEK) live; (*fig*) furious
Gelage [gə'la:gə] (-s, -) nt banquet
gelähmt [gə'lɛ:mt] adj paralysed
Gelände [gə'lɛndə] (-s, -) nt land, terrain; (*von Fabrik, Sport~*) grounds pl; (*Bau~*) site; **~lauf** m cross-country race
Geländer [gə'lɛndər] (-s, -) nt railing; (*Treppen~*) banister(s)
gelangen [gə'laŋən] vi: ~ (**an** +akk od **zu**) to reach; (*erwerben*) to attain; **in jds Besitz** ~ to come into sb's possession
gelangweilt [gə'laŋvaɪlt] adj bored
gelassen [gə'lasən] adj calm, composed; **G~heit** f calmness, composure
Gelatine [ʒela'ti:nə] f gelatine

geläufig [gə'lɔyfɪç] adj (*üblich*) common; **das ist mir nicht** ~ I'm not familiar with that
gelaunt [gə'laʊnt] adj: **schlecht/gut** ~ in a bad/good mood; **wie ist er** ~? what sort of mood is he in?
gelb [gɛlp] adj yellow; (*Ampellicht*) amber; **~lich** adj yellowish; **G~sucht** f jaundice
Geld [gɛlt] (-(e)s, -er) nt money; **etw zu** ~ **machen** to sell sth off; **~anlage** f investment; **~automat** m cash dispenser; **~beutel** m purse; **~börse** f purse; **~geber** (-s, -) m financial backer; **g~gierig** adj avaricious; **~schein** m banknote; **~schrank** m safe, strongbox; **~strafe** f fine; **~stück** nt coin; **~wechsel** m exchange (of money)
Gelee [ʒe'le:] (-s, -s) nt od m jelly
gelegen [gə'le:gən] adj situated; (*passend*) convenient, opportune ♦ vb siehe **liegen**; **etw kommt jdm** ~ sth is convenient for sb
Gelegenheit [gə'le:gənhaɪt] f opportunity; (*Anlaß*) occasion; **bei jeder** ~ at every opportunity; **~sarbeit** f casual work; **~skauf** m bargain
gelegentlich [gə'le:gəntlɪç] adj occasional ♦ adv occasionally; (*bei Gelegenheit*) some time (or other) ♦ präp +gen on the occasion of
gelehrt [gə'le:rt] adj learned; **G~e(r)** mf scholar; **G~heit** f scholarliness
Geleise [gə'laɪzə] (-s, -) nt = **Gleis**
Geleit [gə'laɪt] (-(e)s, -e) nt escort; **g~en** vt to escort
Gelenk [gə'lɛŋk] (-(e)s, -e) nt joint; **g~ig** adj supple
gelernt [gə'lɛrnt] adj skilled
Geliebte(r) [gə'li:ptə(r)] mf sweetheart, beloved
geliehen vb siehe **leihen**
gelind(e) [gə'lɪnt, gə'lɪndə] adj mild, light; (*fig: Wut*) fierce; **gelinde gesagt** to put it mildly
gelingen [gə'lɪŋən] (*unreg*) vi to succeed; **es ist mir gelungen, etw zu tun** I succeeded in doing sth
gell [gɛl] excl isn't it?; aren't you? etc
geloben [gə'lo:bən] vt, vi to vow, to swear
gelten ['gɛltən] (*unreg*) vt (*wert sein*) to be worth ♦ vi (*gültig sein*) to be valid; (*erlaubt sein*) to be allowed ♦ vb unpers: **es gilt, etw zu tun** it is necessary to do sth; **jdm viel/wenig** ~ to mean a lot/not to mean much to sb; **was gilt die Wette?** what do you bet?; **jdm** ~ (*gemünzt sein auf*) to be meant for *od* aimed at sb; **etw** ~ **lassen** to accept sth; **als** *od* **für etw** ~ to be considered to be sth; **jdm** *od* **für jdn** ~ (*betreffen*) to apply to *od* for sb; **~d** adj prevailing; **etw ~d machen** to assert sth; **sich ~d machen** to make itself/o.s. felt

Geltung ['gɛltʊŋ] f: ~ **haben** to have validity; **sich/etw** dat ~ **verschaffen** to establish one's position/the position of sth; **etw zur** ~ **bringen** to show sth to its best advantage; **zur** ~ **kommen** to be seen/heard etc to its best advantage

Geltungsbedürfnis nt desire for admiration

Gelübde [gə'lʏpdə] (-**s**, -) nt vow

gelungen [gə'lʊŋən] adj successful

gemächlich [gə'mɛːçlɪç] adj leisurely

Gemahl [gə'maːl] (-(**e**)**s**, -**e**) m husband; ~**in** f wife

Gemälde [gə'mɛːldə] (-**s**, -) nt picture, painting

gemäß [gə'mɛːs] präp +dat in accordance with ♦ adj (+dat) appropriate (to)

gemäßigt [gə'mɛːsɪçt] adj moderate; (Klima) temperate

gemein [gə'maɪn] adj common; (niederträchtig) mean; **etw** ~ **haben** (**mit**) to have sth in common (with)

Gemeinde [gə'maɪndə] f district, community; (Pfarr~) parish; (Kirchen~) congregation; ~**steuer** f local rates pl; ~**verwaltung** f local administration; ~**wahl** f local election

Gemein- zW: **g~gefährlich** adj dangerous to the public; ~**heit** f commonness; mean thing to do/to say; ~**platz** m commonplace, platitude; **g~sam** adj joint, common (auch MATH) ♦ adv together, jointly; **g~same Sache mit jdm machen** to be in cahoots with sb; **etw g~sam haben** to have sth in common; ~**samkeit** f community, having in common; ~**schaft** f community; **in** ~**schaft mit** jointly od together with; **g~schaftlich** adj = **gemeinsam**; ~**schaftsarbeit** f teamwork; team effort; ~**sinn** m public spirit

Gemenge [gə'mɛŋə] (-**s**, -) nt mixture; (Hand~) scuffle

gemessen [gə'mɛsən] adj measured

Gemetzel [gə'mɛtsəl] (-**s**, -) nt slaughter, carnage, butchery

Gemisch [gə'mɪʃ] (-**es**, -**e**) nt mixture; **g~t** adj mixed

gemocht [gə'mɔxt] vb siehe **mögen**

Gemse ['gɛmzə] f chamois

Gemurmel [gə'mʊrməl] (-**s**) nt murmur(ing)

Gemüse [gə'myːzə] (-**s**, -) nt vegetables pl; ~**garten** m vegetable garden; ~**händler** m greengrocer

gemußt vb siehe **müssen**

gemustert [gə'mʊstərt] adj patterned

Gemüt [gə'myːt] (-(**e**)**s**, -**er**) nt disposition, nature; person; **sich** dat **etw zu** ~**e führen** (umg) to indulge in sth; **die** ~**er erregen** to arouse strong feelings; **g~lich** adj comfortable, cosy; (Person) good-natured; ~**lichkeit** f comfortableness, cosiness; amiability

Gemüts- zW: ~**mensch** m sentimental person; ~**ruhe** f composure; ~**zustand** m state of mind

gemütvoll adj warm, tender

Gen [geːn] (-**s**, -**e**) nt gene

genannt [gə'nant] vb siehe **nennen**

genau [gə'naʊ] adj exact, precise ♦ adv exactly, precisely; **etw** ~ **nehmen** to take sth seriously; ~**genommen** adv strictly speaking; **G~igkeit** f exactness, accuracy; ~**so** adv just the same; ~**so gut** just as good

genehm [gə'neːm] adj agreeable, acceptable; ~**igen** vt to approve, to authorize; **sich** dat **etw** ~**igen** to indulge in sth; **G~igung** f approval, authorization; (Schriftstück) permit

General [gene'raːl] (-**s**, -**e** od **=e**) m general; ~**direktor** m director general; ~**konsulat** nt consulate general; ~**probe** f dress rehearsal; ~**streik** m general strike; **g~überholen** vt to overhaul thoroughly; ~**versammlung** f general meeting

Generation [generatsi'oːn] f generation

Generator [gene'raːtɔr] m generator, dynamo

generell [genə'rɛl] adj general

genesen [gə'neːzən] (unreg) vi to convalesce, to recover

Genesung f recovery, convalescence

genetisch [ge'neːtɪʃ] adj genetic

Genf [gɛnf] nt (GEOG) Geneva; **der** ~**er See** Lake Geneva

genial [geni'aːl] adj brilliant

Genick [gə'nɪk] (-(**e**)**s**, -**e**) nt (back of the) neck

Genie [ʒe'niː] (-**s**, -**s**) nt genius

genieren [ʒe'niːrən] vt to bother ♦ vr to feel awkward od self-conscious; **geniert es Sie, wenn ...?** do you mind if ...?

genießbar adj edible; drinkable

genießen [gə'niːsən] (unreg) vt to enjoy; to eat; to drink

Genießer (-**s**, -) m epicure; pleasure lover; **g~isch** adj appreciative ♦ adv with relish

genommen vb siehe **nehmen**

Genosse [gə'nɔsə] (-**n**, -**n**) m (bes POL) comrade, companion; ~**nschaft** f cooperative (association)

Genossin f (bes POL) comrade, companion

Gentechnologie ['geːntɛçnologiː] f genetic engineering

genug [gə'nuːk] adv enough

Genüge [gə'nyːgə] f: **jdm/etw** ~ **tun** od **leisten** to satisfy sb/sth; **g~n** vi (+dat) to be enough (for); **g~nd** adj sufficient

genügsam [gə'nyːkzaːm] adj modest, easily satisfied; **G~keit** f undemandingness

Genugtuung [gə'nuːktuːʊŋ] f satisfaction

Genuß [gə'nʊs] (-**sses**, **=sse**) m pleasure; (Zusichnehmen) consumption; **in den** ~ **von etw kommen** to receive the benefit of sth

genüßlich [gə'nʏslɪç] *adv* with relish
Genußmittel [gə'pɛk] *pl* (semi-)luxury items
geöffnet [gə'œfnət] *adj* open
Geograph [geo'graːf] (**-en, -en**) *m* geographer; **Geogra'phie** *f* geography; **g~isch** *adj* geographical
Geologe [geo'loːgə] (**-n, -n**) *m* geologist; **Geolo'gie** *f* geology
Geometrie [geome'triː] *f* geometry
Gepäck [gə'pɛk] (**-(e)s**) *nt* luggage, baggage; **~abfertigung** *f* luggage office; **~annahme** *f* luggage office; **~aufbewahrung** *f* left-luggage office (*BRIT*), baggage check (*US*); **~aufgabe** *f* luggage office; **~ausgabe** *f* luggage office; **~netz** *nt* luggage-rack; **~träger** *m* porter; (*Fahrrad*) carrier; **~wagen** *m* luggage van (*BRIT*), baggage car (*US*)
gepflegt [gə'pfleːkt] *adj* well-groomed; (*Park etc*) well looked after

---

SCHLÜSSELWORT

gerade [gə'raːdə] *adj* straight; (*aufrecht*) upright; **eine gerade Zahl** an even number
♦ *adv* **1** (*genau*) just, exactly; (*speziell*) especially; **gerade deshalb** that's just *od* exactly why; **das ist es ja gerade!** that's just it!; **gerade du** you especially; **warum gerade ich?** why me (of all people)?; **gerade nicht!** not now!; **gerade neben** right next to

2 (*eben, soeben*) just; **er wollte gerade aufstehen** he was just about to get up; **gerade erst** only just; **gerade noch** (only) just

---

Gerade *f* straight line; **g~aus** *adv* straight ahead; **g~heraus** *adv* straight out, bluntly; **g~stehen** (*unreg*) *vi*: **für jdn/etw g~stehen** to be answerable for sb('s actions)/sth; **g~wegs** *adv* direct, straight; **g~zu** *adv* (*beinahe*) virtually, almost
gerannt [gə'rant] *vb siehe* **rennen**
Gerät [gə'rɛːt] (**-(e)s, -e**) *nt* device, (*Werkzeug*) tool; (*SPORT*) apparatus; (*Zubehör*) equipment *no pl*
geraten [gə'raːtən] (*unreg*) *vi* (*gedeihen*) to thrive; (*gelingen*): (**jdm**) **~** to turn out well (for sb); **gut/schlecht ~** to turn out well/badly; **an jdn ~** to come across sb; **in etw** *akk* **~** to get into sth; **in Angst ~** to get frightened; **nach jdm ~** to take after sb
Geratewohl [gəraːtə'voːl] *nt*: **aufs ~** on the off chance; (*bei Wahl*) at random
geräuchert [gə'rɔʏçərt] *adj* smoked
geräumig [gə'rɔʏmɪç] *adj* roomy
Geräusch [gə'rɔʏʃ] (**-(e)s, -e**) *nt* sound, noise; **g~los** *adj* silent
gerben ['gɛrbən] *vt* to tan
gerecht [gə'rɛçt] *adj* just, fair; **jdm/etw ~ werden** to do justice to sb/sth; **G~igkeit** *f* justice, fairness

Gerede [gə'reːdə] (**-s**) *nt* talk, gossip
geregelt [gə'reːgəlt] *adj* (*Arbeit*) steady, regular; (*Mahlzeiten*) regular, set
gereizt [gə'raɪtst] *adj* irritable; **G~heit** *f* irritation
Gericht [gə'rɪçt] (**-(e)s, -e**) *nt* court; (*Essen*) dish; **mit jdm ins ~ gehen** (*fig*) to judge sb harshly; **das Jüngste ~** the Last Judgement; **g~lich** *adj* judicial, legal ♦ *adv* judicially, legally
Gerichts- *zW*: **~barkeit** *f* jurisdiction; **~hof** *m* court (of law); **~kosten** *pl* (legal) costs; **~saal** *m* courtroom; **~verfahren** *nt* legal proceedings *pl*; **~verhandlung** *f* trial; **~vollzieher** *m* bailiff
gerieben [gə'riːbən] *adj* grated; (*umg: schlau*) smart, wily ♦ *vb siehe* **reiben**
gering [gə'rɪŋ] *adj* slight, small; (*niedrig*) low; (*Zeit*) short; **~fügig** *adj* slight, trivial; **~schätzig** *adj* disparaging
geringste(r, s) *adj* slightest, least; **~nfalls** *adv* at the very least
gerinnen [gə'rɪnən] (*unreg*) *vi* to congeal; (*Blut*) to clot; (*Milch*) to curdle
Gerippe [gə'rɪpə] (**-s, -**) *nt* skeleton
gerissen [gə'rɪsən] *adj* wily, smart
geritten [gə'rɪtən] *vb siehe* **reiten**
gern(e) ['gɛrn(ə)] *adv* willingly, gladly; **~(e) haben, ~(e) mögen** to like; **etwas ~(e) tun** to like doing something; **ich möchte ~(e) ...** I'd like ...; **ja, ~(e)** yes, please; yes, I'd like to; **~(e) geschehen** it's a pleasure
gerochen [gə'rɔxən] *vb siehe* **riechen**
Geröll [gə'rœl] (**-(e)s, -e**) *nt* scree
Gerste ['gɛrstə] *f* barley; **~nkorn** *nt* (*im Auge*) stye
Geruch [gə'rux] (**-(e)s, ~e**) *m* smell, odour; **g~los** *adj* odourless
Gerücht [gə'rʏçt] (**-(e)s, -e**) *nt* rumour
geruhen [gə'ruːən] *vi* to deign
geruhsam *adj* (*Leben*) peaceful; (*Nacht, Zeit*) peaceful, restful; (*langsam: Arbeitsweise, Spaziergang*) leisurely
Gerümpel [gə'rʏmpəl] (**-s**) *nt* junk
Gerüst [gə'rʏst] (**-(e)s, -e**) *nt* (*Bau~*) scaffold(ing); frame
gesalzen [gə'zaltsən] *pp von* **salzen** ♦ *adj* (*umg: Preis, Rechnung*) steep
gesamt [gə'zamt] *adj* whole, entire; (*Kosten*) total; (*Werke*) complete; **im ~en** all in all; **~deutsch** *adj* all-German; **G~eindruck** *m* general impression; **G~heit** *f* totality, whole; **G~schule** *f* ≈ comprehensive school
gesandt [gə'zant] *vb siehe* **senden**
Gesandte(r) *m* envoy
Gesandtschaft [gə'zantʃaft] *f* legation
Gesang [gə'zaŋ] (**-(e)s, ~e**) *m* song; (*Singen*) singing; **~buch** *nt* (*REL*) hymn book
Gesangverein *m* choral society
Gesäß [gə'zɛːs] (**-es, -e**) *nt* seat, bottom
Geschäft [gə'ʃɛft] (**-(e)s, -e**) *nt* business;

(*Laden*) shop; (~**sabschluß**) deal; **g~ig** adj active, busy; (*pej*) officious; **g~lich** adj commercial ♦ adv on business
Geschäfts- zW: ~**bericht** m financial report; ~**führer** m manager; (*Klub*) secretary; ~**geheimnis** nt trade secret; ~**jahr** nt financial year; ~**lage** f business conditions pl; ~**mann** m businessman; **g~mäßig** adj businesslike; ~**partner** m business partner; ~**reise** f business trip; ~**schluß** m closing time; ~**stelle** f office, place of business; **g~tüchtig** adj business-minded; **G~viertel** nt business quarter; shopping centre; ~**wagen** m company car; ~**zeit** f business hours
geschehen [gə'ʃeːən] (*unreg*) vi to happen; **es war um ihn ~** that was the end of him
gescheit [gə'ʃaɪt] adj clever
Geschenk [gə'ʃɛŋk] (-(e)s, -e) nt present, gift
Geschichte [gə'ʃɪçtə] f story; (*Sache*) affair; (*Historie*) history
geschichtlich adj historical
Geschick [gə'ʃɪk] (-(e)s, -e) nt aptitude; (*Schicksal*) fate; ~**lichkeit** f skill, dexterity; **g~t** adj skilful
geschieden [gə'ʃiːdən] adj divorced
geschienen [gə'ʃiːnən] vb siehe **scheinen**
Geschirr [gə'ʃɪr] (-(e)s, -e) nt crockery; pots and pans pl; (*Pferde~*) harness; ~**spülmaschine** f dishwasher; ~**tuch** nt dish cloth
Geschlecht [gə'ʃlɛçt] (-(e)s, -er) nt sex; (*GRAM*) gender; (*Gattung*) race; family; **g~lich** adj sexual
Geschlechts- zW: ~**krankheit** f venereal disease; ~**teil** nt genitals pl; ~**verkehr** m sexual intercourse
geschlossen [gə'ʃlɔsən] adj shut ♦ vb siehe **schließen**
Geschmack [gə'ʃmak] (-(e)s, ⁻e) m taste; **nach jds ~** to sb's taste; ~ **finden an etw** dat (to come) to like sth; **g~los** adj tasteless; (*fig*) in bad taste; ~**(s)sache** f matter of taste; ~**ssinn** m sense of taste; **g~voll** adj tasteful
geschmeidig [gə'ʃmaɪdɪç] adj supple; (*formbar*) malleable
Geschnetzelte(s) [gə'ʃnɛtsəltə(s)] nt (*KOCH*) strips of meat stewed to produce a thick sauce
geschnitten [gə'ʃnɪtən] vb siehe **schneiden**
Geschöpf [gə'ʃœpf] (-(e)s, -e) nt creature
Geschoß [gə'ʃɔs] (-sses, -sse) nt (*MIL*) projectile, missile; (*Stockwerk*) floor
geschossen vb siehe **schießen**
geschraubt [gə'ʃraʊpt] adj stilted, artificial
Geschrei [gə'ʃraɪ] (-s) nt cries pl, shouting; (*fig: Aufheben*) noise, fuss
geschrieben [gə'ʃriːbən] vb siehe **schreiben**
Geschütz [gə'ʃʏts] (-es, -e) nt gun, cannon;

ein schweres ~ auffahren (*fig*) to bring out the big guns; ~**feuer** nt artillery fire, gunfire
geschützt adj protected
Geschw. abk siehe **Geschwister**
Geschwafel [gə'ʃvaːfəl] (-s) nt silly talk
Geschwätz [gə'ʃvɛts] (-es) nt chatter, gossip; **g~ig** adj talkative
geschweige [gə'ʃvaɪgə] adv: ~ **(denn)** let alone, not to mention
geschwind [gə'ʃvɪnt] adj quick, swift; **G~igkeit** [-dɪçkaɪt] f speed, velocity; **G~igkeitsbeschränkung** f speed limit; **G~igkeitsüberschreitung** f exceeding the speed limit
Geschwister [gə'ʃvɪstər] pl brothers and sisters
geschwollen [gə'ʃvɔlən] adj pompous
geschwommen [gə'ʃvɔmən] vb siehe **schwimmen**
Geschworene(r) [gə'ʃvoːrənə(r)] mf juror; ~**n** pl jury
Geschwulst [gə'ʃvʊlst] (-, ⁻e) f swelling; growth, tumour
geschwungen [gə'ʃvʊŋən] pp von **schwingen** ♦ adj curved, arched
Geschwür [gə'ʃvyːr] (-(e)s, -e) nt ulcer
Gesell- [gə'zɛl] zW: ~**e** (-n, -n) m fellow; (*Handwerk~*) journeyman; **g~ig** adj sociable; ~**igkeit** f sociability; ~**schaft** f society; (*Begleitung, COMM*) company; (*Abendgesellschaft etc*) party; **g~schaftlich** adj social; ~**schaftsordnung** f social structure; ~**schaftsschicht** f social stratum; ~**schaftsspiel** nt party game
gesessen [gə'zɛsən] vb siehe **sitzen**
Gesetz [gə'zɛts] (-es, -e) nt law; ~**buch** nt statute book; ~**gebung** f legislation; **g~lich** adj legal, lawful; **g~licher Feiertag** m statutory holiday; **g~los** adj lawless; **g~mäßig** adj lawful; **g~t** adj (*Mensch*) sedate; **g~widrig** adj illegal, unlawful
Gesicht [gə'zɪçt] (-(e)s, -er) nt face; **das zweite ~** second sight; **das ist mir nie zu ~ gekommen** I've never laid eyes on that
Gesichts- zW: ~**ausdruck** m (facial) expression; ~**farbe** f complexion; ~**punkt** m point of view; ~**züge** pl features
Gesindel [gə'zɪndəl] (-s) nt rabble
gesinnt [gə'zɪnt] adj disposed, minded
Gesinnung [gə'zɪnʊŋ] f disposition; (*Ansicht*) views pl
gesittet [gə'zɪtət] adj well-mannered
Gespann [gə'ʃpan] (-(e)s, -e) nt team; (*umg*) couple
gespannt adj tense, strained; (*begierig*) eager; **ich bin ~, ob** I wonder if od whether; **auf etw/jdn ~ sein** to look forward to sth/meeting sb
Gespenst [gə'ʃpɛnst] (-(e)s, -er) nt ghost, spectre

gesperrt [gəˈʃpɛrt] *adj* closed off

Gespött [gəˈʃpœt] (-(e)s) *nt* mockery; **zum ~ werden** to become a laughing stock

Gespräch [gəˈʃprɛːç] (-(e)s, -e) *nt* conversation; discussion(s); (*Anruf*) call; **g~ig** *adj* talkative

gesprochen [gəˈʃprɔxən] *vb siehe* **sprechen**

gesprungen [gəˈʃprʊŋən] *vb* **springen**

Gespür [gəˈʃpyːr] (-s) *nt* feeling

Gestalt [gəˈʃtalt] (-, -en) *f* form, shape; (*Person*) figure; **in ~ von** in the form of; **~ annehmen** to take shape; **g~en** *vt* (*formen*) to shape, to form; (*organisieren*) to arrange, to organize ♦ *vr*: **sich g~en (zu)** to turn out (to be); **~ung** *f* formation; organization

gestanden [gəˈʃtandən] *vb siehe* **stehen**

Geständnis [gəˈʃtɛntnɪs] (-ses, -se) *nt* confession

Gestank [gəˈʃtaŋk] (-(e)s) *m* stench

gestatten [gəˈʃtatən] *vt* to permit, to allow; **~ Sie?** may I?; **sich** *dat* **~, etw zu tun** to take the liberty of doing sth

Geste [ˈɡɛstə] *f* gesture

gestehen [gəˈʃteːən] (*unreg*) *vt* to confess

Gestein [gəˈʃtaɪn] (-(e)s, -e) *nt* rock

Gestell [gəˈʃtɛl] (-(e)s, -e) *nt* frame; (*Regal*) rack, stand

gestern [ˈɡɛstərn] *adv* yesterday; **~ abend/morgen** yesterday evening /morning

Gestirn [gəˈʃtɪrn] (-(e)s, -e) *nt* star; (*Sternbild*) constellation

gestohlen [gəˈʃtoːlən] *vb siehe* **stehlen**

gestorben [gəˈʃtɔrbən] *vb siehe* **sterben**

gestört [gəˈʃtøːrt] *adj* disturbed

gestreift [gəˈʃtraɪft] *adj* striped

gestrichen [gəˈʃtrɪçən] *adj* cancelled

gestrig [ˈɡɛstrɪç] *adj* yesterday's

Gestrüpp [gəˈʃtrʏp] (-(e)s, -e) *nt* undergrowth

Gestüt [gəˈʃtyːt] (-(e)s, -e) *nt* stud farm

Gesuch [gəˈzuːx] (-(e)s, -e) *nt* petition; (*Antrag*) application; **g~t** *adj* (*COMM*) in demand; wanted; (*fig*) contrived

gesund [gəˈzʊnt] *adj* healthy; **wieder ~ werden** to get better; **G~heit** *f* health(iness); **G~heit!** bless you!; **~heitlich** *adj* health *attrib*, physical ♦ *adv*: **wie geht es Ihnen ~heitlich?** how's your health?; **~heitsschädlich** *adj* unhealthy; **G~heitswesen** *nt* health service; **G~heitszustand** *m* state of health

gesungen [gəˈzʊŋən] *vb siehe* **singen**

getan [gəˈtaːn] *vb siehe* **tun**

Getöse [gəˈtøːzə] (-s) *nt* din, racket

Getränk [gəˈtrɛŋk] (-(e)s, -e) *nt* drink; **~ekarte** *f* wine list

getrauen [gəˈtraʊən] *vr* to dare, to venture

Getreide [gəˈtraɪdə] (-s, -) *nt* cereals *pl*, grain; **~speicher** *m* granary

getrennt [gəˈtrɛnt] *adj* separate

Getriebe [gəˈtriːbə] (-s, -) *nt* (*Leute*) bustle; (*AUT*) gearbox

getrieben *vb siehe* **treiben**

getroffen [gəˈtrɔfən] *vb siehe* **treffen**

getrost [gəˈtroːst] *adv* without any bother

getrunken [gəˈtrʊŋkən] *vb siehe* **trinken**

Getue [gəˈtuːə] (-s) *nt* fuss

geübt [gəˈyːpt] *adj* experienced

Gewächs [gəˈvɛks] (-es, -e) *nt* growth; (*Pflanze*) plant

gewachsen [gəˈvaksən] *adj*: **jdm /etw ~ sein** to be sb's equal/equal to sth

Gewächshaus *nt* greenhouse

gewagt [gəˈvaːkt] *adj* daring, risky

gewählt [gəˈvɛːlt] *adj* (*Sprache*) refined, elegant

Gewähr [gəˈvɛːr] (-) *f* guarantee; **keine ~ übernehmen für** to accept no responsibility for; **g~en** *vt* to grant; (*geben*) to provide; **g~leisten** *vt* to guarantee

Gewahrsam [gəˈvaːrzaːm] (-s, -e) *m* safekeeping; (*Polizei~*) custody

Gewährsmann *m* informant, source

Gewalt [gəˈvalt] (-, -en) *f* power; (*große Kraft*) force; (*~taten*) violence; **mit aller ~** with all one's might; **~anwendung** *f* use of force; **g~ig** *adj* tremendous; (*Irrtum*) huge; **~marsch** *m* forced march; **g~sam** *adj* forcible; **g~tätig** *adj* violent

Gewand [gəˈvant] (-(e)s, ̈er) *nt* gown, robe

gewandt [gəˈvant] *adj* deft, skilful; (*erfahren*) experienced; **G~heit** *f* dexterity, skill

gewann *etc vb siehe* **gewinnen**

Gewässer [gəˈvɛsər] (-s, -) *nt* waters *pl*

Gewebe [gəˈveːbə] (-s, -) *nt* (*Stoff*) fabric; (*BIOL*) tissue

Gewehr [gəˈveːr] (-(e)s, -e) *nt* gun; rifle; **~lauf** *m* rifle barrel

Geweih [gəˈvaɪ] (-(e)s, -e) *nt* antlers *pl*

Gewerb- [gəˈvɛrb] *zW*: **~e** (-s, -) *nt* trade, occupation; **Handel und ~e** trade and industry; **~eschule** *f* technical school; **~szweig** *m* line of trade

Gewerkschaft [gəˈvɛrkʃaft] *f* trade union; **~ler** (-s, -) *m* trade unionist; **~sbund** *m* trade unions federation

gewesen [gəˈveːzən] *pp von* **sein**

Gewicht [gəˈvɪçt] (-(e)s, -e) *nt* weight; (*fig*) importance

gewieft [gəˈviːft] *adj* shrewd, cunning

gewillt [gəˈvɪlt] *adj* willing, prepared

Gewimmel [gəˈvɪməl] (-s) *nt* swarm

Gewinde [gəˈvɪndə] (-s, -) *nt* (*Kranz*) wreath; (*von Schraube*) thread

Gewinn [gəˈvɪn] (-(e)s, -e) *m* profit; (*bei Spiel*) winnings *pl*; **etw mit ~ verkaufen** to sell sth at a profit; **~- und Verlustrechnung** (*COMM*) profit and loss account; **~beteiligung** *f* profit-sharing; **g~bringend** *adj* profitable; **g~en** (*unreg*) *vt* to win; (*erwerben*) to gain; (*Kohle, Öl*) to extract ♦ vi to win; (*profitieren*) to gain; **an etw** *dat* **g~en** to gain (in) sth; **g~end** *adj* (*Lächeln, Aussehen*) winning, charming; **~er(in)** (**-s,** -) *m(f)* winner; **~spanne** *f* profit margin; **~ung** *f* winning; gaining; (*von Kohle etc*) extraction

Gewirr [gə'vɪr] (**-(e)s,** **-e**) *nt* tangle; (*von Straßen*) maze

gewiß [gə'vɪs] *adj* certain ♦ *adv* certainly

Gewissen [gə'vɪsən] (**-s,** -) *nt* conscience; **g~haft** *adj* conscientious; **g~los** *adj* unscrupulous

Gewissens- *zW:* **~bisse** *pl* pangs of conscience, qualms; **~frage** *f* matter of conscience; **~freiheit** *f* freedom of conscience; **~konflikt** *m* moral conflict

gewissermaßen [gəvɪsər'ma:sən] *adv* more or less, in a way

Gewißheit [gə'vɪshaɪt] *f* certainty

Gewitter [gə'vɪtər] (**-s,** -) *nt* thunderstorm; **g~n** *vi unpers*: **es g~t** there's a thunderstorm

gewitzt [gə'vɪtst] *adj* shrewd, cunning

gewogen [gə'vo:gən] *adj* (+*dat*) well-disposed (towards)

gewöhnen [gə'vø:nən] *vt*: **jdn an etw** *akk* **~** to accustom sb to sth; (*erziehen zu*) to teach sb sth; **sich an etw** *akk* **~** to get used *od* accustomed to sth

Gewohnheit [gə'vo:nhaɪt] *f* habit; (*Brauch*) custom; **aus ~** from habit; **zur ~ werden** to become a habit

Gewohnheitsmensch *m* creature of habit

Gewohnheitsrecht *nt* common law

gewöhnlich [gə'vø:nlɪç] *adj* usual; ordinary; (*pej*) common; **wie ~** as usual

gewohnt [gə'vo:nt] *adj* usual; **etw ~ sein** to be used to sth

Gewöhnung *f*: **~ (an** +*akk*) getting accustomed (to)

Gewölbe [gə'vœlbə] (**-s,** -) *nt* vault

gewollt *adj* affected, artificial

gewonnen [gə'vɔnən] *vb siehe* **gewinnen**

geworden [gə'vɔrdən] *vb siehe* **werden**

geworfen [gə'vɔrfən] *vb siehe* **werfen**

Gewühl [gə'vy:l] (**-(e)s**) *nt* throng

Gewürz [gə'vʏrts] (**-es,** **-e**) *nt* spice, seasoning; **~nelke** *f* clove; **g~t** *adj* spiced

gewußt [gə'vust] *vb siehe* **wissen**

Gezeiten [gə'tsaɪtən] *pl* tides

gezielt [gə'tsi:lt] *adj* with a particular aim in mind, purposeful; (*Kritik*) pointed

geziert [gə'tsi:rt] *adj* affected

gezogen [gə'tso:gən] *vb siehe* **ziehen**

Gezwitscher [gə'tsvɪtʃər] (**-s**) *nt* twitter(ing), chirping

gezwungen [gə'tsvʊŋən] *adj* forced; **~ermaßen** *adv* of necessity

ggf *abk von* **gegebenenfalls**

gibst *etc vb siehe* **geben**

Gicht [gɪçt] (-) *f* gout; **g~isch** *adj* gouty

Giebel ['gi:bəl] (**-s,** -) *m* gable; **~dach** *nt* gable(d) roof; **~fenster** *nt* gable window

Gier [gi:r] (-) *f* greed; **g~ig** *adj* greedy

gießen ['gi:sən] (*unreg*) *vt* to pour; (*Blumen*) to water; (*Metall*) to cast; (*Wachs*) to mould

Gießkanne *f* watering can

Gift [gɪft] (**-(e)s,** **-e**) *nt* poison; **g~ig** *adj* poisonous; (*fig: boshaft*) venomous; **~müll** *m* toxic waste; **~stoff** *m* toxic substance; **~zahn** *m* fang

ging *etc vb siehe* **gehen**

Ginster ['gɪnstər] (**-s,** -) *m* broom

Gipfel ['gɪpfəl] (**-s,** -) *m* summit, peak; (*fig: Höhepunkt*) height; **g~n** *vi* to culminate; **~treffen** *nt* summit (meeting)

Gips [gɪps] (**-es,** **-e**) *m* plaster; (*MED*) plaster (of Paris); **~abdruck** *m* plaster cast; **g~en** *vt* to plaster; **~verband** *m* plaster (cast)

Giraffe [gi'rafə] *f* giraffe

Girlande [gɪr'landə] *f* garland

Giro ['ʒi:ro] (**-s,** **-s**) *nt* giro; **~konto** *nt* current account

Gischt [gɪʃt] (**-(e)s,** **-e**) *m* spray

Gitarre [gi'tarə] *f* guitar

Gitter ['gɪtər] (**-s,** -) *nt* grating, bars *pl*; (*für Pflanzen*) trellis; (*Zaun*) railing(s); **~bett** *nt* cot; **~fenster** *nt* barred window; **~zaun** *m* railing(s)

Glacéhandschuh [gla'se:hantʃu:] *m* kid glove

Glanz [glants] (**-es**) *m* shine, lustre; (*fig*) splendour

glänzen ['glɛntsən] *vi* to shine (*also fig*), to gleam ♦ *vt* to polish; **~d** *adj* shining; (*fig*) brilliant

Glanz- *zW:* **~leistung** *f* brilliant achievement; **g~los** *adj* dull; **~zeit** *f* heyday

Glas [gla:s] (**-es,** **ː er**) *nt* glass; **~er** (**-s,** -) *m* glazier; **~faser** *f* fibreglass; **g~ieren** [gla'zi:rən] *vt* to glaze; **g~ig** *adj* glassy; **~scheibe** *f* pane; **~ur** [gla'zu:r] *f* glaze; (*KOCH*) icing

glatt [glat] *adj* smooth; (*rutschig*) slippery; (*Absage*) flat; (*Lüge*) downright

Glätte ['glɛtə] *f* smoothness; slipperiness

Glatteis *nt* (black) ice; **jdn aufs ~ führen** (*fig*) to take sb for a ride

glätten *vt* to smooth out

Glatze ['glatsə] *f* bald head; **eine ~ bekommen** to go bald

Glaube ['glaʊbə] (**-ns,** **-n**) *m*: **~ (an** +*akk*) faith (in); belief (in); **g~n** *vt, vi* to believe; to think; **jdm g~n** to believe sb; **an etw** *akk* **g~n** to believe in sth; **daran g~n müssen** (*umg*) to be for it; **~nsbekenntnis** *nt* creed

glaubhaft ['glaʊbhaft] *adj* credible

gläubig ['glɔybɪç] *adj* (*REL*) devout; (*vertrauensvoll*) trustful; **G~e(r)** *mf* believer; **die G~en** the faithful; **G~er** (**-s,** -) *m* creditor

glaubwürdig ['glaʊbvʏrdɪç] *adj* credible; (*Mensch*) trustworthy; **G~keit** *f* credibility; trustworthiness

gleich [glaɪç] *adj* equal; (*identisch*) (the) same, identical ♦ *adv* equally; (*sofort*) straight away; (*bald*) in a minute; **es ist mir ~** it's all the same to me; **2 mal 2 ~ 4** 2 times 2 is *od* equals 4; **~ groß** the same size; **~ nach/an** right after/at; **~altrig** *adj* of the same age; **~artig** *adj* similar; **~bedeutend** *adj* synonymous; **G~berechtigung** *f* equal rights *pl*; **~bleibend** *adj* constant; **~en** (*unreg*) *vi*: **jdm/ etw ~en** to be like sb/sth ♦ *vr* to be alike; **~falls** *adv* likewise; **danke ~falls!** the same to you; **G~förmigkeit** *f* uniformity; **~gesinnt** *adj* like-minded; **G~gewicht** *nt* equilibrium, balance; **~gültig** *adj* indifferent; (*unbedeutend*) unimportant; **G~gültigkeit** *f* indifference; **G~heit** *f* equality; **~kommen** (*unreg*) *vi* +*dat* to be equal to; **~mäßig** *adj* even, equal; **G~nis** (**-ses, -se**) *nt* parable; **~sam** *adv* as it were; **G~schritt** *m*: **im G~schritt gehen** to walk in step; **~stellen** *vt* (*rechtlich etc*) to treat as (an) equal; **G~strom** *m* (*ELEK*) direct current; **~tun** (*unreg*) *vi*: **es jdm ~tun** to match sb; **G~ung** *f* equation; **~viel** *adv* no matter; **~wertig** *adj* (*Geld*) of the same value; (*Gegner*) evenly-matched; **~zeitig** *adj* simultaneous

Gleis [glaɪs] (**-es, -e**) *nt* track, rails *pl*; (*Bahnsteig*) platform

gleiten ['glaɪtən] (*unreg*) *vi* to glide; (*rutschen*) to slide

Gletscher ['glɛtʃər] (**-s, -**) *m* glacier; **~spalte** *f* crevasse

Glied [gliːt] (**-(e)s, -er**) *nt* member; (*Arm, Bein*) limb; (*von Kette*) link; (*MIL*) rank(s); **g~ern** *vt* to organize, to structure; **~erung** *f* structure, organization

glimmen ['glɪmən] (*unreg*) *vi* to glow, to gleam

glimpflich ['glɪmpflɪç] *adj* mild, lenient; **~ davonkommen** to get off lightly

glitschig ['glɪtʃɪç] *adj* (*Fisch, Weg*) slippery

glitzern ['glɪtsərn] *vi* to glitter; to twinkle

global [glo'baːl] *adj* global

Globus ['gloːbʊs] (**- *od* -ses, Globen** *od* **-se**) *m* globe

Glocke ['glɔkə] *f* bell; **etw an die große ~ hängen** (*fig*) to shout sth from the rooftops

Glockenblume *f* bellflower

Glocken- *zW*: **~geläut** *nt* peal of bells; **~spiel** *nt* chime(s); (*MUS*) glockenspiel; **~turm** *m* bell tower

Glosse ['glɔsə] *f* comment

glotzen ['glɔtsən] (*umg*) *vi* to stare

Glück [glʏk] (**-(e)s**) *nt* luck, fortune; (*Freude*) happiness; **~ haben** to be lucky; **viel ~!** good luck!; **zum ~** fortunately;

g~en *vi* to succeed; **es g~te ihm, es zu bekommen** he succeeded in getting it

gluckern ['glʊkərn] *vi* to glug

Glück- *zW*: **g~lich** *adj* fortunate; (*froh*) happy; **g~licherweise** *adv* fortunately; **g~'selig** *adj* blissful

Glücks- *zW*: **~fall** *m* stroke of luck; **~kind** *nt* lucky person; **~sache** *f* matter of luck; **~spiel** *nt* game of chance

Glückwunsch *m* congratulations *pl*, best wishes *pl*

Glüh- ['glyː] *zW*: **~birne** *f* light bulb; **g~en** *vi* to glow; **~wein** *m* mulled wine; **~würmchen** *nt* glow-worm

Glut [gluːt] (**-, -en**) *f* (*Röte*) glow; (*Feuers~*) fire; (*Hitze*) heat; (*fig*) ardour

Glyzerin [glytsə'riːn] *nt* glycerine

Gnade ['gnaːdə] *f* (*Gunst*) favour; (*Erbarmen*) mercy; (*Milde*) clemency

Gnaden- *zW*: **~frist** *f* reprieve, respite; **g~los** *adj* merciless; **~stoß** *m* coup de grâce

gnädig ['gnɛːdɪç] *adj* gracious; (*voll Erbarmen*) merciful

Gold [gɔlt] (**-(e)s**) *nt* gold; **g~en** *adj* golden; **~fisch** *m* goldfish; **~grube** *f* goldmine; **g~ig** (*umg*) *adj* (*fig: allerliebst*) sweet, adorable; **~regen** *m* laburnum; **G~schmied** *m* goldsmith

Golf¹ [gɔlf] (**-(e)s, -e**) *m* gulf

Golf² (**-s**) *nt* golf; **~platz** *m* golf course; **~schläger** *m* golf club

Golfstrom *m* Gulf Stream

Gondel ['gɔndəl] (**-, -n**) *f* gondola; (*Seilbahn*) cable-car

gönnen ['gœnən] *vt*: **jdm etw ~** not to begrudge sb sth; **sich** *dat* **etw ~** to allow o.s. sth

Gönner (**-s, -**) *m* patron; **g~haft** *adj* patronizing

Gosse ['gɔsə] *f* gutter

Gott [gɔt] (**-es, ⁼er**) *m* god; **mein ~!** for heaven's sake!; **um ~es Willen!** for heaven's sake!; **grüß ~!** hello; **~ sei Dank!** thank God!; **~heit** *f* deity

Göttin ['gœtɪn] *f* goddess

göttlich *adj* divine

gottlos *adj* godless

Götze ['gœtsə] (**-n, -n**) *m* idol

Grab [graːp] (**-(e)s, ⁼er**) *nt* grave; **g~en** ['graːbən] (*unreg*) *vt* to dig; **~en** (**-s, ⁼**) *m* ditch; (*MIL*) trench; **~stein** *m* gravestone

Grad [graːt] (**-(e)s, -e**) *m* degree; **~einteilung** *f* graduation

Graf [graːf] (**-en, -en**) *m* count, earl

Gram [graːm] (**-(e)s**) *m* grief, sorrow

grämen ['grɛːmən] *vr* to grieve

Gramm [gram] (**-s, -e**) *nt* gram(me)

Grammatik [gra'matɪk] *f* grammar

Grammophon [gramo'foːn] (**-s, -e**) *nt* gramophone

Granat [gra'naːt] (**-(e)s, -e**) *m* (*Stein*) garnet

Granate f (MIL) shell; (Hand~) grenade

Granit [gra'ni:t] (-s, -e) m granite

Graphiker(in) ['gra:fɪkər(ɪn)] (-s, -) m(f) graphic designer

graphisch ['gra:fɪʃ] adj graphic

Gras [gra:s] (-es, =er) nt grass; **g~en** vi to graze; ~**halm** m blade of grass

grassieren [gra'si:rən] vi to be rampant, to rage

gräßlich ['grɛslɪç] adj horrible

Grat [gra:t] (-(e)s, -e) m ridge

Gräte ['grɛ:tə] f fishbone

gratis ['gra:tɪs] adj, adv free (of charge); **G~probe** f free sample

Gratulation [gratulatsi'o:n] f congratulation(s)

gratulieren [gratu'li:rən] vi: **jdm ~ (zu etw)** to congratulate sb (on sth); **(ich) gratuliere!** congratulations!

grau [grau] adj grey

Grauen (-s) nt horror; **g~** vi unpers: **es graut jdm vor etw** sb dreads sth, sb is afraid of sth: **sich g~ vor** to dread, to have a horror of; **g~haft** adj horrible

grauhaarig adj grey-haired

grausam ['grauza:m] adj cruel; **G~keit** f cruelty

Grausen ['grauzən] (-s) nt horror; **g~** vb = **grauen**

gravieren [gra'vi:rən] vt to engrave; ~**d** adj grave

graziös [gratsi'ø:s] adj graceful

greifbar adj tangible, concrete; **in ~er Nähe** within reach

greifen ['graɪfən] (unreg) vt to seize; to grip; **nach etw ~** to reach for sth; **um sich ~** (fig) to spread; **zu etw ~** to turn to sth

Greis [graɪs] (-es, -e) m old man; **g~enhaft** adj senile; ~**in** f old woman

grell [grɛl] adj harsh

Grenz- ['grɛnts] zW: ~**beamte(r)** m frontier official; ~**e** f boundary; (Staats~) frontier; (Schranke) limit; **g~en** vi: **g~en (an** +akk) to border (on); **g~enlos** adj boundless; ~**fall** m borderline case; ~**übergang** m frontier crossing

Greuel ['grɔyəl] (-s, -) m horror, revulsion; **etw ist jdm ein ~** sb loathes sth

greulich ['grɔylɪç] adj horrible

Griech- ['gri:ç] zW: ~**e** (-n, -n) m Greek; ~**enland** nt Greece; ~**in** f Greek; **g~isch** adj Greek

griesgrämig ['gri:sgrɛ:mɪç] adj grumpy

Grieß [gri:s] (-es, -e) m (KOCH) semolina

Griff [grɪf] (-(e)s, -e) m grip; (Vorrichtung) handle; **g~bereit** adj handy

Grill [grɪl] m grill; ~**e** f cricket; **g~en** vt to grill

Grimasse [gri'masə] f grimace

grimmig ['grɪmɪç] adj furious; (heftig) fierce, severe

grinsen ['grɪnzən] vi to grin

Grippe ['grɪpə] f influenza, flu

grob [gro:p] adj coarse, gross; (Fehler, Verstoß) gross; **G~heit** f coarseness; coarse expression

grölen ['grø:lən] (pej) vt to bawl, to bellow

Groll [grɔl] (-(e)s) m resentment; **g~en** vi (Donner) to rumble; **g~en (mit** od +dat) to bear ill will (towards)

groß [gro:s] adj big, large; (hoch) tall; (fig) great ♦ adv greatly; **im ~en und ganzen** on the whole; ~**artig** adj great, splendid; **G~aufnahme** f (CINE) close-up; **G~britannien** nt Great Britain

Größe ['grø:sə] f size; (Höhe) height; (fig) greatness

Groß- zW: ~**einkauf** m bulk purchase; ~**eltern** pl grandparents; **g~enteils** adv mostly; ~**format** nt large size; ~**handel** m wholesale trade; ~**händler** m wholesaler; ~**macht** f great power; **g~mütig** adj magnanimous; ~**mutter** f grandmother; ~**rechner** m mainframe (computer); **g~schreiben** (unreg) vt to write in block capitals; **bei jdm g~schreiben werden** to be high on sb's list of priorities; **g~spurig** adj pompous; ~**stadt** f city, large town

größte(r, s) [grø:stə(r, s)] adj superl von **groß**; ~**nteils** adv for the most part

Groß- zW: **g~tun** (unreg) vi to boast; ~**vater** m grandfather; **g~ziehen** (unreg) vt to raise; **g~zügig** adj generous; (Planung) on a large scale

grotesk [gro'tɛsk] adj grotesque

Grotte ['grɔtə] f grotto

Grübchen ['gry:pçən] nt dimple

Grube ['gru:bə] f pit; mine

grübeln ['gry:bəln] vi to brood

Grubengas nt firedamp

Gruft [gruft] (-, =e) f tomb, vault

grün [gry:n] adj green; **G~anlage** f park

Grund [grunt] (-(e)s, =e) m ground; (von See, Gefäß) bottom; (fig) reason; **im ~e genommen** basically; ~**ausbildung** f basic training; ~**besitz** m land(ed property), real estate; ~**buch** nt land register

gründen ['gryndən] vt to found ♦ vr: **sich ~ (auf** +dat) to be based (on); ~ **auf** +akk to base on

Gründer (-s, -) m founder

Grund- zW: ~**gebühr** f basic charge; ~**gesetz** nt constitution; ~**lage** f foundation; **g~legend** adj fundamental

gründlich adj thorough

Grund- zW: **g~los** adj groundless; ~**regel** f basic rule; ~**riß** m plan; (fig) outline; ~**satz** m principle; **g~sätzlich** adj fundamental; (Frage) of principle ♦ adv fundamentally; (prinzipiell) on principle; ~**schule** f elementary school; ~**stein** m foundation stone; ~**stück** nt estate; plot

Grundwasser nt ground water

Grünen pl (POL): **die ~** the Greens

Grünspan m verdigris
Grünstreifen m central reservation
grunzen ['grʊntsən] vi to grunt
Gruppe ['grʊpə] f group; **g~nweise** adv in groups
gruppieren [grʊ'piːrən] vt, vr to group
gruselig adj creepy
gruseln ['gruːzəln] vi unpers: **es gruselt jdm vor etw** sth gives sb the creeps ♦ vr to have the creeps
Gruß [gruːs] (-es, ⁼e) m greeting; (MIL) salute; **viele Grüße** best wishes; **mit freundlichen Grüßen** yours sincerely; **Grüße an** +akk regards to
grüßen ['gryːsən] vt to greet; (MIL) to salute; **jdn von jdm ~** to give sb sb's regards; **jdn ~ lassen** to send sb one's regards
gucken ['gʊkən] vi to look
gültig ['gʏltɪç] adj valid; **G~keit** f validity
Gummi ['gʊmi] (-s, -s) nt od m rubber; (~harze) gum; **~band** nt rubber od elastic band; (Hosen~) elastic; **~bärchen** ≈ jelly baby (BRIT); **~baum** m rubber plant; **g~eren** [gu'miːrən] vt to gum; **~knüppel** m rubber truncheon; **~strumpf** m elastic stocking
günstig ['gʏnstɪç] adj convenient; (Gelegenheit) favourable; **das habe ich ~ bekommen** it was a bargain
Gurgel ['gʊrgəl] (-, -n) f throat; **g~n** vi to gurgle; (im Mund) to gargle
Gurke ['gʊrkə] f cucumber; **saure ~** pickled cucumber, gherkin
Gurt [gʊrt] (-(e)s, -e) m belt
Gürtel ['gʏrtəl] (-s, -) m belt; (GEOG) zone; **~reifen** m radial tyre
GUS f abk (= Gemeinschaft unabhängiger Staaten) CIS
Guß [gʊs] (-sses, Güsse) m casting; (Regen~) downpour; (KOCH) glazing; **~eisen** nt cast iron

---

gut [guːt] adj good; **alles Gute** all the best; **also gut** all right then
♦ adv well; **gut schmecken** to taste good; **gut, aber ...** OK, but ...; **(na) gut, ich komme** all right, I'll come; **gut drei Stunden** a good three hours; **das kann gut sein** that may well be; **laß es gut sein** that'll do

---

Gut [guːt] (-(e)s, ⁼er) nt (Besitz) possession; **Güter** pl (Waren) goods; **g~achten** (-s, -) nt (expert) opinion; **~achter** (-s, -) m expert; **g~artig** adj good-natured; (MED) benign; **g~bürgerlich** adj (Küche) (good) plain; **~dünken** nt: **nach ~dünken** at one's discretion
Güte ['gyːtə] f goodness, kindness; (Qualität) quality
Güter- zW: **~abfertigung** f (EISENB) goods office; **~bahnhof** m goods station;

~wagen m goods waggon (BRIT), freight car (US); **~zug** m goods train (BRIT), freight train (US)
Gütezeichen nt quality mark, ≈ kite mark
gut- zW: **~gehen** (unreg) vb unpers to work, to come off; **es geht jdm ~** sb's doing fine; **~gemeint** adj well meant; **~gläubig** adj trusting; **G~haben** (-s) nt credit; **~heißen** (unreg) vt to approve (of)
gütig ['gyːtɪç] adj kind
Gut- zW: **g~mütig** adj good-natured; **~mütigkeit** f good nature; **~schein** m voucher; **g~schreiben** (unreg) vt to credit; **g~tun** (unreg) vi: **jdm g~tun** to do sb good; **g~willig** adj willing
Gymnasium [gym'naːziʊm] nt grammar school (BRIT), high school (US)
Gymnastik [gym'nastɪk] f exercises pl, keep fit

H h

Haag [haːg] m: **Den ~** the Hague
Haar [haːr] (-(e)s, -e) nt hair; **um ein ~** nearly; **an den ~en herbeigezogen** (umg: Vergleich) very far-fetched; **~bürste** f hairbrush; **h~en** vi, vr to lose hair; **~esbreite** f: **um ~esbreite** by a hair's-breadth; **h~genau** adv precisely; **h~ig** adj hairy; (fig) nasty; **~klammer** f hairgrip; **~klemme** f hair grip; **~nadel** f hairpin; **h~scharf** adv (beobachten) very sharply; (daneben) by a hair's breadth; **~schnitt** m haircut; **~spange** f hair slide; **h~sträubend** adj hair-raising; **~teil** nt hairpiece; **~waschmittel** nt shampoo
Habe ['haːbə] (-) f property
haben ['haːbən] (unreg) vt, vb aux to have; **Hunger/Angst ~** to be hungry/afraid; **woher hast du das?** where did you get that from?; **was hast du denn?** what's the matter (with you)?; **du hast zu schweigen** you're to be quiet; **ich hätte gern** I would like; **H~** (-s, -) nt credit
Habgier f avarice; **h~ig** adj avaricious
Habicht ['haːbɪçt] (-s, -e) m hawk
Habseligkeiten pl belongings
Hachse ['haksə] f (KOCH) knuckle
Hacke ['hakə] f hoe; (Ferse) heel; **h~n** vt to hack, to chop; (Erde) to hoe
Hackfleisch nt mince, minced meat
Hafen ['haːfən] (-s, ⁼) m harbour, port; **~arbeiter** m docker; **~stadt** f port

Hafer ['haːfər] (-s, -) m oats pl; ~**flocken** pl rolled oats; ~**schleim** m gruel

Haft [haft] (-) f custody; h~**bar** adj liable, responsible; ~**befehl** m warrant (for arrest); h~**en** vi to stick, to cling; h~**en für** to be liable of responsible for; h~**enbleiben** (unreg) vi: h~**enbleiben (an** +dat) to stick (to); ~**pflicht** f liability; ~**pflichtversicherung** f (AUT) third party insurance; ~**schalen** pl contact lenses; ~**ung** f liability

Hagebutte ['haːgəbʊtə] f rose hip

Hagel ['haːgəl] (-s) m hail; h~**n** vi unpers to hail

hager ['haːgər] adj gaunt

Hahn [haːn] (-(e)s, ⸗e) m cock; (Wasser~) tap, faucet (US)

Hähnchen ['hɛːnçən] nt cockerel; (KOCH) chicken

Hai(fisch) ['haɪ(fɪʃ)] (-(e)s, -e) m shark

häkeln ['hɛːkəln] vt to crochet

Häkelnadel f crochet hook

Haken ['haːkən] (-s, -) m hook; (fig) catch; ~**kreuz** nt swastika; ~**nase** f hooked nose

halb [halp] adj half; ~ **eins** half past twelve; **ein ~es Dutzend** half a dozen; **H~dunkel** nt semi-darkness

halber ['halbər] präp +gen (wegen) on account of; (für) for the sake of

Halb- zW: ~**heit** f half-measure; h~**ieren** vt to halve; ~**insel** f peninsula; ~**jahr** nt six months; (auch: Komm) half-year; h~**jährlich** adj half-yearly; ~**kreis** m semicircle; ~**leiter** m semiconductor; ~**links** (-, -) m (SPORT) inside left; ~**mond** m half-moon; (fig) crescent; h~**offen** adj half-open; ~**pension** f half-board; ~**rechts** (-, -) m (SPORT) inside right; ~**schuh** m shoe; h~**tags** adv: h~**tags arbeiten** to work part-time, to work mornings/afternoons; h~**wegs** adv halfway; h~**wegs besser** more or less better; ~**zeit** f (SPORT) half; (Pause) half-time

Halde ['haldə] f (Kohlen) heap

half [half] vb siehe **helfen**

Hälfte ['hɛlftə] f half

Halfter¹ ['halftər] (-s, -) m od nt (für Tiere) halter

Halfter² (-, -n od -s, -) f od nt (Pistolen~) holster

Halle ['halə] f hall; (AVIAT) hangar; h~**n** vi to echo, to resound; ~**nbad** nt indoor swimming pool

hallo [ha'loː] excl hello

Halluzination [halutsinatsi'oːn] f hallucination

Halm [halm] (-(e)s, -e) m blade; stalk

Hals [hals] (-es, ⸗e) m neck; (Kehle) throat; ~ **über Kopf** in a rush; ~**band** nt (von Hund) collar; ~**kette** f necklace; ~-**Nasen-Ohren-Arzt** m ear, nose and throat specialist; ~**schmerzen** pl sore throat sg;

~**tuch** nt scarf

Halt [halt] (-(e)s, -e) m stop; (fester ~) hold; (innerer ~) stability; **h~** excl stop!, halt!; h~**bar** adj durable; (Lebensmittel) non-perishable; (MIL, fig) tenable; ~**barkeit** f durability; (non-)perishability

halten ['haltən] (unreg) vt to keep; (fest~) to hold ♦ vi to hold; (frisch bleiben) to keep; (stoppen) to stop ♦ vr (frisch bleiben) to keep; (sich behaupten) to hold out; ~ **für** to regard as; ~ **von** to think of; **an sich** ~ to restrain o.s.; **sich rechts/links** ~ to keep to the right/left

Haltestelle f stop

Halteverbot nt: **hier ist** ~ there's no waiting here

Halt- zW: h~**los** adj unstable; h~**machen** vi to stop; ~**ung** f posture; (fig) attitude; (Selbstbeherrschung) composure

Halunke [ha'luŋkə] (-n, -n) m rascal

hämisch ['hɛːmɪʃ] adj malicious

Hammel ['haməl] (-s, ⸗ od -) m wether; ~**fleisch** nt mutton

Hammer ['hamər] (-s, ⸗) m hammer

hämmern ['hɛmərn] vt, vi to hammer

Hämorrhoiden [hɛmɔro'iːdən] pl haemorrhoids

Hampelmann ['hampəlman] m (auch fig) puppet

Hamster ['hamstər] (-s, -) m hamster; ~**ei** ['-raɪ] f hoarding; h~**n** vi to hoard

Hand [hant] (-, ⸗e) f hand; ~**arbeit** f manual work; (Nadelarbeit) needlework; ~**ball** m (SPORT) handball; ~**bremse** f handbrake; ~**buch** nt handbook, manual; ~**creme** f handcream

Händedruck ['hɛndədrʊk] m handshake

Handel ['handəl] (-s) m trade; (Geschäft) transaction

Handeln ['handəln] (-s) nt action

handeln vi to trade; (agieren) to act ♦ vr unpers: **sich** ~ **um** to be a question of, to be about; ~ **von** to be about

Handels- zW: ~**bilanz** f balance of trade; ~**kammer** f chamber of commerce; ~**reisende(r)** m commercial traveller; ~**schule** f business school; h~**üblich** adj customary; (Preis) going attrib; ~**vertreter** m sales representative

Hand- zW: ~**feger** (-s, -) m handbrush; h~**fest** adj hefty; h~**gearbeitet** adj handmade; ~**gemenge** nt scuffle; ~**gepäck** nt hand-luggage; h~**geschrieben** adj handwritten; h~**greiflich** adj palpable; h~**greiflich werden** to become violent; ~**granate** f hand grenade; ~**griff** m flick of the wrist; h~**haben** vt insep to handle

Händler ['hɛndlər] (-s, -) m trader, dealer

handlich ['hantlɪç] adj handy

Handlung ['handlʊŋ] f act(ion); (in Buch) plot; (Geschäft) shop

Hand- zW: ~**pflege** f manicure; ~**schelle** f

handcuff; **~schrift** *f* handwriting; (*Text*) manuscript; **~schuh** *m* glove; **~stand** *m* (*SPORT*) handstand; **~tasche** *f* handbag; **~tuch** *nt* towel; **~umdrehen** *nt*: **im ~umdrehen** in the twinkling of an eye; **~werk** *nt* trade, craft; **~werker (-s, -)** *m* craftsman, artisan; **~werkzeug** *nt* tools *pl*

Hanf [hanf] **(-(e)s)** *m* hemp

Hang [haŋ] **(-(e)s, ²e)** *m* inclination; (*Ab~*) slope

Hänge- ['hɛŋə] *in zW* hanging; **~brücke** *f* suspension bridge; **~matte** *f* hammock

hängen ['hɛŋən] *vi* (*unreg*) to hang ♦ *vt*: **etw (an etw** *akk*) **~** to hang sth (on sth); **~ an** +*dat* (*fig*) to be attached to; **sich ~ an** +*akk* to hang on to, to cling to; **~bleiben** (*unreg*) *vi* to hang (*fig*) to remain, to stick; **~bleiben an** +*dat* to catch *od* get caught on; **~lassen** (*unreg*) *vt* (*vergessen*) to leave; **den Kopf ~lassen** to get downhearted

Hannover [ha'noːfər] **(-s)** *nt* Hanover

hänseln ['hɛnzəln] *vt* to tease

Hansestadt ['hanzəʃtat] *f* Hanse town

hantieren [han'tiːrən] *vi* to work, to be busy; **mit etw ~** to handle sth

hapern ['haːpərn] *vi unpers*: **es hapert an etw** *dat* there is a lack of sth

Happen ['hapən] **(-s, -)** *m* mouthful

Harfe ['harfə] *f* harp

Harke ['harkə] *f* rake; **h~n** *vt, vi* to rake

harmlos ['harmloːs] *adj* harmless; **H~igkeit** *f* harmlessness

Harmonie [harmo'niː] *f* harmony; **h~ren** *vi* to harmonize

Harmonika [har'moːnika] **(-, -s)** *f* (*Zieh~*) concertina

harmonisch [har'moːnɪʃ] *adj* harmonious

Harmonium [har'moːniom] **(-s, -nien** *od* **-s)** *nt* harmonium

Harn [harn] **(-(e)s, -e)** *m* urine; **~blase** *f* bladder

Harpune [har'puːnə] *f* harpoon

harren ['harən] *vi*: **~ (auf** +*akk*) to wait (for)

hart [hart] *adj* hard; (*fig*) harsh

Härte ['hɛrtə] *f* hardness; (*fig*) harshness

hart- *zW*: **~gekocht** *adj* hard-boiled; **~herzig** *adj* hard-hearted; **~näckig** *adj* stubborn; **H~näckigkeit** *f* stubbornness; **H~platte** *f* hard disk

Harz [haːrts] **(-es, -e)** *nt* resin

Haschee [ha'ʃeː] **(-s, -s)** *nt* hash

Haschisch ['haʃɪʃ] **(-)** *nt* hashish

Hase ['haːzə] **(-n, -n)** *m* hare

Haselnuß ['haːzəlnʊs] *f* hazelnut

Hasenfuß *m* coward

Hasenscharte *f* harelip

Haß [has] **(-sses)** *m* hate, hatred

hassen ['hasən] *vt* to hate

häßlich ['hɛslɪç] *adj* ugly; (*gemein*) nasty; **H~keit** *f* ugliness; nastiness

Hast [hast] *f* haste

hast *vb siehe* **haben**

hasten *vi* to rush

hastig *adj* hasty

hat [hat] *vb siehe* **haben**

hatte *etc* ['hatə] *vb siehe* **haben**

Haube ['haubə] *f* hood; (*Mütze*) cap; (*AUT*) bonnet, hood (*US*)

Hauch [haux] **(-(e)s, -e)** *m* breath; (*Luft~*) breeze; (*fig*) trace; **h~dünn** *adj* extremely thin; **h~en** *vi* to breathe

Haue ['hauə] *f* hoe, pick; (*umg*) hiding; **h~n** (*unreg*) *vt* to hew, to cut; (*umg*) to thrash

Haufen ['haufən] **(-s, -)** *m* heap; (*Leute*) crowd; **ein ~ (x)** (*umg*) loads *od* a lot (of x); **auf einem ~** in one heap

häufen ['hɔyfən] *vt* to pile up ♦ *vr* to accumulate

haufenweise *adv* in heaps; in droves; **etw ~ haben** to have piles of sth

häufig ['hɔyfɪç] *adj* frequent ♦ *adv* frequently; **H~keit** *f* frequency

Haupt [haupt] **(-(e)s, Häupter)** *nt* head; (*Ober~*) chief ♦ *in zW* main; **~bahnhof** *m* central station; **h~beruflich** *adv* as one's main occupation; **~darsteller(in)** *m(f)* leading actor(actress); **~eingang** *m* main entrance; **~fach** *nt* (*SCH, UNIV*) main subject, major (*US*); **~film** *m* main film; **~gericht** *nt* (*KOCH*) main course

Häuptling ['hɔyptlɪŋ] *m* chief(tain)

Haupt- *zW*: **~mann** (*pl* **-leute**) *m* (*MIL*) captain; **~person** *f* central figure; **~quartier** *nt* headquarters *pl*; **~rolle** *f* leading part; **~sache** *f* main thing; **h~sächlich** *adj* chief ♦ *adv* chiefly; **~saison** *f* high season, peak season; **~schule** *f* ≈ secondary school; **~stadt** *f* capital; **~straße** *f* main street; **~verkehrszeit** *f* rush-hour, peak traffic hours *pl*; **~wort** *nt* noun

Haus [haus] **(-es, Häuser)** *nt* house; **nach ~e** home; **zu ~e** at home; **~angestellte** *f* domestic servant; **~apotheke** *f* medicine cabinet; **~arbeit** *f* housework; (*SCH*) homework; **~arzt** *m* family doctor; **~aufgabe** *f* (*SCH*) homework; **~besitzer(in)** *m(f)* house-owner; **~besuch** *m* (*von Arzt*) house call

Häuserblock ['hɔyzərblɔk] *m* block (of houses)

Häusermakler ['hɔyzər-] *m* estate agent (*BRIT*), real estate agent (*US*)

Haus- *zW*: **~frau** *f* housewife; **~flur** *m* hallway; **h~gemacht** *adj* home-made; **~halt** *m* household; (*POL*) budget; **h~halten** (*unreg*) *vi* (*sparen*) to economize; **~hälterin** *f* housekeeper; **~haltsgeld** *nt* housekeeping (money); **~haltsgerät** *nt* domestic appliance; **~herr** *m* host; (*Vermieter*) landlord; **h~hoch** *adv*: **h~hoch verlieren** to lose by a mile

hausieren [hau'ziːrən] *vi* to peddle
Hausierer (-s, -) *m* peddlar
häuslich ['hɔyslıç] *adj* domestic
Haus- *zW:* ~**meister** *m* caretaker, janitor; ~**nummer** *f* street number; ~**ordnung** *f* house rules *pl;* ~**putz** *m* house cleaning; ~**schlüssel** *m* front-door key; ~**schuh** *m* slipper; ~**suchung** *f* police raid; ~**tier** *nt* pet; ~**tür** *f* front door; ~**wirt** *m* landlord; ~**wirtschaft** *f* domestic science
Haut [haut] (-, Häute) *f* skin; (*Tier~*) hide; ~**creme** *f* skin cream; **h~eng** *adj* skin-tight; ~**farbe** *f* complexion; ~**krebs** *m* skin cancer
Haxe ['haksə] *f* = Hachse
Hbf *abk* = Hauptbahnhof
Hebamme ['heːp'amə] *f* midwife
Hebel ['heːbəl] (-s, -) *m* lever
heben ['heːbən] (*unreg*) *vt* to raise, to lift
Hecht [hɛçt] (-(e)s, -e) *m* pike
Heck [hɛk] (-(e)s, -e) *nt* stern; (*von Auto*) rear
Hecke ['hɛkə] *f* hedge
Heckenrose *f* dog rose
Heckenschütze *m* sniper
Heer [heːr] (-(e)s, -e) *nt* army
Hefe ['heːfə] *f* yeast
Heft [hɛft] (-(e)s, -e) *nt* exercise book; (*Zeitschrift*) number; (*von Messer*) haft
heften *vt:* ~ (**an** +*akk*) to fasten (to); (*nähen*) to tack ((on) to); **etw an etw** *akk* ~ to fasten sth to sth
Hefter (-s, -) *m* folder
heftig *adj* fierce, violent; **H~keit** *f* fierceness, violence
Heft- *zW:* ~**klammer** *f* paper clip; ~**maschine** *f* stapling machine; ~**pflaster** *nt* sticking plaster; ~**zwecke** *f* drawing pin
hegen ['heːgən] *vt* (*Wild, Bäume*) to care for, to tend; (*fig, geh: empfinden: Wunsch*) to cherish; (: *Mißtrauen*) to harbour
Hehl [heːl] *m od nt:* **kein(en)** ~ **aus etw machen** to make no secret of sth; ~**er** (-s, -) *m* receiver (of stolen goods), fence
Heide¹ ['haıdə] *f* heath, moor; (*~kraut*) heather
Heide² (-n, -n) *m* heathen, pagan
Heidekraut *nt* heather
Heidelbeere *f* bilberry
Heidentum *nt* paganism
Heidin *f* heathen, pagan
heikel ['haıkəl] *adj* awkward, thorny; (*wählerisch*) fussy
Heil [haıl] (-(e)s) *nt* well-being; (*Seelen~*) salvation; **h~** *adj* in one piece, intact; ~**and** (-(e)s, -e) *m* saviour; **h~bar** *adj* curable; **h~en** *vt* to cure ♦ *vi* to heal; **h~froh** *adj* very relieved
heilig ['haılıç] *adj* holy; **H~abend** *m* Christmas Eve; **H~e(r)** *mf* saint; ~**en** *vt* to sanctify, to hallow; **H~enschein** *m* halo; **H~keit** *f* holiness; ~**sprechen** (*unreg*) *vt*

to canonize; **H~tum** *nt* shrine; (*Gegenstand*) relic
Heil- *zW:* **h~los** *adj* unholy; (*fig*) hopeless; ~**mittel** *nt* remedy; ~**praktiker(in)** *m(f)* non-medical practitioner; **h~sam** *adj* (*fig*) salutary; ~**sarmee** *f* Salvation Army; ~**ung** *f* cure
Heim [haım] (-(e)s, -e) *nt* home; **h~** *adv* home
Heimat ['haımaːt] (-, -en) *f* home (town/country *etc*); ~**land** *nt* homeland; **h~lich** *adj* native, home *attrib;* (*Gefühle*) nostalgic; **h~los** *adj* homeless; ~**ort** *m* home town/area; ~**vertriebene(r)** *mf* displaced person
Heim- *zW:* ~**computer** *m* home computer; **h~elig** *adj* cosy; **h~fahren** (*unreg*) *vi* to drive home; ~**fahrt** *f* journey home; **h~gehen** (*unreg*) *vi* to go home; (*sterben*) to pass away; **h~isch** *adj* (*gebürtig*) native; **sich h~isch fühlen** to feel at home; ~**kehr** (-, -en) *f* homecoming; **h~kehren** *vi* to return home; **h~lich** *adj* secret; ~**lichkeit** *f* secrecy; ~**reise** *f* journey home; ~**spiel** *nt* (*SPORT*) home game; **h~suchen** *vt* to afflict; (*Geist*) to haunt; ~**trainer** *m* exercise bike; **h~tückisch** *adj* malicious; ~**weg** *m* way home; ~**weh** *nt* homesickness; **h~zahlen** *vt:* **jdm etw h~zahlen** to pay sb back for sth
Heirat ['haıraːt] (-, -en) *f* marriage; **h~en** *vt* to marry ♦ *vi* to marry, to get married ♦ *vr* to get married; ~**santrag** *m* proposal
heiser ['haızər] *adj* hoarse; **H~keit** *f* hoarseness
heiß [haıs] *adj* hot; ~**e(s) Eisen** (*umg*) hot potato; ~**blütig** *adj* hot-blooded
heißen ['haısən] (*unreg*) *vi* to be called; (*bedeuten*) to mean ♦ *vt* to command; (*nennen*) to name ♦ *vi unpers:* **es heißt** it says; it is said; **das heißt** that is (to say)
Heißhunger *m* ravenous hunger
heißlaufen (*unreg*) *vi, vr* to overheat
Heißmangel *f* rotary iron
heiter ['haıtər] *adj* cheerful; (*Wetter*) bright; **H~keit** *f* cheerfulness; (*Belustigung*) amusement
Heiz- ['haıts] *zW:* **h~bar** *adj* heated; (*Raum*) with heating; **h~en** *vt* to heat; ~**er** (-s, -) *m* stoker; ~**körper** *m* radiator; ~**öl** *nt* fuel oil; ~**sonne** *f* electric fire; ~**ung** *f* heating; ~**ungsanlage** *f* heating system
hektisch ['hɛktıʃ] *adj* hectic
Held [hɛlt] (-en, -en) *m* hero; **h~enhaft** *adj* heroic; ~**in** *f* heroine
helfen ['hɛlfən] (*unreg*) *vi* to help; (*nützen*) to be of use ♦ *vb unpers:* **es hilft nichts, du mußt ...** it's no use, you'll have to ...; **jdm (bei etw)** ~ to help sb (with sth); **sich** *dat* **zu** ~ **wissen** to be resourceful
Helfer (-s, -) *m* helper, assistant; **Helfershelfer** *m* accomplice
hell [hɛl] *adj* clear, bright; (*Farbe, Bier*)

light; **~blau** *adj* light blue; **~blond** *adj* ash-blond; **H~e** (-) *f* clearness, brightness; **~hörig** *adj* (*Wand*) paper-thin; **~hörig werden** (*fig*) to prick up one's ears; **H~seher** *m* clairvoyant; **~wach** *adj* wide-awake

Helm [hɛlm] (-(e)s, -e) *m* (*auf Kopf*) helmet

Hemd [hɛmt] (-(e)s, -en) *nt* shirt; (*Unter~*) vest; **~bluse** *f* blouse

hemmen ['hɛmən] *vt* to check, to hold up; **gehemmt sein** to be inhibited

Hemmung *f* check; (*PSYCH*) inhibition; **h~slos** *adj* unrestrained, without restraint

Hengst [hɛŋst] (-es, -e) *m* stallion

Henkel ['hɛŋkəl] (-s, -) *m* handle

Henker (-s, -) *m* hangman

Henne ['hɛnə] *f* hen

SCHLÜSSELWORT

her [heːr] *adv* **1** (*Richtung*): **komm her zu mir** come here (to me); **von England her** from England; **von weit her** from a long way away; **her damit!** hand it over!; **wo hat er das her?** where did he get that from?

2 (*Blickpunkt*): **von der Form her** as far as the form is concerned

3 (*zeitlich*): **das ist 5 Jahre her** that was 5 years ago; **wo bist du her?** where do you come from?; **ich kenne ihn von früher her** I know him from before

---

herab [hɛ'rap] *adv* down(ward(s)); **~hängen** (*unreg*) *vi* to hang down; **~lassen** (*unreg*) *vt* to let down ♦ *vr* to condescend; **~lassend** *adj* condescending; **~setzen** *vt* to lower, to reduce; (*fig*) to belittle, to disparage

heran [hɛ'ran] *adv*: **näher ~!** come up closer!; **~ zu mir!** come up to me!; **~bringen** (*unreg*) *vt*: **~bringen (an** +*akk*) to bring up (to); **~fahren** (*unreg*) *vi*: **~fahren (an** +*akk*) to drive up (to); **~kommen** (*unreg*) *vi*: **(an jdn/etw) ~kommen** to approach (sb/sth), to come near (to sb/sth); **~machen** *vr*: **sich an jdn ~machen** to make up to sb; **~treten** (*unreg*) *vt*: **mit etw an jdn ~treten** to approach sb with sth; **~wachsen** (*unreg*) *vi* to grow up; **~ziehen** (*unreg*) *vt* to pull nearer; (*aufziehen*) to raise; (*ausbilden*) to train; **jdn zu etw ~ziehen** to call upon sb to help in sth

herauf [hɛ'rauf] *adv* up(ward(s)), up here; **~beschwören** (*unreg*) *vt* to conjure up, to evoke; **~bringen** (*unreg*) *vt* to bring up; **~setzen** *vt* (*Preise, Miete*) to raise, put up

heraus [hɛ'raus] *adv* out; **~bekommen** (*unreg*) *vt* to get out; (*fig*) to find *od* figure out; **~bringen** (*unreg*) *vt* to bring out; (*Geheimnis*) to elicit; **~finden** (*unreg*) *vt* to find out; **~fordern** *vt* to challenge; **H~forderung** *f* challenge; provocation;

~geben (*unreg*) *vt* to hand over, to surrender; (*zurückgeben*) to give back; (*Buch*) to edit; (*veröffentlichen*) to publish; **H~geber** (-s, -) *m* editor; (*Verleger*) publisher; **~gehen** (*unreg*) *vi*: **aus sich ~gehen** to come out of one's shell; **~halten** (*unreg*) *vr*: **sich aus etw ~halten** to keep out of sth; **~hängen**[1] (*unreg*) *vt* to hang out; **~hängen**[2] (*unreg*) *vi* to hang out; **~holen** *vt*: **~holen (aus)** to get out (of); **~kommen** (*unreg*) *vi* to come out; **dabei kommt nichts ~** nothing will come of it; **~nehmen** (*unreg*) *vt* to remove (from), take out (of); **sich etw ~nehmen** to take liberties; **~reißen** (*unreg*) *vt* to tear out; to pull out; **~rücken** *vt* (*Geld*) to fork out, to hand over; **mit etw ~rücken** (*fig*) to come out with sth; **~stellen** *vr*: **sich ~stellen (als)** to turn out (to be); **~suchen** *vt*: **jdm** *dat* **jdn/etw ~suchen** to pick sb/sth out; **~ziehen** (*unreg*) *vt* to pull out, to extract

herb [hɛrp] *adj* (slightly) bitter, acid; (*Wein*) dry; (*fig: schmerzlich*) bitter; (*: streng*) stern, austere

herbei [hɛr'baɪ] *adv* (over) here; **~führen** *vt* to bring about; **~schaffen** *vt* to procure

herbemühen ['heːrbəmyːən] *vr* to take the trouble to come

Herberge ['hɛrbɛrgə] *f* shelter; hostel, inn

Herbergsmutter *f* warden

Herbergsvater *m* warden

herbitten (*unreg*) *vt* to ask to come (here)

herbringen (*unreg*) *vt* to bring here

Herbst [hɛrpst] (-(e)s, -e) *m* autumn, fall (*US*); **h~lich** *adj* autumnal

Herd [heːrt] (-(e)s, -e) *m* cooker; (*fig, MED*) focus, centre

Herde ['heːrdə] *f* herd; (*Schaf~*) flock

herein [hɛ'raɪn] *adv* in (here), here; **~!** come in!; **~bitten** (*unreg*) *vt* to ask in; **~brechen** (*unreg*) *vi* to set in; **~bringen** (*unreg*) *vt* to bring in; **~fallen** (*unreg*) *vi* to be caught, to be taken in; **~fallen auf** +*akk* to fall for; **~kommen** (*unreg*) *vi* to come in; **~lassen** (*unreg*) *vt* to admit; **~legen** *vt*: **jdn ~legen** to take sb in; **~platzen** (*umg*) *vi* to burst in

Her- *zW*: **~fahrt** *f* journey here; **h~fallen** (*unreg*) *vi*: **h~fallen über** +*akk* to fall upon; **~gang** *m* course of events; **h~geben** (*unreg*) *vt* to give, to hand (over); **sich zu etw h~geben** to lend one's name to sth; **h~gehen** (*unreg*) *vi*: **hinter jdm hergehen** to follow sb; **es geht hoch h~** there are a lot of goings-on; **h~halten** (*unreg*) *vt* to hold out; **h~halten müssen** (*umg*) to have to suffer; **h~hören** *vi* to listen

Hering ['heːrɪŋ] (-s, -e) *m* herring

her- [hɛr] *zW*: **~kommen** (*unreg*) *vi* to come; **komm mal ~!** come here!; **~kömmlich** *adj* traditional; **H~kunft** (-, -künfte) *f* origin; **~laufen** (*unreg*) *vi*: **~lau-**

fen hinter +*dat* to run after
Hermelin [hɛrmə'liːn] (-s, -e) *m od nt* ermine
hermetisch [hɛ'meːtɪʃ] *adj* hermetic ♦ *adv* hermetically
her'nach *adv* afterwards
Heroin [hero'iːn] (-s) *nt* heroin
Herr [hɛr] (-(e)n, -en) *m* master; (*Mann*) gentleman; (*REL*) Lord; (*vor Namen*) Mr.; **mein ~!** sir!; **meine ~en!** gentlemen!; **~endoppel** *nt* men's doubles; **~eneinzel** *nt* men's singles; **~enhaus** *nt* mansion; **~enkonfektion** *f* menswear; **h~enlos** *adj* ownerless
herrichten ['hɛːrɪçtən] *vt* to prepare
Herr- *zW:* **~in** *f* mistress; **h~isch** *adj* domineering; **h~lich** *adj* marvellous, splendid; **~lichkeit** *f* splendour, magnificence; **~schaft** *f* power, rule; (*Herr und Herrin*) master and mistress; **meine ~schaften!** ladies and gentlemen!
herrschen ['hɛrʃən] *vi* to rule; (*bestehen*) to prevail, to be
Herrscher(in) ['hɛrʃər] (-s, -) *m(f)* ruler
her- *zW:* **~rühren** *vi* to arise, to originate; **~sagen** *vt* to recite; **~stellen** *vt* to make, to manufacture; **H~steller** (-s, -) *m* manufacturer; **H~stellung** *f* manufacture
herüber [hɛ'ryːbər] *adv* over (here), across
herum [hɛ'rʊm] *adv* about, (a)round; **um etw ~** around sth; **~führen** *vt* to show around; **~gehen** (*unreg*) *vi* to walk about; **um etw ~gehen** to walk od go round sth; **~kommen** (*unreg*) *vi* (*um Kurve etc*) to come round, to turn (round); **~kriegen** (*umg*) *vt* to bring od talk around; **~lungern** (*umg*) *vi* to hang about od around; **~sprechen** (*unreg*) *vr* to get around, to be spread; **~treiben** *vi*, *vr* to drift about; **~ziehen** *vi*, *vr* to wander about
herunter [hɛ'rʊntər] *adv* downward(s), down (there); **~gekommen** *adj* run-down; **~kommen** (*unreg*) *vi* to come down; (*fig*) to come down in the world; (*fig*) **~machen** *vt* to take down; (*schimpfen*) to have a go at
hervor [hɛr'foːr] *adv* out, forth; **~bringen** (*unreg*) *vt* to produce; (*Wort*) to utter; **~gehen** (*unreg*) *vi* to emerge, to result; **~heben** (*unreg*) *vt* to stress; (*als Kontrast*) to set off; **~ragend** *adj* (*fig*) excellent; **~rufen** (*unreg*) *vt* to cause, to give rise to; **~treten** (*unreg*) *vi* to come out (from behind/between/below); (*Adern*) to be prominent
Herz [hɛrts] (-ens, -en) *nt* heart; (*KARTEN*) hearts *pl*; **~anfall** *m* heart attack; **~enslust** *f:* **nach ~enslust** to one's heart's content; **~fehler** *m* heart defect; **h~haft** *adj* hearty
herziehen ['hɛːrtsiːən] (*unreg*) *vi:* **über jdn/etw ~** (*umg: auch: fig*) to pull sb/sth to pieces (*inf*)

Herz- *zW:* **~infarkt** *m* heart attack; **~klopfen** *nt* palpitation; **h~lich** *adj* cordial; **h~lichen Glückwunsch** congratulations *pl*; **h~liche Grüße** best wishes; **~los** *adj* heartless
Herzog ['hɛrtsoːk] (-(e)s, -̈e) *m* duke; **~tum** *nt* duchy
Herzschlag *m* heartbeat; (*MED*) heart attack
herzzerreißend *adj* heartrending
Hessen ['hɛsən] (-s) *nt* Hesse
hessisch *adj* Hessian
Hetze ['hɛtsə] *f* (*Eile*) rush; **h~n** *vt* to hunt; (*verfolgen*) to chase ♦ *vi* (*eilen*) to rush; **jdn/etw auf jdn/etw h~n** to set sb/sth on sb/sth; **h~n gegen** to stir up feeling against; **h~n zu** to agitate for; **~'rei** *f* agitation; (*Eile*) rush
Heu [hɔy] (-(e)s) *nt* hay; **Geld wie ~** stacks of money; **~boden** *m* hayloft
Heuchelei [hɔyçə'laɪ] *f* hypocrisy
heucheln ['hɔyçəln] *vt* to pretend, to feign ♦ *vi* to be hypocritical
Heuchler(in) ['hɔyçlər(ɪn)] (-s, -) *m(f)* hypocrite; **h~isch** *adj* hypocritical
heulen ['hɔylən] *vi* to howl; to cry; **das ~de Elend bekommen** to get the blues
Heurige(r) ['hɔyrɪgə] *m* new wine
Heuschnupfen *m* hay fever
Heuschrecke ['hɔyʃrɛkə] *f* grasshopper; locust
heute ['hɔytə] *adv* today; **~ abend/früh** this evening/morning
heutig ['hɔytɪç] *adj* today's
heutzutage ['hɔyttsuːtaːgə] *adv* nowadays
Hexe ['hɛksə] *f* witch; **h~n** *vi* to practise witchcraft; **ich kann doch nicht h~n** I can't work miracles; **~nschuß** *m* lumbago; **~'rei** *f* witchcraft
Hieb [hiːp] (-(e)s, -e) *m* blow; (*Wunde*) cut, gash; (*Stichelei*) cutting remark; **~e bekommen** to get a thrashing
hielt *etc* [hiːlt] *vb siehe* **halten**
hier [hiːr] *adv* here; **~auf** *adv* thereupon; (*danach*) after that; **~behalten** (*unreg*) *vt* to keep here; **~bei** *adv* herewith, enclosed; **~bleiben** (*unreg*) *vi* to stay here; **~durch** *adv* by this means; (*örtlich*) through here; **~her** *adv* this way, here; **~hin** *adv* here; **~lassen** (*unreg*) *vt* to leave here; **~mit** *adv* hereby; **~nach** *adv* hereafter; **~von** *adv* about this, hereof; **~zulande** *adv* in this country
hiesig ['hiːzɪç] *adj* of this place, local
hieß *etc* [hiːs] *vb siehe* **heißen**
Hilfe ['hɪlfə] *f* help; aid; **Erste ~** first aid; **~!** help!
Hilf- *zW:* **h~los** *adj* helpless; **~losigkeit** *f* helplessness; **h~reich** *adj* helpful
Hilfs- *zW:* **~arbeiter** *m* labourer; **h~bedürftig** *adj* needy; **h~bereit** *adj* ready to help; **~kraft** *f* assistant, helper

hilfst [hɪlfst] *vb siehe* **helfen**
Himbeere ['hɪmbeːrə] *f* raspberry
Himmel ['hɪməl] **(-s, -)** *m* sky; (*REL, liter*) heaven; ~**bett** *nt* four-poster bed; **h~blau** *adj* sky-blue; ~**fahrt** *f* Ascension; ~**srichtung** *f* direction
himmlisch ['hɪmlɪʃ] *adj* heavenly

              SCHLÜSSELWORT

hin [hɪn] *adv* **1** (*Richtung*): **hin und zurück** there and back; **hin und her** to and fro; **bis zur Mauer hin** up to the wall; **wo ist er hin?** where has he gone?; **Geld hin, Geld her** money or no money
2 (*auf ... hin*): **auf meine Bitte hin** at my request; **auf seinen Rat hin** on the basis of his advice
3: **mein Glück ist hin** my happiness has gone

---

hinab [hɪ'nap] *adv* down; ~**gehen** (*unreg*) *vi* to go down; ~**sehen** (*unreg*) *vi* to look down
hinauf [hɪ'nauf] *adv* up; ~**arbeiten** *vr* to work one's way up; ~**steigen** (*unreg*) *vi* to climb
hinaus [hɪ'naus] *adv* out; ~**gehen** (*unreg*) *vi* to go out; ~**gehen über** +*akk* to exceed; ~**laufen** (*unreg*) *vi* to run out; ~**laufen auf** +*akk* to come to, to amount to; ~**schieben** (*unreg*) *vt* to put off, to postpone; ~**werfen** (*unreg*) *vt* (*Gegenstand, Person*) to throw out; ~**wollen** *vi* to want to go out; ~**wollen auf** +*akk* to drive at, to get at
Hinblick ['hɪnblɪk] *m*: **in od im** ~ **auf** +*akk* in view of
hinder- ['hɪndər] *zW*: ~**lich** *adj* to be a hindrance *od* nuisance; ~**n** *vt* to hinder, to hamper; **jdn an etw** *dat* ~**n** to prevent sb from doing sth; **H~nis (-ses, -se)** *nt* obstacle; **H~nisrennen** *nt* steeplechase
hindeuten ['hɪndɔytən] *vi*: ~ **auf** +*akk* to point to
hindurch [hɪn'durç] *adv* through; across; (*zeitlich*) through(out)
hinein [hɪ'naɪn] *adv* in; ~**fallen** (*unreg*) *vi* to fall in; ~**fallen in** +*akk* to fall into; ~**gehen** (*unreg*) *vi* to go in; ~**gehen in** +*akk* to go into, to enter; ~**geraten** (*unreg*) *vi*: ~**geraten in** +*akk* to get into; ~**passen** *vi* to fit in; ~**passen in** +*akk* to fit into; (*fig*) to fit in with; ~**steigern** *vr* to get worked up; ~**versetzen** *vr*: **sich** ~**versetzen in** +*akk* to put o.s. in the position of; ~**ziehen** (*unreg*) *vt* to pull in ♦ *vi* to go in
hin- ['hɪn] *zW*: ~**fahren** (*unreg*) *vi* to go; to drive ♦ *vt* to take; to drive; **H~fahrt** *f* journey there; ~**fallen** (*unreg*) *vi* to fall (down); ~**fällig** *adj* frail; (*fig: ungültig*) invalid; **H~flug** *m* outward flight; ~**gabe** *f* devotion; ~**geben** (*unreg*) *vr* +*dat* to give

o.s. up to, to devote o.s. to; ~**gehen** (*unreg*) *vi* to go; (*Zeit*) to pass; ~**halten** (*unreg*) *vt* to hold out; (*warten lassen*) to put off, to stall
hinken ['hɪŋkən] *vi* to limp; (*Vergleich*) to be unconvincing
hinkommen (*unreg*) *vi* (*an Ort*) to arrive
hin- ['hɪn] *zW*: ~**legen** *vt* to put down ♦ *vr* to lie down; ~**nehmen** (*unreg*) *vt* (*fig*) to put up with, to take; **H~reise** *f* journey out; ~**reißen** (*unreg*) *vt* to carry away, to enrapture; **sich** ~**reißen lassen, etw zu tun** to get carried away and do sth; ~**richten** *vt* to execute; **H~richtung** *f* execution; ~**setzen** *vt* to put down ♦ *vr* to sit down; ~**sichtlich** *präp* +*gen* with regard to; ~**stellen** *vt* to put (down) ♦ *vr* to place o.s.
hintanstellen [hɪnt''anʃtɛlən] *vt* (*fig*) to ignore
hinten ['hɪntən] *adv* at the back; behind; ~**herum** *adv* round the back; (*fig*) secretly
hinter ['hɪntər] *präp* (+*dat od akk*) behind; (: *nach*) after; ~ **jdm hersein** to be after sb; **H~achse** *f* rear axle; **H~bliebene(r)** *mf* surviving relative; ~**e(r, s)** *adj* rear, back; ~**einander** *adv* one after the other; **H~gedanke** *m* ulterior motive; ~**gehen** (*unreg*) *vt untr* to deceive; **H~grund** *m* background; **H~halt** *m* ambush; ~**hältig** *adj* underhand, sneaky; ~**her** *adv* afterwards, after; **H~hof** *m* backyard; **H~kopf** *m* back of one's head; ~**lassen** (*unreg*) *vt* to leave; ~**legen** *vt* to deposit; **H~list** *f* cunning, trickery; (*Handlung*) trick, dodge; ~**listig** *adj* cunning, crafty; **H~mann** *m* person behind; **H~rad** *nt* back wheel; **H~radantrieb** *m* (*AUT*) rear wheel drive; ~**rücks** *adv* from behind; **H~tür** *f* back door; (*fig: Ausweg*) loophole; ~'**ziehen** (*unreg*) *vt* (*Steuern*) to evade
hinüber [hɪ'nyːbər] *adv* across, over; ~**gehen** (*unreg*) *vi* to go over *od* across
hinunter [hɪ'nuntər] *adv* down; ~**bringen** (*unreg*) *vt* to take down; ~**schlucken** *vt* (*auch fig*) to swallow; ~**steigen** (*unreg*) *vi* to descend
Hinweg ['hɪnveːk] *m* journey out
hinweghelfen [hɪn'vɛk-] (*unreg*) *vi*: **jdm über etw** *akk* ~ to help sb to get over sth
hinwegsetzen [hɪn'vɛk-] *vr*: **sich** ~ **über** +*akk* to disregard
hin- ['hɪn] *zW*: **H~weis (-es, -e)** *m* (*Andeutung*) hint; (*Anweisung*) instruction; (*Verweis*) reference; ~**weisen** (*unreg*) *vi*: ~**weisen auf** +*akk* (*anzeigen*) to point to; (*sagen*) to point out, to refer to; ~**werfen** (*unreg*) *vt* to throw down; ~**ziehen** (*unreg*) *vr* (*fig*) to drag on
hinzu [hɪn'tsuː] *adv* in addition; ~**fügen** *vt* to add; ~**kommen** (*unreg*) *vi* (*Mensch*) to arrive, to turn up; (*Umstand*) to ensue

Hirn [hɪrn] (-(e)s, -e) nt brain(s); **~ge-spinst** (-(e)s, -e) nt fantasy
Hirsch [hɪrʃ] (-(e)s, -e) m stag
Hirse ['hɪrzə] f millet
Hirt [hɪrt] (-en, -en) m herdsman; (Schaf~, fig) shepherd
Hirte (-n, -n) m stag
hissen ['hɪsən] vt to hoist
Historiker [hɪs'toːrikər] (-s, -) m historian
historisch [hɪs'toːrɪʃ] adj historical
Hitze ['hɪtsə] (-) f heat; **h~beständig** adj heat-resistant; **h~frei** adj: **h~frei haben** to have time off school because of excessively hot weather; **~welle** f heat wave
hitzig ['hɪtsɪç] adj hot-tempered; (Debatte) heated
Hitzkopf m hothead
Hitzschlag m heatstroke
hl. abk von heilig
hm [(h)m] excl I nt hobby
Hobby ['hɔbi] nt hobby
Hobel ['hoːbəl] (-s, -) m plane; **~bank** f carpenter's bench; **h~n** vt, vi to plane; **~späne** pl wood shavings
Hoch (-s, -s) nt (Ruf) cheer; (MET) anticyclone
hoch [hoːx] (attrib hohe(r, s)) adj high; **~achten** vt to respect; **H~achtung** f respect, esteem; **~achtungsvoll** adv yours faithfully; **H~amt** nt high mass; **~arbeiten** vr to work one's way up; **~begabt** adj extremely gifted; **H~betrieb** m intense activity; (COMM) peak time; **H~burg** f stronghold; **H~deutsch** nt High German; **~dotiert** adj highly paid; **H~druck** m high pressure; **H~ebene** f plateau; **H~form** f top form; **H~glanz** m (PHOT) high gloss print; **etw auf H~glanz bringen** to make sth sparkle like new; **~halten** (unreg) vt to hold up; (fig) to uphold, to cherish; **H~haus** nt multi-storey building; **~heben** (unreg) vt to lift (up); **H~konjunktur** f boom; **H~land** nt highlands pl; **~leben** vi: **jdn ~leben lassen** to give sb three cheers; **H~mut** m pride; **~mütig** adj proud, haughty; **~näsig** adj stuck-up, snooty; **H~ofen** m blast furnace; **~prozentig** adj (Alkohol) strong; **H~rechnung** f projection; **H~saison** f high season; **H~schule** f college; university; **H~sommer** m middle of summer; **H~spannung** f high tension; **H~sprung** m high jump
höchst [høːçst] adv highly, extremely
Hochstapler ['hoːxʃtaːplər] (-s, -) m swindler
höchste(r, s) adj highest; (äußerste) extreme
Höchst- zW: **h~ens** adv at the most; **~geschwindigkeit** f maximum speed; **h~persönlich** adv in person; **~preis** m maximum price; **h~wahrscheinlich** adv

most probably
Hoch- zW: **~verrat** m high treason; **~wasser** nt high water; (Überschwemmung) floods pl; **~zahl** f (MATH) exponent
Hochzeit ['hɔxtsaɪt] (-, -en) f wedding; **~sreise** f honeymoon
hocken ['hɔkən] vi, vr to squat, to crouch
Hocker (-s, -) m stool
Höcker ['hœkər] (-s, -) m hump
Hoden ['hoːdən] (-s, -) m testicle
Hof [hoːf] (-(e)s, =e) m (Hinter~) yard; (Bauern~) farm; (Königs~) court
hoffen ['hɔfən] vi: **~ (auf +akk)** to hope (for)
hoffentlich ['hɔfəntlɪç] adv I hope, hopefully
Hoffnung ['hɔfnʊŋ] f hope
Hoffnungs- zW: **h~los** adj hopeless; **~losigkeit** f hopelessness; **~schimmer** m glimmer of hope; **h~voll** adj hopeful
höflich ['høːflɪç] adj polite, courteous; **H~keit** f courtesy, politeness
hohe(r, s) ['hoːə(r, s)] adj attrib siehe hoch
Höhe ['høːə] f height; (An~) hill
Hoheit ['hoːhaɪt] f (POL) sovereignty; (Titel) Highness
Hoheitsgebiet nt sovereign territory
Hoheitsgewässer nt territorial waters pl
Höhen- ['høːən] zW: **~luft** f mountain air; **~messer** (-s, -) m altimeter; **~sonne** f sun lamp; **~unterschied** m difference in altitude
Höhepunkt m climax
höher adj, adv higher
hohl [hoːl] adj hollow
Höhle ['høːlə] f cave, hole; (Mund~) cavity; (fig, ZOOL) den
Hohlmaß nt measure of volume
Hohn [hoːn] (-(e)s) m scorn
höhnisch adj scornful, taunting
holen ['hoːlən] vt to get, to fetch; (Atem) to take; **jdn/etw ~ lassen** to send for sb/sth
Holland ['hɔlant] nt Holland; **Holländer** ['hɔlɛndər] m Dutchman
holländisch ['hɔlɛndɪʃ] adj Dutch
Hölle ['hœlə] f hell
höllisch ['hœlɪʃ] adj hellish, infernal
holperig ['hɔlpərɪç] adj rough, bumpy
Holunder [ho'lʊndər] (-s, -) m elder
Holz [hɔlts] (-es, =er) nt wood
hölzern ['hœltsərn] adj (auch fig) wooden
Holz- zW: **~fäller** (-s, -) m lumberjack, woodcutter; **h~ig** adj woody; **~kohle** f charcoal; **~scheit** nt log; **~schuh** m clog; **~weg** m (fig) wrong track; **~wolle** f fine wood shavings pl
Homöopathie [homøopa'tiː] f homeopathy
homosexuell [homozɛksu'ɛl] adj homosexual
Honig ['hoːnɪç] (-s, -e) m honey; **~melone** f (BOT, KOCH) honeydew melon; **~wabe** f

honeycomb

Honorar [hono'raːr] (-s, -e) *nt* fee

Hopfen ['hɔpfən] (-s, -) *m* hops *pl*

hopsen ['hɔpsən] *vi* to hop

Hörapparat *m* hearing aid

hörbar *adj* audible

horchen ['hɔrçən] *vi* to listen; (*pej*) to eavesdrop

Horde ['hɔrdə] *f* horde

hören ['høːrən] *vt, vi* to hear; **Musik/Radio** ~ to listen to music/the radio

Hörer (-s, -) *m* hearer; (*RADIO*) listener; (*UNIV*) student; (*Telefon*~) receiver

Hörfunk (-s) *m* radio

Horizont [hori'tsɔnt] (-(e)s, -e) *m* horizon; **h**~**al** [-'taːl] *adj* horizontal

Hormon [hɔr'moːn] (-s, -e) *nt* hormone

Hörmuschel *f* (*TEL*) earpiece

Horn [hɔrn] (-(e)s, ⁼er) *nt* horn; ~**haut** *f* horny skin

Hornisse [hɔr'nɪsə] *f* hornet

Horoskop [horo'skoːp] (-s, -e) *nt* horoscope

Hörspiel *nt* radio play

Hort [hɔrt] (-(e)s, -e) *m* (*SCH*) day centre for school children whose parents are at work

horten ['hɔrtən] *vt* to hoard

Hose ['hoːzə] *f* trousers *pl*, pants *pl* (*US*)

Hosen- *zW:* ~**anzug** *m* trouser suit; ~**rock** *m* culottes *pl*; ~**tasche** *f* (trouser) pocket; ~**träger** *m* braces *pl* (*BRIT*), suspenders *pl* (*US*)

Hostie ['hɔstiə] *f* (*REL*) host

Hotel [ho'tɛl] (-s, -s) *nt* hotel

Hotelier [hoteli'eː] (-s, -s) *m* hotelkeeper, hotelier

Hubraum ['huːp-] *m* (*AUT*) cubic capacity

hübsch [hʏpʃ] *adj* pretty, nice

Hubschrauber ['huːpʃraubər] (-s, -) *m* helicopter

Huf [huːf] (-(e)s, -e) *m* hoof; ~**eisen** *nt* horseshoe

Hüft- ['hʏft] *zW:* ~**e** *f* hip; ~**gürtel** *m* girdle; ~**halter** (-s, -) *m* girdle

Hügel ['hyːgəl] (-s, -) *m* hill; **h**~**ig** *adj* hilly

Huhn [huːn] (-(e)s, ⁼er) *nt* hen; (*KOCH*) chicken

Hühnerauge ['hyːnər-] *nt* corn

Hühnerbrühe ['hyːnər-] *f* chicken broth

Hülle ['hʏlə] *f* cover(ing); wrapping; **in** ~ **und Fülle** galore; **h**~**n** *vt:* **h**~**n (in** +*akk*) to cover (with); to wrap (in)

Hülse ['hʏlzə] *f* husk, shell; ~**nfrucht** *f* pulse

human [hu'maːn] *adj* humane; ~**i'tär** *adj* humanitarian; **H**~**i'tät** *f* humanity

Hummel ['hʊməl] (-, -n) *f* bumblebee

Hummer ['hʊmər] (-s, -) *m* lobster

Humor [hu'moːr] (-s, -e) *m* humour; ~ **haben** to have a sense of humour; ~**ist** [-'rɪst] *m* humorist; **h**~**istisch** *adj* humorous; **h**~**voll** *adj* humorous

humpeln ['hʊmpəln] *vi* to hobble

Humpen ['hʊmpən] (-s, -) *m* tankard

Hund [hʊnt] (-(e)s, -e) *m* dog

Hunde- ['hʊndə] *zW:* ~**hütte** *f* (dog) kennel; ~**kuchen** *m* dog biscuit; **h**~**müde** (*umg*) *adj* dog-tired

hundert ['hʊndərt] *num* hundred; **H**~'**jahrfeier** *f* centenary; ~**prozentig** *adj, adv* one hundred per cent

Hundesteuer *f* dog licence fee

Hündin ['hʏndɪn] *f* bitch

Hunger ['hʊŋər] (-s) *m* hunger; ~ **haben** to be hungry; **h**~**n** *vi* to starve; ~**snot** *f* famine; ~**streik** *m* hunger strike

hungrig ['hʊŋrɪç] *adj* hungry

Hupe ['huːpə] *f* horn; **h**~**n** *vi* to hoot, to sound one's horn

hüpfen ['hʏpfən] *vi* to hop; to jump

Hürde ['hʏrdə] *f* hurdle; (*für Schafe*) pen; ~**nlauf** *m* hurdling

Hure ['huːrə] *f* whore

hurtig ['hʊrtɪç] *adj* brisk, quick ♦ *adv* briskly, quickly

huschen ['hʊʃən] *vi* to flit; to scurry

Husten ['huːstən] (-s) *m* cough; **h**~ *vi* to cough; ~**anfall** *m* coughing fit; ~**bonbon** *m od nt* cough drop; ~**saft** *m* cough mixture

Hut¹ [huːt] (-(e)s, ⁼e) *m* hat

Hut² (-) *f* care; **auf der** ~ **sein** to be on one's guard

hüten ['hyːtən] *vt* to guard ♦ *vr* to watch out; **sich** ~, **zu** to take care not to; **sich** ~ **(vor)** to beware (of), to be on one's guard (against)

Hütte ['hʏtə] *f* hut; cottage; (*Eisen*~) forge

Hüttenkäse *m* (*KOCH*) cottage cheese

Hüttenschuh *m* slipper-sock

Hyäne [hy'ɛːnə] *f* hyena

Hyazinthe [hya'tsɪntə] *f* hyacinth

Hydrant [hy'drant] *m* hydrant

hydraulisch [hy'draulɪʃ] *adj* hydraulic

Hygiene [hygi'eːnə] (-) *f* hygiene

hygienisch [hygi'eːnɪʃ] *adj* hygienic

Hymne ['hʏmnə] *f* hymn; anthem

hyper- ['hypɛr] *präfix* hyper-

Hypno- [hyp'noː] *zW:* ~**se** *f* hypnosis; **h**~**tisch** *adj* hypnotic; ~**tiseur** [-ti'zøːr] *m* hypnotist; **h**~**ti'sieren** *vt* to hypnotize

Hypothek [hypo'teːk] (-, -en) *f* mortgage

Hypothese [hypo'teːzə] *f* hypothesis

Hysterie [hʏste'riː] *f* hysteria

hysterisch [hʏs'teːrɪʃ] *adj* hysterical

I i

Ich (-(s), -(s)) *nt* self; (PSYCH) ego
ich [ɪç] *pron* I; ~ **bin's!** it's me!
Ideal [ide'aːl] (-s, -e) *nt* ideal; **i~** *adj* ideal;
i~istisch [-'lɪstɪʃ] *adj* idealistic
Idee [i'deː] *pl* i'deːən] *f* idea
identifizieren [idɛntifi'tsiːrən] *vt* to identify
identisch [i'dɛntɪʃ] *adj* identical
Identität [idɛnti'tɛːt] *f* identity
Ideo- [ideo] *zW:* ~**loge** [-'loːgə] (-n, -n) *m*
ideologist; ~**logie** [-lo'giː] *f* ideology;
i~logisch [-'loːgɪʃ] *adj* ideological
Idiot [idi'oːt] (-en, -en) *m* idiot; **i~isch** *adj*
idiotic
idyllisch [i'dʏlɪʃ] *adj* idyllic
Igel ['iːgəl] (-s, -) *m* hedgehog
ignorieren [ɪgno'riːrən] *vt* to ignore
ihm [iːm] (*dat von* **er, es**) *pron* (to) him;
(to) it
ihn [iːn] (*akk von* **er**) *pron* him; it; ~**en** (*dat
von* **sie** *pl*) *pron* (to) them; **I~en** (*dat von*
Sie *pl*) *pron* (to) you

┌─── SCHLÜSSELWORT

ihr [iːr] *pron* **1** (*nom pl*) you; **ihr seid es** it's
you
2 (*dat von* **sie**) to her; **gib es ihr** give it to
her; **er steht neben ihr** he is standing beside her
♦ *possessiv pron* **1** (*sg*) her; (: *bei Tieren,
Dingen*) its; **ihr Mann** her husband
2 (*pl*) their; **die Bäume und ihre Blätter**
the trees and their leaves

ihr(e) *adj* (*sg*) her; its; (*pl*) their; **I~(e)** *adj*
your
ihre(r, s) *pron* (*sg*) hers; its; (*pl*) theirs;
I~(r, s) *pron* yours; ~**r** (*gen von* **sie** *sg/pl*)
pron of her/them; **I~r** (*gen von* **Sie**) *pron*
of you; ~**rseits** *adv* for her/their part;
~**sgleichen** *pron* people like her/them;
(*von Dingen*) others like it; ~**twegen** *adv*
(*für sie*) for her/its/their sake; (*wegen ihr*)
on her/its/their account; ~**twillen** *adv*:
um ~twillen = ~**twegen**
ihrige *pron*: **der/die/das ~** hers; its; theirs
illegal ['ɪlegaːl] *adj* illegal
Illusion [ɪluzi'oːn] *f* illusion
illusorisch [ɪlu'zoːrɪʃ] *adj* illusory
illustrieren [ɪlus'triːrən] *vt* to illustrate
Illustrierte *f* magazine

Iltis ['ɪltɪs] (-ses, -se) *m* polecat
im [ɪm] = **in dem**
Imbiß ['ɪmbɪs] (-sses, -sse) *m* snack; ~**halle** *f* snack bar; ~**stube** *f* snack bar
imitieren [imi'tiːrən] *vt* to imitate
Imker ['ɪmkər] (-s, -) *m* beekeeper
immatrikulieren [ɪmatriku'liːrən] *vi, vr* to
register
immer ['ɪmər] *adv* always; ~ **wieder** again
and again; ~ **noch** still; ~ **noch nicht** still
not; **für** ~ forever; ~ **wenn ich** ... every
time I ...; ~ **schöner/trauriger** more and
more beautiful/sadder and sadder; **was/
wer (auch)** ~ whatever/whoever; ~**hin**
adv all the same; ~**zu** *adv* all the time
Immobilien [ɪmo'biːliən] *pl* real estate *sg*
immun [ɪ'muːn] *adj* immune; **I~ität** [-i'tɛːt]
f immunity; **I~system** *nt* immune system
Imperfekt ['ɪmpɛrfɛkt] (-s, -e) *nt* imperfect
(tense)
Impf- ['ɪmpf] *zW:* **i~en** *vt* to vaccinate;
~**stoff** *m* vaccine, serum; ~**ung** *f* vaccina-
tion
imponieren [ɪmpo'niːrən] *vi* +*dat* to impress
Import [ɪm'pɔrt] (-(e)s, -e) *m* import; ~**eur**
m importer; **i~ieren** *vt* to import
imposant [ɪmpo'zant] *adj* imposing
impotent ['ɪmpotɛnt] *adj* impotent
imprägnieren [ɪmprɛ'gniːrən] *vt* to (water)proof
improvisieren [ɪmprovi'ziːrən] *vt, vi* to im-
provize
Impuls [ɪm'pʊls] (-es, -e) *m* impulse; **i~iv**
[-'ziːf] *adj* impulsive
imstande [ɪm'ʃtandə] *adj*: ~ **sein** to be in
a position; (*fähig*) to be able

┌─── SCHLÜSSELWORT

in [ɪn] *präp* +*akk* **1** (*räumlich: wohin?*) in,
into; **in die Stadt** into town; **in die Schule
gehen** to go to school
2 (*zeitlich*): **bis ins 20. Jahrhundert** into *od*
up to the 20th century
♦ *präp* +*dat* **1** (*räumlich: wo*) in; **in der
Stadt** in town; **in der Schule sein** to be at
school
2 (*zeitlich: wann*): **in diesem Jahr** this year;
(*in jenem Jahr*) in that year; **heute in zwei
Wochen** two weeks today

Inanspruchnahme [ɪn''anʃprʊxnaːmə] *f*
(+*gen*) demands *pl* (on)
Inbegriff ['ɪnbəgrɪf] *m* embodiment, per-
sonification; **i~en** *adv* included
indem [ɪn'deːm] *konj* while; ~ **man etw
macht** (*dadurch*) by doing sth
Inder(in) ['ɪndər(ɪn)] (-s, -) *m(f)* Indian
indes(sen) [ɪn'dɛs(ən)] *adv* however; (*inzwischen*) meanwhile ♦ *Konj* while
Indianer(in) [ɪndi'aːnər(ɪn)] (-s, -) *m(f)*
American Indian, native American

indianisch *adj* Red Indian
Indien ['ɪndiən] *nt* India
indirekt ['ɪndirɛkt] *adj* indirect
indisch ['ɪndɪʃ] *adj* Indian
indiskret ['ɪndɪskreːt] *adj* indiscreet
indiskutabel ['ɪndɪskutaːbəl] *adj* out of the question
individuell [ɪndividu'ɛl] *adj* individual
Individuum [ɪndi'viːduʊm] (**-s, -duen**) *nt* individual
Indiz [ɪn'diːts] (**-es, -ien**) *nt* (*JUR*) clue; ~ (**für**) sign (of)
industrialisieren [ɪndʊstriali'ziːrən] *vt* to industrialize
Industrie [ɪndʊs'triː] *f* industry ♦ *in zW* industrial; ~**gebiet** *nt* industrial area; ~**zweig** *m* branch of industry
ineinander [ɪn'aɪ'nandər] *adv* in(to) one another *od* each other
Infarkt [ɪn'farkt] (**-(e)s, -e**) *m* coronary (thrombosis)
Infektion [ɪnfɛktsi'oːn] *f* infection; ~**skrankheit** *f* infectious disease
Infinitiv ['ɪnfinitiːf] (**-s, -e**) *m* infinitive
infizieren [ɪnfi'tsiːrən] *vt* to infect ♦ *vr*: **sich (bei jdm)** ~ to be infected (by sb)
Inflation [ɪnflatsi'oːn] *f* inflation
inflationär [ɪnflatsio'nɛːr] *adj* inflationary
infolge [ɪn'fɔlgə] *präp +gen* as a result of, owing to; ~**dessen** [-'dɛsən] *adv* consequently
Informatik [ɪnfɔr'maːtɪk] *f* information studies *pl*
Information [ɪnfɔrmatsi'oːn] *f* information *no pl*
informieren [ɪnfɔr'miːrən] *vt* to inform ♦ *vr*: **sich** ~ (**über** +*akk*) to find out (about)
Infusion [ɪnfuzi'oːn] *f* infusion
Ingenieur [ɪnʒeni'øːr] *m* engineer; ~**schule** *f* school of engineering
Ingwer ['ɪŋvər] (**-s**) *m* ginger
Inh. *abk* (= *Inhaber*) prop.; (= *Inhalt*) contents
Inhaber(in) ['ɪnhaːbər(ɪn)] (**-s, -**) *m(f)* owner; (*Haus*~) occupier; (*Lizenz*~) licensee, holder; (*FIN*) bearer
inhaftieren *vt* to take into custody
inhalieren [ɪnha'liːrən] *vt, vi* to inhale
Inhalt ['ɪnhalt] (**-(e)s, -e**) *m* contents *pl*; (*eines Buchs etc*) content; (*MATH*) area; volume; **i~lich** *adj* as regards content
Inhalts- *zW*: ~**angabe** *f* summary; ~**verzeichnis** *nt* table of contents
inhuman ['ɪnhumaːn] *adj* inhuman
Initiative [initsiaˈtiːvə] *f* initiative
Injektion [ɪnjɛktsi'oːn] *f* injection
inklusive [ɪnklu'ziːvə] *präp +gen* inclusive of ♦ *adv* inclusive
inkognito [ɪn'kɔgnito] *adv* incognito
Inkrafttreten [ɪn'krafttreːtən] (**-s**) *nt* coming into force
Inland ['ɪnlant] (**-(e)s**) *nt* (*GEOG*) inland;

(*POL, COMM*) home (country)
inmitten [ɪn'mɪtən] *präp +gen* in the middle of; ~ **von** amongst
innehaben ['ɪnhaːbən] (*unreg*) *vt* to hold
innen ['ɪnən] *adv* inside; **i~architekt** *m* interior designer; **i~einrichtung** *f* (interior) furnishings *pl*; **i~hof** *m* inner courtyard; **i~minister** *m* minister of the interior, Home Secretary (*BRIT*); **i~politik** *f* domestic policy; ~**politisch** *adj* (*Entwicklung, Lage*) internal, domestic; **i~stadt** *f* town/city centre
inner- ['ɪnər] *zW*: ~**e(r, s)** *adj* inner; (*im Körper, inländisch*) internal; **i~e(s)** *nt* inside; (*Mitte*) centre; (*fig*) heart; **i~eien** [-'raɪən] *pl* innards; ~**halb** *adv* within; (*räumlich*) inside ♦ *präp +gen* within; inside; ~**lich** *adj* internal; (*geistig*) inward; ~**ste(r, s)** *adj* innermost; **i~ste(s)** *nt* heart
innig *adj* (*Freundschaft*) close
inoffiziell ['ɪnɔfitsiɛl] *adj* unofficial
ins [ɪns] = **in das**
Insasse ['ɪnzasə] (**-n, -n**) *m* (*Anstalt*) inmate; (*AUT*) passenger
insbesondere [ɪnsbə'zɔndərə] *adv* (e)specially
Inschrift ['ɪnʃrɪft] *f* inscription
Insekt [ɪn'zɛkt] (**-(e)s, -en**) *nt* insect
Insel ['ɪnzəl] (**-, -n**) *f* island
Inser- *zW*: ~**at** [ɪnze'raːt] (**-(e)s, -e**) *nt* advertisement; ~**ent** [ɪnze'rɛnt] *m* advertiser; **i~ieren** [ɪnze'riːrən] *vt, vi* to advertise
insgeheim [ɪnsgə'haɪm] *adv* secretly
insgesamt [ɪnsgə'zamt] *adv* altogether, all in all
insofern ['ɪnzoˈfɛrn] *adv* in this respect ♦ *konj* if; (*deshalb*) (and) so; ~ **als** in so far as
insoweit ['ɪnzo'vaɪt] = **insofern**
Installateur [ɪnstala'tøːr] *m* electrician; plumber
Instandhaltung [ɪn'ʃtant-] *f* maintenance
inständig [ɪn'ʃtɛndɪç] *adj* urgent
Instandsetzung [ɪn'ʃtant-] *f* overhaul; (*eines Gebäudes*) restoration
Instanz [ɪn'stants] *f* authority; (*JUR*) court
Instinkt [ɪn'stɪŋkt] (**-(e)s, -e**) *m* instinct; **i~iv** [-'tiːf] *adj* instinctive
Institut [ɪnsti'tuːt] (**-(e)s, -e**) *nt* institute
Instrument [ɪnstru'mɛnt] *nt* instrument
Intell- [ɪntɛl] *zW*: **i~ektuell** [-ɛktu'ɛl] *adj* intellectual; **i~igent** [-i'gɛnt] *adj* intelligent; ~**igenz** [-i'gɛnts] *f* intelligence; (*Leute*) intelligentsia *pl*
Intendant [ɪntɛn'dant] *m* director
intensiv [ɪntɛn'ziːf] *adj* intensive
Interess- *zW*: **i~ant** [ɪntɛrɛ'sant] *adj* interesting; **i~anterweise** *adv* interestingly enough; ~**e** [ɪntɛˈreːsə] (**-s, -n**) *nt* interest; ~**e haben an** +*dat* to be interested in; ~**ent** [ɪntɛrɛˈsɛnt] *m* interested party; **i~ieren** [ɪntɛrɛˈsiːrən] *vt* to interest ♦ *vr*:

sich i~ieren für to be interested in
intern *adj (Angelegenheiten, Regelung)* internal; *(Besprechung)* private
Internat [ɪntɛr'naːt] (-(e)s, -e) *nt* boarding school
inter- [ɪntɛr] *zW:* **~national** [-natsio'naːl] *adj* international; **~pretieren** [-pre'tiːrən] *vt* to interpret; **I~vall** [-'val] (-s, -e) *nt* interval; **I~view** ['-vjuː] (-s, -s) *nt* interview; **~viewen** [-'vjuːən] *vt* to interview
intim [ɪn'tiːm] *adj* intimate; **I~ität** *f* intimacy
intolerant ['ɪntolerant] *adj* intolerant
intransitiv ['ɪntranzitiːf] *adj (GRAM)* intransitive
Intrige [ɪn'triːgə] *f* intrigue, plot
Invasion [ɪnvazi'oːn] *f* invasion
Inventar [ɪnvɛn'taːr] (-s, -e) *nt* inventory
Inventur [ɪnvɛn'tuːr] *f* stocktaking; **~ machen** to stocktake
investieren [ɪnvɛs'tiːrən] *vt* to invest
inwiefern [ɪnvi'fɛrn] *adv* how far, to what extent
inwieweit [ɪnvi'vaɪt] *adv* how far, to what extent
inzwischen [ɪn'tsvɪʃən] *adv* meanwhile
Irak [i'raːk] (-s) *m:* **der ~** Iraq; **i~isch** *adj* Iraqi
Iran [i'raːn] (-s) *m:* **der ~** Iran; **i~isch** *adj* Iranian
irdisch ['ɪrdɪʃ] *adj* earthly
Ire ['iːrə] (-n, -n) *m* Irishman
irgend ['ɪrgɛnt] *adv* at all; **wann/was/wer ~** whenever/whatever/whoever; **~ jemand/etwas** somebody/something; anybody/anything; **~ein(e, s)** *adj* some, any; **~einmal** *adv* sometime or other; *(fragend)* ever; **~wann** *adv* sometime; **~wie** *adv* somehow; **~wo** *adv* somewhere; anywhere; **~wohin** *adv* somewhere; anywhere
Irin ['iːrɪn] *f* Irishwoman
Irland ['ɪrlant] (-s) *nt* Ireland
Ironie [iro'niː] *f* irony
ironisch [i'roːnɪʃ] *adj* ironic(al)
irre ['ɪrə] *adj* crazy, mad; **I~(r)** *mf* lunatic; **~führen** *vt* to mislead; **~machen** *vt* to confuse; **~n** *vi* to be mistaken; *(umherirren)* to wander, to stray ♦ *vr* to be mistaken; **I~nanstalt** *f* lunatic asylum
Irrgarten *m* maze
irrig ['ɪrɪç] *adj* incorrect, wrong
irritieren [ɪri'tiːrən] *vt (verwirren)* to confuse; *(ärgern)* to irritate; *(stören)* to annoy
Irr- *zW:* **i~sinnig** *adj* mad, crazy; *(umg)* terrific; **~tum** (-s, -tümer) *m* mistake, error; **i~tümlich** *adj* mistaken
Islam ['ɪslam] (-s) *m* Islam
Island ['iːslant] (-s) *nt* Iceland
Isolation [izolatsi'oːn] *f* isolation; *(ELEK)* insulation
Isolier- [izo'liːr] *zW:* **~band** *nt* insulating tape; **i~en** *vt* to isolate; *(ELEK)* to insulate;

~station *f (MED)* isolation ward; **~ung** *f* isolation; *(ELEK)* insulation
Israel ['ɪsraeːl] (-s) *nt* Israel; **~i** [-'eːli] (-s, -s) *m* Israeli; **i~isch** *adj* Israeli
ißt [ɪst] *vb siehe* **essen**
ist [ɪst] *vb siehe* **sein**
Italien [i'taːliən] (-s) *nt* Italy; **~er(in)** (-s) *m(f)* Italian; **i~isch** *adj* Italian
i.V. *abk* = **in Vertretung**

J j

— SCHLÜSSELWORT

ja [jaː] *adv* **1** yes; **haben Sie das gesehen? - ja** did you see it? - yes(, I did); **ich glaube ja** (yes) I think so
2 *(fragend)* really?; **ich habe gekündigt - ja?** I've quit - have you?; **du kommst, ja?** you're coming, aren't you?
3: **sei ja vorsichtig** do be careful; **Sie wissen ja, daß ...** as you know, ...; **tu das ja nicht!** don't do that!; **ich habe es ja gewußt** I just knew it; **ja, also ...** well you see ...

Jacht [jaxt] (-, -en) *f* yacht
Jacke ['jakə] *f* jacket; *(Woll~)* cardigan
Jackett [ʒa'kɛt] (-s, -s *od* -e) *nt* jacket
Jagd [jaːkt] (-, -en) *f* hunt; *(Jagen)* hunting; **~beute** *f* kill; **~flugzeug** *nt* fighter; **~gewehr** *nt* sporting gun; **~hund** *m* hunting dog
jagen ['jaːgən] *vi* to hunt; *(eilen)* to race ♦ *vt* to hunt; *(weg~)* to drive (off); *(verfolgen)* to chase
Jäger ['jɛːgər] (-s, -) *m* hunter
Jägerschnitzel *nt (KOCH)* pork in a spicy sauce with mushrooms
jäh [jɛː] *adj* sudden, abrupt; *(steil)* steep, precipitous
Jahr [jaːr] (-(e)s, -e) *nt* year; **j~elang** *adv* for years
Jahres- *zW:* **~abonnement** *nt* annual subscription; **~abschluß** *m* end of the year; *(COMM)* annual statement of account; **~beitrag** *m* annual subscription; **~karte** *f* yearly season ticket; **~tag** *m* anniversary; **~wechsel** *m* turn of the year; **~zahl** *f* date; year; **~zeit** *f* season
Jahrgang *m* age group; *(von Wein)* vintage
Jahr'hundert (-s, -e) *nt* century
jährlich ['jɛːrlɪç] *adj, adv* yearly

Jahrmarkt *m* fair
Jahrtausend *nt* millenium
Jahr'zehnt *nt* decade
Jähzorn *m* sudden anger; hot temper; **j~ig** *adj* hot-tempered
Jalousie [ʒalu'ziː] *f* venetian blind
Jammer ['jamər] (**-s**) *m* misery; **es ist ein ~, daß** ... it is a crying shame that ...
jämmerlich ['jɛmərlɪç] *adj* wretched, pathetic
jammern *vi* to wail ♦ *vt unpers:* **es jammert jdn** it makes sb feel sorry
jammerschade *adj:* **es ist ~** it is a crying shame
Januar ['janua:r] (**-(s)**, **-e**) *m* January
Japan ['ja:pan] (**-s**) *nt* Japan; **~er(in)** [-'pa:nər(ɪn)] (**-s**) *m(f)* Japanese; **j~isch** *adj* Japanese
Jargon [ʒar'gõ:] (**-s**, **-s**) *m* jargon
jäten ['jɛːtən] *vt:* **Unkraut ~** to weed
jauchzen ['jauxtsən] *vi* to rejoice, to shout (with joy)
jaulen ['jaulən] *vi* to howl
jawohl [ja'voːl] *adv* yes (of course)
Jawort ['ja:vɔrt] *nt* consent
Jazz [dʒɛs] (**-**) *m* Jazz

SCHLÜSSELWORT
---

je [jeː] *adv* **1** *(jemals)* ever; **hast du so was je gesehen?** did you ever see anything like it?
2 *(jeweils)* every, each; **sie zahlten je 3 Mark** they paid 3 marks each
♦ *konj* **1: je nach** depending on; **je nachdem** it depends; **je nachdem, ob ...** depending on whether ...
2: je eher, desto *od* **um so besser** the sooner the better

---

Jeans [dʒiːnz] *pl* jeans
jede(r, s) ['je:də(r, s)] *adj* every, each ♦ *pron* everybody; (**~ einzelne**) each; **ohne ~ x** without any x
jedenfalls *adv* in any case
jedermann *pron* everyone
jederzeit *adv* at any time
jedesmal *adv* every time, each time
jedoch [je'dɔx] *adv* however
jeher ['je:he:r] *adv:* **von/seit ~** always
jemals ['je:ma:ls] *adv* ever
jemand ['je:mant] *pron* somebody; anybody
jene(r, s) ['je:nə(r, s)] *adj* that ♦ *pron* that one
jenseits ['je:nzaits] *adv* on the other side ♦ *präp +gen* on the other side of, beyond
Jenseits *nt:* **das ~** the hereafter, the beyond
jetzig ['jɛtsɪç] *adj* present
jetzt [jɛtst] *adv* now
jeweilig *adj* respective
jeweils *adv:* **~ zwei zusammen** two at a time; **zu ~ 5 DM** at 5 marks each; **~ das**

erste the first each time
Jh. *abk* = **Jahrhundert**
Jockei ['dʒɔke] (**-s**, **-s**) *m* jockey
Jod [joːt] (**-(e)s**) *nt* iodine
jodeln ['joːdəln] *vi* to yodel
joggen ['dʒɔgən] *vi* to jog
Joghurt ['joːgʊrt] (**-s**, **-s**) *m od* yogurt
Johannisbeere [jo'hanɪsbeːrə] *f* redcurrant; **schwarze ~** blackcurrant
johlen ['joːlən] *vi* to yell
jonglieren [ʒõ'gliːrən] *vi* to juggle
Journal- [ʒʊrnal] *zW:* **~ismus** [-'lɪsmʊs] *m* journalism; **~ist(in)** [-'lɪst(ɪn)] *m(f)* journalist; **journa'listisch** *adj* journalistic
Jubel ['juːbəl] (**-s**) *m* rejoicing; **j~n** *vi* to rejoice
Jubiläum [jubi'lɛːʊm] (**-s**, **Jubiläen**) *nt* anniversary; jubilee
jucken ['jʊkən] *vi* to itch ♦ *vt:* **es juckt mich am Arm** my arm is itching; **das juckt mich** that's itchy
Juckreiz ['jʊkraits] *m* itch
Jude ['juːdə] (**-n**, **-n**) *m* Jew
Judentum (**-**) *nt* Judaism; Jewry
Judenverfolgung *f* persecution of the Jews
Jüdin ['jyːdɪn] *f* Jewess
jüdisch ['jyːdɪʃ] *adj* Jewish
Judo ['juːdo] (**-(s)**) *nt* judo
Jugend ['juːgənt] (**-**) *f* youth; **j~frei** *adj* (*CINE*) U (*BRIT*), G (*US*), suitable for children; **~herberge** *f* youth hostel; **j~lich** *adj* youthful; **~liche(r)** *mf* teenager, young person
Jugoslaw- [jugo'sla:v] *zW:* **~e** *m* Yugoslavian; **~ien** (**-s**) *nt* Yugoslavia; **~in** *f* Yugoslavian; **j~isch** *adj* Yugoslavian
Juli ['juːli] (**-(s)**, **-s**) *m* July
jun. *abk* (= *junior*) jr.
jung [jʊŋ] *adj* young; **J~e** (**-n**, **-n**) *m* boy, lad; **J~e(s)** *nt* young animal; **J~en** *pl* (*von Tier*) young *pl*
Jünger ['jʏŋər] (**-s**, **-**) *m* disciple
jünger *adj* younger
Jung- *zW:* **~frau** *f* virgin; (*ASTROL*) Virgo; **~geselle** *m* bachelor; **~gesellin** *f* unmarried woman; **Jüngling** *m* youth
jüngst [jʏŋst] *adv* lately, recently; **~e(r, s)** *adj* youngest; (*neueste*) latest
Juni ['juːni] (**-(s)**, **-s**) *m* June
Junior ['juːniɔr, *pl* -'o:rən] (**-s**, **-en**) *m* junior
Jurist [ju'rɪst] *m* jurist, lawyer; **j~isch** *adj* legal
Justiz [jʊs'tiːts] (**-**) *f* justice; **~beamte(r)** *m* judicial officer; **~irrtum** *m* miscarriage of justice; **~minister** *m* ≈ Lord (High) Chancellor (*BRIT*), ≈ Attorney General (*US*)
Juwel [ju'veːl] (**-s**, **-en**) *nt od m* jewel
Juwelier [juve'liːr] (**-s**, **-e**) *m* jeweller; **~geschäft** *nt* jeweller's (shop)
Jux [jʊks] (**-es**, **-e**) *m* joke, lark

K k

Kabarett [kaba'rɛt] (**-s, -e** od **-s**) *nt* cabaret; **~ist** [-'tɪst] *m* cabaret artiste

Kabel ['kaːbəl] (**-s, -**) *nt* (*ELEK*) wire; (*stark*) cable; **~fernsehen** *nt* cable television

Kabeljau ['kaːbəljau] (**-s, -e** od **-s**) *m* cod

kabeln *vt, vi* to cable

Kabine [ka'biːnə] *f* cabin; (*Zelle*) cubicle

Kabinett [kabi'nɛt] (**-s, -e**) *nt* (*POL*) cabinet

Kachel ['kaxəl] (**-, -n**) *f* tile; **k~n** *vt* to tile; **~ofen** *m* tiled stove

Käfer ['kɛːfər] (**-s, -**) *m* beetle

Kaffee ['kafe] (**-s, -s**) *m* coffee; **~kanne** *f* coffeepot; **~löffel** *m* coffee spoon

Käfig ['kɛːfɪç] (**-s, -e**) *m* cage

kahl [kaːl] *adj* bald; **~geschoren** *adj* shaven, shorn; **~köpfig** *adj* bald-headed

Kahn [kaːn] (**-(e)s, ⸚e**) *m* boat, barge

Kai [kaɪ] (**-s, -e** od **-s**) *m* quay

Kaiser ['kaɪzər] (**-s, -**) *m* emperor; **~in** *f* empress; **k~lich** *adj* imperial; **~reich** *nt* empire; **~schnitt** *m* (*MED*) Caesarian (section)

Kajak ['kaːjak] (**-s, -s**) *m* (*SPORT*) kayak

Kakao [ka'kao] (**-s, -s**) *m* cocoa

Kaktee [kak'te:(ə)] (**-, -n**) *f* cactus

Kaktus ['kaktus] (**-, -teen**) *m* cactus

Kalb [kalp] (**-(e)s, ⸚er**) *nt* calf; **k~en** ['kalbən] *vi* to calve; **~fleisch** *nt* veal; **~sleder** *nt* calf(skin)

Kalender [ka'lɛndər] (**-s, -**) *m* calendar; (*Taschen~*) diary

Kaliber [ka'liːbər] (**-s, -**) *nt* (*auch fig*) calibre

Kalk [kalk] (**-(e)s, -e**) *m* lime; (*BIOL*) calcium; **~stein** *m* limestone

kalkulieren [kalku'liːrən] *vt* to calculate

Kalorie [kalo'ri:] *f* calorie

kalt [kalt] *adj* cold; **mir ist (es) ~** I am cold; **~blütig** *adj* cold-blooded; (*ruhig*) cool

Kälte ['kɛltə] (**-**) *f* cold; coldness; **~grad** *m* degree of frost *od* below zero; **~welle** *f* cold spell

kalt- *zW:* **~herzig** *adj* cold-hearted; **~schnäuzig** *adj* cold, unfeeling; **~stellen** *vt* to chill; (*fig*) to leave out in the cold

kam *etc vb siehe* **kommen**

Kamel [ka'me:l] (**-(e)s, -e**) *nt* camel

Kamera ['kamera] (**-, -s**) *f* camera

Kamerad [kamə'raːt] (**-en, -en**) *m* comrade, friend; **~schaft** *f* comradeship; **k~schaftlich** *adj* comradely

Kameramann (**-(e)s, -männer**) *m* cameraman

Kamille [ka'mɪlə] *f* camomile; **~ntee** *m* camomile tea

Kamin [ka'miːn] (**-s, -e**) *m* (*außen*) chimney; (*innen*) fireside, fireplace; **~feger** (**-s, -**) *m* chimney sweep; **~kehrer** (**-s, -**) *m* chimney sweep

Kamm [kam] (**-(e)s, ⸚e**) *m* comb; (*Berg~*) ridge; (*Hahnen~*) crest

kämmen ['kɛmən] *vt* to comb ♦ *vr* to comb one's hair

Kammer ['kamər] (**-, -n**) *f* chamber; small bedroom; **~diener** *m* valet

Kampagne [kam'panjə] *f* campaign

Kampf [kampf] (**-(e)s, ⸚e**) *m* fight, battle; (*Wettbewerb*) contest; (*fig: Anstrengung*) struggle; **k~bereit** *adj* ready for action

kämpfen ['kɛmpfən] *vi* to fight

Kämpfer (**-s, -**) *m* fighter, combatant

Kampf- *zW:* **~handlung** *f* action; **k~los** *adj* without a fight; **~richter** *m* (*SPORT*) referee; (*TENNIS*) umpire; **~stoff** *m:* **chemischer/biologischer ~stoff** chemical/biological weapon

Kanada ['kanada] (**-s**) *nt* Canada

Kanadier(in) [ka'na:diər(ɪn)] (**-s, -**) *m(f)* Canadian

kanadisch [ka'na:dɪʃ] *adj* Canadian

Kanal [ka'naːl] (**-s, Kanäle**) *m* (*Fluß*) canal; (*Rinne, Ärmel~*) channel; (*für Abfluß*) drain; **~inseln** *pl* Channel Islands; **~isation** [-izatsi'o:n] *f* sewage system

Kanarienvogel [ka'na:riənfo:gəl] *m* canary

kanarisch [ka'na:rɪʃ] *adj*: **K~e Inseln** Canary Islands, Canaries

Kandi- [kandi] *zW:* **~dat** [-'da:t] (**-en, -en**) *m* candidate; **~datur** [-da'tu:r] *f* candidature, candidacy; **k~dieren** [-'di:rən] *vi* to stand, to run

Kandis(zucker) ['kandɪs(tsukər)] (**-**) *m* candy

Känguruh ['kɛŋguru] (**-s, -s**) *nt* kangaroo

Kaninchen [ka'ni:nçən] *nt* rabbit

Kanister [ka'nɪstər] (**-s, -**) *m* can, canister

Kännchen ['kɛnçən] *nt* pot

Kanne ['kanə] *f* (*Krug*) jug; (*Kaffee~*) pot; (*Milch~*) churn; (*Gieß~*) can

kannst *etc* [kanst] *vb siehe* **können**

Kanon ['ka:nɔn] (**-s, -s**) *m* canon

Kanone [ka'no:nə] *f* gun; (*HIST*) cannon; (*fig: Mensch*) ace

Kantate [kan'ta:tə] *f* cantata

Kante ['kantə] *f* edge

Kantine [kan'ti:nə] *f* canteen

Kanu ['ka:nu] (**-s, -s**) *nt* canoe

Kanzel ['kantsəl] (**-, -n**) *f* pulpit

Kanzler ['kantslər] (**-s, -**) *m* chancellor

Kap [kap] (**-s, -s**) *nt* cape (*GEOG*); **~ der Guten Hoffnung** Cape of Good Hope

Kapazität [kapatsi'tɛːt] f capacity; (*Fachmann*) authority
Kapelle [ka'pɛlə] f (*Gebäude*) chapel; (*MUS*) band
kapieren [ka'piːrən] (*umg*) vt, vi to get, to understand
Kapital [kapi'taːl] (-s, -e od -ien) nt capital; ~**anlage** f investment; ~**ismus** [-'lɪsmʊs] m capitalism; ~**ist** [-'lɪst] m capitalist; **k~istisch** adj capitalist
Kapitän [kapi'tɛːn] (-s, -e) m captain
Kapitel [ka'pɪtəl] (-s, -) nt chapter
Kapitulation [kapitulatsi'oːn] f capitulation
kapitulieren [kapitu'liːrən] vi to capitulate
Kaplan [ka'plaːn] (-s, **Kapläne**) m chaplain
Kappe ['kapə] f cap; (*Kapuze*) hood
kappen vt to cut
Kapsel ['kapsəl] (-, -n) f capsule
kaputt [ka'pʊt] (*umg*) adj kaput, broken; (*Person*) exhausted, finished; **am Auto ist etwas ~** there's something wrong with the car; ~**gehen** (*unreg*) vi to break; (*Schuhe*) to fall apart; (*Firma*) to go bust; (*Stoff*) to wear out; (*sterben*) to cop it (*umg*); ~**machen** vt to break; (*Mensch*) to exhaust, to wear out
Kapuze [ka'puːtsə] f hood
Karaffe [ka'rafə] f carafe; (*geschliffen*) decanter
Karamel [kara'mɛl] (-s) m caramel; ~**bonbon** m od nt toffee
Karat [ka'raːt] (-(e)s, -e) nt carat
Karate [ka'raːtə] (-s) nt karate
Karawane [kara'vaːnə] f caravan
Kardinal [kardi'naːl] (-s, **Kardinäle**) m cardinal; ~**zahl** f cardinal number
Karfreitag [kaːr'fraitaːk] m Good Friday
karg [kark] adj (*Landschaft, Boden*) barren; (*Lohn*) meagre
kärglich ['kɛrklɪç] adj poor, scanty
Karibik [ka'riːbɪk] (-) f: **die ~** the Caribbean
karibisch [ka'riːbɪʃ] adj: **K~e Inseln** Caribbean Islands
kariert [ka'riːrt] adj (*Stoff*) checked; (*Papier*) squared
Karies ['kaːries] (-) f caries
Karikatur [karika'tuːr] f caricature; ~**ist** [-'rɪst] m cartoonist
Karneval ['karnəval] (-s, -e od -s) m carnival
Karo ['kaːro] (-s, -s) nt square; (*KARTEN*) diamonds; ~**-As** nt ace of diamonds
Karosserie [karɔsə'riː] f (*AUT*) body(work)
Karotte [ka'rɔtə] f carrot
Karpfen ['karpfən] (-s, -) m carp
Karre ['karə] f cart, barrow
Karren (-s, -) m cart, barrow
Karriere [kari'ɛːrə] f career; ~ **machen** to get on, to get to the top; ~**macher** (-s, -) m careerist
Karte ['kartə] f card; (*Land~*) map;

(*Speise~*) menu; (*Eintritts~, Fahr~*) ticket; **alles auf eine ~ setzen** to put all one's eggs in one basket
Kartei [kar'tai] f card index; ~**karte** f index card
Kartell [kar'tɛl] (-s, -e) nt cartel
Kartenspiel nt card game; pack of cards
Kartoffel [kar'tɔfəl] (-, -n) f potato; ~**brei** m mashed potatoes pl; ~**mus** nt mashed potatoes pl; ~**püree** nt mashed potatoes pl; ~**salat** m potato salad
Karton [kar'tõː] (-s, -s) m cardboard; (*Schachtel*) cardboard box; **k~iert** adj hardback
Karussell [karʊ'sɛl] (-s, -s) nt roundabout (*BRIT*), merry-go-round
Karwoche ['kaːrvɔxə] f Holy Week
Käse ['kɛːzə] (-s, -) m cheese; ~**glocke** f cheese(-plate) cover; ~**kuchen** m cheesecake
Kaserne [ka'zɛrnə] f barracks pl; ~**nhof** m parade ground
Kasino [ka'ziːno] (-s, -s) nt club; (*MIL*) officers' mess; (*Spiel~*) casino
Kasper ['kaspər] (-s, -) m Punch; (*fig*) fool
Kasse ['kasə] f (*Geldkasten*) cashbox; (*in Geschäft*) till, cash register; cash desk, checkout; (*Kino~, Theater~ etc*) box office; ticket office; (*Kranken~*) health insurance; (*Spar~*) savings bank; ~ **machen** to count the money; **getrennte ~ führen** to pay separately; **an der ~** (*in Geschäft*) at the desk; **gut bei ~ sein** to be in the money
Kassen- zW: ~**arzt** m panel doctor (*BRIT*); ~**bestand** m cash balance; ~**patient** m panel patient (*BRIT*); ~**prüfung** f audit; ~**sturz** m: ~**sturz machen** to check one's money; ~**zettel** m receipt
Kassette [ka'sɛtə] f small box; (*Tonband, PHOT*) cassette; (*Bücher~*) case
Kassettenrecorder (-s, -) m cassette recorder
kassieren [ka'siːrən] vt to take ♦ vi: **darf ich ~?** would you like to pay now?
Kassierer [ka'siːrər] (-s, -) m cashier; (*von Klub*) treasurer
Kastanie [kas'taːniə] f chestnut; (*Baum*) chestnut tree
Kasten ['kastən] (-s, ⁻) m (*auch SPORT*) box; case; (*Truhe*) chest; ~**wagen** m van
kastrieren [kas'triːrən] vt to castrate
Katalog [kata'loːk] (-(e)s, -e) m catalogue
Katalysator [kataly'zaːtɔr] m catalyst; (*AUT*) catalytic convertor
Katarrh [ka'tar] (-s, -e) m catarrh
katastrophal [katastro'faːl] adj catastrophic
Katastrophe [kata'stroːfə] f catastrophe, disaster
Kat-Auto ['kat'auto] n car fitted with a catalytic converter
Kategorie [katego'riː] f category

kategorisch [kate'goːrɪʃ] *adj* categorical
Kater ['kaːtər] **(-s, -)** *m* tomcat; (*umg*) hangover
kath. *abk* (= *katholisch*) Cath.
Kathedrale [kate'draːlə] *f* cathedral
Kathode [ka'toːdə] *f* cathode
Katholik [kato'liːk] **(-en, -en)** *m* Catholic
katholisch [ka'toːlɪʃ] *adj* Catholic
Kätzchen ['kɛtsçən] *nt* kitten
Katze ['katsə] *f* cat; **für die Katz** (*umg*) in vain, for nothing
Katzen- *zW*: **~auge** *nt* cat's eye; (*Fahrrad*) rear light; **~jammer** (*umg*) *m* hangover; **~sprung** (*umg*) *m* stone's throw; short journey
Kauderwelsch ['kaʊdərvɛlʃ] **(-(s))** *nt* jargon; (*umg*) double Dutch
kauen ['kaʊən] *vt, vi* to chew
kauern ['kaʊərn] *vi* to crouch down; (*furchtlich*) to cower
Kauf [kaʊf] **(-(e)s, Käufe)** *m* purchase, buy; (*Kaufen*) buying; **ein guter ~** a bargain; **etw in ~ nehmen** to put up with sth; **k~en** *vt* to buy
Käufer(in) ['kɔyfər(ɪn)] **(-s, -)** *m(f)* buyer
Kauffrau *f* businesswoman
Kaufhaus *nt* department store
Kaufkraft *f* purchasing power
käuflich ['kɔyflɪç] *adj* purchasable, for sale; (*pej*) venal ♦ *adv*: **~ erwerben** to purchase
Kauf- *zW*: **k~lustig** *adj* interested in buying; **~mann** (*pl* **-leute**) *m* businessman; shopkeeper; **k~männisch** *adj* commercial; **k~männischer Angestellter** office worker
Kaugummi ['kaʊɡumi] *m* chewing gum
Kaulquappe ['kaʊlkvapə] *f* tadpole
kaum [kaʊm] *adv* hardly, scarcely
Kaution [kaʊtsi'oːn] *f* deposit; (*JUR*) bail
Kauz [kaʊts] **(-es, Käuze)** *m* owl; (*fig*) queer fellow
Kavalier [kava'liːr] **(-s, -e)** *m* gentleman, cavalier; **~sdelikt** *nt* peccadillo
Kaviar ['kaːviar] *m* caviar
keck [kɛk] *adj* daring, bold; **K~heit** *f* daring, boldness
Kegel ['keːɡəl] **(-s, -)** *m* skittle; (*MATH*) cone; **~bahn** *f* skittle alley; bowling alley; **k~n** *vi* to play skittles
Kehle ['keːlə] *f* throat
Kehlkopf *m* larynx
Kehre ['keːrə] *f* turn(ing), bend; **k~n** *vt, vi* (*wenden*) to turn; (*mit Besen*) to sweep; **sich an etw** *dat* **nicht k~n** not to heed sth
Kehricht ['keːrɪçt] **(-s)** *m* sweepings *pl*
Kehrmaschine *f* sweeper
Kehrseite *f* reverse, other side; wrong side; bad side
kehrtmachen *vi* to turn about, to about-turn
keifen ['kaɪfən] *vi* to scold, to nag
Keil [kaɪl] **(-(e)s, -e)** *m* wedge; (*MIL*) arrowhead; **~riemen** *m* (*AUT*) fan belt

Keim [kaɪm] **(-(e)s, -e)** *m* bud; (*MED, fig*) germ; **k~en** *vi* to germinate; **k~frei** *adj* sterile; **~zelle** *f* (*fig*) nucleus
kein [kaɪn] *adj* no, not ... any; **~e(r, s)** *pron* no one, nobody; none; **~erlei** *adj* attrib no ... whatsoever
keinesfalls *adv* on no account
keineswegs *adv* by no means
keinmal *adv* not once
Keks [keːks] **(-es, -e)** *m od nt* biscuit
Kelch [kɛlç] **(-(e)s, -e)** *m* cup, goblet, chalice
Kelle ['kɛlə] *f* (*Suppen~*) ladle; (*Maurer~*) trowel
Keller ['kɛlər] **(-s, -)** *m* cellar
Kellner(in) ['kɛlnər(ɪn)] **(-s, -)** *m(f)* waiter(tress)
keltern ['kɛltərn] *vt* to press
kennen ['kɛnən] (*unreg*) *vt* to know; **~lernen** *vt* to get to know; **sich ~lernen** to get to know each other; (*zum erstenmal*) to meet
Kenner **(-s, -)** *m* connoisseur
kenntlich *adj* distinguishable, discernible; **etw ~ machen** to mark sth
Kenntnis **(-, -se)** *f* knowledge *no pl*; **etw zur ~ nehmen** to note sth; **von etw ~ nehmen** to take notice of sth; **jdn in ~ setzen** to inform sb
Kenn- *zW*: **~zeichen** *nt* mark, characteristic; **k~zeichnen** *vt insep* to characterize; **~ziffer** *f* reference number
kentern ['kɛntərn] *vi* to capsize
Keramik [ke'raːmɪk] **(-, -en)** *f* ceramics *pl*, pottery
Kerbe *f* notch, groove
Kerker ['kɛrkər] **(-s, -)** *m* prison
Kerl [kɛrl] **(-s, -e)** *m* chap, bloke (*BRIT*), guy; **sie ist ein netter ~** she's a good sort
Kern [kɛrn] **(-(e)s, -e)** *m* (*Obst~*) pip, stone; (*Nuß~*) kernel; (*Atom~*) nucleus; (*fig*) heart, core; **~energie** *f* nuclear energy; **~forschung** *f* nuclear research; **~frage** *f* central issue; **k~gesund** *adj* thoroughly healthy, fit as a fiddle; **k~ig** *adj* (*kraftvoll*) robust; (*Ausspruch*) pithy; **~kraftwerk** *nt* nuclear power station; **k~los** *adj* seedless, pipless; **~physik** *f* nuclear physics *sg*; **~spaltung** *f* nuclear fission; **~waffen** *pl* nuclear weapons
Kerze ['kɛrtsə] *f* candle; (*Zünd~*) plug; **k~ngerade** *adj* straight as a die; **~nständer** *m* candle holder
keß [kɛs] *adj* saucy
Kessel ['kɛsəl] **(-s, -)** *m* kettle; (*von Lokomotive etc*) boiler; (*GEOG*) depression; (*MIL*) encirclement
Kette ['kɛtə] *f* chain; **k~n** *vt* to chain
Ketten- *zW*: **~laden** *m* chain store; **~rauchen** *nt* chain smoking; **~reaktion** *f* chain reaction
Ketzer ['kɛtsər] **(-s, -)** *m* heretic

keuchen ['kɔʏçən] *vi* to pant, to gasp

Keuchhusten *m* whooping cough

Keule ['kɔʏlə] *f* club; (*KOCH*) leg

keusch [kɔʏʃ] *adj* chaste; **K~heit** *f* chastity

kfm. *abk* = **kaufmännisch**

KG [ka:'ge:] (-, -s) *f abk* (= *Kommanditgesellschaft*) limited partnership

kg *abk* = **Kilogramm**

kichern ['kɪçərn] *vi* to giggle

kidnappen ['kɪdnɛpən] *vt* to kidnap

Kiefer¹ ['ki:fər] (-s, -) *m* jaw

Kiefer² (-, -n) *f* pine; **Kiefernzapfen** *m* pine cone

Kiel [ki:l] (-(e)s, -e) *m* (*Feder~*) quill; (*NAUT*) keel

Kieme ['ki:mə] *f* gill

Kies [ki:s] (-es, -e) *m* gravel

Kilo ['ki:lo] *nt* kilo; **~gramm** [kilo'gram] *nt* kilogram; **~meter** [kilo'me:tər] *m* kilometre; **~meterzähler** *m* ≈ milometer

Kind [kɪnt] (-(e)s, -er) *nt* child; **von ~ auf** from childhood

Kinder- ['kɪndər] *zW:* **~ei** *f* childishness; **~garten** *m* nursery school, playgroup; **~gärtnerin** *f* nursery school teacher; **~geld** *nt* child benefit (*BRIT*); **~heim** *nt* children's home; **~krippe** *f* crèche; **~lähmung** *f* poliomyelitis; **k~leicht** *adj* childishly easy; **k~los** *adj* childless; **~mädchen** *nt* nursemaid; **k~reich** *adj* with a lot of children; **~sendung** *f* (*RUNDF, TV*) children's programme; **~spiel** *nt* (*fig*) child's play; **~tagesstätte** *f* day-nursery; **~wagen** *m* pram, baby carriage (*US*); **~zimmer** *nt* (*für Kinder*) children's room; (*für Säugling*) nursery

Kind- *zW:* **~heit** *f* childhood; **k~isch** *adj* childish; **k~lich** *adj* childlike

Kinn [kɪn] (-(e)s, -e) *nt* chin; **~haken** *m* (*BOXEN*) uppercut

Kino ['ki:no] (-s, -s) *nt* cinema; **~besucher** *m* cinema-goer; **~programm** *nt* film programme

Kiosk ['ki:ɔsk] (-(e)s, -e) *m* kiosk

Kippe ['kɪpə] *f* cigarette end; (*umg*) fag; **auf der ~ stehen** (*fig*) to be touch and go

kippen *vi* to topple over, to overturn ♦ *vt* to tilt

Kirch- ['kɪrç] *zW:* **~e** *f* church; **~enlied** *nt* hymn; **~ensteuer** *f* church tax; **~gänger** (-s, -) *m* churchgoer; **~hof** *m* churchyard; **k~lich** *adj* ecclesiastical; **~turm** *m* church tower, steeple

Kirmes ['kɪrmɛs] (-, -sen) *f* fair

Kirsche ['kɪrʃə] *f* cherry

Kissen ['kɪsən] (-s, -) *nt* cushion; (*Kopf~*) pillow; **~bezug** *m* pillowslip

Kiste ['kɪstə] *f* box; chest

Kitsch [kɪtʃ] (-(e)s, -e) *m* kitsch; **k~ig** *adj* kitschy

Kitt [kɪt] (-(e)s, -e) *m* putty

Kittel (-s, -) *m* overall, smock

kitten *vt* to putty; (*fig: Ehe etc*) to cement

Kitz [kɪts] (-es, -e) *nt* kid; (*Reh~*) fawn

kitzelig ['kɪtsəlɪç] *adj* (*auch fig*) ticklish

kitzeln *vi* to tickle

Kiwi ['ki:vi] (-, -s) *f* (*BOT, KOCH*) kiwi fruit

KKW [ka:ka:'ve:] *nt abk* = **Kernkraftwerk**

kläffen ['klɛfən] *vi* to yelp

Klage ['kla:gə] *f* complaint; (*JUR*) action; **k~n** *vi* (*wehklagen*) to lament, to wail; (*sich beschweren*) to complain; (*JUR*) to take legal action

Kläger(in) ['klɛ:gər(ɪn)] (-s, -) *m(f)* plaintiff

kläglich ['klɛ:klɪç] *adj* wretched

klamm [klam] *adj* (*Finger*) numb; (*feucht*) damp

Klammer ['klamər] (-, -n) *f* clamp; (*in Text*) bracket; (*Büro~*) clip; (*Wäsche~*) peg; (*Zahn~*) brace; **k~n** *vr:* **sich k~n an** +*akk* to cling to

Klang [klaŋ] (-(e)s, ⸚e) *m* sound; **k~voll** *adj* sonorous

Klappe ['klapə] *f* valve; (*Ofen~*) damper; (*umg: Mund*) trap; **k~n** *vi* (*Geräusch*) to click; (*Sitz etc*) to tip ♦ *vt* to tip ♦ *vb unpers* to work

Klapper ['klapər] (-, -n) *f* rattle; **k~ig** *adj* run-down, worn-out; **k~n** *vi* to clatter, to rattle; **~schlange** *f* rattlesnake; **~storch** *m* stork

Klapp- *zW:* **~messer** *nt* jack-knife; **~rad** *nt* collapsible bicycle; **~stuhl** *m* folding chair; **~tisch** *m* folding table

Klaps [klaps] (-es, -e) *m* slap

klar [kla:r] *adj* clear; (*NAUT*) ready for sea; (*MIL*) ready for action; **sich** *dat* **im ~en sein über** +*akk* to be clear about; **ins ~e kommen** to get clear; **(na) ~!** of course!

Kläranlage *f* purification plant

klären ['klɛ:rən] *vt* (*Flüssigkeit*) to purify; (*Probleme*) to clarify ♦ *vr* to clear (itself) up

Klarheit *f* clarity

Klarinette [klari'nɛtə] *f* clarinet

klar- *zW:* **~legen** *vt* to clear up, to explain; **~machen** *vt* (*Schiff*) to get ready for sea; **jdm etw ~machen** to make sth clear to sb; **~sehen** (*unreg*) *vi* to see clearly; **K~sichtfolie** *f* transparent film; **~stellen** *vt* to clarify

Klärung ['klɛ:rʊŋ] *f* (*von Flüssigkeit*) purification; (*von Probleme*) clarification

klarwerden (*unreg*) *vr:* **sich** *dat* **(über etw** *akk*) **~** to get (sth) clear in one's mind

Klasse ['klasə] *f* class; (*SCH*) class, form; **k~** (*umg*) *adj* smashing

Klassen- *zW:* **~arbeit** *f* test; **~bewußtsein** *nt* class consciousness; **~gesellschaft** *f* class society; **~kampf** *m* class conflict; **~lehrer** *m* form master; **k~los** *adj* classless; **~sprecher(in)** *m(f)* form prefect; **~zimmer** *nt* classroom

klassifizieren [klasifi'tsi:rən] *vt* to classify

Klassik ['klasɪk] *f* (*Zeit*) classical period;

(*Stil*) classicism; ~**er** (-s, -) *m* classic
klassisch *adj* (*auch fig*) classical
Klatsch [klatʃ] (-(e)s, -e) *m* smack, crack; (*Gerede*) gossip; ~**base** *f* gossip, scandalmonger; ~**e** (*umg*) *f* crib; **k~en** *vi* (*Geräusch*) to clash; (*reden*) to gossip; (*applaudieren*) to applaud, to clap ♦ *vt*: **jdm Beifall k~en** to applaud sb; ~**mohn** *m* (corn) poppy; **k~naß** *adj* soaking wet
Klaue ['klauə] *f* claw; (*umg: Schrift*) scrawl; **k~n** (*umg*) *vt* to pinch
Klausel ['klauzəl] (-, -n) *f* clause
Klausur [klau'zuːr] *f* seclusion; ~**arbeit** *f* examination paper
Klaviatur [klavia'tuːr] *f* keyboard
Klavier [kla'viːr] (-s, -e) *nt* piano
Kleb- ['kleːb] *zW*: **k~en** *vt, vi*: **k~en** (**an** +*akk*) to stick (to); **k~rig** *adj* sticky; ~**stoff** *m* glue; ~**streifen** *m* adhesive tape
kleckern ['klɛkərn] *vi* to make a mess ♦ *vt* to spill
Klecks [klɛks] (-es, -e) *m* blot, stain
Klee [kleː] (-s) *m* clover; ~**blatt** *nt* cloverleaf; (*fig*) trio
Kleid [klait] (-(e)s, -er) *nt* garment; (*Frauen~*) dress; ~**er** *pl* (*Kleidung*) clothes; **k~en** ['klaidən] *vt* to clothe, to dress; to suit ♦ *vr* to dress
Kleider ['klaidər] *zW*: ~**bügel** *m* coat hanger; ~**bürste** *f* clothes brush; ~**schrank** *m* wardrobe
Kleid- *zW*: **k~sam** *adj* flattering; ~**ung** *f* clothing; ~**ungsstück** *nt* garment
Kleie ['klaiə] *f* bran
klein [klain] *adj* little, small; **K~e(r, s)** *mf* little one; **K~format** *nt* small size; **im K~format** small-scale; **K~geld** *nt* small change; ~**hacken** *vt* to chop up, to mince; **K~igkeit** *f* trifle; **K~kind** *nt* infant; **K~kram** *m* details *pl*; ~**laut** *adj* dejected, quiet; ~**lich** *adj* petty, paltry; **K~od** ['klainoːt] (-s, -odien) *nt* gem, jewel; treasure; ~**schneiden** (*unreg*) *vt* to chop up; ~**städtisch** *adj* provincial; ~**stmöglich** *adj* smallest possible
Kleister ['klaistər] (-s, -) *m* paste; **k~n** *vt* to paste
Klemme ['klɛmə] *f* clip; (*MED*) clamp; (*fig*) jam; **k~n** *vt* (*festhalten*) to jam; (*quetschen*) to pinch, to nip ♦ *vr* to catch o.s.; (*sich hineinzwängen*) to squeeze o.s. ♦ *vi* (*Tür*) to stick, to jam; **sich hinter jdn/etw k~n** to get on to sb/down to sth
Klempner ['klɛmpnər] (-s, -) *m* plumber
Klerus ['kleːrus] (-) *m* clergy
Klette ['klɛtə] *f* burr
Kletter- ['klɛtər] *zW*: ~**er** (-s, -) *m* climber; **k~n** *vi* to climb; ~**pflanze** *f* creeper
Klient(in) [kli'ɛnt(in)] *m(f)* client
Klima ['kliːma, *pl* kli'maːtə] (-s, -s *od* -te) *nt* climate; ~**anlage** *f* air conditioning; ~**wechsel** *m* change of air

klimpern ['klimpərn] (*umg*) *vi* (*mit Münzen, Schlüsseln*) to jingle; (*auf Klavier*) to plonk (away)
Klinge ['klıŋə] *f* blade; sword
Klingel ['klıŋəl] (-, -n) *f* bell; ~**beutel** *m* collection bag; **k~n** *vi* to ring
klingen ['klıŋən] (*unreg*) *vi* to sound; (*Gläser*) to clink
Klinik ['kliːnik] *f* hospital, clinic
Klinke ['klıŋkə] *f* handle
Klippe ['klıpə] *f* cliff; (*im Meer*) reef; (*fig*) hurdle
klipp und klar ['klıp'ʊntklaːr] *adj* clear and concise
klirren ['klırən] *vi* to clank, to jangle; (*Gläser*) to clink; ~**de Kälte** biting cold
Klischee [klı'ʃeː] (-s, -s) *nt* (*Druckplatte*) plate, block; (*fig*) cliché; ~**vorstellung** *f* stereotyped idea
Klo [kloː] (-s, -s; *umg*) *nt* loo (*BRIT*), john (*US*)
Kloake [klo'aːkə] *f* sewer
klobig ['kloːbıç] *adj* clumsy
Klopapier (*umg*) *nt* loo paper (*BRIT*)
klopfen ['klɔpfən] *vi* to knock; (*Herz*) to thump ♦ *vt* to beat; **es klopft** somebody's knocking; **jdm auf die Schulter ~** to tap sb on the shoulder
Klopfer (-s, -) *m* (*Teppich~*) beater; (*Tür~*) knocker
Klops [klɔps] (-es, -e) *m* meatball
Klosett [klo'zɛt] (-(e)s, -e *od* -s) *nt* lavatory, toilet; ~**papier** *nt* toilet paper
Kloß [kloːs] (-es, ⁻e) *m* (*im Hals*) lump; (*KOCH*) dumpling
Kloster ['kloːstər] (-s, ⁻) *nt* (*Männer~*) monastery; (*Frauen~*) convent
klösterlich ['kløːstərlıç] *adj* monastic; convent *cpd*
Klotz [klɔts] (-es, ⁻e) *m* log; (*Hack~*) block; **ein ~ am Bein** (*fig*) a drag, a millstone round (sb's) neck
Klub [klup] (-s, -s) *m* club; ~**sessel** *m* easy chair
Kluft [kluft] (-, ⁻e) *f* cleft, gap; (*GEOG*) gorge, chasm
klug [kluːk] *adj* clever, intelligent; **K~heit** *f* cleverness, intelligence
Klumpen ['klumpən] (-s, -) *m* (*Erd~*) clod; (*Blut~*) clot; (*Gold~*) nugget; (*KOCH*) lump; **k~** *vi* to go lumpy; to clot
km *abk* = **Kilometer**
knabbern ['knabərn] *vt, vi* to nibble
Knabe ['knaːbə] (-n, -n) *m* boy; **k~nhaft** *adj* boyish
Knäckebrot ['knɛkəbroːt] *nt* crispbread
knacken ['knakən] *vt, vi* (*auch fig*) to crack
Knacks [knaks] (-es, -e) *m* crack; (*fig*) defect
Knall [knal] (-(e)s, -e) *m* bang; (*Peitschen~*) crack; **~ und Fall** (*umg*) unexpectedly; ~**bonbon** *nt* cracker; **k~en** *vi* to bang; to

crack; **k~rot** adj bright red
knapp [knap] adj tight; (Geld) scarce; (Sprache) concise; **eine ~e Stunde** just under an hour; **~ unter/neben** just under/by; **~halten** (unreg) vt: **jdn (mit etw) ~halten** to keep sb short (of sth); **K~heit** f tightness; scarcity; conciseness
knarren ['knarən] vi to creak
Knast [knast] (-(e)s; umg) m (Haftstrafe) porridge (inf), time (inf); (Gefängnis) slammer (inf), clink (inf)
knattern ['knatərn] vi to rattle; (Maschinengewehr) to chatter
Knäuel ['knɔʏəl] (-s, -) m od nt (Woll~) ball; (Menschen~) knot
Knauf [knauf] (-(e)s, Knäufe) m knob; (Schwert~) pommel
knautschen ['knautʃən] vt, vi to crumple
Knebel ['kne:bəl] (-s, -) m gag; **k~n** vt to gag; (NAUT) to fasten
kneifen ['knaifən] (unreg) vt to pinch ♦ vi to pinch; (sich drücken) to back out; **vor etw ~** to dodge sth
Kneipe ['knaipə] (umg) f pub
kneten ['kne:tən] vt to knead; (Wachs) to mould
Knick [knɪk] (-(e)s, -e) m (Sprung) crack; (Kurve) bend; (Falte) fold; **k~en** vt, vi (springen) to crack; (brechen) to break; (Papier) to fold; **gek~t sein** to be downcast
Knicks [knɪks] (-es, -e) m curtsey; **k~en** vi to curtsey
Knie [kni:] (-s, -) nt knee; **~beuge** f knee bend; **~bundhose** m knee breeches; **~gelenk** nt knee joint; **~kehle** f back of the knee; **k~n** vi to kneel; **~scheibe** f kneecap; **~strumpf** m knee-length sock
Kniff [knɪf] (-(e)s, -e) m (fig) trick, knack; **k~elig** adj tricky
knipsen ['knɪpsən] vt (Fahrkarte) to punch; (PHOT) to take a snap of, to snap ♦ vi to take a snap od snaps
Knirps [knɪrps] (-es, -e) m little chap; (®: Schirm) telescopic umbrella
knirschen ['knɪrʃən] vi to crunch; **mit den Zähnen ~** to grind one's teeth
knistern ['knɪstərn] vi to crackle
Knitter- ['knɪtər] zW: **~falte** f crease; **k~frei** adj non-crease; **k~n** vi to crease
Knoblauch ['kno:blaux] (-(e)s) m garlic
Knoblauchzehe f (KOCH) clove of garlic
Knöchel ['knœçəl] (-s, -) m knuckle; (Fuß~) ankle
Knochen ['knɔxən] (-s, -) m bone; **~bruch** m fracture; **~gerüst** nt skeleton
knöchern [knœçərn] adj bone
knochig ['knɔxɪç] adj bony
Knödel ['knø:dəl] (-s, -) m dumpling
Knolle ['knɔlə] f tuber
Knopf [knɔpf] (-(e)s, ⸚e) m button; (Kragen~) stud
knöpfen ['knœpfən] vt to button

Knopfloch nt buttonhole
Knorpel ['knɔrpəl] (-s, -) m cartilage, gristle; **k~ig** adj gristly
Knospe ['knɔspə] f bud
Knoten ['kno:tən] (-s, -) m knot; (BOT) node; (MED) lump; **k~** vt to knot; **~punkt** m junction
Knüller ['knʏlər] (-s, -; umg) m hit; (Reportage) scoop
knüpfen ['knʏpfən] vt to tie; (Teppich) to knot; (Freundschaft) to form
Knüppel ['knʏpəl] (-s, -) m cudgel; (Polizei~) baton, truncheon; (AVIAT) (joy)stick; **~schaltung** f (AUT) floor-mounted gear change
knurren ['knʊrən] vi (Hund) to snarl; to growl; (Magen) to rumble; (Mensch) to mutter
knusperig ['knʊspərɪç] adj crisp; (Keks) crunchy
k.o. [ka:'o:] adj knocked out; (fig) done in
Koalition [koalitsi'o:n] f coalition
Kobalt ['ko:balt] (-s) nt cobalt
Kobold ['ko:bɔlt] (-(e)s, -e) m goblin, imp
Kobra ['ko:bra] (-, -s) f cobra
Koch [kɔx] (-(e)s, ⸚e) m cook; **~buch** nt cook(ery) book; **k~en** vt, vi to cook; (Wasser) to boil; **~er** (-s, -) m stove, cooker
Köcher ['kœçər] (-s, -) m quiver
Kochgelegenheit ['kɔxgəle:gənhait] f cooking facilities pl
Köchin ['kœçɪn] f cook
Koch- zW: **~löffel** m kitchen spoon; **~nische** f kitchenette; **~platte** f hotplate; **~salz** nt cooking salt; **~topf** m saucepan, pot
Köder ['kø:dər] (-s, -) m bait, lure
ködern vt (Tier) to trap with bait; (Person) to entice, to tempt
Koexistenz [koɛksɪs'tɛnts] f coexistence
Koffein [kɔfe'i:n] (-s) nt caffeine; **k~frei** adj decaffeinated
Koffer ['kɔfər] (-s, -) m suitcase; (Schrank~) trunk; **~radio** nt portable radio; **~raum** m (AUT) boot (BRIT), trunk (US)
Kognak ['kɔnjak] (-s, -s) m brandy, cognac
Kohl [ko:l] (-(e)s, -e) m cabbage
Kohle ['ko:lə] f coal; (Holz~) charcoal; (CHEM) carbon; **~hydrat** (-(e)s, -e) nt carbohydrate
Kohlen- zW: **~dioxyd** (-(e)s, -e) nt carbon dioxide; **~händler** m coal merchant, coalman; **~säure** f carbon dioxide; **~stoff** m carbon
Kohlepapier nt carbon paper
Koje ['ko:jə] f cabin; (Bett) bunk
Kokain [koka'i:n] (-s) nt cocaine
kokett [ko'kɛt] adj coquettish, flirtatious
Kokosnuß ['ko:kɔsnʊs] f coconut
Koks [ko:ks] (-es, -e) m coke
Kolben ['kɔlbən] (-s, -) m (Gewehr~) rifle butt; (Keule) club; (CHEM) flask; (TECH)

piston; (*Mais~*) cob

Kolchose [kɔl'çoːzə] f collective farm

Kolik ['koːlɪk] f colic, the gripes pl

Kollaps [kɔ'laps] (**-es, -e**) m collapse

Kolleg [kɔl'eːk] (**-s, -s** od **-ien**) nt lecture course; **~e** [kɔ'leːgə] (**-n, -n**) m colleague; **~in** f colleague; **~ium** nt working party; (*SCH*) staff

Kollekte [kɔ'lɛktə] f (*REL*) collection

kollektiv [kɔlɛk'tiːf] adj collective

Köln [kœln] (**-s**) nt Cologne

Kolonie [kolo'niː] f colony

kolonisieren [koloni'ziːrən] vt to colonize

Kolonne [ko'lɔnə] f column; (*von Fahrzeugen*) convoy

Koloß [ko'lɔs] (**-sses, -sse**) m colossus

kolossal [kolo'saːl] adj colossal

Kombi- ['kɔmbi] zW: **~nation** [-natsi'oːn] f combination; (*Vermutung*) conjecture; (*Hemdhose*) combinations pl; **~nationsschloß** nt combination lock; **k~nieren** [-'niːrən] vt to combine ♦ vi to deduce, to work out; (*vermuten*) to guess; **~wagen** m station wagon; **~zange** f (pair of) pliers pl

Komet [ko'meːt] (**-en, -en**) m comet

Komfort [kɔm'foːr] (**-s**) m luxury

Komik ['koːmɪk] f humour, comedy; **~er** (**-s, -**) m comedian

komisch ['koːmɪʃ] adj funny

Komitee [komi'teː] (**-s, -s**) nt committee

Komma ['kɔma] (**-s, -s** od **-ta**) nt comma; **2 ~ 3** 2 point 3

Kommand- [kɔ'mand] zW: **~ant** [-'dant] m commander, commanding officer; **k~ieren** [-'diːrən] vt, vi to command; **~o** (**-s, -s**) nt command, order; (*Truppe*) detachment, squad; **auf ~o** to order

kommen ['kɔmən] (*unreg*) vi to come; (*näher~*) to approach; (*passieren*) to happen; (*gelangen, geraten*) to get; (*Blumen, Zähne, Tränen etc*) to appear; (*in die Schule, das Zuchthaus etc*) to go; **~ lassen** to send for; **das kommt in den Schrank** that goes in the cupboard; **zu sich ~** to come round od to; **zu etw ~** to acquire sth; **um etw ~** to lose sth; **nichts auf jdn/etw ~ lassen** to have nothing said against sb/sth; **jdm frech ~** to get cheeky with sb; **auf jeden vierten kommt ein Platz** there's one place for every fourth person; **wer kommt zuerst?** who's first?; **unter ein Auto ~** to be run over by a car; **wie hoch kommt das?** what does that cost?; **komm gut nach Hause!** safe journey (home); **~den Sonntag** next Sunday; **K~** (**-s**) nt coming

Kommentar [kɔmɛn'taːr] m commentary; **kein ~** no comment; **k~los** adj without comment

Kommentator [kɔmɛn'taːtɔr] m (*TV*) commentator

kommentieren [kɔmɛn'tiːrən] vt to comment on

kommerziell [kɔmɛrtsi'ɛl] adj commercial

Kommilitone [kɔmili'toːnə] (**-n, -n**) m fellow student

Kommissar [kɔmɪ'saːr] m police inspector

Kommission [kɔmɪsi'oːn] f (*COMM*) commission; (*Ausschuß*) committee

Kommode [kɔ'moːdə] f (chest of) drawers

kommunal [kɔmu'naːl] adj local; (*von Stadt auch*) municipal

Kommune [kɔ'muːnə] f commune

Kommunikation [kɔmunikatsi'oːn] f communication

Kommunion [kɔmuni'oːn] f communion

Kommuniqué [kɔmyni'keː] (**-s, -s**) nt communiqué

Kommunismus [kɔmu'nɪsmus] m communism

Kommunist(in) m(f) communist; **k~isch** adj communist

kommunizieren [kɔmuni'tsiːrən] vi to communicate; (*REL*) to receive Communion

Komödie [ko'møːdiə] f comedy

Kompagnon [kɔmpan'jõː] (**-s, -s**) m (*COMM*) partner

kompakt [kɔm'pakt] adj compact

Kompanie [kɔmpa'niː] f company

Kompaß ['kɔmpas] (**-sses, -sse**) m compass

kompatibel [kɔmpa'tiːbəl] adj compatible

kompetent [kɔmpe'tɛnt] adj competent

Kompetenz f competence, authority

komplett [kɔm'plɛt] adj complete

Komplex [kɔm'plɛks] (**-es, -e**) m (*Gebäude~*) complex

Komplikation [kɔmplikatsi'oːn] f complication

Kompliment [kɔmpli'mɛnt] nt compliment

Komplize [kɔm'pliːtsə] (**-n, -n**) m accomplice

kompliziert [kɔmpli'tsiːrt] adj complicated

komponieren [kɔmpo'niːrən] vt to compose

Komponist [kɔmpo'nɪst] m composer

Komposition [kɔmpozitsi'oːn] f composition

Kompost [kɔm'pɔst] (**-(e)s, -e**) m compost

Kompott [kɔm'pɔt] (**-(e)s, -e**) nt stewed fruit

Kompromiß [kɔmpro'mɪs] (**-sses, -sse**) m compromise; **k~bereit** adj willing to compromise; **~lösung** f compromise solution

Kondens- [kɔn'dɛns] zW: **~ation** [kɔndɛnzatsi'oːn] f condensation; **k~ieren** [kɔndɛn'ziːrən] vt to condense; **~milch** f condensed milk

Kondition [kɔnditsi'oːn] f (*WIRTS, FINANZ*) condition; (*Durchhaltevermögen*) stamina; (*körperliche Verfassung*) physical condition, state of health

Konditionstraining [kɔnditsi'oːnstrɛniŋ] nt fitness training

Konditor [kɔn'diːtɔr] m pastrycook; **~ei** f

café; cake shop

Kondom [kɔn'doːm] (-s, -e) *nt* condom

Konferenz [kɔnfe'rɛnts] *f* conference, meeting

Konfession [kɔnfɛsi'oːn] *f* (religious) denomination; **k~ell** [-'nɛl] *adj* denominational; **k~slos** *adj* nondenominational

Konfetti [kɔn'fɛti] (-(s)) *nt* confetti

Konfirmand [kɔnfɪr'mant] *m* candidate for confirmation

Konfirmation [kɔnfɪrmatsi'oːn] *f* (REL) confirmation

konfirmieren [kɔnfɪr'miːrən] *vt* to confirm

konfiszieren [kɔnfɪs'tsiːrən] *vt* to confiscate

Konfitüre [kɔnfi'tyːrə] *f* jam

Konflikt [kɔn'flɪkt] (-(e)s, -e) *m* conflict

konfrontieren [kɔnfrɔn'tiːrən] *vt* to confront

konfus [kɔn'fuːs] *adj* confused

Kongreß [kɔn'grɛs] (-sses, -sse) *m* congress

Kongruenz [kɔngru'ɛnts] *f* agreement, congruence

König ['køːnɪç] (-(e)s, -e) *m* king; **~in** ['køːnɪgɪn] *f* queen; **k~lich** *adj* royal; **~reich** *nt* kingdom; **~tum** (-(e)s) *nt* kingship

Konjugation [kɔnjugatsi'oːn] *f* conjugation

konjugieren [kɔnju'giːrən] *vt* to conjugate

Konjunktion [kɔnjʊŋktsi'oːn] *f* conjunction

Konjunktiv ['kɔnjʊŋktiːf] (-s, -e) *m* subjunctive

Konjunktur [kɔnjʊŋk'tuːr] *f* economic situation; (*Hoch~*) boom

konkav [kɔn'kaːf] *adj* concave

konkret [kɔn'kreːt] *adj* concrete

Konkurrent(in) [kɔnkʊ'rɛnt(ɪn)] *m(f)* competitor

Konkurrenz [kɔnkʊ'rɛnts] *f* competition; **k~fähig** *adj* competitive; **~kampf** *m* competition; rivalry, competitive situation

konkurrieren [kɔnkʊ'riːrən] *vi* to compete

Konkurs [kɔn'kʊrs] (-es, -e) *m* bankruptcy

--- *SCHLÜSSELWORT*

können ['kœnən] (*pt* konnte, *pp* gekonnt *od* (*als Hilfsverb*) können) *vt, vi* **1** to be able to; **ich kann es machen** I can do it, I am able to do it; **ich kann es nicht machen** I can't do it, I'm not able to do it; **ich kann nicht ...** I can't ..., I cannot ...; **ich kann nicht mehr** I can't go on

2 (*wissen, beherrschen*) to know; **können Sie Deutsch?** can you speak German?; **er kann gut Englisch** he speaks English well; **sie kann keine Mathematik** she can't do mathematics

3 (*dürfen*) to be allowed to; **kann ich gehen?** can I go?; **könnte ich ...?** could I ...?; **kann ich mit?** (*umg*) can I come with you?

4 (*möglich sein*): **Sie könnten recht haben** you may be right; **das kann sein** that's possible; **kann sein** maybe

---

Können (-s) *nt* ability

Könner *m* expert

konnte *etc* ['kɔntə] *vb siehe* **können**

konsequent [kɔnze'kvɛnt] *adj* consistent

Konsequenz [kɔnze'kvɛnts] *f* consistency; (*Folgerung*) conclusion

Konserv- [kɔn'zɛrv] *zW:* **k~ativ** [-a'tiːf] *adj* conservative; **~ativ(e)r** [-a'tiːvə(r)] *mf* (*POL*) conservative; **~e** *f* tinned food; **~enbüchse** *f* tin, can; **k~ieren** [-'viːrən] *vt* to preserve; **~ierung** *f* preservation; **~ierungsmittel** *nt* preservative; **~ierungsstoff** *m* preservatives

Konsonant [kɔnzo'nant] *m* consonant

konstant [kɔn'stant] *adj* constant

konstruieren [kɔnstru'iːrən] *vt* to construct

Konstrukteur [kɔnstrʊk'tøːr] *m* designer

Konstruktion [kɔnstrʊktsi'oːn] *f* construction

konstruktiv [kɔnstrʊk'tiːf] *adj* constructive

Konsul ['kɔnzʊl] (-s, -n) *m* consul; **~at** [-'laːt] *nt* consulate

konsultieren [kɔnzʊl'tiːrən] *vt* to consult

Konsum [kɔn'zuːm] (-s) *m* consumption; **~artikel** *m* consumer article; **~ent** [-'mɛnt] *m* consumer; **k~ieren** [-'miːrən] *vt* to consume

Kontakt [kɔn'takt] (-(e)s, -e) *m* contact; **k~arm** *adj* unsociable; **k~freudig** *adj* sociable; **~linsen** *pl* contact lenses

kontern ['kɔntərn] *vt, vi* to counter

Kontinent ['kɔntinɛnt] *m* continent

Kontingent [kɔntɪŋ'gɛnt] (-(e)s, -e) *nt* quota; (*Truppen~*) contingent

kontinuierlich [kɔntinu'iːrlɪç] *adj* continuous

Konto ['kɔnto] (-s, Konten) *nt* account; **~auszug** *m* statement (of account); **~inhaber(in)** *m(f)* account holder; **~stand** *m* balance

Kontra ['kɔntra] (-s, -s) *nt* (*KARTEN*) double; **jdm ~ geben** (*fig*) to contradict sb; **~baß** *m* double bass

Kontrahent [-'hɛnt] *m* (*COMM*) contracting party

Kontrapunkt *m* counterpoint

Kontrast [kɔn'trast] (-(e)s, -e) *m* contrast

Kontroll- [kɔn'trɔl] *zW:* **~e** *f* control, supervision; (*Paß~*) passport control; **~eur** [-'løːr] *m* inspector; **k~ieren** [-'liːrən] *vt* to control, to supervise; (*nachprüfen*) to check

Konvention [kɔnvɛntsi'oːn] *f* convention; **k~ell** [-'nɛl] *adj* conventional

Konversation [kɔnvɛrzatsi'oːn] *f* conversation; **~slexikon** *nt* encyclopaedia

konvex [kɔn'vɛks] *adj* convex

Konvoi ['kɔnvɔy] (-s, -s) *m* convoy

Konzentration [kɔntsɛntratsi'oːn] *f* concentration

Konzentrationslager *nt* concentration camp

konzentrieren [kɔntsɛn'triːrən] *vt, vr* to concentrate

konzentriert *adj* concentrated ♦ *adv* (*zuhören, arbeiten*) intently

Konzern [kɔn'tsɛrn] (-s, -e) *m* combine

Konzert [kɔn'tsɛrt] (-(e)s, -e) *nt* concert; (*Stück*) concerto; ~**saal** *m* concert hall

Konzession [kɔntsɛsi'oːn] *f* licence; (*Zugeständnis*) concession

Konzil [kɔn'tsiːl] (-s, -e *od* -ien) *nt* council

kooperativ [koʼopera'tiːf] *adj* cooperative

koordinieren [koʼɔrdi'niːrən] *vt* to coordinate

Kopf [kɔpf] (-(e)s, ⁼e) *m* head; ~**haut** *f* scalp; ~**hörer** *m* headphones *pl*; ~**kissen** *nt* pillow; **k~los** *adj* panic-stricken; **k~rechnen** *vi* to do mental arithmetic; ~**salat** *m* lettuce; ~**schmerzen** *pl* headache *sg*; ~**sprung** *m* header, dive; ~**stand** *m* headstand; ~**stütze** *f* (*im Auto etc*) headrest, head restraint; ~**tuch** *nt* headscarf; ~**weh** *nt* headache; ~**zerbrechen** *nt*: jdm ~**zerbrechen machen** to be a headache for sb

Kopie [ko'piː] *f* copy; **k~ren** *vt* to copy

Kopiergerät *nt* photocopier

Koppel¹ ['kɔpəl] (-, -n) *f* (*Weide*) enclosure

Koppel² (-s, -) *nt* (*Gürtel*) belt

koppeln *vt* to couple

Koppelung *f* coupling

Koralle [ko'ralə] *f* coral; ~**nriff** *nt* coral reef

Koran [ko'raːn] (-s, -e) *m* Koran

Korb [kɔrp] (-(e)s, ⁼e) *m* basket; **jdm einen ~ geben** (*fig*) to turn sb down; ~**ball** *m* basketball; ~**stuhl** *m* wicker chair

Kord [kɔrt] (-(e)s, -e) *m* corduroy

Kordel ['kɔrdəl] (-, -n) *f* cord, string

Kork [kɔrk] (-(e)s, -e) *m* cork; ~**en** (-s, -) *m* stopper, cork; ~**enzieher** (-s, -) *m* corkscrew

Korn [kɔrn] (-(e)s, ⁼er) *nt* corn, grain; (*Gewehr*) sight; ~**blume** *f* cornflower

Körper ['kœrpər] (-s, -) *m* body; ~**bau** *m* build; **k~behindert** *adj* disabled; ~**geruch** *m* body odour; ~**gewicht** *nt* weight; ~**größe** *f* height; **k~lich** *adj* physical; ~**pflege** *f* personal hygiene; ~**schaft** *f* corporation; ~**schaftsteuer** *f* corporation tax; ~**teil** *m* part of the body

korpulent [kɔrpu'lɛnt] *adj* corpulent

korrekt [kɔ'rɛkt] *adj* correct; **K~ur** [-'tuːr] *f* (*eines Textes*) proofreading; (*Text*) proof; (*SCH*) marking, correction

Korrespond- [kɔrɛspɔnd] *zW*: ~**ent(in)** [-'dɛnt(in)] *m(f)* correspondent; ~**enz** [-'dɛnts] *f* correspondence; **k~ieren** [-'diːrən] *vi* to correspond

Korridor ['kɔridoːr] (-s, -e) *m* corridor

korrigieren [kɔri'giːrən] *vt* to correct

Korruption [kɔruptsi'oːn] *f* corruption

Korsett [kɔr'zɛt] (-(e)s, -e) *nt* corset

Kose- ['koːzə] *zW*: ~**form** *f* pet form; ~**name** *m* pet name; ~**wort** *nt* term of endearment

Kosmetik [kɔs'meːtɪk] *f* cosmetics *pl*; ~**erin** *f* beautician

kosmetisch *adj* cosmetic; (*Chirurgie*) plastic

kosmisch ['kɔsmɪʃ] *adj* cosmic

Kosmo- [kɔsmo] *zW*: ~**naut** [-'naut] (-en, -en) *m* cosmonaut; **k~politisch** *adj* cosmopolitan; ~**s** (-) *m* cosmos

Kost [kɔst] (-) *f* (*Nahrung*) food; (*Verpflegung*) board; **k~bar** *adj* precious; (*teuer*) costly, expensive; ~**barkeit** *f* preciousness; costliness, expensiveness; (*Wertstück*) valuable

Kosten *pl* cost(s); (*Ausgaben*) expenses; **auf ~ von** at the expense of; **k~** *vt* to cost; (*versuchen*) to taste ♦ *vi* to taste; **was kostet ...?** what does ... cost?, how much is ...?; ~**anschlag** *m* estimate; **k~los** *adj* free (of charge)

köstlich ['kœstlɪç] *adj* precious, (*Einfall*) delightful; (*Essen*) delicious; **sich ~ amüsieren** to have a marvellous time

Kostprobe *f* taste; (*fig*) sample

kostspielig *adj* expensive

Kostüm [kɔs'tyːm] (-s, -e) *nt* costume; (*Damen~*) suit; ~**fest** *nt* fancy-dress party; **k~ieren** [kɔsty'miːrən] *vt, vr* to dress up; ~**verleih** *m* costume agency

Kot [koːt] (-(e)s) *m* excrement

Kotelett [kotə'lɛt] (-(e)s, -e *od* -s) *nt* cutlet, chop

Koteletten *pl* (*Bart*) sideboards

Köter ['køːtər] (-s, -) *m* cur

Kotflügel *m* (*AUT*) wing

kotzen ['kɔtsən] (*umg!*) *vi* to puke (*inf*), to throw up (*inf*)

Krabbe ['krabə] *f* shrimp; **k~ln** *vi* to crawl

Krach [krax] (-(e)s, -s *od* -e) *m* crash; (*andauernd*) noise; (*umg*: *Streit*) quarrel, argument; **k~en** *vi* to crash; (*beim Brechen*) to crack ♦ *vr* (*umg*) to argue, to quarrel

krächzen ['krɛçtsən] *vi* to croak

Kraft [kraft] (-, ⁼e) *f* strength; power; force; (*Arbeits~*) worker; **in ~ treten** *f* to come into force; **k~** *präp* +*gen* by virtue of; ~**fahrer** *m* (motor) driver; ~**fahrzeug** *nt* motor vehicle; ~**fahrzeugbrief** *m* logbook; ~**fahrzeugsteuer** *f* ≈ road tax; ~**fahrzeugversicherung** *f* car insurance

kräftig ['krɛftɪç] *adj* strong; ~**en** *vt* to strengthen

Kraft- *zW*: **k~los** *adj* weak; powerless; (*JUR*) invalid; ~**probe** *f* trial of strength; **k~voll** *adj* vigorous; ~**werk** *nt* power station

Kragen ['kraːgən] (-s, -) *m* collar; ~**weite** *f* collar size

Krähe ['krɛːə] f crow; **k~n** vi to crow
Kralle ['kralə] f claw; (*Vogel~*) talon; **k~n** vt to clutch; (*krampfhaft*) to claw
Kram [kraːm] (**-(e)s**) m stuff, rubbish; **k~en** vi to rummage; **~laden** (*pej*) m small shop
Krampf [krampf] (**-(e)s, ˮe**) m cramp; (*zuckend*) spasm; **~ader** f varicose vein; **k~haft** adj convulsive; (*fig: Versuche*) desperate
Kran [kraːn] (**-(e)s, ˮe**) m crane; (*Wasser~*) tap, faucet (*US*)
Kranich ['kraːnɪç] (**-s, -e**) m (*ZOOL*) crane
krank [kraŋk] adj ill, sick; **K~e(r)** mf sick person, invalid; patient
kranken ['kraŋkən] vi: **an etw** dat **~** (*fig*) to suffer from sth
kränken ['krɛŋkən] vt to hurt
Kranken- zW: **~geld** nt sick pay; **~gymnastik** f physiotherapy; **~haus** nt hospital; **~kasse** f health insurance; **~pfleger** m nursing orderly; **~schein** m health insurance card; **~schwester** f nurse; **~versicherung** f health insurance; **~wagen** m ambulance
Krank- zW: **k~haft** adj diseased; (*Angst etc*) morbid; **~heit** f illness; disease; **~heitserreger** m disease-causing agent
kränklich adj sickly
Kränkung f insult, offence
Kranz [krants] (**-es, ˮe**) m wreath, garland
kraß [kras] adj crass
Krater ['kraːtər] (**-s, -**) m crater
Kratz- ['krats] zW: **~bürste** f (*fig*) crosspatch; **k~en** vt, vi to scratch; **~er** (**-s, -**) m scratch; (*Werkzeug*) scraper
Kraul [kraʊl] (**-s**) nt crawl; **~ schwimmen** to do the crawl; **k~en** vi (*schwimmen*) to do the crawl ♦ vt (*streicheln*) to fondle
kraus [kraʊs] adj crinkly; (*Haar*) frizzy; (*Stirn*) wrinkled; **K~e** ['kraʊzə] f frill, ruffle
Kraut [kraʊt] (**-(e)s, Kräuter**) nt plant; (*Gewürz*) herb; (*Gemüse*) cabbage
Krawall [kra'val] (**-s, -e**) m row, uproar
Krawatte [kra'vatə] f tie
kreativ [krea'tiːf] adj creative
Krebs [kreːps] (**-es, -e**) m crab; (*MED, ASTROL*) cancer
krebskrank adj suffering from cancer
Kredit [kre'diːt] (**-(e)s, -e**) m credit
Kreditinstitut nt bank
Kreditkarte f credit card
Kreide ['kraɪdə] f chalk; **k~bleich** adj as white as a sheet
Kreis [kraɪs] (**-es, -e**) m circle; (*Stadt~ etc*) district; **im ~ gehen** (*auch fig*) to go round in circles
kreischen ['kraɪʃən] vi to shriek, to screech
Kreis- zW: **~el** ['kraɪzəl] (**-s, -**) m top; (*Verkehrs~*) roundabout (*BRIT*); **k~en** ['kraɪzən] vi to spin; **~lauf** m (*MED*) circulation; (*fig: der Natur etc*) cycle; **~säge** f circular saw
Kreisstadt f county town

Kreisverkehr m roundabout traffic
Krematorium [krema'toːriʊm] nt crematorium
Kreml ['krɛm(ə)l] (**-s**) m Kremlin
krepieren [kre'piːrən] (*umg*) vi (*sterben*) to die, to kick the bucket
Krepp [krɛp] (**-s, -s** od **-e**) m crepe; **~(p)apier** nt crepe paper; **~sohle** f crepe sole
Kresse ['krɛsə] f cress
Kreta ['kreːta] (**-s**) nt Crete
Kreuz [krɔʏts] (**-es, -e**) nt cross; (*ANAT*) small of the back; (*KARTEN*) clubs; **k~en** vt, vr to cross ♦ vi (*NAUT*) to cruise; **~er** (**-s, -**) m (*Schiff*) cruiser; **~fahrt** f cruise; **~feuer** nt (*fig*): **ins ~feuer geraten** to be under fire from all sides; **~gang** m cloisters pl; **~igen** vt to crucify; **~igung** f crucifixion; **~ung** f (*Verkehrskreuzung*) crossing, junction; (*Züchten*) cross; **~verhör** nt cross-examination; **~weg** m crossroads; (*REL*) Way of the Cross; **~worträtsel** nt crossword puzzle; **~zug** m crusade
Kriech- ['kriːç] zW: **k~en** (*unreg*) vi to crawl, to creep; (*pej*) to grovel, to crawl; **~er** (**-s, -**) m crawler; **~spur** f crawler lane; **~tier** nt reptile
Krieg [kriːk] (**-(e)s, -e**) m war
kriegen ['kriːgən] (*umg*) vt to get
Kriegs- zW: **~erklärung** f declaration of war; **~fuß** m: **mit jdm/etw auf ~fuß stehen** to be at loggerheads with sb/to have difficulties with sth; **~gefangene(r)** m prisoner of war; **~gefangenschaft** f captivity; **~gericht** nt court-martial; **~schiff** nt warship; **~verbrecher** m war criminal; **~versehrte(r)** m person disabled in the war; **~zustand** m state of war
Krim [krɪm] (**-**) f Crimea
Krimi ['kriːmi] (**-s, -s**; *umg*) m thriller
Kriminal- [krimi'naːl] zW: **~beamte(r)** m detective; **~i'tät** f criminality; **~polizei** f ≈ Criminal Investigation Department (*BRIT*), Federal Bureau of Investigation (*US*); **~roman** m detective story
kriminell [krimi'nɛl] adj criminal; **K~e(r)** f(m) criminal
Krippe ['krɪpə] f manger, crib; (*Kinder~*) crèche
Krise ['kriːzə] f crisis; **k~ln** vi: **es k~lt** there's a crisis
Kristall [krɪs'tal] (**-s, -e**) m crystal ♦ nt (*Glas*) crystal
Kriterium [kri'teːriʊm] nt criterion
Kritik [kri'tiːk] f criticism; (*Zeitungs~*) review, write-up; **~er** (**-s, -**) m critic; **k~los** adj uncritical
kritisch ['kriːtɪʃ] adj critical
kritisieren [kriti'ziːrən] vt, vi to criticize
kritzeln ['krɪtsəln] vt, vi to scribble, to scrawl
Kroatien [kro'aːtiən] nt Croatia

Krokodil [kroko'di:l] (-s, -e) nt crocodile
Krokus ['kro:kʊs] (-, - od -se) m crocus
Krone ['kro:nə] f crown; (Baum~) top
krönen ['krø:nən] vt to crown
Kron- zW: ~korken m bottle top; ~leuchter m chandelier; ~prinz m crown prince
Krönung ['krø:nʊŋ] f coronation
Kropf [krɔpf] (-(e)s, ⁼e) m (MED) goitre; (von Vogel) crop
Kröte ['krø:tə] f toad
Krücke ['krʏkə] f crutch
Krug [kru:k] (-(e)s, ⁼e) m jug; (Bier~) mug
Krümel ['kry:məl] (-s, -) m crumb; **k~n** vt, vi to crumble
krumm [krʊm] adj (auch fig) crooked; (kurvig) curved; **k~beinig** adj bandy-legged; ~lachen (umg) vr to laugh o.s. silly; ~nehmen (unreg; umg) vt: **jdm etw ~nehmen** to take sth amiss
Krümmung ['krʏmʊŋ] f bend, curve
Krüppel ['krʏpəl] (-s, -) m cripple
Kruste ['krʊstə] f crust
Kruzifix [krutsi'fɪks] (-es, -e) nt crucifix
Kübel ['ky:bəl] (-s, -) m tub; (Eimer) pail
Kubikmeter [ku'bɪkme:tər] m cubic metre
Küche ['kʏçə] f kitchen; (Kochen) cooking, cuisine
Kuchen ['ku:xən] (-s, -) m cake; ~form f baking tin; ~gabel f pastry fork
Küchen- zW: ~herd m cooker, stove; ~schabe f cockroach; ~schrank m kitchen cabinet
Kuckuck ['kʊkʊk] (-s, -e) m cuckoo; ~suhr f cuckoo clock
Kufe ['ku:fə] f (Faß) vat; (Schlitten~) runner; (AVIAT) skid
Kugel ['ku:gəl] (-, -n) f ball; (MATH) sphere; (MIL) bullet; (Erd~) globe; (SPORT) shot; **k~förmig** adj spherical; ~kopf m golf ball; ~lager nt ball bearing; **k~rund** adj (Gegenstand) round; (umg: Person) tubby; ~schreiber m ball-point (pen), biro (®); **k~sicher** adj bulletproof; **k~stoßen** (-s) nt shot-put
Kuh [ku:] (-, ⁼e) f cow
kühl [ky:l] adj (auch fig) cool; **K~anlage** f refrigeration plant; **K~e** (-) f coolness; ~en vt to cool; **K~er** (-s, -) m (AUT) radiator; **K~erhaube** f (AUT) bonnet (BRIT), hood (US); **K~raum** m cold-storage chamber; **K~schrank** m refrigerator; **K~truhe** f freezer; **K~ung** f cooling; **K~wasser** nt radiator water
kühn [ky:n] adj bold, daring; **K~heit** f boldness
Kuhstall m byre, cattle shed
Küken ['ky:kən] (-s, -) nt chicken
kulant [ku'lant] adj obliging
Kuli ['ku:li] (-s, -s) m coolie; (umg: Kugelschreiber) biro (®)
Kulisse [ku'lɪsə] f scenery
kullern ['kʊlərn] vi to roll

Kult [kʊlt] (-(e)s, -e) m worship, cult; **mit etw einen ~ treiben** to make a cult out of sth
kultivieren [-i'vi:rən] vt to cultivate
kultiviert adj cultivated, refined
Kultur [kʊl'tu:r] f culture; civilization; (des Bodens) cultivation; ~banause (umg) m philistine, low-brow; ~beutel m toilet bag; **k~ell** [-u'rɛl] adj cultural; ~ministerium nt ministry of education and the arts
Kümmel ['kʏməl] (-s, -) m caraway seed; (Branntwein) kümmel
Kummer ['kʊmər] (-s) m grief, sorrow
kümmerlich adj miserable, wretched
kümmern ['kʏmərn] vt to concern ♦ vr: **sich um jdn ~** to look after sb; **das kümmert mich nicht** that doesn't worry me; **sich um etw ~** to see to sth
Kumpel ['kʊmpəl] (-s, -; umg) m mate
kündbar ['kʏntba:r] adj redeemable, recallable; (Vertrag) terminable
Kunde¹ ['kʊndə] (-n, -n) m customer
Kunde² f (Botschaft) news
Kundendienst m after-sales service
Kundenkonto nt charge account
Kund- zW: **k~geben** (unreg) vt to announce; ~gebung f announcement; (Versammlung) rally; **k~igen** vi to give in one's notice ♦ vt to cancel; **jdm k~igen** to give sb his notice; **die Stellung/Wohnung k~igen** to give notice that one is leaving one's job/house; **jdm die Stellung/Wohnung k~igen** to give sb notice to leave his/her job/house; ~igung f notice; ~igungsfrist f period of notice
Kundin f customer
Kundschaft f customers pl, clientele
künftig ['kʏnftɪç] adj future ♦ adv in future
Kunst [kʊnst] (-, ⁼e) f art; (Können) skill; **das ist doch keine ~** it's easy; ~dünger m artificial manure; ~faser f synthetic fibre; ~fertigkeit f skilfulness; ~gegenstand m art object; **k~gerecht** adj skilful; ~geschichte f history of art; ~gewerbe nt arts and crafts pl; ~griff m trick, knack; ~händler m art dealer
Künstler(in) ['kʏnstlər(ın)] (-s, -) m(f) artist; **k~isch** adj artistic; ~name m pseudonym
künstlich ['kʏnstlɪç] adj artificial
Kunst- zW: ~sammler (-s, -) m art collector; ~seide f artificial silk; ~stoff m synthetic material; ~stück nt trick; ~turnen nt gymnastics sg; **k~voll** adj artistic; ~werk nt work of art
kunterbunt ['kʊntərbʊnt] adj higgledy-piggledy
Kupfer ['kʊpfər] (-s) nt copper; **k~n** adj copper
Kuppe ['kʊpə] f (Berg~) top; (Finger~) tip
Kuppelei f (JUR) procuring
Kuppel (-, -n) f dome; **k~n** vi (JUR) to

procure; (*AUT*) to declutch ♦ *vt* to join
Kupplung *f* coupling; (*AUT*) clutch
Kur [ku:r] (-, -en) *f* cure, treatment
Kür [ky:r] (-, -en) *f* (*SPORT*) free exercises
pl
Kurbel ['kʊrbəl] (-, -n) *f* crank, winder;
(*AUT*) starting handle; ~**welle** *f* crankshaft
Kürbis ['kyrbɪs] (-ses, -se) *m* pumpkin; (*ex-
otisch*) gourd
Kurgast *m* visitor (to a health resort)
kurieren [ku'ri:rən] *vt* to cure
kurios [kuri'o:s] *adj* curious, odd; **K~i'tät** *f*
curiosity
Kurort *m* health resort
Kurpfuscher *m* quack
Kurs [kʊrs] (-es, -e) *m* course; (*FIN*) rate;
~**buch** *nt* timetable; **k~ieren** [kʊr'zi:rən]
vi to circulate; **k~iv** *adv* in italics; ~**us**
['kʊrzʊs] (-, Kurse) *m* course; ~**wagen** *m*
(*EISENB*) through carriage
Kurve ['kʊrvə] *f* curve; (*Straßen~*) curve,
bend; **kurvig** *adj* (*Straße*) bendy
kurz [kʊrts] *adj* short; ~ **gesagt** in short;
zu ~ kommen to come off badly; **den
kürzeren ziehen** to get the worst of it;
K~arbeit *f* short-time work; ~**ärm(e)lig**
adj short-sleeved
Kürze ['kyrtsə] *f* shortness, brevity; **k~n** *vt*
to cut short; (*in der Länge*) to shorten; (*Gehalt*) to reduce
kurz- *zW:* ~**erhand** *adv* on the spot; ~**fristig** *adj* short-term; **K~geschichte** *f* short
story; ~**halten** (*unreg*) *vt* to keep short;
~**lebig** *adj* short-lived
kürzlich ['kyrtslɪç] *adv* lately, recently
Kurz- *zW:* ~**schluß** *m* (*ELEK*) short circuit;
~**schrift** *f* shorthand; **k~sichtig** *adj*
short-sighted
Kürzung *f* (*eines Textes*) abridgement;
(*eines Theaterstück, des Gehalts*) cut
Kurzwelle *f* shortwave
kuscheln ['kʊʃəln] *vr* to snuggle up
Kusine [ku'zi:nə] *f* cousin
Kuß [kʊs] (-sses, ⸗sse) *m* kiss
küssen ['kʏsən] *vt*, *vr* to kiss
Küste ['kʏstə] *f* coast, shore
Küster ['kʏstər] (-s, -) *m* sexton, verger
Kutsche ['kʊtʃə] *f* coach, carriage; ~**r** (-s,
-) *m* coachman
Kutte ['kʊtə] *f* habit
Kuvert [ku've:r] (-s, -e *od* -s) *nt* envelope;
cover
Kybernetik [kybɛr'ne:tɪk] *f* cybernetics *sg*
KZ *nt abk von* **Konzentrationslager**

L l

l. *abk = Liter*
labil [la'bi:l] *adj* (*MED: Konstitution*) delicate
Labor [la'bo:r] (-s, -e *od* -s) *nt* lab;
~**ant(in)** [labo'rant(ɪn)] *m(f)* lab(oratory)
assistant
Labyrinth [laby'rɪnt] (-s, -e) *nt* labyrinth
Lache ['laxə] *f* (*Flüssigkeit*) puddle; (*von
Blut, Benzin etc*) pool
lächeln ['lɛçəln] *vi* to smile; **L~** (-s) *nt*
smile
lachen ['laxən] *vi* to laugh
lächerlich ['lɛçərlɪç] *adj* ridiculous
Lachgas *nt* laughing gas
lachhaft *adj* laughable
Lachs [laks] (-es, -e) *m* salmon
Lack [lak] (-(e)s, -e) *m* lacquer, varnish;
(*von Auto*) paint; **l~ieren** [la'ki:rən] *vt* to
varnish; (*Auto*) to spray; ~**ierer** [la'ki:rər]
(-s, -) *m* varnisher
Lackmus ['lakmʊs] (-) *m od nt* litmus
Laden ['la:dən] (-s, ⸗) *m* shop; (*Fenster~*)
shutter
laden ['la:dən] (*unreg*) *vt* (*Lasten*) to load;
(*JUR*) to summon; (*einladen*) to invite
Laden- *zW:* ~**dieb** *m* shoplifter; ~**diebstahl** *m* shoplifting; ~**schluß** *m* closing
time; ~**tisch** *m* counter
Laderaum *m* freight space; (*FLUG, NAUT*)
hold
Ladung ['la:dʊŋ] *f* (*Last*) cargo, load; (*Beladen*) loading; (*JUR*) summons; (*Einladung*)
invitation; (*Spreng~*) charge
Lage ['la:gə] *f* position, situation; (*Schicht*)
layer; **in der ~ sein** to be in a position
Lageplan *m* ground plan
Lager ['la:gər] (-s, -) *nt* camp; (*COMM*)
warehouse; (*Schlaf~*) bed; (*von Tier*) lair;
(*TECH*) bearing; ~**bestand** *m* stocks *pl*;
~**feuer** *nt* campfire; ~**haus** *nt* warehouse,
store
lagern ['la:gərn] *vi* (*Dinge*) to be stored;
(*Menschen*) to camp ♦ *vt* to store; (*betten*)
to lay down; (*Maschine*) to bed
Lagune [la'gu:nə] *f* lagoon
lahm [la:m] *adj* lame; ~**en** *vi* to be lame
lähmen ['lɛ:mən] *vt* to paralyse
lahmlegen *vt* to paralyse
Lähmung *f* paralysis
Laib [laɪp] (-s, -e) *m* loaf
Laie ['laɪə] (-n, -n) *m* layman; **l~nhaft** *adj*

amateurish
Laken ['laːkən] (-s, -) nt sheet
Lakritz m od nt = **Lakritze**
Lakritze [la'krɪtsə] f liquorice
lallen ['lalən] vt, vi to slur; (Baby) to babble
Lama (-s, -s) nt (ZOOL) llama
Lamelle [la'mɛlə] f lamella; (ELEK) lamina; (TECH) plate
Lametta [la'mɛta] (-s) nt tinsel
Lamm [lam] (-(e)s, ¨er) nt lamb
Lampe ['lampə] f lamp; ~**nfieber** nt stage fright; ~**nschirm** m lampshade
Lampion [lampi'õː] (-s, -s) m Chinese lantern
Land [lant] (-(e)s, ¨er) nt land; (Nation, nicht Stadt) country; (Bundes~) state; **auf dem ~(e)** in the country; ~**besitz** m landed property; ~**ebahn** f runway; **l~en** ['landən] vt, vi to land
Landes- ['landəs] zW: ~**farben** pl national colours; ~**innere(s)** nt inland region; ~**sprache** f national language; **l~üblich** adj customary; ~**verrat** m high treason; ~**währung** f national currency
landesweit adj nationwide
Land- zW: ~**haus** nt country house; ~**karte** f map; ~**kreis** m administrative region; **l~läufig** adj customary
ländlich ['lɛntlɪç] adj rural
Land- zW: ~**schaft** f countryside; (KUNST) landscape; ~**sitz** m country seat; ~**straße** f country road; ~**streicher** (-s, -) m tramp; ~**strich** m region
Landung ['landʊŋ] f landing; ~**sbrücke** f jetty, pier
Land- zW: ~**wirt** m farmer; ~**weg** m: **etw auf dem ~weg befördern** to transport sth by land; ~**wirtschaft** f agriculture; ~**zunge** f spit
lang [laŋ] adj long; (Mensch) tall; ~**atmig** adj long-winded; ~**e** adv for a long time; (dauern, brauchen) a long time
Länge ['lɛŋə] f length; (GEOG) longitude
langen ['laŋən] vi (ausreichen) to do, to suffice; (fassen): ~ **(nach)** to reach (for) ♦ vt: **jdm etw ~** to hand od pass sb sth; **es langt mir** I've had enough
Längengrad m longitude
Längenmaß nt linear measure
lang- zW: **L~eweile** f boredom; ~**fristig** adj long-term; ~**jährig** adj (Freundschaft, Gewohnheit) long-standing; **L~lauf** m (SKI) cross-country skiing
länglich adj longish
längs [lɛŋs] präp (+gen od dat) along ♦ adv lengthwise
lang- zW: ~**sam** adj slow; **L~samkeit** f slowness; **L~schläfer(in)** m(f) late riser; **L~spielplatte** f long-playing record
längst [lɛŋst] adv: **das ist ~ fertig** that was finished a long time ago, that has been finished for a long time; ~**e(r, s)** adj long-

est
lang- zW: ~**weilen** vt to bore ♦ vr to be bored; ~**weilig** adj boring, tedious; **L~welle** f long wave; ~**wierig** adj lengthy, long-drawn-out
Lanze ['lantsə] f lance
Lappalie [la'paːliə] f trifle
Lappen ['lapən] (-s, -) m cloth, rag; (ANAT) lobe
läppisch ['lɛpɪʃ] adj foolish
Lapsus ['lapsʊs] (-, -) m slip
Lärche ['lɛrçə] f larch
Lärm [lɛrm] (-(e)s) m noise; **l~en** vi to be noisy, to make a noise
Larve ['larfə] f (BIOL) larva
lasch [laʃ] adj slack
Lasche ['laʃə] f (Schuh~) tongue
Laser ['leɪzə] (-s, -) m laser

SCHLÜSSELWORT

lassen ['lasən] (pt **ließ**, pp **gelassen** od (als Hilfsverb) **lassen**) vt **1** (unterlassen) to stop; (momentan) to leave; **laß das (sein)!** don't (do it)!; (hör auf) stop it!; **laß mich!** leave me alone; **lassen wir das!** let's leave it; **er kann das Trinken nicht lassen** he can't stop drinking

2 (zurücklassen) to leave; **etw lassen, wie es ist** to leave sth (just) as it is

3 (überlassen): **jdn ins Haus lassen** to let sb into the house

♦ vi: **laß mal, ich mache das schon** leave it, I'll do it

♦ Hilfsverb **1** (veranlassen): **etw machen lassen** to have od get sth done; **sich** dat **etw schicken lassen** to have sth sent (to one)

2 (zulassen): **jdn etw wissen lassen** to let sb know sth; **das Licht brennen lassen** to leave the light on; **jdn warten lassen** to keep sb waiting; **das läßt sich machen** that can be done

3: **laß uns gehen** let's go

---

lässig ['lɛsɪç] adj casual; **L~keit** f casualness
Last [last] (-, -en) f load, burden; (NAUT, AVIAT) cargo; (meist pl: Gebühr) charge; **jdm zur ~ fallen** to be a burden to sb; ~**auto** nt lorry, truck; **l~en** vi: **l~en auf** +dat to weigh on
Laster ['lastər] (-s, -) nt vice
lästern ['lɛstərn] vt, vi (Gott) to blaspheme; (schlecht sprechen) to mock
Lästerung f jibe; (Gottes~) blasphemy
lästig ['lɛstɪç] adj troublesome, tiresome
Last- zW: ~**kahn** m barge; ~**kraftwagen** m heavy goods vehicle; ~**schrift** f debit; ~**wagen** m lorry, truck; ~**zug** m articulated lorry
Latein [la'taɪn] (-s) nt Latin; ~**amerika** nt Latin America

latent [la'tɛnt] *adj* latent
Laterne [la'tɛrnə] *f* lantern; (*Straßen~*) lamp, light; **~npfahl** *m* lamppost
latschen ['laːtʃən] (*umg*) *vi* (*gehen*) to wander, to go; (*lässig*) to slouch
Latte ['latə] *f* lath; (*SPORT*) goalpost; (*quer*) crossbar
Latzhose ['latshoːzə] *f* dungarees *pl*
lau [lau] *adj* (*Nacht*) balmy; (*Wasser*) lukewarm
Laub [laup] (*-(e)s*) *nt* foliage; **~baum** *m* deciduous tree; **~frosch** *m* tree frog; **~säge** *f* fretsaw
Lauch [laux] (*-(e)s, -e*) *m* leek
Lauer ['lauər] *f*: **auf der ~ sein** *od* **liegen** to lie in wait; **l~n** *vi* to lie in wait; (*Gefahr*) to lurk
Lauf [lauf] (*-(e)s, Läufe*) *m* run; (*Wett~*) race; (*Entwicklung, ASTRON*) course; (*Gewehr~*) barrel; **einer Sache** *dat* **ihren ~ lassen** to let sth take its course; **~bahn** *f* career
laufen ['laufən] (*unreg*) *vt, vi* to run; (*umg: gehen*) to walk; **~d** *adj* running; (*Monat, Ausgaben*) current; **auf dem ~den sein/halten** to be/keep up to date; **am ~den Band** (*fig*) continuously
Läufer ['lɔyfər] (*-s, -*) *m* (*Teppich, SPORT*) runner; (*Fußball*) half-back; (*Schach*) bishop
Lauf- *zW*: **~masche** *f* run, ladder (*BRIT*); **~paß** *m*: **jdm den ~paß geben** (*umg*) to send sb packing (*inf*); **~stall** *m* playpen; **~steg** *m* catwalk; **~werk** *nt* (*COMPUT*) disk drive
Lauge ['laugə] *f* soapy water; (*CHEM*) alkaline solution
Laune ['launə] *f* mood, humour; (*Einfall*) caprice; (*schlechte*) temper; **l~nhaft** *adj* capricious, changeable
launisch *adj* moody; bad-tempered
Laus [laus] (*-, Läuse*) *f* louse; **~bub** *m* rascal, imp
lauschen ['lauʃən] *vi* to eavesdrop, to listen in
lauschig ['lauʃɪç] *adj* snug
lausig ['lauzɪç] (*umg: pej*) *adj* measly; (*Kälte*) perishing
laut [laut] *adj* loud ♦ *adv* loudly; (*lesen*) aloud ♦ *präp* (*+gen od dat*) according to; **L~** (*-(e)s, -e*) *m* sound
Laute ['lautə] *f* lute
lauten ['lautən] *vi* to say; (*Urteil*) to be
läuten ['lɔytən] *vt, vi* to ring, to sound
lauter ['lautər] *adj* (*Wasser*) clear, pure; (*Wahrheit, Charakter*) honest ♦ *adj inv* (*Freude, Dummheit etc*) sheer ♦ *adv* nothing but, only
laut- *zW*: **~hals** *adv* at the top of one's voice; **~los** *adj* noiseless, silent; **L~schrift** *f* phonetics *pl*; **L~sprecher** *m* loudspeaker; **~stark** *adj* vociferous; **L~stärke** *f* (*RADIO*) volume

lauwarm ['lauvarm] *adj* (*auch fig*) lukewarm
Lava ['laːva] (*-, Laven*) *f* lava
Lavendel [la'vɛndəl] (*-s, -*) *m* lavender
Lawine [la'viːnə] *f* avalanche; **~ngefahr** *f* danger of avalanches
lax [laks] *adj* lax
Lazarett [latsa'rɛt] (*-(e)s, -e*) *nt* (*MIL*) hospital, infirmary
leasen ['liːzən] *vt* to lease
Leben (*-s, -*) *nt* life
leben ['leːbən] *vt, vi* to live; **~d** *adj* living; **~dig** [le'bɛndɪç] *adj* living, alive; (*lebhaft*) lively; **L~digkeit** *f* liveliness
Lebens- *zW*: **~art** *f* way of life; **~erwartung** *f* life expectancy; **l~fähig** *adj* able to live; **~freude** *f* zest for life; **~gefahr** *f*: **~gefahr!** danger!; **in ~gefahr** dangerously ill; **l~gefährlich** *adj* dangerous; (*Verletzung*) critical; **~haltungskosten** *pl* cost of living *sg*; **~jahr** *nt* year of life; **l~länglich** *adj* (*Strafe*) for life; **~lauf** *m* curriculum vitae; **~mittel** *pl* food *sg*; **~mittelgeschäft** *nt* grocer's (shop); **~mittelvergiftung** *f* (*MED*) food poisoning; **l~müde** *adj* tired of life; **~retter** *m* lifesaver; **~standard** *m* standard of living; **~unterhalt** *m* livelihood; **~versicherung** *f* life insurance; **~wandel** *m* way of life; **~weise** *f* lifestyle, way of life; **l~wichtig** *adj* vital, essential; **~zeichen** *nt* sign of life
Leber ['leːbər] (*-, -n*) *f* liver; **~fleck** *m* mole; **~tran** *m* cod-liver oil; **~wurst** *f* liver sausage
Lebewesen *nt* creature
leb- ['leːp] *zW*: **~haft** *adj* lively, vivacious; **L~kuchen** *m* gingerbread; **~los** *adj* lifeless
Leck [lɛk] (*-(e)s, -e*) *nt* leak; **l~** *adj* leaky, leaking; **l~en** *vi* (*Loch haben*) to leak; (*schlecken*) to lick ♦ *vt* to lick
lecker ['lɛkər] *adj* delicious, tasty; **L~bissen** *m* dainty morsel
Leder ['leːdər] (*-s, -*) *nt* leather; **~hose** *f* lederhosen; **l~n** *adj* leather; **~waren** *pl* leather goods
ledig ['leːdɪç] *adj* single; **einer Sache** *gen* **~ sein** to be free of sth; **~lich** *adv* merely, solely
leer [leːr] *adj* empty; vacant; **~ machen** to empty; **L~e** (*-*) *f* emptiness; **~en** *vt, vr* to empty; **L~gewicht** *nt* weight when empty; **L~lauf** *m* neutral; **~stehend** *adj* empty; **L~ung** *f* emptying; (*Post*) collection
legal [le'gaːl] *adj* legal, lawful; **~i'sieren** *vt* to legalize
legen ['leːgən] *vt* to lay, to put, to place; (*Ei*) to lay ♦ *vr* to lie down; (*fig*) to subside
Legende [le'gɛndə] *f* legend
leger [le'ʒɛːr] *adj* casual
Legierung *f* alloy
Legislative [legisla'tiːvə] *f* legislature

legitim [legi'tiːm] *adj* legitimate
legitimieren [legiti'miːrən] *vt* to legitimate
♦ *vr* to prove one's identity
Lehm [leːm] (-(e)s, -e) *m* loam; **l~ig** *adj* loamy
Lehne ['leːnə] *f* arm; back; **l~n** *vt, vr* to lean
Lehnstuhl *m* armchair
Lehr- *zW:* **~amt** *nt* teaching profession; **~buch** *nt* textbook
Lehre ['leːrə] *f* teaching, doctrine; (*beruflich*) apprenticeship; (*moralisch*) lesson; (*TECH*) gauge; **l~n** *vt* to teach; **~r(in)** (-s, -) *m(f)* teacher; **~rzimmer** *nt* staff room
Lehr- *zW:* **~gang** *m* course; **~jahre** *pl* apprenticeship *sg;* **~kraft** *f* (*förmlich*) teacher; **~ling** *m* apprentice; **~plan** *m* syllabus; **l~reich** *adj* instructive; **~stelle** *f* apprenticeship; **~zeit** *f* apprenticeship
Leib [laɪp] (-(e)s, -er) *m* body; **halt ihn mir vom ~!** keep him away from me!; **l~haftig** *adj* personified; (*Teufel*) incarnate; **l~lich** *adj* bodily; (*Vater etc*) own
Leibschmerzen *pl* stomach pains
Leibwache *f* bodyguard
Leiche ['laɪçə] *f* corpse; **~nhalle** *f* mortuary; **~nwagen** *m* hearse
Leichnam ['laɪçnaːm] (-(e)s, -e) *m* corpse
leicht [laɪçt] *adj* light; (*einfach*) easy; **L~athletik** *f* athletics *sg;* **~fallen** (*unreg*) *vi:* **jdm ~fallen** to be easy for sb; **~fertig** *adj* frivolous; **~gläubig** *adj* gullible, credulous; **~hin** *adv* lightly; **L~igkeit** *f* easiness; **mit L~igkeit** with ease; **~machen** *vt:* **sich** *dat* **~machen** to make things easy for o.s.; **L~sinn** *m* carelessness; **~sinnig** *adj* careless
Leid [laɪt] (-(e)s) *nt* grief, sorrow; **l~** *adj:* **etw l~ haben** *od* **sein** to be tired of sth; **es tut mir/ihm l~** I am/he is sorry; **er/das tut mir l~** I am sorry for him/it; **l~en** ['laɪdən] (*unreg*) *vt* to suffer; (*erlauben*) to permit ♦ *vi* to suffer; **jdn/etw nicht l~en können** not to be able to stand sb/sth; **~en** (-s, -) *nt* suffering; (*Krankheit*) complaint; **~enschaft** *f* passion; **l~enschaftlich** *adj* passionate
leider ['laɪdər] *adv* unfortunately; **ja, ~** yes, I'm afraid so; **~ nicht** I'm afraid not
leidig *adj* worrying, troublesome
leidlich *adj* tolerable ♦ *adv* tolerably
Leidtragende(r) *mf* bereaved; (*Benachteiligter*) one who suffers
Leidwesen *nt:* **zu jds ~** to sb's disappointment
Leier ['laɪər] (-, -n) *f* lyre; (*fig*) old story; **~kasten** *m* barrel organ
Leihbibliothek *f* lending library
Leihbücherei *f* lending library
leihen ['laɪən] (*unreg*) *vt* to lend; **sich** *dat* **etw ~** to borrow sth
Leih- *zW:* **~gebühr** *f* hire charge; **~haus**

nt pawnshop; **~schein** *m* pawn ticket; (*Buchleihschein etc*) borrowing slip; **~wagen** *m* hired car
Leim [laɪm] (-(e)s, -e) *m* glue; **l~en** *vt* to glue
Leine ['laɪnə] *f* line, cord; (*Hunde~*) leash, lead
Leinen *nt* linen; **l~** *adj* linen
Leintuch *nt* (*Bett~*) sheet; linen cloth
Leinwand *f* (*KUNST*) canvas; (*CINE*) screen
leise ['laɪzə] *adj* quiet; (*sanft*) soft, gentle
Leiste ['laɪstə] *f* ledge; (*Zier~*) strip; (*ANAT*) groin
leisten ['laɪstən] *vt* (*Arbeit*) to do; (*Gesellschaft*) to keep; (*Ersatz*) to supply; (*vollbringen*) to achieve; **sich** *dat* **etw ~ können** to be able to afford sth
Leistung *f* performance; (*gute*) achievement; **~sdruck** *m* pressure; **l~sfähig** *adj* efficient
Leitartikel *m* leading article
Leitbild *nt* model
leiten ['laɪtən] *vt* to lead; (*Firma*) to manage; (*in eine Richtung*) to direct; (*ELEK*) to conduct
Leiter¹ ['laɪtər] (-s, -) *m* leader, head; (*ELEK*) conductor
Leiter² (-, -n) *f* ladder
Leitfaden *m* guide
Leitplanke *f* crash barrier
Leitung *f* (*Führung*) direction; (*CINE, THEAT etc*) production; (*von Firma*) management; directors *pl;* (*Wasser~*) pipe; (*Kabel*) cable; **eine lange ~ haben** to be slow on the uptake
Leitungs- *zW:* **~draht** *m* wire; **~rohr** *nt* pipe; **~wasser** *nt* tap water
Lektion [lɛktsi'oːn] *f* lesson
Lektüre [lɛk'tyːrə] *f* (*Lesen*) reading; (*Lesestoff*) reading matter
Lende ['lɛndə] *f* loin, hip
lenk- [lɛŋk] *zW:* **~bar** *adj* (*Fahrzeug*) steerable; (*Kind*) manageable; **~en** *vt* to steer; (*Kind*) to guide; (*Blick, Aufmerksamkeit*): **~en (auf +akk)** to direct (at); **L~rad** *nt* steering wheel; **L~stange** *f* handlebars *pl*
Leopard [leo'part] (-en, -en) *m* leopard
Lepra ['leːpra] (-) *f* leprosy
Lerche ['lɛrçə] *f* lark
lernbegierig *adj* eager to learn
lernen ['lɛrnən] *vt* to learn
lesbar ['leːsbaːr] *adj* legible
Lesbierin ['lɛsbiərɪn] *f* lesbian
lesbisch ['lɛsbɪʃ] *adj* lesbian
Lese ['leːzə] *f* (*Wein*) harvest
Lesebrille *f* reading glasses
Lesebuch *nt* reading book, reader
lesen (*unreg*) *vt, vi* to read; (*ernten*) to gather, to pick
Leser(in) (-s, -) *m(f)* reader; **~brief** *m* reader's letter; **l~lich** *adj* legible
Lesezeichen *nt* bookmark

Lesung ['le:zʊŋ] f (PARL) reading
letzte(r, s) ['lɛtstə(r, s)] adj last; (neueste) latest; **zum ~nmal** for the last time; **~ns** adv lately; **~re(r, s)** adj latter
Leuchte ['lɔʏçtə] f lamp, light; **l~n** vi to shine, to gleam; **~r** (-s, -) m candlestick
Leucht- zW: **~farbe** f fluorescent colour; **~rakete** f flare; **~reklame** f neon sign; **~röhre** f strip light; **~turm** m lighthouse; **~zifferblatt** nt luminous dial
leugnen ['lɔʏgnən] vt to deny
Leukämie [lɔʏkɛ'mi:] f leukaemia
Leukoplast [lɔʏko'plast] (®; -(e)s, -e) nt elastoplast (®)
Leumund ['lɔʏmʊnt] (-(e)s, -e) m reputation
Leumundszeugnis nt character reference
Leute ['lɔʏtə] pl people pl
Leutnant ['lɔʏtnant] (-s, -s od -e) m lieutenant
leutselig ['lɔʏtze:lɪç] adj amiable
Lexikon ['lɛksikɔn] (-s, Lexiken od Lexika) nt encyclop(a)edia
Libelle [li'bɛlə] f dragonfly; (TECH) spirit level
liberal [libe'ra:l] adj liberal; **L~e(r)** mf liberal
Libero ['li:bero] (-s, -s) m (Fußball) sweeper
Licht [lɪçt] (-(e)s, -er) nt light; **~bild** nt photograph; (Dia) slide; **~blick** m cheering prospect; **l~empfindlich** adj sensitive to light; **l~en** vt to clear; (Anker) to weigh ♦ vr to clear up; (Haar) to thin; **l~erloh** adv: **l~erloh brennen** to be ablaze; **~hupe** f flashing of headlights; **~jahr** nt light year; **~maschine** f dynamo; **~schalter** m light switch
Lichtung f clearing, glade
Lid [li:t] (-(e)s, -er) nt eyelid; **~schatten** m eyeshadow
lieb [li:p] adj dear; **das ist ~ von dir** that's kind of you; **~äugeln** ['li:bɔʏgəln] vi insep: **mit etw ~äugeln** to have one's eye on sth; **mit dem Gedanken ~äugeln, etw zu tun** to toy with the idea of doing sth
Liebe ['li:bə] f love; **l~bedürftig** adj: **l~bedürftig sein** to need love; **l~n** vt to love; to like
liebens- zW: **~wert** adj loveable; **~würdig** adj kind; **~würdigerweise** adv kindly; **L~würdigkeit** f kindness
lieber ['li:bər] adv rather, preferably; **ich gehe ~ nicht** I'd rather not go; siehe auch **gern**; **lieb**
Liebes- zW: **~brief** m love letter; **~kummer** m: **~kummer haben** to be lovesick; **~paar** nt courting couple, lovers pl
liebevoll adj loving
lieb- ['li:p] zW: **~gewinnen** (unreg) vt to get fond of; **~haben** (unreg) vt to be fond of; **L~haber** (-s, -) m lover; **L~habe'rei** f hobby; **~kosen** ['li:pko:zən] vt insep to

caress; **~lich** adj lovely, charming; **L~ling** m darling; **L~lings-** in zW favourite; **~los** adj unloving; **L~schaft** f love affair
Lied [li:t] (-(e)s, -er) nt song; (REL) hymn; **~erbuch** ['li:dər-] nt songbook; hymn book
liederlich ['li:dərlɪç] adj slovenly; (Lebenswandel) loose, immoral; **L~keit** f slovenliness; immorality
lief etc [li:f] vb siehe **laufen**
Lieferant [lifə'rant] m supplier
Lieferbedingungen pl terms of delivery
liefern ['li:fərn] vt to deliver; (versorgen mit) to supply; (Beweis) to produce
Liefer- zW: **~schein** m delivery note; **~termin** m delivery date; **~ung** f delivery; supply; **~wagen** m van; **~zeit** f delivery period
Liege ['li:gə] f bed
liegen ['li:gən] (unreg) vi to lie; (sich befinden) to be; **mir liegt nichts/viel daran** it doesn't matter to me/it matters a lot to me; **es liegt bei Ihnen, ob ...** it's up to you whether ...; **Sprachen ~ mir nicht** languages are not my line; **woran liegt es?** what's the cause?; **~bleiben** (unreg) vi (im Bett) to stay in bed; (nicht aufstehen) to stay lying down; (vergessen werden) to be left (behind); **~lassen** (unreg) vt (vergessen) to leave behind
Liege- zW: **~sitz** m (AUT) reclining seat; **~stuhl** m deck chair; **~wagen** m (EISENB) couchette
Lift [lɪft] (-(e)s, -e od -s) m lift
Likör [li'kø:r] (-s, -e) m liqueur
lila ['li:la] adj inv purple, lilac; **L~** (-s, -s) nt (Farbe) purple, lilac
Lilie ['li:liə] f lily
Limonade [limo'na:də] f lemonade
Limone [li'mo:nə] f lime
Linde ['lɪndə] f lime tree, linden
lindern ['lɪndərn] vt to alleviate, to soothe
Linderung f alleviation
Lineal [line'a:l] (-s, -e) nt ruler
Linie ['li:niə] f line
Linien- zW: **~blatt** nt ruled sheet; **~flug** m scheduled flight; **~richter** m linesman
linieren [lin'i:rən] vt to line
Linke ['lɪŋkə] f left side; left hand; (POL) left
linkisch adj awkward, gauche
links [lɪŋks] adv left; to od on the left; **~ von mir** on od to my left; **L~außen** [lɪŋks'ausən] (-s, -) m (SPORT) outside left; **L~händer(in)** (-s, -) m(f) left-handed person; **L~kurve** f left-hand bend; **L~verkehr** m driving on the left
Linoleum [li'no:leum] (-s) nt lino(leum)
Linse ['lɪnzə] f lentil; (optisch) lens sg
Lippe ['lɪpə] f lip; **~nstift** m lipstick
lispeln ['lɪspəln] vi to lisp
Lissabon ['lɪsabɔn] (-s) nt Lisbon

List [lɪst] (-, -en) f cunning; trick, ruse
Liste ['lɪstə] f list
listig ['lɪstɪç] adj cunning, sly
Litanei [lita'naɪ] f litany
Liter ['liːtər] (-s, -) nt od m litre
literarisch [lɪtə'raːrɪʃ] adj literary
Literatur [lɪtəra'tuːr] f literature
Litfaßsäule ['lɪtfaszɔylə] f advertising pillar
Lithographie [litogra'fiː] f lithography
Liturgie [litʊr'giː] f liturgy
liturgisch [li'tʊrgɪʃ] adj liturgical
Litze ['lɪtsə] f braid; (ELEK) flex
live [laɪf] adv (RADIO, TV) live
Livree [li'vreː] (-, -n) f livery
Lizenz [li'tsɛnts] f licence
Lkw [ɛlkaː'veː] (-(s), -(s)) m abk = **Last-kraftwagen**
Lob [loːp] (-(e)s) nt praise
Lobby ['lɔbi] f lobby
loben ['loːbən] vt to praise; ~**swert** adj praiseworthy
löblich ['løːplɪç] adj praiseworthy, laudable
Loch [lɔx] (-(e)s, ⁼er) nt hole; **l~en** vt to punch holes in; ~**er** (-s, -) m punch
löcherig ['lœçərɪç] adj full of holes
Lochkarte f punch card
Lochstreifen m punch tape
Locke ['lɔkə] f lock, curl; **l~n** vt to entice; (Haare) to curl; ~**nwickler** (-s, -) m curler
locker ['lɔkər] adj loose; ~**lassen** (unreg) vi: **nicht** ~**lassen** not to let up; ~**n** vt to loosen
lockig ['lɔkɪç] adj curly
Lodenmantel ['loːdənmantəl] m thick woollen coat
lodern ['loːdərn] vi to blaze
Löffel ['lœfəl] (-s, -) m spoon
löffeln vt to spoon
Logarithmus [loga'rɪtmʊs] m logarithm
Loge ['loːʒə] f (THEAT) box; (Freimaurer) (masonic) lodge; (Pförtner~) office
Logik ['loːgɪk] f logic
logisch ['loːgɪʃ] adj logical
Logopäde [logo'pɛːdə] (-n, -n) m speech therapist
Lohn [loːn] (-(e)s, ⁼e) m reward; (Arbeits~) pay, wages pl; ~**büro** nt wages office; ~**empfänger** m wage earner
lohnen ['loːnən] vr unpers to be worth it ♦ vt (liter): (jdm etw) ~ to reward (sb for sth); ~**d** adj worthwhile
Lohnerhöhung f pay rise
Lohn- zW: ~**steuer** f income tax; ~**strei-fen** m pay slip; ~**tüte** f pay packet
Lokal [lo'kaːl] (-(e)s, -e) nt pub(lic house)
lokal adj local; ~**i'sieren** vt to localize
Lokomotive [lokomo'tiːvə] f locomotive
Lokomotivführer m engine driver
Lorbeer ['lɔrbeːr] (-s, -en) m (auch fig) laurel; ~**blatt** nt (KOCH) bay leaf
Lore ['loːrə] f (MIN) truck
Los [loːs] (-es, -e) nt (Schicksal) lot, fate;
(Lotterie~) lottery ticket
los [loːs] adj (locker) loose; ~**!** go on!; **etw** ~ **sein** to be rid of sth; **was ist** ~**?** what's the matter?; **dort ist nichts/viel** ~ there's nothing/a lot going on there; **etw** ~ **haben** (umg) to be clever; ~**binden** (unreg) vt to untie
Löschblatt nt sheet of blotting paper
löschen ['lœʃən] vt (Feuer, Licht) to put out, to extinguish; (Durst) to quench; (COMM) to cancel; (COMPUT) to delete; (Tonband) to erase; (Fracht) to unload ♦ vi (Feuerwehr) to put out a fire; (Tinte) to blot
Lösch- zW: ~**fahrzeug** nt fire engine; fire boat; ~**gerät** nt fire extinguisher; ~**papier** nt blotting paper; ~**taste** f delete key
lose ['loːzə] adj loose
Lösegeld nt ransom
losen ['loːzən] vi to draw lots
lösen ['løːzən] vt to loosen; (Rätsel etc) to solve; (Verlobung) to call off; (CHEM) to dissolve; (Partnerschaft) to break up; (Fahr-karte) to buy ♦ vr (aufgehen) to come loose; (Zucker etc) to dissolve; (Problem, Schwier-igkeit) to (re)solve itself
los- zW: ~**fahren** (unreg) vi to leave; ~**ge-hen** (unreg) vi to set out; (anfangen) to start; (Bombe) to go off; **auf jdn** ~**gehen** to go for sb; ~**kaufen** vt (Gefangene, Geißeln) to pay ransom for; ~**kommen** (unreg) vi: **von etw** ~**kommen** to get away from sth; ~**lassen** (unreg) vt (Seil) to let go of; (Schimpfe) to let loose; ~**laufen** (unreg) vi to run off
löslich ['løːslɪç] adj soluble; **L~keit** f sol-ubility
los- zW: ~**lösen** vt: **(sich)** ~**lösen** to free (o.s.); ~**machen** vt to loosen; (Boot) to unmoor ♦ vr to get away; ~**schrauben** vt to unscrew
Losung ['loːzʊŋ] f watchword, slogan
Lösung ['løːzʊŋ] f (Lockermachen) loos-ening; (eines Rätsels, CHEM) solution; ~**smittel** nt solvent
loswerden (unreg) vt to get rid of
losziehen (unreg; umg) vi (sich aufmachen) to set off
Lot [loːt] (-(e)s, -e) nt plumbline; **im** ~ ver-tical; (fig) on an even keel
löten ['løːtən] vt to solder
Lothringen ['loːtrɪŋən] (-s) nt Lorraine
Lötkolben m soldering iron
Lotse ['loːtsə] (-n, -n) m pilot; (AVIAT) air traffic controller; **l~n** vt to pilot; (umg) to lure
Lotterie [lɔtə'riː] f lottery
Lotto ['lɔto] (-s, -s) nt national lottery; ~**zahlen** pl winning lottery numbers
Löwe ['løːvə] (-n, -n) m lion; (ASTROL) Leo; ~**nanteil** m lion's share; ~**nzahn** m dandelion
loyal [loa'jaːl] adj loyal

Loyalität f loyalty
Luchs [lʊks] (-es, -e) m lynx
Lücke ['lʏkə] f gap; ~**nbüßer** (-s, -) m stopgap; l~**nhaft** adj full of gaps; (care, supplies etc) inadequate; l~**nlos** adj complete
Luft [lʊft] (-, ⸚e) f air; (Atem) breath; **in der ~ liegen** to be in the air; **jdn wie ~ behandeln** to ignore sb; ~**angriff** m air raid; ~**ballon** m balloon; ~**blase** f air bubble; l~**dicht** adj airtight; ~**druck** m atmospheric pressure
lüften ['lʏftən] vt to air; (Hut) to lift, to raise ♦ vi to let some air in
Luft- zW: ~**fahrt** f aviation; l~**gekühlt** adj air-cooled; ~**gewehr** nt air-rifle, airgun; l~**ig** (Ort) breezy; (Raum) airy; (Kleider) summery; ~**kissenfahrzeug** nt hovercraft; ~**kurort** m health resort; l~**leer** adj: **luftleerer Raum** vacuum; ~**linie** f: **in der ~linie** as the crow flies; ~**loch** nt air-hole; (AVIAT) air-pocket; ~**matratze** f lilo (®; BRIT), air mattress; ~**pirat** m hijacker; ~**post** f airmail; ~**röhre** f (ANAT) windpipe; ~**schlange** f streamer; ~**schutzkeller** m air-raid shelter; ~**verkehr** m air traffic; ~**verschmutzung** f air pollution; ~**waffe** f air force; ~**zug** m draught
Lüge ['lyːgə] f lie; **jdn/etw ~n strafen** to give the lie to sb/sth; l~**n** (unreg) vi to lie
Lügner(in) (-s, -) m(f) liar
Luke ['luːkə] f dormer window; hatch
Lump [lʊmp] (-en, -en) m scamp, rascal
Lumpen ['lʊmpən] (-s, -) m rag
lumpen vi: **sich nicht ~ lassen** not to be mean
lumpig ['lʊmpɪç] adj shabby
Lupe ['luːpə] f magnifying glass; **unter die ~ nehmen** (fig) to scrutinize
Lupine [lu'piːnə] f lupin
Lust [lʊst] (-, ⸚e) f joy, delight; (Neigung) desire; **~ haben zu** od **auf etw** akk/**etw zu tun** to feel like sth/doing sth
lüstern ['lʏstərn] adj lustful, lecherous
lustig ['lʊstɪç] adj (komisch) amusing, funny; (fröhlich) cheerful
Lüstling m lecher
Lust- zW: l~**los** adj unenthusiastic; ~**mord** m sex(ual) murder; ~**spiel** nt comedy
lutschen ['lʊtʃən] vt, vi to suck; **am Daumen ~** to suck one's thumb
Lutscher (-s, -) m lollipop
luxuriös [lʊksuri'øːs] adj luxurious
Luxus ['lʊksʊs] (-) m luxury; ~**artikel** pl luxury goods; ~**hotel** nt luxury hotel
Lymphe ['lʏmfə] f lymph
lynchen ['lʏnçən] vt to lynch
Lyrik ['lyːrɪk] f lyric poetry; ~**er** (-s, -) m lyric poet
lyrisch ['lyːrɪʃ] adj lyrical

M m

m abk = **Meter**
Machart f make
machbar adj feasible

─────── SCHLÜSSELWORT

machen ['maxən] vt **1** to do; (herstellen, zubereiten) to make; **was machst du da?** what are you doing (there)?; **das ist nicht zu machen** that can't be done; **das Radio leiser machen** to turn the radio down; **aus Holz gemacht** made of wood
2 (verursachen, bewirken) to make; **jdm Angst machen** to make sb afraid; **das macht die Kälte** it's the cold that does that
3 (ausmachen) to matter; **das macht nichts** that doesn't matter; **die Kälte macht mir nichts** I don't mind the cold
4 (kosten, ergeben) to be; **3 und 5 macht 8** 3 and 5 is od are 8; **was** od **wieviel macht das?** how much does that make?
5: **was macht die Arbeit?** how's the work going?; **was macht dein Bruder?** how is your brother doing?; **das Auto machen lassen** to have the car done; **mach's gut!** take care!; (viel Glück) good luck!
♦ vi: **mach schnell!** hurry up!; **Schluß machen** to finish (off); **mach schon!** come on!; **das macht müde** it makes you tired; **in etw** dat **machen** to be od deal in sth
♦ vr to come along (nicely); **sich an etw** akk **machen** to set about sth; **sich verständlich machen** to make o.s. understood; **sich** dat **viel aus jdm/etw machen** to like sb/sth

─────────────────────

Macht [maxt] (-, ⸚e) f power; ~**haber** (-s, -) m ruler
mächtig ['mɛçtɪç] adj powerful, mighty; (umg: ungeheuer) enormous
Macht- zW: m~**los** adj powerless; ~**probe** f trial of strength; ~**wort** nt: **ein ~wort sprechen** to exercise one's authority
Mädchen ['mɛːtçən] nt girl; m~**haft** adj girlish; ~**name** m maiden name
Made ['maːdə] f maggot
madig ['maːdɪç] adj maggoty; **jdm etw ~ machen** to spoil sth for sb
mag etc [maːk] vb siehe **mögen**
Magazin [maga'tsiːn] (-s, -e) nt magazine
Magen ['maːgən] (-s, - od ⸚) m stomach;

~geschwür nt (*MED*) stomach ulcer; **~schmerzen** pl stomachache sg

mager ['maːgər] adj lean; (*dünn*) thin; **M~keit** f leanness; thinness

Magie [ma'giː] f magic

magisch ['maːgɪʃ] adj magical

Magnet [ma'gneːt] (**-s** od **-en**, **-en**) m magnet; **m~isch** adj magnetic; **~nadel** f magnetic needle

Mahagoni [maha'goːni] (**-s**) nt mahogany

mähen ['mɛːən] vt, vi to mow

Mahl [maːl] (**-(e)s**, **-e**) nt meal; **m~en** (*unreg*) vt to grind; **~zeit** f meal ♦ excl enjoy your meal

Mahnbrief m reminder

Mähne ['mɛːnə] f mane

mahnen ['maːnən] vt to remind; (*warnend*) to warn; (*wegen Schuld*) to demand payment from

Mahnung f reminder; admonition, warning

Mai [maɪ] (**-(e)s**, **-e**) m May; **~glöckchen** nt lily of the valley; **~käfer** m cockchafer

Mailand nt Milan

mailändisch adj Milanese

Mais [maɪs] (**-es**, **-e**) m maize, corn (*US*); **~kolben** m corncob; **~mehl** nt (*KOCH*) corn meal

Majestät [majɛs'tɛːt] f majesty; **m~isch** adj majestic

Major [ma'joːr] (**-s**, **-e**) m (*MIL*) major; (*AVIAT*) squadron leader

Majoran [majo'raːn] (**-s**, **-e**) m marjoram

makaber [ma'kaːbər] adj macabre

Makel ['maːkəl] (**-s**, **-**) m blemish; (*moralisch*) stain; **m~los** adj immaculate, spotless

mäkeln ['mɛːkəln] vi to find fault

Makkaroni [maka'roːni] pl macaroni sg

Makler(in) ['maːklər(ɪn)] (**-s**, **-**) m(f) broker

Makrele [ma'kreːlə] f mackerel

Makrone [ma'kroːnə] f macaroon

Mal [maːl] (**-(e)s**, **-e**) nt mark, sign; (*Zeitpunkt*) time; **m~** adv times; (*umg*) siehe **einmal** ♦ suffix: **-m~** -times

Malaria (**-**) f (*MED*) malaria

malen vt, vi to paint

Maler (**-s**, **-**) m painter

Male'rei f painting

malerisch adj picturesque

Malkasten m paintbox

Mallorca [ma'lɔrka] (**-s**) nt Majorca

malnehmen (*unreg*) vt, vi to multiply

Malz [malts] (**-es**) nt malt; **~bier** nt (*KOCH*) malt beer; **~bonbon** nt cough drop; **~kaffee** m malt coffee

Mama ['mamaː] (**-**, **-s**; *umg*) f mum(my) (*BRIT*), mom(my) (*US*)

Mami ['mami] (**-**, **-s**; *umg*) f mum(my) (*BRIT*), mom(my) (*US*)

Mammut ['mamʊt] (**-s**, **-e** od **-s**) nt mammoth

man [man] pron one, you; **~ sagt, ...** they

od people say ...; **wie schreibt ~ das?** how do you write it?, how is it written?

manch [manç] (*unver*) pron many a

manche(r, s) ['mançə(r, s)] adj many a; (*pl*: *einige*) a number of ♦ pron some

mancherlei adj inv various ♦ pron inv a variety of things

manchmal adv sometimes

Mandant(in) [man'dant(ɪn)] m(f) (*JUR*) client

Mandarine [manda'riːnə] f mandarin, tangerine

Mandat [man'daːt] (**-(e)s**, **-e**) nt mandate

Mandel ['mandəl] (**-**, **-n**) f almond; (*ANAT*) tonsil

Mandelentzündung f (*MED*) tonsillitis

Manege [ma'neːʒə] f ring, arena

Mangel¹ ['maŋəl] (**-**, **-n**) f mangle

Mangel² (**-s**, **ⁿ**) m lack; (*Knappheit*) shortage; (*Fehler*) defect, fault; **Mangel an** +dat shortage of; **~erscheinung** f deficiency symptom; **m~haft** adj poor; (*fehlerhaft*) defective, faulty; **m~n** vi unpers: **es m~t jdm an etw** dat sb lacks sth ♦ vt (*Wäsche*) to mangle

mangels präp +gen for lack of

Mango (**-**, **-s**) f (*BOT*, *KOCH*) mango

Manie [ma'niː] f mania

Manier [ma'niːr] (**-**) f manner; style; (*pej*) mannerism; **~en** pl (*Umgangsformen*) manners

manierlich adj well-mannered

Manifest [mani'fɛst] (**-es**, **-e**) nt manifesto

Maniküre [mani'kyːrə] f manicure; **m~n** vt to manicure

manipulieren [manipu'liːrən] vt to manipulate

Manko ['maŋko] (**-s**, **-s**) nt deficiency; (*COMM*) deficit

Mann [man] (**-(e)s**, **ⁿer**) m man; (*Ehe~*) husband; (*NAUT*) hand; **seinen ~ stehen** to hold one's own

Männchen ['mɛnçən] nt little man; (*Tier*) male

Mannequin [manə'kɛː] (**-s**, **-s**) nt fashion model

männlich ['mɛnlɪç] adj (*BIOL*) male; (*fig*, *GRAM*) masculine

Mannschaft f (*SPORT*, *fig*) team; (*AVIAT*, *NAUT*) crew; (*MIL*) other ranks pl

Manöver [ma'nøːvər] (**-s**, **-**) nt manoeuvre

manövrieren [manø'vriːrən] vt, vi to manoeuvre

Mansarde [man'zardə] f attic

Manschette [man'ʃetə] f cuff; (*TECH*) collar; sleeve; **~nknopf** m cufflink

Mantel ['mantəl] (**-s**, **ⁿ**) m coat; (*TECH*) casing, jacket

Manuskript [manu'skrɪpt] (**-(e)s**, **-e**) nt manuscript

Mappe ['mapə] f briefcase; (*Akten~*) folder

Märchen ['mɛːrçən] nt fairy tale; **m~haft**

adj fabulous; **~prinz** *m* Prince Charming
Marder ['mardər] **(-s, -)** *m* marten
Margarine [marga'ri:nə] *f* margarine
Margerite [margə'ri:tə] *f (BOT)* marguerite
Maria [ma'ri:a] **(-)** *f (REL)* Mary
Marienkäfer [ma'ri:ənkɛːfər] *m* ladybird
Marine [ma'ri:nə] *f* navy; **m~blau** *adj* navy-blue
marinieren [mari'ni:rən] *vt* to marinate
Marionette [mario'nɛtə] *f* puppet
Mark¹ [mark] **(-, -)** *f (Münze)* mark
Mark² **(-(e)s)** *nt (Knochen~)* marrow; **jdm durch ~ und Bein gehen** to go right through sb
markant [mar'kant] *adj* striking
Marke ['markə] *f* mark; *(Warensorte)* brand; *(Fabrikat)* make; *(Rabatt~, Brief~)* stamp; *(Essens~)* ticket; *(aus Metall etc)* token, disc
markieren [mar'ki:rən] *vt* to mark; *(umg)* to act ♦ *vi* to act it
Markierung *f* marking
Markise [mar'ki:zə] *f* awning
Markstück *nt* one-mark piece
Markt [markt] **(-(e)s, ⁼e)** *m* market; **~lücke** *f (WIRTS)* opening, gap in the market; **~platz** *m* market place; **m~üblich** *adj (Preise, Mieten)* standard, usual; **~wert** *m (WIRTS)* market value; **~wirtschaft** *f* market economy
Marmelade [marmə'la:də] *f* jam
Marmor ['marmor] **(-s, -e)** *m* marble; **m~ieren** [-'ri:rən] *vt* to marble; **m~n** *adj* marble
Marokko [ma'rɔko] **(-s)** *nt* Morocco
Marone [ma'ro:nə] **(-, -n** *od* **Maroni)** *f* chestnut
Marotte [ma'rɔtə] *f* fad, quirk
Marsch¹ [marʃ] **(-(e)s, ⁼e)** *m* march ♦ *excl* march!
Marsch² **(-, -en)** *f* marsh
Marsch- [marʃ] *zW:* **~befehl** *m* marching orders *pl*; **m~bereit** *adj* ready to move; **m~ieren** [mar'ʃi:rən] *vi* to march
Märtyrer(in) ['mɛrtyrər(ɪn)] **(-s, -)** *m(f)* martyr
März [mɛrts] **(-(es), -e)** *m* March
Marzipan [martsi'pa:n] **(-s, -e)** *nt* marzipan
Masche ['maʃə] *f* mesh; *(Strick~)* stitch; **das ist die neueste ~** that's the latest thing; **~ndraht** *m* wire mesh; **m~nfest** *adj* runproof
Maschine [ma'ʃi:nə] *f* machine; *(Motor)* engine; *(Schreib~)* typewriter; **m~ll** [maʃi'nɛl] *adj* machine(-); mechanical
Maschinen- *zW:* **~bauer** *m* mechanical engineer; **~gewehr** *nt* machine gun; **~pistole** *f* submachine gun; **~schaden** *m* mechanical fault; **~schlosser** *m* fitter; **~schrift** *f* typescript
maschineschreiben *(unreg) vi* to type
Maschinist [maʃi'nɪst] *m* engineer

Maser ['ma:zər] **(-, -n)** *f (von Holz)* grain; **~n** *pl (MED)* measles *sg*; **~ung** *f* grain(ing)
Maske ['maskə] *f* mask; **~nball** *m* fancy-dress ball; **~rade** [maskə'ra:də] *f* masquerade
maskieren [mas'ki:rən] *vt* to mask; *(verkleiden)* to dress up ♦ *vr* to disguise o.s.; to dress up
Maskottchen [mas'kɔtçən] *nt* (lucky) mascot
Maß¹ [ma:s] **(-es, -e)** *nt* measure; *(Mäßigung)* moderation; *(Grad)* degree, extent
Maß² **(-, -(e))** *f* litre of beer
Massage [ma'sa:ʒə] *f* massage
Maßanzug *m* made-to-measure suit
Maßarbeit *f (fig)* neat piece of work
Masse ['masə] *f* mass
Massen- *zW:* **~artikel** *m* mass-produced article; **~grab** *nt* mass grave; **m~haft** *adj* loads of; **~medien** *pl* mass media *pl*; **~veranstaltung** *f* mass meeting
massenweise *adv* on a large scale
Masseur [ma'sø:r] *m* masseur
Masseurin *f* masseuse
maßgebend *adj* authoritative
maßhalten *(unreg) vi* to exercise moderation
massieren [ma'si:rən] *vt* to massage; *(MIL)* to mass
massig ['masɪç] *adj* massive; *(umg)* massive amount of
mäßig ['mɛːsɪç] *adj* moderate; **~en** ['mɛːsɪgən] *vt* to restrain, to moderate; **M~keit** *f* moderation
Massiv **(-s, -e)** *nt* massif
massiv [ma'si:f] *adj* solid; *(fig)* heavy, rough
Maß- *zW:* **~krug** *m* tankard; **m~los** *adj* extreme; **~nahme** *f* measure, step; **~stab** *m* rule, measure; *(fig)* standard; *(GEOG)* scale; **m~voll** *adj* moderate
Mast [mast] **(-(e)s, -e(n))** *m* mast; *(ELEK)* pylon
mästen ['mɛstən] *vt* to fatten
Material [materi'a:l] **(-s, -ien)** *nt* material(s); **~fehler** *m* material defect; **~ismus** [-'lɪsmus] *m* materialism; **m~istisch** [-'lɪstɪʃ] *adj* materialistic
Materie [ma'te:riə] *f* matter, substance
materiell [materi'ɛl] *adj* material
Mathematik [matema'ti:k] *f* mathematics *sg*; **~er(in)** [mate'ma:tikər(ɪn)] **(-s, -)** *m(f)* mathematician
mathematisch [mate'ma:tɪʃ] *adj* mathematical
Matjeshering ['matjəshe:rɪŋ] *m (KOCH)* young herring
Matratze [ma'tratsə] *f* mattress
Matrixdrucker *m* dot-matrix printer
Matrize [ma'tri:tsə] *f* matrix; *(zum Abziehen)* stencil

Matrose [ma'tro:zə] (**-n, -n**) *m* sailor

Matsch [matʃ] (**-(e)s**) *m* mud; *(Schnee~)* slush; **m~ig** *adj* muddy; slushy

matt [mat] *adj* weak; *(glanzlos)* dull; *(PHOT)* matt; *(SCHACH)* mate

Matte ['matə] *f* mat

Mattscheibe *f (TV)* screen; ~ **haben** *(umg)* not to be quite with it

Mauer ['mauər] (**-, -n**) *f* wall; **m~n** *vi* to build; to lay bricks ♦ *vt* to build

Maul [maul] (**-(e)s, Mäuler**) *nt* mouth; **m~en** *(umg)* *vi* to grumble; ~**esel** *m* mule; ~**korb** *m* muzzle; ~**sperre** *f* lockjaw; ~**tasche** *f (KOCH)* pasta envelopes *stuffed and used in soup;* ~**tier** *nt* mule; ~**wurf** *m* mole

Maurer ['maurər] (**-s, -**) *m* bricklayer

Maus [maus] (**-, Mäuse**) *f (auch COMPUT)* mouse

Mause- ['mauzə] *zW:* ~**falle** *f* mousetrap; **m~n** *vi* to catch mice ♦ *vt (umg)* to pinch; **m~tot** *adj* stone dead

maximal [maksi'ma:l] *adj* maximum ♦ *adv* at most

Mayonnaise [majo'nɛːzə] *f* mayonnaise

Mechan- [me'ça:n] *zW:* ~**ik** *f* mechanics *sg; (Getriebe)* mechanics *pl;* ~**iker** (**-s, -**) *m* mechanic, engineer; **m~isch** *adj* mechanical; ~**ismus** [meça'nɪsmus] *m* mechanism

meckern ['mɛkərn] *vi* to bleat; *(umg)* to moan

Medaille [me'daljə] *f* medal

Medaillon [medal'jõ:] (**-s, -s**) *nt (Schmuck)* locket

Medikament [medika'mɛnt] *nt* medicine

Meditation *f* meditation

meditieren [medi'tiːrən] *vi* to meditate

Medizin [medi'tsiːn] (**-, -en**) *f* medicine; **m~isch** *adj* medical

Meer [meːr] (**-(e)s, -e**) *nt* sea; ~**enge** *f* straits *pl;* ~**esspiegel** *m* sea level; ~**rettich** *m* horseradish; ~**schweinchen** *nt* guinea-pig; ~**wasser** *nt* sea water

Megaphon [mega'foːn] (**-s, -e**) *nt* megaphone

Mehl [meːl] (**-(e)s, -e**) *nt* flour; **m~ig** *adj* floury; ~**schwitze** *f (KOCH)* roux; ~**speise** *f (KOCH)* flummery

mehr [meːr] *adj, adv* more; ~**deutig** *adj* ambiguous; ~**ere** *adj* several; ~**eres** *pron* several things; ~**fach** *adj* multiple; *(wiederholt)* repeated; **M~heit** *f* majority; ~**malig** *adj* repeated; ~**mals** *adv* repeatedly; ~**stimmig** *adj* for several voices; ~**stimmig singen** to harmonize; **M~wertsteuer** *f* value added tax; **M~zahl** *f* majority; *(GRAM)* plural

Mehrzweck- *in zW* multipurpose

meiden ['maidən] *(unreg) vt* to avoid

Meile ['mailə] *f* mile; ~**nstein** *m* milestone; **m~nweit** *adj* for miles

mein(e) [main(ə)] *adj* my; ~**e(r, s)** *pron*

mine

Meineid ['main'ait] *m* perjury

meinen ['mainən] *vi* to think ♦ *vt* to think; *(sagen)* to say; *(sagen wollen)* to mean; **das will ich** ~ I should think so

mein- *zW:* ~**erseits** *adv* for my part; ~**etwegen** *adv (für mich)* for my sake; *(wegen mir)* on my account; *(von mir aus)* as far as I'm concerned; I don't care *od* mind; ~**etwillen** *adv:* **um ~etwillen** for my sake, on my account

Meinung ['mainuŋ] *f* opinion; **ganz meine** ~ I quite agree; **jdm die** ~ **sagen** to give sb a piece of one's mind

Meinungs- *zW:* ~**austausch** *m* exchange of views; ~**umfrage** *f* opinion poll; ~**verschiedenheit** *f* difference of opinion

Meise ['maizə] *f* tit(mouse)

Meißel ['maisəl] (**-s, -**) *m* chisel; **m~n** *vt* to chisel

meist [maist] *adj* most ♦ *adv* mostly; **am** ~**en** the most; ~**ens** *adv* generally, usually

Meister ['maistər] (**-s, -**) *m* master; *(SPORT)* champion; **m~haft** *adj* masterly; **m~n** *vt (Schwierigkeiten etc)* to overcome, conquer; ~**schaft** *f* mastery; *(SPORT)* championship; ~**stück** *nt* masterpiece; ~**werk** *nt* masterpiece

Melancholie [melaŋko'liː] *f* melancholy

melancholisch [melaŋ'koːlɪʃ] *adj* melancholy

Melde- ['mɛldə] *zW:* ~**frist** *f* registration period; **m~n** *vt* to report ♦ *vr* to report; *(SCH)* to put one's hand up; *(freiwillig)* to volunteer; *(auf etw, am Telefon)* to answer; **sich m~n bei** to report to; to register with; **sich zu Wort m~n** to ask to speak; ~**pflicht** *f* obligation to register with the police; ~**stelle** *f* registration office

Meldung ['mɛlduŋ] *f* announcement; *(Bericht)* report

meliert [me'liːrt] *adj (Haar)* greying; *(Wolle)* flecked

melken ['mɛlkən] *(unreg) vt* to milk

Melodie [melo'diː] *f* melody, tune

melodisch [me'loːdɪʃ] *adj* melodious, tuneful

Melone [me'loːnə] *f* melon; *(Hut)* bowler (hat)

Membran [mem'braːn] (**-, -en**) *f (TECH)* diaphragm

Membrane *f (TECH)* diaphragm

Memoiren [memo'aːrən] *pl* memoirs

Menge ['mɛŋə] *f* quantity; *(Menschen~)* crowd; *(große Anzahl)* lot (of); **m~n** *vt* to mix ♦ *vr:* **sich m~n in** +*akk* to meddle with; ~**nlehre** *f (MATH)* set theory; ~**nrabatt** *m* bulk discount

Mensch [mɛnʃ] (**-en, -en**) *m* human being, man; person ♦ *excl* hey!; **kein** ~ nobody

Menschen- *zW:* ~**affe** *m (ZOOL)* ape; ~**feind** *m* misanthrope; **m~freundlich** *adj*

philanthropical; **~kenner** m judge of human nature; **m~leer** adj deserted; **m~möglich** adj humanly possible; **M~rechte** pl human rights; **m~unwürdig** adj beneath human dignity; **M~verstand** m: gesunder **M~verstand** common sense

Mensch- zW: **~heit** f humanity, mankind; **m~lich** adj human; (human) humane; **~lichkeit** f humanity

Menstruation [mɛnstruatsi'oːn] f menstruation

Mentalität [mɛntali'tɛːt] f mentality

Menü [me'nyː] (-s, -s) nt (auch COMPUT) menu

Merk- ['mɛrk] zW: **~blatt** nt instruction sheet od leaflet; **m~en** vt to notice; **sich** dat etw **m~en** to remember sth; **m~lich** adj noticeable; **~mal** nt sign, characteristic; **m~würdig** adj odd

meßbar ['mɛsbaːr] adj measurable

Meßbecher m measuring jug

Messe ['mɛsə] f fair; (ECCL) mass; **~halle** f pavilion at a fair

messen (unreg) vt to measure ♦ vr to compete

Messer (-s, -) nt knife; **~spitze** f knife point; (in Rezept) pinch

Messestand m stall at a fair

Meßgerät nt measuring device, gauge

Messing ['mɛsɪŋ] (-s) nt brass

Metall [me'tal] (-s, -e) nt metal; **m~isch** adj metallic

Meteor [mete'oːr] (-s, -e) nt meteor

Meter ['meːtər] (-s, -) nt od m metre; **~maß** nt tape measure

Methode [me'toːdə] f method

methodisch [me'toːdɪʃ] adj methodical

Metropole [metro'poːlə] f metropolis

Metzger ['mɛtsgər] (-s, -) m butcher; **~ei** [-'raɪ] f butcher's (shop)

Meute ['mɔʏtə] f pack; **~'rei** f mutiny; **m~rn** vi to mutiny

miauen [mi'aʊən] vi to miaow

mich [mɪç] (akk von ich) pron me; myself

Miene ['miːnə] f look, expression

mies [miːs] (umg) adj lousy

Miet- ['miːt] zW: **~auto** nt hired car; **~e** f rent; **zur ~e wohnen** to live in rented accommodation; **m~en** vt to rent; (Auto) to hire; **~er(in)** (-s, -) m(f) tenant; **~shaus** nt tenement, block of (rented) flats; **~vertrag** m lease

Migräne [mi'grɛːnə] f migraine

Mikro- ['mikro] zW: **~fon** [-'foːn] (-s, -e) nt microphone; **~phon** (-s, -e) [-'foːn] nt microphone; **~skop** [-'skoːp] (-s, -e) nt microscope; **m~skopisch** adj microscopic; **~wellenherd** m microwave (oven)

Milch [mɪlç] (-) f milk; **~glas** nt frosted glass; **m~ig** adj milky; **~kaffee** m white coffee; **~mann** (pl -männer) m milkman; **~mixgetränk** nt (KOCH) milkshake; **~pul-**

---

ver nt powdered milk; **~straße** f Milky Way; **~zahn** m milk tooth

mild [mɪlt] adj mild; (Richter) lenient; (freundlich) kind, charitable; **M~e** ['mɪldə] f mildness; leniency; **~ern** vt to mitigate, to soften; (Schmerz) to alleviate; **~ernde Umstände** extenuating circumstances

Milieu [mili'øː] (-s, -s) nt background, environment; **m~geschädigt** adj maladjusted

Mili- [mili] zW: **m~tant** [-'tant] adj militant; **~tär** [-'tɛːr] (-s) nt military, army; **~'tärgericht** nt military court; **m~'tärisch** adj military

Milli- ['mɪli] zW: **~ardär** [-ar'dɛːr] m multimillionaire; **~arde** [-'ardə] f milliard; billion (bes US); **~meter** m millimetre; **~meterpapier** nt graph paper

Million [mɪli'oːn] (-, -en) f million; **~är** [-o'nɛːr] m millionaire

Milz [mɪlts] (-, -en) f spleen

Mimik ['miːmɪk] f mime

Mimose [mi'moːzə] f mimosa, (fig) sensitive person

minder ['mɪndər] adj inferior ♦ adv less; **M~heit** f minority; **~jährig** adj minor; **M~jährige** f(m) minor; **~n** vt, vr to decrease, to diminish; **M~ung** f decrease; **~wertig** adj inferior; **M~wertigkeitskomplex** m inferiority complex

Mindest- ['mɪndəst] zW: **~alter** nt minimum age; **~betrag** m minimum amount; **m~e(r, s)** adj least; **zum m~en** at least; **m~ens** adv at least; **~lohn** m minimum wage; **~maß** nt minimum

Mine ['miːnə] f mine; (Bleistift~) lead; (Kugelschreiber~) refill; **~nfeld** nt minefield

Mineral [mine'raːl] (-s, -e od -ien) nt mineral; **m~isch** adj mineral; **~wasser** nt mineral water

Miniatur [minia'tuːr] f miniature

Minigolf ['mɪnigɔlf] nt miniature golf, crazy golf

minimal [mini'maːl] adj minimal

Minimum ['miːnimʊm] nt minimum

Minirock nt miniskirt

Minister [mi'nɪstər] (-s, -) m minister; **m~iell** [minɪsteri'ɛl] adj ministerial; **~ium** [minɪs'teːrɪʊm] nt ministry; **~präsident** m prime minister

Minus ['miːnʊs] (-, -) nt deficit

minus adv minus; **M~zeichen** nt minus sign

Minute [mi'nuːtə] f minute; **~nzeiger** m minute hand

Minze ['mɪntsə] f mint

mir [miːr] (dat von ich) pron (to) me; **~ nichts, dir nichts** just like that

Misch- ['mɪʃ] zW: **~ehe** f mixed marriage; **m~en** vt to mix; **~ling** m half-caste; **~ung** f mixture

miserabel [mizə'ra:bəl] (*umg*) *adj* (*Essen, Film*) dreadful

Miß- ['mɪs] *zW:* **~behagen** *nt* discomfort, uneasiness; **~bildung** *f* deformity; **m~'billigen** *vt insep* to disapprove of; **~brauch** *m* abuse; (*falscher Gebrauch*) misuse; **m~'brauchen** *vt insep* to abuse; **jdn zu** *od* **für etw m~brauchen** to use sb for *od* to do sth; **~erfolg** *m* failure; **~fallen** (-s) *nt* displeasure; **m~'fallen** (*unreg*) *vi insep:* **jdm m~fallen** to displease sb; **~geburt** *f* freak; (*fig*) abortion; **~geschick** *nt* misfortune; **m~glücken** [mɪs'glʏkən] *vi insep* to fail; **jdm m~glückt etw** sb does not succeed with sth; **~griff** *m* mistake; **~gunst** *f* envy; **m~günstig** *adj* envious; **m~'handeln** *vt insep* to ill-treat; **~handlung** *f* ill-treatment

Mission [mɪsi'oːn] *f* mission; **~ar(in)** [mɪsio'naːr(ɪn)] *m(f)* missionary

Miß- *zW:* **~klang** *m* discord; **~kredit** *m* discredit; **m~lingen** [mɪs'lɪŋən] (*unreg*) *vi insep* to fail; **~mut** *m* sullenness; **m~mutig** *adj* sullen; **m~'raten** (*unreg*) *vi insep* to turn out badly ♦ *adj* ill-bred; **~stand** *m* bad state of affairs; abuse; **~stimmung** *f* ill-humour, discord; **m~'trauen** *vi insep* to mistrust; **~trauen** (-s) *nt* distrust, suspicion; **~trauensantrag** *m* (*POL*) motion of no confidence; **m~trauisch** *adj* distrustful, suspicious; **~verhältnis** *nt* disproportion; **~verständnis** *nt* misunderstanding; **m~'verstehen** (*unreg*) *vt insep* to misunderstand; **~wirtschaft** *f* mismanagement

Mist [mɪst] (-(e)s) *m* dung; dirt; (*umg*) rubbish

Mistel (-, -n) *f* mistletoe

Misthaufen *m* dungheap

mit [mɪt] *präp +dat* with; (*mittels*) by ♦ *adv* along, too; **~ der Bahn** by train; **~ 10 Jahren** at the age of 10; **wollen Sie ~?** do you want to come along?

Mitarbeit ['mɪt'arbaɪt] *f* cooperation; **m~en** *vi* to cooperate, to collaborate; **~er(in)** *m(f)* collaborator; co-worker ♦ *pl* (*Personal*) staff

Mit- *zW:* **~bestimmung** *f* participation in decision-making; **m~bringen** (*unreg*) *vt* to bring along

miteinander [mɪt'aɪ'nandər] *adv* together, with one another

miterleben *vt* to see, to witness

Mitesser ['mɪt'ɛsər] (-s, -) *m* blackhead

mitfahren *vi* to accompany (*auf Reise auch*) to travel with

mitfühlend *adj* sympathetic, compassionate

Mit- *zW:* **m~geben** (*unreg*) *vt* to give; **~gefühl** *nt* sympathy; **m~gehen** (*unreg*) *vi* to go/come along; **m~genommen** *adj* done in, in a bad way; **~gift** *f* dowry

Mitglied ['mɪtgliːt] *nt* member; **~sbeitrag** *m* membership fee; **~schaft** *f* membership

Mit- *zW:* **m~halten** (*unreg*) *vi* to keep up; **m~helfen** (*unreg*) *vi* to help; **~hilfe** *f* help, assistance; **m~hören** *vt* to listen in to; **m~kommen** (*unreg*) *vi* to come along; (*verstehen*) to keep up, to follow; **~läufer** *m* hanger-on; (*POL*) fellow-traveller

Mitleid *nt* sympathy; (*Erbarmen*) compassion; **m~ig** *adj* sympathetic; **m~slos** *adj* pitiless, merciless

Mit- *zW:* **m~machen** *vt* to join in, to take part in; **~mensch** *m* fellow man; **m~nehmen** (*unreg*) *vt* to take along/away; (*anstrengen*) to wear out, to exhaust; **zum ~nehmen** to take away; **m~reden** *vi:* **bei etw m~reden** to have a say in sth; **m~reißen** (*unreg*) *vt* to carry away/along; (*fig*) to thrill, captivate

mitsamt *präp +dat* together with

Mitschuld *f* complicity; **m~ig** *adj:* **m~ig** (**an** *+dat*) implicated (in); (*an Unfall*) partly responsible (for)

Mit- *zW:* **~schüler(in)** *m(f)* schoolmate; **m~spielen** *vi* to join in, to take part; **~spieler(in)** *m(f)* partner, **~spracherecht** ['mɪtʃpraːxərɛçt] *nt* voice, say in

Mittag ['mɪtaːk] (-(e)s, -e) *m* midday, lunchtime; (**zu**) **~ essen** to have lunch; **m~** *adv* at lunchtime *od* noon; **~essen** *nt* lunch, dinner

mittags *adv* at lunchtime *od* noon; **M~pause** *f* lunch break; **M~schlaf** *m* early afternoon nap, siesta

Mittäter(in) ['mɪttɛːtər(ɪn)] *m(f)* accomplice

Mitte ['mɪtə] *f* middle; (*POL*) centre; **aus unserer ~** from our midst

mitteilen ['mɪttaɪlən] *vt:* **jdm etw ~** to inform sb of sth, to communicate sth to sb

Mitteilung *f* communication

Mittel ['mɪtəl] (-s, -) *nt* means; method; (*MATH*) average; (*MED*) medicine; **ein ~ zum Zweck** a means to an end; **~alter** *nt* Middle Ages *pl*; **m~alterlich** *adj* mediaeval; **~ding** *nt* cross; **~europa** *nt* Central Europe; **m~mäßig** *adj* mediocre, middling; **~mäßigkeit** *f* mediocrity; **~meer** *nt* Mediterranean; **~punkt** *m* centre; **~stand** *m* middle class; **~streifen** *m* central reservation; **~stürmer** *m* centre-forward; **~weg** *m* middle course; **~welle** *f* (*RADIO*) medium wave

mitten ['mɪtən] *adv* in the middle; **~ auf der Straße/in der Nacht** in the middle of the street/night

Mitternacht ['mɪtərnaxt] *f* midnight

mittlere(r, s) ['mɪtlərə(r, s)] *adj* middle; (*durchschnittlich*) medium, average

mittlerweile ['mɪtlər'vaɪlə] *adv* meanwhile

Mittwoch ['mɪtvɔx] (-(e)s, -e) *m* Wednesday; **m~s** *adv* on Wednesdays

mitunter [mɪt''ʊntər] *adv* occasionally,

sometimes

Mit- *zW:* **m~verantwortlich** *adj* jointly responsible; **m~wirken** *vi:* **m~wirken (bei)** to contribute (to); *(THEAT)* to take part (in); **~wirkung** *f* contribution; participation

Möbel ['møːbəl] *pl* furniture *sg;* **~wagen** *m* furniture *od* removal van

mobil [moˈbiːl] *adj* mobile; *(MIL)* mobilized; **M~iar** [mobiliˈaːr] (-s, -e) *nt* furnishings *pl;* **M~machung** *f* mobilization; **M~telefon** *nt* mobile phone

möblieren [møˈbliːrən] *vt* to furnish; **möbliert wohnen** to live in furnished accommodation

möchte *etc vb siehe* **mögen**

Mode ['moːdə] *f* fashion

Modell [moˈdɛl] (-s, -e) *nt* model; **m~ieren** [-ˈiːrən] *vt* to model

Modenschau *f* fashion show

moderig ['moːdərɪç] *adj (Keller)* musty; *(Luft)* stale

modern [moˈdɛrn] *adj* modern; *(modisch)* fashionable; **~isieren** *vt* to modernize

Mode- *zW:* **~schau** *f* fashion show; **~schmuck** *m* fashion jewellery; **~schöpfer(in)** *m(f)* fashion designer; **~wort** *nt* fashionable word, buzz word

modisch ['moːdɪʃ] *adj* fashionable

Mofa ['moːfa] (-s, -s) *nt* small moped

mogeln ['moːgəln] *(umg) vi* to cheat

────── *SCHLÜSSELWORT* ──────

mögen ['møːgən] *(pt* **mochte**, *pp* **gemocht** *od (als Hilfsverb)* **mögen)** *vt, vi* to like; **magst du/mögen Sie ihn?** do you like him?; **ich möchte ...** I would like ..., I'd like ...; **er möchte in die Stadt** he'd like to go into town; **ich möchte nicht, daß du ...** I wouldn't like you to ...; **ich mag nicht mehr** I've had enough

♦ *Hilfsverb* to like to; *(wollen)* to want; **möchtest du etwas essen?** would you like something to eat?; **sie mag nicht bleiben** she doesn't want to stay; **das mag wohl sein** that may well be; **was mag das heißen?** what might that mean?; **Sie möchten zu Hause anrufen** could you please call home?

──────────────────────────────

möglich ['møːklɪç] *adj* possible; **~erweise** *adv* possibly; **M~keit** *f* possibility; **nach M~keit** if possible; **~st** *adv* as ... as possible

Mohn [moːn] (-(e)s, -e) *m (~blume)* poppy; *(~samen)* poppy seed

Möhre ['møːrə] *f* carrot

Mohrrübe *f* carrot

mokieren [moˈkiːrən] *vr:* **sich ~ über** +*akk* to make fun of

Mole ['moːlə] *f (harbour)* mole

Molekül [moleˈkyːl] (-s, -e) *nt* molecule

Molkerei [mɔlkəˈraɪ] *f* dairy

Moll [mɔl] (-, -) *nt (MUS)* minor (key)

mollig *adj* cosy; *(dicklich)* plump

Moment [moˈmɛnt] (-(e)s, -e) *m* moment ♦ *nt* factor; **im ~** at the moment; **~ (mal)!** just a moment; **m~an** [-ˈtaːn] *adj* momentary ♦ *adv* at the moment

Monarch [moˈnarç] (-en, -en) *m* monarch; **~ie** [monarˈçiː] *f* monarchy

Monat ['moːnat] (-(e)s, -e) *m* month; **m~elang** *adv* for months; **~lich** *adj* monthly; **~sgehalt** *nt:* **das dreizehnte ~sgehalt** Christmas bonus *(of one month's salary);* **~skarte** *f* monthly ticket

Mönch [mœnç] (-(e)s, -e) *m* monk

Mond [moːnt] (-(e)s, -e) *m* moon; **~finsternis** *f* eclipse of the moon; **m~hell** *adj* moonlit; **~landung** *f* moon landing; **~schein** *m* moonlight; **~sonde** *f* moon probe

Mono- [mono] *in zW* mono; **~log** [-ˈloːk] (-s, -e) *m* monologue; **~pol** [-ˈpoːl] (-s, -e) *nt* monopoly; **m~polisieren** [-poliˈziːrən] *vt* to monopolize; **m~ton** [-ˈtoːn] *adj* monotonous; **~tonie** [-toˈniː] *f* monotony

Montag ['moːntaːk] (-(e)s, -e) *m* Monday

Montage [mɔnˈtaːʒə] *f (PHOT etc)* montage; *(TECH)* assembly; *(Einbauen)* fitting

Monteur [mɔnˈtøːr] *m* fitter

montieren [mɔnˈtiːrən] *vt* to assemble

Monument [monuˈmɛnt] *nt* monument; **m~al** *adj* monumental

Moor [moːr] (-(e)s, -e) *nt* moor

Moos [moːs] (-es, -e) *nt* moss

Moped ['moːpɛt] (-s, -s) *nt* moped

Mops [mɔps] (-es, -e) *m* pug

Moral [moˈraːl] (-, -en) *f* morality; *(einer Geschichte)* moral; **m~isch** *adj* moral

Moräne [moˈrɛːnə] *f* moraine

Morast [moˈrast] (-(e)s, -e) *m* morass, mire; **m~ig** *adj* boggy

Mord [mɔrt] (-(e)s, -e) *m* murder; **~anschlag** *m* murder attempt

Mörder(in) ['mœrdər(ɪn)] (-s, -) *m(f)* murderer/murderess

mörderisch *adj (fig: schrecklich)* terrible, dreadful ♦ *adv (umg: entsetzlich)* terribly, dreadfully

Mord- *zW:* **~kommission** *f* murder squad; **~sglück** *(umg) nt* amazing luck; **m~smäßig** *(umg) adj* terrific, enormous; **~verdacht** *m* suspicion of murder; **~waffe** *f* murder weapon

morgen ['mɔrgən] *adv* tomorrow; **~ früh** tomorrow morning; **M~** (-s, -) *m* morning; **M~mantel** *m* dressing gown; **M~rock** *m* dressing gown; **M~röte** *f* dawn; **~s** *adv* in the morning

morgig ['mɔrgɪç] *adj* tomorrow's; **der ~e Tag** tomorrow

Morphium ['mɔrfiʊm] *nt* morphine

morsch [mɔrʃ] *adj* rotten

Morsealphabet ['mɔrzə-] *nt* Morse code

morsen *vi* to send a message by morse code

Mörtel ['mœrtəl] (-s, -) *m* mortar

Mosaik [moza'iːk] (-s, -en *od* -e) *nt* mosaic

Moschee [mɔ'ʃeː] (-, -n) *f* mosque

Moskito [mɔs'kiːto] (-s, -s) *m* mosquito

Most [mɔst] (-(e)s, -e) *m* (unfermented) fruit juice; (*Apfelwein*) cider

Motel [mo'tel] (-s, -s) *nt* motel

Motiv [mo'tiːf] (-s, -e) *nt* motive; (*MUS*) theme; **~ation** *f* motivation; **m~ieren** [moti'viːrən] *vt* to motivate

Motor [mo'toːr, *pl* mo'toːrən] (-s, -en) *m* engine; (*bes ELEK*) motor; **~boot** *nt* motorboat; **~haube** *f* (*von Auto*) bonnet (*BRIT*), hood (*US*); **m~isieren** [motori'ziːrən] *vt* to motorize; **~öl** *nt* engine oil; **~rad** *nt* motorcycle; **~schaden** *m* engine trouble *od* failure

Motte ['mɔtə] *f* moth; **~nkugel** *f* mothball(s)

Motto ['mɔto] (-s, -s) *nt* motto

Möwe ['møːvə] *f* seagull

Mücke ['mʏkə] *f* midge, gnat; **~nstich** *m* midge *od* gnat bite

müde ['myːdə] *adj* tired

Müdigkeit ['myːdɪçkaɪt] *f* tiredness

Muff [mʊf] (-(e)s, -e) *m* (*Handwärmer*) muff

Muffel (-s, -; *umg*) *m* killjoy, sourpuss

muffig *adj* (*Luft*) musty

Mühe ['myːə] *f* trouble, pains *pl*; **mit Müh und Not** with great difficulty; **sich** *dat* **~ geben** to go to a lot of trouble; **m~los** *adj* without trouble, easy; **m~voll** *adj* laborious, arduous

Mühle ['myːlə] *f* mill; (*Kaffee~*) grinder

Müh- *zW*: **~sal** (-, -e) *f*, tribulation; **m~sam** *adj* arduous, troublesome; **m~selig** *adj* arduous, laborious

Mulde ['mʊldə] *f* hollow, depression

Mull [mʊl] (-(e)s, -e) *m* thin muslin; **~binde** *f* gauze bandage

Müll [mʏl] (-(e)s) *m* refuse; **~abfuhr** *f* rubbish disposal; (*Leute*) dustmen *pl*; **~abladeplatz** *m* rubbish dump; **~eimer** *m* dustbin, garbage can (*US*); **~haufen** *m* rubbish heap; **~schlucker** (-s, -) *m* garbage disposal unit; **~tonne** *f* dustbin; **~verbrennungsanlage** *f* incinerator

mulmig ['mʊlmɪç] *adj* rotten; (*umg*) dodgy; **jdm ist ~** sb feels funny

multiplizieren [mʊltipli'tsiːrən] *vt* to multiply

Mumie ['muːmiə] *f* mummy

Mumm [mʊm] (-s; *umg*) *m* gumption, nerve

Mumps [mʊmps] (-) *m od f* (*MED*) mumps

München ['mʏnçən] (-s) *nt* Munich

Mund [mʊnt, *pl* 'mʏndər] (-(e)s, ⁼er) *m* mouth; **~art** *f* dialect

Mündel ['mʏndəl] (-s, -) *nt* ward

münden ['mʏndən] *vi*: **~ in** +*akk* to flow into

Mund- *zW*: **~faul** *adj* taciturn; **~geruch** *m* bad breath; **~harmonika** *f* mouth organ

mündig ['mʏndɪç] *adj* of age; **M~keit** *f* majority

mündlich ['mʏntlɪç] *adj* oral

Mundstück *nt* mouthpiece; (*Zigaretten~*) tip

Mündung ['mʏndʊŋ] *f* (*von Fluß*) mouth; (*Gewehr*) muzzle

Mund- *zW*: **~wasser** *nt* mouthwash; **~werk** *nt*: **ein großes ~werk haben** to have a big mouth; **~winkel** *m* corner of the mouth

Munition [munitsi'oːn] *f* ammunition; **~slager** *nt* ammunition dump

munkeln ['mʊŋkəln] *vi* to whisper, to mutter

Münster ['mʏnstər] (-s, -) *nt* minster

munter ['mʊntər] *adj* lively

Münze ['mʏntsə] *f* coin; **m~n** *vt* to coin, to mint; **auf jdn gemünzt sein** to be aimed at sb

Münzfernsehen *nt* pay television

Münzfernsprecher ['mʏntsfɛrnʃpreçər] *m* callbox (*BRIT*), pay phone

mürb(e) ['mʏrb(ə)] *adj* (*Gestein*) crumbly; (*Holz*) rotten; (*Gebäck*) crisp; **jdn ~ machen** to wear sb down; **M~teig** ['mʏrbətaɪç] *m* shortcrust pastry

murmeln ['mʊrməln] *vt, vi* to murmer, to mutter

Murmeltier ['mʊrməltiːr] *nt* marmot

murren ['mʊrən] *vi* to grumble, to grouse

mürrisch ['mʏrɪʃ] *adj* sullen

Mus [muːs] (-es, -e) *nt* purée

Muschel ['mʊʃəl] (-, -n) *f* mussel; (*~schale*) shell; (*Telefon~*) receiver

Muse ['muːzə] *f* muse

Museum [mu'zeːʊm] (-s, Museen) *nt* museum

Musik [mu'ziːk] *f* music; (*Kapelle*) band; **m~alisch** *adj* musical; **~ant(in)** (-en, -en) *m(f)* musician; **~box** *f* jukebox; **~er** (-s, -) *m* musician; **~hochschule** *f* college of music; **~instrument** *nt* musical instrument

musisch *adj* (*Mensch*) artistic

musizieren [muzi'tsiːrən] *vi* to make music

Muskat [mʊs'kaːt] (-(e)s, -e) *m* nutmeg

Muskel ['mʊskəl] (-s, -n) *m* muscle

Muskulatur [mʊskula'tuːr] *f* muscular system

muskulös [mʊsku'løːs] *adj* muscular

Müsli ['myːsli] (-s, -) *nt* (*KOCH*) muesli

Muß [mʊs] (-) *nt* necessity, must

Muße ['muːsə] (-) *f* leisure

——— SCHLÜSSELWORT

müssen ['mʏsən] (*pt* **mußte**, *pp* **gemußt** *od* (*als Hilfsverb*) **müssen**) *vi* **1** (*Zwang*) must (*nur im Präsens*), to have to; **ich muß**

es tun I must do it, I have to do it; **ich mußte es tun** I had to do it; **er muß es nicht tun** he doesn't have to do it; **muß ich?** must I?, do I have to?; **wann müßt ihr zur Schule?** when do you have to go to school?; **er hat gehen müssen** he (has) had to go; **muß das sein?** is that really necessary?; **ich muß mal** (*umg*) I need the toilet

2 (*sollen*): **das mußt du nicht tun!** you oughtn't to *od* shouldn't do that; **Sie hätten ihn fragen müssen** you should have asked him

3: **es muß geregnet haben** it must have rained; **es muß nicht wahr sein** it needn't be true

müßig ['my:sɪç] *adj* idle
Muster ['mʊstər] (**-s, -**) *nt* model; (*Dessin*) pattern; (*Probe*) sample; **m~gültig** *adj* exemplary; **m~n** *vt* (*Tapete*) to pattern; (*fig, MIL*) to examine; (*Truppen*) to inspect; **~ung** *f* (*von Stoff*) pattern; (*MIL*) inspection
Mut [mu:t] *m* courage; **nur ~!** cheer up!; **jdm ~ machen** to encourage sb; **m~ig** *adj* courageous; **m~los** *adj* discouraged, despondent
mutmaßlich ['mu:tma:slɪç] *adj* presumed ♦ *adv* probably
Mutprobe *f* test *or* trial of courage
Mutter[1] ['mʊtər] (**-, ¨**) *f* mother
Mutter[2] (**-, Muttern**) *f* (*Schrauben~*) nut
mütterlich ['mʏtərlɪç] *adj* motherly; **~erseits** *adv* on the mother's side
Mutter- *zW*: **~liebe** *f* motherly love; **~mal** *nt* birthmark; **~milch** *f* mother's milk; **~schaft** *f* motherhood, maternity; **~schutz** *m* maternity regulations; **'m~'seelena'llein** *adj* all alone; **~sprache** *f* native language; **~tag** *m* Mother's Day
Mutti ['mʊti] (**-, -s**) *f* mum(my) (*BRIT*), mom(my) (*US*)
mutwillig ['mu:tvɪlɪç] *adj* malicious, deliberate
Mütze ['mʏtsə] *f* cap
MwSt *abk* (= *Mehrwertsteuer*) VAT
mysteriös [mysteri'ø:s] *adj* mysterious
Mythos ['my:tɔs] (**-, Mythen**) *m* myth

N n

na [na] *excl* well; **~ gut** okay then
Nabel ['na:bəl] (**-s, -**) *m* navel; **~schnur** *f* umbilical cord

— SCHLÜSSELWORT

nach [na:x] *präp* +*dat* **1** (*örtlich*) to; **nach Berlin** to Berlin; **nach links/rechts** (to the) left/right; **nach oben/hinten** up/back
2 (*zeitlich*) after; **einer nach dem anderen** one after the other; **nach Ihnen!** after you!; **zehn (Minuten) nach drei** ten (minutes) past three
3 (*gemäß*) according to; **nach dem Gesetz** according to the law; **dem Namen nach** judging by his/her name; **nach allem, was ich weiß** as far as I know
♦ *adv*: **ihm nach!** after him!; **nach und nach** gradually, little by little; **nach wie vor** still

nachahmen ['na:x'a:mən] *vt* to imitate
Nachbar(in) ['naxba:r(ɪn)] (**-s, -n**) *m(f)* neighbour; **~haus** *nt*: **im ~haus** next door; **n~lich** *adj* neighbourly; **~schaft** *f* neighbourhood; **~staat** *m* neighbouring state
nach- *zW*: **~bestellen** *vt*: **50 Stück ~bestellen** to order another 50; **N~bestellung** *f* (*COMM*) repeat order; **N~bildung** *f* imitation, copy; **~blicken** *vi*: **~denken über** +*akk* to gaze after; **~datieren** *vt* to postdate
nachdem [na:x'de:m] *konj* after; (*weil*) since; **je ~ (ob)** it depends (whether)
nach- *zW*: **~denken** (*unreg*) *vi*: **~denken über** +*akk* to think about; **N~denken** (**-s**) *nt* reflection, meditation; **~denklich** *adj* thoughtful, pensive
Nachdruck ['na:xdrʊk] *m* emphasis; (*TYP*) reprint, reproduction
nachdrücklich ['na:xdrʏklɪç] *adj* emphatic
nacheinander [na:x'aɪ'nandər] *adv* one after the other
nachempfinden ['na:x'ɛmpfɪndən] (*unreg*) *vt*: **jdm etw ~** to feel sth with sb
Nacherzählung ['na:x'ɛrtse:lʊŋ] *f* reproduction (of a story)
Nachfahr ['na:xfa:r] (**-en, -en**) *m* descendant
Nachfolge ['na:xfɔlgə] *f* succession; **n~n** *vi*

+*dat* to follow; ~**r(in)** (**-s, -**) *m(f)* successor
nachforschen *vt, vi* to investigate
Nachforschung *f* investigation
Nachfrage ['naːxfraːgə] *f* inquiry; (*COMM*) demand; **n~n** *vi* to inquire
nach- *zW:* ~**fühlen** *vt* = ~**empfinden**; ~**füllen** *vt* to refill; ~**geben** (*unreg*) *vi* to give way, to yield; **N~gebühr** *f* (*POST*) excess postage
nachgehen ['naːxgeːən] (*unreg*) *vi* (+*dat*) to follow; (*erforschen*) to inquire (into); (*Uhr*) to be slow
Nachgeschmack ['naːxgəʃmak] *m* aftertaste
nachgiebig ['naːxgiːbɪç] *adj* soft, accommodating; **N~keit** *f* softness
nachhaltig ['naːxhaltɪç] *adj* lasting; (*Widerstand*) persistent
nachhelfen ['naːxhɛlfən] (*unreg*) *vi* +*dat* to assist, to help
nachher [naːx'heːr] *adv* afterwards
Nachhilfeunterricht ['naːxhɪlfəʊntərrɪçt] *m* extra tuition
nachholen ['naːxhoːlən] *vt* to catch up with; (*Versäumtes*) to make up for
Nachkomme ['naːxkɔmə] (**-, -n**) *m* descendant
nachkommen (*unreg*) *vi* to follow; (*einer Verpflichtung*) to fulfil; **N~schaft** *f* descendants *pl*
Nachkriegszeit ['naːxkriːkstsaɪt] *f* postwar period
Nach- *zW:* ~**laß** (**-lasses, -lässe**) *m* (*COMM*) discount, rebate; (*Erbe*) estate; **n~lassen** (*unreg*) *vt* (*Strafe*) to remit; (*Summe*) to take off; (*Schulden*) to cancel ♦ *vi* to decrease, to ease off; (*Sturm*) to die down, to ease off; (*schlechter werden*) to deteriorate; **er hat n~gelassen** he has got worse; **n~lässig** *adj* negligent, careless
nachlaufen ['naːxlaʊfən] (*unreg*) *vi* +*dat* to run after, to chase
nachlösen ['naːxløːzən] *vi* (*Zuschlag*) to pay on the train, to pay at the other end; (*zur Weiterfahrt*) to pay the supplement
nachmachen ['naːxmaxən] *vt* to imitate (*jdm etw sth from sb*), to copy; (*fälschen*) to counterfeit
Nachmittag ['naːxmɪtaːk] *m* afternoon; **am ~** in the afternoon; **n~s** *adv* in the afternoon
Nach- *zW:* ~**nahme** *f* cash on delivery; **per ~nahme** C.O.D.; ~**name** *m* surname; ~**porto** *nt* excess postage
nachprüfen ['naːxpryːfən] *vt* to check.
nachrechnen ['naːxrɛçnən] *vt* to check
nachreichen ['naːxraɪçən] *vt* (*Unterlagen*) to hand in later
Nachricht ['naːxrɪçt] (**-, -en**) *f* (piece of) news; (*Mitteilung*) message; ~**en** *pl* (*Neuigkeiten*) news; ~**enagentur** *f* news agency; ~**endienst** *m* (*MIL*) intelligence service;

~**ensprecher(in)** *m(f)* newsreader; ~**enttechnik** *f* telecommunications *sg*
Nachruf ['naːxruːf] *m* obituary
nachsagen ['naːxzaːgən] *vt* to repeat; **jdm etw ~** to say sth of sb
nachschicken ['naːxʃɪkən] *vt* to forward
nachschlagen ['naːxʃlaːgən] (*unreg*) *vt* to look up
Nachschlagewerk *nt* reference book
Nachschlüssel *m* duplicate key
Nachschub *m* supplies *pl*; (*Truppen*) reinforcements *pl*
nachsehen ['naːxzeːən] (*unreg*) *vt* (*prüfen*) to check ♦ *vi* (*erforschen*) to look and see; **jdm etw ~** to forgive sb sth; **das N~ haben** to come off worst
nachsenden ['naːxzɛndən] (*unreg*) *vt* to send on, to forward
nachsichtig *adj* indulgent, lenient
nachsitzen ['naːxzɪtsən] (*unreg*) *vi:* ~ (**müssen**) (*SCH*) to be kept in
Nachspeise ['naːxʃpaɪzə] *f* dessert, sweet, pudding
Nachspiel ['naːxʃpiːl] *nt* epilogue; (*fig*) sequel
nachsprechen ['naːxʃprɛçən] (*unreg*) *vt:* (**jdm**) ~ to repeat (after sb)
nächst [nɛːçst] *präp* +*dat* (*räumlich*) next to; (*außer*) apart from; ~**beste** (**r, s**) *adj* first that comes along; (*zweitbeste*) next best; **N~e(r)** *mf* neighbour; ~**e(r, s**) *adj* next; (*nächstgelegen*) nearest
nachstellen *vt* (*TECH: neu einstellen*) to adjust
nächst- *zW:* **N~enliebe** *f* love for one's fellow men; ~**ens** *adv* shortly, soon; ~**liegend** *adj* nearest; (*fig*) obvious; ~**möglich** *adj* next possible
nachsuchen ['naːxzuːxən] *vi:* **um etw ~** to ask *od* apply for sth
Nacht [naxt] (**-, ⁼e**) *f* night; ~**dienst** *m* nightshift
Nachteil ['naːxtaɪl] *m* disadvantage; **n~ig** *adj* disadvantageous
Nachthemd *nt* (*Herren~*) nightshirt; (*Damen~*) nightdress
Nachtigall ['naxtɪgal] (**-, -en**) *f* nightingale
Nachtisch ['naːxtɪʃ] *m* = **Nachspeise**
Nachtleben *nt* nightlife
nächtlich ['nɛçtlɪç] *adj* nightly
Nachtlokal *nt* night club
Nach- *zW:* ~**trag** (**-(e)s, -träge**) *m* supplement; **n~tragen** (*unreg*) *vt* to carry; (*zufügen*) to add; **jdm etw n~tragen** to hold sth against sb; **n~träglich** *adj* later, subsequent; additional ♦ *adv* later, subsequently; additionally; **n~trauern** *vi:* **jdm/ etw n~trauern** to mourn the loss of sb/sth
Nacht- *zW:* **n~s** *adv* at *od* by night; ~**schicht** *f* nightshift; ~**schwester** *f* night nurse; **n~süber** *adv* during the night; ~**tarif** *m* off-peak tariff; ~**tisch** *m* bedside ta-

ble; ~**wächter** *m* night watchman

Nach- *zW:* ~**untersuchung** *f* checkup; **n~wachsen** *(unreg) vi* to grow again; ~**wahl** *f (POL)* ≈ by-election

Nachweis ['naːxvaɪs] *(-es, -e) m* proof; **n~bar** *adj* provable, demonstrable; **n~en** *(unreg) vt* to prove; **jdm etw n~en** to point sth out to sb; **n~lich** *adj* evident, demonstrable

nach- *zW:* ~**wirken** *vi* to have after-effects; **N~wirkung** *f* after-effect; **N~wort** *nt* epilogue; **N~wuchs** *m* offspring; *(beruflich etc)* new recruits *pl*; ~**zahlen** *vt, vi* to pay extra; **N~zahlung** *f* additional payment; *(zurückdatiert)* back pay; ~**ziehen** *(unreg) vt (hinter sich herziehen: Bein)* to drag; **N~zügler** *(-s, -) m* straggler

Nacken ['nakən] *(-s, -) m* nape of the neck

nackt [nakt] *adj* naked; *(Tatsachen)* plain, bare; **N~heit** *f* nakedness

Nadel ['naːdəl] *(-, -n) f* needle; *(Steck~)* pin; ~**öhr** *nt* eye of a needle; ~**wald** *m* coniferous forest

Nagel ['naːgəl] *(-s, =) m* nail; ~**bürste** *f* nailbrush; ~**feile** *f* nailfile; ~**lack** *m* nail varnish *od* polish *(BRIT)*; **n~n** *vt, vi* to nail; **n~neu** *adj* brand-new; ~**schere** *f* nail scissors *pl*

nagen ['naːgən] *vt, vi* to gnaw

Nagetier ['naːgətiːr] *nt* rodent

nah(e) ['naː(ə)] *adj (räumlich)* near(by); *(Verwandte)* near; *(Freunde)* close; *(zeitlich)* near, close ♦ *adv* near(by); near, close; *(verwandt)* closely ♦ *präp +dat* near (to), close to; **der Nahe Osten** the Near East; **Nahaufnahme** *f* close-up

Nähe ['nɛːə] *(-) f* nearness, proximity; *(Umgebung)* vicinity; **in der** ~ close by; at hand; **aus der** ~ from close to

nahe- *zW:* ~**bei** *adv* nearby; ~**gehen** *(unreg) vi +dat* to grieve; ~**kommen** *(unreg) vi (+dat)* to get closer (to); ~**legen** *vt:* **jdm etw ~legen** to suggest sth to sb; ~**liegen** *(unreg) vi* to be obvious; ~**liegend** *adj* obvious; ~**n** *vi, vr* to approach, to draw near

nähen ['nɛːən] *vt, vi* to sew

näher *adj, adv* nearer; *(Erklärung, Erkundigung)* more detailed; **N~e(s)** *nt* details *pl*, particulars *pl*

Näherei *f* sewing, needlework

näherkommen *(unreg) vi, vr* to get closer

nähern *vr* to approach

nahe- *zW:* ~**stehen** *(unreg) vi (+dat)* to be close (to); **einer Sache ~stehen** to sympathize with sth; ~**stehend** *adj* close; ~**treten** *(unreg) vi:* **jdm (zu) ~treten** to offend sb; ~**zu** *adv* nearly

Nähgarn *nt* thread

Nahkampf *m* hand-to-hand fighting

Nähkasten *m* sewing basket, workbox

nahm *etc* [naːm] *vb siehe* **nehmen**

Nähmaschine *f* sewing machine

Nähnadel *f* needle

nähren ['nɛːrən] *vt* to feed ♦ *vr (Person)* to feed o.s.; *(Tier)* to feed

nahrhaft ['naːrhaft] *adj* nourishing, nutritious

Nahrung ['naːruŋ] *f* food; *(fig auch)* sustenance

Nahrungs- *zW:* ~**mittel** *nt* foodstuffs *pl*; ~**mittelindustrie** *f* food industry; ~**suche** *f* search for food

Nährwert *m* nutritional value

Naht [naːt] *(-, =e) f* seam; *(MED)* suture; *(TECH)* join; **n~los** *adj* seamless; **n~los ineinander übergehen** to follow without a gap

Nah- *zW:* ~**verkehr** *m* local traffic; ~**verkehrszug** *m* local train; ~**ziel** *nt* immediate objective

Name ['naːmə] *(-ns, -n) m* name; **im** ~**n von** on behalf of; **n~ns** *adv* by the name of; ~**nstag** *m* name day, saint's day; **n~ntlich** *adj* by name ♦ *adv* particularly, especially

namhaft ['naːmhaft] *adj (berühmt)* famed, renowned; *(beträchtlich)* considerable; ~ **machen** to name

nämlich ['nɛːmlɪç] *adv* that is to say, namely; *(denn)* since

nannte *etc* ['nantə] *vb siehe* **nennen**

nanu [na'nuː] *excl* well, well!

Napf [napf] *(-(e)s, =e) m* bowl, dish

Narbe ['narbə] *f* scar

narbig ['narbɪç] *adj* scarred

Narkose [nar'koːzə] *f* anaesthetic

Narr [nar] *(-en, -en) m* fool; **n~en** *vt* to fool

Närrin ['nɛrɪn] *f* fool

närrisch *adj* foolish, crazy

Narzisse [nar'tsɪsə] *f* narcissus; daffodil

naschen ['naʃən] *vt, vi* to nibble; *(heimlich kosten)* to pinch a bit

naschhaft *adj* sweet-toothed

Nase ['naːzə] *f* nose

Nasen- *zW:* ~**bluten** *(-s) nt* nosebleed; ~**loch** *nt* nostril; ~**tropfen** *pl* nose drops

naseweis *adj* pert, cheeky; *(neugierig)* nosey

Nashorn ['naːshɔrn] *nt* rhinoceros

naß [nas] *adj* wet

Nässe ['nɛsə] *(-) f* wetness; **n~n** *vt* to wet

naßkalt *adj* wet and cold

Naßrasur *f* wet shave

Nation [natsi'oːn] *f* nation

national [natsio'naːl] *adj* national; **N~feiertag** *m* national holiday; **N~hymne** *f* national anthem; ~**isieren** [-i'ziːrən] *vt* to nationalize; **N~i'sierung** *f* nationalization; ~**ismus** [-'lɪsmʊs] *m* nationalism; ~**istisch** [-'lɪstɪʃ] *adj* nationalistic; **N~i'tät** *f* nationality; **N~mannschaft** *f* national team; **N~sozialismus** *m* national socialism

Natron ['naːtrɔn] (-s) *nt* soda
Natter ['natər] (-, -n) *f* adder
Natur [na'tuːr] *f* nature; (*körperlich*) constitution; **~ell** [natu'rɛl] (-es, -e) *nt* disposition; **~erscheinung** *f* natural phenomenon *od* event; **n~farben** *adj* natural coloured; **n~gemäß** *adj* natural; **~gesetz** *nt* law of nature; **n~getreu** *adj* true to life; **~katastrophe** *f* natural disaster
natürlich [na'tyːrlɪç] *adj* natural ♦ *adv* naturally; **ja, ~!** yes, of course; **N~keit** *f* naturalness
Natur- *zW:* **~park** *m* = national park; **~produkt** *nt* natural product; **n~rein** *adj* natural, pure; **~schutzgebiet** *nt* nature reserve; **~wissenschaft** *f* natural science; **~wissenschaftler(in)** *m(f)* scientist; **~zustand** *m* natural state
nautisch ['nautɪʃ] *adj* nautical
Nazi ['naːtsi] (-s, -s) *m* Nazi
NB *abk* (= *nota bene*) nb
n.Chr. *abk* (= *nach Christus*) A.D.
Nebel ['neːbəl] (-s, -) *m* fog, mist; **n~ig** *adj* foggy, misty; **~scheinwerfer** *m* foglamp
neben ['neːbən] *präp* (+*akk od dat*) next to; (+*dat*: *außer*) apart from, besides; **~an** [neːbən'?an] *adv* next door; **N~anschluß** *m* (*TEL*) extension; **N~ausgang** *m* side exit; **~bei** [neːbən'baɪ] *adv* at the same time; (*außerdem*) additionally; (*beiläufig*) incidentally; **N~beruf** *m* second job; **N~beschäftigung** *f* second job; **N~buhler(in)** (-s, -) *m(f)* rival; **~einander** [neːbən'aɪ'nandər] *adv* side by side; **~einanderlegen** *vt* to put next to each other; **N~eingang** *m* side entrance; **N~erscheinung** *f* side effect; **N~fach** *nt* subsidiary subject; **~fluß** *m* tributary; **N~gebäude** *nt* annexe; **N~geräusch** *nt* (*RADIO*) atmospherics *pl*, interference; **~her** [neːbən'heːr] *adv* (*zusätzlich*) besides; (*gleichzeitig*) at the same time; (*daneben*) alongside; **~herfahren** (*unreg*) *vi* to drive alongside; **N~kosten** *pl* extra charges, extras; **N~produkt** *nt* by-product; **N~sache** *f* trifle, side issue; **~sächlich** *adj* minor, peripheral; **N~saison** *f* low season; **N~straße** *f* side street; **N~verdienst** *m* secondary income; **N~zimmer** *nt* adjoining room
neblig ['neːblɪç] *adj* foggy, misty
Necessaire [nesɛ'sɛːr] (-s, -s) *nt* (*Näh~*) needlework box; (*Nagel~*) manicure case
necken ['nɛkən] *vt* to tease
Neckerei [nɛkə'raɪ] *f* teasing
Neffe ['nɛfə] (-n, -n) *m* nephew
negativ [nega'tiːf] *adj* negative; **N~** (-s, -e) *nt* (*PHOT*) negative
Neger ['neːgər] (-s, -) *m* negro; **~in** *f* negress
nehmen ['neːmən] (*unreg*) *vt* to take; **jdn zu sich ~** to take sb in; **sich ernst ~** to

take o.s. seriously; **nimm dir doch bitte** please help yourself
Neid [naɪt] (-(e)s) *m* envy; **~er** (-s, -) *m* envier; **n~isch** ['naɪdɪʃ] *adj* envious, jealous
neigen ['naɪgən] *vt* to incline, to lean; (*Kopf*) to bow ♦ *vi:* **zu etw ~** to tend to sth
Neigung *f* (*des Geländes*) slope; (*Tendenz*) tendency, inclination; (*Vorliebe*) liking; (*Zuneigung*) affection
nein [naɪn] *adv* no
Nektarine [nɛkta'riːnə] *f* (*Frucht*) nectarine
Nelke ['nɛlkə] *f* carnation, pink; (*Gewürz*) clove
Nenn- ['nɛn] *zW:* **n~en** (*unreg*) *vt* to name; (*mit Namen*) to call; **wie n~t man ...?** what do you call ...?; **n~enswert** *adj* worth mentioning; **~er** (-s, -) *m* denominator; **~wert** *m* nominal value; (*COMM*) par
Neon ['neːɔn] (-s) *nt* neon; **~licht** *nt* neon light; **~röhre** *f* neon tube
Nerv [nɛrf] (-s, -en) *m* nerve; **jdm auf die ~en gehen** to get on sb's nerves; **n~enaufreibend** *adj* nerve-racking; **~enbündel** *nt* bundle of nerves; **~enheilanstalt** *f* mental home; **n~enkrank** *adj* mentally ill; **~ensäge** (*umg*) *f* pain (in the neck) (*inf*); **~ensystem** *nt* nervous system; **~enzusammenbruch** *m* nervous breakdown; **n~lich** *adj* (*Belastung*) affecting the nerves; **n~ös** [nɛr'vøːs] *adj* nervous; **~osi'tät** *f* nervousness; **n~tötend** *adj* nerve-racking; (*Arbeit*) soul-destroying
Nerz [nɛrts] (-es, -e) *m* mink
Nessel ['nɛsəl] (-, -n) *f* nettle
Nest [nɛst] (-(e)s, -er) *nt* nest; (*umg: Ort*) dump
nett [nɛt] *adj* nice; (*freundlich*) nice, kind; **~erweise** *adv* kindly
netto ['nɛtoː] *adv* net
Netz [nɛts] (-es, -e) *nt* net; (*Gepäck~*) rack; (*Einkaufs~*) string bag; (*Spinnen~*) web; (*System*) network; **jdm ins ~ gehen** (*fig*) to fall into sb's trap; **~anschluß** *m* mains connection; **~haut** *f* retina
neu [nɔy] *adj* new; (*Sprache, Geschichte*) modern; **seit ~estem** (since) recently; **die ~esten Nachrichten** the latest news; **~ schreiben** to rewrite, to write again; **N~anschaffung** *f* new purchase *od* acquisition; **~artig** *adj* new kind of; **N~bau** *m* new building; **N~e(r)** *f(m)* the new man/ woman; **~erdings** *adv* (*kürzlich*) (since) recently; (*von neuem*) again; **N~erscheinung** *f* (*Buch*) new publication; (*Schallplatte*) new release; **N~erung** *f* innovation, new departure; **N~gier** *f* curiosity; **~gierig** *adj* curious; **N~heit** *f* newness, novelty; **N~igkeit** *f* news *sg*; **N~jahr** *nt* New Year; **~lich** *adv* recently, the other day; **N~ling** *m* novice; **N~mond** *m* new moon

neun [nɔyn] *num* nine; **~zehn** *num* nineteen; **~zig** *num* ninety

neureich *adj* nouveau riche; **N~e(r)** *mf* nouveau riche

neurotisch *adj* neurotic

Neu- *zW:* **~seeland** [nɔy'ze:lant] *nt* New Zealand; **~seeländer(in)** [nɔy'ze:lendər-(ın)] *m(f)* New Zealander

neutral [nɔy'tra:l] *adj* neutral; **~i'sieren** *vt* to neutralize

Neutrum ['nɔytrʊm] (**-s, -a** *od* **-en**) *nt* neuter

Neu- *zW:* **~wert** *m* purchase price; **n~wertig** *adj* (as) new, not used; **~zeit** *f* modern age; **n~zeitlich** *adj* modern, recent

─────── SCHLÜSSELWORT ───────

nicht [nıçt] *adv* **1** *(Verneinung)* not; **er ist es nicht** it's not him, it isn't him; **er raucht nicht** *(gerade)* he isn't smoking; *(gewöhnlich)* he doesn't smoke; **ich kann das nicht - ich auch nicht** I can't do it - neither *od* nor can I; **es regnet nicht mehr** it's not raining any more

2 *(Bitte, Verbot):* **nicht!** don't!, no!; **nicht berühren!** do not touch!; **nicht doch!** don't!

3 *(rhetorisch):* **du bist müde, nicht (wahr)?** you're tired, aren't you?; **das ist schön, nicht (wahr)?** it's nice, isn't it?

4: was du nicht sagst! the things you say!

─────────────────────────────

Nichtangriffspakt [nıçt''angrıfspakt] *m* non-aggression pact

Nichte ['nıçtə] *f* niece

nichtig ['nıçtıç] *adj (ungültig)* null, void; *(wertlos)* futile; **N~keit** *f* nullity, invalidity; *(Sinnlosigkeit)* futility

Nichtraucher(in) *m(f)* non-smoker

nichtrostend *adj* stainless

nichts [nıçts] *pron* nothing; **für ~ und wieder ~** for nothing at all; **N~ (-)** *nt* nothingness; *(pej: Person)* nonentity

Nichtschwimmer *m* nonswimmer

nichts- *zW:* **~desto'weniger** *adv* nevertheless; **N~nutz (-es, -e)** *m* good-for-nothing; **~nutzig** *adj* worthless, useless; **~sagend** *adj* meaningless; **N~tun (-s)** *nt* idleness

Nichtzutreffende(s) *nt:* **~s (bitte) streichen!** (please) delete where appropriate

Nickel ['nıkəl] (**-s**) *nt* nickel

nicken ['nıkən] *vi* to nod

Nickerchen ['nıkərçən] *nt* nap

nie [ni:] *adv* never; **~ wieder** *od* **mehr** never again; **~ und nimmer** never ever

nieder ['ni:dər] *adj* low; *(gering)* inferior ♦ *adv* down; **N~gang** *m* decline; **~gedrückt** *adj (deprimiert)* dejected, depressed; **~gehen** *(unreg) vi* to descend; *(AVIAT)* to come down; *(Regen)* to fall; *(Boxer)* to go down; **~geschlagen** *adj* depressed, de-

jected; **N~lage** *f* defeat; **N~lande** *pl* Netherlands; **N~länder(in)** *m(f)* Dutchman(woman); **n~ländisch** *adj* Dutch; **~lassen** *(unreg) vr (sich setzen)* to sit down; *(an Ort)* to settle (down); *(Arzt, Rechtsanwalt)* to set up a practice; **N~lassung** *f* settlement; *(COMM)* branch; **~legen** *vt* to lay down *(Arbeit)* to stop; *(Amt)* to resign; **N~schlag** *m (MET)* precipitation; rainfall; **~schlagen** *(unreg) vt (Gegner)* to beat down; *(Gegenstand)* to knock down; *(Augen)* to lower; *(Aufstand)* to put down ♦ *vr (CHEM)* to precipitate; **~schreiben** *(unreg) vt* to put down in writing; **~trächtig** *adj* base, mean; **N~trächtigkeit** *f* meanness, baseness; outrage; **N~ung** *f (GEOG)* depression; *(Mündungsgebiet)* flats *pl*

niedlich ['ni:tlıç] *adj* sweet, cute

niedrig ['ni:drıç] *adj* low; *(Stand)* lowly, humble; *(Gesinnung)* mean

niemals ['ni:ma:ls] *adv* never

niemand ['ni:mant] *pron* nobody, no one

Niemandsland *nt* no-man's land

Niere ['ni:rə] *f* kidney

nieseln ['ni:zəln] *vi* to drizzle

niesen ['ni:zən] *vi* to sneeze

Niete ['ni:tə] *f (TECH)* rivet; *(Los)* blank; *(Reinfall)* flop; *(Mensch)* failure; **n~n** *vt* to rivet

Nikotin [niko'ti:n] (**-s**) *nt* nicotine

Nilpferd [ni:l-] *nt* hippopotamus

Nimmersatt ['nımərzat] (**-(e)s, -e**) *m* glutton

nimmst *etc* [nımst] *vb siehe* **nehmen**

nippen ['nıpən] *vt, vi* to sip

nirgend- ['nırgənt] *zW:* **~s** *adv* nowhere; **~wo** *adv* nowhere; **~wohin** *adv* nowhere

Nische ['ni:ʃə] *f* niche

nisten ['nıstən] *vi* to nest

Nitrat [ni'tra:t] (**-(e)s, -e**) *nt* nitrate

Niveau [ni'vo:] (**-s, -s**) *nt* level

Nixe ['nıksə] *f* water nymph

nobel ['no:bəl] *adj (großzügig)* generous; *(elegant)* posh *(inf)*

─────── SCHLÜSSELWORT ───────

noch [nɔx] *adv* **1** *(weiterhin)* still; **noch nicht** not yet; **noch nie** never (yet); **noch immer** *od* **immer noch** still; **bleiben Sie doch noch** stay a bit longer

2 *(in Zukunft)* still, yet; **das kann noch passieren** that might still happen; **er wird noch kommen** he'll come (yet)

3 *(nicht später als):* **noch vor einer Woche** only a week ago; **noch am selben Tag** the very same day; **noch im 19. Jahrhundert** as late as the 19th century; **noch heute** today

4 *(zusätzlich):* **wer war noch da?** who else was there?; **noch einmal** once more, again; **noch dreimal** three more times; **noch einer** another one

5 (*bei Vergleichen*): **noch größer** even bigger; **das ist noch besser** that's better still; **und wenn es noch so schwer ist** however hard it is
6: **Geld noch und noch** heaps (and heaps) of money; **sie hat noch und noch versucht, ...** she tried again and again to ...
♦ *konj*: **weder A noch B** neither A nor B

noch- *zW*: **~mal** ['nɔxmaːl] *adv* again, once more; **~malig** ['nɔxmaːlɪç] *adj* repeated; **~mals** *adv* again, once more
Nominativ ['noːminatiːf] (**-s**, **-e**) *m* nominative
nominell [nomi'nɛl] *adj* nominal
Nonne ['nɔnə] *f* nun
Nord(en) ['nɔrd(ən)] (**-s**) *m* north
Nord'irland *nt* Northern Ireland
nordisch *adj* northern
nördlich ['nœrtlɪç] *adj* northerly, northern ♦ *präp* +*gen* (to the) north of; **~ von** (to the) north of
Nord- *zW*: **~pol** *m* North Pole; **~rhein-Westfalen** *nt* North Rhine-Westphalia; **~see** *f* North Sea; **n~wärts** *adv* northwards
nörgeln ['nœrgəln] *vi* to grumble; **N~ler** (**-s**, **-**) *m* grumbler
Norm [nɔrm] (**-**, **-en**) *f* norm; (*Größenvorschrift*) standard; **n~al** [nɔr'maːl] *adj* normal; **~al(benzin)** *nt* ≈ 2-star petrol (*BRIT*), regular petrol (*US*); **n~alerweise** *adv* normally; **n~ali'sieren** *vt* to normalize ♦ *vr* to return to normal
normen *vt* to standardize
Norweg- ['nɔrveːg] *zW*: **~en** *nt* Norway; **~er(in)** (**-s**, **-**) *m(f)* Norwegian; **n~isch** *adj* Norwegian
Nostalgie [nɔstal'giː] *f* nostalgia
Not [noːt] (**-**, **≠e**) *f* need; (*Mangel*) want; (*Mühe*) trouble; (*Zwang*) necessity; **zur ~** if necessary; (*gerade noch*) just about
Notar [no'taːr] (**-s**, **-e**) *m* notary; **n~i'ell** *adj* notarial
Not- *zW*: **~ausgang** *m* emergency exit; **~behelf** (**-s**, **-e**) *m* makeshift; **~bremse** *f* emergency brake; **~dienst** *m* (*Bereitschaftsdienst*) emergency service; **n~dürftig** *adj* scanty; (*behelfsmäßig*) makeshift
Note ['noːtə] *f* note; (*SCH*) mark (*BRIT*), grade (*US*)
Noten- *zW*: **~blatt** *nt* sheet of music; **~schlüssel** *m* clef; **~ständer** *m* music stand
Not- *zW*: **~fall** *m* (case of) emergency; **n~falls** *adv* if need be; **n~gedrungen** *adj* necessary, unavoidable; **etw n~gedrungen machen** to be forced to do sth
notieren [no'tiːrən] *vt* to note; (*COMM*) to quote
Notierung *f* (*COMM*) quotation

nötig ['nøːtɪç] *adj* necessary; **etw ~ haben** to need sth; **~en** *vt* to compel, to force; **~enfalls** *adv* if necessary
Notiz [no'tiːts] (**-**, **-en**) *f* note; (*Zeitungs~*) item; **~ nehmen** to take notice; **~block** *m* notepad; **~buch** *nt* notebook
Not- *zW*: **~lage** *f* crisis, emergency; **n~landen** *vi* to make a forced *od* emergency landing; **n~leidend** *adj* needy; **~lösung** *f* temporary solution; **~lüge** *f* white lie
notorisch [no'toːrɪʃ] *adj* notorious
Not- *zW*: **~ruf** *m* emergency call; **~rufsäule** *f* emergency telephone; **~stand** *m* state of emergency; **~unterkunft** *f* emergency accommodation; **~verband** *m* emergency dressing; **~wehr** (**-**) *f* self-defence; **n~wendig** *adj* necessary; **~wendigkeit** *f* necessity
Novelle [no'vɛlə] *f* short novel; (*JUR*) amendment
November [no'vɛmbər] (**-s**, **-**) *m* November
Nu [nuː] *m*: **im ~** in an instant
Nuance [ny'ãːsə] *f* nuance
nüchtern ['nʏçtərn] *adj* sober; (*Magen*) empty; (*Urteil*) prudent; **N~heit** *f* sobriety
Nudel ['nuːdəl] (**-**, **-n**) *f* noodle; **~n** *pl* (*Teigwaren*) pasta *sg*; (*in Suppe*) noodles
Null [nʊl] (**-**, **-en**) *f* nought, zero; (*pej*: *Mensch*) washout; **n~** *num* zero (*Fehler*) no; **n~ Uhr** midnight; **n~ und nichtig** null and void; **~punkt** *m* zero; **auf dem ~punkt** at zero; **~tarif** *m* (*für Verkehrsmittel*) free travel
numerieren [nume'riːrən] *vt* to number
numerisch [nu'meːrɪʃ] *adj* numerical
Nummer ['nʊmər] (**-**, **-n**) *f* number; (*Größe*) size; **~nschild** *nt* (*AUT*) number *od* license (*US*) plate
nun [nuːn] *adv* now ♦ *excl* well; **das ist ~ mal** so that's the way it is
nur [nuːr] *adv* just, only; **wo bleibt er ~?** (just) where is he?
Nürnberg ['nʏrnbɛrk] (**-s**) *nt* Nuremberg
Nuß [nʊs] (**-**, **Nüsse**) *f* nut; **~baum** *m* walnut tree; **~knacker** (**-s**, **-**) *m* nutcracker
Nüster ['nyːstər] (**-**, **-n**) *f* nostril
nutz [nʊts] *adj*: **zu nichts ~ sein** to be no use for anything
nutzbringend *adj* (*Verwendung*) profitable
nütze ['nʏtsə] *adj*: **= nutz**
Nutzen (**-s**) *m* usefulness; (*Gewinn*) profit; **von ~** useful; **n~** *vi* to be of use ♦ *vt*: **etw zu etw n~** to use sth for sth; **was nutzt es?** what's the use?, what use is it?
nützen *vi*, *vt* **= nutzen**
nützlich ['nʏtslɪç] *adj* useful; **N~keit** *f* usefulness
Nutz- *zW*: **n~los** *adj* useless; **~losigkeit** *f* uselessness; **~nießer** (**-s**, **-**) *m* beneficiary
Nylon ['naɪlɔn] (**-(s)**) *nt* nylon

O o

Oase [o'a:zə] f oasis

ob [ɔp] *konj* if, whether; ~ **das wohl wahr ist?** can that be true?; **und** ~! you bet!

obdachlos *adj* homeless

Obdachlose(r) *mf* homeless person; ~**na-syl** *nt* shelter for the homeless

Obduktion [ɔpdʊktsi'oːn] f post-mortem

obduzieren [ɔpduˈtsiːrən] *vt* to do a post-mortem on

O-Beine ['oːbaɪnə] *pl* bow od bandy legs

oben ['oːbən] *adv* above; (*in Haus*) upstairs; **nach** ~ up; **von** ~ down; ~ **ohne** topless; **jdn von** ~ **bis unten ansehen** to look sb up and down; **Befehl von** ~ orders from above; ~**an** *adv* at the top; ~**auf** *adv* up above, on the top ♦ *adj* (*munter*) in form; ~**drein** *adv* into the bargain; ~**erwähnt** *adj* above-mentioned; ~**genannt** *adj* above-mentioned

Ober ['oːbər] (**-s, -**) *m* waiter; **die** ~**en** *pl* (*umg*) the bosses; (*ECCL*) the superiors; ~**arm** *m* upper arm; ~**arzt** *m* senior physician; ~**aufsicht** f supervision; ~**bayern** *nt* Upper Bavaria; ~**befehl** *m* supreme command; ~**befehlshaber** *m* commander-in-chief; ~**bekleidung** f outer clothing; ~**bürgermeister** *m* lord mayor; ~**deck** *nt* upper od top deck; **o**~**e(r, s)** *adj* upper; ~**fläche** f surface; **o**~**flächlich** *adj* superficial; ~**geschoß** *nt* upper storey; **o**~**halb** *adv* above ♦ *präp* +gen above; ~**haupt** *nt* head, chief; ~**haus** *nt* (*POL*) upper house, House of Lords (*BRIT*); ~**hemd** *nt* shirt; ~**herrschaft** f supremacy, sovereignty; ~**in** f matron; (*ECCL*) Mother Superior; ~**kellner** *m* head waiter; ~**kiefer** *m* upper jaw; ~**körper** *m* upper part of body; ~**leitung** f direction; (*ELEK*) overhead cable; ~**licht** *nt* skylight; ~**lippe** f upper lip; ~**schenkel** *m* thigh; ~**schicht** f upper classes *pl*; ~**schule** f grammar school (*BRIT*), high school (*US*); ~**schwester** f (*MED*) matron

Oberst ['oːbərst] (**-en** od **-s, -en** od **-e**) *m* colonel; **o**~**e(r, s)** *adj* very top, topmost

Ober- *zW:* ~**stufe** f upper school; ~**teil** *nt* upper part; ~**weite** f bust/chest measurement

obgleich [ɔp'glaɪç] *konj* although

Obhut ['ɔphuːt] (**-**) f care, protection; **in jds**

~ **sein** to be in sb's care

obig ['oːbɪç] *adj* above

Objekt [ɔp'jɛkt] (**-(e)s, -e**) *nt* object; ~**iv** [-'tiːf] (**-s, -e**) *nt* lens; **o**~**iv** *adj* objective; ~**ivi'tät** f objectivity

Oblate [o'blaːtə] f (*Gebäck*) wafer; (*ECCL*) host

obligatorisch [obligaˈtoːrɪʃ] *adj* compulsory, obligatory

Oboe [o'boːə] f oboe

Obrigkeit ['oːbrɪçkaɪt] f (*Behörden*) authorities *pl*, administration; (*Regierung*) government

obschon [ɔpˈʃoːn] *konj* although

Observatorium [ɔpzɛrvaˈtoːriʊm] *nt* observatory

obskur [ɔpsˈkuːr] *adj* obscure; (*verdächtig*) dubious

Obst [oːpst] (**-(e)s**) *nt* fruit; ~**baum** *m* fruit tree; ~**garten** *m* orchard; ~**händler** *m* fruiterer, fruit merchant; ~**kuchen** *m* fruit tart; ~**salat** *m* (*KOCH*) fruit salad

obszön [ɔpsˈtsøːn] *adj* obscene; **O**~**i'tät** f obscenity

obwohl [ɔpˈvoːl] *konj* although

Ochse ['ɔksə] (**-n, -n**) *m* ox; **o**~**n** (*umg*) *vt, vi* to cram, to swot (*BRIT*); ~**nschwanz-suppe** f oxtail soup; ~**nzunge** f oxtongue

öd(e) ['øːd(ə)] *adj* (*Land*) waste, barren; (*fig*) dull; **Öde** f desert, waste(land); (*fig*) tedium

oder ['oːdər] *konj* or; **das stimmt,** ~? that's right, isn't it?

Ofen ['oːfən] (**-s, ˝**) *m* oven; (*Heiz*~) fire, heater; (*Kohlen*~) stove; (*Hoch*~) furnace; (*Herd*) cooker, stove; ~**rohr** *nt* stovepipe

offen ['ɔfən] *adj* open; (*aufrichtig*) frank; (*Stelle*) vacant; ~ **gesagt** to be honest; ~**bar** *adj* obvious; ~**baren** [ɔfənˈbaːrən] *vt* to reveal, to manifest; **O**~**barung** f (*REL*) revelation; ~**bleiben** (*unreg*) *vi* (*Fenster*) to stay open; (*Frage, Entscheidung*) to remain open; ~**halten** (*unreg*) *vt* to keep open; **O**~**heit** f candour, frankness; ~**herzig** *adj* candid, frank; (*Kleid*) revealing; ~**kundig** *adj* well-known; (*klar*) evident; ~**lassen** (*unreg*) *vt* to leave open; ~**sichtlich** *adj* evident, obvious

offensiv [ɔfɛnˈziːf] *adj* offensive; **O**~**e** [-'ziːvə] f offensive

offenstehen (*unreg*) *vi* to be open; (*Rechnung*) to be unpaid; **es steht Ihnen offen, es zu tun** you are at liberty to do it

öffentlich ['œfəntlɪç] *adj* public; **Ö**~**keit** f (*Leute*) public; (*einer Versammlung etc*) public nature; **in aller Ö**~**keit** in public; **an die Ö**~**keit dringen** to reach the public ear

offiziell [ɔfitsiˈɛl] *adj* official

Offizier [ɔfiˈtsiːr] (**-s, -e**) *m* officer; ~**skasino** *nt* officers' mess

öffnen ['œfnən] *vt, vr* to open; **jdm die Tür** ~ to open the door for sb

Öffner ['œfnər] (-s, -) m opener
Öffnung ['œfnʊŋ] f opening; ~**szeiten** pl opening times
oft [ɔft] adv often
öfter ['œftər] adv more often od frequently; ~**s** adv often, frequently
oh [oː] excl oh; ~ **je!** oh dear
OHG [oːhaːˈgeː] abk (= Offene Handelsgesellschaft) general partnership
ohne ['oːnə] präp +akk without ♦ konj without; **das ist nicht ~** (umg) it's not bad; ~ **weiteres** without a second thought; (sofort) immediately; ~ **zu fragen** without asking; ~ **daß er es wußte** without him knowing it; ~**dies** [oːnəˈdiːs] adv anyway; ~**einander** [óːnəˈaiˈnandər] adv without each other; ~**gleichen** [oːnəˈglaiçən] adj unsurpassed, without equal; ~**hin** [oːnəˈhin] adv anyway, in any case
Ohnmacht ['oːnmaxt] f faint; (fig) impotence; **in ~ fallen** to faint
ohnmächtig ['oːnmɛçtiç] adj in a faint, unconscious; (fig) weak, impotent; **sie ist ~** she has fainted
Ohr [oːr] (-(e)s, -en) nt ear; (Gehör) hearing
Öhr [øːr] (-(e)s, -e) nt eye
Ohren- zW: ~**arzt** m ear specialist; **o~betäubend** adj deafening; ~**schmalz** nt earwax; ~**schmerzen** pl earache sg; ~**schützer** (-s, -) m earmuff
Ohr- zW: ~**feige** f slap on the face; box on the ears; **o~feigen** vt: **jdn o~feigen** to slap sb's face; to box sb's ears; ~**läppchen** nt ear lobe; ~**ring** m earring; ~**wurm** m earwig; (MUS) catchy tune
ökologisch [økoˈloːgiʃ] adj ecological
ökonomisch [økoˈnoːmiʃ] adj economical
Oktan [ɔkˈtaːn] (-s, -e) nt (bei Benzin) octane
Oktave [ɔkˈtaːvə] f octave
Oktober [ɔkˈtoːbər] (-s, -) m October
ökumenisch [økuˈmeːniʃ] adj ecumenical
Öl [øːl] (-(e)s, -e) nt oil; ~**baum** m olive tree; **ö~en** vt to oil; (TECH) to lubricate; ~**farbe** f oil paint; ~**feld** nt oilfield; ~**film** m film of oil; ~**heizung** f oil-fired central heating; **ö~ig** adj oily; ~**industrie** f oil industry
oliv [oˈliːf] adj olive-green; **O~e** f olive
Öl- zW: ~**meßstab** m dipstick; ~**sardine** f sardine; ~**standanzeiger** m (AUT) oil gauge; ~**tanker** m oil tanker; ~**ung** f lubrication; oiling; (ECCL) anointment; **die Letzte ~ung** Extreme Unction; ~**wechsel** m oil change; ~**zeug** nt oilskins pl
Olymp- [oˈlymp] zW: ~**iade** [olympiˈaːdə] f Olympic Games pl; ~**iasieger(in)** [-iaziˈgərin] m(f) Olympic champion; ~**iateilnehmer(in)** m(f) Olympic competitor; **o~isch** adj Olympic
Oma ['oːma] (-, -s; umg) f granny
Omelett [ɔm(ə)ˈlɛt] (-(e)s, -s) nt omelet(te)

Omen ['oːmɛn] (-s, -) nt omen
ominös [omiˈnøːs] adj (unheilvoll) ominous
Omnibus ['ɔmnibʊs] m (omni)bus
Onanie [onaˈniː] f masturbation; **o~ren** vi to masturbate
Onkel ['ɔŋkəl] (-s, -) m uncle
Opa ['oːpa] (-s, -s; umg) m grandpa
Opal [oˈpaːl] (-s, -e) m opal
Oper ['oːpər] (-, -n) f opera; opera house
Operation [operatsiˈoːn] f operation; ~**ssaal** m operating theatre
Operette [opeˈrɛtə] f operetta
operieren [opeˈriːrən] vt to operate on ♦ vi to operate
Opern- zW: ~**glas** nt opera glasses pl; ~**haus** nt opera house; ~**sänger(in)** m(f) opera singer
Opfer ['ɔpfər] (-s, -) nt sacrifice; (Mensch) victim; **o~n** vt to sacrifice; ~**ung** f sacrifice
Opium ['oːpiʊm] (-s) nt opium
opponieren [ɔpoˈniːrən] vi: **gegen jdn/etw ~** to oppose sb/sth
Opportunist [ɔpɔrtuˈnist] m opportunist
Opposition [ɔpozitsiˈoːn] f opposition; **o~ell** adj opposing
Optik ['ɔptik] f optics sg; ~**er** (-s, -) m optician
optimal [ɔptiˈmaːl] adj optimal, optimum
Optimismus [ɔptiˈmismʊs] m optimism
Optimist [ɔptiˈmist] m optimist; **o~isch** adj optimistic
optisch ['ɔptiʃ] adj optical
Orakel [oˈraːkəl] (-s, -) nt oracle
oral [oˈraːl] adj (MED) oral
Orange [oˈrãːʒə] f orange; **o~** adj orange; ~**ade** [orãˈʒaːdə] f orangeade; ~**at** [orãˈʒaːt] (-s, -e) nt candied peel
Orchester [ɔrˈkɛstər] (-s, -) nt orchestra
Orchidee [ɔrçiˈdeːə] f orchid
Orden ['ɔrdən] (-s, -) m (ECCL) order; (MIL) decoration; ~**sschwester** f nun
ordentlich ['ɔrdəntliç] adj (anständig) decent, respectable; (geordnet) tidy, neat; (umg: annehmbar) not bad; (: tüchtig) real, proper ♦ adv properly; ~**er Professor** (full) professor; **O~keit** f respectability; tidiness, neatness
ordinär [ɔrdiˈnɛːr] adj common, vulgar
ordnen ['ɔrdnən] vt to order, to put in order
Ordner (-s, -) m steward; (COMM) file
Ordnung f order; (Ordnen) ordering; (Geordnetsein) tidiness; ~ **machen** to tidy up; **in ~!** okay!
Ordnungs- zW: **o~gemäß** adj proper, according to the rules; **o~liebend** adj orderly, methodical; ~**strafe** f fine; **o~widrig** adj contrary to the rules, irregular; ~**zahl** f ordinal number
Organ [ɔrˈgaːn] (-s, -e) nt organ; (Stimme) voice; ~**isation** [-izatsiˈoːn] f organisation;

~**isator** [-i'zaːtɔr] m organizer; **o~isch** adj
organic; **o~isieren** [-i'ziːrən] vt to organize, to arrange; (umg: beschaffen) to acquire ♦ vr to organize; ~**ismus** [-'nɪsmʊs]
m organism; ~**ist** [-'nɪst] m organist
Orgasmus [ɔr'gasmʊs] m orgasm
Orgel ['ɔrgəl] (-, -n) f organ
Orgie ['ɔrgiə] f orgy
Orient ['oːriɛnt] (-s) m Orient, east; ~**ale**
[-'taːlə] (-n, -n) m Oriental; **o~alisch**
[-'taːlɪʃ] adj oriental
orientier- zW: ~**en** [-'tiːrən] vt (örtlich) to
locate; (fig) to inform ♦ vr to find one's
way od bearings; to inform o.s.; **O~ung**
[-'tiːrʊŋ] f orientation; (fig) information;
O~ungssinn m sense of direction
Origano [oriˈgano] (-) m (KOCH) oregano
original [origiˈnaːl] adj original; **O~** (-s, -e)
nt original; **O~fassung** f original version;
O~i'tät f originality
originell [origiˈnɛl] adj original
Orkan [ɔrˈkaːn] (-(e)s, -e) m hurricane
orkanartig adj (Wind) gale-force; (Beifall)
thunderous
Ornament [ɔrnaˈmɛnt] nt decoration, ornament; **o~al** [-'taːl] adj decorative, orna-
mental
Ort [ɔrt] (-(e)s, -e od ⁼er) m place; **an ~**
und Stelle on the spot; **o~en** vt to locate
ortho- [ɔrto] zW: ~**dox** [-'dɔks] adj orthodox; **O~graphie** [-graˈfiː] f spelling,
orthography; ~'**graphisch** adj ortho-
graphic; **O~päde** [-'pɛːdə] (-n, -n) m
orthopaedic specialist, orthopaedist;
O~pädie [-pɛˈdiː] f orthopaedics sg;
~'**pädisch** adj orthopaedic
örtlich ['œrtlɪç] adj local; **Ö~keit** f locality
ortsansässig adj local
Ortschaft f village, small town
Orts- zW: **o~fremd** adj non-local; ~**ge-**
spräch nt local (phone)call; ~**name** m
place-name; ~**netz** nt (TEL) local telephone exchange area; ~**tarif** m (TEL) tariff
for local calls; ~**zeit** f local time
Ortung f locating
Öse ['øːzə] f loop, eye
Ost'asien [ɔstaˈziən] nt Eastern Asia
Osten (-s) m east
Oster- ['oːstər] zW: ~**ei** nt Easter egg;
~**fest** nt Easter; ~**glocke** f daffodil;
~**hase** m Easter bunny; ~**montag** m
Easter Monday; ~**n** (-s, -) nt Easter
Österreich ['øːstərraɪç] (-s) nt Austria;
~**er(in)** (-s, -) m(f) Austrian; **ö~isch** adj
Austrian
Ostküste f east coast
östlich ['œstlɪç] adj eastern, easterly
Otter¹ ['ɔtər] (-s, -) m otter
Otter² (-s, -) f (Schlange) adder
Ouvertüre [uverˈtyːrə] f overture
oval [oˈvaːl] adj oval
Ovation [ovatsiˈoːn] f ovation

Ovulation [ovulatsiˈoːn] f ovulation
Oxyd [ɔˈksyːt] (-(e)s, -e) nt oxide; **o~ieren**
vt, vi to oxidize; ~**ierung** f oxidization
Ozean ['oːtseaːn] (-s, -e) m ocean;
~**dampfer** m (ocean-going) liner
Ozon [oˈtsoːn] (-s) nt ozone; ~**loch** nt
ozone hole; ~**schicht** f ozone layer

P p

Paar [paːr] (-(e)s, -e) nt pair; (Ehe~) couple;
ein p~ a few; **p~en** vt, vr to couple;
(Tiere) to mate; ~**lauf** m pair skating;
p~mal adv: **ein p~mal** a few times; ~**ung**
f combination; mating; **p~weise** adv in
pairs; in couples
Pacht [paxt] (-, -en) f lease; **p~en** vt to
lease
Pächter ['pɛçtər] (-s, -) m leaseholder,
tenant
Pack¹ [pak] (-(e)s, -e od ⁼e) m bundle,
pack
Pack² (-(e)s) nt (pej) mob, rabble
Päckchen ['pɛkçən] nt small package; (Zigaretten) packet; (Post~) small parcel
Pack- zW: **p~en** vt to pack; (fassen) to
grasp, to seize; (umg: schaffen) to manage;
(fig: fesseln) to grip; ~**en** (-s, -) m bundle;
(fig: Menge) heaps of; ~**esel** m (auch fig)
packhorse; ~**papier** nt brown paper, wrapping paper; ~**ung** f packet; (Pralinenpack-
ung) box; (MED) compress
Pädagog- [pɛdaˈgoːg] zW: ~**e** (-n, -n) m
teacher; ~**ik** f education; **p~isch** adj educational, pedagogical
Paddel ['padəl] (-s, -) nt paddle; ~**boot** nt
canoe; **p~n** vi to paddle
Page ['paːʒə] (-n, -n) m page; ~**nkopf** m
pageboy (cut)
Paket [paˈkeːt] (-(e)s, -e) nt packet; (Post~)
parcel; ~**karte** f dispatch note; ~**post** f
parcel post; ~**schalter** m parcels counter
Pakt [pakt] (-(e)s, -e) m pact
Palast [paˈlast] (-es, Paläste) m palace
Palästina [palɛsˈtiːna] (-s) nt Palestine
Palme ['palmə] f palm (tree)
Palmsonntag m Palm Sunday
Pampelmuse ['pampəlmuːzə] f grapefruit
pampig ['pampɪç] (umg) adj (frech) fresh
panieren [paˈniːrən] vt (KOCH) to bread
Paniermehl [paˈniːrmeːl] nt breadcrumbs pl
Panik ['paːnɪk] f panic
panisch ['paːnɪʃ] adj panic-stricken

Panne ['panə] *f* (AUT etc) breakdown; (Mißgeschick) slip; ~**nhilfe** *f* breakdown service

panschen ['panʃən] *vi* to splash about ♦ *vt* to water down

Panther ['pantər] (-s, -) *m* panther

Pantoffel [pan'tɔfəl] (-s, -n) *m* slipper

Pantomime [panto'mi:mə] *f* mime

Panzer ['pantsər] (-s, -) *m* armour; (Platte) armour plate; (Fahrzeug) tank; ~**glas** *nt* bulletproof glass; **p~n** *vt* to armour ♦ *vr* (fig) to arm o.s.

Papa [pa'pa:] (-s, -s; umg) *m* dad, daddy

Papagei [papa'gaɪ] (-s, -en) *m* parrot

Papier [pa'pi:r] (-s, -e) *nt* paper; (Wert~) security; ~**fabrik** *f* paper mill; ~**geld** *nt* paper money; ~**korb** *m* wastepaper basket; ~**tüte** *f* paper bag

Papp- ['pap] *zW:* ~**deckel** *m* cardboard; ~**e** *f* cardboard; ~**el** (-, -n) *f* poplar; **p~en** (umg) *vt, vi* to stick; **p~ig** *adj* sticky; ~**maché** [-ma'ʃe:] (-s, -s) *nt* papier-mâché

Paprika ['paprika] (-s, -s) *m* (Gewürz) paprika; (~schote) pepper

Papst [pa:pst] (-(e)s, ⸚e) *m* pope

päpstlich ['pe:pstlɪç] *adj* papal

Parabel [pa'ra:bəl] (-, -n) *f* parable; (MATH) parabola

Parabolantenne [para'bo:l-] *f* satellite dish

Parade [pa'ra:də] *f* (MIL) parade, review; (SPORT) parry

Paradies [para'di:s] (-es, -e) *nt* paradise; **p~isch** *adj* heavenly

Paradox [para'dɔks] (-es, -e) *nt* paradox; **p~** *adj* paradoxical

Paragraph [para'gra:f] (-en, -en) *m* paragraph; (JUR) section

parallel [para'le:l] *adj* parallel; **P~e** *f* parallel

Paranuß ['pa:ranʊs] *f* Brazil nut

Parasit [para'zi:t] (-en, -en) *m* (auch fig) parasite

parat [pa'ra:t] *adj* ready

Pärchen ['pɛːrçən] *nt* couple

Parfüm [par'fy:m] (-s, -s od -e) *nt* perfume; ~**erie** [-ə'ri:] *f* perfumery; **p~ieren** *vt* to scent, to perfume

parieren [pa'ri:rən] *vt* to parry ♦ *vi* (umg) to obey

Paris [pa'ri:s] (-) *nt* Paris; ~**er** *adj* Parisian ♦ *m* Parisian; ~**erin** *f* Parisian

Park [park] (-s, -s) *m* park; ~**anlage** *f* park; (um Gebäude) grounds *pl*; **p~en** *vt, vi* to park

Parkett [par'kɛt] (-(e)s, -e) *nt* parquet (floor); (THEAT) stalls *pl*

Park- [park] *zW:* ~**haus** *nt* multi-storey car park; ~**lücke** *f* parking space; ~**platz** *m* parking place; car park, parking lot (US); ~**scheibe** *f* parking disc; ~**uhr** *f* parking meter; ~**verbot** *nt* parking ban

Parlament [parla'mɛnt] *nt* parliament; ~**arier** [-'ta:riər] (-s, -) *m* parliamentarian; **p~arisch** [-'ta:rɪʃ] *adj* parliamentary

Parlaments- *zW:* ~**beschluß** *m* vote of parliament; ~**mitglied** *nt* member of parliament; ~**sitzung** *f* sitting (of parliament)

Parodie [paro'di:] *f* parody; **p~ren** *vt* to parody

Parole [pa'ro:lə] *f* password; (Wahlspruch) motto

Partei [par'taɪ] *f* party; ~ **ergreifen für jdn** to take sb's side; **p~isch** *adj* partial, bias(s)ed; **p~los** *adj* neutral, impartial; ~**mitglied** *nt* party member; ~**programm** *nt* (party) manifesto; ~**tag** *m* party conference

Parterre [par'tɛr(ə)] (-s, -s) *nt* ground floor; (THEAT) stalls *pl*

Partie [par'ti:] *f* part; (Spiel) game; (Ausflug) outing; (Mann, Frau) catch; (COMM) lot; **mit von der ~ sein** to join in

Partisan [parti'za:n] (-s od -en, -en) *m* partisan

Partitur [parti'tu:r] *f* (MUS) score

Partizip [parti'tsi:p] (-s, -ien) *nt* participle

Partner(in) ['partnər(ɪn)] (-s, -) *m(f)* partner; **p~schaftlich** *adj* as partners; ~**stadt** *f* twin town

Party ['pa:rti] (-, -s od **Parties**) *f* party

Paß [pas] (-sses, ⸚sse) *m* pass; (Ausweis) passport

passabel [pa'sa:bəl] *adj* passable, reasonable

Passage [pa'sa:ʒə] *f* passage

Passagier [pasa'ʒi:r] (-s, -e) *m* passenger; ~**flugzeug** *nt* airliner

Paßamt *nt* passport office

Passant [pa'sant] *m* passer-by

Paßbild *nt* passport photograph

passen ['pasən] *vi* to fit; (Farbe) to go; (auf Frage, KARTEN, SPORT) to pass; **das paßt mir nicht** that doesn't suit me; ~ **zu** (Farbe, Kleider) to go with; **er paßt nicht zu dir** he's not right for you; ~**d** *adj* suitable; (zusammenpassend) matching; (angebracht) fitting; (Zeit) convenient

passier- [pa'si:r] *zW:* ~**bar** *adj* passable; ~**en** *vt* to pass; (durch Sieb) to strain ♦ *vi* to happen; **P~schein** *m* pass, permit

Passion [pasi'o:n] *f* passion; **p~iert** [-'ni:rt] *adj* enthusiastic, passionate; ~**sspiel** *nt* Passion Play

passiv ['pasi:f] *adj* passive; **P~** (-s, -e) *nt* passive; **P~a** *pl* (COMM) liabilities; **P~i'tät** *f* passiveness

Paß- *zW:* ~**kontrolle** *f* passport control; ~**stelle** *f* passport office; ~**straße** *f* (mountain) pass

Paste ['pastə] *f* paste

Pastell [pas'tɛl] (-(e)s, -e) *nt* pastel

Pastete [pas'te:tə] *f* pie

pasteurisieren [pastøri'zi:rən] *vt* to pasteurize

Pastor ['pastɔr] *m* vicar; pastor, minister
Pate ['pa:tə] (**-n, -n**) *m* godfather; **~nkind** *nt* godchild
Patent [pa'tɛnt] (**-(e)s, -e**) *nt* patent; (*MIL*) commission; **p~** *adj* clever; **~amt** *nt* patent office
Patentante *f* godmother
patentieren *vt* to patent
Patentinhaber *m* patentee
Pater ['pa:tər] (**-s, - od Patres**) *m* (*ECCL*) Father
pathetisch [pa'te:tɪʃ] *adj* emotional; bombastic
Pathologe [pato'lo:gə] (**-n, -n**) *m* pathologist
pathologisch *adj* pathological
Pathos ['pa:tɔs] (**-**) *nt* emotiveness, emotionalism
Patient(in) [patsi'ɛnt(ɪn)] *m(f)* patient
Patin ['pa:tɪn] *f* godmother
Patina ['pa:tina] (**-**) *f* patina
Patriot [patri'o:t] (**-en, -en**) *m* patriot; **p~isch** *adj* patriotic; **~ismus** [-'tɪsmʊs] *m* patriotism
Patrone [pa'tro:nə] *f* cartridge
Patrouille [pa'trʊljə] *f* patrol
patrouillieren [patrʊl'ji:rən] *vi* to patrol
patsch [patʃ] *excl* splash; **P~e** (*umg*) *f* (*Bedrängnis*) mess, jam; **~en** *vi* to smack, to slap; (*im Wasser*) to splash; **~naß** *adj* soaking wet
patzig ['patsɪç] (*umg*) *adj* cheeky, saucy
Pauke ['paʊkə] *f* kettledrum; **auf die ~ hauen** to live it up
pauken *vt* (*intensiv lernen*) to swot up (*inf*) ♦ *vi* to swot (*inf*), cram (*inf*)
pausbäckig ['paʊsbɛkɪç] *adj* chubby-cheeked
pauschal [paʊ'ʃa:l] *adj* (*Kosten*) inclusive; (*Urteil*) sweeping; **P~e** *f* flat rate; **P~gebühr** *f* flat rate; **P~preis** *m* all-in price; **P~reise** *f* package tour; **P~summe** *f* lump sum
Pause ['paʊzə] *f* break; (*THEAT*) interval; (*Innehalten*) pause; (*Kopie*) tracing
pausen *vt* to trace; **~los** *adj* non-stop; **P~zeichen** *nt* call sign; (*MUS*) rest
Pauspapier ['paʊspapi:r] *nt* tracing paper
Pavian ['pa:via:n] (**-s, -e**) *m* baboon
Pavillon (**-s, -s**) *m* pavilion
Pazif- [pa'tsi:f] *zW:* **~ik** (**-s**) *m* Pacific; **p~istisch** *adj* pacifist
Pech [pɛç] (**-s, -e**) *nt* pitch; (*fig*) bad luck; **~ haben** to be unlucky; **p~schwarz** *adj* pitch-black; **~strähne** (*umg*) *f* unlucky patch; **~vogel** (*umg*) *m* unlucky person
Pedal [pe'da:l] (**-s, -e**) *nt* pedal
Pedant [pe'dant] *m* pedant; **~e'rie** *f* pedantry; **p~isch** *adj* pedantic
Pediküre [pedi'ky:rə] *f* (*Fußpflege*) pedicure
Pegel ['pe:gəl] (**-s, -**) *m* water gauge; **~stand** *m* water level

peilen ['paɪlən] *vt* to get a fix on
Pein [paɪn] (**-**) *f* agony, pain; **p~igen** *vt* to torture; (*plagen*) to torment; **p~lich** *adj* (*unangenehm*) embarrassing, awkward, painful; (*genau*) painstaking; **~lichkeit** *f* painfulness, awkwardness; scrupulousness
Peitsche ['paɪtʃə] *f* whip; **p~n** *vt* to whip; (*Regen*) to lash
Pelikan ['pe:lika:n] (**-s, -e**) *m* pelican
Pelle ['pɛlə] *f* skin; **p~n** *vt* to skin, to peel
Pellkartoffeln *pl* jacket potatoes
Pelz [pɛlts] (**-es, -e**) *m* fur
Pendel ['pɛndəl] (**-s, -**) *nt* pendulum
pendeln *vi* (*Zug, Fähre etc*) to operate a shuttle service; (*Mensch*) to commute
Pendelverkehr *m* shuttle traffic; (*für Pendler*) commuter traffic
Pendler ['pɛndlər] (**-s, -**) *m* commuter
penetrant [pene'trant] *adj* sharp; (*Person*) pushing
Penis ['pe:nɪs] (**-, -se**) *m* penis
pennen ['pɛnən] (*umg*) *vi* to kip
Penner (*umg: pej*) *m* (*Landstreicher*) tramp
Pension [pɛnzi'o:n] *f* (*Geld*) pension; (*Ruhestand*) retirement; (*für Gäste*) boarding *od* guest-house; **~är(in)** [-'nɛ:r(ɪn)] (**-s, -e**) *m(f)* pensioner; **p~ieren** *vt* to pension off; **p~iert** *adj* retired; **~ierung** *f* retirement; **~sgast** *m* boarder, paying guest
Pensum ['pɛnzʊm] (**-s, Pensen**) *nt* quota; (*SCH*) curriculum
per [pɛr] *präp +akk* by, per; (*pro*) per; (*bis*) by
Perfekt ['pɛrfɛkt] (**-(e)s, -e**) *nt* perfect; **p~** [pɛr'fɛkt] *adj* perfect
perforieren [pɛrfo'ri:rən] *vt* to perforate
Pergament [pɛrga'mɛnt] *nt* parchment; **~papier** *nt* greaseproof paper
Periode [peri'o:də] *f* period
periodisch [peri'o:dɪʃ] *adj* periodic; (*dezimal*) recurring
Perle ['pɛrlə] *f* (*auch fig*) pearl; **p~n** *vi* to sparkle; (*Tropfen*) to trickle
Perlmutt ['pɛrlmʊt] (**-s**) *nt* mother-of-pearl
Perlwein *m* sparkling wine
perplex [pɛr'plɛks] *adj* dumbfounded
Person [pɛr'zo:n] (**-, -en**) *f* person; **ich für meine ~ ...** personally I ...
Personal [pɛrzo'na:l] (**-s**) *nt* personnel; (*Bedienung*) servants *pl*; **~ausweis** *m* identity card; **~computer** *m* personal computer; **~ien** [-ən] *pl* particulars; **~mangel** *m* undermanning; **~pronomen** *nt* personal pronoun
Personen- *zW:* **~aufzug** *m* lift, elevator (*US*); **~kraftwagen** *m* private motorcar; **~schaden** *m* injury to persons; **~zug** *m* stopping train; passenger train
personifizieren [pɛrzonifi'tsi:rən] *vt* to personify
persönlich [pɛr'zø:nlɪç] *adj* personal ♦ *adv* in person; personally; **P~keit** *f* personality

personell adj (Veränderungen) personnel
Perspektive [pɛrspɛk'tiːvə] f perspective
Perücke [pe'rʏkə] f wig
pervers [pɛr'vɛrs] adj perverse
Pessimismus [pɛsi'mɪsmʊs] m pessimism
Pessimist [pɛsi'mɪst] m pessimist; **p~isch** adj pessimistic
Pest [pɛst] (-) f plague
Petersilie [petər'ziːliə] f parsley
Petroleum [pe'troːleʊm] (-s) nt paraffin, kerosene (US)
Petunie f (BOT) petunia
Pfad [pfaːt] (-(e)s, -e) m path; **~finder** (-s, -) m boy scout; **~finderin** f girl guide
Pfahl [pfaːl] (-(e)s, ⁼e) m post, stake
Pfand [pfant] (-(e)s, ⁼er) nt pledge, security; (Flaschen~) deposit; (im Spiel) forfeit; **~brief** m bond
pfänden ['pfɛndən] vt to seize, to distrain
Pfänderspiel nt game of forfeits
Pfandschein m pawn ticket
Pfändung ['pfɛndʊŋ] f seizure, distraint
Pfanne ['pfanə] f (frying) pan
Pfannkuchen m pancake; (Berliner) doughnut
Pfarr- ['pfar] zW: **~ei** f parish; **~er** (-s, -) m priest; (evangelisch) vicar; minister; **~haus** nt vicarage; manse
Pfau [pfaʊ] (-(e)s, -en) m peacock; **~enauge** nt peacock butterfly
Pfeffer ['pfɛfər] (-s, -) m pepper; **~korn** nt peppercorn; **~kuchen** m gingerbread; **~minz** (-es, -e) nt peppermint; **~mühle** f pepper-mill; **p~n** vt to pepper; (umg: werfen) to fling; **gep~te Preise/Witze** steep prices/spicy jokes
Pfeife ['pfaɪfə] f whistle; (Tabak~, Orgel~) pipe; **p~n** (unreg) vt, vi to whistle; **~r** (-s, -) m piper
Pfeil [pfaɪl] (-(e)s, -e) m arrow
Pfeiler ['pfaɪlər] (-s, -) m pillar, prop; (Brücken~) pier
Pfennig ['pfɛnɪç] (-(e)s, -e) m pfennig (hundredth part of a mark)
Pferd [pfeːrt] (-(e)s, -e) nt horse
Pferde- ['pfeːrdə] zW: **~rennen** nt horse-race; horse-racing; **~schwanz** m (Frisur) ponytail; **~stall** m stable
Pfiff [pfɪf] (-(e)s, -e) m whistle
Pfifferling ['pfɪfərlɪŋ] m yellow chanterelle (mushroom); **keinen ~ wert** not worth a thing
pfiffig adj sly, sharp
Pfingsten ['pfɪŋstən] (-, -) nt Whitsun (BRIT), Pentecost
Pfingstrose ['pfɪŋstroːzə] f peony
Pfirsich ['pfɪrzɪç] (-s, -e) m peach
Pflanz- ['pflants] zW: **~e** f plant; **p~en** vt to plant; **~enfett** nt vegetable fat; **p~lich** adj vegetable; **~ung** f plantation
Pflaster ['pflastər] (-s, -) nt plaster; (Straße) pavement; **p~n** vt to pave; **~stein** m pav-

ing stone
Pflaume ['pflaʊmə] f plum
Pflege ['pfleːgə] f care; (von Idee) cultivation; (Kranken~) nursing; **in ~ sein** (Kind) to be fostered out; **p~bedürftig** adj needing care; **~eltern** pl foster parents; **~heim** nt nursing home; **~kind** nt foster child; **p~leicht** adj easy-care; **~mutter** f foster mother; **p~n** vt to look after; (Kranke) to nurse; (Beziehungen) to foster; **~r** (-s, -) m orderly; male nurse; **~rin** f nurse, attendant; **~vater** m foster father
Pflicht [pflɪçt] (-, -en) f duty; (SPORT) compulsory section; **p~bewußt** adj conscientious; **~fach** nt (SCH) compulsory subject; **~gefühl** nt sense of duty; **p~gemäß** adj dutiful ♦ adv as in duty bound; **~versicherung** f compulsory insurance
pflücken ['pflʏkən] vt to pick; (Blumen) to pick, to pluck
Pflug [pfluːk] (-(e)s, ⁼e) m plough
pflügen ['pflyːgən] vt to plough
Pforte ['pfɔrtə] f gate; door
Pförtner ['pfœrtnər] (-s, -) m porter, doorkeeper, doorman
Pfosten ['pfɔstən] (-s, -) m post
Pfote ['pfoːtə] f paw; (umg: Schrift) scrawl
Pfropfen ['pfrɔpfən] (-s, -) m (Flaschen~) stopper; (Blut~) clot; **p~** vt (stopfen) to cram; (Baum) to graft
pfui [pfʊi] excl ugh!
Pfund [pfʊnt] (-(e)s, -e) nt pound; **p~ig** (umg) adj great
pfuschen ['pfʊʃən] (umg) vi to be sloppy; **jdm ins Handwerk ~** to interfere in sb's business
Pfuscher ['pfʊʃər] (-s, -; umg) m sloppy worker; (Kur~) quack; **~ei** (umg) f sloppy work; quackery
Pfütze ['pfʏtsə] f puddle
Phänomen [fɛno'meːn] (-s, -e) nt phenomenon; **p~al** [-'naːl] adj phenomenal
Phantasie [fanta'ziː] f imagination; **p~los** adj unimaginative; **p~ren** vi to fantasize; **p~voll** adj imaginative
phantastisch [fan'tastɪʃ] adj fantastic
Phase ['faːzə] f phase
Philologe [filo'loːgə] (-n, -n) m philologist
Philologie [filolo'giː] f philology
Philosoph [filo'zoːf] (-en, -en) m philosopher; **~ie** [-'fiː] f philosophy; **p~isch** adj philosophical
phlegmatisch [flɛ'gmatɪʃ] adj lethargic
Phonetik [fo'neːtɪk] f phonetics sg
phonetisch adj phonetic
Phosphor ['fɔsfɔr] (-s) m phosphorus
Photo etc ['foːto] (-s, -s) nt = **Foto** etc
Phrase ['fraːzə] f phrase; (pej) hollow phrase
pH-Wert m pH-value
Physik [fy'ziːk] f physics sg; **p~alisch** [-'kaːlɪʃ] adj of physics; **~er(in)** ['fyːzɪkər(ɪn)]

(**-s**, **-**) *m(f)* physicist
Physiologie [fyzio'loːgiː] *f* physiology
physisch ['fyːzɪʃ] *adj* physical
Pianist(in) [pia'nɪst(ɪn)] *m(f)* pianist
Pickel ['pɪkəl] (**-s**, **-**) *m* pimple; (*Werkzeug*) pickaxe; (*Berg~*) ice-axe; **p~ig** *adj* pimply, spotty
picken ['pɪkən] *vi* to pick, to peck
Picknick ['pɪknɪk] (**-s**, **-e** *od* **-s**) *nt* picnic; **~ machen** to have a picnic
piepen ['piːpən] *vi* to chirp
piepsen ['piːpsən] *vi* to chirp
Piepser (*umg*) *m* pager, paging device
Pier [piːər] (**-s**, **-s** *od* **-e**) *m od f* pier
Pietät [pie'tɛːt] *f* piety, reverence; **p~los** *adj* impious, irreverent
Pigment [pɪ'ɡmɛnt] *nt* pigment
Pik [piːk] (**-s**, **-s**) *nt* (*KARTEN*) spades
pikant [pi'kant] *adj* spicy, piquant; (*anzüglich*) suggestive
Pilger ['pɪlɡər] (**-s**, **-**) *m* pilgrim; **~fahrt** *f* pilgrimage
Pille ['pɪlə] *f* pill
Pilot [pi'loːt] (**-en**, **-en**) *m* pilot
Pilz [pɪlts] (**-es**, **-e**) *m* fungus; (*eßbar*) mushroom; (*giftig*) toadstool; **~krankheit** *f* fungal disease
Pinguin ['pɪŋɡuiːn] (**-s**, **-e**) *m* penguin
Pinie ['piːniə] *f* pine
pinkeln ['pɪŋkəln] (*umg*) *vi* to pee
Pinnwand *f* noticeboard
Pinsel ['pɪnzəl] (**-s**, **-**) *m* paintbrush
Pinzette [pɪn'tsɛtə] *f* tweezers *pl*
Pionier [pio'niːr] (**-s**, **-e**) *m* pioneer; (*MIL*) sapper, engineer
Pirat [pi'raːt] (**-en**, **-en**) *m* pirate; **~ensender** *m* pirate radio station
Piste ['pɪstə] *f* (*SKI*) run, piste; (*AVIAT*) runway
Pistole [pɪs'toːlə] *f* pistol
Pizza ['pɪtsa] (**-**, **-s**) *f* pizza
Pkw [peːkaː'veː] (**-(s)**, **-(s)**) *m abk* = **Personenkraftwagen**
pl. *abk* = **pluralisch**; **Plural**
plädieren [plɛ'diːrən] *vi* to plead
Plädoyer [plɛdoa'jeː] (**-s**, **-s**) *nt* speech for the defence; (*fig*) plea
Plage ['plaːɡə] *f* plague; (*Mühe*) nuisance; **~geist** *m* pest, nuisance; **p~n** *vt* to torment ♦ *vr* to toil, to slave
Plakat [pla'kaːt] (**-(e)s**, **-e**) *nt* placard; poster
Plan [plaːn] (**-(e)s**, **ⁿe**) *m* plan; (*Karte*) map
Plane *f* tarpaulin
planen *vt* to plan; (*Mord etc*) to plot
Planer (**-s**, **-**) *m* planner
Planet [pla'neːt] (**-en** **-en**) *m* planet
planieren [pla'niːrən] *vt* to plane, to level
Planke ['plaŋkə] *f* plank
Plankton (**-s**) *nt* plankton
planlos *adj* (*Vorgehen*) unsystematic; (*Umherlaufen*) aimless

planmäßig *adj* according to plan; systematic; (*EISENB*) scheduled
Planschbecken *nt* paddling pool
planschen ['planʃən] *vi* to splash
Plansoll (**-s**) *nt* output target
Plantage [plan'taːʒə] *f* plantation
Planung *f* planning
Planwirtschaft *f* planned economy
plappern ['plapərn] *vi* to chatter
plärren ['plɛrən] *vi* (*Mensch*) to cry, to whine; (*Radio*) to blare
Plasma ['plasma] (**-s**, **Plasmen**) *nt* plasma
Plastik¹ ['plastɪk] *f* sculpture
Plastik² (**-s**) *nt* (*Kunststoff*) plastic; **~beutel** *m* plastic bag, carrier bag; **~folie** *f* plastic film; **~tüte** *f* plastic bag
plastisch ['plastɪʃ] *adj* plastic; **stell dir das ~ vor!** just picture it!
Platane [pla'taːnə] *f* plane (tree)
Platin ['plaːtiːn] (**-s**) *nt* platinum
platonisch [pla'toːnɪʃ] *adj* platonic
platsch [platʃ] *excl* splash; **~en** *vi* to splash
plätschern ['plɛtʃərn] *vi* to babble
platschnaß *adj* drenched
platt [plat] *adj* flat; (*umg: überrascht*) flabbergasted; (*fig: geistlos*) flat, boring; **~deutsch** *adj* low German; **P~e** *f* (*Speisen~*, *PHOT*, *TECH*) plate; (*Steinplatte*) flag; (*Kachel*) tile; (*Schallplatte*) record; **P~enspieler** *m* record player; **P~enteller** *m* turntable; **P~fuß** *m* flat foot
Platz [plats] (**-es**, **ⁿe**) *m* place; (*Sitz~*) seat; (*Raum*) space, room; (*in Stadt*) square; (*Sport~*) playing field; **~ nehmen** to take a seat; **jdm ~ machen** to make room for sb; **~angst** *f* (*MED*) agoraphobia; (*umg*) claustrophobia; **~anweiser(in)** (**-s**, **-**) *m(f)* usher(ette)
Plätzchen ['plɛtsçən] *nt* spot; (*Gebäck*) biscuit
Platz- *zW:* **p~en** *vi* to burst; (*Bombe*) to explode; **vor Wut p~en** (*umg*) to be bursting with anger; **~karte** *f* seat reservation; **~mangel** *m* lack of space; **~patrone** *f* blank cartridge; **~regen** *m* downpour; **~wunde** *f* cut
Plauderei [plaudə'raɪ] *f* chat, conversation; (*RADIO*) talk
plaudern ['plaudərn] *vi* to chat, to talk
plausibel [plau'ziːbəl] *adj* plausible
plazieren [pla'tsiːrən] *vt* to place ♦ *vr* (*SPORT*) to be placed; (*TENNIS*) to be seeded
Pleite ['plaɪtə] *f* bankruptcy; (*umg: Reinfall*) flop; **~ machen** to go bust; **p~** (*umg*) *adj* broke
Plenum ['pleːnʊm] (**-s**) *nt* plenum
Plombe ['plɔmbə] *f* lead seal; (*Zahn~*) filling
plombieren [plɔm'biːrən] *vt* to seal; (*Zahn*) to fill

plötzlich ['plœtslıç] adj sudden ♦ adv suddenly

plump [plʊmp] adj clumsy; (Hände) coarse; (Körper) shapeless; **~sen** (umg) vi to plump down, to fall

Plunder ['plʊndər] (-s) m rubbish

plündern ['plʏndərn] vt to plunder; (Stadt) to sack ♦ vi to plunder

Plünderung ['plʏndəruŋ] f plundering, sack, pillage

Plural ['pluːraːl] (-s, -e) m plural; **p~istisch** adj pluralistic

Plus [plʊs] (-, -) nt plus; (FIN) profit; (Vorteil) advantage; **p~** adv plus

Plüsch [plyːʃ] (-(e)s, -e) m plush

Pluspol m (ELEK) positive pole

Pluspunkt m point; (fig) point in sb's favour

Plutonium (-s) nt plutonium

PLZ abk = Postleitzahl

Po [poː] (-s, -s; umg) m bottom, bum

Pöbel ['pøːbəl] (-s) m mob, rabble; **~ei** f vulgarity; **p~haft** adj low, vulgar

pochen ['pɔxən] vi to knock; (Herz) to pound; **auf etw akk ~** (fig) to insist on sth

Pocken ['pɔkən] pl smallpox sg

Podium ['poːdiʊm] nt podium; **~sdiskussion** f panel discussion

Poesie [poeˈziː] f poetry

Poet [poˈeːt] (-en, -en) m poet; **p~isch** adj poetic

Pointe [poˈɛ̃ːtə] f point

Pokal [poˈkaːl] (-s, -e) m goblet; (SPORT) cup; **~spiel** nt cup-tie

Pökelfleisch nt salt meat

pökeln ['pøːkəln] vt to pickle, to salt

Poker (-s) nt od m poker

Pol [poːl] (-s, -e) m pole; **p~ar** adj polar; **~arkreis** m Arctic circle

Pole (-n, -n) m Pole

polemisch [poˈleːmɪʃ] adj polemical

Polen (-s) nt Poland

Police [poˈliːs(ə)] f insurance policy

Polier [poˈliːr] (-s, -e) m foreman

polieren vt to polish

Poliklinik ['poːliklɪnɪk] f outpatients (department) sg

Polin f Pole

Politik [poliˈtiːk] f politics sg; (eine bestimmte) policy; **~er(in)** [poˈliːtɪkər(ɪn)] (-s, -) m(f) politician

politisch [poˈliːtɪʃ] adj political

Politur [poliˈtuːr] f polish

Polizei [poliˈtsai] f police; **~beamte(r)** m police officer; **p~lich** adj police; **sich p~lich melden** to register with the police; **~revier** nt police station; **~staat** m police state; **~streife** f police patrol; **~stunde** f closing time; **~wache** f police station

Polizist(in) [poliˈtsɪst(ɪn)] (-en, -en) m(f) policeman(woman)

Pollen ['pɔlən] (-s, -) m pollen

polnisch ['pɔlnɪʃ] adj Polish

Polohemd nt polo shirt

Polster ['pɔlstər] (-s, -) nt cushion; (~ung) upholstery; (in Kleidung) padding; (fig: Geld) reserves pl; **~er** (-s, -) m upholsterer; **~möbel** pl upholstered furniture sg; **p~n** vt to upholster; to pad

Polterabend m party on eve of wedding

poltern ['pɔltərn] vi (Krach machen) to crash; (schimpfen) to rant

Polyp [poˈlyːp] (-en, -en) m polyp; (umg) cop; **~en** pl (MED) adenoids

Pomade [poˈmaːdə] f pomade

Pommes frites [pɔmˈfrɪt] pl chips, French fried potatoes

Pomp [pɔmp] (-(e)s) m pomp

pompös [pɔmˈpøːs] adj (Auftritt, Fest, Haus) ostentatious, showy

Pony ['pɔni] (-s, -s) nt (Pferd) pony ♦ m (Frisur) fringe

Popmusik ['pɔpmuziːk] f pop music

Popo [poˈpoː] (-s, -s; umg) m bottom, bum

poppig ['pɔpıç] adj (Farbe etc) gaudy

populär [popuˈlɛːr] adj popular

Popularität [populariˈtɛːt] f popularity

Pore ['poːrə] f pore

Pornographie [pɔrnograˈfiː] f pornography

pornographisch [pɔrnoˈgraːfɪʃ] adj pornographic

porös [poˈrøːs] adj porous

Porree ['pɔre] (-s, -s) m leek

Portal [pɔrˈtaːl] (-s, -e) nt portal

Portefeuille [pɔrtˈføːj] nt (POL, FIN) portfolio

Portemonnaie [pɔrtmɔˈnɛː] (-s, -s) nt purse

Portier [pɔrtiˈeː] (-s, -s) m porter

Portion [pɔrtsiˈoːn] f portion, helping; (umg: Anteil) amount

Porto ['pɔrto] (-s, -s) nt postage; **p~frei** adj post-free, (postage) prepaid

Portrait (-s, -s) nt = **Porträt**; **p~ieren** vt = **porträtieren**

Porträt [pɔrˈtrɛː] (-s, -s) nt portrait; **p~ieren** [pɔrtrɛˈtiːrən] vt to paint, to portray

Portugal ['pɔrtugal] (-s) nt Portugal

Portugiese [pɔrtuˈgiːzə] (-n, -n) m Portuguese

Portugiesin f Portuguese

portugiesisch adj Portuguese

Porzellan [pɔrtseˈlaːn] (-s, -e) nt china, porcelain; (Geschirr) china

Posaune [poˈzaunə] f trombone

Pose ['poːzə] f pose

Position [pozitsiˈoːn] f position

positiv ['poːzitiːf] adj positive; **P~** (-s, -e) nt (PHOT) positive

possessiv ['pɔsesiːf] adj possessive; **P~pronomen** (-s, -e) nt possessive pronoun

possierlich [pɔˈsiːrlıç] adj funny

Post [pɔst] (-, **-en**) f post (office); (*Briefe*) post, mail; **~amt** nt post office; **~anweisung** f postal order, money order; **~bote** m postman; **~en** (-s, -) m post, position; (*COMM*) item; (*auf Liste*) entry; (*MIL*) sentry; (*Streik~*) picket; **~er** (-s, -(s)) nt poster; **~fach** nt post-office box; **~karte** f postcard; **~lagernd** adv poste restante (*BRIT*), general delivery (*US*); **~leitzahl** f postal code; **~scheckkonto** nt postal giro account; **~sparbuch** nt Post Office savings book; **~sparkasse** f post office savings bank; **~stempel** m postmark; **p~wendend** adv by return of post; **~wertzeichen** nt postage stamp

potent [po'tɛnt] adj potent
Potential [potɛntsi'aːl] (-s, -e) nt potential
potentiell [potɛntsi'ɛl] adj potential
Potenz [po'tɛnts] f power; (*eines Mannes*) potency
Pracht [praxt] (-) f splendour, magnificence
prächtig ['prɛçtɪç] adj splendid
Prachtstück nt showpiece
prachtvoll adj splendid, magnificent
Prädikat [prɛdiˈkaːt] (-(e)s, -e) nt title; (*GRAM*) predicate; (*Zensur*) distinction
prägen ['prɛːgən] vt to stamp; (*Münze*) to mint; (*Ausdruck*) to coin; (*Charakter*) to form
prägnant [prɛˈgnant] adj precise, terse
Prägung ['prɛːgʊŋ] f minting; forming; (*Eigenart*) character, stamp
prahlen ['praːlən] vi to boast, to brag
Prahlerei [praːləˈraɪ] f boasting
Praktik ['praktɪk] f practice; **p~abel** [-'kaːbəl] adj practicable; **p~ant(in)** [-'kant(ɪn)] m(f) trainee; **~um** (-s, Praktika od Praktiken) nt practical training
praktisch ['praktɪʃ] adj practical, handy; **~er Arzt** general practitioner
praktizieren [praktiˈtsiːrən] vt, vi to practise
Praline [praˈliːnə] f chocolate
prall [pral] adj firmly rounded; (*Segel*) taut; (*Arme*) plump; (*Sonne*) blazing; **~en** vi to bounce, to rebound; (*Sonne*) to blaze
Prämie ['prɛːmiə] f premium; (*Belohnung*) award, prize; **p~ren** vt to give an award to
Präparat [prɛpaˈraːt] (-(e)s, -e) nt (*BIOL*) preparation; (*MED*) medicine
Präposition [prɛpozitsiˈoːn] f preposition
Prärie [prɛˈriː] f prairie
Präsens ['prɛːzɛns] (-) nt present tense
präsentieren [prɛzɛnˈtiːrən] vt to present
Präservativ [prɛzɛrvaˈtiːf] (-s, -e) nt contraceptive
Präsident(in) [prɛziˈdɛnt(ɪn)] m(f) president; **~schaft** f presidency
Präsidium [prɛˈziːdium] nt presidency, chair(manship); (*Polizei~*) police headquarters pl
prasseln ['prasəln] vi (*Feuer*) to crackle;

(*Hagel*) to drum; (*Wörter*) to rain down
Praxis ['praksɪs] (-, **Praxen**) f practice; (*Behandlungsraum*) surgery; (*von Anwalt*) office
präzis [prɛˈtsiːs] adj precise; **P~ion** [prɛtsiziˈoːn] f precision
predigen ['preːdɪgən] vt, vi to preach
Prediger (-s, -) m preacher
Predigt ['preːdɪçt] (-, -en) f sermon
Preis [praɪs] (-es, -e) m price; (*Sieges~*) prize; **um keinen ~** not at any price
preisbewußt adj price-conscious
Preiselbeere f cranberry
preis- ['praɪz] zW: **~en** (unreg) vt to praise; **~geben** (unreg) vt to abandon; (*opfern*) to sacrifice; (*zeigen*) to expose; **~gekrönt** adj prize-winning; **P~gericht** nt jury; **~günstig** adj inexpensive; **P~lage** f price range; **~lich** adj (*Lage, Unterschied*) price, in price; **P~liste** f price list; **P~richter** m judge (*in a competition*); **P~schild** nt price tag; **P~träger(in)** m(f) prizewinner; **~wert** adj inexpensive
prekär [preˈkɛːr] adj precarious
Prell- [prɛl] zW: **~bock** m buffers pl; **p~en** vt to bump; (*fig*) to cheat, to swindle; **~ung** f bruise
Premiere [prəmiˈɛːrə] f premiere
Premierminister [prəmiˈeːmɪnɪstər] m prime minister, premier
Presse ['prɛsə] f press; **~agentur** f press agency; **~freiheit** f freedom of the press; **p~n** vt to press
pressieren [prɛˈsiːrən] vi to (be in a) hurry
Preßluft ['prɛslʊft] f compressed air; **~bohrer** m pneumatic drill
Prestige [prɛsˈtiːʒə] (-s) nt prestige
prickeln ['prɪkəln] vt, vi to tingle; to tickle
Priester ['priːstər] (-s, -) m priest
Prima ['priːma] (-, **Primen**) f sixth form, top class
prima adj inv first-class, excellent
primär [priˈmɛːr] adj primary
Primel ['priːməl] (-, -n) f primrose
primitiv [primiˈtiːf] adj primitive
Prinz [prɪnts] (-en, -en) m prince; **~essin** f princess
Prinzip [prɪnˈtsiːp] (-s, -ien) nt principle; **p~iell** [-i'ɛl] adj, adv on principle; **p~ienlos** adj unprincipled
Priorität [prioriˈtɛːt] f priority
Prise ['priːzə] f pinch
Prisma ['prɪsma] (-s, **Prismen**) nt prism
privat [priˈvaːt] adj private; **P~patient(in)** m(f) private patient; **P~schule** f public school
Privileg [priviˈleːk] (-(e)s, -ien) nt privilege
Pro (-) nt pro
pro [proː] präp +akk per
Probe ['proːbə] f test; (*Teststück*) sample; (*THEAT*) rehearsal; **jdn auf die ~ stellen** to put sb to the test; **~exemplar** nt specimen copy; **~fahrt** f test drive; **p~n** vt to try;

(*THEAT*) to rehearse; **p~weise** *adv* on approval; **~zeit** *f* probation period

probieren [pro'biːrən] *vt* to try; (*Wein, Speise*) to taste, to sample ♦ *vi* to try; to taste

Problem [pro'bleːm] (**-s, -e**) *nt* problem; **~atik** [-'maːtɪk] *f* problem; **p~atisch** [-'maːtɪʃ] *adj* problematic; **p~los** *adj* problem-free

Produkt [pro'dʊkt] (**-(e)s, -e**) *nt* product; (*AGR*) produce *no pl*; **~ion** [prodʊktsi'oːn] *f* production; output; **p~iv** [-'tiːf] *adj* productive; **~ivi'tät** *f* productivity

Produzent [produ'tsɛnt] *m* manufacturer; (*Film*) producer

produzieren [produ'tsiːrən] *vt* to produce

Professor [pro'fɛsɔr] *m* professor

Profi ['proːfi] (**-s, -s**) *m* (*umg, SPORT*) pro

Profil [pro'fiːl] (**-s, -e**) *nt* profile; (*fig*) image

Profit [pro'fiːt] (**-(e)s, -e**) *m* profit; **p~ieren** [profi'tiːrən] *vi*: **p~ieren (von)** to profit (from)

Prognose [pro'gnoːzə] *f* prediction, prognosis

Programm [pro'gram] (**-s, -e**) *nt* programme; (*COMPUT*) program; **p~ieren** [-'miːrən] *vt* to programme; (*COMPUT*) to program; **~ierer(in)** (**-s, -**) *m(f)* programmer

progressiv [progrɛ'siːf] *adj* progressive

Projekt [pro'jɛkt] (**-(e)s, -e**) *nt* project; **~or** [pro'jɛktɔr] *m* projector

proklamieren [prokla'miːrən] *vt* to proclaim

Prokurist(in) [proku'rɪst(ɪn)] *m(f)* ≈ company secretary

Prolet [pro'leːt] (**-en, -en**) *m* prole, pleb; **~arier** [-'taːriər] (**-s, -**) *m* proletarian

Prolog [pro'loːk] (**-(e)s, -e**) *m* prologue

Promenade [promə'naːdə] *f* promenade

Promille [pro'mɪlə] (**-(s), -**) *nt* alcohol level

prominent [promi'nɛnt] *adj* prominent

Prominenz [promi'nɛnts] *f* VIPs *pl*

Promotion [promotsi'oːn] *f* doctorate, Ph.D.

promovieren [promo'viːrən] *vi* to do a doctorate *od* Ph.D.

prompt [prɔmpt] *adj* prompt

Pronomen [pro'noːmɛn] (**-s, -**) *nt* pronoun

Propaganda [propa'ganda] (**-**) *f* propaganda

Propeller [pro'pɛlər] (**-s, -**) *m* propeller

Prophet [pro'feːt] (**-en, -en**) *m* prophet

prophezeien [profe'tsaɪən] *vt* to prophesy

Prophezeiung *f* prophecy

Proportion [propɔrtsi'oːn] *f* proportion; **p~al** [-'naːl] *adj* proportional

proportioniert *adj*: **gut/schlecht ~** well-/badly-proportioned

Prosa ['proːza] (**-**) *f* prose; **p~isch** [pro'zaːɪʃ] *adj* prosaic

prosit ['proːzɪt] *excl* cheers

Prospekt [pro'spɛkt] (**-(e)s, -e**) *m* leaflet, brochure

prost [proːst] *excl* cheers

Prostituierte [prostitu'iːrtə] *f* prostitute

Prostitution [prostitutsi'oːn] *f* prostitution

Protein (**-s, -e**) *nt* protein

Protest [pro'tɛst] (**-(e)s, -e**) *m* protest; **~ant(in)** [protɛs'tant(ɪn)] *m(f)* Protestant; **p~antisch** [protɛs'tantɪʃ] *adj* Protestant; **p~ieren** [protɛs'tiːrən] *vi* to protest

Prothese [pro'teːzə] *f* artificial limb; (*Zahn~*) dentures *pl*

Protokoll [proto'kɔl] (**-s, -e**) *nt* register; (*von Sitzung*) minutes *pl*; (*diplomatisch*) protocol; (*Polizei~*) statement; **p~ieren** [-'liːrən] *vt* to take down in the minutes

protzen ['prɔtsən] *vi* to show off

protzig *adj* ostentatious

Proviant [provi'ant] (**-s, -e**) *m* provisions *pl*, supplies *pl*

Provinz [pro'vɪnts] (**-, -en**) *f* province; **p~i'ell** *adj* provincial

Provision [provizi'oːn] *f* (*COMM*) commission

provisorisch [provi'zoːrɪʃ] *adj* provisional

Provokation [provokatsi'oːn] *f* provocation

provozieren [provo'tsiːrən] *vt* to provoke

Prozedur [protse'duːr] *f* procedure; (*pej*) carry-on

Prozent [pro'tsɛnt] (**-(e)s, -e**) *nt* per cent, percentage; **~satz** *m* percentage; **p~ual** [-u'aːl] *adj* percentage *cpd*; as a percentage

Prozeß [pro'tsɛs] (**-sses, -sse**) *m* trial, case

Prozession [protsesi'oːn] *f* procession

prüde ['pryːdə] *adj* prudish; **P~rie** [-'riː] *f* prudery

Prüf- ['pryːf] *zW*: **p~en** *vt* to examine, to test; (*nach~*) to check; **~er** (**-s, -**) *m* examiner; **~ling** *m* examinee; **~ung** *f* examination; checking; **~ungsausschuß** *m* examining board

Prügel ['pryːgəl] (**-s, -**) *m* cudgel ♦ *pl* (*Schläge*) beating; **~ei** [-'laɪ] *f* fight; **p~n** *vt* to beat ♦ *vr* to fight; **~strafe** *f* corporal punishment

Prunk [prʊŋk] (**-(e)s**) *m* pomp, show; **p~voll** *adj* splendid, magnificent

PS [peː'ɛs] *abk* (= *Pferdestärke*) H.P.

Psalm [psalm] (**-s, -en**) *m* psalm

pseudo- ['psɔydo] *in zW* pseudo

pst [pst] *excl* psst!

Psych- ['psyç] *zW*: **~iater** [-i'aːtər] (**-s, -**) *m* psychiatrist; **p~iatrisch** *adj* (*MED*) psychiatric; **p~isch** *adj* psychological; **~oanalyse** [-o'ana'lyːzə] *f* psychoanalysis; **~ologe** [-o'loːgə] (**-n, -n**) *m* psychologist; **~olo'gie** *f* psychology; **p~ologisch** *adj* psychological; **~otherapeut(in)** (**-en, -en**) *m(f)* psychotherapist

Pubertät [pubɛr'tɛːt] *f* puberty

Publikum ['puːblikʊm] (**-s**) *nt* audience; (*SPORT*) crowd

publizieren [publi'tsi:rən] *vt* to publish, to publicize

Pudding ['pʊdɪŋ] (-s, -e *od* -s) *m* blancmange

Pudel ['pu:dəl] (-s, -) *m* poodle

Puder ['pu:dər] (-s, -) *m* powder; **~dose** *f* powder compact; **p~n** *vt* to powder; **~zucker** *m* icing sugar

Puff¹ [pʊf] (-(e)s, -e) *m* (*Wäsche~*) linen basket; (*Sitz~*) pouf

Puff² (-(e)s, ⁼e; *umg*) *m*(*Stoß*) push

Puff³ (-s, -s; *umg*) *m od nt* (*Bordell*) brothel

Puffer (-s, -) *m* buffer; **~speicher** *m* (*COMPUT*) buffer

Pullover [pʊ'lo:vər] (-s, -) *m* pullover, jumper

Puls [pʊls] (-es, -e) *m* pulse; **~ader** *f* artery; **p~ieren** *vi* to throb, to pulsate

Pult [pʊlt] (-(e)s, -e) *nt* desk

Pulver ['pʊlfər] (-s, -) *nt* powder; **p~ig** *adj* powdery; **~schnee** *m* powdery snow

pummelig ['pʊmɔlɪç] *adj* chubby

Pumpe ['pʊmpə] *f* pump; **p~n** *vt* to pump; (*umg*) to lend; to borrow

Punkt [pʊŋkt] (-(e)s, -e) *m* point; (*bei Muster*) dot; (*Satzzeichen*) full stop; **p~ieren** [-'ti:rən] *vt* to dot; (*MED*) to aspirate

pünktlich ['pʏŋktlɪç] *adj* punctual; **P~keit** *f* punctuality

Punktsieg *m* victory on points

Punktzahl *f* score

Punsch [pʊnʃ] (-(e)s, -e) *m* punch

Pupille [pu'pɪlə] *f* pupil

Puppe ['pʊpə] *f* doll; (*Marionette*) puppet; (*Insekten~*) pupa, chrysalis; **~nspieler** *m* puppeteer; **~nstube** *f* doll's house; **~ntheater** *nt* puppet theatre

pur [pu:r] *adj* pure; (*völlig*) sheer; (*Whisky*) neat

Püree [py're:] (-s, -s) *nt* mashed potatoes *pl*

Purzelbaum *m* somersault

purzeln ['pʊrtsəln] *vi* to tumble

Puste ['pu:stə] (-; *umg*) *f* puff; (*fig*) steam; **p~n** *vi* to puff, to blow

Pute ['pu:tə] *f* turkey-hen; **~r** (-s, -) *m* turkey-cock

Putsch [pʊtʃ] (-(e)s, -e) *m* revolt, putsch

Putz [pʊts] (-es) *m* (*Mörtel*) plaster, roughcast

putzen *vt* to clean; (*Nase*) to wipe, to blow ♦ *vr* to clean o.s.; to dress o.s. up

Putz- *zW:* **~frau** *f* charwoman; **p~ig** *adj* quaint, funny; **~lappen** *m* cloth

Puzzle ['pasəl] (-s, -s) *nt* jigsaw

PVC *nt abk* PVC

Pyjama [py'dʒa:ma] (-s, -s) *m* pyjamas *pl*

Pyramide [pyra'mi:də] *f* pyramid

Pyrenäen [pyre'nɛ:ən] *pl* Pyrenees

Q q

Quacksalber ['kvakzalbər] (-s, -) *m* quack (doctor)

Quader ['kva:dər] (-s, -) *m* square stone; (*MATH*) cuboid

Quadrat [kva'dra:t] (-(e)s, -e) *nt* square; **q~isch** *adj* square; **~meter** *m* square metre

quaken ['kva:kən] *vi* to croak; (*Ente*) to quack

quäken ['kvɛ:kən] *vi* to screech

Qual [kva:l] (-, -en) *f* pain, agony; (*seelisch*) anguish

quälen ['kvɛ:lən] *vt* to torment ♦ *vr* to struggle; (*geistig*) to torment o.s.

Quälerei [kvɛlə'raɪ] *f* torture, torment

Qualifikation [kvalifikatsi'o:n] *f* qualification

qualifizieren [kvalifi'tsi:rən] *vt* to qualify; (*einstufen*) to label ♦ *vr* to qualify

Qualität [kvali'tɛ:t] *f* quality; **~sware** *f* article of high quality

Qualle ['kvalə] *f* jellyfish

Qualm [kvalm] (-(e)s) *m* thick smoke; **q~en** *vt, vi* to smoke

qualvoll ['kva:lfɔl] *adj* excruciating, painful, agonizing

Quant- *zW:* **~entheorie** *f* quantum theory; **~ität** [-i'tɛ:t] *f* quantity; **q~itativ** [-ita'ti:f] *adj* quantitative; **~um** (-s) *nt* quantity, amount

Quarantäne [karan'tɛ:nə] *f* quarantine

Quark [kvark] (-s) *m* curd cheese; (*umg*) rubbish

Quartal [kvar'ta:l] (-s, -e) *nt* quarter (year)

Quartier [kvar'ti:r] (-s, -e) *nt* accommodation; (*MIL*) quarters *pl*; (*Stadt~*) district

Quarz [kva:rts] (-es, -e) *m* quartz

quasseln ['kvasəln] (*umg*) *vi* to natter

Quatsch [kvatʃ] (-es) *m* rubbish; **q~en** *vi* to chat, to natter

Quecksilber ['kvɛkzɪlbər] *nt* mercury

Quelle ['kvɛlə] *f* spring; (*eines Flusses*) source; **q~n** (*unreg*) *vi* (*hervor~*) to pour *od* gush forth; (*schwellen*) to swell

quer [kve:r] *adv* crossways, diagonally; (*rechtwinklig*) at right angles; **~ auf dem Bett** across the bed; **Q~balken** *m* crossbeam; **~feldein** *adv* across country; **Q~flöte** *f* flute; **Q~format** *nt* (*PHOT*) oblong format; **Q~schnitt** *m* cross-section; **~schnittsge-**

lähmt *adj* paralysed below the waist; **Q~straße** *f* intersecting road

quetschen ['kvɛtʃən] *vt* to squash, to crush; (*MED*) to bruise

Quetschung *f* bruise, contusion

quieken ['kviːkən] *vi* to squeak

quietschen ['kviːtʃən] *vi* to squeak

Quint- ['kvɪnt] *zW*: **~a** (-, **Quinten**) *f* second year of secondary school; **~essenz** [-ɛsɛnts] *f* quintessence; **~'ett** (-(e)s, -e) *nt* quintet

Quirl [kvɪrl] (-(e)s, -e) *m* whisk

quitt [kvɪt] *adj* quits, even

Quitte *f* quince

quittieren [kvɪ'tiːrən] *vt* to give a receipt for; (*Dienst*) to leave

Quittung *f* receipt

Quiz [kvɪs] (-, -) *nt* quiz

quoll *etc* [kvɔl] *vb siehe* **quellen**

Quote ['kvoːtə] *f* number, rate

R r

Rabatt [ra'bat] (-(e)s, -e) *m* discount

Rabatte *f* flowerbed, border

Rabattmarke *f* trading stamp

Rabe ['raːbə] (-n, -n) *m* raven

rabiat [rabi'aːt] *adj* furious

Rache ['raxə] (-) *f* revenge, vengeance

Rachen (-s, -) *m* throat

rächen ['rɛçən] *vt* to avenge, to revenge ♦ *vr* to take (one's) revenge; **das wird sich ~** you'll pay for that

Rachitis [ra'xiːtɪs] (-) *f* rickets *sg*

Rad [raːt] (-(e)s, -er) *nt* wheel; (*Fahr~*) bike

Radar ['raːdaːr] (-s) *m od nt* radar; **~falle** *f* speed trap; **~kontrolle** *f* radar-controlled speed trap

Radau [ra'dau] (-s; *umg*) *m* row

radebrechen *vi insep*: **deutsch** *etc* **~** to speak broken German *etc*

radeln (*umg*) *vi* to cycle

radfahr- *zW*: **~en** (*unreg*) *vi* to cycle; **R~er(in)** *m(f)* cyclist; **R~weg** *m* cycle track *od* path

Radier- [ra'diːr] *zW*: **r~en** *vt* to rub out, to erase; (*ART*) to etch; **~gummi** *m* rubber, eraser; **~ung** *f* etching

Radieschen [ra'diːsçən] *nt* radish

radikal [radi'kaːl] *adj* radical; **R~e(r)** *mf* radical

Radio ['raːdio] (-s, -s) *nt* radio, wireless; **r~ak'tiv** *adj* radioactive; **~aktivi'tät** *f* radioactivity; **~apparat** *m* radio, wireless set

Radius ['raːdius] (-, **Radien**) *m* radius

Rad- *zW*: **~kappe** *f* (*AUT*) hub cap; **~ler(in)** (*umg*) *m(f)* cyclist; **~rennen** *nt* cycle race; cycle racing; **~sport** *m* cycling

raffen ['rafən] *vt* to snatch, to pick up; (*Stoff*) to gather (up); (*Geld*) to pile up, to rake in

Raffinade [rafi'naːdə] *f* refined sugar

raffi'niert *adj* crafty, cunning

ragen ['raːgən] *vi* to tower, to rise

Rahm [raːm] (-s) *m* cream

Rahmen (-s, -) *m* frame(work); **im ~ des Möglichen** within the bounds of possibility; **r~** *vt* to frame

Rakete [ra'keːtə] *f* rocket; **~nstützpunkt** *m* missile base

rammen ['ramən] *vt* to ram

Rampe ['rampə] *f* ramp; **~nlicht** *nt* (*THEAT*) footlights *pl*

ramponieren [rampo'niːrən] (*umg*) *vt* to damage

Ramsch [ramʃ] (-(e)s, -e) *m* junk

ran [ran] (*umg*) *adv* = **heran**

Rand [rant] (-(e)s, -er) *m* edge; (*von Brille, Tasse etc*) rim; (*Hut~*) brim; (*auf Papier*) margin; (*Schmutz~, unter Augen*) ring; (*fig*) verge, brink; **außer ~ und Band** wild; **am ~e bemerkt** mentioned in passing

randalieren [randa'liːrən] *vi* to (go on the) rampage

Rang [raŋ] (-(e)s, -e) *m* rank; (*Stand*) standing; (*Wert*) quality; (*THEAT*) circle

Rangier- [rãʒiːr] *zW*: **~bahnhof** *m* marshalling yard; **r~en** *vt* (*EISENB*) to shunt, to switch (*US*) ♦ *vi* to rank, to be classed; **~gleis** *nt* siding

Ranke ['raŋkə] *f* tendril, shoot

ranzig ['rantsɪç] *adj* rancid

Rappe ['rapə] (-n, -n) *m* black horse

Rappen ['rapən] *m* (*FIN*) rappen, centime

rar [raːr] *adj* rare; **sich ~ machen** (*umg*) to keep o.s. to o.s.; **R~i'tät** *f* rarity; (*Sammelobjekt*) curio

rasant [ra'zant] *adj* quick, rapid

rasch [raʃ] *adj* quick

rascheln *vi* to rustle

Rasen ['raːzən] (-s, -) *m* lawn; grass

rasen *vi* to rave; (*schnell*) to race; **~d adj** furious; **~de Kopfschmerzen** a splitting headache

Rasenmäher (-s, -) *m* lawnmower

Rasier- [ra'ziːr] *zW*: **~apparat** *m* shaver; **~creme** *f* shaving cream; **r~en** *vt, vr* to shave; **~klinge** *f* razor blade; **~messer** *nt* razor; **~pinsel** *m* shaving brush; **~seife** *f* shaving soap *od* stick; **~wasser** *nt* shaving lotion

Rasse ['rasə] *f* race; (*Tier~*) breed; **~hund** *m* thoroughbred dog

rasseln ['rasəln] *vi* to clatter

Rass- *zW*: **~enhaß** *m* race *od* racial hatred; **~entrennung** *f* racial segregation; **~ismus** [ra'sɪsmʊs] *m* racism

Rast [rast] **(-, -en)** *f* rest; **r~en** *vi* to rest; **~hof** *m* (AUT) service station; **r~los** *adj* tireless; (*unruhig*) restless; **~platz** *m* (AUT) layby; **~stätte** *f* (AUT) service station

Rasur [ra'zu:r] *f* shaving

Rat [ra:t] **(-(e)s, -schläge)** *m* advice *no pl*; **ein ~** a piece of advice; **jdn zu ~e ziehen** to consult sb; **keinen ~ wissen** not to know what to do

Rate *f* instalment

raten (*unreg*) *vt, vi* to guess; (*empfehlen*): **jdm ~** to advise sb

Ratenzahlung *f* hire purchase

Ratgeber (-s, -) *m* adviser

Rathaus *nt* town hall

ratifizieren [ratifi'tsi:rən] *vt* to ratify

Ration [ratsi'o:n] *f* ration; **r~al** [-'na:l] *adj* rational; **r~ali'sieren** *vt* to rationalize; **r~ell** [-'nɛl] *adj* efficient; **r~ieren** [-'ni:rən] *vt* to ration

Rat- *zW*: **r~los** *adj* at a loss, helpless; **r~sam** *adj* advisable; **~schlag** *m* (piece of) advice

Rätsel ['rɛ:tsəl] **(-s, -)** *nt* puzzle; (*Wort~*) riddle; **r~haft** *adj* mysterious; **es ist mir r~haft** it's a mystery to me

Ratte ['ratə] *f* rat; **~nfänger (-s, -)** *m* rat-catcher

rattern ['ratərn] *vi* to rattle, to clatter

Raub [raup] **(-(e)s)** *m* robbery; (*Beute*) loot, booty; **~bau** *m* ruthless exploitation; **r~en** ['raubən] *vt* to rob; (*Mensch*) to kidnap, to abduct

Räuber ['rɔybər] **(-s, -)** *m* robber

Raub- *zW*: **~mord** *m* robbery with murder; **~tier** *nt* predator; **~überfall** *m* robbery with violence; **~vogel** *m* bird of prey

Rauch [raux] **(-(e)s)** *m* smoke; **r~en** *vt, vi* to smoke; **~er(in) (-s, -)** *m(f)* smoker; **~erabteil** *nt* (EISENB) smoker

räuchern ['rɔyçərn] *vt* to smoke, to cure

Rauchfleisch *nt* smoked meat

rauchig *adj* smoky

rauf [rauf] (*umg*) *adv* = **herauf; hinauf**

raufen *vt* (*Haare*) to pull out ♦ *vi, vr* to fight; **Raufe'rei** *f* brawl, fight

rauh [rau] *adj* rough, coarse; (*Wetter*) harsh; **R~reif** *m* hoarfrost

Raum [raum] **(-(e)s, Räume)** *m* space; (*Zimmer, Platz*) room; (*Gebiet*) area

räumen ['rɔymən] *vt* to clear; (*Wohnung, Platz*) to vacate; (*wegbringen*) to shift, to move; (*in Schrank etc*) to put away

Raum- *zW*: **~fähre** *f* space shuttle; **~fahrt** *f* space travel; **~inhalt** *m* cubic capacity, volume

räumlich ['rɔymlɪç] *adj* spatial; **R~keiten** *pl* premises

Raum- *zW*: **~mangel** *m* lack of space;

~pflegerin *f* cleaner; **~schiff** *nt* spaceship; **~schiffahrt** *f* space travel

Räumung ['rɔymʊŋ] *f* vacating, evacuation; clearing (away); **~sverkauf** *m* clearance sale; (*bei Geschäftsaufgabe*) closing down sale

raunen ['raunən] *vt, vi* to whisper

Raupe ['raupə] *f* caterpillar; (*~nkette*) (caterpillar) track; **~nschlepper** *m* caterpillar tractor

raus [raus] (*umg*) *adv* = **heraus; hinaus**

Rausch [rauʃ] **(-(e)s, Räusche)** *m* intoxication

rauschen *vi* (*Wasser*) to rush; (*Baum*) to rustle; (*Radio etc*) to hiss; (*Mensch*) to sweep, to sail; **~d** *adj* (*Beifall*) thunderous; (*Fest*) sumptuous

Rauschgift *nt* drug; **~süchtige(r)** *mf* drug addict

räuspern ['rɔyspərn] *vr* to clear one's throat

Razzia ['ratsia] **(-, Razzien)** *f* raid

Reagenzglas [rea'gɛntsgla:s] *nt* test tube

reagieren [rea'gi:rən] *vi*: **~ (auf +akk)** to react (to)

Reakt- *zW*: **~ion** [reaktsi'o:n] *f* reaction; **r~io'när** *adj* reactionary; **~or** [re'aktɔr] *m* reactor

real [re'a:l] *adj* real, material

realisieren *vt* (*verwirklichen: Pläne*) to carry out

Realismus [rea'lɪsmʊs] *m* realism

realistisch *adj* realistic;

Realschule *f* secondary school

Rebe ['re:bə] *f* vine

rebellieren *vi* to rebel; **Rebellion** *f* rebellion; **rebellisch** *adj* rebellious

Rebhuhn ['rɛphu:n] *nt* (KOCH, ZOOL) partridge

Rechen ['rɛçən] **(-s, -)** *m* rake; **r~** *vt, vi* to rake

Rechen- *zW*: **~fehler** *m* miscalculation; **~maschine** *f* calculating machine; **~schaft** *f* account; **für etw ~schaft ablegen** to account for sth; **~schieber** *m* slide rule

Rech- ['rɛç] *zW*: **r~nen** *vt, vi* to calculate; **jdn/etw r~nen zu** to count sb/sth among; **r~nen mit** to reckon with; **r~nen auf +akk** to count on; **~nen** *nt* arithmetic; **~ner (-s, -)** *m* calculator; (COMPUT) computer; **~nung** *f* calculation(s); (COMM) bill, check (US); **jdm/etw ~nung tragen** to take sb/sth into account; **~nungsjahr** *nt* financial year; **~nungsprüfer** *m* auditor

Recht [rɛçt] **(-(e)s, -e)** *nt* right; (JUR) law; **mit ~** rightly, justly; **von ~s wegen** by rights

recht *adj* right ♦ *adv* (*vor Adjektiv*) really, quite; **das ist mir ~** that suits me; **jetzt erst ~** now more than ever; **~ haben** to be right; **jdm ~ geben** to agree with sb

Rechte f right (hand); (*POL*) Right; **r~(r, s)** adj right; (*POL*) right-wing; **ein ~r** a right-winger; **~(s)** nt right thing; **etwas/nichts ~s** something/nothing proper

recht- zW: **~eckig** adj rectangular; **~fertigen** vt insep to justify ♦ vr insep to justify o.s.; **R~fertigung** f justification

rechthaberisch (pej) adj (Mensch) opinionated

rechtlich adj (gesetzlich: Gleichstellung, Anspruch) legal

rechtlos adj with no rights

rechtmäßig adj legal, lawful

rechts [rɛçts] adv on/to the right; **R~anwalt** m lawyer, barrister; **R~anwältin** f lawyer, barrister

rechtschaffen adj upright

Rechtschreibung f spelling

Rechts- zW: **~fall** m (law) case; **~händer** (-s, -) m right-handed person; **r~kräftig** adj valid, legal; **~kurve** f right-hand bend; **r~verbindlich** adj legally binding; **~verkehr** m driving on the right; **r~widrig** adj illegal; **~wissenschaft** f jurisprudence

rechtwinklig adj right-angled

rechtzeitig adj timely ♦ adv in time

Reck [rɛk] (-(e)s, -e) nt horizontal bar; **r~en** vt, vr to stretch

Redakteur [redak'tøːr] m editor

Redaktion [redaktsi'oːn] f editing; (*Leute*) editorial staff; (*Büro*) editorial office(s)

Rede ['reːdə] f speech; (*Gespräch*) talk; **jdn zur ~ stellen** to take sb to task; **~freiheit** f freedom of speech; **r~gewandt** adj eloquent; **r~n** vi to talk, to speak ♦ vt to say; (*Unsinn etc*) to talk; **~nsart** f set phrase; **~wendung** f expression, idiom

redlich adj honest

Redner (-s, -) m speaker, orator

redselig adj talkative, loquacious

reduzieren [redu'tsiːrən] vt to reduce

Reede ['reːdə] f protected anchorage; **~r** (-s, -) m shipowner; **~rei** f shipping line od firm

reell [re'ɛl] adj fair, honest; (*MATH*) real

Refer- zW: **~at** [refe'raːt] (-(e)s, -e) nt report; (*Vortrag*) paper; (*Gebiet*) section; **~ent** [refe'rɛnt] m speaker; (*Berichterstatter*) reporter; (*Sachbearbeiter*) expert; **r~ieren** [refe'riːrən] vi: **r~ieren über** +akk to speak od talk on

reflektieren [reflɛk'tiːrən] vt (Licht) to reflect

Reflex [re'flɛks] (-es, -e) m reflex; **r~iv** [-'ksiːf] adj (*GRAM*) reflexive

Reform [re'fɔrm] (-, -en) f reform; **~ation** f reformation; **~haus** nt health food shop; **r~ieren** [-'miːrən] vt to reform

Regal [re'gaːl] (-s, -e) nt (book)shelves pl, bookcase; stand, rack

rege ['reːgə] adj (lebhaft: Treiben) lively; (wach, lebendig: Geist) keen

Regel ['reːgəl] (-, -n) f rule; (*MED*) period; **r~mäßig** adj regular; **~mäßigkeit** f regularity; **r~n** vt to regulate, to control; (*Angelegenheit*) to settle ♦ vr: **sich von selbst r~n** to take care of itself; **r~recht** adj regular, proper, thorough; **~ung** f regulation; settlement; **r~widrig** adj irregular, against the rules

Regen ['reːgən] (-s, -) m rain; **~bogen** m rainbow; **~bogenpresse** f tabloids pl

regenerierbar adj renewable

Regen- zW: **~mantel** m raincoat, mac(kintosh); **~schauer** m shower (of rain); **~schirm** m umbrella; **~wald** m (*GEOG*) rainforest; **~wurm** m earthworm; **~zeit** f rainy season

Regie [re'ʒiː] f (Film etc) direction; (*THEAT*) production

Regier- [re'giːr] zW: **r~en** vt, vi to govern, to rule; **~ung** f government; (*Monarchie*) reign; **~ungswechsel** m change of government; **~ungszeit** f period in government; (von König) reign

Regiment [regi'mɛnt] (-s, -er) nt regiment

Region [regi'oːn] f region

Regisseur [reʒi'søːr] m director; (*THEAT*) (stage) producer

Register [re'gɪstər] (-s, -) nt register; (in Buch) table of contents, index

registrieren [regɪs'triːrən] vt to register

Regler ['reːglər] (-s, -) m regulator, governor

reglos ['reːkloːs] adj motionless

regnen vi unpers to rain

regnerisch adj rainy

regulär [regu'lɛːr] adj regular

regulieren [regu'liːrən] vt to regulate; (*COMM*) to settle

Regung ['reːgʊŋ] f motion; (*Gefühl*) feeling, impulse; **r~slos** adj motionless

Reh [reː] (-(e)s, -e) nt deer, roe; **~bock** m roebuck; **~kitz** nt fawn

Reib- ['raɪb] zW: **~e** f grater; **~eisen** nt grater; **r~en** (unreg) vt to rub; (*KOCH*) to grate; **~fläche** f rough surface; **~ung** f friction; **r~ungslos** adj smooth

Reich [raɪç] (-(e)s, -e) nt empire, kingdom; (fig) realm; **das Dritte ~** the Third Reich

reich adj rich

reichen vi to reach; (genügen) to be enough od sufficient ♦ vt to hold out; (geben) to pass, to hand; (anbieten) to offer; **jdm ~** to be enough od sufficient for sb

reich- zW: **~haltig** adj ample, rich; **~lich** adj ample, plenty of; **R~tum** (-s) m wealth; **R~weite** f range

reif [raɪf] adj ripe; (Mensch, Urteil) mature

Reif (-(e)s, -e) m (Ring) ring, hoop

Reife (-) f ripeness; maturity; **r~n** vi to mature; to ripen

Reifen (-s, -) m ring, hoop; (Fahrzeug~)

tyre; **~druck** *m* tyre pressure; **~panne** *f* puncture

Reihe ['raɪə] *f* row; (*von Tagen etc, umg:* *Anzahl*) series *sg*; **der ~ nach** in turn; **er ist an der ~** it's his turn; **an die ~ kommen** to have one's turn; **~nfolge** *f* sequence; **alphabetische ~nfolge** alphabetical order; **~nhaus** *nt* terraced house

Reiher (**-s**, **-**) *m* (ZOOL) heron

reihum [raɪ''ʊm] *adv:* **es geht/wir machen das ~** we take turns

Reim [raɪm] (**-(e)s**, **-e**) *m* rhyme; **r~en** *vt* to rhyme

rein[1] [raɪn] (*umg*) *adv* = **herein**; **hinein**

rein[2] *adj* pure; (*sauber*) clean ♦ *adv* purely; **etw ins ~ schreiben** to make a fair copy of sth; **etw ins ~ bringen** to clear up sth; **R~fall** (*umg*) *m* let-down; **R~gewinn** *m* net profit; **R~heit** *f* purity; cleanness; **~igen** *vt* to clean; (*Wasser*) to purify; **R~igung** *f* cleaning; purification; (*Geschäft*) cleaners; **chemische R~igung** dry cleaning; dry cleaners; **~rassig** *adj* pedigree; **R~schrift** *f* fair copy

Reis [raɪs] (**-es**, **-e**) *m* rice

Reise ['raɪzə] *f* journey; (*Schiffs~*) voyage; **~n** *pl* (*Herum~*) travels; **gute ~!** have a good journey; **~andenken** *nt* souvenir; **~büro** *nt* travel agency; **r~fertig** *adj* ready to start; **~führer** *m* guide(book); (*Mensch*) travel guide; **~gepäck** *nt* luggage; **~gesellschaft** *f* party of travellers; **~kosten** *pl* travelling expenses; **~leiter** *m* courier; **~lektüre** *f* reading matter for the journey; **r~n** *vi* to travel; **r~n nach** to go to; **~nde(r)** *mf* traveller; **~paß** *m* passport; **~proviant** *m* food and drink for the journey; **~route** *f* route; itinerary; **~scheck** *m* traveller's cheque; **~ziel** *nt* destination

reißen ['raɪsən] (*unreg*) *vt* to tear; (*ziehen*) to pull, to drag; (*Witz*) to crack ♦ *vi* to tear; to pull, to drag; **etw an sich ~** to snatch sth up; (*fig*) to take over sth; **sich um etw ~** to scramble for sth

reißend *adj* (*Fluß*) raging; (*WIRTS: Verkauf*) rapid

Reißnagel *m* drawing pin (BRIT), thumbtack (US)

Reißverschluß *m* zip(per), zip fastener

Reit- ['raɪt] *zW:* **r~en** (*unreg*) *vt, vi* to ride; **~er** (**-s**, **-**) *m* rider; (MIL) cavalryman, trooper; **~erin** *f* rider; **~hose** *f* riding breeches *pl*; **~pferd** *nt* saddle horse; **~stiefel** *m* riding boot; **~weg** *m* bridle path; **~zeug** *nt* riding outfit

Reiz [raɪts] (**-es**, **-e**) *m* stimulus; (*angenehm*) charm; (*Verlockung*) attraction; **r~bar** *adj* irritable; **~barkeit** *f* irritability; **r~en** *vt* to stimulate; (*unangenehm*) to irritate; (*verlocken*) to appeal to, to attract; **r~end** *adj* charming; **r~voll** *adj* attractive

rekeln ['re:kəln] *vr* to stretch out;

(*lümmeln*) to lounge *od* loll about

Reklamation [reklamatsi'o:n] *f* complaint

Reklame [re'kla:mə] *f* advertising; advertisement; **~ machen für etw** to advertise sth

rekonstruieren [rekɔnstru'i:rən] *vt* to reconstruct

Rekord [re'kɔrt] (**-(e)s**, **-e**) *m* record; **~leistung** *f* record performance

Rektor ['rɛktɔr] *m* (UNIV) rector, vice-chancellor; (SCH) headteacher (BRIT), principal (US); **~at** [-'ra:t] (**-(e)s**, **-e**) *nt* rectorate, vice-chancellorship; headship; (*Zimmer*) rector's *etc* office

Relais [rə'le:] (**-**, **-**) *nt* relay

relativ [rela'ti:f] *adj* relative; **R~ität** [relativi'tɛːt] *f* relativity

relevant [rele'vant] *adj* relevant

Relief [reli'ɛf] (**-s**, **-s**) *nt* relief

Religion [religi'o:n] *f* religion

religiös [religi'øːs] *adj* religious

Reling ['re:lɪŋ] (**-**, **-s**) *f* (NAUT) rail

Remoulade [remu'la:də] *f* remoulade

Rendezvous [rãde'vu:] (**-**, **-**) *nt* rendezvous

Renn- ['rɛn] *zW:* **~bahn** *f* racecourse; (AUT) circuit, race track; **r~en** (*unreg*) *vt, vi* to run, to race; **~en** (**-s**, **-**) *nt* running; (*Wettbewerb*) race; **~fahrer** *m* racing driver; **~pferd** *nt* racehorse; **~wagen** *m* racing car

renommiert [reno'mi:rt] *adj* renowned

renovieren [reno'vi:rən] *vt* to renovate

Renovierung *f* renovation

rentabel [rɛn'ta:bəl] *adj* profitable, lucrative

Rentabilität [rɛntabili'tɛːt] *f* profitability

Rente ['rɛntə] *f* pension

Rentier ['rɛnti:r] *nt* reindeer

rentieren [rɛn'ti:rən] *vr* to pay, to be profitable

Rentner(in) ['rɛntnər(ɪn)] (**-s**, **-**) *m(f)* pensioner

Reparatur [repara'tu:r] *f* repairing; repair; **~werkstatt** *f* repair shop; (AUT) garage

reparieren [repa'ri:rən] *vt* to repair

Reportage [repɔr'ta:ʒə] *f* (on-the-spot) report; (TV, RADIO) live commentary *od* coverage

Reporter [re'pɔrtər] (**-s**, **-**) *m* reporter, commentator

repräsentativ [reprɛzɛnta'ti:f] *adj* (*stellvertretend, typisch: Menge, Gruppe*) representative; (*beeindruckend: Haus, Auto etc*) impressive

repräsentieren [reprɛzɛn'ti:rən] *vt* (*Staat, Firma*) to represent; (*darstellen: Wert*) to constitute ♦ *vi* (*gesellschaftlich*) to perform official duties

Repressalie [reprɛ'sa:li:] *f* reprisal

Reprivatisierung [reprivati'zi:rʊŋ] *f* denationalisation

Reproduktion [reprodʊktsi'o:n] *f* reproduction

reproduzieren [reprodu'tsi:rən] *vt* to re-

produce
Reptil [rɛp'tiːl] (**-s, -ien**) *nt* reptile
Republik [repu'bliːk] *f* republic; **r~anisch** [-'kaːnɪʃ] *adj* republican
Reservat [rezɛr'vaːt] (**-(e)s, -e**) *nt* reservation
Reserve [re'zɛrvə] *f* reserve; **~rad** *nt* (*AUT*) spare wheel; **~spieler** *m* reserve; **~tank** *m* reserve tank
reservieren [rezɛr'viːrən] *vt* to reserve
Reservoir [rezɛrvo'aːr] (**-s, -e**) *nt* reservoir
Residenz [rezi'dɛnts] *f* residence, seat
resignieren [rezi'gniːrən] *vi* to resign
resolut [rezo'luːt] *adj* resolute
Resonanz [rezo'nants] *f* resonance; (*fig*) response
Resopal [rezo'paːl] (®; **-s**) *nt* Formica (®)
Resozialisierung [rezotsiali'ziːrʊŋ] *f* rehabilitation
Respekt [re'spɛkt] (**-(e)s**) *m* respect; **r~ieren** [-'tiːrən] *vt* to respect; **r~los** *adj* disrespectful; **r~voll** *adj* respectful
Ressort [re'soːr] (**-s, -s**) *nt* department
Rest [rɛst] (**-(e)s, -e**) *m* remainder, rest; (*Über~*) remains *pl*
Restaurant [rɛsto'rãː] (**-s, -s**) *nt* restaurant
restaurieren [rɛstau'riːrən] *vt* to restore
Rest- *zW:* **~betrag** *m* remainder, outstanding sum; **r~lich** *adj* remaining; **r~los** *adj* complete
Resultat [rezʊl'taːt] (**-(e)s, -e**) *nt* result
Retorte [re'tɔrtə] *f* retort
Retouren [re'tuːrən] *pl* (*COMM*) returns
retten ['rɛtən] *vt* to save, to rescue
Retter(in) *m(f)* rescuer
Rettich ['rɛtɪç] (**-s, -e**) *m* radish
Rettung *f* rescue; (*Hilfe*) help; **seine letzte ~** his last hope
Rettungs- *zW:* **~boot** *nt* lifeboat; **r~los** *adj* hopeless; **~ring** *m* lifebelt, life preserver (*US*); **~wagen** *m* ambulance
retuschieren [retu'ʃiːrən] *vt* (*PHOT*) to retouch
Reue ['rɔʏə] (**-**) *f* remorse; (*Bedauern*) regret; **r~n** *vt*: **es reut ihn** he regrets it *od* is sorry about it
reuig ['rɔʏɪç] *adj* penitent
Revanche [re'vãːʃə] *f* revenge; (*SPORT*) return match
revanchieren [revã'ʃiːrən] *vr* (*sich rächen*) to get one's own back, to have one's revenge; (*erwidern*) to reciprocate, to return the compliment
Revier [re'viːr] (**-s, -e**) *nt* district; (*Jagd~*) preserve; (*Polizei~*) police station; beat
Revolte [re'vɔltə] *f* revolt
revoltieren *vi* (*gegen jdn/etw*) to rebel
Revolution [revolutsi'oːn] *f* revolution; **~är** [-'nɛːr] (**-s, -e**) *m* revolutionary; **r~ieren** [-'niːrən] *vt* to revolutionize
Revolver [re'vɔlvər] (**-s, -**) *m* revolver
Rezept [re'tsɛpt] (**-(e)s, -e**) *nt* recipe; (*MED*)

prescription; **r~frei** *adj* available without prescription
Rezeption [retsɛptsi'oːn] *f* reception
rezeptflichtig *adj* available only on prescription
rezitieren [retsi'tiːrən] *vt* to recite
R-Gespräch ['ɛrgəʃprɛːç] *nt* reverse charge call (*BRIT*), collect call (*US*)
Rhabarber [ra'barbər] (**-s**) *m* rhubarb
Rhein [raɪn] (**-s**) *m* Rhine; **r~isch** *adj* Rhenish
Rheinland-Pfalz *nt* (*GEOG*) Rheinland-Pfalz, Rhineland-Palatinate
Rhesusfaktor ['reːzusfaktoːr] *m* rhesus factor
rhetorisch [re'toːrɪʃ] *adj* rhetorical
Rheuma ['rɔʏma] (**-s**) *nt* rheumatism; **r~tisch** *adj* rheumatic; **~tismus** [-'tɪsmus] *m* rheumatism
Rhinozeros [ri'noːtserɔs] (**- *od* -ses, -se**) *nt* rhinoceros
rhythmisch ['rʏtmɪʃ] *adj* rhythmical
Rhythmus ['rʏtmus] *m* rhythm
richt- ['rɪçt] *zW:* **~en** *vt* to direct; (*Waffe*) to aim; (*einstellen*) to adjust; (*instand setzen*) to repair; (*zurechtmachen*) to prepare; (*bestrafen*) to pass judgement on ♦ *vr*: **sich ~en nach** to go by; **~en an** +*akk* to direct at; (*fig*) to direct to; **~en auf** +*akk* to aim at; **R~er(in)** (**-s, -**) *m(f)* judge; **~erlich** *adj* judicial
richtig *adj* right, correct; (*echt*) proper ♦ *adv* (*umg: sehr*) really; **bin ich hier ~?** am I in the right place?; **der/die R~e** the right one/person; **das R~e** the right thing; **R~keit** *f* correctness
Richtpreis *m* recommended price
Richtung *f* direction; tendency, orientation
rieb *etc* [riːp] *vb siehe* **reiben**
riechen ['riːçən] (*unreg*) *vt, vi* to smell; **an etw** *dat* ~ to smell sth; **nach etw** ~ to smell of sth; **ich kann das/ihn nicht ~** (*umg*) I can't stand it/him
rief *etc* [riːf] *vb siehe* **rufen**
Riegel ['riːgəl] (**-s, -**) *m* bolt; (*Schokolade usw*) bar
Riemen ['riːmən] (**-s, -**) *m* strap; (*Gürtel, TECH*) belt; (*NAUT*) oar
Riese ['riːzə] (**-n, -n**) *m* giant
rieseln *vi* to trickle; (*Schnee*) to fall gently
Riesenerfolg *m* enormous success
riesengroß *adj* colossal, gigantic, huge
Riesenrad *nt* big wheel
riesig ['riːzɪç] *adj* enormous, huge, vast
riet *etc* [riːt] *vb siehe* **raten**
Riff [rɪf] (**-(e)s, -e**) *nt* reef
Rille ['rɪlə] *f* groove
Rind [rɪnt] (**-(e)s, -er**) *nt* ox; cow; cattle *pl*; (*KOCH*) beef
Rinde ['rɪndə] *f* rind; (*Baum~*) bark; (*Brot~*) crust
Rindfleisch *nt* beef

Rindvieh *nt* cattle *pl*; *(umg)* blockhead, stupid oaf

Ring [rɪŋ] (-(e)s, -e) *m* ring; **~buch** *nt* ring binder; **~elnatter** *f* grass snake; **r~en** *(unreg) vi* to wrestle; **~en** (-s) *nt* wrestling; **~finger** *m* ring finger; **~kampf** *m* wrestling bout; **~richter** *m* referee; **r~s** *adv*: **r~s um** round; **r~sherum** *adv* round about; **~straße** *f* ring road; **r~sum** *adv (rundherum)* round about; *(überall)* all round; **r~sum'her = r~sum**

Rinn- [rɪn] *zW*: **~e** *f* gutter, drain; **r~en** *(unreg) vi* to run, to trickle; **~stein** *m* gutter

Rippchen [ˈrɪpçən] *nt* small rib; cutlet

Rippe [ˈrɪpə] *f* rib; **~nfellentzündung** *f* pleurisy

Risiko [ˈriːziko] (-s, -s *od* Risiken) *nt* risk

riskant [rɪsˈkant] *adj* risky, hazardous

riskieren [rɪsˈkiːrən] *vt* to risk

Riß [rɪs] (-sses, -sse) *m* tear; *(in Mauer, Tasse etc)* crack; *(in Haut)* scratch; *(TECH)* design

rissig [ˈrɪsɪç] *adj* torn; cracked; scratched

Ritt [rɪt] (-(e)s, -e) *m* ride

ritt *etc vb siehe* **reiten**

Ritter (-s, -) *m* knight; **r~lich** *adj* chivalrous

Ritze [ˈrɪtsə] *f* crack, chink

Rivale [riˈvaːlə] (-n, -n) *m* rival

Rivalität [rivaliˈtɛːt] *f* rivalry

Riviera *f*: **die ~** the Riviera

Robbe [ˈrɔbə] *f* seal

Roboter [ˈrɔbɔtər] (-s, -) *m* robot

robust [roˈbʊst] *adj (kräftig: Mensch, Gesundheit)* robust

roch *etc* [rɔx] *vb siehe* **riechen**

Rock [rɔk] (-(e)s, ⁀e) *m* skirt; *(Jackett)* jacket; *(Uniform~)* tunic

Rodel [ˈroːdəl] (-s, -) *m* toboggan; **~bahn** *f* toboggan run; **r~n** *vi* to toboggan

roden [ˈroːdən] *vt, vi* to clear

Rogen [ˈroːgən] (-s, -) *m* roe, spawn

Roggen [ˈrɔgən] (-s, -) *m* rye

Roggenbrot *nt (KOCH)* rye bread

roh [roː] *adj* raw; *(Mensch)* coarse, crude; **R~bau** *m* shell of a building; **R~material** *nt* raw material; **R~öl** *nt* crude oil

Rohr [roːr] (-(e)s, -e) *nt* pipe, tube; *(BOT)* cane; *(Schilf)* reed; *(Gewehr~)* barrel; **~bruch** *m* burst pipe

Röhre [ˈrøːrə] *f* tube, pipe; *(RADIO etc)* valve; *(Back~)* oven

Rohr- *zW*: **~leitung** *f* pipeline; **~post** *f* pneumatic postal system; **~zucker** *m* cane sugar

Rohstoff *m* raw material

Rokoko [ˈrɔkoko] (-s) *nt* rococo

Roll- [ˈrɔl] *zW*: **Rol(l)aden** *m* shutter; **~bahn** *f (AVIAT)* runway

Rolle [ˈrɔlə] *f* roll; *(THEAT, soziologisch)* role; *(Garn~ etc)* reel, spool; *(Walze)* roller;

(Wäsche~) mangle; **keine ~ spielen** not to matter; **eine (wichtige) ~ spielen bei** to play a (major) part *od* role in; **r~n** *vt, vi* to roll; *(AVIAT)* to taxi; **~r** (-s, -) *m* scooter; *(Welle)* roller

Roll- *zW*: **~kragen** *m* rollneck, polo neck; **~laden** *m* shutter; **~mops** *m* pickled herring; **~schuh** *m* roller skate; **~stuhl** *m* wheelchair; **~treppe** *f* escalator

Rom [roːm] (-s) *nt* Rome

Roman [roˈmaːn] (-s, -e) *m* novel; **~tik** *f* romanticism; **~tiker** [roˈmantɪkər] (-s, -) *m* romanticist; **r~tisch** [roˈmantɪʃ] *adj* romantic; **~ze** [roˈmantsə] *f* romance

Römer [ˈrøːmər] (-s, -) *m* wineglass; *(Mensch)* Roman

römisch *adj* Roman; **~-katholisch** *adj (REL)* Roman Catholic

röntgen [ˈrœntgən] *vt* to X-ray; **R~bild** *nt* X-ray; **R~strahlen** *pl* X-rays

rosa [ˈroːza] *adj inv* pink, rose(-coloured)

Rose [ˈroːzə] *f* rose; **~nkohl** *m* Brussels sprouts *pl*; **~nkranz** *m* rosary; **~nmontag** *m* Monday before Ash Wednesday

rosig [ˈroːzɪç] *adj* rosy

Rosine [roˈziːnə] *f* raisin, currant

Rosmarin [ˈrɔsmariːn] (-s) *m (BOT, KOCH)* rosemary

Roß [rɔs] (-sses, -sse) *nt* horse, steed; **~kastanie** *f* horse chestnut

Rost [rɔst] (-(e)s, -e) *m* rust; *(Gitter)* grill, gridiron; *(Bett~)* springs *pl*

Rostbraten *m* roast(ed) meat, joint

rosten *vi* to rust

rösten [ˈrøːstən] *vt* to roast; to toast; to grill

Rost- *zW*: **r~frei** *adj* rust-free; rustproof; stainless; **r~ig** *adj* rusty; **~schutz** *m* rustproofing

rot [roːt] *adj* red; **in den ~en Zahlen** in the red; **das R~e Meer** the Red Sea

Röte [ˈrøːtə] (-) *f* redness; **~ln** *pl* German measles *sg*; **r~n** *vt, vr* to redden

rothaarig *adj* red-haired

rotieren [roˈtiːrən] *vi* to rotate

Rot- *zW*: **~kehlchen** *nt* robin; **~stift** *m* red pencil; **~wein** *m* red wine

Rouge [ruːʒ] *nt* blusher

Roulade [ruˈlaːdə] *f (KOCH)* beef olive

Route [ˈruːtə] *f* route

Routine [ruˈtiːnə] *f* experience; routine

Rübe [ˈryːbə] *f* turnip; **gelbe ~** carrot; **rote ~** beetroot *(BRIT)*, beet *(US)*

rüber [ˈryːbər] *(umg) adv* = **herüber; hinüber**

Rubin [ruˈbiːn] (-s, -e) *m* ruby

Rubrik [ruˈbriːk] *f* heading; *(Spalte)* column

Ruck [rʊk] (-(e)s, -e) *m* jerk, jolt

Rück- [ˈrʏk] *zW*: **~antwort** *f* reply, answer; **r~bezüglich** *adj* reflexive

Rücken [ˈrʏkən] (-s, -) *m* back; *(Berg~)* ridge

rücken vt, vi to move
Rücken- zW: **~mark** nt spinal cord; **~schwimmen** nt backstroke
Rück- zW: **~erstattung** f return, restitution; **~fahrkarte** f return (ticket); **~fahrt** f return journey; **~fall** m relapse; **r~fällig** adj relapsing; **r~fällig werden** to relapse; **~flug** m return flight; **~frage** f question; **r~fragen** vi to check, to inquire (further); **~gabe** f return; **~gang** m decline, fall; **r~gängig** adj: **etw r~gängig machen** to cancel sth; **~grat** (-(e)s, -e) nt spine, backbone; **~halt** m (Unterstützung) backing, support; **~kehr** (-, -en) f return; **~licht** nt back light; **r~lings** adv from behind; backwards; **~nahme** f taking back; **~porto** nt return postage; **~reise** f return journey; (NAUT) home voyage; **~ruf** m recall

Rucksack ['rʊkzak] m rucksack
Rück- zW: **~schau** f reflection; **~schlag** m (plötzliche Verschlechterung) setback; **~schluß** m conclusion; **~schritt** m retrogression; **r~schrittlich** adj reactionary; retrograde; **~seite** f back; (von Münze etc) reverse; **~sicht** f consideration; **~sicht nehmen auf** +akk to show consideration for; **r~sichtslos** adj inconsiderate; (Fahren) reckless; (unbarmherzig) ruthless; **r~sichtsvoll** adj considerate; **~sitz** m back seat; **~spiegel** m (AUT) rear-view mirror; **~spiel** nt return match; **~sprache** f further discussion od talk; **~stand** m arrears pl; **r~ständig** adj backward, out-of-date; (Zahlungen) in arrears; **~strahler** (-s, -) m rear reflector; **~tritt** m resignation; **~trittbremse** f pedal brake; **~vergütung** f repayment; (COMM) refund; **~versicherung** f reinsurance; **r~wärtig** adj rear; **r~wärts** adv backward(s), back; **~wärtsgang** m (AUT) reverse gear; **~weg** m return journey, way back; **r~wirkend** adj retroactive; **~wirkung** f reaction; retrospective effect; **~zahlung** f repayment; **~zug** m retreat

Rudel ['ru:dəl] (-s, -) nt pack; herd
Ruder ['ru:dər] (-s, -) nt oar; (Steuer) rudder; **~boot** nt rowing boat; **r~n** vt, vi to row
Ruf [ru:f] (-(e)s, -e) m call, cry; (Ansehen) reputation; **r~en** (unreg) vt, vi to call; to cry; **~name** m usual (first) name; **~nummer** f (tele)phone number; **~säule** f (an Autobahn) emergency telephone; **~zeichen** nt (RADIO) call sign; (TEL) ringing tone
rügen vt to rebuke
Ruhe ['ru:ə] (-) f rest; (Ungestörtheit) peace, quiet; (Gelassenheit, Stille) calm; (Schweigen) silence; **jdn in ~ lassen** to leave sb alone; **sich zur ~ setzen** to retire; **~!** be quiet!, silence!; **r~n** vi to rest; **~pause** f break; **~stand** m retirement; **~stätte** f: **letzte ~stätte** final resting place;

~störung f breach of the peace; **~tag** m (von Geschäft) closing day
ruhig ['ru:ɪç] adj quiet; (bewegungslos) still; (Hand) steady; (gelassen, friedlich) calm; (Gewissen) clear; **kommen Sie ~ herein** just come on in; **tu das ~** feel free to do that
Ruhm [ru:m] (-(e)s) m fame, glory
rühmen ['ry:mən] vt to praise ♦ vr to boast
Ruhr [ru:r] (-) f dysentery
Rühr- ['ry:r] zW: **~ei** nt scrambled egg; **r~en** vt, vr (auch fig) to move, to stir ♦ vi: **r~en von** to come od stem from; **r~en an** +akk to touch; (fig) to touch on; **r~end** adj touching, moving; **r~ig** adj active, lively; **r~selig** adj sentimental, emotional; **~ung** f emotion
Ruin [ru'i:n] (-s, -e) m ruin; **~e** f ruin; **r~ieren** vt to ruin
rülpsen ['rʏlpsən] vi to burp, to belch
Rum [rʊm] (-s, -s) m rum
Rumän- [ru'mɛ:n] zW: **~e** (-n, -n) m Ro(u)manian; **~ien** (-s) nt Ro(u)mania; **~in** f Ro(u)manian; **r~isch** adj Ro(u)manian
Rummel ['rʊməl] (-s; umg) m hubbub; (Jahrmarkt) fair; **~platz** m fairground, fair
Rumpf [rʊmpf] (-(e)s, ⁼e) m trunk, torso; (AVIAT) fuselage; (NAUT) hull
rümpfen ['rʏmpfən] vt (Nase) to turn up
rund [rʊnt] adj round ♦ adv (etwa) around; **~ um etw** round sth; **R~brief** m circular; **R~e** f round; (in Rennen) lap; (Gesellschaft) circle; **R~fahrt** f (round) trip
Rundfunk ['rʊntfʊŋk] (-(e)s) m broadcasting; **im ~** on the radio; **~gerät** nt wireless set; **~sendung** f broadcast, radio programme
Rund- zW: **r~heraus** adv straight out, bluntly; **r~herum** adv round about; all round; **r~lich** adj plump, rounded; **~reise** f round trip; **~schreiben** nt (COMM) circular; **~(wander)weg** m circular path od route
runter ['rʊntər] (umg) adv = herunter; hinunter
Runzel ['rʊntsəl] (-, -n) f wrinkle; **r~ig** adj wrinkled; **r~n** vt to wrinkle; **die Stirn r~n** to frown
Rupfen ['rʊpfən] (-s, -) m sackcloth
rupfen vt to pluck
ruppig ['rʊpɪç] adj rough, gruff
Rüsche ['ry:ʃə] f frill
Ruß [ru:s] (-es) m soot
Russe ['rʊsə] (-n, -n) m Russian
Rüssel ['rʏsəl] (-s, -) m snout; (Elefanten~) trunk
rußig ['ru:sɪç] adj sooty
Russin ['rʊsɪn] f Russian
russisch adj Russian
Rußland ['rʊslant] (-s) nt Russia
rüsten ['rʏstən] vt to prepare ♦ vi to pre-

pare; (MIL) to arm ♦ vr to prepare (o.s.); to arm o.s.

rüstig ['rʏstɪç] *adj* sprightly, vigorous

Rüstung ['rʏstʊŋ] *f* preparation; arming; (Ritter~) armour; (Waffen etc) armaments *pl*; ~**skontrolle** *f* arms control

Rute ['ruːtə] *f* rod

Rutsch [rʊtʃ] (-(e)s, -e) *m* slide; (Erd~) landslide; ~**bahn** *f* slide; **r~en** *vi* to slide; (ausrutschen) to slip; **r~ig** *adj* slippery

rütteln ['rʏtəln] *vt, vi* to shake, to jolt

S s

S. *abk* (= Seite) p.; = **Schilling**

s. *abk* (= siehe) see

Saal [zaːl] (-(e)s, **Säle**) *m* hall; room

Saarland ['zaːrlant] *nt*: **das ~** the Saar(land)

Saat [zaːt] (-, -en) *f* seed; (Pflanzen) crop; (Säen) sowing

Säbel ['zɛːbəl] (-s, -) *m* sabre, sword

Sabotage [zabo'taːʒə] *f* sabotage

Sach- ['zax] *zW*: ~**bearbeiter** *m* specialist; **s~dienlich** *adj* relevant, helpful; ~**e** *f* thing; (Angelegenheit) affair, business; (Frage) matter; (Pflicht) task; **zur ~e** to the point; **s~kundig** *adj* expert; **s~lich** *adj* matter-of-fact; objective; (Irrtum, Angabe) factual

sächlich ['zɛxlɪç] *adj* neuter

Sachschaden *m* material damage

Sachsen ['zaksən] (-s) *nt* Saxony

sächsisch ['zɛksɪʃ] *adj* Saxon

sacht(e) ['zaxt(ə)] *adv* softly, gently

Sachverständige(r) *mf* expert

Sack [zak] (-(e)s, ⁼e) *m* sack; ~**gasse** *f* cul-de-sac, dead-end street (US)

Sadismus [za'dɪsmus] *m* sadism

Sadist [za'dɪst] *m* sadist

säen ['zɛːən] *vt, vi* to sow

Saft [zaft] (-(e)s, ⁼e) *m* juice; (BOT) sap; **s~ig** *adj* juicy; ~**los** *adj* dry

Sage ['zaːgə] *f* saga

Säge ['zɛːgə] *f* saw; ~**mehl** *nt* sawdust

sagen ['zaːgən] *vt, vi* to say; (mitteilen): **jdm ~** to tell sb; ~ **Sie ihm, daß ...** tell him ...

sägen *vt, vi* to saw

sagenhaft *adj* legendary; (umg) great, smashing

sah *etc* [zaː] *vb siehe* **sehen**

Sahne ['zaːnə] (-) *f* cream

Saison [zɛ'zõː] (-, -s) *f* season

Saite ['zaɪtə] *f* string; ~**ninstrument** *nt* string instrument

Sakko ['zako] (-s, -s) *m od nt* jacket

Sakrament [zakra'mɛnt] *nt* sacrament

Sakristei [zakrɪs'taɪ] *f* sacristy

Salat [za'laːt] (-(e)s, -e) *m* salad; (Kopf~) lettuce; ~**soße** *f* salad dressing

Salbe ['zalbə] *f* ointment

Salbei [zal'baɪ] (-s *od* -) *m od f* sage

Saldo ['zaldo] (-s, **Salden**) *m* balance

Salmiak [zalmi'ak] (-s) *m* sal ammoniac; ~**geist** *m* liquid ammonia

salopp [za'lɔp] *adj* casual

Salpeter [zal'peːtər] (-s) *m* saltpetre; ~**säure** *f* nitric acid

Salz [zalts] (-es, -e) *nt* salt; **s~en** (unreg) *vt* to salt; **s~ig** *adj* salty; ~**kartoffeln** *pl* boiled potatoes; ~**säure** *f* hydrochloric acid; ~**streuer** *m* salt cellar; ~**wasser** *nt* (Meerwasser) salt water

Samen ['zaːmən] (-s, -) *m* seed; (ANAT) sperm

Sammelband *m* anthology

sammeln ['zaməln] *vt* to collect ♦ *vr* to assemble, to gather; (konzentrieren) to concentrate

Sammlung ['zamlʊŋ] *f* collection; assembly, gathering; concentration

Samstag ['zamstaːk] *m* Saturday; **s~s** *adv* (on) Saturdays

Samt [zamt] (-(e)s, -e) *m* velvet

samt *präp* +dat (along) with, together with; ~ **und sonders** each and every one (of them)

sämtlich ['zɛmtlɪç] *adj* all (the), entire

Sand [zant] (-(e)s, -e) *m* sand

Sandale [zan'daːlə] *f* sandal

Sand- *zW*: ~**bank** *f* sandbank; **s~ig** ['zandɪç] *adj* sandy; ~**kasten** *m* sandpit; ~**kuchen** *m* Madeira cake; ~**papier** *nt* sandpaper; ~**stein** *m* sandstone; **s~strahlen** *vt insep* to sandblast ♦ *vi insep* to sandblast; ~**strand** *m* sandy beach

sandte *etc* ['zantə] *vb siehe* **senden**

Sanduhr *f* hourglass

sanft [zanft] *adj* soft, gentle; ~**mütig** *adj* gentle, meek

sang *etc* [zaŋ] *vb siehe* **singen**

Sänger(in) ['zɛŋər(ɪn)] (-s, -) *m(f)* singer

Sani- *zW*: **s~eren** [za'niːrən] *vt* to redevelop; (Betrieb) to make financially sound ♦ *vr* to line one's pockets; to become financially sound; **s~tär** [zani'tɛːr] *adj* sanitary; **s~täre Anlagen** sanitation *sg*; ~**täter** [zani'tɛːtər] (-s, -) *m* first-aid attendant; (MIL) (medical) orderly

sanktionieren [zaŋktsio'niːrən] *vt* to sanction

Saphir ['zaːfiːr] (-s, -e) *m* sapphire

Sardelle [zar'dɛlə] *f* anchovy

Sardine [zar'diːnə] *f* sardine

Sardinien [zar'diːniən] (-s) *nt* Sardinia

Sarg [zark] (-(e)s, ⸗e) m coffin
Sarkasmus [zar'kasmʊs] m sarcasm
saß etc [za:s] vb siehe **sitzen**
Satan ['za:tan] (-s, -e) m Satan; devil
Satellit [zate'li:t] (-en, -en) m satellite;
~**enfernsehen** nt satellite television
Satire [za'ti:rə] f satire
satirisch [za'ti:rɪʃ] adj satirical
satt [zat] adj full; (Farbe) rich, deep; **jdn/
etw ~ sein** od **haben** to be fed up with
sb/sth; **sich ~ hören/sehen an** +dat to
hear/see enough of; **sich ~ essen** to eat
one's fill; **~ machen** to be filling
Sattel ['zatəl] (-s, ⸗) m saddle; (Berg) ridge;
s~n vt to saddle; ~**schlepper** m articulated lorry
sättigen ['zɛtɪgən] vt to satisfy; (CHEM) to
saturate
Satz [zats] (-es, ⸗e) m (GRAM) sentence;
(Neben~, Adverbial~) clause; (Theorem)
theorem; (MUS) movement; (TENNIS, Brief-
marken etc) set; (Kaffee) grounds pl;
(COMM) rate; (Sprung) jump; ~**teil** m part
of a sentence; ~**ung** f (Statut) statute, rule;
~**zeichen** nt punctuation mark
Sau [zau] (-, Säue) f sow; (umg) dirty pig
sauber ['zaubər] adj clean; (ironisch) fine;
~**halten** (unreg) vt to keep clean; **S~keit**
f cleanness; (einer Person) cleanliness
säuberlich ['zɔybərlɪç] adv neatly
säubern vt to clean; (POL etc) to purge
Säuberung f cleaning; purge
Sauce ['zo:sə] f sauce, gravy
sauer ['zauər] adj sour; (CHEM) acid; (umg)
cross; **Saurer Regen** acid rain
Sauerei [zauə'raɪ] (umg) f rotten state of
affairs, scandal; (Schmutz etc) mess; (Unan-
ständigkeit) obscenity
säuerlich adj (Geschmack) sour;
(mißvergnügt: Gesicht) dour
Sauer- zW: ~**milch** f sour milk; ~**rahm** m
(KOCH) sour cream; ~**stoff** m oxygen;
~**teig** m leaven
saufen ['zaufən] (unreg; umg) vt, vi to
drink, to booze
Säufer ['zɔyfər] (-s, -; umg) m boozer
saugen ['zaugən] (unreg) vt, vi to suck
säugen ['zɔygən] vt to suckle
Sauger ['zaugər] (-s, -) m dummy, com-
forter (US); (auf Flasche) teat; (Staub~)
vacuum cleaner, hoover (®)
Säugetier ['zɔygə-] nt mammal
Säugling m infant, baby
Säule ['zɔylə] f column, pillar
Saum [zaum] (-(e)s, Säume) m hem; (Naht)
seam
säumen ['zɔymən] vt to hem; to seam ♦ vi
to delay, to hesitate
Sauna ['zauna] (-, -s) f sauna
Säure ['zɔyrə] f acid; (Geschmack) sourness,
acidity
sausen ['zauzən] vi to blow; (umg: eilen) to

rush; (Ohren) to buzz; **etw ~ lassen** (umg)
not to bother with sth
Saxophon [zakso'fo:n] (-s, -e) nt saxo-
phone
SB abk = **Selbstbedienung**
S-Bahn f abk (= Schnellbahn) high speed
railway; (= Stadtbahn) suburban railway
schaben ['ʃa:bən] vt to scrape
schäbig ['ʃɛːbɪç] adj shabby
Schablone [ʃa'blo:nə] f stencil; (Muster)
pattern; (fig) convention
Schach [ʃax] (-s, -s) nt chess; (Stellung)
check; ~**brett** nt chessboard; ~**figur** f
chessman; **'s~'matt** adj checkmate;
~**spiel** nt game of chess
Schacht [ʃaxt] (-(e)s, ⸗e) m shaft
Schachtel (-, -n) f box; (pej: Frau) bag,
cow
schade ['ʃa:də] adj a pity od shame ♦ excl:
(wie) ~! (what a) pity od shame; **sich** dat
zu ~ sein für etw to consider o.s. too
good for sth
Schädel ['ʃɛːdəl] (-s, -) m skull; ~**bruch** m
fractured skull
Schaden ['ʃa:dən] (-s, ⸗) m damage; (Verletzung) injury; (Nachteil) disadvantage; **s~**
vi +dat to hurt; **einer Sache s~** to damage
sth; ~**ersatz** m compensation, damages pl;
~**freude** f malicious glee; **s~froh** adj
(Mensch, Lachen) gloating
schadhaft ['ʃa:thaft] adj faulty, damaged
schäd- ['ʃɛːt] zW: ~**igen** ['ʃɛdɪgən] vt to
damage; (Person) to do harm to, to harm;
~**lich** adj: ~**lich (für)** harmful (to);
S~lichkeit f harmfulness; **S~ling** m pest
Schadstoff ['ʃa:tʃtɔf] m harmful substance
Schaf [ʃa:f] (-(e)s, -e) nt sheep; ~**bock** m
ram
Schäfer ['ʃɛːfər] (-s, -) m shepherd;
~**hund** m Alsatian (dog) (BRIT), German
shepherd (dog) (US)
Schaffen ['ʃafən] (-s) nt (creative) activity
schaffen¹ (unreg) vt to create; (Platz) to
make
schaffen² vt (erreichen) to manage, to do;
(erledigen) to finish; (Prüfung) to pass;
(transportieren) to take ♦ vi (umg: arbeiten)
to work; **sich** dat **etw ~** to get o.s. sth;
sich an etw dat **zu ~ machen** to busy o.s.
with sth
Schaffner(in) ['ʃafnər(ɪn)] (-s, -) m(f)
(Bus~) conductor(tress); (EISENB) guard
Schaft [ʃaft] (-(e)s, ⸗e) m shaft; (von Gewehr) stock; (von Stiefel) leg; (BOT) stalk;
tree trunk; ~**stiefel** m high boot
Schakal [ʃa'ka:l] (-s, -e) m jackal
Schal [ʃa:l] (-s, -e od -s) m scarf
schal adj flat; (fig) insipid
Schälchen ['ʃɛːlçən] nt cup, bowl
Schale ['ʃa:lə] f skin; (abgeschält) peel;
(Nuß~, Muschel~, Ei~) shell; (Geschirr)
dish, bowl

schälen ['ʃɛːlən] *vt* to peel; to shell ♦ *vr* to peel

Schall [ʃal] (-(e)s, -e) *m* sound; ~**dämpfer** (-s, -) *m* (*AUT*) silencer; s~**dicht** *adj* soundproof; s~**en** *vi* to (re)sound; s~**end** *adj* resounding, loud; ~**mauer** *f* sound barrier; ~**platte** *f* (gramophone) record

Schalt- ['ʃalt] *zW:* ~**bild** *nt* circuit diagram; ~**brett** *nt* switchboard; s~**en** *vt* to switch, to turn ♦ *vi* (*AUT*) to change (gear); (*umg: begreifen*) to catch on; ~**er** (-s, -) *m* counter; (*an Gerät*) switch; ~**erbeamte(r)** *m* counter clerk; ~**erstunden** *pl* hours of business; ~**hebel** *m* switch; (*AUT*) gearlever; ~**jahr** *nt* leap year; ~**ung** *f* switching; (*ELEK*) circuit; (*AUT*) gear change

Scham [ʃaːm] (-) *f* shame; (~*gefühl*) modesty; (*Organe*) private parts *pl*

schämen ['ʃɛːmən] *vr* to be ashamed

schamlos *adj* shameless

Schande ['ʃandə] (-) *f* disgrace

schändlich ['ʃɛntlɪç] *adj* disgraceful, shameful

Schändung ['ʃɛnduŋ] *f* violation, defilement

Schanktisch *m* bar

Schanze ['ʃantsə] *f* (*Sprung~*) skijump

Schar [ʃaːr] (-, -en) *f* band, company; (*Vögel*) flock; (*Menge*) crowd; **in ~en** in droves; s~**en** *vr* to assemble, to rally

scharf [ʃarf] *adj* sharp; (*Essen*) hot, spicy; (*Munition*) live; ~ **nachdenken** to think hard; **auf etw** *akk* ~ **sein** (*umg*) to be keen on sth

Schärfe ['ʃɛrfə] *f* sharpness; (*Strenge*) rigour; s~**n** *vt* to sharpen

Scharf- *zW:* s~**machen** (*umg*) *vt* to stir up; ~**richter** *m* executioner; ~**schütze** *m* marksman, sharpshooter; s~**sinnig** *adj* astute, shrewd

Scharlach ['ʃarlax] (-s, -e) *m* (~*fieber*) scarlet fever

Scharnier [ʃar'niːr] (-s, -e) *nt* hinge

Schärpe ['ʃɛrpə] *f* sash

scharren ['ʃarən] *vt, vi* to scrape, to scratch

Schaschlik ['ʃaʃlɪk] (-s, -s) *m od nt* (shish) kebab

Schatten ['ʃatən] (-s, -) *m* shadow; ~**riß** *m* silhouette; ~**seite** *f* shady side, dark side

schattieren [ʃa'tiːrən] *vt, vi* to shade

schattig ['ʃatɪç] *adj* shady

Schatulle [ʃa'tulə] *f* casket; (*Geld~*) coffer

Schatz [ʃats] (-es, ⁼e) *m* treasure; (*Person*) darling

schätz- ['ʃɛts] *zW:* ~**bar** *adj* assessable; S~**chen** *nt* darling, love; ~**en** *vt* (*abschätzen*) to estimate; (*Gegenstand*) to value; (*würdigen*) to value, to esteem; (*vermuten*) to reckon; S~**ung** *f* estimate; estimation; valuation; **nach meiner S~ung ...** I reckon that ...

Schau [ʃaʊ] (-) *f* show; (*Ausstellung*) display, exhibition; **etw zur ~ stellen** to make a show of sth, to show sth off; ~**bild** *nt* diagram

Schauder ['ʃaʊdər] (-s, -s) *m* shudder; (*wegen Kälte*) shiver; s~**haft** *adj* horrible; s~**n** *vi* to shudder; to shiver

schauen ['ʃaʊən] *vi* to look

Schauer ['ʃaʊər] (-s, -) *m* (*Regen~*) shower; (*Schreck*) shudder; ~**geschichte** *f* horror story; s~**lich** *adj* horrific, spine-chilling

Schaufel ['ʃaʊfəl] (-, -n) *f* shovel; (*NAUT*) paddle; (*TECH*) scoop; s~**n** *vt* to shovel, to scoop

Schau- *zW:* ~**fenster** *nt* shop window; ~**fensterbummel** *m* window shopping (expedition); ~**kasten** *m* showcase

Schaukel ['ʃaʊkəl] (-, -n) *f* swing; s~**n** *vi* to swing, to rock; ~**pferd** *nt* rocking horse; ~**stuhl** *m* rocking chair

Schaulustige(r) *f(m)* onlooker

Schaum [ʃaʊm] (-(e)s, Schäume) *m* foam; (*Seifen~*) lather

schäumen ['ʃɔʏmən] *vi* to foam

Schaum- *zW:* ~**gummi** *m* foam (rubber); s~**ig** *adj* frothy, foamy; ~**stoff** *m* foam material; ~**wein** *m* sparkling wine

Schauplatz *m* scene

schaurig *adj* horrific, dreadful

Schau- *zW:* ~**spiel** *nt* spectacle; (*THEAT*) play; ~**spieler(in)** *m(f)* actor(actress); s~**spielern** *vi insep* to act; ~**spielhaus** *nt* theatre

Scheck [ʃɛk] (-s, -s) *m* cheque; ~**heft** *m* cheque book; ~**karte** *f* cheque card

scheffeln ['ʃɛfəln] *vt* to amass

Scheibe ['ʃaɪbə] *f* disc; (*Brot etc*) slice; (*Glas~*) pane; (*MIL*) target

Scheiben- *zW:* ~**bremse** *f* (*AUT*) disc brake; ~**wischer** *m* (*AUT*) windscreen wiper

Scheich [ʃaɪç] (-s, -e *od* -s) *m* sheik(h)

Scheide ['ʃaɪdə] *f* sheath; (*Grenze*) boundary; (*ANAT*) vagina; s~**n** (*unreg*) *vt* to separate; (*Ehe*) to dissolve ♦ *vi* to depart; to part; **sich s~n lassen** to get a divorce

Scheidung *f* (*Ehe~*) divorce

Schein [ʃaɪn] (-(e)s, -e) *m* light; (*An~*) appearance; (*Geld*) (bank)-note; (*Bescheinigung*) certificate; **zum ~** in pretence; s~**bar** *adj* apparent; s~**en** (*unreg*) *vi* to shine; (*Anschein haben*) to seem; s~**heilig** *adj* hypocritical; ~**werfer** (-s, -) *m* floodlight; spotlight; (*Suchwerfer*) searchlight; (*AUT*) headlamp

Scheiß- ['ʃaɪs] (*umg*) *in zW* bloody

Scheiße (-; *umg*) *f* shit

Scheit [ʃaɪt] (-(e)s, -e *od* -er) *nt* log

Scheitel ['ʃaɪtəl] (-s, -) *m* top; (*Haar~*) parting; s~**n** *vt* to part

scheitern ['ʃaɪtərn] *vi* to fail

Schelle ['ʃɛlə] *f* small bell; s~**n** *vi* to ring

Schellfisch ['ʃɛlfɪʃ] m haddock
Schelm [ʃɛlm] (-(e)s, -e) m rogue; **s~isch** adj mischievous, roguish
Schelte ['ʃɛltə] f scolding; **s~n** (unreg) vt to scold
Schema ['ʃeːma] (-s, -s od -ta) nt scheme, plan; (Darstellung) schema; **nach ~** quite mechanically; **s~tisch** [ʃeˈmaːtɪʃ] adj schematic; (pej) mechanical
Schemel ['ʃeːməl] (-s, -) m (foot)stool
Schenkel ['ʃɛŋkəl] (-s, -) m thigh
schenken ['ʃɛŋkən] vt (auch fig) to give; (Getränk) to pour; **sich** dat etw **~** (umg) to skip sth; **das ist geschenkt!** (billig) that's a giveaway!; (nichts wert) that's worthless!
Scherbe ['ʃɛrbə] f broken piece, fragment; (archäologisch) potsherd
Schere ['ʃeːrə] f scissors pl; (groß) shears pl; **s~n** (unreg) vt to cut; (Schaf) to shear; (kümmern) to bother ♦ vr to care; **scher dich zum Teufel!** get lost!; **~'rei** (umg) f bother, trouble
Scherz [ʃɛrts] (-es, -e) m joke; fun; **~frage** f conundrum; **s~haft** adj joking, jocular
Scheu [ʃɔy] (-) f shyness; (Angst) fear; (Ehrfurcht) awe; **s~** adj shy; **s~en** vr: **sich s~en vor** +dat to be afraid of, to shrink from ♦ vt to shun ♦ vi (Pferd) to shy
scheuern ['ʃɔyərn] vt to scour, to scrub
Scheuklappe f blinker
Scheune ['ʃɔynə] f barn
Scheusal ['ʃɔyzaːl] (-s, -e) nt monster
scheußlich ['ʃɔyslɪç] adj dreadful, frightful
Schi [ʃiː] m = **Ski**
Schicht [ʃɪçt] (-, -en) f layer; (Klasse) class, level; (in Fabrik etc) shift; **~arbeit** f shift work; **s~en** vt to layer, to stack
schick [ʃɪk] adj stylish, chic
schicken vt to send ♦ vr: **sich ~** (in +akk) to resign o.s. (to) ♦ vb unpers (anständig sein) to be fitting
schicklich adj proper, fitting
Schicksal (-s, -e) nt fate; **~sschlag** m great misfortune, blow
Schieb- ['ʃiːb] zW: **~edach** nt (AUT) sun roof; **s~en** (unreg) vt (auch Drogen) to push; (Schuld) to put ♦ vi to push; **~etür** f sliding door; **~ung** f fiddle
Schieds- ['ʃiːts] zW: **~gericht** nt court of arbitration; **~richter** m referee; umpire; (Schlichter) arbitrator
schief [ʃiːf] adj crooked; (Ebene) sloping; (Turm) leaning; (Winkel) oblique; (Blick) funny; (Vergleich) distorted ♦ adv crooked(ly); (ansehen) askance; **etw ~ stellen** to slope sth
Schiefer ['ʃiːfər] (-s, -) m slate; **~dach** nt slate roof
schiefgehen (unreg; umg) vi to go wrong
schielen ['ʃiːlən] vi to squint; **nach etw ~** (fig) to eye sth
schien etc [ʃiːn] vb siehe **scheinen**

Schienbein nt shinbone
Schiene ['ʃiːnə] f rail; (MED) splint; **s~n** vt to put in splints
schier [ʃiːr] adj (fig) sheer ♦ adv nearly, almost
Schieß- ['ʃiːs] zW: **~bude** f shooting gallery; **s~en** (unreg) vt to shoot; (Ball) to kick; (Geschoß) to fire ♦ vi to shoot; (Salat etc) to run to seed; **s~en auf** +akk to shoot at; **~e'rei** f shooting incident, shoot-up; **~pulver** nt gunpowder; **~scharte** f embrasure
Schiff [ʃɪf] (-(e)s, -e) nt ship, vessel; (Kirchen~) nave; **s~bar** adj (Fluß) navigable; **~bruch** m shipwreck; **s~brüchig** adj shipwrecked; **~chen** nt small boat; (Weben) shuttle; (Mütze) forage cap; **~er** (-s, -) m bargeman, boatman; **~(f)ahrt** f shipping; (Reise) voyage; **~(fahrts)linie** f shipping route
Schikane [ʃiˈkaːnə] f harassment; dirty trick; **mit allen ~** n with all the trimmings
schikanieren [ʃikaˈniːrən] vt to harass, to torment
Schild1 [ʃɪlt] (-(e)s, -e) m shield; **etw im Schilde führen** to be up to sth
Schild2 (-(e)s, -er) nt sign; nameplate; (Etikett) label
Schilddrüse f thyroid gland
schildern ['ʃɪldərn] vt to depict, to portray
Schildkröte f tortoise; (Wasser~) turtle
Schilf [ʃɪlf] (-(e)s, -e) nt (Pflanze) reed; (Material) reeds pl, rushes pl; **~rohr** nt (Pflanze) reed
schillern ['ʃɪlərn] vi to shimmer; **~d** adj iridescent
Schilling ['ʃɪlɪŋ] m schilling
Schimmel ['ʃɪməl] (-s, -) m mould; (Pferd) white horse; **s~ig** adj mouldy; **s~n** vi to go mouldy
Schimmer ['ʃɪmər] (-s) m (Lichtsein) glimmer; (Glanz) shimmer
schimmern ['ʃɪmərn] vi to glimmer, to shimmer
Schimpanse [ʃɪmˈpanzə] (-n, -n) m chimpanzee
schimpfen ['ʃɪmpfən] vt to scold ♦ vi to curse, to complain; to scold
Schimpfwort nt term of abuse
schinden ['ʃɪndən] (unreg) vt to maltreat, to drive too hard ♦ vr: **sich ~** (mit) to sweat and strain (at), to toil away (at); **Eindruck ~** (umg) to create an impression
Schinde'rei f grind, drudgery
Schinken ['ʃɪŋkən] (-s, -) m ham
Schippe ['ʃɪpə] f shovel; **s~n** vt to shovel
Schirm [ʃɪrm] (-(e)s, -e) m (Regen~) umbrella; (Sonnen~) parasol, sunshade; (Wand~, Bild~) screen; (Lampen~) (lamp)shade; (Mützen~) peak; (Pilz~) cap; **~mütze** f peaked cap; **~ständer** m umbrella stand

schizophren [ʃitso'freːn] adj schizophrenic
Schlacht [ʃlaxt] (-, -en) f battle; **s~en** vt to slaughter, to kill; **~er** (-s, -) m butcher; **~feld** nt battlefield; **~hof** m slaughterhouse, abattoir; **~schiff** nt battleship; **~vieh** nt animals kept for meat; beef cattle
Schlacke ['ʃlakə] f slag
Schlaf [ʃlaːf] (-(e)s) m sleep; **~anzug** m pyjamas pl
Schläfe ['ʃlɛːfə] f (ANAT) temple
schlafen ['ʃlaːfən] (unreg) vi to sleep; **~ gehen** to go to bed; **S~gehen** (-s) nt going to bed; **S~szeit** f bedtime
schlaff [ʃlaf] adj slack; (energielos) limp; (erschöpft) exhausted
Schlaf- zW: **~gelegenheit** f sleeping accommodation; **~lied** nt lullaby; **s~los** adj sleepless; **~losigkeit** f sleeplessness, insomnia; **~mittel** nt sleeping pill
schläfrig ['ʃlɛːfrɪç] adj sleepy
Schlaf- zW: **~saal** m dormitory; **~sack** m sleeping bag; **~tablette** f sleeping pill; **~wagen** m sleeping car, sleeper; **s~wandeln** vi insep to sleepwalk; **~zimmer** nt bedroom
Schlag [ʃlaːk] (-(e)s, ⁻e) m (auch fig) blow; (auch MED) stroke; (Puls~, Herz~) beat; (ELEK) shock; (Blitz~) bolt, stroke; (Autotür) car door; (umg: Portion) helping; (Art) kind, type; **Schläge** pl (Tracht Prügel) beating sg; **mit einem ~** all at once; **~ auf ~** in rapid succession; **~ader** f artery; **~anfall** m stroke; **s~artig** adj sudden, without warning; **~baum** m barrier; **s~en** ['ʃlaːgən] (unreg) vt, vi to strike, to hit; (wiederholt schlagen, besiegen) to beat; (Glocke) to ring; (Stunde) to strike; (Sahne) to whip; (Schlacht) to fight ♦ vr to fight; **nach jdm s~en** (fig) to take after sb; **sich gut s~en** (fig) to do well; **~er** ['ʃlaːgər] (-s, -) m (auch fig) hit
Schläger ['ʃlɛːgər] m brawler; (SPORT) bat; (TENNIS etc) racket; (GOLF) club; hockey stick; (Waffe) rapier; **Schläge'rei** f fight, punch- up
Schlagersänger(in) m(f) pop singer
Schlag- zW: **s~fertig** adj quick-witted; **~fertigkeit** f ready wit, quickness of repartee; **~loch** nt pothole; **~obers** (ÖSTERR) nt, **~sahne** f (whipped) cream; **~seite** f (NAUT) list; **~wort** nt slogan, catch phrase; **~zeile** f headline; **~zeug** nt percussion; drums pl; **~zeuger** (-s, -) m drummer
Schlamassel [ʃla'masəl] (-s, -; umg) m mess
Schlamm [ʃlam] (-(e)s, -e) m mud; **s~ig** adj muddy
Schlamp- ['ʃlamp] zW: **~e** (umg) f slut; **s~en** (umg) vi to be sloppy; **~e'rei** (umg) f disorder, untidiness; sloppy work; **s~ig** (umg) adj (Mensch, Arbeit) sloppy, messy

Schlange ['ʃlaŋə] f snake; (Menschen~) queue (BRIT), line-up (US); **~ stehen** to (form a) queue, to line up
schlängeln vr (Schlange) to wind; (Weg) to wind, twist; (Fluß) to meander
Schlangen zW: **~gebiß** m snake bite; **~gift** nt snake venom; **~linie** f wavy line
schlank [ʃlaŋk] adj slim, slender; **S~heit** f slimness, slenderness; **S~heitskur** f diet
schlapp [ʃlap] adj limp; (locker) slack; **S~e** (umg) f setback
Schlaraffenland [ʃla'rafənlant] nt land of milk and honey
schlau [ʃlau] adj crafty, cunning
Schlauch [ʃlaux] (-(e)s, Schläuche) m hose; (in Reifen) inner tube; (umg: Anstrengung) grind; **~boot** nt rubber dinghy; **s~en** (umg) vt to tell on, to exhaust; **s~los** adj (Reifen) tubeless
Schlaufe f loop; (Aufhänger) hanger
Schlauheit f cunning
Schläue ['ʃlɔyə] (-) f cunning
Schlaukopf m clever dick
schlecht [ʃlɛçt] adj bad ♦ adv badly; **~ gelaunt** in a bad mood; **~ und recht** after a fashion; **jdm ist ~** sb feels sick od bad; **~gehen** (unreg) vi unpers: **jdm geht es ~** sb is in a bad way; **S~igkeit** f badness; bad deed; **~machen** vt to run down
schlecken ['ʃlɛkən] vt, vi to lick
Schlegel ['ʃleːgəl] (-s, -) m (drum)stick; (Hammer) mallet, hammer; (KOCH) leg
schleichen ['ʃlaɪçən] (unreg) vi to creep, to crawl; **~d** adj gradual; creeping
Schleichwerbung f (Komm) plug
Schleier ['ʃlaɪər] (-s, -) m veil; **s~haft** (umg) adj: **jdm s~haft sein** to be a mystery to sb
Schleif- ['ʃlaɪf] zW: **~e** f loop; (Band) bow; **s~en¹** vt, vi to drag; **s~en²** (unreg) vt to grind; (Edelstein) to cut; (MIL: Soldaten) to drill; **~stein** m grindstone
Schleim [ʃlaɪm] (-(e)s, -e) m slime; (MED) mucus; (KOCH) gruel; **~haut** f (ANAT) mucous membrane; **s~ig** adj slimy
Schlemm- ['ʃlɛm] zW: **s~en** vi to feast; **~er** (-s, -) m gourmet; **~e'rei** f gluttony, feasting
schlendern ['ʃlɛndərn] vi to stroll
schlenkern ['ʃlɛŋkərn] vt, vi to swing, to dangle
Schlepp- ['ʃlɛp] zW: **~e** f train; **s~en** vt to drag; (Auto, Schiff) to tow; (tragen) to lug; **s~end** adj dragging, slow; **~er** (-s, -) m tractor; (Schiff) tug
Schlesien ['ʃleːziən] (-s) nt (GEOG) Silesia
Schleuder ['ʃlɔydər] (-, -n) f catapult; (Wäsche~) spin-drier; (Butter~ etc) centrifuge; **s~n** vt to hurl; (Wäsche) to spin-dry ♦ vi (AUT) to skid; **~preis** m give-away price; **~sitz** m (AVIAT) ejector seat; (fig) hot seat; **~ware** f cheap od cut-price

goods *pl*

schleunigst ['ʃlɔʏnɪçst] *adv* straight away

Schleuse ['ʃlɔʏzə] *f* lock; (~*ntor*) sluice

schlicht [ʃlɪçt] *adj* simple, plain; **~en** *vt* (*glätten*) to smooth, to dress; (*Streit*) to settle; **S~er** (**-s, -**) *m* mediator, arbitrator; **S~ung** *f* settlement; arbitration

Schlick [ʃlɪk] (**-(e)s, -e**) *m* mud; (*Öl~*) slick

schlief *etc* [ʃliːf] *vb siehe* **schlafen**

Schließ- ['ʃliːs] *zW*: **~e** *f* fastener; **s~en** (*unreg*) *vt* to close, to shut; (*beenden*) to close; (*Freundschaft, Bündnis, Ehe*) to enter into; (*folgern*): **s~en (aus)** to infer (from) ♦ *vi, vr* to close, to shut; **etw in sich s~en** to include sth; **~fach** *nt* locker; **s~lich** *adv* finally; **s~lich doch** after all

Schliff [ʃlɪf] (**-(e)s, -e**) *m* cut(ting); (*fig*) polish

schlimm [ʃlɪm] *adj* bad; **~er** *adj* worse; **~ste(r, s)** *adj* worst; **~stenfalls** *adv* at (the) worst

Schlinge ['ʃlɪŋə] *f* loop; (*bes Henker~*) noose; (*Falle*) snare; (*MED*) sling; **~l** (**-s, -**) *m* rascal; **s~n** (*unreg*) *vt* to wind; (*essen*) to bolt, to gobble ♦ *vi* to bolt one's food, to gobble; **s~rn** *vi* to roll

Schlips [ʃlɪps] (**-es, -e**) *m* tie

Schlitten ['ʃlɪtən] (**-s, -**) *m* sledge, sleigh; **~fahren** (**-s**) *nt* tobogganing

schlittern ['ʃlɪtərn] *vi* to slide

Schlittschuh ['ʃlɪtʃuː] *m* skate; **~ laufen** to skate; **~bahn** *f* skating rink; **~läufer(in)** *m(f)* skater

Schlitz [ʃlɪts] (**-es, -e**) *m* slit; (*für Münze*) slot; (*Hosen~*) flies *pl*; **s~äugig** *adj* slanteyed; **s~en** *vt* to slit

Schloß [ʃlɔs] (**-sses, -sser**) *nt* lock; (*an Schmuck etc*) clasp; (*Bau*) castle; chateau

schloß *etc* *vb siehe* **schließen**

Schlosser ['ʃlɔsər] (**-s, -**) *m* (*Auto~*) fitter; (*für Schlüssel etc*) locksmith; **~ei** [-'raɪ] *f* metal (working) shop

Schlot [ʃloːt] (**-(e)s, -e**) *m* chimney; (*NAUT*) funnel

schlottern ['ʃlɔtərn] *vi* to shake, to tremble; (*Kleidung*) to be baggy

Schlucht [ʃlʊxt] (**-, -en**) *f* gorge, ravine

schluchzen ['ʃlʊxtsən] *vi* to sob

Schluck [ʃlʊk] (**-(e)s, -e**) *m* swallow; (*Menge*) drop; **~auf** (**-s, -s**) *m* hiccups *pl*; **s~en** *vt, vi* to swallow

schludern ['ʃluːdərn] *vi* to skimp, to do sloppy work

schlug *etc* [ʃluːk] *vb siehe* **schlagen**

Schlummer ['ʃlʊmər] (**-s**) *m* slumber; **s~n** *vi* to slumber

Schlund [ʃlʊnt] (**-(e)s, -e**) *m* gullet; (*fig*) jaw

schlüpfen ['ʃlʏpfən] *vi* to slip; (*Vogel etc*) to hatch (out)

Schlüpfer ['ʃlʏpfər] (**-s, -**) *m* panties *pl*, knickers *pl*

schlüpfrig ['ʃlʏpfrɪç] *adj* slippery; (*fig*) lewd; **S~keit** *f* slipperiness; (*fig*) lewdness

schlurfen ['ʃlʊrfən] *vi* to shuffle

schlürfen ['ʃlʏrfən] *vt, vi* to slurp

Schluß [ʃlʊs] (**-sses, =sse**) *m* end; (~*folgerung*) conclusion; **am ~** at the end; (~) **machen mit** to finish with

Schlüssel ['ʃlʏsəl] (**-s, -**) *m* (*auch fig*) key; (*Schraub~*) spanner, wrench; (*MUS*) clef; **~bein** *nt* collarbone; **~blume** *f* cowslip, primrose; **~bund** *m* bunch of keys; **~loch** *nt* keyhole; **~position** *f* key position; **~wort** *nt* keyword

schlüssig ['ʃlʏsɪç] *adj* conclusive

Schluß- *zW*: **~licht** *nt* taillight; (*fig*) tailender; **~strich** *m* (*fig*) final stroke; **~verkauf** *m* clearance sale

schmächtig ['ʃmɛçtɪç] *adj* slight

schmackhaft ['ʃmakhaft] *adj* tasty

schmal [ʃmaːl] *adj* narrow; (*Person, Buch etc*) slender, slim; (*karg*) meagre

schmälern ['ʃmɛːlərn] *vt* to diminish; (*fig*) to belittle

Schmalfilm *m* cine film

Schmalz [ʃmalts] (**-es, -e**) *nt* dripping, lard; (*fig*) sentiment, schmaltz; **s~ig** *adj* (*fig*) schmaltzy

schmarotzen [ʃma'rɔtsən] *vi* to sponge; (*BOT*) to be parasitic

Schmarotzer (**-s, -**) *m* parasite; sponger

Schmarren ['ʃmarən] (**-s, -**) *m* (*ÖSTERR*) small piece of pancake; (*fig*) rubbish, tripe

schmatzen ['ʃmatsən] *vi* to smack one's lips; to eat noisily

schmecken ['ʃmɛkən] *vt, vi* to taste; **es schmeckt ihm** he likes it

Schmeichel- ['ʃmaɪçəl] *zW*: **~ei** [-'laɪ] *f* flattery; **s~haft** *adj* flattering; **s~n** *vi* to flatter

schmeißen ['ʃmaɪsən] (*unreg; umg*) *vt* to throw, to chuck

Schmeißfliege *f* bluebottle

Schmelz [ʃmɛlts] (**-es, -e**) *m* enamel; (*Glasur*) glaze; (*von Stimme*) melodiousness; **s~en** (*unreg*) *vt* to melt; (*Erz*) to smelt ♦ *vi* to melt; **~punkt** *m* melting point; **~wasser** *nt* melted snow

Schmerz [ʃmɛrts] (**-es, -en**) *m* pain; (*Trauer*) grief; **s~empfindlich** *adj* sensitive to pain; **s~en** *vt, vi* to hurt; **~ensgeld** *nt* compensation; **s~haft** *adj* painful; **s~lich** *adj* painful; **s~los** *adj* painless; **~mittel** *nt* painkiller; **s~stillend** *adj* soothing; **~tablette** *f* painkiller

Schmetterling ['ʃmɛtərlɪŋ] *m* butterfly

schmettern ['ʃmɛtərn] *vt* (*werfen*) to hurl; (*TENNIS: Ball*) to smash; (*singen*) to belt out (*inf*)

Schmied [ʃmiːt] (**-(e)s, -e**) *m* blacksmith; **~e** ['ʃmiːdə] *f* smithy, forge; **~eeisen** *nt* wrought iron; **s~en** *vt* to forge; (*Pläne*) to devise, to concoct

schmiegen ['ʃmiːgən] vt to press, to nestle
♦ vr: **sich ~ (an** +akk) to cuddle up (to), to
nestle (up to)
Schmier- ['ʃmiːr] zW: **~e** f grease; (THEAT)
greasepaint, make-up; **s~en** vt to smear;
(ölen) to lubricate, to grease; (bestechen) to
bribe; (schreiben) to scrawl ♦ vi to scrawl;
~fett nt grease; **~geld** nt bribe; **s~ig** adj
greasy; **~seife** f soft soap
Schminke ['ʃmɪŋkə] f make-up; **s~n** vt, vr
to make up
schmirgeln ['ʃmɪrgəln] vt to sand (down)
Schmirgelpapier nt emery paper
schmollen ['ʃmɔlən] vi to sulk, to pout
Schmorbraten m stewed or braised meat
schmoren ['ʃmoːrən] vt to stew, to braise
Schmuck [ʃmʊk] (-(e)s, -e) m jewellery;
(Verzierung) decoration
schmücken ['ʃmʏkən] vt to decorate
Schmuck- zW: **s~los** adj unadorned,
plain; **~sachen** pl jewels, jewellery sg
Schmuggel ['ʃmʊgəl] (-s) m smuggling;
s~n vt, vi to smuggle
Schmuggler (-s, -) m smuggler
schmunzeln ['ʃmʊntsəln] vi to smile be-
nignly
schmusen ['ʃmuːzən] (umg) vi (zärtlich
sein) to cuddle, canoodle (inf)
Schmutz [ʃmʊts] (-es) m dirt, filth; **~fink**
m filthy creature; **~fleck** m stain; **s~ig** adj
dirty
Schnabel ['ʃnaːbəl] (-s, ⸚) m beak, bill;
(Ausguß) spout
Schnake ['ʃnaːkə] f cranefly; (Stechmücke)
gnat
Schnalle ['ʃnalə] f buckle, clasp; **s~n** vt to
buckle
Schnapp- ['ʃnap] zW: **s~en** vt to grab, to
catch ♦ vi to snap; **~schloß** nt spring lock;
~schuß m (PHOT) snapshot
Schnaps [ʃnaps] (-es, ⸚e) m spirits pl;
schnapps
schnarchen ['ʃnarçən] vi to snore
schnattern ['ʃnatərn] vi (Gänse) to gabble;
(Ente) to quack; (zittern) to shiver
schnauben ['ʃnaʊbən] vi to snort ♦ vr to
blow one's nose
schnaufen ['ʃnaʊfən] vi to puff, to pant
Schnauze ['ʃnaʊtsə] f snout, muzzle;
(Ausguß) spout; (umg) gob
Schnecke ['ʃnɛkə] f snail; **~nhaus** nt
snail's shell
Schnee [ʃneː] (-s) m snow; (Ei~) beaten
egg white; **~ball** m snowball; **~flocke** f
snowflake; **~gestöber** nt snowstorm;
~glöckchen nt snowdrop; **~kette** f (AUT)
snow chain; **~mann** m snowman; **~pflug**
m snowplough; **~schmelze** f thaw
Schneid [ʃnaɪt] (-(e)s; umg) m pluck
Schneide ['ʃnaɪdə] f edge; (Klinge) blade;
s~n (unreg) vt to cut; (kreuzen) to cross, to
intersect with ♦ vr to cut o.s.; to cross, to

intersect; **s~nd** adj cutting; **~r** (-s, -) m
tailor; **~rei** f (Geschäft) tailor's; **~rin** f
dressmaker; **s~rn** vt to make ♦ vi to be a
tailor; **~zahn** m incisor
schneien ['ʃnaɪən] vi unpers to snow
Schneise ['ʃnaɪzə] f clearing
schnell [ʃnɛl] adj quick, fast ♦ adv quick,
quickly, fast; **S~hefter** (-s, -) m loose-leaf
binder; **S~igkeit** f speed; **S~imbiß** m
(Lokal) snack bar; **S~kochtopf** m (Dampf-
kochtopf) pressure cooker; **S~reinigung** f
dry cleaner's; **s~stens** adv as quickly as
possible; **S~straße** f expressway; **S~zug**
m fast od express train
schneuzen ['ʃnɔytsən] vr to blow one's
nose
schnippeln (umg) vt to snip (an +dat at)
schnippisch ['ʃnɪpɪʃ] adj sharp-tongued
Schnitt [ʃnɪt] (-(e)s, -e) m cut(ting);
(~punkt) intersection; (Quer~) (cross) section; (Durch~) average; (~muster) pattern;
(an Buch) edge; (umg: Gewinn) profit
schnitt etc vb siehe **schneiden**
Schnitt- zW: **~blumen** pl cut flowers; **~e**
f slice; (belegt) sandwich; **~fläche** f section; **~lauch** m chive; **~muster** nt pattern; **~punkt** m (point of) intersection;
~stelle f (COMPUT) interface; **~wunde** f
cut
Schnitz- ['ʃnɪts] zW: **~arbeit** f wood carving; **~el** (-s, -) nt chip; (KOCH) escalope;
s~en vt to carve; **~er** (-s, -) m carver;
(umg) blunder; **~e'rei** f carving; carved
woodwork
schnoddrig ['ʃnɔdərɪç] (umg) adj snotty
Schnorchel ['ʃnɔrçəl] (-s, -) m snorkel
Schnörkel ['ʃnœrkəl] (-s, -) m flourish;
(ARCHIT) scroll
schnorren ['ʃnɔrən] vt, vi to cadge
schnüffeln ['ʃnʏfəln] vi to sniff; **S~** (umg)
nt (von Klebstoff etc) glue-sniffing etc
Schnüffler (-s, -) m snooper
Schnuller ['ʃnʊlər] (-s, -) m dummy, com-
forter (US)
Schnupfen ['ʃnʊpfən] (-s, -) m cold
schnuppern ['ʃnʊpərn] vi to sniff
Schnur [ʃnuːr] (-, ⸚e) f string, cord; (ELEK)
flex
schnüren ['ʃnyːrən] vt to tie
schnurgerade adj straight (as a die)
Schnurrbart m moustache
schnurren ['ʃnʊrən] vi to purr; (Kreisel) to
hum
Schnürschuh m lace-up (shoe)
Schnürsenkel m shoelace
schnurstracks adv straight (away)
Schock [ʃɔk] (-(e)s, -e) m shock; **s~ieren**
[ʃɔ'kiːrən] vt to shock, to outrage
Schöffe ['ʃœfə] (-n, -n) m lay magistrate
Schöffin f lay magistrate
Schokolade [ʃokoˈlaːdə] f chocolate
Scholle- ['ʃɔlə] f clod; (Eis~) ice floe;

(*Fisch*) plaice

SCHLÜSSELWORT
---

schon [ʃoːn] *adv* **1** (*bereits*) already; **er ist schon da** he's there already, he's already there; **ist er schon da?** is he there yet?; **warst du schon einmal da?** have you ever been there?; **ich war schon einmal da** I've been there before; **das war schon immer so** that has always been the case; **schon oft** often; **hast du schon gehört?** have you heard?
2 (*bestimmt*) all right; **du wirst schon sehen** you'll see (all right); **das wird schon noch gut** that'll be OK
3 (*bloß*) just; **allein schon das Gefühl ...** just the very feeling ...; **schon der Gedanke** the very thought; **wenn ich das schon höre** I only have to hear that
4 (*einschränkend*): **ja schon, aber ...** yes (well), but ...
5: **schon möglich** possible; **schon gut!** OK!; **du weißt schon** you know; **komm schon!** come on!

schön [ʃøːn] *adj* beautiful; (*nett*) nice; **~e Grüße** best wishes; **~e Ferien** have a nice holiday; **~en Dank** (many) thanks
schonen ['ʃoːnən] *vt* to look after ♦ *vr* to take it easy; **~d** *adj* careful, gentle
Schön- *zW*: **~heit** *f* beauty; **~heitsfehler** *m* blemish, flaw; **~heitsoperation** *f* cosmetic surgery
Schonkost (-) *f* light diet; (*Spezialdiät*) special diet
schönmachen *vr* to make o.s. look nice
Schon- *zW*: **~ung** *f* good care; (*Nachsicht*) consideration; (*Forst*) plantation of young trees; **s~ungslos** *adj* unsparing, harsh; **~zeit** *f* close season
Schöpf- ['ʃœpf] *zW*: **s~en** *vt* to scoop, to ladle; (*Mut*) to summon up; (*Luft*) to breathe in; **~er** (-s, -) *m* creator; **s~erisch** *adj* creative; **~kelle** *f* ladle; **~ung** *f* creation
Schorf [ʃɔrf] (-(e)s, -e) *m* scab
Schornstein ['ʃɔrnʃtain] *m* chimney; (*NAUT*) funnel; **~feger** (-s, -) *m* chimney sweep
Schoß [ʃoːs] (-es, ⸚e) *m* lap; (*Rock~*) coat tail
schoß *etc vb siehe* **schießen**
Schoßhund *m* pet dog, lapdog
Schote ['ʃoːtə] *f* pod
Schotte ['ʃɔtə] *m* Scot, Scotsman
Schotter ['ʃɔtər] (-s) *m* broken stone, road metal; (*EISENB*) ballast
Schott- [ʃɔt] *zW*: **~in** *f* Scot, Scotswoman; **s~isch** *adj* Scottish, Scots; **~land** *nt* Scotland
schraffieren [ʃra'fiːrən] *vt* to hatch
schräg [ʃrɛːk] *adj* slanting, not straight;

etw ~ stellen to put sth at an angle; **~ gegenüber** diagonally opposite; **S~e** *f* slant; **S~strich** *m* oblique stroke
Schramme ['ʃramə] *f* scratch; **s~n** *vt* to scratch
Schrank [ʃraŋk] (-(e)s, ⸚e) *m* cupboard; (*Kleider~*) wardrobe; **~e** *f* barrier; **~enwärter** *m* (*EISENB*) level crossing attendant; **~koffer** *m* trunk
Schraube ['ʃraubə] *f* screw; **s~n** *vt* to screw; **~nschlüssel** *m* spanner; **~nzieher** (-s, -) *m* screwdriver
Schraubstock ['ʃraupʃtɔk] *m* (*TECH*) vice
Schreck [ʃrɛk] (-(e)s, -e) *m* terror; fright; **~en** (-s, -) *m* terror; fright; **s~en** *vt* to frighten, to scare; **~gespenst** *nt* spectre, nightmare; **s~haft** *adj* jumpy, easily frightened; **s~lich** *adj* terrible, dreadful
Schrei [ʃrai] (-(e)s, -e) *m* scream; (*Ruf*) shout
Schreib- ['ʃraib] *zW*: **~block** *m* writing pad; **s~en** (*unreg*) *vt, vi* to write; (*buchstabieren*) to spell; **~en** (-s, -) *nt* letter, communication; **s~faul** *adj* bad about writing letters; **~kraft** *f* typist; **~maschine** *f* typewriter; **~papier** *nt* notepaper; **~tisch** *m* desk; **~ung** *f* spelling; **~waren** *pl* stationery *sg*; **~weise** *f* spelling; way of writing; **~zentrale** *f* typing pool; **~zeug** *nt* writing materials *pl*
schreien ['ʃraiən] (*unreg*) *vt, vi* to scream; (*rufen*) to shout; **~d** *adj* (*fig*) glaring; (*Farbe*) loud
Schrein (-(e)s, -e) *m* shrine
Schreiner ['ʃrainər] (-s, -) *m* joiner; (*Zimmermann*) carpenter; (*Möbel~*) cabinetmaker; **~ei** [-'rai] *f* joiner's workshop
schreiten ['ʃraitən] (*unreg*) *vi* to stride
schrieb *etc* [ʃriːp] *vb siehe* **schreiben**
Schrift [ʃrift] (-, -en) *f* writing; handwriting; (*~art*) script; (*Gedrucktes*) pamphlet, work; **~deutsch** *nt* written German; **~führer** *m* secretary; **s~lich** *adj* written ♦ *adv* in writing; **~sprache** *f* written language; **~steller(in)** (-s, -) *m(f)* writer; **~stück** *nt* document; **~wechsel** *m* correspondence
schrill [ʃril] *adj* shrill
Schritt [ʃrit] (-(e)s, -e) *m* step; (*Gangart*) walk; (*Tempo*) pace; (*von Hose*) crutch; **~fahren** to drive at walking pace; **~macher** (-s, -) *m* pacemaker; **~(t)empo** *nt*: **im ~(t)empo** at a walking pace
schroff [ʃrɔf] *adj* steep; (*zackig*) jagged; (*fig*) brusque; (*ungeduldig*) abrupt
schröpfen ['ʃrœpfən] *vt* (*fig*) to fleece
Schrot [ʃroːt] (-(e)s, -e) *m od nt* (*Blei*) (small) shot; (*Getreide*) coarsely ground grain, groats *pl*; **~flinte** *f* shotgun
Schrott [ʃrɔt] (-(e)s, -e) *m* scrap metal; **~haufen** *m* scrap heap; **s~reif** *adj* ready for the scrap heap

schrubben ['ʃrʊbən] vt to scrub
Schrubber (-s, -) m scrubbing brush
schrumpfen ['ʃrʊmpfən] vi to shrink; (*Apfel*) to shrivel
Schub- ['ʃuːb] zW: ~**fach** nt drawer; ~**karren** m wheelbarrow; ~**lade** f drawer
Schubs (-es, -e) (*umg*) m shove (*inf*), push
schüchtern ['ʃʏçtərn] adj shy; **S~heit** f shyness
Schuft [ʃʊft] (-(e)s, -e) m scoundrel
schuften (*umg*) vi to graft, to slave away
Schuh [ʃuː] (-(e)s, -e) m shoe; ~**band** nt shoelace; ~**creme** f shoe polish; ~**größe** f shoe size; ~**löffel** m shoehorn; ~**macher** (-s, -) m shoemaker
Schul- zW: ~**arbeit** f homework (*no pl*); ~**aufgaben** pl homework sg; ~**besuch** m school attendance; ~**buch** nt school book
Schuld [ʃʊlt] (-, -en) f guilt; (*FIN*) debt; (*Verschulden*) fault; **s~** adj: **s~ sein (an** +dat) to be to blame (for); **er ist od hat s~** it's his fault; **jdm s~ geben** to blame sb; **s~en** ['ʃʊldən] vt to owe; **s~enfrei** adj free from debt; ~**gefühl** nt feeling of guilt; **s~ig** adj guilty; (*gebührend*) due; **s~ig an etw** dat **sein** to be guilty of sth; **jdm etw s~ig sein** to owe sb sth; **jdm etw s~ig bleiben** not to provide sb with sth; **s~los** adj innocent, without guilt; ~**ner** (-s, -) m debtor; ~**schein** m promissory note, IOU
Schule ['ʃuːlə] f school; **s~n** vt to train, to school
Schüler(in) ['ʃyːlər(ɪn)] (-s, -) m(f) pupil
Schul- zW: ~**ferien** pl school holidays; **s~frei** adj: **s~freier Tag** holiday; **s~frei sein** to be a holiday; ~**hof** m playground; ~**jahr** nt school year; ~**junge** m schoolboy; ~**kind** nt schoolchild; ~**mädchen** nt schoolgirl; **s~pflichtig** adj of school age; ~**schiff** nt (*NAUT*) training ship; ~**stunde** f period, lesson; ~**tasche** f school bag
Schulter ['ʃʊltər] (-, -n) f shoulder; ~**blatt** nt shoulder blade; **s~n** vt to shoulder
Schulung f education, schooling
Schulzeugnis nt school report
Schund [ʃʊnt] (-(e)s) m trash, garbage
Schuppe ['ʃʊpə] f scale; ~**n** pl (*Haarschuppen*) dandruff sg
Schuppen (-s, -) m shed
schuppen vt to scale ♦ vr to peel
schuppig ['ʃʊpɪç] adj scaly
Schur [ʃuːr] (-, -en) f shearing
schüren ['ʃyːrən] vt to rake; (*fig*) to stir up
schürfen ['ʃʏrfən] vt, vi to scrape, to scratch; (*MIN*) to prospect
Schurke ['ʃʊrkə] (-n, -n) m rogue
Schurwolle f: „reine ~" "pure new wool"
Schürze ['ʃʏrtsə] f apron
Schuß [ʃʊs] (-sses, ²sse) m shot; (*WEBEN*) woof; ~**bereich** m effective range

Schüssel ['ʃʏsəl] (-, -n) f bowl
Schuß- zW: ~**linie** f line of fire; ~**verletzung** f bullet wound; ~**waffe** f firearm
Schuster ['ʃuːstər] (-s, -) m cobbler, shoemaker
Schutt [ʃʊt] (-(e)s) m rubbish; (*Bau~*) rubble; ~**abladeplatz** m refuse dump
Schüttelfrost m shivering
schütteln ['ʃʏtəln] vt, vr to shake
schütten ['ʃʏtən] vt to pour; (*Zucker, Kies etc*) to tip; (*ver~*) to spill ♦ vi unpers to pour (down)
Schutthalde f dump
Schutthaufen m heap of rubble
Schutz [ʃʊts] (-es) m protection; (*Unterschlupf*) shelter; **jdn in ~ nehmen** to stand up for sb; ~**anzug** m overalls pl; ~**blech** nt mudguard
Schütze ['ʃʏtsə] (-n, -n) m gunman; (*Gewehr~*) rifleman; (*Scharf~, Sport~*) marksman; (*ASTROL*) Sagittarius
schützen vt to protect; ~ **vor** +dat od **gegen** to protect from
Schützenfest nt fair featuring shooting matches
Schutz- zW: ~**engel** m guardian angel; ~**gebiet** nt protectorate; (*Naturschutzgebiet*) reserve; ~**impfung** f immunisation; **Schützling** m protégé(e); (*bes Kind*) charge; **s~los** adj defenceless; ~**mann** m policeman; ~**patron** m patron saint
Schwabe ['ʃvaːbə] (-n, -n) m (*GEOG*) Swabian (*male*)
Schwaben ['ʃvaːbən] nt Swabia; **Schwäbin** f (*GEOG*) Swabian (*female*); **schwäbisch** ['ʃvɛːbɪʃ] adj Swabian
schwach [ʃvax] adj weak, feeble
Schwäche ['ʃvɛçə] f weakness; **s~n** vt to weaken
Schwachheit f weakness
schwächlich adj weakly, delicate
Schwächling m weakling
Schwach- zW: ~**sinn** m imbecility; **s~sinnig** adj mentally deficient; (*Idee*) idiotic; ~**strom** m weak current
Schwächung ['ʃvɛçʊŋ] f weakening
Schwager ['ʃvaːgər] (-s, ²) m brother-in-law
Schwägerin ['ʃvɛːgərɪn] f sister-in-law
Schwalbe ['ʃvalbə] f swallow
Schwall [ʃval] (-(e)s, -e) m surge; (*Worte*) flood, torrent
Schwamm [ʃvam] (-(e)s, ²e) m sponge; (*Pilz*) fungus
schwamm etc vb siehe **schwimmen**
schwammig adj spongy; (*Gesicht*) puffy
Schwan [ʃvaːn] (-(e)s, ²e) m swan
schwanger ['ʃvaŋər] adj pregnant
Schwangerschaft f pregnancy
Schwank [ʃvaŋk] (-(e)s, ²e) m funny story
schwanken vi to sway; (*taumeln*) to stagger, to reel; (*Preise, Zahlen*) to fluctuate;

(*zögern*) to hesitate, to vacillate
Schwankung f fluctuation
Schwanz [ʃvants] (**-es, ⁼e**) m tail
schwänzen [ˈʃvɛntsən] (*umg*) vt to skip, to cut ♦ vi to play truant
Schwarm [ʃvarm] (**-(e)s, ⁼e**) m swarm; (*umg*) heart-throb, idol
schwärm- [ˈʃvɛrm] zW: **~en** vi to swarm; **~en für** to be mad od wild about; **S~erei** [-əˈraɪ] f enthusiasm; **~erisch** adj impassioned, effusive
Schwarte [ˈʃvartə] f hard skin; (*Speck~*) rind
schwarz [ʃvarts] adj black; **~es Brett** notice board; **ins S~e treffen** (*auch fig*) to hit the bull's eye; **in den ~en Zahlen** in the black; **S~arbeit** f illicit work, moonlighting; **S~brot** nt black bread; **S~e(r)** f(m) black (man/woman)
Schwärze [ˈʃvɛrtsə] f blackness; (*Farbe*) blacking; (*Drucker~*) printer's ink; **s~n** vt to blacken
Schwarz- zW: **s~fahren** (*unreg*) vi to travel without paying; to drive without a licence; **~handel** m black-market (trade); **s~hören** vi to listen to the radio without a licence; **~markt** m black market; **s~sehen** (*unreg; umg*) vi to see the gloomy side of things; (*TV*) to watch TV without a licence; **~seher** m pessimist; (*TV*) viewer without a licence; **~wald** m Black Forest; **s~weiß** adj black and white
schwatzen [ˈʃvatsən] vi to chatter
schwätzen [ˈʃvɛtsən] vi to chatter
Schwätzer [ˈʃvɛtsər] (**-s, -**) m gasbag
schwatzhaft adj talkative, gossipy
Schwebe [ˈʃveːbə] f: **in der ~** (*fig*) in abeyance; **~bahn** f overhead railway; **~balken** m (*SPORT*) beam; **s~n** vi to drift, to float; (*hoch*) to soar
Schwed- [ˈʃveːd] zW: **~e** m Swede; **~en** nt Sweden; **~in** f Swede; **s~isch** adj Swedish
Schwefel [ˈʃveːfəl] (**-s**) m sulphur; **s~ig** adj sulphurous; **~säure** f sulphuric acid
Schweig- [ˈʃvaɪg] zW: **~egeld** nt hush money; **s~en** (**-s**) nt silence; **s~en** (*unreg*) vi to be silent; to stop talking; **s~sam** [ˈʃvaɪkzaːm] adj silent, taciturn; **~samkeit** f taciturnity, quietness
Schwein [ʃvaɪn] (**-(e)s, -e**) nt pig; (*umg*) (good) luck
Schweine- zW: **~fleisch** nt pork; **~rei** f mess; (*Gemeinheit*) dirty trick; **~stall** m pigsty
schweinisch adj filthy
Schweinsleder nt pigskin
Schweiß [ʃvaɪs] (**-es**) m sweat, perspiration; **s~en** vt, vi to weld; **~er** (**-s, -**) m welder; **~füße** pl sweaty feet; **~naht** f weld
Schweiz [ʃvaɪts] f Switzerland; **~er(in)**

m(f) Swiss; **s~erisch** adj Swiss
schwelgen [ˈʃvɛlgən] vi to indulge
Schwelle [ˈʃvɛlə] f (*auch fig*) threshold; doorstep; (*EISENB*) sleeper (*BRIT*), tie (*US*)
schwellen (*unreg*) vi to swell
Schwellung f swelling
Schwemme [ˈʃvɛmə] f (*WIRTS*: *Überangebot*) surplus
Schwenk- [ˈʃvɛŋk] zW: **s~bar** adj swivel-mounted; **s~en** vt to swing; (*Fahne*) to wave; (*abspülen*) to rinse ♦ vi to turn, to swivel; (*MIL*) to wheel; **~ung** f turn; wheel
schwer [ʃveːr] adj heavy; (*schwierig*) difficult, hard; (*schlimm*) serious, bad ♦ adv (*sehr*) very (much) (*verletzt etc*) seriously, badly; **S~arbeiter** m manual worker, labourer; **S~behinderte(r)** f(m) seriously handicapped person; **S~e** f weight, heaviness; (*PHYS*) gravity; **~elos** adj weightless; (*Kammer*) zero-G; **~erziehbar** adj difficult (to bring up); **~fallen** (*unreg*) vi: **jdm ~fallen** to be difficult for sb; **~fällig** adj ponderous; **S~gewicht** nt heavyweight; (*fig*) emphasis; **~hörig** adj hard of hearing; **S~industrie** f heavy industry; **S~kraft** f gravity; **S~kranke(r)** mf person who is seriously ill; **~lich** adv hardly; **~machen** vt: **jdm/sich etw ~machen** to make sth difficult for sb/o.s.; **~mütig** adj melancholy; **~nehmen** (*unreg*) vt to take to heart; **S~punkt** m centre of gravity; (*fig*) emphasis, crucial point
Schwert [ʃveːrt] (**-(e)s, -er**) nt sword; **~lilie** f iris
schwer- zW: **~tun** (*unreg*) vi sich dat od akk **~tun** to have difficulties; **S~verbrecher(in)** m(f) criminal, serious offender; **~verdaulich** adj indigestible, heavy; **~verletzt** adj badly injured; **S~verletzte(r)** f(m) serious casualty (*bei Unfall usw auch*) seriously injured person; **~wiegend** adj weighty, important
Schwester [ˈʃvɛstər] (**-, -n**) f sister; (*MED*) nurse; **s~lich** adj sisterly
Schwieger- [ˈʃviːgər] zW: **~eltern** pl parents-in-law; **~mutter** f mother-in-law; **~sohn** m son-in-law; **~tochter** f daughter-in-law; **~vater** m father-in-law
Schwiele [ˈʃviːlə] f callus
schwierig [ˈʃviːrɪç] adj difficult, hard; **S~keit** f difficulty
Schwimm- [ˈʃvɪm] zW: **~bad** nt swimming baths pl; **~becken** nt swimming pool; **s~en** (*unreg*) vi to swim; (*treiben, nicht sinken*) to float; (*fig: unsicher sein*) to be all at sea; **~er** (**-s, -**) m swimmer; (*Angeln*) float; **~erin** f (female) swimmer; **~lehrer** m swimming instructor; **~weste** f life jacket
Schwindel [ˈʃvɪndəl] (**-s**) m giddiness; dizzy spell; (*Betrug*) swindle, fraud; (*Zeug*) stuff; **s~frei** adj: **s~frei sein** to have a

good head for heights; **s~n** (*umg*) *vi* (*lügen*) to fib; **jdm s~t es** sb feels dizzy

schwinden ['ʃvɪndən] (*unreg*) *vi* to disappear; (*sich verringern*) to decrease; (*Kräfte*) to decline

Schwindler ['ʃvɪndlər] *m* swindler; (*Lügner*) liar

schwindlig *adj* dizzy; **mir ist ~** I feel dizzy

Schwing- ['ʃvɪŋ] *zW*: **s~en** (*unreg*) *vt* to swing; (*Waffe etc*) to brandish ♦ *vi* to swing; (*vibrieren*) to vibrate; (*klingen*) to sound; **~tür** *f* swing door(s); **~ung** *f* vibration; (*PHYS*) oscillation

Schwips [ʃvɪps] (*-es, -e*) *m*: **einen ~ haben** to be tipsy

schwirren ['ʃvɪrən] *vi* to buzz

schwitzen ['ʃvɪtsən] *vi* to sweat, to perspire

schwören ['ʃvøːrən] (*unreg*) *vt, vi* to swear

schwul [ʃvuːl] (*umg*) *adj* gay, queer

schwül [ʃvyːl] *adj* sultry, close; **S~e** (*-*) *f* sultriness

Schwule(r) (*umg*) *f(m)* gay (man/woman)

schwülstig ['ʃvʏlstɪç] *adj* pompous

Schwung [ʃvʊŋ] (*-(e)s, -̈e*) *m* swing; (*Triebkraft*) momentum; (*fig: Energie*) verve, energy; (*umg: Menge*) batch; **s~haft** *adj* brisk, lively; **s~voll** *adj* vigorous

Schwur [ʃvuːr] (*-(e)s, -̈e*) *m* oath; **~gericht** *nt* court with a jury

sechs [zɛks] *num* six; **~hundert** *num* six hundred; **~te(r, s)** *adj* sixth; **S~tel** (*-s, -*) *nt* sixth

sechzehn ['zɛçtseːn] *num* sixteen

sechzig ['zɛçtsɪç] *num* sixty

See¹ [zeː] (*-, -n*) *f* sea

See² (*-s, -n*) *m* lake

See- [zeː] *zW*: **~bad** *nt* seaside resort; **~hund** *m* seal; **~igel** ['zeːʔiːgəl] *m* sea urchin; **s~krank** *adj* seasick; **~krankheit** *f* seasickness; **~lachs** *m* rock salmon

Seele ['zeːlə] *f* soul; **s~nruhig** *adv* calmly

Seeleute ['zeːlɔʏtə] *pl* seamen

Seel- *zW*: **s~isch** *adj* mental; **~sorge** *f* pastoral duties *pl*; **~sorger** (*-s, -*) *m* clergyman

See- *zW*: **~macht** naval power; **~mann** (*pl* -leute) *m* seaman, sailor; **~meile** *f* nautical mile; **~möwe** *f* (*ZOOL*) seagull; **~not** *f* distress; **~räuber** *m* pirate; **~rose** *f* water lily; **~stern** *m* starfish; **~tang** *m* (*BOT*) seaweed; **s~tüchtig** *adj* seaworthy; **~weg** *m* sea route; **auf dem ~weg** by sea; **~zunge** *f* sole

Segel ['zeːgəl] (*-s, -*) *nt* sail; **~boot** *nt* yacht; **~fliegen** (*-s*) *nt* gliding; **~flieger** *m* glider pilot; **~flugzeug** *nt* glider; **s~n** *vt, vi* to sail; **~schiff** *nt* sailing vessel; **~sport** *m* sailing; **~tuch** *nt* canvas

Segen ['zeːgən] (*-s, -*) *m* blessing; **s~sreich** *adj* beneficial

Segler ['zeːglər] (*-s, -*) *m* sailor, yachtsman

segnen ['zeːgnən] *vt* to bless

Seh- [zeː] *zW*: **s~en** (*unreg*) *vt, vi* to see; (*in bestimmte Richtung*) to look; **mal s~en(, ob ...)** let's see (if ...); **siehe Seite 5** see page 5; **s~enswert** *adj* worth seeing; **~enswürdigkeiten** *pl* sights (of a town); **~er** (*-s, -*) *m* seer; **~fehler** *m* sight defect

Sehne ['zeːnə] *f* sinew; (*an Bogen*) string

sehnen *vr*: **sich ~ nach** to long *od* yearn for

sehnig *adj* sinewy

Sehn- *zW*: **s~lich** *adj* ardent; **~sucht** *f* longing; **s~süchtig** *adj* longing

sehr [zeːr] *adv* very; (*mit Verben*) a lot, (very) much; **zu ~** too much; **~ geehrte(r) ... dear ...**

seicht [zaɪçt] *adj* (*auch fig*) shallow

Seide ['zaɪdə] *f* silk; **s~n** *adj* silk; **~napier** *nt* tissue paper

seidig ['zaɪdɪç] *adj* silky

Seife ['zaɪfə] *f* soap

Seifen- *zW*: **~lauge** *f* soapsuds *pl*; **~schale** *f* soap dish; **~schaum** *m* lather

seihen ['zaɪən] *vt* to strain, to filter

Seil [zaɪl] (*-(e)s, -e*) *nt* rope; cable; **~bahn** *f* cable railway; **~hüpfen** (*-s*) *nt* skipping; **~springen** (*-s*) *nt* skipping; **~tänzer(in)** *m(f)* tightrope walker

---

SCHLÜSSELWORT

sein (*pt* war, *pp* gewesen) *vi* **1** to be; **ich bin I** am; **du bist** you are; **er/sie/es ist** he/she/it is; **wir sind/ihr seid/sie sind** we/you/they are; **wir waren** we were; **wir sind gewesen** we have been

2: **seien Sie nicht böse** don't be angry; **sei so gut und ...** be so kind as to ...; **das wäre gut** that would *od* that'd be a good thing; **wenn ich Sie wäre** if I were *od* was you; **das wär's** that's all, that's it; **morgen bin ich in Rom** tomorrow I'll *od* I shall be in Rome; **waren Sie mal in Rom?** have you ever been to Rome?

3: **wie ist das zu verstehen?** how is that to be understood?; **er ist nicht zu ersetzen** he cannot be replaced; **mit ihr ist nicht zu reden** you can't talk to her

4: **mir ist kalt** I'm cold; **was ist?** what's the matter?, what is it?; **ist was?** is something the matter?; **es sei denn, daß ...** unless ...; **wie dem auch sei** be that as it may; **wie wäre es mit ...?** how *od* what about ...?; **laß das sein!** stop that!

sein(e) ['zaɪn(ə)] *adj* his; its; **~e(r, s)** *pron* his; its; **~er** (*gen von* er) *pron* of him; **~erseits** *adv* for his part; **~erzeit** *adv* in those days, formerly; **~esgleichen** *pron* people like him; **~etwegen** *adv* (*für ihn*) for his sake; (*wegen ihm*) on his account; (*von ihm aus*) as far as he is concerned;

~etwillen adv: **um ~etwillen** = **~etwegen**; **~ige** pron: **der/die/das ~ige** his
Seismograph [zaısmo'graːf] (-en, -en) m seismograph
seit [zaıt] präp +dat since ♦ konj since; **er ist ~ einer Woche hier** he has been here for a week; **~ langem** for a long time; **~dem** [zaıt'deːm] adv, konj since
Seite ['zaıtə] f side; (Buch~) page; (MIL) flank
Seiten- zW: **~ansicht** f side view; **~hieb** m (fig) passing shot, dig; **s~s** präp +gen on the part of; **~schiff** nt aisle; **~sprung** m extramarital escapade; **~stechen** nt (a) stitch; **~straße** f side road; **~streifen** m verge; (der Autobahn) hard shoulder
seither [zaıt'heːr] adv, konj since (then)
seitlich adj on one od the side; side cpd
seitwärts adv sidewards
Sekretär [zekre'tɛːr] m secretary; (Möbel) bureau; **~in** f secretary
Sekretariat [zekretari'aːt] (-(e)s, -e) nt secretary's office, secretariat
Sekt [zɛkt] (-(e)s, -e) m champagne
Sekte ['zɛktə] f sect
Sekunde [ze'kʊndə] f second
selber ['zɛlbər] = **selbst**
Selbst [zɛlpst] (-) nt self

— SCHLÜSSELWORT

selbst pron 1: **ich/er/wir selbst** I myself/ he himself/we ourselves; **sie ist die Tugend selbst** she's virtue itself; **er braut sein Bier selbst** he brews his own beer; **wie geht's? - gut, und selbst?** how are things? - fine, and yourself?
2 (ohne Hilfe) alone, on my/his/one's etc own; **von selbst** by itself; **er kam von selbst** he came of his own accord
♦ adv even; **selbst wenn** even if; **selbst Gott** even God (himself)

selbständig ['zɛlpʃtɛndıç] adj independent; **S~keit** f independence
Selbst- zW: **~auslöser** m (PHOT) delayed-action shutter release; **~bedienung** f self-service; **~befriedigung** f masturbation; **~beherrschung** f self-control; **~bestimmung** f (POL) self-determination; **~beteiligung** f (VERSICHERUNG: bei Kosten) (voluntary) excess; **s~bewußt** adj (self-)confident; **~bewußtsein** nt self-confidence; **~erhaltung** f self-preservation; **~erkenntnis** f self-knowledge; **s~gefällig** adj smug, self-satisfied; **s~gemacht** adj home-made; **~gespräch** nt conversation with o.s.; **~kostenpreis** m cost price; **s~los** adj unselfish, selfless; **~mord** m suicide; **~mörder(in)** m(f) suicide; **s~mörderisch** adj suicidal; **s~sicher** adj self-assured; **s~süchtig** adj (Mensch) selfish; **s~verständlich** ['zɛlpstfɛrʃtɛntlıç]

adj obvious ♦ adv naturally; **ich halte das für s~verständlich** I take that for granted; **~verteidigung** f self-defence; **~vertrauen** nt self-confidence; **~verwaltung** f autonomy, self-government
selig ['zeːlıç] adj happy, blissful; (REL) blessed; (tot) late; **S~keit** f bliss
Sellerie ['zɛləri:] (-s, -(s) od -, -) m od f celery
selten ['zɛltən] adj rare ♦ adv seldom, rarely; **S~heit** f rarity
Selterswasser ['zɛltərsvasər] nt soda water
seltsam ['zɛltzaːm] adj strange, curious; **S~keit** f strangeness
Semester [ze'mɛstər] (-s, -) nt semester
Semi- [zemi] in zW semi-; **~kolon** ['koːlɔn] (-s, -s) nt semicolon
Seminar [-'naːr] (-s, -e) nt seminary; (Kurs) seminar; (UNIV: Ort) department building
Semmel ['zɛməl] (-, -n) f roll
Senat [ze'naːt] (-(e)s, -e) m senate, council
Sende- ['zɛndə] zW: **~bereich** m transmission range; **~folge** f (Serie) series; **s~n** (unreg) vt to send; (RADIO, TV) to transmit, to broadcast ♦ vi to transmit, to broadcast; **~r** (-s, -) m station; (Anlage) transmitter; **~reihe** f series (of broadcasts)
Sendung ['zɛndʊŋ] f consignment; (Aufgabe) mission; (RADIO, TV) transmission; (Programm) programme
Senf [zɛnf] (-(e)s, -e) m mustard
senil [ze'niːl] (pej) adj senile
Senior(in) ['zeːniɔr, -ın] (-s, -en) m(f) (Mensch im Rentenalter) (old age) pensioner; **~enheim** nt old people's home
Senk- ['zɛŋk] zW: **~blei** nt plumb; **~e** f depression; **s~en** vt to lower ♦ vr to sink, to drop gradually; **s~recht** adj vertical, perpendicular; **~rechte** f perpendicular; **~rechtstarter** m (AVIAT) vertical take-off plane; (fig) high-flyer
Sensation [zɛnzatsi'oːn] f sensation; **s~ell** [-'nɛl] adj sensational
Sense ['zɛnzə] f scythe
sensibel [zɛn'ziːbəl] adj sensitive
sentimental [zɛntimɛn'taːl] adj sentimental; **S~ität** f sentimentality
separat [zepa'raːt] adj separate
September [zɛp'tɛmbər] (-(s), -) m September
Serie ['zeːriə] f series; **s~nweise** adv in series
seriös [zeri'øːs] adj serious, bona fide
Serum ['zeːrʊm] (-s, Seren) nt serum
Service¹ [zɛr'viːs] (-(s), -) nt (Geschirr) set, service
Service² (-, -s) m service
servieren [zɛr'viːrən] vt, vi to serve
Serviererin f waitress
Serviette [zɛrvi'ɛtə] f napkin, serviette
Servobremse f (AUT) servo(-assisted) brake

Servolenkung f (*AUT*) power steering
Sessel ['zɛsəl] (-s, -) m armchair; ~**lift** m chairlift
seßhaft ['zɛshaft] *adj* settled; (*ansässig*) resident
setzen ['zɛtsən] *vt* to put, to set; (*Baum etc*) to plant; (*Segel, TYP*) to set ♦ *vr* to settle; (*Person*) to sit down ♦ *vi* (*springen*) to leap; (*wetten*) to bet
Setz- ['zɛts] *zW*: ~**er** (-s, -) m (*TYP*) compositor; ~**ling** m young plant
Seuche ['zɔʏçə] f epidemic; ~**ngebiet** nt infected area
seufzen ['zɔʏftsən] *vt, vi* to sigh
Seufzer ['zɔʏftsər] (-s, -) m sigh
Sex [zɛks] (-(es)) m sex; ~**ualität** [-uali'tɛt] f sex, sexuality; ~**ualkunde** f (*SCH*) sex education; **s~uell** [-u'ɛl] *adj* sexual
sezieren [ze'tsi:rən] *vt* to dissect
Shampoo [ʃam'pu:] (-s, -s) nt shampoo
Sibirien [zi'bi:riən] nt Siberia
sibirisch [zi'bi:rɪʃ] *adj* Siberian

SCHLÜSSELWORT

sich *pron* **1** (*akk*): **er/sie/es ... sich** he/she/it ... himself/herself/itself; **sie** *pl*/**man ... sich** they/one ... themselves/oneself; **Sie ... sich** you ... yourself/yourselves *pl*; **sich wiederholen** to repeat oneself/itself
2 (*dat*): **er/sie/es ... sich** he/she/it ... to himself/herself/itself; **sie** *pl*/**man ... sich** they/one ... to themselves/oneself; **Sie ... sich** you ... to yourself/yourselves *pl*; **sie hat sich einen Pullover gekauft** she bought herself a jumper; **sich die Haare waschen** to wash one's hair
3 (*mit Präposition*): **haben Sie Ihren Ausweis bei sich?** do you have your pass on you?; **er hat nichts bei sich** he's got nothing on him; **sie bleiben gern unter sich** they keep themselves to themselves
4 (*einander*) each other, one another; **sie bekämpfen sich** they fight each other *od* one another
5: **dieses Auto fährt sich gut** this car drives well; **hier sitzt es sich gut** it's good to sit here

---

Sichel ['zɪçəl] (-, -n) f sickle; (*Mond~*) crescent
sicher ['zɪçər] *adj* safe; (*gewiß*) certain; (*zuverlässig*) secure, reliable; (*selbst~*) confident; **vor jdm/etw ~ sein** to be safe from sb/sth; **ich bin nicht ~** I'm not sure *od* certain; ~ **nicht** surely not; **aber ~!** of course!; ~**gehen** (*unreg*) *vi* to make sure
Sicherheit ['zɪçərhaɪt] f safety; (*auch FIN*) security; (*Gewißheit*) certainty; (*Selbst~*) confidence
Sicherheits- *zW*: ~**abstand** m safe distance; ~**glas** nt safety glass; ~**gurt** m safety belt; **s~halber** *adv* for safety; to be on

the safe side; ~**nadel** f safety pin; ~**schloß** nt safety lock; ~**vorkehrung** f safety precaution
sicher- *zW*: ~**lich** *adv* certainly, surely; ~**n** *vt* to secure; (*schützen*) to protect; (*Waffe*) to put the safety catch on; **jdm etw ~n** to secure sth for sb; **sich** *dat* **etw ~n** to secure sth (for o.s.); ~**stellen** *vt* to impound; (*COMPUT*) to save; **S~ung** f (*Sichern*) securing; (*Vorrichtung*) safety device; (*an Waffen*) safety catch; (*ELEK*) fuse; **S~ungskopie** f back-up copy
Sicht [zɪçt] (-) f sight; (*Aus~*) view; **auf** *od* **nach ~** (*FIN*) at sight; **auf lange ~** on a long-term basis; **s~bar** *adj* visible; **s~en** *vt* to sight; (*auswählen*) to sort out; **s~lich** *adj* evident, obvious; ~**vermerk** m visa; ~**weite** f visibility
sickern ['zɪkərn] *vi* to trickle, to seep
Sie [zi:] (*nom, akk*) *pron* you
sie [zi:] *pron* (*sg: nom*) she; it; (: *akk*) her; it; (*pl: nom*) they; (: *akk*) them
Sieb [zi:p] (-(e)s, -e) nt sieve; (*KOCH*) strainer; **s~en¹** ['zi:bən] *vt* to sift; (*Flüssigkeit*) to strain
sieben² *num* seven; ~**hundert** *num* seven hundred; **S~sachen** *pl* belongings
siebte(r, s) ['zi:ptə(r, s)] *adj* seventh; **S~l** (-s, -) nt seventh
siebzehn ['zi:ptse:n] *num* seventeen
siebzig ['zi:ptsɪç] *num* seventy
sieden ['zi:dən] *vt, vi* to boil, to simmer
siedeln *vi* to settle
Siedepunkt m boiling point
Siedler (-s, -) m settler
Siedlung f settlement; (*Häuser~*) housing estate
Sieg [zi:k] (-(e)s, -e) m victory
Siegel ['zi:gəl] (-s, -) nt seal; ~**ring** m signet ring
Sieg- *zW*: **s~en** *vi* to be victorious; (*SPORT*) to win; ~**er** (-s, -) m victor; (*SPORT etc*) winner; **s~essicher** *adj* sure of victory; **s~reich** *adj* victorious
siehe *etc* ['zi:ə] *vb siehe* **sehen**
siezen ['zi:tsən] *vt* to address as "Sie"
Signal [zɪ'gna:l] (-s, -e) nt signal
Silbe ['zɪlbə] f syllable
Silber ['zɪlbər] (-s) nt silver; **s~n** *adj* silver; ~**papier** nt silver paper
Silhouette [zilu'ɛtə] f silhouette
Silo ['zi:lo] (-s, -s) nt *od* m silo
Silvester [zɪl'vɛstər] (-s, -) nt New Year's Eve, Hogmanay (*SCOTTISH*); ~**abend** m = **Silvester**
simpel ['zɪmpəl] *adj* simple
Sims [zɪms] (-es, -e) nt *od* m (*Kamin~*) mantelpiece; (*Fenster~*) (window)sill
simulieren [zimu'li:rən] *vt* to simulate; (*vortäuschen*) to feign ♦ *vi* to feign illness
simultan [zimʊl'ta:n] *adj* simultaneous

Sinfonie [zɪnfo'niː] f symphony
singen ['zɪŋən] (unreg) vt, vi to sing
Singular ['zɪŋgulaːr] m singular
Singvogel ['zɪŋfoːgəl] m songbird
sinken ['zɪŋkən] (unreg) vi to sink; (Preise etc) to fall, to go down
Sinn [zɪn] (-(e)s, -e) m mind; (Wahrnehmungs~) sense; (Bedeutung) sense, meaning; ~ **für etw** sense of sth; **von ~en sein** to be out of one's mind; **es hat keinen ~** there's no point; **~bild** nt symbol; **s~en** (unreg) vi to ponder; **auf etw** akk **s~en** to contemplate sth; **~estäuschung** f illusion; **s~gemäß** adj faithful; (Wiedergabe) in one's own words; **s~ig** adj clever; **s~lich** adj sensual, sensuous; (Wahrnehmung) sensory; **~lichkeit** f sensuality; **s~los** adj senseless; meaningless; **~losigkeit** f senselessness; meaninglessness; **s~voll** adj meaningful; (vernünftig) sensible
Sintflut ['zɪntfluːt] f Flood
Sippe ['zɪpə] f clan, kin
Sippschaft ['zɪpʃaft] (pej) f relations pl, tribe; (Bande) gang
Sirene [zi'reːnə] f siren
Sirup ['ziːrʊp] (-s, -e) m syrup
Sitt- ['zɪt] zW: **~e** f custom; **~en** pl (Sittlichkeit) morals; **~enpolizei** f vice squad; **s~sam** adj modest, demure
Situation [zituatsi'oːn] f situation
Sitz [zɪts] (-es, -e) m seat; **der Anzug hat einen guten ~** the suit is a good fit; **s~en** (unreg) vi to sit; (Bemerkung, Schlag) to strike home, to tell; (Gelerntes) to have sunk in; **s~en bleiben** to remain seated; **s~enbleiben** (unreg) vi (SCH) to have to repeat a year; **auf etw** dat **s~enbleiben** to be lumbered with sth; **s~end** adj (Tätigkeit) sedentary; **s~enlassen** (unreg) vt (SCH) to make (sb) repeat a year; (Mädchen) to jilt; (Wartenden) to stand up; **etw auf sich** dat **s~enlassen** to take sth lying down; **~gelegenheit** f place to sit down; **~platz** m seat; **~streik** m sit-down strike; **~ung** f meeting
Sizilien [zi'tsiːliən] nt Sicily
Skala ['skaːla] (-, Skalen) f scale
Skalpell [skal'pɛl] (-s, -e) nt scalpel
Skandal [skan'daːl] (-s, -e) m scandal; **s~ös** adj scandalous
Skandinav- [skandi'naːv] zW: **~ien** nt Scandinavia; **~ier(in)** m(f) Scandinavian; **s~isch** adj Scandinavian
Skelett [ske'lɛt] (-(e)s, -e) nt skeleton
Skepsis ['skɛpsɪs] (-) f scepticism
skeptisch ['skɛptɪʃ] adj sceptical
Ski [ʃiː] (-s, -er) m ski; **~ laufen** od **fahren** to ski; **~fahrer** m skier; **~läufer** m skier; **~lehrer** m ski instructor; **~lift** m ski-lift; **~springen** nt ski-jumping; **~stock** m skipole
Skizze ['skɪtsə] f sketch

skizzieren [skɪ'tsiːrən] vt, vi to sketch
Sklave ['sklaːvə] (-n, -n) m slave; **~'rei** f slavery; **Sklavin** f slave
Skonto ['skɔnto] (-s, -s) m od nt discount
Skorpion [skɔrpi'oːn] (-s, -e) m scorpion; (ASTROL) Scorpio
Skrupel ['skruːpəl] (-s, -) m scruple; **s~los** adj unscrupulous
Skulptur [skʊlp'tuːr] f (Gegenstand) sculpture
Slalom ['slaːlɔm] (-s, -s) m slalom
Slip (-s, -s) m (under)pants
Slowenien nt Slovenia
Smaragd [sma'rakt] (-(e)s, -e) m emerald
Smoking ['smoːkɪŋ] (-s, -s) m dinner jacket

SCHLÜSSELWORT

so adv **1** (sosehr) so; **so groß/schön** etc so big/nice etc; **so groß/schön wie ...** as big/nice as ...; **das hat ihn so geärgert, daß ...** that annoyed him so much that ...; **so einer wie ich** somebody like me; **na so was!** well, well!
2 (auf diese Weise) like this; **mach es nicht so** don't do it like that; **so oder so** in one way or the other; **und so weiter** and so on; **... oder so was ...** or something like that; **das ist gut so** that's fine
3 (umg: umsonst): **ich habe es so bekommen** I got it for nothing
♦ konj: **so daß** so that; **so wie es jetzt ist** as things are at the moment
♦ excl: **so?** really?; **so, das wär's** so, that's it then

---

s.o. abk = **siehe oben**
Söckchen ['zœkçən] nt ankle socks
Socke ['zɔkə] f sock
Sockel ['zɔkəl] (-s, -) m pedestal, base
Sodawasser ['zoːdavasər] nt soda water
Sodbrennen ['zoːtbrɛnən] (-s, -) nt heartburn
soeben [zo'eːbən] adv just (now)
Sofa ['zoːfa] (-s, -s) nt sofa
sofern [zo'fɛrn] konj if, provided (that)
sofort [zo'fɔrt] adv immediately, at once; **~ig** adj immediate
Sog [zoːk] (-(e)s, -e) m (Strömung) undertow
sogar [zo'gaːr] adv even
sogenannt ['zoːgənant] adj so-called
sogleich [zo'glaɪç] adv straight away, at once
Sohle ['zoːlə] f sole; (Tal~ etc) bottom; (MIN) level
Sohn [zoːn] (-(e)s, ⁼e) m son
Solar- in zW solar; **~zelle** f solar cell
solch [zɔlç] pron such; **ein ~e(r, s) ...** such a ...
Soldat [zɔl'daːt] (-en, -en) m soldier
Söldner ['zœldnər] (-s, -) m mercenary

solidarisch [zoli'da:rɪʃ] *adj* in *od* with solidarity; **sich ~ erklären** to declare one's solidarity
Solidarität *f* solidarity
solid(e) [zo'li:d(ə)] *adj* solid; (*Leben, Person*) respectable
Solist(in) [zo'lɪst(ɪn)] *m(f)* soloist
Soll [zɔl] **(-(s), -(s))** *nt* (FIN) debit (side); (*Arbeitsmenge*) quota, target

--- SCHLÜSSELWORT

sollen (*pt* **sollte**, *pp* **gesollt** *od* (*als Hilfsverb*) **sollen**) *Hilfsverb* **1** (*Pflicht, Befehl*) to be supposed to; **du hättest nicht gehen sollen** you shouldn't have gone, you oughtn't to have gone; **soll ich?** shall I?; **soll ich dir helfen?** shall I help you?; **sag ihm, er soll warten** tell him he's to wait; **was soll ich machen?** what should I do?
2 (*Vermutung*): **sie soll verheiratet sein** she's said to be married; **was soll das heißen?** what's that supposed to mean?; **man sollte glauben, daß ...** you would think that ...; **sollte das passieren, ...** if that should happen ...
♦ *vt, vi*: **was soll das?** what's all this?; **das sollst du nicht** you shouldn't do that; **was soll's?** what the hell!

Solo ['zo:lo] **(-s, -s** *od* **Soli**) *nt* solo
somit [zo'mɪt] *konj* and so, therefore
Sommer ['zɔmər] **(-s, -)** *m* summer; **s~lich** *adj* summery; summer; **~schlußverkauf** *m* summer sale; **~sprossen** *pl* freckles
Sonate [zo'na:tə] *f* sonata
Sonde ['zɔndə] *f* probe
Sonder- ['zɔndər] *in zW* special; **~angebot** *nt* special offer; **s~bar** *adj* strange, odd; **~fahrt** *f* special trip; **~fall** *m* special case; **s~lich** *adj* particular; (*außergewöhnlich*) remarkable; (*eigenartig*) peculiar; **~marke** *f* special issue stamp; **s~n** *konj* but ♦ *vt* to separate; **nicht nur ..., s~n auch** not only ..., but also; **~zug** *m* special train
Sonnabend ['zɔn'a:bənt] *m* Saturday
Sonne ['zɔnə] *f* sun; **s~n** *vr* to sun o.s.
Sonnen- *zW*: **~aufgang** *m* sunrise; **s~baden** *vi* to sunbathe; **~brand** *m* sunburn; **~brille** *f* sunglasses *pl*; **~creme** *f* suntan lotion; **~energie** *f* solar energy, solar power; **~finsternis** *f* solar eclipse; **~kollektor** *m* solar panel; **~schein** *m* sunshine; **~schirm** *m* parasol, sunshade; **~stich** *m* sunstroke; **~uhr** *f* sundial; **~untergang** *m* sunset; **~wende** *f* solstice
sonnig ['zɔnɪç] *adj* sunny
Sonntag ['zɔnta:k] *m* Sunday
sonst [zɔnst] *adv* otherwise; (*mit pron, in Fragen*) else; (*zu anderer Zeit*) at other times, normally ♦ *konj* otherwise; **~ noch etwas?** anything else?; **~ nichts** nothing else; **~ig** *adj* other; **~jemand** *pron* anybody (at all); **~wo** *adv* somewhere else; **~woher** *adv* from somewhere else; **~wohin** *adv* somewhere else
sooft [zo'ɔft] *konj* whenever
Sopran [zo'pra:n] **(-s, -e)** *m* soprano
Sopranistin *f* soprano
Sorge ['zɔrgə] *f* care, worry
sorgen *vi*: **für jdn ~** to look after sb ♦ *vr*: **sich ~ (um)** to worry (about); **für etw ~** to take care of *od* see to sth; **~frei** *adj* carefree; **~voll** *adj* troubled, worried
Sorgerecht *nt* custody (of a child)
Sorg- [zɔrk] *zW*: **~falt** (-) *f* care(fulness); **s~fältig** *adj* careful; **s~los** *adj* careless; (*ohne Sorgen*) carefree; **s~sam** *adj* careful
Sorte ['zɔrtə] *f* sort; (*Waren~*) brand; **~n** *pl* (FIN) foreign currency *sg*
sortieren [zɔr'ti:rən] *vt* to sort (out)
Sortiment [zɔrti'mɛnt] *nt* assortment
sosehr [zo'ze:r] *konj* as much as
Soße ['zo:sə] *f* sauce; (*Braten~*) gravy
Souffleur [zu'flø:r] *m* prompter
Souffleuse [zu'flø:zə] *f* prompter
soufflieren [zu'fli:rən] *vt, vi* to prompt
Souterrain [zutɛ'rɛ̃:] **(-s, -s)** *nt* basement
souverän [zuvə'rɛ:n] *adj* sovereign; (*überlegen*) superior
so- *zW*: **~viel** [zo'fi:l] *konj*: **~viel ich weiß** as far as I know; **~viel (wie)** as much as; **rede nicht ~viel** don't talk so much; **~weit** [zo'vait] *konj* as far as ♦ *adj*: **~weit sein** to be ready; **~weit wie** *od* **als möglich** as far as possible; **ich bin ~weit zufrieden** by and large I'm quite satisfied; **~wenig** [zo've:nɪç] *konj* little as ♦ *pron*: **~wenig (wie)** as little (as); **~wie** [zo'vi:] *konj* (*sobald*) as soon as; (*ebenso*) as well as; **~wieso** [zovi'zo:] *adv* anyway
sowjetisch [zɔ'vjɛtɪʃ] *adj* Soviet
Sowjetunion *f* Soviet Union
sowohl [zo'vo:l] *konj*: **~ ... als** *od* **wie auch** both ... and
sozial [zotsi'a:l] *adj* social; **S~abgaben** *pl* national insurance contributions; **S~arbeiter(in)** *m(f)* social worker; **S~demokrat** *m* social democrat; **~demokratisch** *adj* social democratic; **~isieren** *vt* to socialize; **S~ismus** [-'lɪsmʊs] *m* socialism; **S~ist** [-'lɪst] *m* socialist; **~istisch** *adj* socialist; **S~politik** *f* social welfare policy; **S~produkt** *nt* (net) national product; **S~staat** *m* welfare state; **S~wohnung** *f* council flat
soziologisch [zotsio'lo:gɪʃ] *adj* sociological
sozusagen [zotsu'za:gən] *adv* so to speak
Spachtel ['ʃpaxtəl] **(-s, -)** *m* spatula
spähen ['ʃpɛ:ən] *vi* to peep, to peek
Spalier [ʃpa'li:r] **(-s, -e)** *nt* (*Gerüst*) trellis; (*Leute*) guard of honour
Spalt [ʃpalt] **(-(e)s, -e)** *m* crack; (*Tür~*) chink; (*fig: Kluft*) split; **~e** *f* crack, fissure; (*Gletscherspalte*) crevasse; (*in Text*) column;

s~en vt, vr (auch fig) to split; **~ung** f splitting

Span [ʃpaːn] (-(e)s, ⁼e) m shaving

Spanferkel nt sucking-pig

Spange [ˈʃpaŋə] f clasp; (Haar~) hair slide; (Schnalle) buckle; (Armreif) bangle

Spanien [ˈʃpaːniən] nt Spain

Spanier(in) m(f) Spaniard

spanisch adj Spanish

Spann- [ˈʃpan] zW: **~beton** m pre-stressed concrete; **~bettuch** nt fitted sheet; **~e** f (Zeitspanne) space; (Differenz) gap; **s~en** vt (straffen) to tighten, to tauten; (befestigen) to brace ♦ vi to be tight; **s~end** adj exciting, gripping; **~ung** f tension; (ELEK) voltage; (fig) suspense; (unangenehm) tension

Spar- [ˈʃpaːr] zW: **~buch** nt savings book; **~büchse** f moneybox; **s~en** vt, vi to save; **sich** dat **etw s~en** to save o.s. sth; (Bemerkung) to keep sth to o.s.; **mit etw s~en** to be sparing with sth; **an etw** dat **s~en** to economize on sth; **~er** (-s, -) m saver

Spargel [ˈʃpargəl] (-s, -) m asparagus

Sparkasse f savings bank

Sparkonto nt savings account

spärlich [ˈʃpɛːrlɪç] adj meagre; (Bekleidung) scanty

Spar- zW: **s~sam** adj economical, thrifty; **~samkeit** f thrift, economizing; **~schwein** nt piggy bank

Sparte [ˈʃpartə] f field; line of business; (PRESSE) column

Spaß [ʃpaːs] (-es, ⁼e) m joke; (Freude) fun; **jdm ~ machen** to be fun (for sb); **viel ~!** have fun!; **s~en** vi to joke; **mit ihm ist nicht zu s~en** you can't take liberties with him; **s~haft** adj funny, droll; **s~ig** adj funny, droll; **~verderber** (-s, -) m spoilsport

spät [ʃpɛːt] adj, adv late; **wie ~ ist es?** what's the time?

Spaten [ˈʃpaːtən] (-s, -) m spade

später adj, adv later

spätestens adv at the latest

Spatz [ʃpats] (-en, -en) m sparrow

spazier- [ʃpaˈtsiːr] zW: **~en** vi to stroll, to walk; **~enfahren** (unreg) vi to go for a drive; **~engehen** (unreg) vi to go for a walk; **S~gang** m walk; **S~stock** m walking stick; **S~weg** m path, walk

Specht [ʃpɛçt] (-(e)s, -e) m woodpecker

Speck [ʃpɛk] (-(e)s, -e) m bacon

Spediteur [ʃpediˈtøːr] m carrier; (Möbel~) furniture remover

Spedition [ʃpeditsiˈoːn] f carriage; (Speditionsfirma) road haulage contractor; removal firm

Speer [ʃpeːr] (-(e)s, -e) m spear; (SPORT) javelin

Speiche [ˈʃpaɪçə] f spoke

Speichel [ˈʃpaɪçəl] (-s) m saliva, spit(tle)

Speicher [ˈʃpaɪçər] (-s, -) m storehouse; (Dach~) attic, loft; (Korn~) granary; (Wasser~) tank; (TECH) store; (COMPUT) memory; **s~n** vt to store; (COMPUT) to save

speien [ˈʃpaɪən] (unreg) vt, vi to spit; (erbrechen) to vomit; (Vulkan) to spew

Speise [ˈʃpaɪzə] f food; **~eis** [-ˈaɪs] nt icecream; **~kammer** f larder, pantry; **~karte** f menu; **s~n** vt to feed; to eat ♦ vi to dine; **~röhre** f gullet, oesophagus; **~saal** m dining room; **~wagen** m dining car

Speku- [ʃpeku] zW: **~lant** m speculator; **~lation** [-latsiˈoːn] f speculation; **s~lieren** [-ˈliːrən] vi (fig) to speculate; **auf etw** akk **s~lieren** to have hopes of sth

Spelunke [ʃpeˈluŋkə] f dive

Spende [ˈʃpɛndə] f donation; **s~n** vt to donate, to give; **~r** (-s, -) m donor, donator

spendieren [ʃpɛnˈdiːrən] vt to pay for, to buy; **jdm etw ~** to treat sb to sth, to stand sb sth

Sperling [ˈʃpɛrlɪŋ] m sparrow

Sperma [ˈʃpɛrma] (-s, Spermen) nt sperm

Sperr- [ˈʃpɛr] zW: **~e** f barrier; (Verbot) ban; **s~en** vt to block; (SPORT) to suspend, to bar; (vom Ball) to obstruct; (einschließen) to lock; (verbieten) to ban ♦ vr to baulk, to jib(e); **~gebiet** nt prohibited area; **~holz** nt plywood; **s~ig** adj bulky; **~müll** m bulky refuse; **~sitz** m (THEAT) stalls pl; **~stunde** f closing time

Spesen [ˈʃpeːzən] pl expenses

Spezial- [ʃpetsiˈaːl] in zW special; **~gebiet** nt specialist field; **s~i'sieren** vr to specialize; **~i'sierung** f specialization; **~ist** [-ˈlɪst] m specialist; **~i'tät** f speciality

speziell [ʃpetsiˈɛl] adj special

spezifisch [ʃpeˈtsiːfɪʃ] adj specific

Sphäre [ˈsfɛːrə] f sphere

Spiegel [ˈʃpiːgəl] (-s, -) m mirror; (Wasser~) level; (MIL) tab; **~bild** nt reflection; **s~bildlich** adj reversed; **~ei** nt fried egg; **s~n** vt to mirror, to reflect ♦ vr to be reflected ♦ vi to gleam; (widerspiegeln) to be reflective; **~ung** f reflection

Spiel [ʃpiːl] (-(e)s, -e) nt game; (Schau~) play; (Tätigkeit) play(ing); (KARTEN) deck; (TECH) (free) play; **s~en** vt, vi to play; (um Geld) to gamble; (THEAT) to perform, to act; **s~end** adv easily; **~er** (-s, -) m player; (um Geld) gambler; **~e'rei** f trifling pastime; **~feld** nt pitch, field; **~film** m feature film; **~kasino** nt casino; **~plan** m (THEAT) programme; **~platz** m playground; **~raum** m room to manoeuvre, scope; **~regel** f rule; **~sachen** pl toys; **~uhr** f musical box; **~verderber** (-s, -) m spoilsport; **~waren** pl toys; **~zeug** nt toy(s)

Spieß [ʃpiːs] (-es, -e) m spear; (Brat~) spit; **~bürger** m bourgeois; **~er** (-s, -; umg) m bourgeois

spießig (*pej*) *adj* (petit) bourgeois
Spikes [spaiks] *pl* spikes; (*AUT*) studs
Spinat [ʃpi'naːt] (-(e)s, -e) *m* spinach
Spind [ʃpɪnt] (-(e)s, -e) *m od nt* locker
Spinn- ['ʃpɪn] *zW:* ~**e** *f* spider; **s~en** (*unreg*) *vt, vi* to spin; (*umg*) to talk rubbish; (*verrückt sein*) to be crazy *od* mad; ~**e'rei** *f* spinning mill; ~**rad** *nt* spinning-wheel; ~**webe** *f* cobweb
Spion [ʃpi'oːn] (-s, -e) *m* spy; (*in Tür*) spyhole; ~**age** [ʃpio'naːʒə] *f* espionage; **s~ieren** [ʃpio'niːrən] *vi* to spy; ~**in** *f* (female) spy
Spirale [ʃpi'raːlə] *f* spiral
Spirituosen [ʃpiritu'oːzən] *pl* spirits
Spiritus ['ʃpiːritʊs] (-, -se) *m* (methylated) spirit
Spital [ʃpi'taːl] (-s, ⸚er) *nt* hospital
spitz [ʃpɪts] *adj* pointed; (*Winkel*) acute; (*fig: Zunge*) sharp; (: *Bemerkung*) caustic
Spitze *f* point, tip; (*Berg~*) peak; (*Bemerkung*) taunt, dig; (*erster Platz*) lead, top; (*meist pl: Gewebe*) lace
Spitzel (-s, -) *m* police informer
spitzen *vt* to sharpen
Spitzenmarke *f* brand leader
spitzfindig *adj* (over)subtle
Spitzname *m* nickname
Splitter ['ʃplɪtər] (-s, -) *m* splinter
sponsern ['ʃpɔnzərn, 'ʃpɔnzɔrn] *vt* to sponsor
spontan [ʃpɔn'taːn] *adj* spontaneous
Sport [ʃpɔrt] (-(e)s, -e) *m* sport; (*fig*) hobby; ~**lehrer(in)** *m(f)* games *od* P.E. teacher; ~**ler(in)** (-s, -) *m(f)* sportsman(woman); **s~lich** *adj* sporting; (*Mensch*) sporty; ~**platz** *m* playing *od* sports field; ~**schuh** *m* (*Turnschuh*) training shoe, trainer; ~**stadion** *nt* sports stadium; ~**verein** *m* sports club; ~**wagen** *m* sports car
Spott [ʃpɔt] (-(e)s) *m* mockery, ridicule; **s~billig** *adj* dirt-cheap; **s~en** *vi* to mock; **s~en (über** +*akk*) to mock (at), to ridicule
spöttisch ['ʃpœtɪʃ] *adj* mocking
sprach *etc* [ʃpraːx] *vb siehe* **sprechen**
Sprach- *zW:* **s~begabt** *adj* good at languages; ~**e** *f* language; ~**enschule** *f* language school; ~**fehler** *m* speech defect; ~**führer** *m* phrasebook; ~**gefühl** *nt* feeling for language; ~**kurs** *m* language course; ~**labor** *nt* language laboratory; **s~lich** *adj* linguistic; **s~los** *adj* speechless
sprang *etc* [ʃpraŋ] *vb siehe* **springen**
Spray [spreː] (-s, -s) *m od nt* spray
Sprech- ['ʃprɛç] *zW:* ~**anlage** *f* intercom; **s~en** (*unreg*) *vi* to speak, to talk ♦ *vt* to say; (*Sprache*) to speak; (*Person*) to speak to; **mit jdm s~en** to speak to sb; **das spricht für ihn** that's a point in his favour; ~**er(in)** (-s, -) *m(f)* speaker; (*für Gruppe*) spokesman(woman); (*RADIO, TV*) announcer; ~**stunde** *f* consultation (hour); (doc-

tor's) surgery; ~**stundenhilfe** *f* (doctor's) receptionist; ~**zimmer** *nt* consulting room, surgery, office (*US*)
spreizen ['ʃpraitsən] *vt* (*Beine*) to open, to spread; (*Finger, Flügel*) to spread
Spreng- ['ʃprɛŋ] *zW:* **s~en** *vt* to sprinkle; (*mit Sprengstoff*) to blow up; (*Gestein*) to blast; (*Versammlung*) to break up; ~**stoff** *m* explosive(s)
sprichst *etc* [ʃprɪçst] *vb siehe* **sprechen**
Sprichwort *nt* proverb
sprichwörtlich *adj* proverbial
Spring- ['ʃprɪŋ] *zW:* ~**brunnen** *m* fountain; **s~en** (*unreg*) *vi* (*Glas*) to crack; (*mit Kopfsprung*) to dive; ~**er** (-s, -) *m* jumper; (*Schach*) knight
Sprit [ʃprɪt] (-(e)s, -e; *umg*) *m* juice, gas
Spritz- ['ʃprɪts] *zW:* ~**e** *f* syringe; injection; (*an Schlauch*) nozzle; **s~en** *vt* to spray; (*MED*) to inject ♦ *vi* to splash; (*heraus~*) to spurt; (*MED*) to give injections; ~**pistole** *f* spray gun
spröde ['ʃprøːdə] *adj* brittle; (*Person*) reserved, coy
Sprosse ['ʃprɔsə] *f* rung
Sprößling ['ʃprœslɪŋ] (*umg*) *m* (*Kind*) offspring (*pl inv*)
Spruch [ʃprʊx] (-(e)s, ⸚e) *m* saying, maxim; (*JUR*) judgement
Sprudel ['ʃpruːdəl] (-s, -) *m* mineral water; lemonade; **s~n** *vi* to bubble; ~**wasser** *nt* (*KOCH*) sparkling *od* fizzy mineral water
Sprüh- ['ʃpryː] *zW:* ~**dose** *f* aerosol (can); **s~en** *vi* to spray; (*fig*) to sparkle ♦ *vt* to spray; ~**regen** *m* drizzle
Sprung [ʃprʊŋ] (-(e)s, ⸚e) *m* jump; (*Riß*) crack; ~**brett** *nt* springboard; **s~haft** *adj* erratic; (*Aufstieg*) rapid; ~**schanze** *f* skijump
Spucke ['ʃpʊkə] (-) *f* spit; **s~n** *vt, vi* to spit
Spuk [ʃpuːk] (-(e)s, -e) *m* haunting; (*fig*) nightmare; **s~en** *vi* (*Geist*) to walk; **hier s~t es** this place is haunted
Spülbecken *nt* (*in Küche*) sink
Spule ['ʃpuːlə] *f* spool; (*ELEK*) coil
Spül- ['ʃpyːl] *zW:* ~**e** *f* (kitchen) sink; **s~en** *vt, vi* to rinse; (*Geschirr*) to wash up; (*Toilette*) to flush; ~**maschine** *f* dishwasher; ~**mittel** *nt* washing-up liquid; ~**stein** *m* sink; ~**ung** *f* rinsing; flush; (*MED*) irrigation
Spur [ʃpuːr] (-, -en) *f* trace; (*Fuß~, Rad~, Tonband~*) track; (*Fährte*) trail; (*Fahr~*) lane
spürbar *adj* noticeable, perceptible
spüren ['ʃpyːrən] *vt* to feel
spurlos *adv* without (a) trace
Spurt [ʃpʊrt] (-(e)s, -s *od* -e) *m* spurt
spurten *vi* to spurt
sputen ['ʃpuːtən] *vr* to make haste
St. *abk* = **Stück**; (= *Sankt*) St.
Staat [ʃtaːt] (-(e)s, -en) *m* state; (*Prunk*)

show; (*Kleidung*) finery; **mit etw ~ machen** to show off *od* parade sth; **s~enlos** *adj* stateless; **s~lich** *adj* state(-); state-run

Staats- *zW*: **~angehörige(r)** *f(m)* national; **~angehörigkeit** *f* nationality; **~anwalt** *m* public prosecutor; **~bürger** *m* citizen; **~dienst** *m* civil service; **~examen** *nt* (*UNIV*) state exam(ination); **s~feindlich** *adj* subversive; **~mann** (*pl* **-männer**) *m* statesman; **~oberhaupt** *nt* head of state

Stab [ʃtaːp] (**-(e)s, ¨e**) *m* rod; (*Gitter~*) bar; (*Menschen*) staff; **~hochsprung** *m* pole vault

stabil [ʃtaˈbiːl] *adj* stable; (*Möbel*) sturdy; **~i'sieren** *vt* to stabilize

Stachel [ˈʃtaxəl] (**-s, -n**) *m* spike; (*von Tier*) spine; (*von Insekten*) sting; **~beere** *f* gooseberry; **~draht** *m* barbed wire; **s~ig** *adj* prickly; **~schwein** *nt* porcupine

Stadion [ˈʃtaːdiɔn] (**-s, Stadien**) *nt* stadium

Stadium [ˈʃtaːdiʊm] *nt* stage, phase

Stadt [ʃtat] (**-, ¨e**) *f* town; **~bücherei** *f* municipal library

Städt- [ˈʃtɛːt] *zW*: **~ebau** *m* town planning; **~er(in)** (**-s, -**) *m(f)* town dweller; **s~isch** *adj* municipal; (*nicht ländlich*) urban

Stadt- *zW*: **~kern** *m* town centre, city centre; **~mauer** *f* city wall(s); **~mitte** *f* town centre; **~plan** *m* street map; **~rand** *m* outskirts *pl*; **~rat** *m* (*Behörde*) town council, city council; **~rundfahrt** *f* tour of a/the city; **~teil** *m* district, part of town; **~zentrum** *nt* town centre

Staffel [ˈʃtafəl] (**-, -n**) *f* rung; (*SPORT*) relay (team); (*AVIAT*) squadron; **~lauf** *m* (*SPORT*) relay (race); **s~n** *vt* to graduate

Stahl [ʃtaːl] (**-(e)s, ¨e**) *m* steel

stahl *etc vb siehe* **stehlen**

stak *etc* [ʃtaːk] *vb siehe* **stecken**

Stall [ʃtal] (**-(e)s, ¨e**) *m* stable; (*Kaninchen~*) hutch; (*Schweine~*) sty; (*Hühner~*) henhouse

Stamm [ʃtam] (**-(e)s, ¨e**) *m* (*Baum~*) trunk; (*Menschen~*) tribe; (*GRAM*) stem; **~baum** *m* family tree; (*von Tier*) pedigree; **s~eln** *vt, vi* to stammer; **s~en** *vi*: **s~en von** *od* **aus** to come from; **~gast** *m* regular (customer)

stämmig [ˈʃtɛmɪç] *adj* sturdy; (*Mensch*) stocky

Stammtisch [ˈʃtamtɪʃ] *m* table for the regulars

stampfen [ˈʃtampfən] *vt, vi* to stamp; (*stapfen*) to tramp; (*mit Werkzeug*) to pound

Stand [ʃtant] (**-(e)s, ¨e**) *m* position; (*Wasser~, Benzin~ etc*) level; (*Stehen*) standing position; (*Zu~*) state; (*Spiel~*) score; (*Messe~ etc*) stand; (*Klasse*) class; (*Beruf*) profession

stand *etc vb siehe* **stehen**

Standard [ˈʃtandart] (**-s, -s**) *m* standard

Ständer [ˈʃtɛndər] (**-s, -**) *m* stand

Standes- [ˈʃtandəs] *zW*: **~amt** *nt* registry office; **~beamte(r)** *m* registrar; **s~gemäß** *adj, adv* according to one's social position; **~unterschied** *m* social difference

Stand- *zW*: **s~haft** *adj* steadfast; **s~halten** (*unreg*) *vi*: **(jdm/etw) s~halten** to stand firm (against sb/sth), to resist (sb/sth)

ständig [ˈʃtɛndɪç] *adj* permanent; (*ununterbrochen*) constant, continual

Stand- *zW*: **~licht** *nt* sidelights *pl*, parking lights *pl* (*US*); **~ort** *m* location; (*MIL*) garrison; **~punkt** *m* standpoint

Stange [ˈʃtaŋə] *f* stick; (*Stab*) pole, bar; rod; (*Zigaretten*) carton; **von der ~** (*COMM*) off the peg; **eine ~ Geld** (*umg*) quite a packet

Stanniol [ʃtaniˈoːl] (**-s, -e**) *nt* tinfoil

Stapel [ˈʃtaːpəl] (**-s, -**) *m* pile; (*NAUT*) stocks *pl*; **~lauf** *m* launch; **s~n** *vt* to pile (up)

Star¹ [ʃtaːr] (**-(e)s, -e**) *m* starling; (*MED*) cataract

Star² (**-s, -s**) *m* (*Film~ etc*) star

starb *etc* [ʃtarp] *vb siehe* **sterben**

stark [ʃtark] *adj* strong; (*heftig, groß*) heavy; (*Maßangabe*) thick

Stärke [ˈʃtɛrkə] *f* strength; heaviness; thickness; (*KOCH, Wäsche~*) starch; **s~n** *vt* to strengthen; (*Wäsche*) to starch

Starkstrom *m* heavy current

Stärkung [ˈʃtɛrkʊŋ] *f* strengthening; (*Essen*) refreshment

starr [ʃtar] *adj* stiff; (*unnachgiebig*) rigid; (*Blick*) staring; **~en** *vi*: **~en vor** *od* **von** to be covered in; (*Waffen*) to be bristling with; **S~heit** *f* rigidity; **~köpfig** *adj* stubborn; **S~sinn** *m* obstinacy

Start [ʃtart] (**-(e)s, -e**) *m* start; (*AVIAT*) takeoff; **~automatik** *f* (*AUT*) automatic choke; **~bahn** *f* runway; **s~en** *vt* to start ♦ *vi* to start; to take off; **~er** (**-s, -**) *m* starter; **~erlaubnis** *f* takeoff clearance

Station [ʃtatsiˈoːn] *f* station; hospital ward; **s~är** [ʃtatsioˈnɛːr] *adj* (*MED*) in-patient *attr*; **s~ieren** [-niˈroːn] *vt* to station

Statist [ʃtaˈtɪst] *m* extra, super-numerary

Statistik *f* statistics *sg*; **~er** (**-s, -**) *m* statistician

statistisch *adj* statistical

Stativ [ʃtaˈtiːf] (**-s, -e**) *nt* tripod

statt [ʃtat] *konj* instead of ♦ *präp* (+*gen od dat*) instead of

Stätte [ˈʃtɛtə] *f* place

statt- *zW*: **~finden** (*unreg*) *vi* to take place; **~haft** *adj* admissible; **~lich** *adj* imposing, handsome

Statue [ˈʃtaːtuə] *f* statue

Status [ˈʃtaːtʊs] (**-, -**) *m* status; **~symbol** *nt* status symbol

Stau [ʃtaʊ] (**-(e)s, -e**) *m* blockage; (*Ver-*

kehrs~) (traffic) jam

Staub [ʃtaʊp] (**-(e)s**) *m* dust; **s~en** ['ʃtaʊbən] *vi* to be dusty; **s~ig** *adj* dusty; **s~saugen** *vi* to vacuum, to hoover (®); **~sauger** *m* vacuum cleaner; **~tuch** *nt* duster

Staudamm *m* dam

Staude ['ʃtaʊdə] *f* shrub

stauen ['ʃtaʊən] *vt* (*Wasser*) to dam up; (*Blut*) to stop the flow of ♦ *vr* (*Wasser*) to become dammed up; (*MED, Verkehr*) to become congested; (*Menschen*) to collect; (*Gefühle*) to build up

staunen ['ʃtaʊnən] *vi* to be astonished; **S~** (**-s**) *nt* amazement

Stausee (**-s, -n**) *m* reservoir, man-made lake

Stauung ['ʃtaʊʊŋ] *f* (*von Wasser*) damming-up; (*von Blut, Verkehr*) congestion

Std. *abk* (*= Stunde*) hr.

Steak [steːk] *nt* steak

Stech- ['ʃtɛç] *zW:* **s~en** (*unreg*) *vt* (*mit Nadel etc*) to prick; (*mit Messer*) to stab; (*mit Finger*) to poke; (*Biene etc*) to sting; (*Mücke*) to bite; (*Sonne*) to burn; (*KARTEN*) to take; (*ART*) to engrave; (*Torf, Spargel*) to cut; **in See s~en** to put to sea; **~en** (**-s, -**) *nt* (*SPORT*) play-off; jump-off; **s~end** *adj* piercing, stabbing; (*Geruch*) pungent; **~palme** *f* holly; **~uhr** *f* time clock

Steck- ['ʃtɛk] *zW:* **~brief** *m* "wanted" poster; **~dose** *f* (wall) socket; **s~en** *vt* to put, to insert; (*Nadel*) to stick; (*Pflanzen*) to plant; (*beim Nähen*) to pin ♦ *vi* (*auch unreg*) to be; (*festsitzen*) to be stuck; (*Nadeln*) to stick; **s~enbleiben** (*unreg*) *vi* to get stuck; **s~enlassen** (*unreg*) *vt* to leave in; **~enpferd** *nt* hobby-horse; **~er** (**-s, -**) *m* plug; **~nadel** *f* pin

Steg [ʃteːk] (**-(e)s, -e**) *m* small bridge; (*Anlege~*) landing stage; **~reif** *m:* **aus dem ~reif** just like that

stehen ['ʃteːən] (*unreg*) *vi* to stand; (*sich befinden*) to be; (*in Zeitung*) to say; (*still~*) to have stopped ♦ *vi unpers:* **es steht schlecht um jdn/etw** things are bad for sb/sth; **zu jdm/etw ~** to stand by sb/sth; **jdm ~** to suit sb; **wie steht's?** how are things?; (*SPORT*) what's the score?; **~ bleiben** to remain standing; **~bleiben** (*unreg*) *vi* (*Uhr*) to stop; (*Fehler*) to stay as it is; **~lassen** (*unreg*) *vt* to leave; (*Bart*) to grow

Stehlampe ['ʃteːlampə] *f* standard lamp

stehlen ['ʃteːlən] (*unreg*) *vt* to steal

Stehplatz ['ʃteːplats] *m* standing place

steif [ʃtaɪf] *adj* stiff; **S~heit** *f* stiffness

Steig- ['ʃtaɪk] *zW:* **~bügel** *m* stirrup; **~eisen** *nt* crampon; **s~en** (*unreg*) *vi* to rise; (*klettern*) to climb; **s~en in** +*akk/***auf** +*akk* to get in/on; **s~ern** *vt* to raise; (*GRAM*) to compare ♦ *vi* (*Auktion*) to bid ♦ *vr* to increase; **~erung** *f* raising; (*GRAM*) compari-

son; **~ung** *f* incline, gradient, rise

steil [ʃtaɪl] *adj* steep

Stein [ʃtaɪn] (**-(e)s, -e**) *m* stone; (*in Uhr*) jewel; **~bock** *m* (*ASTROL*) Capricorn; **~bruch** *m* quarry; **s~ern** *adj* (made of) stone; (*fig*) stony; **~gut** *nt* stoneware; **s~ig** ['ʃtaɪnɪç] *adj* stony; **s~igen** *vt* to stone; **~kohle** *f* mineral coal; **~zeit** *f* Stone Age

Stelle ['ʃtɛlə] *f* place; (*Arbeit*) post, job; (*Amt*) office; **an Ihrer/meiner ~** in your/my place

stellen *vt* to put; (*Uhr etc*) to set; (*zur Verfügung ~*) to supply; (*fassen: Dieb*) to apprehend ♦ *vr* (*sich aufstellen*) to stand; (*sich einfinden*) to present o.s.; (*bei Polizei*) to give o.s. up; (*vorgeben*) to pretend (to be); **sich zu etw ~** to have an opinion of sth

Stellen- *zW:* **~angebot** *nt* offer of a post; (*in Zeitung*) "vacancies"; **~gesuch** *nt* application for a post; **~vermittlung** *f* employment agency

Stell- *zW:* **~ung** *f* position; (*MIL*) line; **~ung nehmen zu** to comment on; **~ungnahme** *f* comment; **s~vertretend** *adj* deputy, acting; **~vertreter** *m* deputy

Stelze ['ʃtɛltsə] *f* stilt

Stemmbogen *m* (*SKI*) stem turn

stemmen ['ʃtɛmən] *vt* to lift (up); (*drücken*) to press; **sich ~ gegen** (*fig*) to resist, to oppose

Stempel ['ʃtɛmpəl] (**-s, -**) *m* stamp; (*BOT*) pistil; **~kissen** *nt* inkpad; **s~n** *vt* to stamp; (*Briefmarke*) to cancel; **s~n gehen** (*umg*) to be *od* go on the dole

Stengel ['ʃtɛŋəl] (**-s, -**) *m* stalk

Steno- [ʃteno] *zW:* **~gramm** [-'gram] *nt* shorthand report; **~graphie** [-graˈfiː] *f* shorthand; **s~graphieren** [-graˈfiːrən] *vt, vi* to write (in) shorthand; **~typist(in)** [-tyˈpɪst(ɪn)] *m(f)* shorthand typist

Stepp- ['ʃtɛp] *zW:* **~decke** *f* quilt; **~e** *f* prairie; steppe; **s~en** *vt* to stitch ♦ *vi* to tap-dance

Sterb- ['ʃtɛrb] *zW:* **~efall** *m* death; **~ehilfe** *f* euthanasia; **s~en** (*unreg*) *vi* to die; **s~lich** ['ʃtɛrplɪç] *adj* mortal; **~lichkeit** *f* mortality; **~lichkeitsziffer** *f* death rate

stereo- ['steːreo] *in zW* stereo(-); **S~anlage** *f* stereo (system); **~typ** [stereoˈtyːp] *adj* stereotype

steril [ʃteˈriːl] *adj* sterile; **~isieren** *vt* to sterilize; **S~isierung** *f* sterilization

Stern [ʃtɛrn] (**-(e)s, -e**) *m* star; **~bild** *nt* constellation; **~schnuppe** *f* meteor, falling star; **~stunde** *f* historic moment

stet [ʃteːt] *adj* steady; **~ig** *adj* constant, continual; **~s** *adv* continually, always

Steuer¹ ['ʃtɔʏər] (**-s, -**) *nt* (*NAUT*) helm; (*~ruder*) rudder; (*AUT*) steering wheel

Steuer² (**-, -n**) *f* tax; **~berater(in)** *m(f)* tax consultant

Steuerbord nt (NAUT, FLUG) starboard
Steuer- ['ʃtɔyər] zW: ~**erklärung** f tax return; ~**freibetrag** m tax allowance; ~**klasse** f tax group; ~**knüppel** m control column; (AVIAT, COMPUT) joystick; ~**mann** (pl -**männer** od -**leute**) m helmsman; s~**n** vt, vi to steer; (Flugzeug) to pilot; (Entwicklung, Tonstärke) to control; ~**rad** nt steering wheel; ~**ung** f (auch AUT) steering; piloting; control; (Vorrichtung) controls pl; ~**zahler** (-s, -) m taxpayer
Steward ['stjuːərt] (-s, -s) m steward; ~**eß** ['stjuːərdɛs] (-, -**essen**) f stewardess; air hostess
Stich [ʃtɪç] (-(e)s, -e) m (Insekten~) sting; (Messer~) stab; (beim Nähen) stitch; (Färbung) tinge; (KARTEN) trick; (ART) engraving; **jdn im ~ lassen** to leave sb in the lurch; s~**eln** vi (fig) to jibe; s~**haltig** adj sound, tenable; ~**probe** f spot check; ~**straße** f cul-de-sac; ~**wahl** f final ballot; ~**wort** nt cue; (in Wörterbuch) headword; (für Vortrag) note
sticken ['ʃtɪkən] vt, vi to embroider
Sticke'rei f embroidery
stickig adj stuffy, close
Stickstoff m nitrogen
Stief- ['ʃtiːf] in zW step
Stiefel ['ʃtiːfəl] (-s, -) m boot
Stief- zW: ~**kind** nt stepchild; (fig) Cinderella; ~**mutter** f stepmother; ~**mütterchen** nt pansy; s~**mütterlich** adj (fig): **jdn/etw ~ mütterlich behandeln** to pay little attention to sb/sth; ~**vater** m stepfather
Stiege ['ʃtiːgə] f staircase
stiehlst etc ['ʃtiːlst] vb siehe **stehlen**
Stiel [ʃtiːl] (-(e)s, -e) m handle; (BOT) stalk
Stier (-(e)s, -e) m bull; (ASTROL) Taurus
stier [ʃtiːr] adj staring, fixed; ~**en** vi to stare
Stierkampf m bullfight
Stierkämpfer m bullfighter
Stift [ʃtɪft] (-(e)s, -e) m peg; (Nagel) tack; (Farb~) crayon; (Blei~) pencil ♦ nt (charitable) foundation; (ECCL) religious institution; s~**en** vt to found; (Unruhe) to cause; (spenden) to contribute; ~**er(in)** (-s, -) m(f) founder; ~**ung** f donation; (Organisation) foundation; ~**zahn** m post crown
Stil [ʃtiːl] (-(e)s, -e) m style
still [ʃtɪl] adj quiet; (unbewegt) still; (heimlich) secret; **S~er Ozean** Pacific; **S~e** f stillness, quietness; **in aller S~e** quietly; ~**en** vt to stop; (befriedigen) to satisfy; (Säugling) to breast-feed; ~**halten** (unreg) vi to keep still; ~**legen** vt to close down; ~**schweigen** (unreg) vi to be silent; **S~schweigen** nt silence; ~**schweigend** adj silent; (Einverständnis) tacit ♦ adv silently; tacitly; **S~stand** m standstill; ~**ste-**

hen (unreg) vi to stand still
Stimm- ['ʃtɪm] zW: ~**bänder** pl vocal chords; s~**berechtigt** adj entitled to vote; ~**e** f voice; (Wahlstimme) vote; s~**en** vt (MUS) to tune ♦ vi to be right; **das s~te ihn traurig** that made him feel sad; s~**en für/gegen** to vote for/against; s~**t so!** that's right; ~**enmehrheit** f majority (of votes); ~**enthaltung** f abstention; ~**gabel** f tuning fork; ~**recht** nt right to vote; ~**ung** f mood; atmosphere; s~**ungsvoll** adj enjoyable; full of atmosphere; ~**zettel** m ballot paper
stinken ['ʃtɪŋkən] (unreg) vi to stink
Stipendium [ʃtiˈpɛndiʊm] nt grant
stirbst etc [ʃtɪrpst] vb siehe **sterben**
Stirn [ʃtɪrn] (-, -en) f forehead, brow; (Frechheit) impudence; ~**band** nt headband; ~**höhle** f sinus
stöbern ['ʃtøːbərn] vi to rummage
stochern ['ʃtɔxərn] vi to poke (about)
Stock¹ [ʃtɔk] (-(e)s, ⁝e) m stick; (BOT) stock
Stock² (-(e)s, - od ~**werke**) m storey
stocken vi to stop, to pause; ~**d** adj halting
Stockung f stoppage
Stockwerk nt storey, floor
Stoff [ʃtɔf] (-(e)s, -e) m (Gewebe) material, cloth; (Materie) matter; (von Buch etc) subject (matter); s~**lich** adj material; ~**tier** nt soft toy; ~**wechsel** m metabolism
stöhnen ['ʃtøːnən] vi to groan
stoisch ['ʃtoːɪʃ] adj stoical
Stollen ['ʃtɔlən] (-s, -) m (MIN) gallery; (KOCH) cake eaten at Christmas; (von Schuhen) stud
stolpern ['ʃtɔlpərn] vi to stumble, to trip
Stolz [ʃtɔlts] (-es, -) m pride; s~ adj proud; s~**ieren** [ʃtɔlˈtsiːrən] vi to strut
stopfen ['ʃtɔpfən] vt (hinein~) to stuff; (voll~) to fill (up); (nähen) to darn ♦ vi (MED) to cause constipation
Stopfgarn nt darning thread
Stoppel ['ʃtɔpəl] (-, -n) f stubble
Stopp- ['ʃtɔp] zW: s~**en** vt to stop; (mit Uhr) to time ♦ vi to stop; ~**schild** nt stop sign; ~**uhr** f stopwatch
Stöpsel ['ʃtœpsəl] (-s, -) m plug; (für Flaschen) stopper
Storch [ʃtɔrç] (-(e)s, ⁝e) m stork
Stör- ['ʃtøːr] zW: s~**en** vt to disturb; (behindern, RADIO) to interfere with ♦ vr: **sich an etw** dat **s~en** to let sth bother one; s~**end** adj disturbing, annoying; ~**enfried** (-(e)s, -e) m troublemaker
störrisch ['ʃtœrɪʃ] adj stubborn, perverse
Störung f disturbance; interference
Stoß [ʃtoːs] (-es, ⁝e) m (Schub) push; (Schlag) blow; knock; (mit Schwert) thrust; (mit Fuß) kick; (Erd~) shock; (Haufen) pile; ~**dämpfer** (-s, -) m shock absorber; s~**en**

(unreg) vt (mit Druck) to shove, to push; (mit Schlag) to knock, to bump; (mit Fuß) to kick; (Schwert etc) to thrust; (anstoßen: Kopf etc) to bump ♦ vr to get a knock ♦ vi: s~en an od auf +akk to bump into; (finden) to come across; (angrenzen) to be next to; sich s~en an +dat (fig) to take exception to; ~stange f (AUT) bumper

stottern ['ʃtɔtərn] vt, vi to stutter

Str. abk (= Straße) St.

Straf- ['ʃtraːf] zW: ~anstalt f penal institution; ~arbeit f (SCH) punishment; lines pl; s~bar adj punishable; ~e f punishment; (JUR) penalty; (Gefängnisstrafe) sentence; (Geldstrafe) fine; s~en vt to punish

straff [ʃtraf] adj tight; (streng) strict; (Stil etc) concise; (Haltung) erect; ~en vt to tighten, to tauten

Strafgefangene(r) mf prisoner, convict

Strafgesetzbuch nt penal code

sträflich ['ʃtrɛːfliç] adj criminal

Sträfling m convict

Straf- zW: ~porto nt excess postage (charge); ~predigt f telling-off; ~raum m (SPORT) penalty area; ~recht nt criminal law; ~stoß m (SPORT) penalty (kick); ~tat f punishable act; ~zettel m ticket

Strahl [ʃtraːl] (-(e)s, -en) m ray, beam; (Wasser~) jet; s~en vi to radiate; (fig) to beam; ~ung f radiation

Strähne ['ʃtrɛːnə] f strand

stramm [ʃtram] adj tight; (Haltung) erect; (Mensch) robust

strampeln ['ʃtrampəln] vi to kick (about), to fidget

Strand [ʃtrant] (-(e)s, ⁼e) m shore; (mit Sand) beach; ~bad nt open-air swimming pool, lido; s~en ['ʃtrandən] vi to run aground; (fig: Mensch) to fail; ~gut nt flotsam; ~korb m beach chair

Strang [ʃtraŋ] (-(e)s, ⁼e) m cord, rope; (Bündel) skein

Strapaz- zW: ~e [ʃtra'paːtsə] f strain, exertion; s~ieren [ʃtrapa'tsiːrən] vt (Material) to treat roughly, to punish; (Mensch, Kräfte) to wear out, to exhaust; s~ierfähig adj hard-wearing; s~iös [ʃtrapatsi'øːs] adj exhausting, tough

Straße ['ʃtraːsə] f street, road

Straßen- zW: ~bahn f tram, streetcar (US); ~beleuchtung f street lighting; ~karte f road map; ~kehrer (-s, -) m roadsweeper; ~sperre f roadblock; ~verkehr m (road) traffic; ~verkehrsordnung f highway code

Strateg- [ʃtra'teːg] zW: ~e (-n, -n) m strategist; ~ie [ʃtrate'giː] f strategy; s~isch adj strategic

sträuben ['ʃtrɔybən] vt to ruffle ♦ vr to bristle; (Mensch): sich (gegen etw) ~ to resist (sth)

Strauch [ʃtraux] (-(e)s, Sträucher) m bush, shrub

Strauß¹ [ʃtraus] (-es, Sträuße) m bunch; bouquet

Strauß² (-es, -e) m ostrich

Streb- [ʃtreːb] zW: s~en vi to strive, to endeavour; s~en nach to strive for; ~er (-s, -; pej) m pusher, climber; (SCH) swot (BRIT); s~sam adj industrious

Strecke ['ʃtrɛkə] f stretch; (Entfernung) distance; (EISENB, MATH) line; s~n vt to stretch; (Waffen) to lay down; (KOCH) to eke out ♦ vr to stretch (o.s.)

Streich [ʃtraiç] (-(e)s, -e) m trick, prank; (Hieb) blow; s~eln vt to stroke; s~en (unreg) vt (berühren) to stroke; (auftragen) to spread; (anmalen) to paint; (durchstreichen) to delete; (nicht genehmigen) to cancel ♦ vi (berühren) to brush; (schleichen) to prowl; ~holz nt match; ~instrument nt string instrument

Streif- [ʃtraif] zW: ~e f patrol; s~en vt (leicht berühren) to brush against, to graze; (Blick) to skim over; (Thema, Problem) to touch on; (abstreifen) to take off ♦ vi (gehen) to roam; ~en (-s, -) m (Linie) stripe; (Stück) strip; (Film) film; ~schuß m graze, grazing shot; ~zug m scouting trip

Streik [ʃtraik] (-(e)s, -s) m strike; ~brecher (-s, -) m blackleg, strikebreaker; s~en vi to strike; ~posten m (strike) picket

Streit [ʃtrait] (-(e)s, -e) m argument; dispute; s~en (unreg) vi, vr to argue; to dispute; ~frage f point at issue; s~ig adj: jdm etw s~ig machen to dispute sb's right to sth; ~igkeiten pl quarrel sg, dispute sg; ~kräfte pl (MIL) armed forces

streng [ʃtrɛŋ] adj severe; (Lehrer, Maßnahme) strict; (Geruch etc) sharp; S~e (-) f severity, strictness, sharpness; s~genommen adv strictly speaking; ~gläubig adj orthodox, strict; s~stens adv strictly

Streß [ʃtrɛs] (-sses, -sse) m stress

stressen vt to put under stress

streuen ['ʃtrɔyən] vt to strew, to scatter, to spread; **Streuung** f dispersion

Strich [ʃtriç] (-(e)s, -e) m (Linie) line; (Feder~, Pinsel~) stroke; (von Geweben) nap; (von Fell) pile; auf den ~ gehen (umg) to walk the streets; jdm gegen den ~ gehen to rub sb up the wrong way; einen ~ machen durch to cross out; (fig) to foil; ~kode m (auf Waren) barcode; ~mädchen nt streetwalker; ~punkt m semicolon; s~weise adv here and there

Strick [ʃtrik] (-(e)s, -e) m rope; s~en vt, vi to knit; ~jacke f cardigan; ~leiter f rope ladder; ~nadel f knitting needle; ~waren pl knitwear sg

striegeln vt (Tiere, Fell) to groom

strikt ['ʃtrikt] adj strict

strittig ['ʃtritiç] adj disputed, in dispute

Stroh [ʃtroː] (-(e)s) nt straw; ~**blume** f everlasting flower; ~**dach** nt thatched roof; ~**halm** m (drinking) straw

Strom [ʃtroːm] (-(e)s, ⸚e) m river; (fig) stream; (ELEK) current; **s~'abwärts** adv downstream; **s~'aufwärts** adv upstream

strömen ['ʃtrøːmən] vi to stream, to pour

Strom- zW: ~**kreis** m circuit; **s~linienförmig** adj streamlined; ~**sperre** f power cut

Strömung ['ʃtrøːmʊŋ] f current

Strophe ['ʃtroːfə] f verse

strotzen ['ʃtrɔtsən] vi: ~ **vor** od **von** to abound in, to be full of

Strudel ['ʃtruːdəl] (-s, -) m whirlpool, vortex; (KOCH) strudel

Struktur [ʃtrʊk'tuːr] f structure

Strumpf [ʃtrʊmpf] (-(e)s, ⸚e) m stocking; ~**band** nt garter; ~**hose** f (pair of) tights

Stube ['ʃtuːbə] f room

Stuben- zW: ~**arrest** m confinement to one's room; (MIL) confinement to quarters; ~**hocker** (umg) m stay-at-home; **s~rein** adj house-trained

Stuck [ʃtʊk] (-(e)s) m stucco

Stück [ʃtʏk] (-(e)s, -e) nt piece; (etwas) bit; (THEAT) play; ~**chen** nt little piece; ~**lohn** m piecework wages pl; **s~weise** adv bit by bit, piecemeal; (COMM) individually

Student(in) [ʃtu'dənt(ɪn)] m(f) student; **s~isch** adj student, academic

Studie ['ʃtuːdiə] f study

studieren [ʃtu'diːrən] vt, vi to study

Studio ['ʃtuːdio] (-s, -s) nt studio

Studium ['ʃtuːdiʊm] nt studies pl

Stufe ['ʃtuːfə] f step; (Entwicklungs~) stage; **s~nweise** adv gradually

Stuhl [ʃtuːl] (-(e)s, ⸚e) m chair; ~**gang** m bowel movement

stülpen ['ʃtʏlpən] vt (umdrehen) to turn upside down; (bedecken) to put

stumm [ʃtʊm] adj silent; (MED) dumb

Stummel ['ʃtʊməl] (-s, -) m stump; (Zigaretten~) stub

Stummfilm m silent film

Stümper ['ʃtʏmpər] (-s, -) m incompetent, duffer; **s~haft** adj bungling, incompetent; **s~n** vi to bungle

Stumpf [ʃtʊmpf] (-(e)s, ⸚e) m stump; **s~** adj blunt; (teilnahmslos, glanzlos) dull; (Winkel) obtuse; ~**sinn** m tediousness; **s~sinnig** adj dull

Stunde ['ʃtʊndə] f hour; (SCH) lesson

stunden vt: **jdm etw** ~ to give sb time to pay sth; **S~geschwindigkeit** f average speed per hour; **S~kilometer** pl kilometres per hour; ~**lang** adj for hours; **S~lohn** m hourly wage; **S~plan** m timetable; ~**weise** adv by the hour; every hour

stündlich ['ʃtʏntlɪç] adj hourly

Stups [ʃtʊps] (-es, -e; umg) m push;

~**nase** f snub nose

stur [ʃtuːr] adj obstinate, pigheaded

Sturm [ʃtʊrm] (-(e)s, ⸚e) m storm, gale; (MIL etc) attack, assault

stürm- ['ʃtʏrm] zW: ~**en** vi (Wind) to blow hard, to rage; (rennen) to storm ♦ vt (MIL, fig) to storm ♦ vb unpers: **es** ~t there's a gale blowing; **S~er** (-s, -) m (SPORT) forward, striker; ~**isch** adj stormy

Sturmwarnung f gale warning

Sturz [ʃtʊrts] (-es, ⸚e) m fall; (POL) overthrow

stürzen ['ʃtʏrtsən] vt (werfen) to hurl; (POL) to overthrow; (umkehren) to overturn ♦ vr to rush; (hinein~) to plunge ♦ vi to fall; (AVIAT) to dive; (rennen) to dash

Sturzflug m nose-dive

Sturzhelm m crash helmet

Stute ['ʃtuːtə] f mare

Stützbalken m brace, joist

Stütze ['ʃtʏtsə] f support; help

stutzen ['ʃtʊtsən] vt to trim; (Ohr, Schwanz) to dock; (Flügel) to clip ♦ vi to hesitate; to become suspicious

stützen vt (auch fig) to support; (Ellbogen etc) to prop up

stutzig adj perplexed, puzzled; (mißtrauisch) suspicious

Stützpunkt m point of support; (von Hebel) fulcrum; (MIL, fig) base

Styropor [ʃtyro'poːr] (®; -s) nt polystyrene

s.u. abk = **siehe unten**

Subjekt [zʊp'jɛkt] (-(e)s, -e) nt subject; **s~iv** [-'tiːf] adj subjective; ~**ivi'tät** f subjectivity

Substantiv ['zʊpstantiːf] (-s, -e) nt noun

Substanz [zʊp'stants] f substance

subtil [zʊp'tiːl] adj subtle

subtrahieren [zʊptra'hiːrən] vt to subtract

subtropisch ['zʊptroːpɪʃ] adj subtropical

Subvention [zʊpvɛntsi'oːn] f subsidy; **s~ieren** [-'niːrən] vt to subsidize

Such- ['zuːx] zW: ~**aktion** f search; ~**e** f search; **s~en** vt to look (for), to seek; (versuchen) to try ♦ vi to seek, to search; ~**er** (-s, -) m seeker, searcher; (PHOT) viewfinder

Sucht [zʊxt] (-, ⸚e) f mania; (MED) addiction, craving

süchtig ['zʏçtɪç] adj addicted; **S~e(r)** mf addict

Süd- ['zyːt] zW: ~**en** (-s) m south; ~**früchte** pl Mediterranean fruit sg; **s~lich** adj southern; **s~lich von** (to the) south of; ~**pol** m South Pole; **s~wärts** adv southwards

süffig ['zʏfɪç] adj (Wein) pleasant to the taste

süffisant [zʏfi'zant] adj smug

suggerieren [zʊge'riːrən] vt to suggest

Sühne ['zyːnə] f atonement, expiation; **s~n** vt to atone for, to expiate

Sultan ['zultan] (-s, -e) *m* sultan; **~ine** *f*
sultana
Sülze ['zyltsə] *f* brawn
Summe ['zumə] *f* sum, total
summen *vt, vi* to buzz; (*Lied*) to hum
Sumpf [zumpf] (-(e)s, ̈-e) *m* swamp, marsh;
s~ig *adj* marshy
Sünde ['zyndə] *f* sin; **~nbock** (*umg*) *m*
scapegoat; **~nfall** *m* Fall (of man); **~r(in)**
(-s, -) *m(f)* sinner; **sündigen** *vi* to sin
Super ['zu:pər] (-s) *nt* (*Benzin*) four star
(petrol) (*BRIT*), premium (*US*); **~lativ**
[-lati:f] (-s, -e) *m* superlative; **~macht** *f*
superpower; **~markt** *m* supermarket
Suppe ['zupə] *f* soup; **~nteller** *m* soup
plate
süß [zy:s] *adj* sweet; **S~e** (-) *f* sweetness;
~en *vt* to sweeten; **S~igkeit** *f* sweetness;
(*Bonbon etc*) sweet (*BRIT*), candy (*US*);
~lich *adj* sweetish; (*fig*) sugary; **~sauer**
adj (*Gurke*) pickled; (*Sauce etc*) sweet-and-
sour; **S~speise** *f* pudding, sweet; **S~stoff**
m sweetener; **S~waren** *pl* confectionery
(*sing*); **S~wasser** *nt* fresh water
Sylvester [zyl'vɛstər] (-s, -) *nt* = **Silvester**
Symbol [zym'bo:l] (-s, -e) *nt* symbol;
s~isch *adj* symbolic(al)
Symmetrie [zyme'tri:] *f* symmetry
symmetrisch [zy'me:trɪʃ] *adj* symmetrical
Sympathie [zympa'ti:] *f* liking, sympathy;
sympathisch [zym'pa:tɪʃ] *adj* likeable; **er
ist mir sympathisch** I like him; **sympa-
thi'sieren** *vi* to sympathize
Symphonie [zymfo'ni:] *f* (*MUS*) symphony
Symptom [zymp'to:m] (-s, -e) *nt* symptom;
s~atisch [zympto'ma:tɪʃ] *adj* symptomatic
Synagoge [zyna'go:gə] *f* synagogue
synchron [zyn'kro:n] *adj* synchronous;
S~getriebe *nt* synchromesh (gears *pl*);
~i'sieren *vt* to synchronize; (*Film*) to dub
Synonym [zyno'ny:m] (-s, -e) *nt* synonym;
s~ *adj* synonymous
Synthese [zyn'te:zə] *f* synthesis
synthetisch [zyn'te:tɪʃ] *adj* synthetic
Syphilis ['zy:filɪs] (-) *f* syphilis
System [zys'te:m] (-s, -e) *nt* system;
s~atisch [zyste'ma:tɪʃ] *adj* systematic; **s~-
ati'sieren** *vt* to systematize
Szene ['stse:nə] *f* scene; **~rie** [stsenə'ri:] *f*
scenery

T t

t *abk* (= *Tonne*) t
Tabak ['ta:bak] (-s, -e) *m* tobacco
Tabell- [ta'bɛl] *zW*: **t~arisch** [tabɛ'la:rɪʃ]
adj tabular; **~e** *f* table
Tablett [ta'blɛt] *nt* tray; **~e** *f* tablet, pill
Tabu [ta'bu:] *nt* taboo; **t~** *adj* taboo
Tachometer [taxo'me:tər] (-s, -) *m* (*AUT*)
speedometer
Tadel ['ta:dəl] (-s, -) *m* censure; scolding;
(*Fehler*) fault, blemish; **t~los** *adj* faultless,
irreproachable; **t~n** *vt* to scold
Tafel ['ta:fəl] (-, -n) *f* (*auch MATH*) table;
(*Anschlag~*) board; (*Wand~*) blackboard;
(*Schiefer~*) slate; (*Gedenk~*) plaque; (*Illustration*) plate; (*Schalt~*) panel; (*Schokolade
etc*) bar
Taft [taft] (-(e)s, -e) *m* taffeta
Tag [ta:k] (-(e)s, -e) *m* day; daylight;
unter/über ~e (*MIN*) underground/on the
surface; **an den ~ kommen** to come to
light; **guten ~!** good morning/afternoon!;
t~aus *adv*: **t~aus, t~ein** day in, day out;
~dienst *m* day duty
Tage- ['ta:gə] *zW*: **~buch** ['ta:gəbu:x] *nt*
diary, journal; **~geld** *nt* daily allowance;
t~lang *adv* for days; **t~n** *vi* to sit, to meet
♦ *vb unpers*: **es tagt** dawn is breaking
Tages- *zW*: **~ablauf** *m* course of the day;
~anbruch *m* dawn; **~fahrt** *f* day trip;
~karte *f* menu of the day; (*Fahrkarte*) day
ticket; **~licht** *nt* daylight; **~ordnung** *f*
agenda; **~zeit** *f* time of day; **~zeitung** *f*
daily (paper)
täglich ['tɛ:klıç] *adj, adv* daily
tagsüber ['ta:ks'y:bər] *adv* during the day
Tagung *f* conference
Taille ['taljə] *f* waist
Takt [takt] (-(e)s, -e) *m* tact; (*MUS*) time;
~gefühl *nt* tact
Taktik *f* tactics *pl*
taktisch *adj* tactical
Takt- *zW*: **t~los** *adj* tactless; **~losigkeit** *f*
tactlessness; **~stock** *m* (conductor's) baton; **t~voll** *adj* tactful
Tal [ta:l] (-(e)s, ̈-er) *nt* valley
Talent [ta'lɛnt] (-(e)s, -e) *nt* talent; **t~iert**
[talɛn'ti:rt] *adj* talented, gifted
Talisman ['ta:lɪsman] (-s, -e) *m* talisman
Talsohle *f* bottom of a valley
Talsperre *f* dam

Tamburin [tambu'ri:n] (-s, -e) nt tambourine

Tampon ['tampɔn] (-s, -s) m tampon

Tandem (-s, -s) nt tandem

Tang [taŋ] (-(e)s, -e) m seaweed

Tangente [taŋ'gɛntə] f tangent

Tango (-s, -s) m tango

Tank [taŋk] (-s, -s) m tank; **t~en** vi to fill up with petrol (BRIT) od gas (US); (AVIAT) to (re)fuel; **~er** (-s, -) m tanker; **~schiff** nt tanker; **~stelle** f petrol (BRIT) od gas (US) station; **~wart** m petrol pump (BRIT) od gas station (US) attendant

Tanne ['tanə] f fir; **~nbaum** m fir tree; **~nzapfen** m fir cone

Tante ['tantə] f aunt

Tanz [tants] (-es, ⁼e) m dance; **t~en** vt, vi to dance

Tänzer(in) ['tɛntsər(in)] (-s, -) m(f) dancer

Tanzfläche f (dance) floor

Tanzschule f dancing school

Tapete [ta'pe:tə] f wallpaper; **~nwechsel** m (fig) change of scenery

tapezieren [tape'tsi:rən] vt to (wall)paper

Tapezierer [tape'tsi:rər] (-s, -) m (interior) decorator

tapfer ['tapfər] adj brave; **T~keit** f courage, bravery

Tarif [ta'ri:f] (-s, -e) m tariff, (scale of) fares od charges; **~lohn** m standard wage rate; **~verhandlungen** pl wage negotiations

Tarn- ['tarn] zW: **t~en** vt to camouflage; (Person, Absicht) to disguise; **~farbe** f camouflage paint; **~ung** f camouflaging, disguising

Tasche ['taʃə] f pocket; handbag

Taschen- in zW pocket; **~buch** nt paperback; **~dieb** m pickpocket; **~geld** nt pocket money; **~lampe** f (electric) torch, flashlight (US); **~messer** nt penknife; **~tuch** nt handkerchief

Tasse ['tasə] f cup

Tastatur [tasta'tu:r] f keyboard

Taste ['tastə] f push-button control; (an Schreibmaschine) key; **t~n** vt to feel, to touch ♦ vi to feel, to grope ♦ vr to feel one's way

Tat [ta:t] (-, -en) f act, deed, action; **in der ~** indeed, as a matter of fact; **t~** etc vb siehe **tun**; **~bestand** m facts pl of the case; **t~enlos** adj inactive

Tät- ['tɛ:t] zW: **~er(in)** (-s, -) m(f) perpetrator, culprit; **t~ig** adj active; **in einer Firma t~ig sein** to work for a firm; **~igkeit** f activity; (Beruf) occupation; **t~lich** adj violent; **~lichkeit** f violence; **~lichkeiten** pl (Schläge) blows

tätowieren [tɛto'vi:rən] vt to tattoo

Tatsache f fact

tatsächlich adj actual ♦ adv really

Tau¹ [tau] (-(e)s, -e) nt rope

Tau² (-(e)s) m dew

taub [taup] adj deaf; (Nuß) hollow

Taube ['taubə] f dove; pigeon; **~nschlag** m dovecote; **hier geht es zu wie in einem ~nschlag** it's a hive of activity here

taub- zW: **T~heit** f deafness; **~stumm** adj deaf-and-dumb

Tauch- ['taux] zW: **t~en** vt to dip ♦ vi to dive; (NAUT) to submerge; **~er** (-s, -) m diver; **~eranzug** m diving suit; **~erbrille** f diving goggles; **~sieder** (-s, -) m immersion coil (for boiling water)

tauen ['tauən] vt, vi to thaw ♦ vb unpers: **es taut** it's thawing

Tauf- ['tauf] zW: **~becken** nt font; **~e** f baptism; **t~en** vt to christen, to baptize; **~name** m Christian name; **~pate** m godfather; **~patin** f godmother; **~schein** m certificate of baptism

taug- ['taug] zW: **~en** vi to be of use; **~en für** to do for, to be good for; **nicht ~en** to be no good od useless; **T~enichts** (-es, -e) m good-for-nothing; **~lich** ['tauklıç] adj suitable; (MIL) fit (for service)

Taumel ['tauməl] (-s) m dizziness; (fig) frenzy; **t~n** vi to reel, to stagger

Tausch [tauʃ] (-(e)s, -e) m exchange; **t~en** vt to exchange, to swap

täuschen ['tɔyʃən] vt to deceive ♦ vi to be deceptive ♦ vr to be wrong; **~d** adj deceptive

Tauschhandel m barter

Täuschung f deception; (optisch) illusion

tausend ['tauzənt] num a thousand; **T~füßler** (-s, -) m centipede; millipede

Tauwetter nt thaw

Taxi ['taksi] (-(s), -(s)) nt taxi; **~fahrer** m taxi driver; **~stand** m taxi rank

Tech- ['tɛç] zW: **~nik** f technology; (Methode, Kunstfertigkeit) technique; **~niker** (-s, -) m technician; **t~nisch** adj technical; **~nolo'gie** f technology; **t~no'logisch** adj technological

TEE [te:'e:'e:] (-, -(s)) m abk (= Trans-Europ-Express) Trans-European Express

Tee [te:] (-s, -s) m tea; **~beutel** m tea bag; **~kanne** f teapot; **~löffel** m teaspoon

Teer [te:r] (-(e)s, -e) m tar; **t~en** vt to tar

Teesieb nt tea strainer

Teich [taıç] (-(e)s, -e) m pond

Teig [taık] (-(e)s, -e) m dough; **t~ig** ['taıgıç] adj doughy; **~waren** pl pasta sg

Teil [taıl] (-(e)s, -e) m od nt part; (An~) share; (Bestand~) component; **zum ~** partly; **t~bar** adj divisible; **~betrag** m instalment; **~chen** nt (atomic) particle; **t~en** vt, vr to divide; (mit jdm) to share; **t~haben** (unreg) vi: **t~haben an** +dat to share in; **~haber** (-s, -) m partner; **~kaskoversicherung** f third party, fire and theft insurance; **~nahme** f participation; (Mitleid) sympathy; **t~nahmslos** adj disinterested, apathetic; **t~nehmen** (unreg) vi:

t~nehmen an +*dat* to take part in; **~nehmer (-s, -)** *m* participant; **t~s** *adv* partly; **~ung** *f* division; **t~weise** *adv* partially, in part; **~zahlung** *f* payment by instalments; **~zeitarbeit** *f* part-time work

Teint [tɛ̃ː] **(-s, -s)** *m* complexion

Telefax ['telefaks] *nt* fax

Telefon [tele'foːn] **(-s, -e)** *nt* telephone; **~anruf** *m* (tele)phone call; **~at** [telefo'naːt] **(-(e)s, -e)** *nt* (tele)phone call; **~buch** *nt* telephone directory; **~hörer** *m* (telephone) receiver; **t~ieren** [telefo'niːrən] *vi* to telephone; **t~isch** [-ɪʃ] *adj* telephone; (*Benachrichtigung*) by telephone; **~ist(in)** [telefo'nɪst(ɪn)] *m(f)* telephonist; **~karte** *f* phonecard; **~nummer** *f* (tele)phone number; **~zelle** *f* telephone kiosk, callbox; **~zentrale** *f* telephone exchange

Telegraf [tele'graːf] **(-en, -en)** *m* telegraph; **~enmast** *m* telegraph pole; **~ie** [-'fiː] *f* telegraphy; **t~ieren** [-'fiːrən] *vt*, *vi* to telegraph, to wire; **t~isch** *adj* telegraphic

Telegramm [tele'gram] **(-s, -e)** *nt* telegram, cable; **~adresse** *f* telegraphic address

Tele- *zW*: **~objektiv** ['teːle'ɔpjɛktiːf] *nt* telephoto lens; **t~pathisch** [tele'paːtɪʃ] *adj* telepathic; **~skop** [tele'skoːp] **(-s, -e)** *nt* telescope

Telex ['teːleks] **(-es, -e)** *nt* telex

Teller ['tɛlər] **(-s, -)** *m* plate

Tellergericht *nt* (*KOCH*) one-course meal

Tempel ['tɛmpəl] **(-s, -)** *m* temple

Temperament [tempera'mɛnt] *nt* temperament; (*Schwung*) vivacity, liveliness; **t~voll** *adj* high-spirited, lively

Temperatur [tempera'tuːr] *f* temperature

Tempo¹ ['tɛmpo] **(-s, -s)** *nt* speed, pace; **~!** get a move on!

Tempo² **(-s, Tempi)** *nt* (*MUS*) tempo

Tendenz [tɛn'dɛnts] *f* tendency; (*Absicht*) intention; **t~iös** [-i'øːs] *adj* biased, tendentious

tendieren [tɛn'diːrən] *vi*: **~ zu** to show a tendency to, to incline towards

Tennis ['tɛnɪs] **(-)** *nt* tennis; **~ball** *m* tennis ball; **~platz** *m* tennis court; **~schläger** *m* tennis racket; **~schuh** *m* tennis shoe; **~spieler(in)** *m(f)* tennis player

Tenor [te'noːr] **(-s, ⁼e)** *m* tenor

Teppich ['tɛpɪç] **(-s, -e)** *m* carpet; **~boden** *m* wall-to-wall carpeting

Termin [tɛr'miːn] **(-s, -e)** *m* (*Zeitpunkt*) date; (*Frist*) time limit, deadline; (*Arzt~ etc*) appointment; **~kalender** *m* diary, appointments book; **~planer** *m* personal organizer

Termite [tɛr'miːtə] *f* termite

Terpentin [tɛrpɛn'tiːn] **(-s, -e)** *nt* turpentine, turps *sg*

Terrasse [tɛ'rasə] *f* terrace

Terrine [tɛ'riːnə] *f* tureen

territorial [tɛritori'aːl] *adj* territorial

Territorium [tɛri'toːrium] *nt* territory

Terror ['tɛrɔr] **(-s)** *m* terror; reign of terror; **t~isieren** [tɛrori'ziːrən] *vt* to terrorize; **~ismus** [-'rɪsmus] *m* terrorism; **~ist** [-'rɪst] *m* terrorist

Terz [tɛrts] **(-, -en)** *f* (*MUS*) third; **~ett** [tɛr'tsɛt] **(-(e)s, -e)** *nt* trio

Tesafilm ['teːzafɪlm] (®) *m* sellotape (®) (*BRIT*), Scotch tape (®) (*US*)

Test [tɛst] **(-s, -s)** *m* test

Testament [tɛsta'mɛnt] *nt* will, testament; (*REL*) Testament; **t~arisch** [-'taːrɪʃ] *adj* testamentary; **~svollstrecker** *m* executor (of a will)

testen *vt* to test

Tetanus ['teːtanus] **(-)** *m* tetanus; **~impfung** *f* (anti-)tetanus injection

teuer ['tɔʏər] *adj* dear, expensive; **T~ung** *f* increase in prices; **T~ungszulage** *f* cost of living bonus

Teufel ['tɔʏfəl] **(-s, -)** *m* devil

teuflisch ['tɔʏflɪʃ] *adj* fiendish, diabolical

Text [tɛkst] **(-(e)s, -e)** *m* text; (*Lieder~*) words *pl*; **t~en** *vi* to write the words

textil [tɛks'tiːl] *adj* textile; **T~ien** *pl* textiles; **T~industrie** *f* textile industry; **T~waren** *pl* textiles

Textverarbeitung *f* word processing

Theater [te'aːtər] **(-s, -)** *nt* theatre; (*umg*) fuss; **~ spielen** (*auch fig*) to playact; **~besucher** *m* playgoer; **~kasse** *f* box office; **~stück** *nt* (stage-)play

Theke ['teːkə] *f* (*Schanktisch*) bar; (*Ladentisch*) counter

Thema ['teːma] **(-s, Themen** *od* **-ta)** *nt* theme, topic, subject

Themse ['tɛmzə] *f* Thames

Theo- [teo] *zW*: **~loge** [-'loːgə] **(-n, -n)** *m* theologian; **~logie** [-lo'giː] *f* theology; **t~logisch** [-'loːgɪʃ] *adj* theological; **~retiker** [-'reːtikər] **(-s, -)** *m* theorist; **t~retisch** [-'reːtɪʃ] *adj* theoretical; **~rie** [-'riː] *f* theory

Thera- [tera] *zW*: **~peut** [-'pɔʏt] **(-en, -en)** *m* therapist; **t~peutisch** [-'pɔʏtɪʃ] *adj* therapeutic; **~pie** [-'piː] *f* therapy

Therm- *zW*: **~albad** [tɛr'maːlbaːt] *nt* thermal bath; thermal spa; **~odrucker** ['tɛrmo-] *m* thermal printer; **~ometer** [tɛrmo'meːtər] **(-s, -)** *nt* thermometer; **~osflasche** ['tɛrmɔsflaʃə] *f* Thermos (®) flask; **~ostat** [tɛrmo'staːt] **(-(e)s** *od* **-en, -e(n))** *m* thermostat

These ['teːzə] *f* thesis

Thrombose [trɔm'boːzə] *f* thrombosis

Thron [troːn] **(-(e)s, -e)** *m* throne; **t~en** *vi* to sit enthroned (*fig*) to sit in state; **~folge** *f* succession (to the throne)

Thunfisch ['tuːnfɪʃ] *m* tuna

Thymian ['tyːmiaːn] **(-s, -e)** *m* thyme

Tick [tɪk] **(-(e)s, -s)** *m* tic; (*Eigenart*) quirk; (*Fimmel*) craze

ticken *vi* to tick

tief [tiːf] *adj* deep; (*~sinnig*) profound; (*Ausschnitt, Preis, Ton*) low; **T~** (-s, -s) *nt* (*MET*) depression; **T~druck** *m* low pressure; **T~e** *f* depth; **T~ebene** *f* plain; **T~enpsychologie** *f* depth psychology; **T~enschärfe** *f* (*PHOT*) depth of focus; **T~garage** *f* underground garage; **~gekühlt** *adj* frozen; **~greifend** *adj* far-reaching; **T~kühlfach** *nt* deep-freeze compartment; **T~kühlkost** *f* (deep) frozen food; **T~kühltruhe** *f* deep-freeze, freezer; **T~punkt** *m* low point; (*fig*) low ebb; **T~schlag** *m* (*BOXEN, fig*) blow below the belt; **~schürfend** *adj* profound; **T~see** *f* deep sea; **~sinnig** *adj* profound; melancholy; **T~stand** *m* low level; **T~stwert** *m* minimum *od* lowest value

Tier [tiːr] (-(e)s, -e) *nt* animal; **~arzt** *m* vet(erinary surgeon); **~garten** *m* zoo(logical gardens *pl*); **~heim** *nt* cat/dog home; **t~isch** *adj* animal; (*auch fig*) brutish; (*fig: Ernst etc*) deadly; **~kreis** *m* zodiac; **~kunde** *f* zoology; **t~liebend** *adj* fond of animals; **~park** *m* zoo; **~quälerei** [-kvɛːləˈrai] *f* cruelty to animals; **~schutzverein** *m* society for the prevention of cruelty to animals

Tiger(in) [ˈtiːgər(ɪn)] (-s, -) *m* tiger(gress)

tilgen [ˈtɪlgən] *vt* to erase; (*Sünden*) to expiate; (*Schulden*) to pay off

Tinte [ˈtɪntə] *f* ink; **~nfisch** *m* cuttlefish; **~nstift** *m* copying *od* indelible pencil

Tip [tɪp] *m* tip; **t~pen** *vt, vi* to tap, to touch; (*umg: schreiben*) to type; (*im Lotto etc*) to bet (on); **auf jdn t~pen** (*umg: raten*) to tip sb, to put one's money on sb (*fig*)

Tipp- [ˈtɪp] *zW:* **~fehler** (*umg*) *m* typing error; **t~topp** (*umg*) *adj* tip-top; **~zettel** *m* (pools) coupon

Tirol [tiˈroːl] *nt* the Tyrol; **~er(in)** *m(f)* Tyrolean; **t~isch** *adj* Tyrolean

Tisch [tɪʃ] (-(e)s, -e) *m* table; **bei ~** at table; **vor/nach ~** before/after eating; **unter den ~ fallen** (*fig*) to be dropped; **~decke** *f* tablecloth; **~ler** (-s, -) *m* carpenter, joiner; **~le'rei** *f* joiner's workshop; (*Arbeit*) carpentry, joinery; **t~lern** *vi* to do carpentry *etc*; **~rede** *f* after-dinner speech; **~tennis** *nt* table tennis; **~tuch** *nt* tablecloth

Titel [ˈtiːtəl] (-s, -) *m* title; **~bild** *nt* cover (picture); (*von Buch*) frontispiece; **~rolle** *f* title role; **~seite** *f* cover; (*Buch~*) title page; **~verteidiger** *m* defending champion, title holder

Toast [toːst] (-(e)s, -s *od* -e) *m* toast; **~brot** *nt* bread for toasting; **~er** (-s, -) *m* toaster

tob- [ˈtoːb] *zW:* **~en** *vi* to rage; (*Kinder*) to romp about; **~süchtig** *adj* maniacal

Tochter [ˈtɔxtər] (-, ¨) *f* daughter; **~gesellschaft** *f* subsidiary (company)

Tod [toːt] (-(e)s, -e) *m* death; **t~ernst** *adj* deadly serious ♦ *adv* in dead earnest

Todes- [ˈtoːdəs] *zW:* **~angst** [-aŋst] *f* mortal fear; **~anzeige** *f* obituary (notice); **~fall** *m* death; **~strafe** *f* death penalty; **~ursache** *f* cause of death; **~urteil** *nt* death sentence; **~verachtung** *f* utter disgust

todkrank *adj* dangerously ill

tödlich [ˈtøːtlɪç] *adj* deadly, fatal

tod- *zW:* **~müde** *adj* dead tired; **~schick** (*umg*) *adj* smart, classy; **~sicher** (*umg*) *adj* absolutely *od* dead certain; **T~sünde** *f* deadly sin

Toilette [toaˈlɛtə] *f* toilet, lavatory; (*Frisiertisch*) dressing table; (*Kleidung*) outfit

Toiletten- *zW:* **~artikel** *pl* toiletries, toilet articles; **~papier** *nt* toilet paper; **~tisch** *m* dressing table

toi, toi, toi [ˈtɔy ˈtɔy ˈtɔy] *excl* touch wood

tolerant [toleˈrant] *adj* tolerant

Toleranz [toleˈrants] *f* tolerance

tolerieren [toleˈriːrən] *vt* to tolerate

toll [tɔl] *adj* mad; (*Treiben*) wild; (*umg*) terrific; **~en** *vi* to romp; **T~kirsche** *f* deadly nightshade; **~kühn** *adj* daring; **T~wut** *f* rabies

Tomate [toˈmaːtə] *f* tomato; **~nmark** *nt* tomato puree

Tombola *f* tombola

Ton¹ [toːn] (-(e)s, -e) *m* (*Erde*) clay

Ton² (-(e)s, ¨e) *m* (*Laut*) sound; (*MUS*) note; (*Redeweise*) tone; (*Farb~, Nuance*) shade; (*Betonung*) stress; **~abnehmer** *m* pick-up; **~angebend** *adj* leading; **~art** *f* (musical) key; **~band** *nt* tape; **~bandgerät** *nt* tape recorder

tönen [ˈtøːnən] *vi* to sound ♦ *vt* to shade; (*Haare*) to tint

tönern [ˈtøːnərn] *adj* clay

Ton- *zW:* **~fall** *m* intonation; **~film** *m* sound film; **~leiter** *f* (*MUS*) scale; **t~los** *adj* soundless

Tonne [ˈtɔnə] *f* barrel; (*Maß*) ton

Tontaube *f* clay pigeon

Tonwaren *pl* pottery *sg*, earthenware *sg*

Topf [tɔpf] (-(e)s, ¨e) *m* pot; **~blume** *f* pot plant

Töpfer [ˈtœpfər] (-s, -) *m* potter; **~ei** [-ˈrai] *f* piece of pottery; potter's workshop; **~scheibe** *f* potter's wheel

topographisch [topoˈgraːfɪʃ] *adj* topographic

Tor¹ [toːr] (-en, -en) *m* fool

Tor² (-(e)s, -e) *nt* gate; (*SPORT*) goal; **~bogen** *m* archway

Torf [tɔrf] (-(e)s) *m* peat

Torheit *f* foolishness; foolish deed

töricht [ˈtøːrɪçt] *adj* foolish

torkeln [ˈtɔrkəln] *vi* to stagger, to reel

Torpedo [tɔrˈpeːdo] (-s, -s) *m* torpedo

Torte [ˈtɔrtə] *f* cake; (*Obst~*) flan, tart

Tortur [tɔrˈtuːr] *f* ordeal

Torwart (-(e)s, -e) m goalkeeper
tosen ['to:zən] vi to roar
tot [to:t] adj dead
total [to'ta:l] adj total; ~**itär** [totali'tɛ:r] adj totalitarian; **T~schaden** m (AUT) complete write-off
Tote(r) mf dead person
töten ['tøtən] vt, vi to kill
Toten- ['to:tən] zW: ~**bett** nt death bed; **t~blaß** adj deathly pale, white as a sheet; ~**kopf** m skull; ~**schein** m death certificate; ~**stille** f deathly silence
tot- zW: ~**fahren** (unreg) vt to run over; ~**geboren** adj stillborn; ~**lachen** (umg) vr to laugh one's head off
Toto ['to:to] (-s, -s) m od nt pools pl; ~**schein** m pools coupon
tot- zW: **T~schlag** m manslaughter; ~**schlagen** (unreg) vt (auch fig) to kill; ~**schweigen** (unreg) vt to hush up; ~**stellen** vr to pretend to be dead
Tötung ['tøtʊŋ] f killing
Toupet [tu'pe:] (-s, -s) nt toupee
toupieren [tu'pi:rən] vt to back-comb
Tour [tu:r] (-, -en) f tour, trip; (Umdrehung) revolution; (Verhaltensart) way; **in einer ~** incessantly; ~**enzähler** m rev counter; ~**ismus** [tu'rɪsmʊs] m tourism; ~**ist** [tu'rɪst] m tourist; ~**istenklasse** f tourist class; ~**nee** [tʊr'ne:] (-, -n) f (THEAT etc) tour; **auf ~nee gehen** to go on tour
Trab [tra:p] (-(e)s) m trot
Trabantenstadt f satellite town
traben vi to trot
Tracht [traxt] (-, -en) f (Kleidung) costume, dress; **eine ~ Prügel** a sound thrashing; **t~en** vi: **t~en (nach)** to strive (for); **jdm nach dem Leben t~en** to seek to kill sb; **danach t~en, etw zu tun** to strive od endeavour to do sth
trächtig ['trɛçtɪç] adj (Tier) pregnant
Tradition [traditsi'o:n] f tradition; **t~ell** [-'nɛl] adj traditional
traf etc [tra:f] vb siehe **treffen**
Tragbahre f stretcher
tragbar adj (Gerät) portable; (Kleidung) wearable; (erträglich) bearable
träge ['trɛ:gə] adj sluggish, slow; (PHYS) inert
tragen ['tra:gən] (unreg) vt to carry; (Kleidung, Brille) to wear; (Namen, Früchte) to bear; (erdulden) to endure ♦ vi (schwanger sein) to be pregnant; (Eis) to hold; **sich mit einem Gedanken ~** to have an idea in mind; **zum T~ kommen** to have an effect
Träger ['trɛ:gər] (-s, -) m carrier; wearer; bearer; (Ordens~) holder; (an Kleidung) (shoulder) strap; (Körperschaft etc) sponsor; ~**rakete** f launch vehicle
Tragetasche f carrier bag
Tragfläche f (AVIAT) wing
Tragflügelboot nt hydrofoil

Trägheit ['trɛ:khaɪt] f laziness; (PHYS) inertia
Tragik ['tra:gɪk] f tragedy
tragisch ['tra:gɪʃ] adj tragic
Tragödie [tra'gø:diə] f tragedy
Tragweite f range; (fig) scope
Train- ['trɛ:n] zW: ~**er** (-s, -) m (SPORT) trainer, coach; (Fußball) manager; **t~ieren** [trɛ'ni:rən] vt, vi to train; (Mensch) to train, to coach; (Übung) to practise; ~**ing** (-s, -s) nt training; ~**ingsanzug** m track suit
Traktor ['traktɔr] m tractor; (von Drucker) tractor feed
trällern ['trɛlərn] vt, vi to trill, to sing
Tram (-, -s) f tram
trampeln ['trampəln] vt, vi to trample, to stamp
trampen ['trɛmpən] vi to hitch-hike
Tramper(in) (-s, -) m(f) hitch-hiker
Tran [tra:n] (-(e)s, -e) m train oil, blubber
tranchieren [trã'ʃi:rən] vt to carve
Träne ['trɛ:nə] f tear; **t~n** vi to water; ~**ngas** nt teargas
trank etc [traŋk] vb siehe **trinken**
tränken ['trɛŋkən] vt (Tiere) to water
Trans- zW: ~**formator** [transfɔr'ma:tɔr] m transformer; ~**istor** [tran'zɪstɔr] m transistor; ~**itverkehr** [tran'zɪtfɛrke:r] m transit traffic; ~**itvisum** nt transit visa; **t~parent** [transpa'rɛnt] adj transparent; ~**parent** (-(e)s, -e) nt (Bild) transparency; (Spruchband) banner; ~**plantation** [transplantatsi'o:n] f transplantation; (Hauttransplantation) graft(ing)
Transport [trans'pɔrt] (-(e)s, -e) m transport; **t~ieren** [transpɔr'ti:rən] vt to transport; ~**kosten** pl transport charges, carriage sg; ~**mittel** nt means sg of transportation; ~**unternehmen** nt carrier
Trapez [tra'pe:ts] (-es, -e) nt trapeze; (MATH) trapezium
Traube ['traubə] f grape; bunch (of grapes); ~**nzucker** m glucose
trauen ['trauən] vi: **jdm/etw ~** to trust sb/sth ♦ vr to dare ♦ vt to marry
Trauer ['trauər] (-) f sorrow; (für Verstorbenen) mourning; ~**fall** m death, bereavement; ~**feier** f funeral service; ~**kleidung** f mourning; **t~n** vi to mourn; **um jdn t~n** to mourn (for) sb; ~**rand** m black border; ~**spiel** nt tragedy
traulich ['traulɪç] adj cosy, intimate
Traum [traum] (-(e)s, Träume) m dream
Trauma (-s, -men) nt trauma
träum- ['trɔym] zW: ~**en** vt, vi to dream; **T~er** (-s, -) m dreamer; **T~e'rei** f dreaming; ~**erisch** adj dreamy
traumhaft adj dreamlike; (fig) wonderful
traurig ['traurɪç] adj sad; **T~keit** f sadness
Trau- ['trau] zW: ~**ring** m wedding ring; ~**schein** m marriage certificate; ~**ung** f wedding ceremony; ~**zeuge** m witness (to

a marriage); **~zeugin** f witness (at a marriage ceremony)

treffen ['trɛfən] (unreg) vt to strike, to hit; (Bemerkung) to hurt; (begegnen) to meet; (Entscheidung etc) to make; (Maßnahmen) to take ♦ vi to hit ♦ vr to meet; **er hat es gut getroffen** he did well; **~ auf** +akk to come across, to meet with; **es traf sich, daß ...** it so happened that ...; **es trifft sich gut** it's convenient; **wie es so trifft** as these things happen; **T~** (-s, -) nt meeting; **~d** adj pertinent, apposite

Treffer (-s, -) m hit; (Tor) goal; (Los) winner

Treffpunkt m meeting place

Treib- ['traɪb] zW: **~eis** nt drift ice; **t~en** (unreg) vt to drive; (Studien etc) to pursue; (Sport) to do, to go in for ♦ vi (Schiff etc) to drift; (Pflanzen) to sprout; (KOCH: aufgehen) to rise; (Tee, Kaffee) to be diuretic; **Unsinn t~en** to fool around; **~haus** nt greenhouse; **~hauseffekt** m greenhouse effect; **~hausgas** nt greenhouse gas; **~stoff** m fuel

trenn- ['trɛn] zW: **~bar** adj separable; **~en** vt to separate; (teilen) to divide ♦ vr to separate; **sich ~en von** to part with; **T~ung** f separation; **T~wand** f partition (wall)

Trepp- ['trɛp] zW: **t~ab** adv downstairs; **t~auf** adv upstairs; **~e** f stair(case); **~engeländer** nt banister; **~enhaus** nt staircase

Tresor [tre'zo:r] (-s, -e) m safe

Tretboot nt pedalo, pedal boat

treten ['tre:tən] (unreg) vi to step; (Tränen, Schweiß) to appear ♦ vt (mit Fußtritt) to kick; (nieder~) to tread, to trample; **~ nach** to kick at; **~ in** +akk to step in(to); **in Verbindung ~** to get in contact; **in Erscheinung ~** to appear

treu [trɔʏ] adj faithful, true; **T~e** (-) f loyalty, faithfulness; **T~händer** (-s, -) m trustee; **T~handgesellschaft** f trust company; **~herzig** adj innocent; **~los** adj faithless

Tribüne [tri'by:nə] f grandstand; (Redner~) platform

Trichter ['trɪçtər] (-s, -) m funnel; (in Boden) crater

Trick [trɪk] (-s, -e od -s) m trick; **~film** m cartoon

Trieb [tri:p] (-(e)s, -e) m urge, drive; (Neigung) inclination; (an Baum etc) shoot; **t~ etc vb siehe treiben**; **~feder** f (fig) motivating force; **~kraft** f (fig) drive; **~täter** m sex offender; **~werk** nt engine

triefen ['tri:fən] vi to drip

triffst etc [trɪfst] vb siehe **treffen**

triftig ['trɪftɪç] adj good, convincing

Trikot [tri'ko:] (-s, -s) nt vest; (SPORT) shirt

Trimester [tri'mɛstər] (-s, -) nt term

trimmen ['trɪmən] vr to do keep fit exercises

trink- ['trɪŋk] zW: **~bar** adj drinkable; **~en** (unreg) vt, vi to drink; **T~er** (-s, -) m drinker; **T~geld** nt tip; **T~halle** f refreshment kiosk; **T~wasser** nt drinking water

Tripper ['trɪpər] (-s, -) m gonorrhoea

Tritt [trɪt] (-(e)s, -e) m step; (Fuß~) kick; **~brett** nt (EISENB) step; (AUT) running-board

Triumph [tri'ʊmf] (-(e)s, -e) m triumph; **~bogen** m triumphal arch; **t~ieren** [triʊm'fi:rən] vi to triumph; (jubeln) to exult

trocken ['trɔkən] adj dry; **T~element** nt dry cell; (Pflanzen) to sprout; **T~haube** f hair-dryer; **T~heit** f dryness; **~legen** vt (Sumpf) to drain; (Kind) to put a clean nappy on; **T~milch** f dried milk; **T~rasur** f dry shave, electric shave

trocknen ['trɔknən] vt, vi to dry

Trödel ['trø:dəl] (-s; umg) m junk; **~markt** m flea market; **t~n** (umg) vi to dawdle

Trog [tro:k] (-(e)s, -e) m trough

Trommel ['trɔməl] (-, -n) f drum; **~fell** nt eardrum; **t~n** vt, vi to drum

Trompete [trɔm'pe:tə] f trumpet; **~r** (-s, -) m trumpeter

Tropen ['tro:pən] pl tropics; **~helm** m sun helmet

tröpfeln ['trœpfəln] vi to drop, to trickle

Tropfen ['trɔpfən] (-s, -) m drop; **t~** vt, vi to drip ♦ vb unpers: **es tropft** a few raindrops are falling; **t~weise** adv in drops

Tropfsteinhöhle f stalactite cave

tropisch ['tro:pɪʃ] adj tropical

Trost [tro:st] (-es) m consolation, comfort

trösten ['trø:stən] vt to console, to comfort

trost- zW: **~los** adj bleak; (Verhältnisse) wretched; **T~preis** m consolation prize; **~reich** adj comforting

Trott [trɔt] (-(e)s, -e) m trot; (Routine) routine; **~el** (-s, -; umg) m fool, dope; **t~en** vi to trot; **~oir** [trɔto'a:r] (-s, -s od -e) nt pavement, sidewalk (US)

Trotz [trɔts] (-es) m pigheadedness; **etw aus ~ tun** to do sth just to show them; **jdm zum ~** in defiance of sb; **t~** präp (+gen od dat) in spite of; **t~dem** adv nevertheless, all the same ♦ konj although; **t~en** vi (+dat) to defy; (der Kälte, Klima etc) to withstand; (der Gefahr) to brave; (trotzig sein) to be awkward; **t~ig** adj defiant, pig-headed; **~kopf** m obstinate child

trüb [try:p] adj dull; (Flüssigkeit, Glas) cloudy; (fig) gloomy

Trubel ['tru:bəl] (-s) m hurly-burly

trüb- zW: **~en** ['try:bən] vt to cloud ♦ vr to become clouded; **T~heit** f dullness; cloudiness; gloom; **T~sal** (-, -e) f distress; **~selig** adj sad, melancholy; **T~sinn** m depression; **~sinnig** adj depressed, gloomy

Trüffel ['trʏfəl] (-, -n) f truffle

trug etc [tru:k] vb siehe **tragen**

trügen ['try:gən] (*unreg*) *vt* to deceive ♦ *vi* to be deceptive

trügerisch *adj* deceptive

Trugschluß ['tru:gʃlʊs] *m* false conclusion

Truhe ['tru:ə] *f* chest

Trümmer ['trʏmər] *pl* wreckage *sg*; (*Bau~*) ruins; **~haufen** *m* heap of rubble

Trumpf [trʊmpf] (-(e)s, *=e*) *m* (*auch fig*) trump; **t~en** *vt*, *vi* to trump

Trunk [trʊŋk] (-(e)s, *=e*) *m* drink; **t~en** *adj* intoxicated; **~enheit** *f* intoxication; **~enheit am Steuer** drunken driving; **~sucht** *f* alcoholism

Trupp [trʊp] (-s, -s) *m* troop; **~e** *f* troop; (*Waffengattung*) force; (*Schauspiel~*) troupe; **~en** *pl* (*MIL*) troops; **~enübungsplatz** *m* training area

Truthahn ['tru:tha:n] *m* turkey

Tschech- ['tʃɛç] *zW*: **~e** *m* Czech, Czechoslovak(ian); **~in** *f* Czech, Czechoslovak(ian); **t~isch** *adj* Czech, Czechoslovak(ian); **~oslowake** [-oslo'va:kə] *m* Czech, Czechoslovak(ian); **~oslowakei** [-oslova'kaɪ] *f*: **die ~oslowakei** Czechoslovakia; **t~oslowakisch** [-oslo'va:kɪʃ] *adj* Czech, Czechoslovak(ian)

tschüs [tʃy:s] *excl* cheerio

T-Shirt ['ti:ʃœrt] *nt* T-shirt

Tube ['tu:bə] *f* tube

Tuberkulose [tuberku'lo:zə] *f* tuberculosis

Tuch [tu:x] (-(e)s, *=er*) *nt* cloth; (*Hals~*) scarf; (*Kopf~*) headscarf; (*Hand~*) towel

tüchtig ['tʏçtɪç] *adj* efficient, (cap)able; (*umg*: *kräftig*) good, sound; **T~keit** *f* efficiency, ability

Tücke ['tʏkə] *f* (*Arglist*) malice; (*Trick*) trick; (*Schwierigkeit*) difficulty, problem; **seine ~n haben** to be temperamental

tückisch ['tʏkɪʃ] *adj* treacherous; (*böswillig*) malicious

Tugend ['tu:gənt] (-, -en) *f* virtue; **t~haft** *adj* virtuous

Tüll [tʏl] (-s, -e) *m* tulle

Tülle *f* spout

Tulpe ['tʊlpə] *f* tulip

Tumor ['tu:mɔr] (-s, -e) *m* tumour

Tümpel ['tʏmpəl] (-s, -) *m* pool, pond

Tumult [tu'mʊlt] (-(e)s, -e) *m* tumult

tun [tu:n] (*unreg*) *vt* (*machen*) to do; (*legen*) to put ♦ *vi* to act ♦ *vr*: **es tut sich etwas/viel** something/a lot is happening; **jdm etw ~** (*antun*) to do sth to sb; **etw tut es auch** sth will do; **das tut nichts** that doesn't matter; **das tut nichts zur Sache** that's neither here nor there; **so ~, als ob** to act as if

tünchen ['tʏnçən] *vt* to whitewash

Tunke ['tʊŋkə] *f* sauce; **t~n** *vt* to dip, to dunk

tunlichst ['tu:nlɪçst] *adv* if at all possible;
~ bald as soon as possible

Tunnel ['tʊnəl] (-s, -s *od* -) *m* tunnel

Tupfen ['tʊpfən] (-s, -) *m* dot, spot; **t~** *vt*, *vi* to dab; (*mit Farbe*) to dot

Tür [ty:r] (-, -en) *f* door

Turban ['tʊrba:n] (-s, -e) *m* turban

Turbine [tʊr'bi:nə] *f* turbine

Türk- [tʏrk] *zW*: **~e** *m* Turk; **~ei** [tʏr'kaɪ] *f*: **die ~ei** Turkey; **~in** *f* Turk

Türkis [tʏr'ki:s] (-es, -e) *m* turquoise; **t~** *adj* turquoise

türkisch ['tʏrkɪʃ] *adj* Turkish

Türklinke *f* doorknob, door handle

Turm [tʊrm] (-(e)s, *=e*) *m* tower; (*Kirch~*) steeple; (*Sprung~*) diving platform; (*SCHACH*) castle, rook

türmen ['tʏrmən] *vr* to tower up ♦ *vt* to heap up ♦ *vi* (*umg*) to scarper, to bolt

Turn- ['tʊrn] *zW*: **t~en** *vi* to do gymnastic exercises ♦ *vt* to perform; **~en** (-s) *nt* gymnastics; (*SCH*) physical education, P.E.; **~er(in)** (-s) *m(f)* gymnast; **~halle** *f* gym (-nasium); **~hose** *f* gym shorts *pl*

Turnier [tʊr'ni:r] (-s, -e) *nt* tournament

Turn- *zW*: **~schuh** *m* gym shoe; **~verein** *m* gymnastics club; **~zeug** *nt* gym things *pl*

Tusche ['tʊʃə] *f* Indian ink

tuscheln ['tʊʃəln] *vt*, *vi* to whisper

Tuschkasten *m* paintbox

Tüte ['ty:tə] *f* bag

tuten ['tu:tən] *vi* (*AUT*) to hoot (*BRIT*), to honk (*US*)

TÜV [tʏf] (-s, -s) *m abk* (= *Technischer Überwachungsverein*) ≈ MOT

Typ [ty:p] (-s, -en) *m* type; **~e** *f* (*TYP*) type

Typhus ['ty:fʊs] (-) *m* typhoid (fever)

typisch ['ty:pɪʃ] *adj*: **~** (**für**) typical (of)

Tyrann [ty'ran] (-en, -en) *m* tyrant; **~ei** [-'naɪ] *f* tyranny; **t~isch** *adj* tyrannical; **t~i'sieren** *vt* to tyrannize

---

U u

u.a. *abk* = **unter anderem**

U-Bahn ['u:ba:n] *f* underground, tube

übel ['y:bəl] *adj* bad; (*moralisch*) bad, wicked; **jdm ist ~** sb feels sick; **Ü~** (-s, -) *nt* evil; (*Krankheit*) disease; **~gelaunt** *adj* bad-tempered; **Ü~keit** *f* nausea; **~nehmen** (*unreg*) *vt*: **jdm eine Bemerkung** *etc* **~nehmen** to be offended at sb's remark *etc*

üben ['y:bən] *vt*, *vi* to exercise, to practise

───── SCHLÜSSELWORT ─────

über ['y:bər] *präp* +*dat* **1** (*räumlich*) over, above; **zwei Grad über Null** two degrees above zero
2 (*zeitlich*) over; **über der Arbeit einschlafen** to fall asleep over one's work
♦ *präp* +*akk* **1** (*räumlich*) over; (*hoch über auch*) above; (*quer über auch*) across
2 (*zeitlich*) over; **über Weihnachten** over Christmas; **über kurz oder lang** sooner or later
3 (*mit Zahlen*): **Kinder über 12 Jahren** children over *od* above 12 years of age; **ein Scheck über 200 Mark** a cheque for 200 marks
4 (*auf dem Wege*) via; **nach Köln über Aachen** to Cologne via Aachen; **ich habe es über die Auskunft erfahren** I found out from information
5 (*betreffend*) about; **ein Buch über ...** a book about *od* on ...; **über jdn/etw lachen** to laugh about *od* at sb/sth
6: **Macht über jdn haben** to have power over sb; **sie liebt ihn über alles** she loves him more than everything
♦ *adv* over; **über und über** over and over; **den ganzen Tag über** all day long; **jdm in etw** *dat* **über sein** to be superior to sb in sth

───────

überall [y:bər''al] *adv* everywhere; ~'**hin** *adv* everywhere
überanstrengen [y:bər''anʃtrɛŋən] *vt insep* to overexert ♦ *vr insep* to overexert o.s.
überarbeiten [y:bər''arbaɪtən] *vt insep* to revise, to rework ♦ *vr insep* to overwork (o.s.)
überaus ['y:bər'aus] *adv* exceedingly
überbelichten ['y:bərbəlɪçtən] *vt* (*PHOT*) to overexpose
über'bieten (*unreg*) *vt insep* to outbid; (*übertreffen*) to surpass; (*Rekord*) to break
Überbleibsel ['y:bərblaɪpsəl] (**-s, -**) *nt* residue, remainder
Überblick ['y:bərblɪk] *m* view; (*fig: Darstellung*) survey, overview; (*Fähigkeit*): ~ (**über** +*akk*) grasp (of), overall view (of); **ü~en** [-'blɪkən] *vt insep* to survey
überbring- [y:bər'brɪŋ] *zW*: ~**en** (*unreg*) *vt insep* to deliver, to hand over; **Ü~er** (**-s, -**) *m* bearer
überbrücken [y:bər'brykən] *vt insep* to bridge
über'dauern *vt insep* to outlast
über'denken (*unreg*) *vt insep* to think over
überdies [y:bər'di:s] *adv* besides
überdimensional ['y:bərdimɛnzionaːl] *adj* oversize
Überdruß ['y:bərdrʊs] (**-sses**) *m* weariness; **bis zum** ~ ad nauseam

übereifrig ['y:bər'aifrɪç] *adj* overkeen
übereilt [y:bər''aɪlt] *adj* (over)hasty, premature
überein- [y:bər''aɪn] *zW*: ~**ander** [y:bər'ar'nandər] *adv* one upon the other; (*sprechen*) about each other; ~**kommen** (*unreg*) *vi* to agree; **Ü~kunft** (**-, -künfte**) *f* agreement; ~**stimmen** *vi* to agree; **Ü~stimmung** *f* agreement
überempfindlich ['y:bər'ɛmpfɪntlɪç] *adj* hypersensitive
überfahren [y:bər'faːrən] (*unreg*) *vt insep* (*AUT*) to run over; (*fig*) to walk all over
Überfahrt ['y:bərfaːrt] *f* crossing
Überfall ['y:bərfal] *m* (*Bank~, MIL*) raid; (*auf jdn*) assault; **ü~en** [-'falən] (*unreg*) *vt insep* to attack; (*Bank*) to raid; (*besuchen*) to drop in on, to descend on
überfällig ['y:bərfɛlɪç] *adj* overdue
über'fliegen (*unreg*) *vt insep* to fly over, to overfly; (*Buch*) to skim through
Überfluß ['y:bərflʊs] *m*: ~ (**an** +*dat*) (super)abundance (of), excess (of)
überflüssig ['y:bərflʏsɪç] *adj* superfluous
über'fordern *vt insep* to demand too much of; (*Kräfte etc*) to overtax
über'führen *vt insep* (*Leiche etc*) to transport; (*Täter*) to have convicted
Über'führung *f* transport; conviction; (*Brücke*) bridge, overpass
überfüllt *adj* (*Schulen, Straßen*) overcrowded; (*Kurs*) oversubscribed
Übergabe ['y:bərgaːbə] *f* handing over; (*MIL*) surrender
Übergang ['y:bərgaŋ] *m* crossing; (*Wandel, Überleitung*) transition
Übergangs- *zW*: ~**lösung** *f* provisional solution, stopgap; ~**stadium** *nt* transitional stage; ~**zeit** *f* transitional period
über'geben (*unreg*) *vt insep* to hand over; (*MIL*) to surrender ♦ *vr insep* to be sick; **dem Verkehr** ~ to open to traffic
übergehen ['y:bərgeːən] (*unreg*) *vi* (*Besitz*) to pass; (*zum Feind etc*) to go over, to defect; ~ **in** +*akk* to turn into; **über'gehen** (*unreg*) *vt insep* to pass over, to omit
Übergewicht ['y:bərgəvɪçt] *nt* excess weight; (*fig*) preponderance
überglücklich ['y:bərglʏklɪç] *adj* overjoyed
überhaupt [y:bər'haupt] *adv* at all; (*im allgemeinen*) in general; (*besonders*) especially; ~ **nicht/keine** not/none at all
überheblich [y:bər'heːplɪç] *adj* arrogant; **Ü~keit** *f* arrogance
über'holen *vt insep* to overtake; (*TECH*) to overhaul
überholt *adj* out-of-date, obsolete
Überholverbot *nt* restriction on overtaking
über'hören *vt insep* not to hear; (*absichtlich*) to ignore
überirdisch ['y:bər'ɪrdɪʃ] *adj* supernatural,

unearthly

über'laden (*unreg*) *vt insep* to overload ♦ *adj* (*fig*) cluttered

über'lassen (*unreg*) *vt insep*: **jdm etw ~** to leave sth to sb ♦ *vr insep*: **sich einer Sache** *dat* ~ to give o.s. over to sth

über'lasten *vt insep* to overload; (*Mensch*) to overtax

überlaufen ['y:bərlaufən] (*unreg*) *vi* (*Flüssigkeit*) to flow over; (*zum Feind etc*) to go over, to defect; ~ **sein** to be inundated *od* besieged (*Schauer etc*) to come over

Überläufer ['y:bərlɔyfər] (-**s**, -) *m* deserter

über'leben *vt insep* to survive; **Ü~de(r)** *mf* survivor

über'legen *vt insep* to consider ♦ *adj* superior; **ich muß es mir** ~ I'll have to think about it; **Ü~heit** *f* superiority

Über'legung *f* consideration, deliberation

über'liefern *vt insep* to hand down, to transmit

Überlieferung *f* tradition

überlisten [y:bər'lıstən] *vt insep* to outwit

überm ['y:bərm] = **über dem**

Übermacht ['y:bərmaxt] *f* superior force, superiority

übermächtig ['y:bərmɛçtıç] *adj* superior (in strength); (*Gefühl etc*) overwhelming

übermannen [y:bər'manən] *vt insep* to overcome

übermäßig ['y:bərmɛːsıç] *adj* excessive

Übermensch ['y:bərmɛnʃ] *m* superman; **ü~lich** *adj* superhuman

übermitteln [y:bər'mıtəln] *vt insep* to convey

übermorgen ['y:bərmɔrgən] *adv* the day after tomorrow

Übermüdung [y:bər'my:duŋ] *f* fatigue, overtiredness

Übermut ['y:bərmu:t] *m* exuberance

übermütig ['y:bərmy:tıç] *adj* exuberant, high-spirited; ~ **werden** to get overconfident

übernächste(r, s) *adj* next but one

übernachten [y:bər'naxtən] *vi insep*: (**bei jdm**) ~ to spend the night (at sb's place)

Übernahme ['y:bərnaːmə] *f* taking over *od* on, acceptance

über'nehmen (*unreg*) *vt insep* to take on, to accept; (*Amt, Geschäft*) to take over ♦ *vr insep* to take on too much

über'prüfen *vt insep* to examine, to check

überqueren [y:bər'kveːrən] *vt insep* to cross

überragen [y:bər'raːgən] *vt insep* to tower above; (*fig*) to surpass

überraschen [y:bər'raʃən] *vt insep* to surprise

Überraschung *f* surprise

überreden [y:bər'reːdən] *vt insep* to persuade

überreichen [y:bər'raıçən] *vt insep* to pre-

sent, to hand over

Überrest *m* remains, remnants

überrumpeln [y:bər'rumpəln] *vt insep* to take by surprise

überrunden [y:bər'rundən] *vt insep* to lap

übers ['y:bəs] = **über das**

Überschallflugzeug ['y:bərʃal-] *nt* supersonic jet

Überschallgeschwindigkeit *f* supersonic speed

über'schätzen *vt insep* to overestimate

überschäumen *vi* (*Bier*) to foam over, bubble over; (*Temperament*) to boil over

Überschlag ['y:bərʃlaːk] *m* (*FIN*) estimate; (*SPORT*) somersault; **ü~en** [-'ʃlaːgən] (*unreg*) *vt insep* (*berechnen*) to estimate; (*auslassen*: *Seite*) to omit ♦ *vr insep* to somersault; (*Stimme*) to crack; (*AVIAT*) to loop the loop; **überschlagen** (*unreg*) *vt* (*Beine*) to cross ♦ *vi* (*Wellen*) to break; (*Funken*) to flash

überschnappen ['y:bərʃnapən] *vi* (*Stimme*) to crack; (*umg*: *Mensch*) to flip one's lid

über'schneiden (*unreg*) *vr insep* (*auch fig*) to overlap; (*Linien*) to intersect

über'schreiben (*unreg*) *vt insep* to provide with a heading; **jdm etw** ~ to transfer *od* make over sth to sb

über'schreiten (*unreg*) *vt insep* to cross over; (*fig*) to exceed; (*verletzen*) to transgress

Überschrift ['y:bərʃrıft] *f* heading, title

Überschuß ['y:bərʃus] *m*: ~ (**an** +*dat*) surplus (of)

überschüssig ['y:bərʃysıç] *adj* surplus, excess

über'schütten *vt insep*: **jdn/etw mit etw** ~ to pour sth over sb/sth; **jdn mit etw** ~ (*fig*) to shower sb with sth

überschwemmen [y:bər'ʃvɛmən] *vt insep* to flood

Überschwemmung *f* flood

überschwenglich ['y:bərʃvɛŋlıç] *adj* effusive

Übersee ['y:bərzeː] *f*: **nach/in** ~ overseas; **ü~isch** *adj* overseas

über'sehen (*unreg*) *vt insep* to look (out) over; (*fig*: *Folgen*) to see, to get an overall view of; (: *nicht beachten*) to overlook

über'senden (*unreg*) *vt insep* to send, to forward

übersetz- *zW*: ~**en** [y:bər'zɛtsən] *vt insep* to translate ♦ *vi* to cross; **Ü~er(in)** [-'zɛtsər(ın)] (-**s**, -) *m(f)* translator; **Ü~ung** [-zɛtsuŋ] *f* translation; (*TECH*) gear ratio

Übersicht ['y:bərzıçt] *f* overall view; (*Darstellung*) survey; **ü~lich** *adj* clear; (*Gelände*) open; ~**lichkeit** *f* clarity, lucidity

übersiedeln ['y:bərziːdəln] *vi sep* to move to move

über'spannen *vt insep* (*zu sehr spannen*) to overstretch; (*überdecken*) to cover

über'spannt *adj* eccentric; (*Idee*) wild, crazy

überspitzt [y:bər'ʃpɪtst] *adj* exaggerated

über'springen (*unreg*) *vt insep* to jump over; (*fig*) to skip

überstehen [y:bər'ʃteːən] (*unreg*) *vt insep* to overcome, to get over; (*Winter etc*) to survive, to get through to project

über'steigen (*unreg*) *vt insep* to climb over; (*fig*) to exceed

über'stimmen *vt insep* to outvote

Überstunden ['y:bərʃtʊndən] *pl* overtime *sg*

über'stürzen *vt insep* to rush ♦ *vr insep* to follow (one another) in rapid succession

überstürzt *adj* (over)hasty

über'tönen *vt insep* to drown (out)

Übertrag ['y:bərtraːk] (-(e)s, -träge) *m* (COMM) amount brought forward; **ü~bar** [-'traːkbaːr] *adj* transferable; (MED) infectious; **ü~en** [-'traːgən] (*unreg*) *vt insep* to transfer; (RADIO) to broadcast; (*übersetzen*) to render; (*Krankheit*) to transmit ♦ *vr insep* to spread ♦ *adj* figurative; **ü~en auf** +*akk* to transfer to; **jdm etw ü~en** to assign sth to sb; **sich ü~en auf** +*akk* to spread to; **~ung** [-'traːgʊŋ] *vt insep* to transfer(ence); (RADIO) broadcast; rendering; transmission

über'treffen (*unreg*) *vt insep* to surpass

über'treiben (*unreg*) *vt insep* to exaggerate

Übertreibung *f* exaggeration

übertreten [y:bər'treːtən] (*unreg*) *vt insep* to cross; (*Gebot etc*) to break; **'übertreten** (*unreg*) *vi* (*über Linie, Gebiet*) to step (over); (SPORT) to overstep; (*zu anderem Glauben*) to be converted; **'übertreten (in** +*akk*) (POL) to go over (to)

Über'tretung *f* violation, transgression

übertrieben [y:bər'triːbən] *adj* exaggerated, excessive

übervölkert [y:bər'fœlkərt] *adj* overpopulated

übervoll ['y:bərfɔl] *adj* overfull

übervorteilen [y:bər'fɔrtaɪlən] *vt insep* to dupe, to cheat

über'wachen *vt insep* to supervise; (*Verdächtigen*) to keep under surveillance

Überwachung *f* supervision; surveillance

überwältigen [y:bər'vɛltɪgən] *vt insep* to overpower; **~d** *adj* overwhelming

überweisen [y:bər'vaɪzən] (*unreg*) *vt insep* to transfer

Überweisung *f* transfer

über'wiegen (*unreg*) *vi insep* to predominate; **~d** *adj* predominant

über'winden *vt insep* to overcome ♦ *vr insep* to make an effort, to bring o.s. (to do sth)

Überwindung *f* effort, strength of mind

Überzahl ['y:bərtsaːl] *f* superiority, superior numbers *pl*; **in der ~ sein** to be numerically superior

überzählig ['y:bərtsɛːlɪç] *adj* surplus

über'zeugen *vt insep* to convince; **~d** *adj* convincing

Überzeugung *f* conviction

überziehen ['y:bərtsiːən] (*unreg*) *vt* to put on to cover; (*Konto*) to overdraw

Überzug ['y:bərtsuːk] *m* cover; (*Belag*) coating

üblich ['y:plɪç] *adj* usual

U-Boot ['u:boːt] *nt* submarine

übrig ['y:brɪç] *adj* remaining; **für jdn etwas ~ haben** (*umg*) to be fond of sb; **die ~en** the others; **das ~e** the rest; **im ~en** besides; **~bleiben** (*unreg*) *vi* to remain, to be left (over); **~ens** ['y:brɪgəns] *adv* besides; (*nebenbei bemerkt*) by the way; **~lassen** (*unreg*) *vt* to leave (over)

Übung ['y:bʊŋ] *f* practice; (*Turn~, Aufgabe etc*) exercise; **~ macht den Meister** practice makes perfect

Ufer ['u:fər] (-s, -) *nt* bank; (*Meeres~*) shore

Uhr [u:r] (-, -en) *f* clock; (*Armband~*) watch; **wieviel ~ ist es?** what time is it?; **1 ~** 1 o'clock, **20 ~** 8 o'clock, 20.00 (twenty hundred) hours; **~armband** *nt* watch strap; **~band** *nt* watch strap; **~kette** *f* watch chain; **~macher (-s, -)** *m* watchmaker; **~werk** *nt* clockwork; works of a watch; **~zeiger** *m* hand; **~zeigersinn** *m*: **im ~zeigersinn** clockwise; **entgegen dem ~zeigersinn** anticlockwise; **~zeit** *f* time (of day)

Uhu ['u:hu] (-s, -s) *m* eagle owl

UKW [u:ka:'ve:] *abk* (= *Ultrakurzwelle*) VHF

ulkig *adj* funny

Ulme ['ʊlmə] *f* elm

Ultimatum [ʊlti'ma:tʊm] (-s, Ultimaten) *nt* ultimatum

Ultraschall ['ʊltraʃal] *m* (PHYS) ultrasound

ultraviolett ['ʊltravio'lɛt] *adj* ultraviolet

⌐ *SCHLÜSSELWORT*

um [ʊm] *präp* +*akk* **1** (*um herum*) (a)round; **um Weihnachten** around Christmas; **er schlug um sich** he hit about him

2 (*mit Zeitangabe*) at; **um acht (Uhr)** at eight (o'clock)

3 (*mit Größenangabe*) by; **etw um 4 cm kürzen** to shorten sth by 4 cm; **um 10% teurer** 10% more expensive; **um vieles besser** better by far; **um nichts besser** not in the least bit better; **um so besser** so much the better

4: **der Kampf um den Titel** the battle for the title; **um Geld spielen** to play for money; **Stunde um Stunde** hour after hour; **Auge um Auge** an eye for an eye

♦ *präp* +*gen*: **um ... willen** for the sake of ...; **um Gottes willen** for goodness *od* (*stärker*) God's sake

♦ *konj*: **um ... zu** (in order) to ...; **zu klug,**

um zu ... too clever to ...; **um so besser/ schlimmer** so much the better/worse ♦ *adv* **1** (*ungefähr*) about; **um (die) 30 Leute** about *od* around 30 people **2** (*vorbei*): **die 2 Stunden sind um** the two hours are up

umändern ['umˀɛndərn] *vt* to alter
Umänderung *f* alteration
umarbeiten ['umˀarbaɪtən] *vt* to remodel; (*Buch etc*) to revise, to rework
umarmen [um'ˀarmən] *vt insep* to embrace
Umbau ['umbau] (-(e)s, -e *od* -ten) *m* reconstruction, alteration(s); **u~en** *vt* to rebuild, to reconstruct
umbilden ['umbɪldən] *vt* to reorganize; (*POL: Kabinett*) to reshuffle
umbinden ['umbɪndən] (*unreg*) *vt* (*Krawatte etc*) to put on
umblättern ['umblɛtərn] *vt* to turn over
umblicken ['umblɪkən] *vr* to look around
umbringen ['umbrɪŋən] (*unreg*) *vt* to kill
umbuchen ['umbuːxən] *vi* to change one's reservation/flight *etc* ♦ *vt* to change
umdenken ['umdɛŋkən] (*unreg*) *vi* to adjust one's views
umdrehen ['umdreːən] *vt* to turn (round); (*Hals*) to wring ♦ *vr* to turn (round)
Um'drehung *f* revolution; rotation
umeinander [umˀaɪ'nandər] *adv* round one another; (*füreinander*) for one another
umfahren ['umfaːrən] (*unreg*) *vt* to run over; to drive round; to sail round
umfallen ['umfalən] (*unreg*) *vi* to fall down *od* over
Umfang ['umfaŋ] *m* extent; (*von Buch*) size; (*Reichweite*) range; (*Fläche*) area; (*MATH*) circumference; **u~reich** *adj* extensive; (*Buch etc*) voluminous
um'fassen *vt insep* to embrace; (*umgeben*) to surround; (*enthalten*) to include; **~d** *adj* comprehensive, extensive
umformen ['umfɔrmən] *vi* to transform
Umformer (-s, -) *m* (*ELEK*) transformer, converter
Umfrage ['umfraːgə] *f* poll
umfüllen ['umfʏlən] *vt* to transfer; (*Wein*) to decant
umfunktionieren ['umfuŋktsioniːrən] *vt* to convert, to transform
Umgang ['umgaŋ] *m* company; (*mit jdm*) dealings *pl*; (*Behandlung*) way of behaving
umgänglich ['umgɛŋlɪç] *adj* sociable
Umgangsformen *pl* manners
Umgangssprache *f* colloquial language
umgeben [um'geːbən] (*unreg*) *vt insep* to surround
Umgebung *f* surroundings *pl*; (*Milieu*) environment; (*Personen*) people in one's circle
umgehen ['umgeːən] (*unreg*) *vi* to go (a)round; to bypass; (*MIL*) to outflank; (*Ge-*

setz *etc*) to circumvent; (*vermeiden*) to avoid; **im Schlosse ~** to haunt the castle; **mit jdm grob** *etc* **~** to treat sb roughly *etc*; **mit Geld sparsam ~** to be careful with one's money; **'umgehend** *adj* immediate
Um'gehung *f* bypassing; outflanking; circumvention; avoidance; **Umgehungsstraße** *f* bypass
umgekehrt ['umgəkeːrt] *adj* reverse(d); (*gegenteilig*) opposite ♦ *adv* the other way around; **und ~** and vice versa
umgraben ['umgraːbən] (*unreg*) *vt* to dig up
Umhang ['umhaŋ] *m* wrap, cape
umhauen ['umhauən] *vt* to fell; (*fig*) to bowl over
umher [um'heːr] *adv* about, around; **~gehen** (*unreg*) *vi* to walk about; **~ziehen** (*unreg*) *vi* to wander from place to place
umhinkönnen [um'hɪnkœnən] (*unreg*) *vi*: **ich kann nicht umhin, das zu tun** I can't help doing it
umhören ['umhøːrən] *vr* to ask around
Umkehr ['umkeːr] (-) *f* turning back; (*Änderung*) change; **u~en** *vi* to turn back ♦ *vt* to turn round, to reverse; (*Tasche etc*) to turn inside out; (*Gefäß etc*) to turn upside down
umkippen ['umkɪpən] *vt* to tip over ♦ *vi* to overturn; (*umg: Mensch*) to keel over; (*fig: Meinung ändern*) to change one's mind
Umkleidekabine *f* (*im Schwimmbad*) (changing) cubicle
Umkleideraum ['umklaɪdəraum] *m* changing *od* dressing room
umkommen ['umkɔmən] (*unreg*) *vi* to die, to perish; (*Lebensmittel*) to go bad
Umkreis ['umkraɪs] *m* neighbourhood; **im ~** within a radius of
Umlage ['umlaːgə] *f* share of the costs
Umlauf ['umlauf] *m* (*Geld~*) circulation; (*von Gestirn*) revolution; **~bahn** *f* orbit
Umlaut ['umlaut] *m* umlaut
umlegen ['umleːgən] *vt* to put on; (*verlegen*) to move, to shift; (*Kosten*) to share out; (*umkippen*) to tip over; (*umg: töten*) to bump off
umleiten ['umlaɪtən] *vt* to divert
Umleitung *f* diversion
umliegend ['umliːgənt] *adj* surrounding
um'rahmen *vt insep* to frame
um'randen *vt insep* to border, to edge
umrechnen ['umrɛçnən] *vt* to convert
Umrechnung *f* conversion; **~skurs** *m* rate of exchange
um'reißen (*unreg*) *vt insep* to outline, to sketch
Umriß ['umrɪs] *m* outline
umrühren ['umryːrən] *vt, vi* to stir
ums [ums] = **um das**
Umsatz ['umzats] *m* turnover
Umsatzsteuer *f* sales tax

umschalten ['ʊmʃaltən] *vt* to switch
Umschau ['ʊmʃaʊ] *f* look(ing) round; ~ **halten nach** to look around for; **u~en** *vr* to look round
Umschlag ['ʊmʃlaːk] *m* cover; (*Buch~ auch*) jacket; (*MED*) compress; (*Brief~*) envelope; (*Wechsel*) change; (*von Hose*) turn-up; **u~en** (*unreg*) *vi* to change; (*NAUT*) to capsize ♦ *vt* to knock over; (*Ärmel*) to turn up; (*Seite*) to turn over; (*Waren*) to transfer; **~platz** *m* (*COMM*) distribution centre
umschreiben ['ʊmʃraɪbən] (*unreg*) *vt* (*neu~*) to rewrite; (*übertragen*) to transfer; ~ **auf** +*akk* to transfer to to paraphrase; (*abgrenzen*) to define
umschulen ['ʊmʃuːlən] *vt* to retrain; (*Kind*) to send to another school
Umschweife ['ʊmʃvaɪfə] *pl*: **ohne ~** without beating about the bush, straight out
Umschwung ['ʊmʃvʊŋ] *m* change (around), revolution
umsehen ['ʊmzeːən] (*unreg*) *vr* to look around *od* about; (*suchen*): **sich ~ (nach)** to look out (for)
umseitig ['ʊmzaɪtɪç] *adv* overleaf
umsichtig ['ʊmzɪçtɪç] *adj* cautious, prudent
umsonst [ʊm'zɔnst] *adv* in vain; (*gratis*) for nothing
umspringen ['ʊmʃprɪŋən] (*unreg*) *vi* to change; (*Wind auch*) to veer; **mit jdm ~** to treat sb badly
Umstand ['ʊmʃtant] *m* circumstance; **Umstände** *pl* (*fig: Schwierigkeiten*) fuss; **in anderen Umständen sein** to be pregnant; **Umstände machen** to go to a lot of trouble; **unter Umständen** possibly
umständlich ['ʊmʃtɛntlɪç] *adj* (*Methode*) cumbersome, complicated; (*Ausdrucksweise, Erklärung*) long-winded; (*Mensch*) ponderous
Umstandskleid *nt* maternity dress
Umstehende(n) ['ʊmʃteːəndə(n)] *pl* bystanders
umsteigen ['ʊmʃtaɪgən] (*unreg*) *vi* (*EISENB*) to change
umstellen ['ʊmʃtɛlən] *vt* (*an anderen Ort*) to change round, to rearrange; (*TECH*) to convert ♦ *vr* to adapt (o.s.); **sich auf etw** *akk* ~ to adapt to sth
Umstellung ['ʊmʃtɛlʊŋ] *f* change; (*Umgewöhnung*) adjustment; (*TECH*) conversion
umstimmen ['ʊmʃtɪmən] *vt* (*MUS*) to retune; **jdn ~** to make sb change his mind
umstoßen ['ʊmʃtoːsən] (*unreg*) *vt* to overturn; (*Plan etc*) to change, to upset
umstritten [ʊm'ʃtrɪtən] *adj* disputed
Umsturz ['ʊmʃtʊrts] *m* overthrow
umstürzen ['ʊmʃtʏrtsən] *vt* (*umwerfen*) to overturn ♦ *vi* to collapse, to fall down; (*Wagen*) to overturn
Umtausch ['ʊmtaʊʃ] *m* exchange; **u~en** *vt* to exchange

umtun ['ʊmtuːn] (*unreg; umg*) *vr* (*suchen*): **sich nach jdm/etw ~** to look (around) for sb/sth
umwandeln ['ʊmvandəln] *vt* to change, to convert; (*ELEK*) to transform
umwechseln ['ʊmvɛksəln] *vt* to change
Umweg ['ʊmveːk] *m* detour, roundabout way
Umwelt ['ʊmvɛlt] *f* environment; **u~feindlich** *adj* ecologically harmful; **u~freundlich** *adj* not harmful to the environment, environment-friendly; **~schützer** *m* environmentalist; **~verschmutzung** *f* environmental pollution
umwenden ['ʊmvɛndən] (*unreg*) *vt, vr* to turn (round)
umwerfen ['ʊmvɛrfən] (*unreg*) *vt* to upset, to overturn; (*Mantel*) to throw on; (*fig: erschüttern*) to upset, to throw
umwerfend (*umg*) *adj* fantastic
umziehen ['ʊmtsiːən] (*unreg*) *vt, vr* to change ♦ *vi* to move
Umzug ['ʊmtsuːk] *m* procession; (*Wohnungs~*) move, removal
unab- [ʊn'ap] *zW*: **~änderlich** *adj* irreversible, unalterable; **~hängig** *adj* independent; **U~hängigkeit** *f* independence; **~kömmlich** *adj* indispensable; **zur Zeit ~kömmlich** not free at the moment; **~lässig** *adj* incessant, constant; **~sehbar** *adj* immeasurable; (*Folgen*) unforeseeable; (*Kosten*) incalculable; **~sichtlich** *adj* unintentional; **~'wendbar** *adj* inevitable
unachtsam ['ʊn'axtzaːm] *adj* careless; **U~keit** *f* carelessness
unan- ['ʊn'an] *zW*: **~'fechtbar** *adj* indisputable; **~gebracht** *adj* uncalled-for; **~gemessen** *adj* inadequate; **~genehm** *adj* unpleasant; **U~nehmlichkeit** *f* inconvenience; **U~nehmlichkeiten** *pl* (*Ärger*) trouble *sg*; **~sehnlich** *adj* unsightly; **~ständig** *adj* indecent, improper
unappetitlich ['ʊn'apetiːtlɪç] *adj* unsavoury
Unart ['ʊn'aːrt] *f* bad manners *pl*; (*Angewohnheit*) bad habit; **u~ig** *adj* naughty, badly behaved
unauf- ['ʊn'aʊf] *zW*: **~fällig** *adj* unobtrusive; (*Kleidung*) inconspicuous; **~'findbar** *adj* not to be found; **~gefordert** *adj* unasked ♦ *adv* spontaneously; **~haltsam** *adj* irresistible; **~'hörlich** *adj* incessant, continuous; **~merksam** *adj* inattentive; **~richtig** *adj* insincere
unaus- ['ʊn'aʊs] *zW*: **~geglichen** *adj* unbalanced; **~'sprechlich** *adj* inexpressible; **~'stehlich** *adj* intolerable
unbarmherzig ['ʊnbarmhɛrtsɪç] *adj* pitiless, merciless
unbeabsichtigt ['ʊnbə'apzɪçtɪçt] *adj* unintentional
unbeachtet ['ʊnbə'axtət] *adj* unnoticed, ignored

unbedenklich ['ʊnbədɛŋklɪç] *adj (Plan)* unobjectionable ♦ *adv* without hesitation
unbedeutend ['ʊnbədɔʏtənt] *adj* insignificant, unimportant; *(Fehler)* slight
unbedingt ['ʊnbədɪŋt] *adj* unconditional ♦ *adv* absolutely; **mußt du ~ gehen?** do you have to go?
unbefangen ['ʊnbəfaŋən] *adj* impartial, unprejudiced; *(ohne Hemmungen)* uninhibited; **U~heit** *f* impartiality; uninhibitedness
unbefriedigend ['ʊnbəfriːdɪɡənt] *adj* unsatisfactory
unbefriedigt [-dɪçt] *adj* unsatisfied, dissatisfied
unbefugt ['ʊnbəfuːkt] *adj* unauthorized
unbegreiflich [ʊnbə'ɡraɪflɪç] *adj* inconceivable
unbegrenzt ['ʊnbəɡrɛntst] *adj* unlimited
unbegründet ['ʊnbəɡrʏndət] *adj* unfounded
Unbehagen ['ʊnbəhaːɡən] *nt* discomfort
unbehaglich [-klɪç] *adj* uncomfortable; *(Gefühl)* uneasy
unbeholfen ['ʊnbəhɔlfən] *adj* awkward, clumsy
unbeirrt ['ʊnbə'ɪrt] *adj* imperturbable
unbekannt ['ʊnbəkant] *adj* unknown
unbekümmert ['ʊnbəkʏmərt] *adj* unconcerned
unbeliebt ['ʊnbəliːpt] *adj* unpopular
unbequem ['ʊnbəkveːm] *adj (Stuhl)* uncomfortable; *(Mensch)* bothersome; *(Regelung)* inconvenient
unberechenbar [ʊnbə'rɛçənbaːr] *adj* incalculable; *(Mensch, Verhalten)* unpredictable
unberechtigt ['ʊnbərɛçtɪçt] *adj* unjustified; *(nicht erlaubt)* unauthorized
unberührt ['ʊnbərʏrt] *adj* untouched, intact; **sie ist noch ~** she is still a virgin
unbescheiden ['ʊnbəʃaɪdən] *adj* presumptuous
unbeschreiblich [ʊnbə'ʃraɪplɪç] *adj* indescribable
unbesonnen ['ʊnbəzɔnən] *adj* unwise, rash, imprudent
unbeständig ['ʊnbəʃtɛndɪç] *adj (Mensch)* inconstant; *(Wetter)* unsettled; *(Lage)* unstable
unbestechlich [ʊnbə'ʃtɛçlɪç] *adj* incorruptible
unbestimmt ['ʊnbəʃtɪmt] *adj* indefinite; *(Zukunft auch)* uncertain
unbeteiligt [ʊnbə'taɪlɪçt] *adj* unconcerned, indifferent
unbewacht ['ʊnbəvaxt] *adj* unguarded, unwatched
unbeweglich ['ʊnbəveːklɪç] *adj* immovable
unbewußt ['ʊnbəvʊst] *adj* unconscious
unbezahlt ['ʊnbətsaːlt] *adj (Rechnung)* outstanding, unsettled; *(Urlaub)* unpaid
unbrauchbar ['ʊnbrauxbaːr] *adj (Arbeit)* useless; *(Gerät auch)* unusable

und [ʊnt] *konj* and; **~ so weiter** and so on
Undank ['ʊndaŋk] *m* ingratitude; **u~bar** *adj* ungrateful
undefinierbar [ʊndefi'niːrbaːr] *adj* indefinable
undenkbar [ʊn'dɛŋkbaːr] *adj* inconceivable
undeutlich ['ʊndɔʏtlɪç] *adj* indistinct
undicht ['ʊndɪçt] *adj* leaky
Unding ['ʊndɪŋ] *nt* absurdity
undurch- ['ʊndʊrç] *zW:* **~führbar** [-'fyːrbaːr] *adj* impracticable; **~lässig** [-lɛsɪç] *adj* waterproof, impermeable; **~sichtig** [-zɪçtɪç] *adj* opaque; *(fig)* obscure
uneben ['ʊn'eːbən] *adj* uneven
unecht *adj (Schmuck)* fake *(vorgetäuscht: Freundlichkeit)* false
unehelich ['ʊn'eːəlɪç] *adj* illegitimate
uneinig ['ʊn'aɪnɪç] *adj* divided; **~ sein** to disagree; **U~keit** *f* discord, dissension
uneins ['ʊn'aɪns] *adj* at variance, at odds
unempfindlich ['ʊn'ɛmpfɪntlɪç] *adj* insensitive; *(Stoff)* practical
unendlich [ʊn''ɛntlɪç] *adj* infinite
unent- ['ʊn'ɛnt] *zW:* **~behrlich** [-'beːrlɪç] *adj* indispensable; **~geltlich** [-ɡɛltlɪç] *adj* free (of charge); **~schieden** [-ʃiːdən] *adj* undecided; **~schieden enden** *(SPORT)* to end in a draw; **~schlossen** [-ʃlɔsən] *adj* undecided; irresolute; **~wegt** [-'veːkt] *adj* unswerving; *(unaufhörlich)* incessant
uner- ['ʊn'ɛr] *zW:* **~bittlich** [-'bɪtlɪç] *adj* unyielding, inexorable; **~fahren** [-faːrən] *adj* inexperienced; **~freulich** [-frɔʏlɪç] *adj* unpleasant; **~'gründlich** *adj* unfathomable; **~hört** [-høːrt] *adj* unheard-of; *(Bitte)* outrageous; **~läßlich** [-'lɛslɪç] *adj* indispensable; **~laubt** *adj* unauthorized; **~'meßlich** *adj* immeasurable, immense; **~müdlich** [-'myːtlɪç] *adj* indefatigable; **~reichbar** *adj (Ziel)* unattainable; *(Ort)* inaccessible; *(telefonisch)* unobtainable; **~schöpflich** [-'ʃœpflɪç] *adj* inexhaustible; **~schütterlich** [-'ʃʏtərlɪç] *adj* unshakeable; **~schwinglich** [-'ʃvɪŋlɪç] *adj (Preis)* exorbitant; too expensive; **~träglich** [-'trɛːklɪç] *adj* unbearable; *(Frechheit)* insufferable; **~wartet** *adj* unexpected; **~wünscht** *adj* undesirable, unwelcome
unfähig ['ʊnfɛːɪç] *adj* incapable, incompetent; **zu etw ~ sein** to be incapable of sth; **U~keit** *f* incapacity; incompetence
unfair ['ʊnfeːr] *adj* unfair
Unfall ['ʊnfal] *m* accident; **~flucht** *f* hit-and-run (driving); **~stelle** *f* scene of the accident; **~versicherung** *f* accident insurance
unfaßbar [ʊn'fasbaːr] *adj* inconceivable
unfehlbar [ʊn'feːlbaːr] *adj* infallible ♦ *adv* inevitably; **U~keit** *f* infallibility
unförmig ['ʊnfœrmɪç] *adj (formlos)* shapeless
unfrei ['ʊnfraɪ] *adj* not free, unfree; *(Paket)*

unfranked; ~**willig** adj involuntary, against one's will

unfreundlich ['ʊnfrɔʏntlɪç] adj unfriendly; **U~keit** f unfriendliness

Unfriede(n) ['ʊnfriːdə(n)] m dissension, strife

unfruchtbar ['ʊnfrʊxtbaːr] adj infertile; (Gespräche) unfruitful; **U~keit** f infertility; unfruitfulness

Unfug ['ʊnfuːk] (-s) m (Benehmen) mischief; (Unsinn) nonsense; **grober ~** (JUR) gross misconduct; malicious damage

Ungar(in) ['ʊŋgar(ɪn)] m(f) Hungarian; **u~isch** adj Hungarian; **~n** nt Hungary

ungeachtet ['ʊŋgə'axtət] präp +gen notwithstanding

ungeahnt ['ʊŋgə'aːnt] adj unsuspected, undreamt-of

ungebeten ['ʊŋgəbeːtən] adj uninvited

ungebildet ['ʊŋgəbɪldət] adj uneducated; uncultured

ungedeckt ['ʊŋgədɛkt] adj (Scheck) uncovered

Ungeduld ['ʊŋgədʊlt] f impatience; **u~ig** [-dɪç] adj impatient

ungeeignet ['ʊŋgə'aɪgnət] adj unsuitable

ungefähr ['ʊŋgəfɛːr] adj rough, approximate; **das kommt nicht von ~** that's hardly surprising

ungefährlich adj not dangerous, harmless

ungehalten ['ʊŋgəhaltən] adj indignant

ungeheuer ['ʊŋgəhɔʏər] adj huge ♦ adv (umg) enormously; **U~** (-s, -) nt monster; **~lich** [-'hɔʏərlɪç] adj monstrous

ungehobelt ['ʊŋgəhoːbəlt] adj (fig) uncouth

ungehörig ['ʊŋgəhøːrɪç] adj impertinent, improper

ungehorsam ['ʊŋgəhoːrzaːm] adj disobedient; **U~** m disobedience

ungeklärt ['ʊŋgəkleːrt] adj not cleared up; (Rätsel) unsolved

ungeladen ['ʊŋgəlaːdən] adj not loaded; (Gast) uninvited

ungelegen ['ʊŋgəleːgən] adj inconvenient

ungelernt ['ʊŋgəlɛrnt] adj unskilled

ungelogen ['ʊŋgəloːgən] adv really, honestly

ungemein ['ʊŋgəmaɪn] adj uncommon

ungemütlich ['ʊŋgəmyːtlɪç] adj uncomfortable; (Person) disagreeable

ungenau ['ʊŋgənaʊ] adj inaccurate; **U~igkeit** f inaccuracy

ungeniert ['ʊnʒeniːrt] adj free and easy, unceremonious ♦ adv without embarrassment, freely

ungenießbar ['ʊŋgəniːsbaːr] adj inedible; undrinkable; (umg) unbearable

ungenügend ['ʊŋgənyːgənt] adj insufficient, inadequate

ungepflegt ['ʊŋgəpfleːkt] adj (Garten etc) untended; (Person) unkempt; (Hände) neglected

ungerade ['ʊŋgəraːdə] adj odd, uneven (US)

ungerecht ['ʊŋgərɛçt] adj unjust; **~fertigt** adj unjustified; **U~igkeit** f injustice, unfairness

ungern ['ʊŋgɛrn] adv unwillingly, reluctantly

ungerührt ['ʊŋgəryːrt] adj unmoved

ungeschehen ['ʊŋgəʃeːən] adj: **~ machen** to undo

Ungeschicklichkeit ['ʊŋgəʃɪklɪçkaɪt] f clumsiness

ungeschickt adj awkward, clumsy

ungeschminkt ['ʊŋgəʃmɪŋkt] adj without make-up; (fig) unvarnished

ungesetzlich ['ʊŋgəzɛtslɪç] adj illegal

ungestört ['ʊŋgəʃtøːrt] adj undisturbed

ungestraft ['ʊŋgəʃtraːft] adv with impunity

ungestüm ['ʊŋgəʃtyːm] adj impetuous; tempestuous; **U~** (-(e)s) nt impetuosity; passion

ungesund ['ʊŋgəzʊnt] adj unhealthy

ungetrübt ['ʊŋgətryːpt] adj clear; (fig) untroubled; (Freude) unalloyed

Ungetüm ['ʊŋgətyːm] (-(e)s, -e) nt monster

ungewiß ['ʊŋgəvɪs] adj uncertain; **U~heit** f uncertainty

ungewöhnlich ['ʊŋgəvøːnlɪç] adj unusual

ungewohnt ['ʊŋgəvoːnt] adj unaccustomed

Ungeziefer ['ʊŋgətsiːfər] (-s) nt vermin

ungezogen ['ʊŋgətsoːgən] adj rude, impertinent; **U~heit** f rudeness, impertinence

ungezwungen ['ʊŋgətsvʊŋən] adj natural, unconstrained

ungläubig ['ʊŋglɔʏbɪç] adj unbelieving; **die U~en** the infidel(s)

unglaublich [ʊn'glaʊplɪç] adj incredible

ungleich ['ʊŋglaɪç] adj dissimilar; unequal ♦ adv incomparably; **~artig** adj different; **U~heit** f dissimilarity; inequality; **~mäßig** adj irregular, uneven

Unglück ['ʊŋglʏk] (-(e)s, -e) nt misfortune; (Pech) bad luck; (~sfall) calamity, disaster; (Verkehrs~) accident; **u~lich** adj unhappy; (erfolglos) unlucky; (unerfreulich) unfortunate; **u~licherweise** [-'vaɪzə] adv unfortunately; **u~selig** adj calamitous; (Person) unfortunate; **~sfall** m accident, calamity

ungültig ['ʊŋgʏltɪç] adj invalid; **U~keit** f invalidity

ungünstig ['ʊŋgʏnstɪç] adj unfavourable

ungut ['ʊŋguːt] adj (Gefühl) uneasy; **nichts für ~** no offence

unhaltbar ['ʊnhaltbaːr] adj untenable

Unheil ['ʊnhaɪl] nt evil; (Unglück) misfortune; **~ anrichten** to cause mischief; **u~bar** adj incurable

unheimlich ['ʊnhaɪmlɪç] adj weird, uncanny ♦ adv (umg) tremendously

unhöflich ['ʊnhøːflɪç] adj impolite; **U~keit** f impoliteness

unhygienisch ['ʊnhygi'e:nɪʃ] *adj* unhygienic

Uni ['ʊni] (-, -s; *umg*) *f* university

uni [y'ni:] *adj* self-coloured

Uniform [uni'fɔrm] *f* uniform; **u~iert** [-'mi:rt] *adj* uniformed

uninteressant ['ʊnɪnterɛsant] *adj* uninteresting

Universität [univerzi'tɛːt] *f* university

Universum [uni'vɛrzʊm] (-s) *nt* universe

unkenntlich ['ʊnkɛntlɪç] *adj* unrecognizable

Unkenntnis ['ʊnkɛntnɪs] *f* ignorance

unklar ['ʊnklaːr] *adj* unclear; **im ~en sein über** +*akk* to be in the dark about; **U~heit** *f* unclarity; (*Unentschiedenheit*) uncertainty

unklug ['ʊnkluːk] *adj* unwise

Unkosten ['ʊnkɔstən] *pl* expense(s)

Unkostenbeitrag *m* contribution to costs *or* expenses

Unkraut ['ʊnkraʊt] *nt* weed; weeds *pl*

unkündbar *adj* (*Stelle*) permanent; (*Vertrag*) binding

unlängst ['ʊnlɛŋst] *adv* not long ago

unlauter ['ʊnlaʊtər] *adj* unfair

unleserlich ['ʊnleːzərlɪç] *adj* illegible

unlogisch ['ʊnloːgɪʃ] *adj* illogical

unlösbar [ʊn'løːsbaːr] *adj* insoluble

unlöslich [ʊn'løːslɪç] *adj* insoluble

Unlust ['ʊnlʊst] *f* lack of enthusiasm

unmäßig ['ʊnmɛːsɪç] *adj* immoderate

Unmenge ['ʊnmɛŋə] *f* tremendous number, hundreds *pl*

Unmensch ['ʊnmɛnʃ] *m* ogre, brute; **u~lich** *adj* inhuman, brutal; (*ungeheuer*) awful

unmerklich [ʊn'mɛrklɪç] *adj* imperceptible

unmißverständlich ['ʊnmɪsfɛrʃtɛntlɪç] *adj* unmistakable

unmittelbar ['ʊnmɪtəlbaːr] *adj* immediate

unmöbliert ['ʊnmøbliːrt] *adj* unfurnished

unmodern *adj* old-fashioned

unmöglich ['ʊnmøːklɪç] *adj* impossible; **U~keit** *f* impossibility

unmoralisch ['ʊnmoraːlɪʃ] *adj* immoral

Unmut ['ʊnmuːt] *m* ill humour

unnachgiebig ['ʊnnaːxgiːbɪç] *adj* unyielding

unnahbar [ʊn'naːbaːr] *adj* unapproachable

unnötig ['ʊnnøːtɪç] *adj* unnecessary

unnütz ['ʊnnʏts] *adj* useless

unordentlich ['ʊnɔrdəntlɪç] *adj* untidy

Unordnung ['ʊnɔrdnʊŋ] *f* disorder

unparteiisch ['ʊnpartaɪɪʃ] *adj* impartial; **U~e(r)** *m* umpire; (*FUSSBALL*) referee

unpassend ['ʊnpasənt] *adj* inappropriate; (*Zeit*) inopportune

unpäßlich ['ʊnpɛslɪç] *adj* unwell

unpersönlich ['ʊnpɛrzøːnlɪç] *adj* impersonal

unpolitisch ['ʊnpoliːtɪʃ] *adj* apolitical

unpraktisch ['ʊnpraktɪʃ] *adj* unpractical

unpünktlich ['ʊnpʏnktlɪç] *adj* unpunctual

unrationell ['ʊnratsionɛl] *adj* inefficient

unrealistisch *adj* unrealistic

unrecht ['ʊnrɛçt] *adj* wrong; **U~** *nt* wrong; **zu U~** wrongly; **U~ haben** to be wrong; **~mäßig** *adj* unlawful, illegal

unregelmäßig ['ʊnreːgəlmɛsɪç] *adj* irregular; **U~keit** *f* irregularity

unreif ['ʊnraɪf] *adj* (*Obst*) unripe; (*fig*) immature

unrentabel ['ʊnrɛntaːbəl] *adj* unprofitable

unrichtig ['ʊnrɪçtɪç] *adj* incorrect, wrong

Unruhe ['ʊnruːə] *f* unrest; **~stifter** *m* troublemaker

unruhig ['ʊnruːɪç] *adj* restless

uns [ʊns] (*akk, dat von* **wir**) *pron* us; ourselves

unsachlich ['ʊnzaxlɪç] *adj* not to the point, irrelevant

unsagbar [ʊn'zaːkbaːr] *adj* indescribable

unsanft ['ʊnzanft] *adj* rough

unsauber ['ʊnzaʊbər] *adj* unclean, dirty; (*fig*) crooked; (*MUS*) fuzzy

unschädlich ['ʊnʃɛːtlɪç] *adj* harmless; **jdn/ etw ~ machen** to render sb/sth harmless

unscharf ['ʊnʃarf] *adj* indistinct; (*Bild etc*) out of focus, blurred

unscheinbar ['ʊnʃaɪnbaːr] *adj* insignificant; (*Aussehen, Haus etc*) unprepossessing

unschlagbar [ʊn'ʃlaːkbaːr] *adj* invincible

unschlüssig ['ʊnʃlʏsɪç] *adj* undecided

unschön *adj* (*häßlich: Anblick*) ugly, unattractive; (*unfreundlich: Benehmen*) unpleasant, ugly

Unschuld ['ʊnʃʊlt] *f* innocence; **u~ig** [-dɪç] *adj* innocent

unselbständig ['ʊnzɛlpʃtɛndɪç] *adj* dependent, over-reliant on others

unser(e) ['ʊnzər(ə)] *adj* our; **~e(r, s)** *pron* ours; **~einer** *pron* people like us; **~eins** *pron* = unsereiner; **~ereiner** *pron* = unsereiner; **~erseits** *adv* on our part; **~twegen** *adv* (*für uns*) for our sake; (*wegen uns*) on our account; **~twillen** *adv*: **um ~twillen = unsertwegen**

unsicher ['ʊnzɪçər] *adj* uncertain; (*Mensch*) insecure; **U~heit** *f* uncertainty; insecurity

unsichtbar ['ʊnzɪçtbaːr] *adj* invisible

Unsinn ['ʊnzɪn] *m* nonsense; **u~ig** *adj* nonsensical

Unsitte ['ʊnzɪtə] *f* deplorable habit

unsittlich ['ʊnzɪtlɪç] *adj* indecent

unsozial ['ʊnzotsiaːl] *adj* (*Verhalten*) antisocial

unsportlich ['ʊnʃpɔrtlɪç] *adj* not sporty; unfit; (*Verhalten*) unsporting

unsre ['ʊnzrə] = **unsere**

unsterblich [ʊn'ʃtɛrplɪç] *adj* immortal

Unstimmigkeit ['ʊnʃtɪmɪçkaɪt] *f* inconsistency; (*Streit*) disagreement

unsympathisch ['ʊnzʏmpaːtɪʃ] *adj* unpleasant; **er ist mir ~** I don't like him

untätig ['ʊntɛːtɪç] *adj* idle

untauglich ['ʊntaʊklıç] *adj* unsuitable; (*MIL*) unfit

unteilbar [ʊn'taɪlbaːr] *adj* indivisible

unten ['ʊntən] *adv* below; (*im Haus*) downstairs; (*an der Treppe etc*) at the bottom; **nach ~** down; **~ am Berg etc** at the bottom of the mountain *etc*; **ich bin bei ihm ~ durch** (*umg*) he's through with me

---
SCHLÜSSELWORT

unter [ʊntər] *präp +dat* **1** (*räumlich, mit Zahlen*) under; (*drunter*) underneath, below; **unter 18 Jahren** under 18 years

2 (*zwischen*) among(st); **sie waren unter sich** they were by themselves; **einer unter ihnen** one of them; **unter anderem** among other things

♦ *präp +akk* under, below

Unterarm ['ʊntər'arm] *m* forearm

unter- *zW:* **~belichten** *vt* (*PHOT*) to underexpose; **U~bewußtsein** *nt* subconscious; **~bezahlt** *adj* underpaid

unterbieten [ʊntər'biːtən] (*unreg*) *vt insep* (*COMM*) to undercut; (*Rekord*) to lower

unterbrechen [ʊntər'brɛçən] (*unreg*) *vt insep* to interrupt

Unterbrechung *f* interruption

unterbringen ['ʊntərbrıŋən] (*unreg*) *vt* (*in Koffer*) to stow; (*in Zeitung*) to place; (*Person: in Hotel etc*) to accommodate, to put up; (*: beruflich*): **jdn in einer Stellung** *od* **auf einem Posten ~** to fix sb up with a job

unterdessen [ʊntər'dɛsən] *adv* meanwhile

Unterdruck ['ʊntərdrʊk] *m* low pressure

unterdrücken [ʊntər'drykən] *vt insep* to suppress; (*Leute*) to oppress

untere(r, s) ['ʊntərə(r, s)] *adj* lower

untereinander [ʊntər'aɪˈnandər] *adv* with each other; among themselves *etc*

unterentwickelt ['ʊntər'ɛntvıkəlt] *adj* underdeveloped

unterernährt ['ʊntər'ɛrnɛːrt] *adj* undernourished, underfed

Unterernährung *f* malnutrition

Unter'führung *f* subway, underpass

Untergang ['ʊntərgaŋ] *m* (down)fall, decline; (*NAUT*) sinking; (*von Gestirn*) setting

unter'geben *adj* subordinate

untergehen ['ʊntərgeːən] (*unreg*) *vi* to go down; (*Sonne auch*) to set; (*Staat*) to fall; (*Volk*) to perish; (*Welt*) to come to an end; (*im Lärm*) to be drowned

Untergeschoß ['ʊntərgəʃɔs] *nt* basement

Untergewicht *nt* underweight

unter'gliedern *vt insep* to subdivide

Untergrund ['ʊntərgrʊnt] *m* foundation; (*POL*) underground; **~bahn** *f* underground, tube, subway (*US*); **~bewegung** *f* underground (movement)

unterhalb ['ʊntərhalp] *präp +gen* below ♦

adv below; **~ von** below

Unterhalt ['ʊntərhalt] *m* maintenance; **u~en** [ʊntər'haltən] (*unreg*) *vt insep* to maintain; (*belustigen*) to entertain ♦ *vr insep* to talk; (*sich belustigen*) to enjoy o.s.; **u~sam** *adj* (*Abend, Person*) entertaining, amusing; **~ung** *f* maintenance; (*Belustigung*) entertainment, amusement; (*Gespräch*) talk

Unterhändler ['ʊntərhɛntlər] *m* negotiator

Unterhemd ['ʊntərhɛmt] *nt* vest, undershirt (*US*)

Unterhose ['ʊntərhoːzə] *f* underpants *pl*

Unterkiefer ['ʊntərkiːfər] *m* lower jaw

unterkommen ['ʊntərkɔmən] (*unreg*) *vi* to find shelter; to find work; **das ist mir noch nie untergekommen** I've never met with that

unterkühlt [ʊntər'kyːlt] *adj* (*Körper*) affected by hypothermia

Unterkunft ['ʊntərkʊnft] (*-, -künfte*) *f* accommodation

Unterlage ['ʊntərlaːgə] *f* foundation; (*Beleg*) document; (*Schreib~ etc*) pad

unter'lassen (*unreg*) *vt insep* (*versäumen*) to fail to do; (*sich enthalten*) to refrain from

unterlaufen [ʊntər'laʊfən] (*unreg*) *vi insep* to happen ♦ *adj*: **mit Blut ~** suffused with blood; (*Augen*) bloodshot

unterlegen ['ʊntərleːgən] *vt* to lay *od* put under; **unter'legen** *adj* inferior; (*besiegt*) defeated

Unterleib ['ʊntərlaɪp] *m* abdomen

unter'liegen (*unreg*) *vi insep* (*+dat*) to be defeated *od* overcome (by); (*unterworfen sein*) to be subject (to)

Untermiete ['ʊntərmiːtə] *f*: **zur ~ wohnen** to be a subtenant *od* lodger; **~r(in)** *m(f)* subtenant, lodger

unter'nehmen (*unreg*) *vt insep* to undertake; **U~** (*-s, -*) *nt* undertaking, enterprise (*auch COMM*)

Unternehmer [ʊntər'neːmər] (*-s, -*) *m* entrepreneur, businessman

unterordnen *vr +dat* to submit o.s. (to) ♦ *vr* to give o.s. second place to

Unterredung [ʊntər'reːdʊŋ] *f* discussion, talk

Unterricht ['ʊntərrıçt] (*-(e)s, -e*) *m* instruction, lessons *pl*; **u~en** [ʊntər'rıçtən] *vt insep* to instruct; (*SCH*) to teach ♦ *vr insep*: **sich u~en (über** *+akk*) to inform o.s. (about), to obtain information (about); **~sfach** *nt* subject (on school *etc* curriculum)

Unterrock ['ʊntərrɔk] *m* petticoat, slip

unter'sagen *vt insep* to forbid; **jdm etw ~** to forbid sb to do sth

Untersatz ['ʊntərzats] *m* coaster, saucer

unter'schätzen *vt insep* to underestimate

unter'scheiden (*unreg*) *vt insep* to distinguish ♦ *vr insep* to differ

Unter'scheidung f (*Unterschied*) distinction; (*Unterscheiden*) differentiation

Unterschied ['ʊntərʃiːt] (-(e)s, -e) m difference, distinction; **im ~ zu** as distinct from; **u~lich** adj varying, differing; (*diskriminierend*) discriminatory; **u~slos** adv indiscriminately

unter'schlagen (*unreg*) vt insep to embezzle; (*verheimlichen*) to suppress

Unter'schlagung f embezzlement

Unterschlupf ['ʊntərʃlʊpf] (-(e)s, -schlüpfe) m refuge

unter'schreiben (*unreg*) vt insep to sign

Unterschrift ['ʊntərʃrɪft] f signature

Unterseeboot ['ʊntərzeːboːt] nt submarine

Untersetzer ['ʊntərzɛtsər] m tablemat; (*für Gläser*) coaster

untersetzt [ʊntər'zɛtst] adj stocky

unterste(r, s) ['ʊntərstə(r, s)] adj lowest, bottom

unterstehen [ʊntər'ʃteːən] (*unreg*) vi insep (+dat) to be under ♦ vr insep to dare; **'unterstehen** vi to shelter

unterstellen [ʊntər'ʃtɛlən] vt insep to subordinate; (*fig*) to impute; **'unterstellen** vt (*Auto*) to garage, to park ♦ vr to take shelter

unter'streichen (*unreg*) vt insep (*auch fig*) to underline

Unterstufe ['ʊntərʃtuːfə] f lower grade

unter'stützen vt insep to support

Unter'stützung f support, assistance

unter'suchen vt insep (MED) to examine; (*Polizei*) to investigate

Unter'suchung f examination; investigation, inquiry; **~sausschuß** m committee of inquiry; **~shaft** f imprisonment on remand

Untertan ['ʊntərtaːn] (-s, -en) m subject

Untertasse ['ʊntərtasə] f saucer

untertauchen ['ʊntərtauxən] vi to dive; (*fig*) to disappear, to go underground

Unterteil ['ʊntərtail] nt od m lower part, bottom; **u~en** [ʊntər'tailən] vt insep to divide up

Untertitel ['ʊntərtiːtəl] m subtitle

Unterwäsche ['ʊntərvɛʃə] f underwear

unterwegs [ʊntər'veːks] adv on the way

unter'werfen (*unreg*) vt insep to subject; (*Volk*) to subjugate ♦ vr insep (+dat) to submit (to)

unterwürfig [ʊntər'vʏrfɪç] adj obsequious, servile

unter'zeichnen vt insep to sign

unter'ziehen (*unreg*) vt insep to subject ♦ vr insep (+dat) to undergo; (*einer Prüfung*) to take

untragbar [ʊn'traːkbaːr] adj unbearable, intolerable

untreu ['ʊntrɔy] adj unfaithful; **U~e** f unfaithfulness

untröstlich [ʊn'trøːstlɪç] adj inconsolable

unüberlegt ['ʊn'yːbərleːkt] adj ill-considered ♦ adv without thinking

unübersichtlich adj (*Gelände*) broken; (*Kurve*) blind

unumgänglich [ʊn'ʊm'gɛŋlɪç] adj indispensable, vital; absolutely necessary

unumwunden ['ʊn'ʊmvʊndən] adj candid ♦ adv straight out

ununterbrochen ['ʊn'ʊntərbrɔxən] adj uninterrupted

unver- [ʊnfɛr] zW: **~änderlich** [-'ɛndərlɪç] adj unchangeable; **~antwortlich** [-'antvɔrtlɪç] adj irresponsible; (*unentschuldbar*) inexcusable; **~besserlich** adj incorrigible; **~bindlich** adj not binding; (*Antwort*) curt ♦ adv (COMM) without obligation; **~bleit** adj (*Benzin usw*) unleaded; **ich fahre ~bleit** I use unleaded; **~blümt** [-'blyːmt] adj plain, blunt ♦ adv plainly, bluntly; **~daulich** adj indigestible; **~einbar** adj incompatible; **~fänglich** [-'fɛŋlɪç] adj harmless; **~froren** adj impudent; **~geßlich** adj (*Tag, Erlebnis*) unforgettable; **~hofft** [-'hɔft] adj unexpected; **~meidlich** [-'maɪtlɪç] adj unavoidable; **~mutet** adj unexpected; **~nünftig** [-'nʏnftɪç] adj foolish; **~schämt** adj impudent; **U~schämtheit** f impudence, insolence; **~sehens** [-'zeːəns] adv all of a sudden; **~sehrt** adj uninjured; **~söhnlich** [-'zøːnlɪç] adj irreconcilable; **~ständlich** [-'ʃtɛntlɪç] adj unintelligible; **~träglich** adj quarrel'some; (*Meinungen, MED*) incompatible; **~wüstlich** [-'vyːstlɪç] adj indestructible; (*Mensch*) irrepressible; **~zeihlich** adj unpardonable; **~züglich** [-'tsyːklɪç] adj immediate

unvollkommen ['ʊnfɔlkɔmən] adj imperfect

unvollständig adj incomplete

unvor- ['ʊnfoːr] zW: **~bereitet** adj unprepared; **~eingenommen** adj unbiased; **~hergesehen** [-heːrgəzeːən] adj unforeseen; **~sichtig** [-zɪçtɪç] adj careless, imprudent; **~stellbar** [-'ʃtɛlbaːr] adj inconceivable; **~teilhaft** adj disadvantageous

unwahr ['ʊnvaːr] adj untrue; **~scheinlich** adj improbable, unlikely ♦ adv (*umg*) incredibly

unweigerlich [ʊn'vaɪgərlɪç] adj unquestioning ♦ adv without fail

Unwesen ['ʊnveːzən] nt nuisance; (*Unfug*) mischief; **sein ~ treiben** to wreak havoc; **u~tlich** adj inessential, unimportant; **u~tlich besser** marginally better

Unwetter ['ʊnvɛtər] nt thunderstorm

unwichtig ['ʊnvɪçtɪç] adj unimportant

unwider- [ʊnviːdər] zW: **~'legbar** adj irrefutable; **~'ruflich** adj irrevocable; **~'stehlich** adj irresistible

unwill- ['ʊnvɪl] zW: **U~e(n)** m indignation; **~ig** adj indignant; (*widerwillig*) reluctant; **~kürlich** [-kyːrlɪç] adj involuntary ♦ adv in-

stinctively; (*lachen*) involuntarily
unwirklich ['ʊnvɪrklɪç] *adj* unreal
unwirksam *adj* (*Mittel, Methode*) ineffective
unwirsch ['ʊnvɪrʃ] *adj* cross, surly
unwirtschaftlich ['ʊnvɪrtʃaftlɪç] *adj* uneconomical
unwissen- ['ʊnvɪsən] *zW*: **~d** *adj* ignorant; **U~heit** *f* ignorance; **~tlich** *adv* unknowingly, unwittingly
unwohl ['ʊnvoːl] *adj* unwell, ill; **U~sein** (**-s**) *nt* indisposition
unwürdig ['ʊnvʏrdɪç] *adj* unworthy
unzählig [ʊn'tsɛːlɪç] *adj* innumerable, countless
unzer- [ʊntsɛr] *zW*: **~'brechlich** *adj* unbreakable; **~'störbar** *adj* indestructible; **~'trennlich** *adj* inseparable
Unzucht ['ʊntsʊxt] *f* sexual offence
unzüchtig ['ʊntsʏçtɪç] *adj* immoral; lewd
unzu- ['ʊntsu] *zW*: **~frieden** *adj* dissatisfied; **U~friedenheit** *f* discontent; **~länglich** *adj* inadequate; **~lässig** *adj* inadmissible; **~rechnungsfähig** *adj* irresponsible; **~treffend** *adj* incorrect; **~verlässig** *adj* unreliable
unzweideutig ['ʊntsvaɪdɔʏtɪç] *adj* unambiguous
üppig ['ʏpɪç] *adj* (*Frau*) curvaceous; (*Busen*) full, ample; (*Essen*) sumptuous; (*Vegetation*) luxuriant, lush
Ur- ['uːr] *in zW* original
uralt ['uːr'alt] *adj* ancient, very old
Uran [u'raːn] (**-s**) *nt* uranium
Ur- *zW*: **~aufführung** *f* first performance; **~einwohner** *m* original inhabitant; **~eltern** *pl* ancestors; **~enkel(in)** *m(f)* great-grandchild, great-grandson(daughter); **~großeltern** *pl* great-grandparents; **~großmutter** *f* great-grandmother; **~großvater** *m* great-grandfather; **~heber** (**-s**, **-**) *m* originator; (*Autor*) author
Urin [u'riːn] (**-s**, **-e**) *m* urine
Urkunde ['uːrkʊndə] *f* document, deed
Urlaub ['uːrlaʊp] (**-(e)s**, **-e**) *m* holiday(s *pl*) (*BRIT*), vacation (*US*); (*MIL etc*) leave; **~er** [-laʊbər] (**-s**, **-**) *m* holiday-maker (*BRIT*), vacationer (*US*); **~sort** *m* holiday resort
Urne ['ʊrnə] *f* urn
Urologe [uro'loːgə] *m* (*MED*) urologist
Ursache ['uːrzaxə] *f* cause; **keine ~** that's all right
Ursprung ['uːrʃprʊŋ] *m* origin, source; (*von Fluß*) source
ursprünglich ['uːrʃprʏŋlɪç] *adj* original ♦ *adv* originally
Urteil ['ʊrtaɪl] (**-s**, **-e**) *nt* opinion; (*JUR*) sentence, judgement; **u~en** *vi* to judge; **~sspruch** *m* sentence, verdict
Urwald *m* jungle
Urzeit *f* prehistoric times *pl*
USA [uː'ɛs''aː] *pl abk* (= *Vereinigte Staaten*

von Amerika) USA
usw. *abk* (= *und so weiter*) etc
Utensilien [utɛn'ziːliən] *pl* utensils
Utopie [uto'piː] *f* pipedream
utopisch [u'toːpɪʃ] *adj* utopian

V v

vag(e) [vaːk, vaːgə] *adj* vague
Vagina [va'giːna] (**-**, **Vaginen**) *f* vagina
Vakuum ['vaːkuʊm] (**-s**, **Vakua** *od* **Vakuen**) *nt* vacuum
Vampir (**-s**, **-e**) *m* vampire
Vanille [va'nɪljə] (**-**) *f* vanilla
Variation [variatsi'oːn] *f* variation
variieren [vari'iːrən] *vt, vi* to vary
Vase ['vaːzə] *f* vase
Vater ['faːtər] (**-s**, **=**) *m* father; **~land** *nt* native country; Fatherland
väterlich ['fɛːtərlɪç] *adj* fatherly
Vaterschaft *f* paternity
Vaterunser (**-s**, **-**) *nt* Lord's prayer
Vati ['faːti] *m* daddy
v.Chr. *abk* (= *vor Christus*) B.C.
Vegetarier(in) [vege'taːriər(ɪn)] (**-s**, **-**) *m(f)* vegetarian
Veilchen ['faɪlçən] *nt* violet
Vene ['veːnə] *f* vein
Ventil [vɛn'tiːl] (**-s**, **-e**) *nt* valve
Ventilator [vɛnti'laːtɔr] *m* ventilator
verab- [fɛr'ap] *zW*: **~reden** *vt* to agree, to arrange ♦ *vr*: **sich mit jdm ~reden** to arrange to meet sb; **mit jdm ~redet sein** to have arranged to meet sb; **V~redung** *f* arrangement; (*Treffen*) appointment; **~scheuen** *vt* to detest, to abhor; **~schieden** *vt* (*Gäste*) to say goodbye to; (*entlassen*) to discharge; (*Gesetz*) to pass ♦ *vr* to take one's leave; **V~schiedung** *f* leavetaking; discharge; passing
ver- [fɛr] *zW*: **~achten** *vt* to despise; **~ächtlich** [-'ɛçtlɪç] *adj* contemptuous; (*verachtenswert*) contemptible; **jdn ~ächtlich machen** to run sb down; **V~achtung** *f* contempt
verallgemeinern [fɛr'algə'maɪnərn] *vt* to generalize
Verallgemeinerung *f* generalization
veralten [fɛr'altən] *vi* to become obsolete *od* out-of-date
Veranda [ve'randa] (**-**, **Veranden**) *f* veranda
veränder- [fɛr'ɛndər] *zW*: **~lich** *adj* changeable; **~n** *vt, vr* to change, to alter;

V~ung f change, alteration
veran- [fɛr'an] zW: **~lagt** adj with a ... nature; **V~lagung** f disposition; **~lassen** vt to cause; **Maßnahmen ~lassen** to take measures; **sich ~laßt sehen** to feel prompted; **~schaulichen** vt to illustrate; **~schlagen** vt to estimate; **~stalten** vt to organize, to arrange; **V~stalter** (-s, -) m organizer; **V~staltung** f (Veranstalten) organizing; (Konzert etc) event, function
verantwort- [fɛr'antvɔrt] zW: **~en** vt to answer for ♦ vr to justify o.s.; **~lich** adj responsible; **V~ung** f responsibility; **~ungsbewußt** adj responsible; **~ungslos** adj irresponsible
verarbeiten [fɛr'arbaitən] vt to process; (geistig) to assimilate; **etw zu etw ~** to make sth into sth
Verarbeitung f processing; assimilation
verärgern [fɛr'ɛrgərn] vt to annoy
verausgaben [fɛr'ausgabən] vr to run out of money; (fig) to exhaust o.s.
Verb [vɛrp] (-s, -en) nt verb
Verband [fɛr'bant] (-(e)s, ⸚e) m (MED) bandage, dressing; (Bund) association, society; (MIL) unit; **~kasten** m medicine chest, first-aid box; **~zeug** nt bandage
verbannen [fɛr'banən] vt to banish
Verbannung f exile
verbergen [fɛr'bɛrgən] (unreg) vt, vr: **(sich) ~ (vor** +dat) to hide (from)
verbessern [fɛr'bɛsərn] vt, vr to improve; (berichtigen) to correct (o.s.)
Verbesserung f improvement; correction
verbeugen [fɛr'bɔygən] vr to bow
Verbeugung f bow
ver'biegen (unreg) vi to bend
ver'bieten (unreg) vt to forbid; **jdm etw verbieten** to forbid sb to do sth
ver'binden (unreg) vt to connect; (kombinieren) to combine; (MED) to bandage ♦ vr (auch Chem) to combine, to join; **jdm die Augen ~** to blindfold sb
verbindlich [fɛr'bintliç] adj binding; (freundlich) friendly
Ver'bindung f connection; (Zusammensetzung) combination; (CHEM) compound; (UNIV) club
verbissen [fɛr'bisən] adj (Kampf) bitter; (Gesichtsausdruck) grim
ver'bitten (unreg) vt: **sich** dat **etw ~** not to tolerate sth, not to stand for sth
verblassen [fɛr'blasən] vi to fade
Verbleib [fɛ'blaip] (-(e)s) m whereabouts; **v~en** (unreg) vi to remain
verbleit [fɛr'blait] adj (Benzin) leaded
verblüffen [fɛr'blyfən] vt to stagger, to amaze
Verblüffung f stupefaction
ver'blühen vi to wither, to fade
ver'bluten vi to bleed to death
verborgen [fɛr'bɔrgən] adj hidden

Verbot [fɛr'boːt] (-(e)s, -e) nt prohibition, ban; **v~en** adj forbidden; **Rauchen v~en!** no smoking; **~sschild** nt prohibitory sign
Verbrauch [fɛr'braux] (-(e)s) m consumption; **v~en** vt to use up; **~er** (-s, -) m consumer; **v~t** adj used up, finished; (Luft) stale; (Mensch) worn-out
Verbrechen [fɛr'brɛçən] (-s, -) nt crime
Verbrecher [fɛr'brɛçər] (-s, -) m criminal; **v~isch** adj criminal
ver'breiten vt, vr to spread; **sich über etw** akk **~** to expound on sth
verbreitern [fɛr'braitərn] vt to broaden
Verbreitung f spread(ing), propagation
verbrenn- [fɛr'brɛn] zW: **~bar** adj combustible; **~en** (unreg) vt to burn; (Leiche) to cremate; **V~ung** f burning; (in Motor) combustion; (von Leiche) cremation; **V~ungsmotor** m internal combustion engine
ver'bringen [fɛr'briŋən] (unreg) vt to spend
verbrühen [fɛr'bryːən] vt to scald
verbuchen [fɛr'buːxən] vt (FIN) to register; (Erfolg) to enjoy; (Mißerfolg) to suffer
verbunden [fɛr'bundən] adj connected; **jdm ~ sein** to be obliged od indebted to sb; **„falsch ~"** (TEL) "wrong number"
verbünden [fɛr'byndən] vr to ally o.s.
Verbündete(r) [fɛr'byndətə(r)] mf ally
ver'bürgen vr: **sich ~ für** to vouch for
ver'büßen vt: **eine Strafe ~** to serve a sentence
Verdacht [fɛr'daxt] (-(e)s) m suspicion
verdächtig [fɛr'dɛçtiç] adj suspicious, suspect; **~en** [fɛr'dɛçtigən] vt to suspect
verdammen [fɛr'damən] vt to damn, to condemn; **verdammt!** damn!
verdammt (umg) adj, adv damned; **~ noch mal!** damn!; dammit!
ver'dampfen vi to vaporize, to evaporate
ver'danken vt: **jdm etw ~** to owe sb sth
verdauen [fɛr'dauən] vt (auch fig) to digest
verdaulich [fɛr'dauliç] adj digestible; **das ist schwer ~** that is hard to digest
Verdauung f digestion
Verdeck [fɛr'dɛk] (-(e)s, -e) nt (AUT) hood; (NAUT) deck; **v~en** vt to cover (up); (verbergen) to hide
Verderb- [fɛr'dɛrp] zW: **~en** [-'dɛrbən] (-s) nt ruin; **~en** (unreg) vt to spoil; (schädigen) to ruin; (moralisch) to corrupt ♦ vi (Essen) to spoil, to rot; (Mensch) to go to the bad; **es mit jdm ~en** to get into sb's bad books; **v~lich** adj (Einfluß) pernicious; (Lebensmittel) perishable
verdeutlichen [fɛr'dɔytliçən] vt to make clear
ver'dichten vt, vr to condense
ver'dienen vt to earn; (moralisch) to deserve
Ver'dienst (-(e)s, -e) m earnings pl ♦ nt merit; (Leistung): **~ (um)** service (to)

verdient [fɛr'diːnt] *adj* well-earned; *(Person)* deserving of esteem; **sich um etw ~ machen** to do a lot for sth

verdoppeln [fɛr'dɔpəln] *vt* to double

verdorben [fɛr'dɔrbən] *adj* spoilt; *(geschädigt)* ruined; *(moralisch)* corrupt

verdrängen [fɛr'drɛŋən] *vt* to oust, to displace *(auch PHYS)*; *(PSYCH)* to repress

ver'drehen *vt (auch fig)* to twist; *(Augen)* to roll; **jdm den Kopf ~** *(fig)* to turn sb's head

verdreifachen [fɛr'draifaxən] *vt* to treble

verdrießlich [fɛr'driːsliç] *adj* peevish, annoyed

Verdruß [fɛr'drʊs] (-sses, -sse) *m* annoyance, worry

verdummen [fɛr'dʊmən] *vt* to make stupid ♦ *vi* to grow stupid

verdunkeln [fɛr'dʊŋkəln] *vt* to darken; *(fig)* to obscure ♦ *vr* to darken

Verdunk(e)lung *f* blackout; *(fig)* obscuring

verdünnen [fɛr'dynən] *vt* to dilute

verdunsten [fɛr'dʊnstən] *vi* to evaporate

verdursten [fɛr'dʊrstən] *vi* to die of thirst

verdutzt [fɛr'dʊtst] *adj* nonplussed, taken aback

verehr- [fɛr''eːr] *zW:* **~en** *vt* to venerate, to worship *(auch REL)*; **jdm etw ~en** to present sb with sth; **V~er(in)** (-s, -) *m(f)* admirer, worshipper *(auch REL)*; **~t** *adj* esteemed; **V~ung** *f* respect; *(REL)* worship

Verein [fɛr''ain] (-(e)s, -e) *m* club, association; **v~bar** *adj* compatible; **v~baren** *vt* to agree upon; **~barung** *f* agreement; **v~en** *vt (Menschen, Länder)* to unite; *(Prinzipien)* to reconcile; **mit v~ten Kräften** having pooled resources, having joined forces; **v~fachen** *vt* to simplify; **v~igen** *vt, vr* to unite; **~igung** *f* union; *(Verein)* association; **v~t** *adj* united; **V~te Nationen** United Nations

vereinzelt *adj* isolated

vereiteln [fɛr''aitəln] *vt* to frustrate

ver'eitern *vi* to suppurate, to fester

verengen [fɛr''ɛŋən] *vr* to narrow

vererb- [fɛr''ɛrb] *zW:* **~en** *vt* to bequeath; *(BIOL)* to transmit ♦ *vr* to be hereditary; **~lich** [fɛr''ɛrpliç] *adj* hereditary; **V~ung** *f* bequeathing; *(BIOL)* transmission; *(Lehre)* heredity

verewigen [fɛr''eːvigən] *vt* to immortalize ♦ *vr (umg)* to immortalize o.s.

ver'fahren *(unreg) vi* to act ♦ *vr* to get lost ♦ *adj* tangled; **~ mit** to deal with; **V~** (-s, -) *nt* procedure; *(TECH)* process; *(JUR)* proceedings *pl*

Verfall [fɛr'fal] (-(e)s) *m* decline; *(von Haus)* dilapidation; *(FIN)* expiry; **v~en** *vi* to decline; *(Haus)* to be falling down; *(FIN)* to lapse; **v~en in** +*akk* to lapse into; **v~en auf** +*akk* to hit upon; **einem Laster v~en**

sein to be addicted to a vice; **~sdatum** *nt* expiry date; *(der Haltbarkeit)* sell-by date

verfänglich [fɛr'fɛŋliç] *adj (Frage, Situation)* awkward, tricky

ver'färben *vr* to change colour

verfassen [fɛr'fasən] *vt (Rede)* to prepare, work out

Verfasser(in) [fɛr'fasɔr(in)] (-s, -) *m(f)* author, writer

Verfassung *f (auch POL)* constitution

Verfassungs- *zW:* **~gericht** *nt* constitutional court; **v~widrig** *adj* unconstitutional

ver'faulen *vi* to rot

ver'fehlen *vt* to miss; **etw für verfehlt halten** to regard sth as mistaken

verfeinern [fɛr'fainərn] *vt* to refine

ver'filmen *vt* to film

verflixt [fɛr'flikst] *(umg) adj* damned, damn

ver'fluchen *vt* to curse

verfolg- [fɛr'fɔlg] *zW:* **~en** *vt* to pursue; *(gerichtlich)* to prosecute; *(grausam, bes POL)* to persecute; **V~er** (-s, -) *m* pursuer; **V~ung** *f* pursuit; prosecution; persecution

verfrüht [fɛr'fryːt] *adj* premature

verfüg- [fɛr'fyːg] *zW:* **~bar** *adj* available; **~en** *vt* to direct, to order ♦ *vr* to proceed ♦ *vi:* **~en über** +*akk* to have at one's disposal; **V~ung** *f* direction, order; **zur V~ung** at one's disposal; **jdm zur V~ung stehen** to be available to sb

verführ- [fɛr'fyːr] *zW:* **~en** *vt* to tempt; *(sexuell)* to seduce; **V~er** *m* tempter; seducer; **~erisch** *adj* seductive; **V~ung** *f* seduction; *(Versuchung)* temptation

ver'gammeln *(umg) vi* to go to seed; *(Nahrung)* to go off

vergangen [fɛr'gaŋən] *adj* past; **V~heit** *f* past

vergänglich [fɛr'gɛŋliç] *adj* transitory; **V~keit** *f* transitoriness, impermanence

vergasen [fɛr'gaːzən] *vt (töten)* to gas

Vergaser (-s, -) *m (AUT)* carburettor

vergaß *etc* [fɛr'gaːs] *vb siehe* **vergessen**

vergeb- [fɛr'geːb] *zW:* **~en** *(unreg) vt (verzeihen)* to forgive; *(weggeben)* to give away; **jdm etw ~en** to forgive sb (for) sth; **~ens** *adv* in vain; **~lich** [fɛr'geːpliç] *adv* in vain ♦ *adj* vain, futile; **V~ung** *f* forgiveness

ver'gehen *(unreg) vi* to pass by *od* away ♦ *vr* to commit an offence; **jdm vergeht etw** sb loses sth; **sich an jdm ~** to (sexually) assault sb; **V~** (-s, -) *nt* offence

ver'gelten *(unreg) vt:* **jdm etw ~** to pay sb back for sth, to repay sb for sth

Ver'geltung *f* retaliation, reprisal; **Vergeltungsschlag** *m (MIL)* reprisal

vergessen [fɛr'gɛsən] *(unreg) vt* to forget; **V~heit** *f* oblivion

vergeßlich [fɛr'gɛsliç] *adj* forgetful; **V~keit** *f* forgetfulness

vergeuden [fɛr'gɔydən] *vt* to squander, to

waste
vergewaltigen [fɛrgə'valtɪgən] *vt* to rape; *(fig)* to violate
Vergewaltigung *f* rape
vergewissern [fɛrgə'vɪsərn] *vr* to make sure
ver'gießen *(unreg) vt* to shed
vergiften [fɛr'gɪftən] *vt* to poison
Vergiftung *f* poisoning
Vergißmeinnicht [fɛr'gɪsmaɪnnɪçt] (-(e)s, -e) *nt* forget-me-not
vergißt *etc* [fɛr'gɪst] *vb siehe* **vergessen**
Vergleich [fɛr'glaɪç] (-(e)s, -e) *m* comparison; *(JUR)* settlement; **im ~ mit** *od zu* compared with *od* to; **v~bar** *adj* comparable; **v~en** *(unreg) vt* to compare ♦ *vr* to reach a settlement
vergnügen [fɛr'gny:gən] *vr* to enjoy *od* amuse o.s.; **V~** (-s, -) *nt* pleasure; **viel V~!** enjoy yourself!
vergnügt [fɛr'gny:kt] *adj* cheerful
Vergnügung *f* pleasure, amusement; **~spark** *m* amusement park
vergolden [fɛr'gɔldən] *vt* to gild
vergöttern [fɛr'gœtərn] *vt* to idolize
ver'graben *vt* to bury
ver'greifen *(unreg) vr:* **sich an jdm ~** to lay hands on sb; **sich an etw ~** to misappropriate sth; **sich im Ton ~** to say the wrong thing
vergriffen [fɛr'grɪfən] *adj (Buch)* out of print; *(Ware)* out of stock
vergrößern [fɛr'grø:sərn] *vt* to enlarge; *(mengenmäßig)* to increase; *(Lupe)* to magnify
Vergrößerung *f* enlargement; increase; magnification; **~sglas** *nt* magnifying glass
Vergünstigung [fɛr'gʏnstɪgʊŋ] *f* concession, privilege
Vergütung *f* compensation
verhaften [fɛr'haftən] *vt* to arrest
Verhaftung *f* arrest
ver'hallen *vi* to die away
ver'halten *(unreg) vr* to be, to stand; *(sich benehmen)* to behave ♦ *vt* to hold *od* keep back; *(Schritt)* to check; **sich ~ (zu)** *(MATH)* to be in proportion (to); **V~** (-s) *nt* behaviour
Verhältnis [fɛr'hɛltnɪs] (-ses, -se) *nt* relationship; *(MATH)* proportion, ratio; **~se** *pl* *(Umstände)* conditions; **über seine ~se leben** to live beyond one's means; **v~mäßig** *adj* relative, comparative ♦ *adv* relatively, comparatively
verhandeln [fɛr'handəln] *vi* to negotiate; *(JUR)* to hold proceedings ♦ *vt* to discuss; *(JUR)* to hear; **über etw** *akk* **~** to negotiate sth *od* about sth
Verhandlung *f* negotiation; *(JUR)* proceedings *pl*; **~sbasis** *f (FINANZ)* basis for negotiations
ver'hängen *vt (fig)* to impose, to inflict

Verhängnis [fɛr'hɛŋnɪs] (-ses, -se) *nt* fate, doom; **jdm zum ~ werden** to be sb's undoing; **v~voll** *adj* fatal, disastrous
verharmlosen [fɛr'harmlo:zən] *vt* to make light of, to play down
verhärten [fɛr'hɛrtən] *vr* to harden
verhaßt [fɛr'hast] *adj* odious, hateful
verhauen [fɛr'haʊən] *(unreg; umg) vt (verprügeln)* to beat up
verheerend [fɛr'he:rənt] *adj* disastrous, devastating
verheimlichen [fɛr'haɪmlɪçən] *vt:* **jdm etw ~** to keep sth secret from sb
verheiratet [fɛr'haɪraːtət] *adj* married
ver'helfen *(unreg) vi:* **jdm ~ zu** to help sb to get
ver'hexen *vt* to bewitch; **es ist wie verhext** it's jinxed
ver'hindern *vt* to prevent; **verhindert sein** to be unable to make it
ver'höhnen [fɛr'hø:nən] *vt* to mock, to sneer at
Verhör [fɛr'hø:r] (-(e)s, -e) *nt* interrogation; *(gerichtlich)* (cross-)examination; **v~en** *vt* to interrogate; to (cross-)examine ♦ *vr* to misunderstand, to mishear
ver'hungern *vi* to starve, to die from hunger
ver'hüten *vt* to prevent, to avert
Ver'hütung *f* prevention; **Verhütungsmittel** *nt* contraceptive
verirren [fɛr'ɪrən] *vr* to go astray
ver'jagen *vt* to drive away *od* out
verkalken [fɛr'kalkən] *vi* to calcify; *(umg)* to become senile
verkannt [fɛr'kant] *adj* unappreciated
Verkauf [fɛr'kaʊf] *m* sale; **v~en** *vt* to sell
Verkäufer(in) [fɛr'kɔʏfər(ɪn)] (-s, -) *m(f)* seller; salesman(woman); *(in Laden)* shop assistant
verkaufsoffen *adj:* **~er Samstag** *Saturday when the shops stay open all day*
Verkehr [fɛr'ke:r] (-s, -e) *m* traffic; *(Umgang, bes sexuell)* intercourse; *(Umlauf)* circulation; **v~en** *vi (Fahrzeug)* to ply, to run ♦ *vt, vr* to turn, to transform; **v~en mit** to associate with; **bei jdm v~en** *(besuchen)* to visit sb regularly
Verkehrs- *zW:* **~ampel** *f* traffic lights *pl*; **~amt** *nt* tourist office; **~delikt** *nt* traffic offence; **v~günstig** *adj* convenient; **~mittel** *nt* means of transport; **~schild** *nt* road sign; **~stauung** *f* traffic jam, stoppage; **~stockung** *f* traffic jam, stoppage; **~unfall** *m* traffic accident; **~verein** *m* tourist information office; **~zeichen** *nt* traffic sign
verkehrt *adj* wrong; *(umgekehrt)* the wrong way round
ver'kennen *(unreg) vt* to misjudge, not to appreciate
ver'klagen *vt* to take to court
verkleiden [fɛr'klaɪdən] *vr* to disguise

(o.s.); *(sich kostümieren)* to get dressed up ♦ vt *(Wand)* to cover

Verkleidung f disguise; *(ARCHIT)* wainscoting

verkleinern [fɛr'klaɪnərn] vt to make smaller, to reduce in size

verklemmt [fɛr'klɛmt] adj *(fig)* inhibited

ver'kneifen *(unreg)* vt: **sich** dat **etw** ~ *(Lachen)* to stifle sth; *(Schmerz)* to hide sth; *(sich versagen)* to do without sth

verknüpfen [fɛr'knʏpfən] vt to tie (up), to knot; *(fig)* to connect

ver'kommen *(unreg)* vi to deteriorate, to decay; *(Mensch)* to go downhill, to come down in the world ♦ adj *(moralisch)* dissolute, depraved

verkörpern [fɛr'kœrpərn] vt to embody, to personify

verkraften [fɛr'kraftən] vt to cope with

ver'kriechen *(unreg)* vr to creep away, to creep into a corner

Verkrümmung f bend, warp; *(ANAT)* curvature

verkrüppelt [fɛr'krʏpəlt] adj crippled

ver'kühlen vr to get a chill

ver'kümmern vi to waste away

verkünden [fɛr'kʏndən] vt to proclaim; *(Urteil)* to pronounce

verkürzen [fɛr'kʏrtsən] vt to shorten; *(Wort)* to abbreviate; **sich** dat **die Zeit** ~ to while away the time

Verkürzung f shortening; abbreviation

verladen [fɛr'laːdən] *(unreg)* vt *(Waren, Vieh)* to load; *(Truppen)* to embark, entrain, enplane

Verlag [fɛr'laːk] (-(e)s, -e) m publishing firm

verlangen [fɛr'laŋən] vt to demand; to desire ♦ vi: ~ **nach** to ask for, to desire; ~ **Sie Herrn X** ask for Mr X; **V**~ (-s, -) nt: **V**~ **(nach)** desire (for); **auf jds V**~ **(hin)** at sb's request

verlängern [fɛr'lɛŋərn] vt to extend; *(länger machen)* to lengthen

Verlängerung f extension; *(SPORT)* extra time; ~**sschnur** f extension cable

verlangsamen [fɛr'laŋzaːmən] vt, vr to decelerate, to slow down

Verlaß [fɛr'las] m: **auf ihn/das ist kein** ~ he/it cannot be relied upon

ver'lassen *(unreg)* vt to leave ♦ vr: **sich** ~ **auf** +akk to depend on ♦ adj desolate; *(Mensch)* abandoned

verläßlich [fɛr'lɛslɪç] adj reliable

Verlauf [fɛr'lauf] m course; **v**~**en** *(unreg)* vi *(zeitlich)* to pass; *(Farben)* to run ♦ vr to get lost; *(Menschenmenge)* to disperse

ver'lauten vi: **etw** ~ **lassen** to disclose sth; **wie verlautet** as reported

ver'legen vt to move; *(verlieren)* to mislay; *(Buch)* to publish ♦ vr: **sich auf etw** akk ~ to take up od to sth ♦ adj embarrassed;

nicht ~ **um** never at a loss for; **V**~**heit** f embarrassment; *(Situation)* difficulty, scrape

Verleger [fɛr'leːgər] (-s, -) m publisher

Verleih [fɛr'laɪ] (-(e)s, -e) m hire service; **v**~**en** *(unreg)* vt to lend; *(Kraft, Anschein)* to confer, to bestow; *(Preis, Medaille)* to award; ~**ung** f lending; bestowal; award

ver'leiten vt to lead astray; ~ **zu** to talk into, to tempt into

ver'lernen vt to forget, to unlearn

ver'lesen *(unreg)* vt to read out; *(aussondern)* to sort out ♦ vr to make a mistake in reading

verletz- [fɛr'lɛts] zW: ~**en** vt *(auch fig)* to injure, to hurt; *(Gesetz etc)* to violate; ~**end** adj *(fig: Worte)* hurtful; ~**lich** adj vulnerable, sensitive; **V**~**te(r)** mf injured person; **V**~**ung** f injury; *(Verstoß)* violation, infringement

verleugnen [fɛr'lɔʏgnən] vt *(Herkunft, Glauben)* to belie; *(Menschen)* to disown

verleumden [fɛr'lɔʏmdən] vt to slander

Verleumdung f slander, libel

ver'lieben vr: **sich** ~ **(in** +akk) to fall in love (with)

verliebt [fɛr'liːpt] adj in love

verlieren [fɛr'liːrən] *(unreg)* vt, vi to lose ♦ vr to get lost

Verlierer m loser

verlob- [fɛr'loːp] zW: ~**en** vr to get engaged (to); **V**~**te(r)** [fɛr'loːptə(r)] mf fiancé(e); **V**~**ung** f engagement

ver'locken vt to entice, to lure

Ver'lockung f temptation, attraction

verlogen [fɛr'loːgən] adj untruthful

verlor etc v siehe **verlieren**

verloren [fɛr'loːrən] adj; lost; *(Eier)* poached ♦ vb siehe **verlieren**; **etw** ~ **geben** to give sth up for lost; ~**gehen** *(unreg)* vi to get lost

verlosen [fɛr'loːzən] vt to raffle, to draw lots for

Verlosung f raffle, lottery

verlottern [fɛr'lɔtərn] *(umg)* vi to go to the dogs

verludern [fɛr'luːdərn] *(umg)* vi to go to the dogs

Verlust [fɛr'lust] (-(e)s, -e) m loss; *(MIL)* casualty

ver'machen vt to bequeath, to leave

Vermächtnis [fɛr'mɛçtnɪs] (-ses, -se) nt legacy

Vermählung [fɛr'mɛːlʊŋ] f wedding, marriage

vermarkten [fɛr'marktən] vt *(WIRTS: Artikel)* to market

vermehren [fɛr'meːrən] vt, vr to multiply; *(Menge)* to increase

Vermehrung f multiplying; increase

ver'meiden *(unreg)* vt to avoid

vermeintlich [fɛr'maɪntlɪç] adj supposed

Vermerk [fɛr'mɛrk] (-(e)s, -e) m note; *(in*

Ausweis) endorsement; **v~en** *vt* to note
ver'messen (*unreg*) *vt* to survey ♦ *adj* presumptuous, bold; **V~heit** *f* presumptuousness; recklessness
Ver'messung *f* survey(ing)
ver'mieten *vt* to let, to rent (out); (*Auto*) to hire out, to rent
Ver'mieter(in) (**-s, -**) *m(f)* landlord(lady)
Ver'mietung *f* letting, renting (out); (*von Autos*) hiring (out)
vermindern *vt, vr* to lessen, to decrease; (*Preise*) to reduce
Verminderung *f* reduction
ver'mischen *vt, vr* to mix, to blend
vermissen [fɛr'mɪsən] *vt* to miss
vermitteln [fɛr'mɪtəln] *vi* to mediate ♦ *vt* (*Gespräch*) to connect; **jdm etw ~** to help sb to obtain sth
Vermittler [fɛr'mɪtlər] (**-s, -**) *m* (*Schlichter*) agent, mediator
Vermittlung *f* procurement; (*Stellen~*) agency; (*TEL*) exchange; (*Schlichtung*) mediation
ver'mögen (*unreg*) *vt* to be capable of; **~ zu** to be able to; **V~** (**-s, -**) *nt* wealth; (*Fähigkeit*) ability; **ein V~ kosten** to cost a fortune; **~d** *adj* wealthy
vermuten [fɛr'muːtən] *vt* to suppose, to guess; (*argwöhnen*) to suspect
vermutlich *adj* supposed, presumed ♦ *adv* probably
Vermutung *f* supposition; suspicion
vernachlässigen [fɛr'naːxlɛsɪgən] *vt* to neglect
ver'nehmen (*unreg*) *vt* to perceive, to hear; (*erfahren*) to learn; (*JUR*) to (cross-)examine; **dem V~ nach** from what I/we *etc* hear
Vernehmung *f* (cross-)examination
verneigen [fɛr'naɪgən] *vr* to bow
verneinen [fɛr'naɪnən] *vt* (*Frage*) to answer in the negative; (*ablehnen*) to deny; (*GRAM*) to negate; **~d** *adj* negative
Verneinung *f* negation
vernichten [fɛr'nɪçtən] *vt* to annihilate, to destroy; **~d** *adj* (*fig*) crushing; (*Blick*) withering; (*Kritik*) scathing
Vernunft [fɛr'nʊnft] (**-**) *f* reason, understanding
vernünftig [fɛr'nʏnftɪç] *adj* sensible, reasonable
veröffentlichen [fɛr''œfəntlɪçən] *vt* to publish
Veröffentlichung *f* publication
verordnen [fɛr''ɔrdnən] *vt* (*MED*) to prescribe
Verordnung *f* order, decree; (*MED*) prescription
ver'pachten *vt* to lease (out)
ver'packen *vt* to pack
Ver'packung *f* packing, wrapping; **~smaterial** *nt* packing, wrapping

ver'passen *vt* to miss; **jdm eine Ohrfeige ~** (*umg*) to give sb a clip round the ear
verpfänden [fɛr'pfɛndən] *vt* (*Besitz*) to mortgage
ver'pflanzen *vt* to transplant
Ver'pflanzung *f* transplant(ing)
ver'pflegen *vt* to feed, to cater for
Ver'pflegung *f* feeding, catering; (*Kost*) food; (*in Hotel*) board
verpflichten [fɛr'pflɪçtən] *vt* to oblige, to bind; (*anstellen*) to engage ♦ *vr* to undertake; (*MIL*) to sign on ♦ *vi* to carry obligations; **jdm zu Dank verpflichtet sein** to be obliged to sb
Verpflichtung *f* obligation, duty
verpönt [fɛr'pøːnt] *adj* disapproved (of), taboo
ver'prügeln (*umg*) *vt* to beat up, to do over
Verputz [fɛr'pʊts] *m* plaster, roughcast; **v~en** *vt* to plaster; (*umg: Essen*) to put away
Verrat [fɛr'raːt] (**-(e)s**) *m* treachery; (*POL*) treason; **v~en** (*unreg*) *vt* to betray; (*Geheimnis*) to divulge ♦ *vr* to give o.s. away
Verräter [fɛr'rɛːtər(ɪn)] (**-s, -**) *m* traitor(tress); **v~isch** *adj* treacherous
ver'rechnen *vt*: **~ mit** to set off against ♦ *vr* to miscalculate
Verrechnungsscheck [fɛr'rɛçnʊŋsʃɛk] *m* crossed cheque
verregnet [fɛr'reːgnət] *adj* spoilt by rain, rainy
ver'reisen *vi* to go away (on a journey)
verrenken [fɛr'rɛŋkən] *vt* to contort; (*MED*) to dislocate; **sich** *dat* **den Knöchel ~** to sprain one's ankle
ver'richten *vt* to do, to perform
verriegeln [fɛr'riːgəln] *vt* to bolt up, to lock
verringern [fɛr'rɪŋərn] *vt* to reduce ♦ *vr* to diminish
Verringerung *f* reduction; lessening
ver'rinnen (*unreg*) *vi* to run out *od* away; (*Zeit*) to elapse
ver'rosten *vi* to rust
verrotten [fɛr'rɔtən] *vi* to rot
ver'rücken *vt* to move, to shift
verrückt [fɛr'rʏkt] *adj* crazy, mad; **V~e(r)** *mf* lunatic; **V~heit** *f* madness, lunacy
Verruf [fɛr'ruːf] *m*: **in ~ geraten/bringen** to fall/bring into disrepute; **v~en** *adj* notorious, disreputable
Vers [fɛrs] (**-es, -e**) *m* verse
ver'sagen *vt*: **jdm/sich etw ~** to deny sb/o.s. sth ♦ *vi* to fail; **V~** (**-s**) *nt* failure
Versager [fɛr'zaːgər] (**-s, -**) *m* failure
ver'salzen (*unreg*) *vt* to put too much salt in; (*fig*) to spoil
ver'sammeln *vt, vr* to assemble, to gather
Ver'sammlung *f* meeting, gathering
Versand [fɛr'zant] (**-(e)s**) *m* forwarding;

dispatch; (~*abteilung*) dispatch department; ~**haus** *nt* mail-order firm

ver'säumen [fɛr'zɔymən] *vt* to miss; (*unterlassen*) to neglect, to fail

ver'schaffen *vt*: **jdm/sich etw ~** to get *od* procure sth for sb/o.s.

verschämt [fɛr'ʃɛːmt] *adj* bashful

verschandeln [fɛr'ʃandəln] (*umg*) *vt* to spoil

verschärfen [fɛr'ʃɛrfən] *vt* to intensify; (*Lage*) to aggravate ♦ *vr* to intensify; to become aggravated

ver'schätzen *vr* to be out in one's reckoning

ver'schenken *vt* to give away

verscheuchen [fɛr'ʃɔyçən] *vt* (*Tiere*) to chase off *or* away

ver'schicken *vt* to send off

ver'schieben (*unreg*) *vt* to shift; (*EISENB*) to shunt; (*Termin*) to postpone

verschieden [fɛr'ʃiːdən] *adj* different; (*pl: mehrere*) various; **sie sind ~ groß** they are of different sizes; ~**tlich** *adv* several times

verschimmeln [fɛr'ʃɪməln] *vi* (*Nahrungsmittel*) to go mouldy

verschlafen [fɛr'ʃlaːfən] (*unreg*) *vt* to sleep through; (*fig: versäumen*) to miss ♦ *vi, vr* to oversleep ♦ *adj* sleepy

Verschlag [fɛr'ʃlaːk] *m* shed; **v~en** (*unreg*) *vt* to board up ♦ *adj* cunning; **jdm den Atem v~en** to take sb's breath away; **an einen Ort v~en werden** to wind up in a place

verschlechtern [fɛr'ʃlɛçtərn] *vt* to make worse ♦ *vr* to deteriorate, to get worse

Verschlechterung *f* deterioration

Verschleiß [fɛr'ʃlaɪs] (**-es, -e**) *m* wear and tear; **v~en** (*unreg*) *vt* to wear out

ver'schleppen *vt* to carry off, to abduct; (*Krankheit*) to protract; (*zeitlich*) to drag out

ver'schleudern *vt* to squander; (*COMM*) to sell dirt-cheap

verschließbar *adj* lockable

verschließen [fɛr'ʃliːsən] (*unreg*) *vt* to close; to lock ♦ *vr*: **sich einer Sache** *dat* ~ to close one's mind to sth

verschlimmern [fɛr'ʃlɪmərn] *vt* to make worse, to aggravate ♦ *vr* to get worse, to deteriorate

verschlingen [fɛr'ʃlɪŋən] (*unreg*) *vt* to devour, to swallow up; (*Fäden*) to twist

verschlossen [fɛr'ʃlɔsən] *adj* locked; (*fig*) reserved; **V~heit** *f* reserve

ver'schlucken *vt* to swallow ♦ *vr* to choke

Verschluß [fɛr'ʃlus] *m* lock; (*von Kleid etc*) fastener; (*PHOT*) shutter; (*Stöpsel*) plug; **unter ~ halten** to keep under lock and key

verschlüsseln [fɛr'ʃlysəln] *vt* to encode

verschmähen [fɛr'ʃmɛːən] *vt* to disdain, to scorn

verschmerzen [fɛr'ʃmɛrtsən] *vt* to get over

verschmieren [fɛr'ʃmiːrən] *vt* (*verstreichen: Gips, Mörtel*) to apply, spread on; (*schmutzig machen: Wand etc*) to smear

verschmutzen [fɛr'ʃmutsən] *vt* to soil; (*Umwelt*) to pollute

verschneit [fɛr'ʃnaɪt] *adj* snowed up, covered in snow

verschollen [fɛr'ʃɔlən] *adj* lost, missing

ver'schonen *vt*: **jdn mit etw ~** to spare sb sth

verschönern [fɛr'ʃøːnərn] *vt* to decorate; (*verbessern*) to improve

ver'schreiben (*unreg*) *vt* (*MED*) to prescribe ♦ *vr* to make a mistake (in writing); **sich einer Sache** *dat* ~ to devote o.s. to sth

verschreibungspflichtig *adj* (*Medikament*) available on prescription only

verschroben [fɛr'ʃroːbən] *adj* eccentric, odd

verschrotten [fɛr'ʃrɔtən] *vt* to scrap

verschuld- [fɛr'ʃuld] *zW*: **~en** *vt* to be guilty of; **V~en** (**-s**) *nt* fault, guilt; **~et** *adj* in debt; **V~ung** *f* fault; (*Geld*) debts *pl*

ver'schütten *vt* to spill; (*zuschütten*) to fill; (*unter Trümmern*) to bury

ver'schweigen (*unreg*) *vt* to keep secret; **jdm etw ~** to keep sth from sb

verschwend- [fɛr'ʃvɛnd] *zW*: **~en** *vt* to squander; **V~er** (**-s, -**) *m* spendthrift; ~**erisch** *adj* wasteful, extravagant; **V~ung** *f* waste; extravagance

verschwiegen [fɛr'ʃviːgən] *adj* discreet; (*Ort*) secluded; **V~heit** *f* discretion; seclusion

ver'schwimmen (*unreg*) *vi* to grow hazy, to become blurred

ver'schwinden (*unreg*) *vi* to disappear, to vanish; **V~** (**-s**) *nt* disappearance

verschwitzt [fɛr'ʃvɪtst] *adj* (*Mensch*) sweaty

verschwommen [fɛr'ʃvɔmən] *adj* hazy, vague

verschwör- [fɛr'ʃvøːr] *zW*: **~en** (*unreg*) *vr* to plot, to conspire; **V~er** (**-s, -**) *m* conspirator; **V~ung** *f* conspiracy, plot

ver'sehen (*unreg*) *vt* to supply, to provide; (*Pflicht*) to carry out; (*Amt*) to fill; (*Haushalt*) to keep ♦ *vr* (*fig*) to make a mistake; **ehe er (es) sich ~ hatte ...** before he knew it ...; **V~** (**-s, -**) *nt* oversight; **aus V~** by mistake; **v~tlich** *adv* by mistake

Versehrte(r) [fɛr'zeːrtə(r)] *mf* disabled person

ver'senden (*unreg*) *vt* to forward, to dispatch

ver'senken *vt* to sink ♦ *vr*: **sich ~ in** *+akk* to become engrossed in

versessen [fɛr'zɛsən] *adj*: ~ **auf** *+akk* mad about

ver'setzen *vt* to transfer; (*verpfänden*) to pawn; (*umg*) to stand up ♦ *vr*: **sich in jdn**

od **in jds Lage** ~ to put o.s. in sb's place; **jdm einen Tritt/Schlag** ~ to kick/hit sb; **etw mit etw** ~ to mix sth with sth; **jdn in gute Laune** ~ to put sb in a good mood
Ver'setzung f transfer
verseuchen [fɛr'zɔʏçən] vt to contaminate
versichern [fɛr'zɪçərn] vt to assure; (*mit Geld*) to insure
Versicherung f assurance; insurance; ~**sgesellschaft** f insurance company; ~**spolice** f insurance policy
ver'siegen vi to dry up
ver'sinken (*unreg*) vi to sink
versöhnen [fɛr'zø:nən] vt to reconcile ♦ vr to become reconciled
Versöhnung f reconciliation
ver'sorgen vt to provide, to supply; (*Familie etc*) to look after
Ver'sorgung f provision; (*Unterhalt*) maintenance; (*Alters~ etc*) benefit, assistance
verspäten [fɛr'ʃpɛ:tən] vr to be late
verspätet adj (*Zug, Abflug, Ankunft*) late; (*Glückwünsche*) belated
Verspätung f delay; ~ **haben** to be late
ver'sperren vt to bar, to obstruct
verspielt [fɛr'ʃpi:lt] adj (*Kind, Tier*) playful
ver'spotten vt to ridicule, to scoff at
ver'sprechen (*unreg*) vt to promise; **sich** dat **etw von etw** ~ to expect sth from sth; **V~** (-s, -) nt promise
verstaatlichen [fɛr'ʃta:tlɪçən] vt to nationalize
Verstand [fɛr'ʃtant] m intelligence; mind; **den** ~ **verlieren** to go out of one's mind; **über jds** ~ **gehen** to go beyond sb
verständig [fɛr'ʃtɛndɪç] adj sensible; ~**en** [fɛr'ʃtɛndɪgən] vt to inform ♦ vr to communicate; (*sich einigen*) to come to an understanding; **V~ung** f communication; (*Benachrichtigung*) informing; (*Einigung*) agreement
verständ- [fɛr'ʃtɛnt] zW: ~**lich** adj understandable, comprehensible; **V~lichkeit** f clarity, intelligibility; **V~nis** (-ses, -se) nt understanding; ~**nislos** adj uncomprehending; ~**nisvoll** adj understanding, sympathetic
verstärk- [fɛr'ʃtɛrk] zW: ~**en** vt to strengthen; (*Ton*) to amplify; (*erhöhen*) to intensify ♦ vr to intensify; **V~er** (-s, -) m amplifier; **V~ung** f strengthening; (*Hilfe*) reinforcements pl; (*von Ton*) amplification
verstauchen [fɛr'ʃtauxən] vt to sprain
verstauen [fɛr'ʃtauən] vt to stow away
Versteck [fɛr'ʃtɛk] (-(e)s, -e) nt hiding (place); **v~en** vt, vr to hide; **v~t** adj hidden
ver'stehen (*unreg*) vt to understand ♦ vr to get on; **das versteht sich (von selbst)** that goes without saying
versteigern [fɛr'ʃtaɪgərn] vt to auction
Versteigerung f auction

verstell- [fɛr'ʃtɛl] zW: ~**bar** adj adjustable, variable; ~**en** vt to move, to shift; (*Uhr*) to adjust; (*versperren*) to block; (*fig*) to disguise ♦ vr to pretend, to put on an act; **V~ung** f pretence
versteuern [fɛr'ʃtɔʏərn] vt to pay tax on
verstiegen [fɛr'ʃti:gən] adj exaggerated
verstimmt [fɛr'ʃtɪmt] adj out of tune; (*fig*) cross, put out; (*Magen*) upset
verstohlen [fɛr'ʃto:lən] adj stealthy
ver'stopfen vt to block, to stop up; (*MED*) to constipate
Ver'stopfung f obstruction; (*MED*) constipation
verstorben [fɛr'ʃtɔrbən] adj deceased, late
verstört [fɛr'ʃtø:rt] adj (*Mensch*) distraught
Verstoß [fɛr'ʃto:s] m: ~ (**gegen**) infringement (of), violation (of); **v~en** (*unreg*) vt to disown, to reject ♦ vi: **v~en gegen** to offend against
ver'streichen (*unreg*) vt to spread ♦ vi to elapse
ver'streuen vt to scatter (about)
verstümmeln [fɛr'ʃtʏməln] vt to maim, to mutilate (*auch fig*)
verstummen [fɛr'ʃtumən] vi to go silent; (*Lärm*) to die away
Versuch [fɛr'zu:x] (-(e)s, -e) m attempt; (*SCI*) experiment; **v~en** vt to try; (*verlocken*) to tempt ♦ vr: **sich an etw** dat **v~en** to try one's hand at sth; ~**skaninchen** (*fig*) guinea-pig; ~**ung** f temptation
versunken [fɛr'zuŋkən] adj sunken; ~ **sein in** +akk to be absorbed od engrossed in
vertagen [fɛr'ta:gən] vt, vi to adjourn
ver'tauschen vt to exchange; (*versehentlich*) to mix up
verteidig- [fɛr'taɪdɪç] zW: ~**en** vt to defend; **V~er** (-s, -) m defender; (*JUR*) defence counsel; **V~ung** f defence
ver'teilen vt to distribute; (*Rollen*) to assign; (*Salbe*) to spread
Verteilung f distribution, allotment
vertiefen [fɛr'ti:fən] vt to deepen ♦ vr: **sich in etw** akk ~ to become engrossed od absorbed in sth
Vertiefung f depression
vertikal [vɛrti'ka:l] adj vertical
vertilgen [fɛr'tɪlgən] vt to exterminate; (*umg*) to eat up, to consume
vertonen [fɛr'to:nən] vt to set to music
Vertrag [fɛr'tra:k] (-(e)s, ⸚e) m contract, agreement; (*POL*) treaty; **v~en** (*unreg*) vt to tolerate, to stand ♦ vr to get along; (*sich aussöhnen*) to become reconciled; **v~lich** adj contractual
verträglich [fɛr'trɛ:klɪç] adj good-natured, sociable; (*Speisen*) easily digested; (*MED*) easily tolerated; **V~keit** f sociability; good nature; digestibility
Vertrags- zW: ~**bruch** m breach of contract; ~**partner** m party to a contract;

v~widrig *adj* contrary to contract
vertrauen [fɛrˈtrauən] *vi*: **jdm ~** to trust sb; **~ auf** +*akk* to rely on; **V~** (-s) *nt* confidence; **~erweckend** [fɛrˈtrauənɛrvɛkənd] *adj* inspiring trust; **~svoll** *adj* trustful; **~swürdig** *adj* trustworthy
vertraulich [fɛrˈtraulɪç] *adj* familiar; (*geheim*) confidential
vertraut [fɛrˈtraut] *adj* familiar; **V~heit** *f* familiarity
ver'treiben (*unreg*) *vt* to drive away; (*aus Land*) to expel; (*COMM*) to sell; (*Zeit*) to pass
vertret- [fɛrˈtreːt] *zW*: **~en** (*unreg*) *vt* to represent; (*Ansicht*) to hold, to advocate; **sich** *dat* **die Beine ~en** to stretch one's legs; **V~er** (-s, -) *m* representative; (*Verfechter*) advocate; **V~ung** *f* representation; advocacy
Vertrieb [fɛrˈtriːp] (-(e)s, -e) *m* marketing (department)
ver'trocknen *vi* to dry up
ver'trösten *vt* to put off
vertun [fɛrˈtuːn] (*unreg*) *vt* to waste ♦ *vr* (*umg*) to make a mistake
vertuschen [fɛrˈtʊʃən] *vt* to hush *od* cover up
verübeln [fɛrˈʔyːbəln] *vt*: **jdm etw ~** to be cross *od* offended with sb on account of sth
verüben [fɛrˈʔyːbən] *vt* to commit
verun- [fɛrˈʔʊn] *zW*: **~glimpfen** *vt* to disparage; **~glücken** *vi* to have an accident; **tödlich ~glücken** to be killed in an accident; **~reinigen** *vt* to soil; (*Umwelt*) to pollute; **~sichern** *vt* to rattle; **~treuen** [-trɔɪ̯ən] *vt* to embezzle
verur- [fɛrˈʔuːr] *zW*: **~sachen** *vt* to cause; **~teilen** [-taɪ̯lən] *vt* to condemn; **V~teilung** *f* condemnation; (*JUR*) sentence
verviel- [fɛrˈfiːl] *zW*: **~fachen** *vt* to multiply; **~fältigen** [-fɛltɪɡən] *vt* to duplicate, to copy; **V~fältigung** *f* duplication, copying
vervollkommnen [fɛrˈfɔlkɔmnən] *vt* to perfect
vervollständigen *vt* to complete
ver'wackeln *vt* (*Foto*) to blur
ver'wählen *vr* (*TEL*) to dial the wrong number
verwahren *vt* to keep, to lock away ♦ *vr* to protest
verwalt- [fɛrˈvalt] *zW*: **~en** *vt* to manage; to administer; **V~er** (-s, -) *m* manager; (*Vermögensverwalter*) trustee; **V~ung** *f* administration; management
ver'wandeln *vt* to change, to transform ♦ *vr* to change; to be transformed
Ver'wandlung *f* change, transformation
verwandt [fɛrˈvant] *adj*: **~ (mit)** related (to); **V~e(r)** *mf* relative, relation; **V~schaft** *f* relationship; (*Menschen*) relations *pl*

ver'warnen *vt* to caution
Ver'warnung *f* caution
ver'wechseln *vt*: **~ mit** to confuse with; to mistake for; **zum V~ ähnlich** as like as two peas
Ver'wechslung *f* confusion, mixing up
verwegen [fɛrˈveːɡən] *adj* daring, bold
Verwehung [fɛrˈveːʊŋ] *f* snowdrift; sanddrift
verweichlicht [fɛrˈvaɪçlɪçt] *adj* effeminate, soft
ver'weigern *vt*: **jdm etw ~** to refuse sb sth; **den Gehorsam/die Aussage ~** to refuse to obey/testify
Ver'weigerung *f* refusal
Verweis [fɛrˈvaɪs] (-es, -e) *m* reprimand, rebuke; (*Hinweis*) reference; **v~en** [fɛrˈvaɪzən] (*unreg*) *vt* to refer; **jdn von der Schule v~en** to expel sb (from school); **jdn des Landes v~en** to deport *od* expel sb
ver'welken *vi* to fade
verwendbar [fɛrˈvɛntbaːr] *adj* usable
ver'wenden (*unreg*) *vt* to use; (*Mühe, Zeit, Arbeit*) to spend ♦ *vr* to intercede
Ver'wendung *f* use
ver'werfen (*unreg*) *vt* to reject
verwerflich [fɛrˈvɛrflɪç] *adj* reprehensible
ver'werten *vt* to utilize
Ver'wertung *f* utilization
verwesen [fɛrˈveːzən] *vi* to decay
ver'wickeln *vt* to tangle (up); (*fig*) to involve ♦ *vr* to get tangled (up); **jdn in etw** *akk* **~** to involve sb in sth; **sich in etw** *akk* **~** to get involved in sth
verwickelt [fɛrˈvɪkəlt] *adj* (*Situation, Fall*) difficult, complicated
verwildern [fɛrˈvɪldərn] *vi* to run wild
ver'winden (*unreg*) *vt* to get over
verwirklichen [fɛrˈvɪrklɪçən] *vt* to realize, to put into effect
Verwirklichung *f* realization
verwirren [fɛrˈvɪrən] *vt* to tangle (up); (*fig*) to confuse
Verwirrung *f* confusion
verwittern [fɛrˈvɪtərn] *vi* to weather
verwitwet [fɛrˈvɪtvət] *adj* widowed
verwöhnen [fɛrˈvøːnən] *vt* to spoil
verworfen [fɛrˈvɔrfən] *adj* depraved
verworren [fɛrˈvɔrən] *adj* confused
verwundbar [fɛrˈvʊntbaːr] *adj* vulnerable
verwunden [fɛrˈvʊndən] *vt* to wound
verwunderlich [fɛrˈvʊndərlɪç] *adj* surprising
Verwunderung [fɛrˈvʊndərʊŋ] *f* astonishment
Verwundete(r) *mf* injured person
Verwundung *f* wound, injury
ver'wünschen *vt* to curse
verwüsten [fɛrˈvyːstən] *vt* to devastate
verzagen [fɛrˈtsaːɡən] *vi* to despair

ver'zählen *vr* to miscount

verzehren [fɛr'tseːrən] *vt* to consume

ver'zeichnen *vt* to list; (*Niederlage, Verlust*) to register

Verzeichnis [fɛr'tsaiçnıs] (-ses, -se) *nt* list, catalogue; (*in Buch*) index

verzeih- [fɛr'tsai] *zW:* ~**en** (*unreg*) *vt, vi* to forgive; **jdm etw** ~**en** to forgive sb for sth; ~**lich** *adj* pardonable; **V~ung** *f* forgiveness, pardon; **V~ung!** sorry!, excuse me!

verzichten [fɛr'tsıçtən] *vi:* ~ **auf** +*akk* to forgo, to give up

ver'ziehen (*unreg*) *vi* to move ♦ *vt* to put out of shape; (*Kind*) to spoil; (*Pflanzen*) to thin out ♦ *vr* to go out of shape; (*Gesicht*) to contort; (*verschwinden*) to disappear; **das Gesicht** ~ to pull a face

verzieren [fɛr'tsiːrən] *vt* to decorate, to ornament

Verzierung *f* decoration

verzinsen [fɛr'tsınzən] *vt* to pay interest on

ver'zögern *vt* to delay

Ver'zögerung *f* delay, time-lag; **Verzögerungstaktik** *f* delaying tactics *pl*

verzollen [fɛr'tsɔlən] *vt* to pay duty on

verzückt [fɛr'tsʏkt] *adj* enraptured

Verzug [fɛr'tsuːk] *m* delay

verzweif- [fɛr'tsvaif] *zW:* ~**eln** *vi* to despair; ~**elt** *adj* desperate; **V~lung** *f* despair

verzwickt [fɛr'tsvıkt] (*umg*) *adj* awkward, complicated

Vesuv [ve'zuːf] (-(s)) *m* Vesuvius

Veto ['veːto] (-s, -s) *nt* veto

Vetter ['fɛtər] (-s, -n) *m* cousin

vgl. *abk* (= *vergleiche*) cf.

v.H. *abk* (= *vom Hundert*) p.c.

vibrieren [vi'briːrən] *vi* to vibrate

Video ['viːdeo] *nt* video; ~**gerät** *nt* video recorder; ~**recorder** *m* video recorder

Vieh [fiː] (-(e)s) *nt* cattle *pl*; **v~isch** *adj* bestial

viel [fiːl] *adj* a lot of, much ♦ *adv* a lot, much; ~**e** *pron pl* a lot of, many; ~ **zuwenig** much too little; ~**erlei** *adj* a great variety of; ~**es** *pron* a lot; ~**fach** *adj, adv* many times; **auf** ~**fachen Wunsch** at the request of many people; ~**falt** (-) *f* variety; ~**fältig** *adj* varied, many-sided

vielleicht [fi'laiçt] *adv* perhaps

viel- *zW:* ~**mal(s)** *adv* many times; **danke** ~**mals** many thanks; ~**mehr** *adv* rather, on the contrary; ~**sagend** *adj* significant; ~**seitig** *adj* many-sided; ~**versprechend** *adj* promising

vier [fiːr] *num* four; **V~eck** (-(e)s, -e) *nt* four-sided figure; (*gleichseitig*) square; ~**eckig** *adj* four-sided; square; **V~taktmotor** *m* four-stroke engine; ~**te(r, s)** ['fiːrtə(r, s)] *adj* fourth; **V~tel** (-s, -) ['fırtəl] *nt* quarter; **V~teljahr** *nt* quarter; ~**teljährlich** *adj* quarterly; ~**teln** *vt* to divide

into four; (*Kuchen usw*) to divide into quarters; **V~telnote** *f* crotchet; **V~telstunde** *f* quarter of an hour; ~**zehn** ['fırtseːn] *num* fourteen; **in** ~**zehn Tagen** in a fortnight; ~**zehntägig** *adj* fortnightly; ~**zig** ['fırtsıç] *num* forty

Villa ['vıla] (-, **Villen**) *f* villa

violett [vio'lɛt] *adj* violet

Violin- [vio'liːn] *zW:* ~**e** *f* violin; ~**schlüssel** *m* treble clef

Virus ['viːrus] (-, **Viren**) *m od nt* (*auch*: COMPUT) virus

Visa ['viːza] *pl von* **Visum**

vis-à-vis [viza'viː] *adv* opposite

Visen ['viːzən] *pl von* **Visum**

Visier [vi'ziːr] (-s, -e) *nt* gunsight; (*am Helm*) visor

Visite [vi'ziːtə] *f* (MED) visit; ~**nkarte** *f* visiting card

Visum ['viːzum] (-s, **Visa** *od* **Visen**) *nt* visa

vital [vi'taːl] *adj* lively, full of life, vital

Vitamin [vita'miːn] (-s, -e) *nt* vitamin

Vogel ['foːgəl] (-s, ⸚) *m* bird; **einen** ~ **haben** (*umg*) to have bats in the belfry; **jdm den** ~ **zeigen** to tap one's forehead (*meaning that one thinks sb stupid*); ~**bauer** *nt* birdcage; ~**häuschen** *nt* bird house; ~**perspektive** *f* bird's-eye view; ~**scheuche** *f* scarecrow

Vokabel [vo'kaːbəl] (-, -n) *f* word

Vokabular [vokabu'laːr] (-s, -e) *nt* vocabulary

Vokal [vo'kaːl] (-s, -e) *nt* vowel

Volk [fɔlk] (-(e)s, ⸚er) *nt* people; nation

Völker- ['fœlkər] *zW:* ~**recht** *nt* international law; **v~rechtlich** *adj* according to international law; ~**verständigung** *f* international understanding

Volks- *zW:* ~**entscheid** *m* referendum; ~**fest** *nt* fair; ~**hochschule** *f* adult education classes *pl*; ~**lied** *nt* folksong; ~**republik** *f* people's republic; **die** ~**republik China** the People's Republic of China; ~**schule** *f* elementary school; ~**tanz** *m* folk dance; ~**vertreter(in)** *m(f)* people's representative; ~**wirtschaft** *f* economics *sg*; ~**zählung** *f* (national) census

voll [fɔl] *adj* full; **etw** ~ **machen** to fill sth up; ~ **und ganz** completely; **jdn für** ~ **nehmen** (*umg*) to take sb seriously; ~**auf** [fɔl'auf] *adv* amply; **V~bart** *m* full beard; ~'**bringen** (*unreg*) *vt insep* to accomplish; ~'**enden** *vt insep* to finish, to complete; ~**endet** *adj* (*vollkommen*) completed; ~**ends** ['fɔlɛnts] *adv* completely; **V~'endung** *f* completion; ~**er** *adj* fuller; ~**er einer Sache** *gen* full of sth

Volleyball ['vɔlibal] *m* volleyball

Vollgas *nt:* **mit** ~ at full throttle; ~ **geben** to step on it

völlig ['fœlıç] *adj* complete ♦ *adv* completely

voll- *zW:* **~jährig** *adj* of age; **V~kaskoversicherung** ['fɔlkaskofɛrzɪçərʊŋ] *f* fully comprehensive insurance; **~'kommen** *adj* perfect; **V~'kommenheit** *f* perfection; **V~kornbrot** *nt* wholemeal bread; **V~macht** (-, -en) *f* authority, full powers *pl*; **V~milch** *f* (KOCH) full-cream milk; **V~mond** *m* full moon; **V~pension** *f* full board; **~ständig** ['fɔlʃtɛndɪç] *adj* complete; **~'strecken** *vt insep* to execute; **~tanken** *vt, vi* to fill up; **V~wertkost** *f* wholefood; **~zählig** ['fɔltsɛːlɪç] *adj* complete; in full number; **~'ziehen** (*unreg*) *vt insep* to carry out ♦ *vr insep* to happen; **V~'zug** *m* execution

Volt [vɔlt] (- *od* -(e)s, -) *nt* volt

Volumen [vo'luːmən] (-s, - *od* Volumina) *nt* volume

vom [fɔm] = **von dem**

SCHLÜSSELWORT

von [fɔn] *präp* +*dat* **1** (*Ausgangspunkt*) from; **von ... bis** from ... to; **von morgens bis abends** from morning till night; **von ... nach ...** from ... to ...; **von ... an** from ...; **von ... aus** from ...; **von dort aus** from there; **etw von sich aus tun** to do sth of one's own accord; **von mir aus** (*umg*) if you like, I don't mind; **von wo/wann ...?** where/when ... from?

2 (*Ursache, im Passiv*) by; **ein Gedicht von Schiller** a poem by Schiller; **von etw müde** tired from sth

3 (*als Genitiv*) of; **ein Freund von mir** a friend of mine; **nett von dir** nice of you; **jeweils zwei von zehn** two out of every ten

4 (*über*) about; **er erzählte vom Urlaub** he talked about his holiday

5: **von wegen!** (*umg*) no way!

---

voneinander *adv* from each other

SCHLÜSSELWORT

vor [foːr] *präp* +*dat* **1** (*räumlich*) in front of; **vor der Kirche links abbiegen** turn left before the church

2 (*zeitlich*) before; **ich war vor ihm da** I was there before him; **vor 2 Tagen** 2 days ago; **5 (Minuten) vor 4** 5 (minutes) to 4; **vor kurzem** a little while ago

3 (*Ursache*) with; **vor Wut/Liebe** with rage/love; **vor Hunger sterben** to die of hunger; **vor lauter Arbeit** because of work

4: **vor allem, vor allen Dingen** most of all ♦ *präp* +*akk* (*räumlich*) in front of ♦ *adv*: **vor und zurück** backwards and forwards

---

Vorabend ['foːr'aːbənt] *m* evening before, eve

voran [fo'ran] *adv* before, ahead; **mach ~!**

get on with it!; **~gehen** (*unreg*) *vi* to go ahead; **einer Sache** *dat* **~gehen** to precede sth; **~kommen** (*unreg*) *vi* to come along, to make progress

Voranschlag *m* estimate

Vorarbeiter *m* foreman

voraus [fo'raus] *adv* ahead; (*zeitlich*) in advance; **jdm ~ sein** to be ahead of sb; **im ~** in advance; **~gehen** (*unreg*) *vi* to go (on) ahead; (*fig*) to precede; **~haben** (*unreg*) *vt*: **jdm etw ~haben** to have the edge on sb in sth; **V~sage** *f* prediction; **~sagen** *vt* to predict; **~sehen** (*unreg*) *vt* to foresee; **~setzen** *vt* to assume; **~gesetzt, daß ...** provided that ...; **V~setzung** *f* requirement, prerequisite; **V~sicht** *f* foresight; **aller V~sicht nach** in all probability; **~sichtlich** *adv* probably

Vorbehalt ['foːrbəhalt] (-(e)s, -e) *m* reservation, proviso; **v~en** (*unreg*) *vt*: **sich/jdm etw v~en** to reserve sth (for o.s.)/for sb; **v~los** *adj* unconditional ♦ *adv* unconditionally

vorbei [foːr'baɪ] *adv* by, past; **das ist ~** that's over; **~gehen** (*unreg*) *vi* to pass by, to go past; **~kommen** (*unreg*) *vi*: **bei jdm ~kommen** to drop in *od* call in on sb

vor- *zW*: **~belastet** ['foːrbəlastət] *adj* (*fig*) handicapped; **~bereiten** *vt* to prepare; **V~bereitung** *f* preparation; **~bestraft** ['foːrbəʃtraːft] *adj* previously convicted, with a record

vorbeugen ['foːrbɔygən] *vt, vr* to lean forward ♦ *vi* +*dat* to prevent; **~d** *adj* preventive

Vorbeugung *f* prevention; **zur ~ gegen** for the prevention of

Vorbild ['foːrbɪlt] *nt* model; **sich** *dat* **jdn zum ~ nehmen** to model o.s. on sb; **v~lich** *adj* model, ideal

vorbringen ['foːrbrɪŋən] (*unreg*) *vt* to advance, to state

Vorder- ['fɔrdər] *zW*: **~achse** *f* front axle; **v~e(r, s)** *adj* front; **~grund** *m* foreground; **~mann** (*pl* **-männer**) *m* man in front; **jdn auf ~mann bringen** (*umg*) to get sb to shape up; **~seite** *f* front (side); **v~ste(r, s)** *adj* front

vordrängen ['foːrdrɛŋən] *vr* to push to the front

voreilig ['foːr'aɪlɪç] *adj* hasty, rash

voreinander [foːr'aɪ'nandər] *adv* (*räumlich*) in front of each other

voreingenommen ['foːr'aɪŋənɔmən] *adj* biased; **V~heit** *f* bias

vorenthalten ['foːr'ɛnthaltən] (*unreg*) *vt*: **jdm etw ~** to withhold sth from sb

vorerst ['foːr'eːrst] *adv* for the moment *od* present

Vorfahr ['foːrfaːr] (-en, -en) *m* ancestor

vorfahren (*unreg*) *vi* to drive (on) ahead; (*vors Haus etc*) to drive up

Vorfahrt f (AUT) right of way; ~ achten! give way!

Vorfahrts- zW: ~regel f right of way; ~schild nt give way sign

Vorfall ['fo:rfal] m incident; **v~en** (unreg) vi to occur

vorfinden ['fo:rfɪndən] (unreg) vt to find

Vorfreude ['fo:rfrɔʏdə] f (joyful) anticipation

vorführen ['fo:rfy:rən] vt to show, to display; **dem Gericht ~** to bring before the court

Vorgabe ['fo:rga:bə] f (SPORT) start, handicap ♦ in zW (COMPUT) default

Vorgang ['fo:rgaŋ] m course of events; (bes SCI) process

Vorgänger(in) ['fo:rgɛŋər(ɪn)] (-s, -) m(f) predecessor

vorgeben ['fo:rge:bən] (unreg) vt to pretend, to use as a pretext; (SPORT) to give an advantage od a start of

vorgefaßt ['fo:rgəfast] adj preconceived

vorgefertigt ['fo:rgəfɛrtɪçt] adj prefabricated

vorgehen ['fo:rge:ən] (unreg) vi (voraus) to go (on) ahead; (nach vorn) to go up front; (handeln) to act, to proceed; (Uhr) to be fast; (Vorrang haben) to take precedence; (passieren) to go on; **V~** (-s) nt action

Vorgeschichte ['fo:rgəʃɪçtə] f past history

Vorgeschmack ['fo:rgəʃmak] m foretaste

Vorgesetzte(r) ['fo:rgəzɛtstə(r)] mf superior

vorgestern ['fo:rgɛstərn] adv the day before yesterday

vorhaben ['fo:rha:bən] (unreg) vt to intend; **hast du schon was vor?** have you got anything on?; **V~** (-s, -) nt intention

vorhalten ['fo:rhaltən] (unreg) vt to hold od put up ♦ vi to last; **jdm etw ~** (fig) to reproach sb for sth

vorhanden [fo:r'handən] adj existing; (erhältlich) available

Vorhang ['fo:rhaŋ] m curtain

Vorhängeschloß ['fo:rhɛŋəʃlɔs] nt padlock

vorher [fo:r'he:r] adv before(hand); ~bestimmen vt (Schicksal) to preordain; ~gehen (unreg) vi to precede; ~ig [-ɪç] adj previous

Vorherrschaft ['fo:rhɛrʃaft] f predominance, supremacy

vorherrschen ['fo:rhɛrʃən] vi to predominate

vorher- [fo:r'he:r] zW: **V~sage** f forecast; ~sagen vt to forecast, to predict; ~sehbar adj predictable; ~sehen (unreg) vt to foresee

vorhin [fo:r'hɪn] adv not long ago, just now; ~ein adv: im ~ein beforehand

vorig ['fo:rɪç] adj previous, last

Vorkämpfer(in) ['fo:rkɛmpfər(ɪn)] m(f) pioneer

Vorkaufsrecht ['fo:rkaʊfsrɛçt] nt option to buy

Vorkehrung ['fo:rke:rʊŋ] f precaution

vorkommen ['fo:rkɔmən] (unreg) vi to come forward; (geschehen, sich finden) to occur; (scheinen) to seem (to be); **sich** dat **dumm** etc ~ to feel stupid etc; **V~** (-s, -) nt occurrence

Vorkriegs- ['fo:rkri:ks] in zW prewar

Vorladung ['fo:rla:dʊŋ] f summons sg

Vorlage ['fo:rla:gə] f model, pattern; (Gesetzes~) bill; (SPORT) pass

vorlassen ['fo:rlasən] (unreg) vt to admit; (vorgehen lassen) to allow to go in front

vorläufig ['fo:rlɔʏfɪç] adj temporary, provisional

vorlaut ['fo:rlaʊt] adj impertinent, cheeky

vorlesen ['fo:rle:zən] (unreg) vt to read (out)

Vorlesung f (UNIV) lecture

vorletzte(r, s) ['fo:rlɛtstə(r, s)] adj last but one

Vorliebe ['fo:rli:bə] f preference, partiality

vorliebnehmen [fo:r'li:pne:mən] (unreg) vi: ~ **mit** to make do with

vorliegen ['fo:rli:gən] (unreg) vi to be (here); **etw liegt jdm vor** sb has sth; ~**d** adj present, at issue

vormachen ['fo:rmaxən] vt: **jdm etw** ~ to show sb how to do sth; (fig) to fool sb; to have sb on

Vormachtstellung ['fo:rmaxtʃtɛlʊŋ] f supremacy, hegemony

Vormarsch ['fo:rmarʃ] m advance

vormerken ['fo:rmɛrkən] vt to book

Vormittag ['fo:rmɪta:k] m morning; **v~s** adv in the morning, before noon

Vormund ['fo:rmʊnt] (-(e)s, -e od -münder) m guardian

vorn ['fɔrn] adv in front; **von** ~ **anfangen** to start at the beginning; **nach** ~ to the front

Vorname ['fo:rna:mə] m first name, Christian name

vorne adv = vorn

vornehm ['fo:rne:m] adj distinguished; refined; elegant

vornehmen (unreg) vt (fig) to carry out; **sich** dat **etw** ~ to start on sth; (beschließen) to decide to do sth; **sich** dat **jdn** ~ to tell sb off

vornherein ['fɔrnhɛraɪn] adv: **von** ~ from the start

Vorort ['fo:r'ɔrt] m suburb

Vorrang ['fo:rraŋ] m precedence, priority; **v~ig** adj of prime importance, primary

Vorrat ['fo:rra:t] m stock, supply

vorrätig ['fo:rrɛ:tɪç] adj in stock

Vorratskammer f pantry

Vorrecht ['fo:rrɛçt] nt privilege

Vorrichtung ['fo:rrɪçtʊŋ] f device, contrivance

vorrücken ['fo:rrʏkən] *vi* to advance ♦ *vt* to move forward

Vorsatz ['fo:rzats] *m* intention; (*JUR*) intent; **einen ~ fassen** to make a resolution

vorsätzlich ['fo:rzɛtslɪç] *adj* intentional; (*JUR*) premeditated ♦ *adv* intentionally

Vorschau ['fo:rʃau] *f* (*RADIO, TV*) (programme) preview; (*Film*) trailer

Vorschlag ['fo:rʃla:k] *m* suggestion, proposal; **v~en** (*unreg*) *vt* to suggest, to propose

vorschreiben ['fo:rʃraibən] (*unreg*) *vt* to prescribe, to specify

Vorschrift ['fo:rʃrɪft] *f* regulation(s); rule(s); (*Anweisungen*) instruction(s); **Dienst nach ~** work-to-rule; **v~smäßig** *adj* as per regulations/instructions

Vorschuß ['fo:rʃus] *m* advance

vorsehen ['fo:rze:ən] (*unreg*) *vt* to provide for, to plan ♦ *vr* to take care, to be careful ♦ *vi* to be visible

Vorsehung *f* providence

vorsetzen ['fo:rzɛtsən] *vt* to move forward; (*anbieten*) to offer; **~ vor** +*akk* to put in front of

Vorsicht ['fo:rzɪçt] *f* caution, care; **~!** look out!, take care!; (*auf Schildern*) caution!, danger!; **~, Stufe!** mind the step!; **v~ig** *adj* cautious, careful; **v~shalber** *adv* just in case

Vorsilbe ['fo:rzɪlbə] *f* prefix

vorsingen *vt* (*vor Zuhörern*) to sing (to); (*in Prüfung, für Theater etc*) to audition (for) ♦ *vi* to sing

Vorsitz ['fo:rzɪts] *m* chair(manship); **~ende(r)** *mf* chairman(woman)

Vorsorge ['fo:rzɔrgə] *f* precaution(s), provision(s); **v~n** *vi*: **v~n für** to make provision(s) for; **~untersuchung** *f* check-up

vorsorglich ['fo:rzɔrklɪç] *adv* as a precaution

Vorspeise ['fo:rʃpaizə] *f* hors d'oeuvre, appetizer

Vorspiel ['fo:rʃpi:l] *nt* prelude

vorspielen *vt*: **jdm etw ~** (*MUS*) to play sth for *or* to sb ♦ *vi* (*zur Prüfung etc*) to play for *or* to sb

vorsprechen ['fo:rʃprɛçən] (*unreg*) *vt* to say out loud, to recite ♦ *vi*: **bei jdm ~** to call on sb

Vorsprung ['fo:rʃprʊŋ] *m* projection, ledge; (*fig*) advantage, start

Vorstadt ['fo:rʃtat] *f* suburbs *pl*

Vorstand ['fo:rʃtant] *m* executive committee; (*COMM*) board (of directors); (*Person*) director, head

vorstehen ['fo:rʃte:ən] (*unreg*) *vi* to project; **etw** *dat* **~** (*fig*) to be the head of sth

vorstell- ['fo:rʃtɛl] *zW*: **~bar** *adj* conceivable; **~en** *vt* to put forward; (*bekannt machen*) to introduce; (*darstellen*) to represent; **~en vor** +*akk* to put in front of; **sich**

dat **etw ~en** to imagine sth; **V~ung** *f* (*Bekanntmachen*) introduction; (*THEAT etc*) performance; (*Gedanke*) idea, thought

vorstoßen ['fo:rʃto:sən] (*unreg*) *vi* (*ins Unbekannte*) to venture (forth)

Vorstrafe ['fo:rʃtra:fə] *f* previous conviction

Vortag ['fo:rta:k] *m*: **am ~ einer Sache** *gen* on the day before sth

vortäuschen ['fo:rtɔyʃən] *vt* to feign, to pretend

Vorteil ['fɔrtail] (**-s, -e**) *m*: **~ (gegenüber)** advantage (over); **im ~ sein** to have the advantage; **v~haft** *adj* advantageous

Vortrag ['fo:rtra:k] (**-(e)s, Vorträge**) *m* talk, lecture; **v~en** (*unreg*) *vt* to carry forward; (*fig*) to recite; (*Rede*) to deliver; (*Lied*) to perform; (*Meinung etc*) to express

vortrefflich ['fo:rtrɛflɪç] *adj* excellent

vortreten ['fo:rtre:tən] (*unreg*) *vi* to step forward; (*Augen etc*) to protrude

vorüber [fo'ry:bər] *adv* past, over; **~gehen** (*unreg*) *vi* to pass (by); **~gehen an** +*dat* (*fig*) to pass over; **~gehend** *adj* temporary, passing

Vorurteil ['fo:rʊrtail] *nt* prejudice

Vorverkauf ['fo:rfɛrkauf] *m* advance booking

Vorwahl ['fo:rva:l] *f* preliminary election; (*TEL*) dialling code

Vorwand ['fo:rvant] (**-(e)s, Vorwände**) *m* pretext

vorwärts ['fo:rvɛrts] *adv* forward; **V~gang** *m* (*AUT etc*) forward gear; **~gehen** (*unreg*) *vi* to progress; **~kommen** (*unreg*) *vi* to get on, to make progress

Vorwäsche *f* prewash

vorweg [fo:r'vɛk] *adv* in advance; **~nehmen** (*unreg*) *vt* to anticipate

vorweisen ['fo:rvaizən] (*unreg*) *vt* to show, to produce

vorwerfen ['fo:rvɛrfən] (*unreg*) *vt*: **jdm etw ~** to reproach sb for sth, to accuse sb of sth; **sich** *dat* **nichts vorzuwerfen haben** to have nothing to reproach o.s. with

vorwiegend ['fo:rvi:gənt] *adj* predominant ♦ *adv* predominantly

vorwitzig ['fo:rvɪtsɪç] *adj* (*Mensch, Bemerkung*) cheeky

Vorwort ['fo:rvɔrt] (**-(e)s, -e**) *nt* preface

Vorwurf ['fo:rvʊrf] *m* reproach; **jdm/sich Vorwürfe machen** to reproach sb/o.s.; **v~svoll** *adj* reproachful

vorzeigen ['fo:rtsaigən] *vt* to show, to produce

vorzeitig ['fo:rtsaitɪç] *adj* premature

vorziehen ['fo:rtsi:ən] (*unreg*) *vt* to pull forward; (*Gardinen*) to draw; (*lieber haben*) to prefer

Vorzimmer ['fo:rtsimər] *nt* (*Büro*) outer office

Vorzug ['fo:rtsu:k] *m* preference; (*gute Ei-*

gen~schaft) merit, good quality; (*Vorteil*) advantage

vorzüglich [fo:r'tsy:klɪç] *adj* excellent

vulgär [vʊl'gɛ:r] *adj* vulgar

Vulkan [vʊl'ka:n] (-s, -e) *m* volcano

W w

Waage ['va:gə] *f* scales *pl*; (*ASTROL*) Libra; **w~recht** *adj* horizontal

Wabe ['va:bə] *f* honeycomb

wach [vax] *adj* awake; (*fig*) alert; **W~e** *f* guard, watch; **W~e halten** to keep watch; **W~e stehen** to stand guard; **~en** *vi* to be awake; (*Wache halten*) to guard

Wacholder [va'xɔldər] (-s, -) *m* juniper

Wachs [vaks] (-es, -e) *nt* wax

wachsam ['vaxza:m] *adj* watchful, vigilant, alert

wachsen (*unreg*) *vi* to grow

Wachstuch *nt* oilcloth

Wachstum (-s) *nt* growth

Wächter ['vɛçtər] (-s, -) *m* guard, warden, keeper; (*Parkplatz~*) attendant

wackel- ['vakəl] *zW*: **~ig** *adj* shaky, wobbly; **W~kontakt** *m* loose connection; **~n** *vi* to shake; (*fig: Position*) to be shaky

wacker ['vakər] *adj* valiant, stout ♦ *adv* well, bravely

Wade ['va:də] *f* (*ANAT*) calf

Waffe ['vafə] *f* weapon

Waffel (-, -n) *f* waffle; wafer

Waffen- *zW*: **~schein** *m* gun licence; **~stillstand** *m* armistice, truce

Wagemut ['va:gəmu:t] *m* daring

wagen ['va:gən] *vt* to venture, to dare

Wagen ['va:gən] (-s, -) *m* vehicle; (*Auto*) car; (*EISENB*) carriage; (*Pferde~*) cart; **~heber** (-s, -) *m* jack

Waggon [va'gõ:] (-s, -s) *m* carriage; (*Güter~*) goods van, freight truck (*US*)

waghalsig ['va:khalzɪç] *adj* foolhardy

Wagnis ['va:knɪs] (-ses, -se) *nt* risk

Wahl [va:l] (-, -en) *f* choice; (*POL*) election; **zweite ~** (*COMM*) seconds *pl*

wähl- ['vɛ:l] *zW*: **~bar** *adj* eligible; **~en** *vt, vi* to choose; (*POL*) to elect, to vote (for); (*TEL*) to dial; **W~er(in)** (-s, -) *m(f)* voter; **~erisch** *adj* fastidious, particular

Wahl- *zW*: **~fach** *nt* optional subject; **~gang** *m* ballot; **~kabine** *f* polling booth; **~kampf** *m* election campaign; **~kreis** *m* constituency; **~lokal** *nt* polling station;

w~los *adv* at random; **~recht** *nt* franchise; **~spruch** *m* motto; **~urne** *f* ballot box

Wahn [va:n] (-(e)s) *m* delusion; folly; **~sinn** *m* madness; **w~sinnig** *adj* insane, mad ♦ *adv* (*umg*) incredibly

wahr [va:r] *adj* true

wahren *vt* to maintain, to keep

während ['vɛ:rənt] *präp* +*gen* during ♦ *konj* while; **~dessen** *adv* meanwhile

wahr- *zW*: **~haben** (*unreg*) *vt*: **etw nich ~haben wollen** to refuse to admit sth; **~haft** *adv* (*tatsächlich*) truly; **~haftig** [va:r'haftɪç] *adj* true, real ♦ *adv* really; **W~heit** *f* truth; **~nehmen** (*unreg*) *vt* to perceive, to observe; **W~nehmung** *f* perception; **~sagen** *vi* to prophesy, to tell fortunes; **W~sager(in)** (-s, -) *m(f)* fortune teller; **~scheinlich** [va:r'faɪnlɪç] *adj* probable ♦ *adv* probably; **W~'scheinlichkeit** *f* probability; **aller W~scheinlichkeit nach** in all probability

Währung ['vɛ:rʊŋ] *f* currency

Waise ['vaɪzə] *f* orphan; **~nhaus** *nt* orphanage

Wald [valt] (-(e)s, ¨er) *m* wood(s); (*groß*) forest; **~brand** *m* forest fire; **~sterben** *nt* trees dying due to pollution

Wal(fisch) ['va:l(fɪʃ)] (-(e)s, -e) *m* whale

Wall [val] (-(e)s, ¨e) *m* embankment; (*Bollwerk*) rampart

Wallfahr- *zW*: **~er(in)** *m(f)* pilgrim; **~t** *f* pilgrimage

Walnuß ['valnʊs] *f* walnut

Walroß ['valrɔs] *nt* walrus

Walze ['valtsə] *f* (*Gerät*) cylinder; (*Fahrzeug*) roller; **w~n** *vt* to roll (out)

wälzen ['vɛltsən] *vt* to roll (over); (*Bücher*) to hunt through; (*Probleme*) to deliberate on ♦ *vr* to wallow; (*vor Schmerzen*) to roll about; (*im Bett*) to toss and turn

Walzer ['valtsər] (-s, -) *m* waltz

Wand [vant] (-, ¨e) *f* wall; (*Trenn~*) partition; (*Berg~*) precipice

Wandel ['vandəl] (-s) *m* change; **w~bar** *adj* changeable, variable; **w~n** *vt, vr* to change ♦ *vi* (*gehen*) to walk

Wander- ['vandər] *zW*: **~er** (-s, -) *m* hiker, rambler; **~karte** *f* map of country walks; **w~n** *vi* to hike; (*Blick*) to wander; (*Gedanken*) to stray; **~schaft** *f* travelling; **~ung** *f* walk, hike; **~weg** *m* trail, walk

Wandlung *f* change, transformation

Wange ['vaŋə] *f* cheek

wankelmütig [vaŋkəlmy:tɪç] *adj* vacillating, inconstant

wanken ['vankən] *vi* to stagger; (*fig*) to waver

wann [van] *adv* when

Wanne ['vanə] *f* tub

Wanze ['vantsə] *f* bug

Wappen ['vapən] (-s, -) *nt* coat of arms,

crest; **~kunde** f heraldry
war etc [vaːr] vb siehe **sein**
Ware ['vaːrə] f ware
Waren- zW: **~haus** nt department store;
~lager nt stock, store; **~probe** f sample;
~zeichen nt: **(eingetragenes) ~zeichen**
(registered) trademark
warf [varf] vb siehe **werfen**
warm [varm] adj warm; (Essen) hot
Wärm- ['vɛrm] zW: **~e** f warmth; **w~en**
vt, vr to warm (up), to heat (up); **~flasche**
f hot-water bottle
warnen ['varnən] vt to warn
Warnung f warning
warten ['vartən] vi: **~ (auf** +akk) to wait
(for); **auf sich ~ lassen** to take a long time
Wärter(in) ['vɛrtər(ɪn)] (-s, -) m(f) attendant
Warte- ['vartə] zW: **~raum** m (EISENB)
waiting room; **~saal** m (EISENB) waiting
room; **~zimmer** nt waiting room
Wartung f servicing; service; **~ und Instandhaltung** maintenance
warum [va'rʊm] adv why
Warze ['vartsə] f wart
was [vas] pron what; (umg: etwas) something; **~ für (ein)** ... what sort of ...
waschbar adj washable
Waschbecken nt washbasin
Wäsche ['vɛʃə] f wash(ing); (Bett~) linen;
(Unter~) underclothing
waschecht adj colourfast; (fig) genuine
Wäscheklammer f clothes peg (BRIT),
clothespin (US)
Wäscheleine f washing line (BRIT)
waschen ['vaʃən] (unreg) vt, vi to wash ♦
vr to (have a) wash; **sich** dat **die Hände ~**
to wash one's hands
Wäsche'rei f laundry
Waschgelegenheit f washing facilities
Wasch- zW: **~küche** f laundry room;
~lappen m face flannel, washcloth (US);
(umg) sissy; **~maschine** f washing
machine; **~mittel** nt detergent, washing
powder; **~pulver** nt detergent, washing
powder; **~raum** m washroom; **~salon** m
Launderette (®)
Wasser ['vasər] (-s, -) nt water; **~ball** m
water polo; **w~dicht** adj waterproof; **~fall**
m waterfall; **~farbe** f watercolour; **~hahn**
m tap, faucet (US); **~kraftwerk** nt hydroelectric power station; **~leitung** f water
pipe; **~mann** n (ASTROL) Aquarius; **~me-
lone** f (BOT) water melon
wässern ['vɛsərn] vt, vi to water
Wasser- zW: **w~scheu** adj afraid of (the)
water; **~ski** ['vasərʃiː] nt water-skiing;
~stoff m hydrogen; **~waage** f spirit level;
~zeichen nt watermark
wäßrig ['vɛsrɪç] adj watery
waten ['vaːtən] vi to wade
watscheln ['vaːtʃəln] vi to waddle

Watt¹ [vat] (-(e)s, -en) nt mud flats pl
Watt² (-s, -) nt (ELEK) watt
Watte f cotton wool, absorbent cotton
(US)
WC ['veː'tseː] (-s, -s) nt abk (= water closet)
W.C.
Web- ['veːb] zW: **w~en** (unreg) vt to
weave; **~er** (-s, -) m weaver; **~e'rei** f (Betrieb) weaving mill; **~stuhl** m loom
Wechsel ['vɛksəl] (-s, -) m change;
(COMM) bill of exchange; **~geld** nt
change; **w~haft** adj (Wetter) variable;
~jahre pl change of life sg; **~kurs** m rate
of exchange; **w~n** vt to change; (Blicke) to
exchange ♦ vi to change; to vary; (Geld-
wechseln) to have change; **~strom** m alternating current; **~stube** f bureau de
change; **~wirkung** f interaction
wecken ['vɛkən] vt to wake (up); to call
Wecker ['vɛkər] (-s, -) m alarm clock
wedeln ['veːdəln] vi (mit Schwanz) to wag;
(mit Fächer etc) to wave
weder ['veːdər] konj neither; **~ ... noch ...**
neither ... nor ...
Weg [veːk] (-(e)s, -e) m way; (Pfad) path;
(Route) route; **sich auf den ~ machen** to
be on one's way; **jdm aus dem ~ gehen**
to keep out of sb's way
weg [vɛk] adv away, off; **über etw** akk **~
sein** to be over sth; **er war schon ~** he
had already left; **Finger ~!** hands off!
wegbleiben (unreg) vi to stay away
wegen ['veːgən] präp +gen (umg: +dat) because of
weg- [vɛk] zW: **~fallen** (unreg) vi to be
left out; (Ferien, Bezahlung) to be cancelled;
(aufhören) to cease; **~gehen** (unreg) vi to
go away; to leave; **~lassen** (unreg) vt to
leave out; **~laufen** (unreg) vi to run away
od off; **~legen** vt to put aside; **~machen**
(umg) vt to get rid of; **~müssen** (unreg;
umg) vi to have to go; **~nehmen** (unreg)
vt to take away; **~tun** (unreg) vt to put
away
Wegweiser ['veːgvaɪzər] (-s, -) m road
sign, signpost
weg- zW: **~werfen** (unreg) vt to throw
away; **~werfend** adj disparaging
weh [veː] adj sore; **~ tun** to hurt, to be
sore; **jdm/sich ~ tun** to hurt sb/o.s.; **~(e)**
excl: **~(e), wenn du ...** woe betide you if
...; **o ~!** oh dear!; **~e!** just you dare!
wehen vt, vi to blow; (Fahnen) to flutter
weh- zW: **~leidig** adj whiny, whining;
~mütig adj melancholy
Wehr¹ [veːr] (-(e)s, -e) nt weir
Wehr² (-, -en) f: **sich zur ~ setzen** to defend o.s.; **~dienst** m military service;
~dienstverweigerer m ≈ conscientious
objector; **w~en** vr to defend o.s.; **w~los**
adj defenceless; **~pflicht** f compulsory
military service; **w~pflichtig** adj liable

for military service

Weib [vaɪp] (-(e)s, -er) nt woman, female; wife; ~**chen** nt female; **w~lich** adj feminine

weich [vaɪç] adj soft; **W~e** f (EISENB) points pl; ~**en** (unreg) vi to yield, to give way; **W~heit** f softness; ~**lich** adj soft, namby-pamby; **W~ling** m weakling

Weide ['vaɪdə] f (Baum) willow; (Gras) pasture; **w~n** vi to graze ♦ vr: **sich an etw** dat **w~n** to delight in sth

weidlich ['vaɪtlɪç] adv thoroughly

weigern ['vaɪgərn] vr to refuse

Weigerung ['vaɪgərʊŋ] f refusal

Weihe ['vaɪə] f consecration; (Priester~) ordination; **w~n** vt to consecrate; to ordain

Weiher (-s, -) m pond

Weihnacht- zW: ~**en** (-) nt Christmas; **w~lich** adj Christmas cpd

Weihnachts- zW: ~**abend** m Christmas Eve; ~**lied** nt Christmas carol; ~**mann** m Father Christmas, Santa Claus; ~**markt** m Christmas fair; ~**tag** m Christmas Day; **zweiter** ~**tag** Boxing Day

Weihrauch m incense

Weihwasser nt holy water

weil [vaɪl] konj because

Weile ['vaɪlə] (-) f while, short time

Wein [vaɪn] (-(e)s, -e) m wine; (Pflanze) vine; ~**bau** m cultivation of vines; ~**berg** m vineyard; ~**bergschnecke** f snail; ~**brand** m brandy

weinen vt, vi to cry; **das ist zum W~** it's enough to make you cry od weep

Wein- zW: ~**glas** nt wine glass; ~**karte** f wine list; ~**lese** f vintage; ~**probe** f wine-tasting; ~**rebe** f vine; **w~rot** adj burgundy, claret, wine-red; ~**stock** m vine; ~**stube** f wine bar; ~**traube** f grape

weise ['vaɪzə] adj wise

Weise f manner, way; (Lied) tune; **auf diese** ~ in this way

weisen (unreg) vt to show

Weisheit ['vaɪshaɪt] f wisdom; **Weisheitszahn** m wisdom tooth

weiß [vaɪs] adj white ♦ vb siehe **wissen**; **W~brot** nt white bread; ~**en** vt to whitewash; **W~glut** f (TECH) incandescence; **jdn bis zur W~glut bringen** (fig) to make sb see red; **W~kohl** m (white) cabbage; **W~wein** m white wine

weit [vaɪt] adj wide; (Begriff) broad; (Reise, Wurf) long ♦ adv far; **wie ~ ist es ...?** how far is it ...?; **in ~er Ferne** in the far distance; **das geht zu ~** that's going too far; ~**aus** adv by far; ~**blickend** adj far-seeing; **W~e** f width; (Raum) space; (von Entfernung) distance; ~**en** vt, vr to widen

weiter ['vaɪtər] adj wider; broader; farther (away); (zusätzlich) further ♦ adv further; **ohne ~es** without further ado; just like that; ~ **nichts/niemand** nothing/nobody

else; ~**arbeiten** vi to go on working; ~**bilden** vr to continue one's education; ~**empfehlen** (unreg) vt to recommend (to others); **W~fahrt** f continuation of the journey; ~**führen** vi (Straße) to lead on (to) ♦ vt (fortsetzen) to continue, carry on; ~**gehen** (unreg) vi to go on; ~**hin** adv: **etw ~hin tun** to go on doing sth; ~**kommen** (unreg) vi (fig: mit Arbeit) to make progress; ~**leiten** vt to pass on; ~**machen** vt, vi to continue

weit- zW: ~**gehend** adj considerable ♦ adv largely; ~**läufig** adj (Gebäude) spacious; (Erklärung) lengthy; (Verwandter) distant; ~**reichend** adj long-range; (fig) far-reaching; ~**schweifig** adj long-winded; ~**sichtig** adj (MED) long-sighted; (fig) far-sighted; **W~sprung** m long jump; ~**verbreitet** adj widespread; **W~winkelobjektiv** nt (PHOT) wide-angle lens

Weizen ['vaɪtsən] (-s, -) m wheat

⌐ SCHLÜSSELWORT

welche(r, s) ['vɛlçə(r, s)] interrogativ pron which; **welcher von beiden?** which (one) of the two?; **welchen hast du genommen?** which (one) did you take?; **welche eine ...!** what a ...!; **welche Freude!** what joy!

♦ unbestimmt pron some

♦ indef pron some; (in Fragen) any; **ich habe welche** I have some; **haben Sie welche?** do you have any?

♦ relativ pron (bei Menschen) who; (bei Sachen) which, that; **welche(r, s) auch immer** whoever/whichever/whatever

---

welk [vɛlk] adj withered; ~**en** vi to wither

Wellblech nt corrugated iron

Welle ['vɛlə] f wave; (TECH) shaft; ~**nbereich** m waveband; ~**nlänge** f (auch fig) wavelength; ~**nlinie** f wavy line; ~**nsittich** m budgerigar

Welt [vɛlt] (-, -en) f world; ~**all** nt universe; ~**anschauung** f philosophy of life; **w~berühmt** adj world-famous; ~**krieg** m world war; **w~lich** adj worldly; (nicht kirchlich) secular; ~**macht** f world power; ~**meister** m world champion; ~**raum** m space; ~**reise** f trip round the world; ~**stadt** f metropolis; **w~weit** adj worldwide

wem [ve:m] (dat von **wer**) pron to whom

wen [ve:n] (akk von **wer**) pron whom

Wende ['vɛndə] f turn; (Veränderung) change; ~**kreis** m (GEOG) tropic; (AUT) turning circle; ~**ltreppe** f spiral staircase; **w~n** (unreg) vt, vi, vr to turn; **sich an jdn w~n** to go/come to sb; ~**punkt** m turning point

wendig ['vɛndɪç] adj (Auto etc) manoeuvrable; (fig) agile

Wendung f turn; (*Rede~*) idiom
wenig ['ve:nɪç] adj, adv little; ~**e** pron pl few pl; ~**er** adj less; (*mit pl*) fewer ♦ adv less; ~**ste(r, s)** adj least; **am** ~**sten** least; ~**stens** adv at least

---
SCHLÜSSELWORT

wenn [vɛn] konj **1** (*falls, bei Wünschen*) if; **wenn auch ..., selbst wenn ...** even if ...; **wenn ich doch ...** if only I ...
2 (*zeitlich*) when; **immer wenn** whenever

---

wennschon ['vɛnʃoːn] adv: **na** ~ so what?; ~, **dennschon!** in for a penny, in for a pound
wer [ve:r] pron who
Werbe- ['vɛrbə] zW: ~**fernsehen** nt commercial television; **w~n** (*unreg*) vt to win; (*Mitglied*) to recruit ♦ vi to advertise; **um jdn/etw w~n** to try to win sb/sth; **für jdn/etw w~n** to promote sb/sth
Werbung f advertising; (*von Mitgliedern*) recruitment; ~ **um jdn/etw** promotion of sb/sth
Werdegang ['ve:rdəɡaŋ] m (*Laufbahn*) development; (*beruflich*) career

---
SCHLÜSSELWORT

werden ['ve:rdən] (*pt* **wurde** *od (bei Passiv)* **worden**) vi to become; **was ist aus ihm/aus der Sache geworden?** what became of him/it?; **es ist nichts/gut geworden** it came to nothing/turned out well; **es wird Nacht/Tag** it's getting dark/light; **mir wird kalt** I'm getting cold; **mir wird schlecht** I feel ill; **Erster werden** to come *od* be first; **das muß anders werden** that'll have to change; **rot/zu Eis werden** to turn red/to ice; **was willst du (mal) werden?** what do you want to be?; **die Fotos sind gut geworden** the photos have come out nicely
♦ *als Hilfsverb* **1** (*bei Futur*): **er wird es tun** he will *od* he'll do it; **er wird das nicht tun** he will not *od* he won't do it; **es wird gleich regnen** it's going to rain
2 (*bei Konjunktiv*): **ich würde ...** I would ...; **er würde gern ...** he would *od* he'd like to ...; **ich würde lieber ...** I would *od* I'd rather ...
3 (*bei Vermutung*): **sie wird in der Küche sein** she will be in the kitchen
4 (*bei Passiv*): **gebraucht werden** to be used; **er ist erschossen worden** he has *od* he's been shot; **mir wurde gesagt, daß ...** I was told that ...

---

werfen ['vɛrfən] (*unreg*) vt to throw
Werft [vɛrft] (-, -en) f shipyard, dockyard
Werk [vɛrk] (-(e)s, -e) nt work; (*Tätigkeit*) job; (*Fabrik, Mechanismus*) works pl; **ans** ~ **gehen** to set to work; ~**statt** (-, -stätten)

f workshop; (*AUT*) garage; ~**tag** m working day; **w~tags** adv on working days; **w~tätig** adj working; ~**zeug** nt tool
Wermut ['ve:rmu:t] (-(e)s) m wormwood; (*Wein*) vermouth
Wert [ve:rt] (-(e)s, -e) m worth; (*FIN*) value; ~ **legen auf** +akk to attach importance to; **es hat doch keinen** ~ it's useless; **w~** adj worth; (*geschätzt*) dear; worthy; **das ist nichts/viel w~** it's not worth anything/it's worth a lot; **das ist es/er mir w~** it's/he's worth that to me; **w~en** vt to rate; ~**gegenstände** mpl valuables; **w~los** adj worthless; ~**papier** nt security; **w~voll** adj valuable
Wesen ['ve:zən] (-s, -) nt (*Geschöpf*) being; (*Natur, Character*) nature; **w~tlich** adj significant; (*beträchtlich*) considerable
weshalb [vɛs'halp] adv why
Wespe ['vɛspə] f wasp
wessen ['vɛsən] (*gen von* wer) pron whose
Weste ['vɛstə] f waistcoat, vest (*US*); (*Woll~*) cardigan
West- zW: ~**en** (-s) m west; ~**europa** nt Western Europe; ~**indien** nt the West Indies; **w~lich** adj western ♦ adv to the west
weswegen [vɛs've:ɡən] adv why
wett [vɛt] adj even; **W~bewerb** m competition; **W~e** f bet, wager; ~**en** vt, vi to bet
Wetter ['vɛtər] (-s, -) nt weather; ~**bericht** m weather report; ~**dienst** m meteorological service; ~**lage** f (weather) situation; ~**vorhersage** f weather forecast; ~**warte** f weather station
Wett- zW: ~**kampf** m contest; ~**lauf** m race; **w~machen** vt to make good
wichtig ['vɪçtɪç] adj important; **W~keit** f importance
wickeln ['vɪkəln] vt to wind; (*Haare*) to set; (*Kind*) to change; **jdn/etw in etw** akk ~ to wrap sb/sth in sth
Widder ['vɪdər] (-s, -) m ram; (*ASTROL*) Aries
wider ['vi:dər] präp +akk against; ~**fahren** (*unreg*) vi to happen; ~'**legen** vt to refute
widerlich ['vi:dərlɪç] adj disgusting, repulsive
wider- ['vi:dər] zW: ~**rechtlich** adj unlawful; **W~rede** f contradiction; **W~ruf** m retraction; countermanding; ~'**rufen** (*unreg*) vt insep to retract; (*Anordnung*) to revoke; (*Befehl*) to countermand; ~'**setzen** vr insep: **sich jdm/etw** ~**setzen** to oppose sb/sth
widerspenstig ['vi:dərʃpɛnstɪç] adj wilful
widerspiegeln ['vi:dərʃpi:ɡəln] vt (*Entwicklung, Erscheinung*) to mirror, reflect ♦ vr to be reflected
wider'sprechen (*unreg*) vi insep: **jdm** ~ to contradict sb
Widerspruch ['vi:dərʃprʊx] m contradiction; **w~slos** adv without arguing
Widerstand ['vi:dərʃtant] m resistance

Widerstands- *zW:* **~bewegung** *f* resistance (movement); **w~fähig** *adj* resistant, tough; **w~los** *adj* unresisting
wider'stehen (*unreg*) *vi insep:* **jdm/etw ~** to withstand sb/sth
wider- ['vi:dər] *zW:* **~wärtig** *adj* nasty, horrid; **W~wille** *m:* **W~wille (gegen)** aversion (to); **~willig** *adj* unwilling, reluctant
widmen ['vɪtmən] *vt* to dedicate; to devote ♦ *vr* to devote o.s.
widrig ['vi:drɪç] *adj* (*Umstände*) adverse

─────── SCHLÜSSELWORT ───────

wie [vi:] *adv* how; **wie groß/schnell?** how big/fast?; **wie wär's?** how about it?; **wie ist er?** what's he like?; **wie gut du das kannst!** you're very good at it; **wie bitte?** pardon?; (*entrüstet*) I beg your pardon!; **und wie!** and how!
♦ *konj* **1** (*bei Vergleichen*): **so schön wie ...** as beautiful as ...; **wie ich schon sagte** as I said; **wie du** like you; **singen wie ein ...** to sing like a ...; **wie (zum Beispiel)** such as (for example)
2 (*zeitlich*): **wie er das hörte, ging er** when he heard that he left; **er hörte, wie der Regen fiel** he heard the rain falling

wieder ['vi:dər] *adv* again; **~ da sein** to be back (again); **gehst du schon ~?** are you off again?; **~ ein(e) ...** another ...; **W~aufbau** [-'aufbau] *m* rebuilding; **~aufbereiten** *vt sep* to recycle; **~aufnehmen** (*unreg*) *vt* to resume; **~bekommen** (*unreg*) *vt* to get back; **~bringen** (*unreg*) *vt* to bring back; **~erkennen** (*unreg*) *vt* to recognize; **W~gabe** *f* reproduction; **~geben** (*unreg*) *vt* (*zurückgeben*) to return; (*Erzählung etc*) to repeat; (*Gefühle etc*) to convey; **~gutmachen** *vt* to make up for; (*Fehler*) to put right; **W~'gutmachung** *f* reparation; **~'herstellen** *vt* to restore; **~'holen** *vt insep* to repeat; **W~'holung** *f* repetition; **W~hören** *nt:* **auf W~hören** (*TEL*) goodbye; **W~kehr** (-) *f* return; (*von Vorfall*) repetition, recurrence; **~sehen** (*unreg*) *vt* to see again; **auf W~sehen** goodbye; **~um** *adv* again; (*andererseits*) on the other hand; **~vereinigen** *vt* to reunite; (*POL*) to reunify; **~verwerten** *vt sep* to recycle; **W~wahl** *f* re-election
Wiege ['vi:gə] *f* cradle; **w~n¹** *vt* (*schaukeln*) to rock
wiegen² (*unreg*) *vt, vi* (*Gewicht*) to weigh
wiehern ['vi:ərn] *vi* to neigh, to whinny
Wien [vi:n] *nt* Vienna
Wiese ['vi:zə] *f* meadow
Wiesel ['vi:zəl] (-s, -) *nt* weasel
wieso [vi'zo:] *adv* why
wieviel [vi'fi:l] *adj* how much; **~ Menschen** how many people; **~mal** *adv* how

often; **~te(r, s)** *adj:* **zum ~ten Mal?** how many times?; **den W~ten haben wir?** what's the date?; **an ~ter Stelle?** in what place?; **der ~te Besucher war er?** how many visitors were there before him?
wieweit [vi'vaɪt] *adv* to what extent
wild [vɪlt] *adj* wild; **W~** (-(e)s) *nt* game; **W~e(r)** *f(m)* savage; **~ern** *vi* to poach; **~'fremd** (*umg*) *adj* quite strange of unknown; **W~heit** *f* wildness; **W~leder** *nt* suede; **W~nis** (-, -se) *f* wilderness; **W~schwein** *nt* (wild) boar
will *etc* [vɪl] *vb siehe* **wollen**
Wille ['vɪlə] (-ns, -n) *m* will; **w~n** *präp* +*gen:* **um ... w~n** for the sake of ...; **w~nsstark** *adj* strong-willed
will- *zW:* **~ig** *adj* willing; **W~kommen** [vɪl'kɔmən] (-s, -) *nt* welcome; **~kommen** *adj* welcome; **jdn ~kommen heißen** to welcome sb; **~kürlich** *adj* arbitrary; (*Bewegung*) voluntary
wimmeln ['vɪməln] *vi:* **~ (von)** to swarm (with)
wimmern ['vɪmərn] *vi* to whimper
Wimper ['vɪmpər] (-, -n) *f* eyelash
Wimperntusche *f* mascara
Wind [vɪnt] (-(e)s, -e) *m* wind; **~beutel** *m* cream puff; (*fig*) rake; **~e** *f* (*TECH*) winch, windlass; (*BOT*) bindweed; **~el** ['vɪndəl] (-, -n) *f* nappy, diaper (*US*); **w~en** *vi unpers* to be windy ♦ *vt* (*unreg*) to wind; (*Kranz*) to weave; (*entwinden*) to twist ♦ *vr* (*unreg*) to wind; (*Person*) to writhe; **~energie** *f* wind energy; **~hund** *m* greyhound; (*Mensch*) fly-by-night; **w~ig** ['vɪndɪç] *adj* windy; (*fig*) dubious; **~mühle** *f* windmill; **~pocken** *pl* chickenpox *sg*; **~schutzscheibe** *f* (*AUT*) windscreen (*BRIT*), windshield (*US*); **~stärke** *f* wind-force; **w~still** *adj* (*Tag*) still, windless; (*Platz*) sheltered; **~stille** *f* calm; **~stoß** *m* gust of wind
Wink [vɪŋk] (-(e)s, -e) *m* (*mit Hand*) wave; (*mit Kopf*) nod; (*Hinweis*) hint
Winkel ['vɪnkəl] (-s, -) *m* (*MATH*) angle; (*Gerät*) set square; (*in Raum*) corner
winken ['vɪŋkən] *vt, vi* to wave
winseln ['vɪnzəln] *vi* to whine
Winter ['vɪntər] (-s, -) *m* winter; **w~fest** *adj* (*Pflanze*) hardy; **~garten** *m* conservatory; **w~lich** *adj* wintry; **~reifen** *m* winter tyre; **~sport** *m* winter sports *pl*
Winzer ['vɪntsər] (-s, -) *m* vine grower
winzig ['vɪntsɪç] *adj* tiny
Wipfel ['vɪpfəl] (-s, -) *m* treetop
wir [vi:r] *pron* we; **~ alle** all of us, we all
Wirbel ['vɪrbəl] (-s, -) *m* whirl, swirl; (*Trubel*) hurly-burly; (*Aufsehen*) fuss; (*ANAT*) vertebra; **w~n** *vi* to whirl, to swirl; **~säule** *f* spine
wird [vɪrt] *vb siehe* **werden**
wirfst *etc* [vɪrfst] *vb siehe* **werfen**
wirken ['vɪrkən] *vi* to have an effect; (*erfol-*

greich sein) to work; (*scheinen*) to seem ♦
vt (*Wunder*) to work
wirklich ['vɪrklɪç] *adj* real ♦ *adv* really;
W~keit *f* reality
wirksam ['vɪrkza:m] *adj* effective
Wirkstoff *m* (*biologisch, chemisch, pflanzlich*) active substance
Wirkung ['vɪrkʊŋ] *f* effect; **w~slos** *adj* ineffective; **w~slos bleiben** to have no effect; **w~svoll** *adj* effective
wirr [vɪr] *adj* confused, wild; **W~warr (-s)**
m disorder, chaos
Wirsing ['vɪrzɪŋ] (-s) *m* savoy cabbage
wirst [vɪrst] *vb siehe* **werden**
Wirt(in) ['vɪrt(ɪn)] (-(e)s, -e) *m(f)* landlord(lady); **~schaft** *f* (*Gaststätte*) pub;
(*Haushalt*) housekeeping; (*eines Landes*)
economy; (*umg: Durcheinander*) mess;
w~schaftlich *adj* economical; (*POL*) economic
Wirtschafts- *zW:* **~krise** *f* economic crisis; **~politik** *f* economic policy; **~prüfer**
m chartered accountant; **~wunder** *nt* economic miracle
Wirtshaus *nt* inn
wischen *vt* to wipe
Wischer (-s, -) *m* (*AUT*) wiper
wispern ['vɪspərn] *vt, vi* to whisper
Wißbegier(de) ['vɪsbəgi:r(də)] *f* thirst for
knowledge; **wißbegierig** *adj* inquisitive,
eager for knowledge
wissen ['vɪsən] (*unreg*) *vt* to know; **was**
weiß ich! I don't know!; **W~** (-s) *nt*
knowledge; **W~schaft** *f* science;
W~schaftler(in) (-s, -) *m(f)* scientist;
~schaftlich *adj* scientific; **~swert** *adj*
worth knowing; **~tlich** *adj* knowing
wittern ['vɪtərn] *vt* to scent; (*fig*) to suspect
Witterung *f* weather; (*Geruch*) scent
Witwe ['vɪtvə] *f* widow; **~r** (-s, -) *m* widower
Witz [vɪts] (-es, -e) *m* joke; **~bold** (-(e)s,
-e) *m* joker, wit; **w~ig** *adj* funny
wo [vo:] *adv* where; (*umg: irgendwo*) somewhere; **im Augenblick, ~** ... the moment
(that) ...; **die Zeit, ~** ... the time when ...;
~anders [vo:'andərs] *adv* elsewhere; **~bei**
[-'baɪ] *adv* (*relativ*) by/with which; (*interrogativ*) what ... in/by/with
Woche ['vɔxə] *f* week
Wochen- *zW:* **~ende** *nt* weekend;
w~lang *adj, adv* for weeks; **~schau** *f*
newsreel
wöchentlich ['vœçəntlɪç] *adj, adv* weekly
wodurch [vo:'dʊrç] *adv* (*relativ*) through
which; (*interrogativ*) what ... through
wofür [vo:'fy:r] *adv* (*relativ*) for which; (*interrogativ*) what ... for
wog *etc* [vo:k] *vb siehe* **wiegen**
wo- [vo:] *zW:* **~gegen** *adv* (*relativ*) against
which; (*interrogativ*) what ... against; **~her**
[-'he:r] *adv* where ... from; **~hin** [-'hɪn] *adv*

where

───── *SCHLÜSSELWORT*

wohl [vo:l] *adv* **1: sich wohl fühlen** (*zufrieden*) to feel happy; (*gesundheitlich*) to feel
well; **wohl oder übel** whether one likes it
or not
2 (*wahrscheinlich*) probably; (*gewiß*) certainly; (*vielleicht*) perhaps; **sie ist wohl zu**
Hause she's probably at home; **das ist**
doch wohl nicht dein Ernst! surely you're
not serious!; **das mag wohl sein** that may
well be; **ob das wohl stimmt?** I wonder if
that's true; **er weiß das sehr wohl** he
knows that perfectly well

Wohl [vo:l] (-(e)s) *nt* welfare; **zum ~!**
cheers!; **w~'auf** *adv* well; **~behagen** *nt*
comfort; **~fahrt** *f* welfare; **~fahrtsstaat** *m*
welfare state; **w~habend** *adj* wealthy;
w~ig *adj* contented, comfortable;
w~schmeckend *adj* delicious; **~stand** *m*
prosperity; **~standsgesellschaft** *f* affluent
society; **~tat** *f* relief; act of charity;
~täter(in) *m(f)* benefactor; **w~tätig** *adj*
charitable; **~tätigkeits-** *zW* charity, charitable; **w~tun** (*unreg*) *vi*: **jdm w~tun** to do
sb good; **w~verdient** *adj* well-earned,
well-deserved; **w~weislich** *adv* prudently;
~wollen (-s) *nt* good will; **w~wollend**
adj benevolent
wohn- ['vo:n] *zW:* **~en** *vi* to live;
W~gemeinschaft *f* (*Menschen*) people
sharing a flat; **~haft** *adj* resident;
W~heim *nt* (*für Studenten*) hall of residence; (*für Senioren*) home; (*bes für Arbeiter*) hostel; **~lich** *adj* comfortable; **W~ort**
m domicile; **W~sitz** *m* place of residence;
W~ung *f* house; (*Etagenwohnung*) flat,
apartment (*US*); **W~wagen** *m* caravan;
W~zimmer *nt* living room
wölben ['vœlbən] *vt, vr* to curve
Wölbung *f* curve
Wolf [vɔlf] (-(e)s, ⁻e) *m* wolf
Wolke ['vɔlkə] *f* cloud; **~nkratzer** *m* skyscraper
wolkig ['vɔlkɪç] *adj* cloudy
Wolle ['vɔlə] *f* wool; **w~n¹** *adj* woollen

───── *SCHLÜSSELWORT*

wollen² (*pt* **wollte**, *pp* **gewollt** *od* (*als*
Hilfsverb) **wollen**) *vt, vi* to want; **ich will**
nach Hause I want to go home; **er will**
nicht he doesn't want to; **er wollte das**
nicht he didn't want it; **wenn du willst** if
you like; **ich will, daß du mir zuhörst** I
want you to listen to me

♦ *Hilfsverb:* **er will ein Haus kaufen** he
wants to buy a house; **ich wollte, ich wäre**
... I wish I were ...; **etw gerade tun wollen**
to be going to do sth

wollüstig ['vɔlʏstɪç] *adj* lusty, sensual
wo- *zW:* **~mit** [voː'mɪt] *adv* (*relativ*) with
which; (*interrogativ*) what ... with;
~'möglich *adv* probably, I suppose;
~'nach *adv* (*relativ*) after/for which; (*interrogativ*) what ... for/after; **~'ran** *adv* (*relativ*) on/at which; (*interrogativ*) what ... on/
at; **~'rauf** *adv* (*relativ*) on which; (*interrogativ*) what ... on; **~'raus** *adv* (*relativ*)
from/out of which; (*interrogativ*) what ...
from/out of; **~'rin** *adv* (*relativ*) in which;
(*interrogativ*) what ... in
Wort [vɔrt] (-(e)s, =er *od* -e) *nt* word; **jdn
beim ~ nehmen** to take sb at his word;
mit anderen ~en in other words;
w~brüchig *adj* not true to one's word
Wörterbuch ['vœrtərbuːx] *nt* dictionary
Wort- *zW:* **~führer** *m* spokesman;
w~karg *adj* taciturn; **~laut** *m* wording
wörtlich ['vœrtlɪç] *adj* literal
Wort- *zW:* **w~los** *adj* mute; **w~reich** *adj*
wordy, verbose; **~schatz** *m* vocabulary;
~spiel *nt* play on words, pun
wo- *zW:* **~rüber** [voː'ryːbər] *adv* (*relativ*)
over/about which; (*interrogativ*) what ...
over/about; **~'rum** *adv* (*relativ*) about/
round which; (*interrogativ*) what ... about/
round; **~'runter** *adv* (*relativ*) under which;
(*interrogativ*) what ... under; **~'von** *adv* (*relativ*) from which; (*interrogativ*) what ...
from; **~'vor** *adv* (*relativ*) in front of/before
which; (*interrogativ*) in front of/before
what; of what; **~'zu** *adv* (*relativ*) to/for
which; (*interrogativ*) what ... for/to; (*warum*) why
Wrack [vrak] (-(e)s, -s) *nt* wreck
wringen ['vrɪŋən] (*unreg*) *vt* to wring
Wucher ['vuːxər] (-s) *m* profiteering; **~er**
(-s, -) *m* profiteer; **w~isch** *adj* profiteering;
w~n *vi* (*Pflanzen*) to grow wild; **~ung** *f*
(*MED*) growth, tumour
Wuchs [vuːks] (-es) *m* (*Wachstum*) growth;
(*Statur*) build
Wucht [vʊxt] (-) *f* force
wühlen ['vyːlən] *vi* to scrabble; (*Tier*) to
root; (*Maulwurf*) to burrow; (*umg: arbeiten*)
to slave away ♦ *vt* to dig
Wulst [vʊlst] (-es, =e) *m* bulge; (*an Wunde*)
swelling
wund [vʊnt] *adj* sore, raw; **W~e** *f* wound
Wunder ['vʊndər] (-s, -) *nt* miracle; **es ist
kein ~** it's no wonder; **w~bar** *adj* wonderful, marvellous; **~kerze** *f* sparkler;
~kind *nt* infant prodigy; **w~lich** *adj* odd,
peculiar; **w~n** *vr* to be surprised ♦ *vt* to
surprise; **sich w~n über** +*akk* to be surprised at; **w~schön** *adj* beautiful; **w~voll**
adj wonderful
Wundstarrkrampf ['vʊntʃtarkrampf] *m*
tetanus, lockjaw
Wunsch [vʊnʃ] (-(e)s, =e) *m* wish
wünschen ['vʏnʃən] *vt* to wish; **sich** *dat*

etw ~ to want sth, to wish for sth;
~swert *adj* desirable
wurde *etc* ['vʊrdə] *vb siehe* **werden**
Würde ['vʏrdə] *f* dignity; (*Stellung*) honour;
w~voll *adj* dignified
würdig ['vʏrdɪç] *adj* worthy; (*würdevoll*)
dignified; **~en** ['vʏrdɪgən] *vt* to appreciate;
jdn keines Blickes ~en not to so much as
look at sb
Wurf [vʊrf] (-(e)s, =e) *m* throw; (*Junge*) litter
Würfel ['vʏrfəl] (-s, -) *m* dice; (*MATH*)
cube; **~becher** *m* (dice) cup; **w~n** *vi* to
play dice ♦ *vt* to dice; **~zucker** *m* lump
sugar
würgen ['vʏrgən] *vt, vi* to choke
Wurm [vʊrm] (-(e)s, =er) *m* worm
wurmstichig *adj* worm-ridden
Wurst [vʊrst] (-, =e) *f* sausage; **das ist mir
~** (*umg*) I don't care, I don't give a damn
Würstchen ['vʏrstçən] *nt* sausage
Würze ['vʏrtsə] *f* seasoning, spice
Wurzel ['vʊrtsəl] (-, -n) *f* root
würzen ['vʏrtsən] *vt* to season, to spice
würzig *adj* spicy
wusch *etc* [vʊʃ] *vb siehe* **waschen**
wußte *etc* ['vʊstə] *vb siehe* **wissen**
wüst [vyːst] *adj* untidy, messy; (*ausschweifend*) wild; (*öde*) waste; (*umg: heftig*) terrible; **W~e** *f* desert
Wut [vuːt] (-) *f* rage, fury; **~anfall** *m* fit of
rage
wüten ['vyːtən] *vi* to rage; **~d** *adj* furious,
mad

X x

X-Beine ['ɪksbaɪnə] *pl* knock-knees
x-beliebig [ɪksbə'liːbɪç] *adj* any (whatever)
xerokopieren [kseroko'piːrən] *vt* to xerox,
to photocopy
x-mal ['ɪksmaːl] *adv* any number of times, n
times
Xylophon [ksylo'foːn] (-s, -e) *nt* xylophone

Y y

Ypsilon ['ʏpsilɔn] (**-(s), -s**) *nt* the letter Y

Z z

Zacke ['tsakə] *f* point; (*Berg~*) jagged peak; (*Gabel~*) prong; (*Kamm~*) tooth
zackig ['tsakɪç] *adj* jagged; (*umg*) smart; (*Tempo*) brisk
zaghaft ['tsaːkhaft] *adj* timid
zäh [tsɛː] *adj* tough; (*Mensch*) tenacious; (*Flüssigkeit*) thick; (*schleppend*) sluggish; **Z~igkeit** *f* toughness; tenacity
Zahl [tsaːl] (**-, -en**) *f* number; **z~bar** *adj* payable; **z~en** *vt, vi* to pay; **z~en bitte!** the bill please!
zählen ['tsɛːlən] *vt, vi* to count; ~ **auf** +*akk* to count on; ~ **zu** to be numbered among
Zahlenschloß *nt* combination lock
Zähler ['tsɛːlər] (**-s, -**) *m* (*TECH*) meter; (*MATH*) numerator
Zahl- *zW:* **z~los** *adj* countless; **z~reich** *adj* numerous; **~tag** *m* payday; **~ung** *f* payment; **z~ungsfähig** *adj* solvent; **~wort** *nt* numeral
zahm [tsaːm] *adj* tame
zähmen ['tsɛːmən] *vt* to tame; (*fig*) to curb
Zahn [tsaːn] (**-(e)s, ⁼e**) *m* tooth; **~arzt** *m* dentist; **~ärztin** *f* (female) dentist; **~bürste** *f* toothbrush; **~fleisch** *nt* gums *pl*; **~pasta** *f* toothpaste; **~rad** *nt* cog(wheel); **~schmerzen** *pl* toothache *sg*; **~stein** *m* tartar; **~stocher** (**-s, -**) *m* toothpick
Zange ['tsaŋə] *f* pliers *pl*; (*Zucker~ etc*) tongs *pl*; (*Beiß~, ZOOL*) pincers *pl*; (*MED*) forceps *pl*
zanken ['tsaŋkən] *vi, vr* to quarrel
zänkisch ['tsɛŋkɪʃ] *adj* quarrelsome
Zäpfchen ['tsɛpfçən] *nt* (*ANAT*) uvula; (*MED*) suppository
Zapfen ['tsapfən] (**-s, -**) *m* plug; (*BOT*)

cone; (*Eis~*) icicle
zappeln ['tsapəln] *vi* to wriggle; to fidget
zart [tsart] *adj* (*weich, leise*) soft; (*Fleisch*) tender; (*fein, schwächlich*) delicate; **Z~heit** *f* softness; tenderness; delicacy
zärtlich ['tsɛːrtlɪç] *adj* tender, affectionate
Zauber ['tsaubər] (**-s, -**) *m* magic; (*~bann*) spell; **~ei** [-'raɪ] *f* magic; **~er** (**-s, -**) *m* magician; conjuror; **z~haft** *adj* magical, enchanting; **~künstler** *m* conjuror; **~kunststück** *nt* conjuring trick; **z~n** *vi* to conjure, to practise magic
zaudern ['tsaudərn] *vi* to hesitate
Zaum [tsaum] (**-(e)s, Zäume**) *m* bridle; **etw im ~ halten** to keep sth in check
Zaun [tsaun] (**-(e)s, Zäune**) *m* fence; **~könig** *m* wren
z.B. *abk* (= *zum Beispiel*) e.g.
Zebra ['tseːbra] *nt* zebra; **~streifen** *m* zebra crossing
Zeche ['tsɛçə] *f* (*Rechnung*) bill; (*Bergbau*) mine
Zeh [tseː] (**-s, -en**) *m* toe
Zehe ['tseːə] *f* toe; (*Knoblauch~*) clove
zehn [tseːn] *num* ten; **~te(r, s)** *adj* tenth; **Z~tel** (**-s, -**) *nt* tenth (part)
Zeich- ['tsaɪç] *zW:* **~en** (**-s, -**) *nt* sign; **z~nen** *vt* to draw; (*kennzeichnen*) to mark; (*unterzeichnen*) to sign ♦ *vi* to draw; to sign; **~ner** (**-s, -**) *m* artist; **technischer ~ner** draughtsman; **~nung** *f* drawing; (*Markierung*) markings *pl*
Zeige- ['tsaɪgə] *zW:* **~finger** *m* index finger; **z~n** *vt* to show ♦ *vi* to point ♦ *vr* to show o.s.; **z~n auf** +*akk* to point to; to point at; **es wird sich z~n** time will tell; **es zeigte sich, daß ...** it turned out that ...; **~r** (**-s, -**) *m* pointer; (*Uhrzeiger*) hand
Zeile ['tsaɪlə] *f* line; (*Häuser~*) row
Zeit [tsaɪt] (**-, -en**) *f* time; (*GRAM*) tense; **zur ~** at the moment; **sich** *dat* **~ lassen** to take one's time; **von ~ zu ~** from time to time; **~alter** *nt* age; **~arbeit** *f* (*WIRTS*) temporary job; **z~gemäß** *adj* in keeping with the times; **~genosse** *m* contemporary; **z~ig** *adj* early; **z~lich** *adj* temporal; **~lupe** *f* slow motion; **z~raubend** *adj* time-consuming; **~raum** *m* period; **~rechnung** *f* time, era; **nach/vor unserer ~rechnung** A.D./B.C.; **~schrift** *f* periodical; **~ung** *f* newspaper; **~verschwendung** *f* waste of time; **~vertreib** *m* pastime, diversion; **z~weilig** *adj* temporary; **z~weise** *adv* for a time; **~wort** *nt* verb; **~zünder** *m* time fuse
Zelle ['tsɛlə] *f* cell; (*Telefon~*) callbox
Zellstoff *m* cellulose
Zelt [tsɛlt] (**-(e)s, -e**) *nt* tent; **z~en** *vi* to camp; **~platz** *m* camp site
Zement [tse'mɛnt] (**-(e)s, -e**) *m* cement; **z~'ieren** *vt* to cement
zensieren [tsɛn'ziːrən] *vt* to censor; (*SCH*)

to mark

Zensur [tsɛn'zuːr] f censorship; (SCH) mark

Zentimeter [tsɛnti'meːtər] m od nt centimetre

Zentner ['tsɛntnər] (-s, -) m hundredweight

zentral [tsɛn'traːl] adj central; **Z~e** f central office; (TEL) exchange; **Z~heizung** f central heating

Zentrum ['tsɛntrʊm] (-s, **Zentren**) nt centre

zerbrechen [tsɛr'brɛçən] (unreg) vt, vi to break

zerbrechlich adj fragile

zer'drücken vt to squash, to crush; (Kartoffeln) to mash

Zeremonie [tseremo'niː] f ceremony

Zerfall [tsɛr'fal] m decay; **z~en** (unreg) vi to disintegrate, to decay; (sich gliedern): **z~en (in** +akk) to fall (into)

zer'gehen (unreg) vi to melt, to dissolve

zerkleinern [tsɛr'klainərn] vt to reduce to small pieces

zerlegbar adj able to be dismantled

zerlegen [tsɛr'leːgən] vt to take to pieces; (Fleisch) to carve; (Satz) to analyse

zermürben [tsɛr'mʏrbən] vt to wear down

zerquetschen [tsɛr'kvɛtʃən] vt to squash

Zerrbild ['tsɛrbɪlt] nt caricature, distorted picture

zer'reißen (unreg) vt to tear to pieces ♦ vi to tear, to rip

zerren ['tsɛrən] vt to drag ♦ vi: **~ (an** +dat) to tug (at)

zer'rinnen (unreg) vi to melt away

zerrissen [tsɛr'rɪsən] adj torn, tattered; **Z~heit** f tattered state; (POL) disunion, discord; (innere Zerrissenheit) disintegration

Zerrung [MED): **eine ~** a pulled muscle

zerrütten [tsɛr'rʏtən] vt to wreck, to destroy

zerrüttet adj wrecked, shattered

zer'schlagen (unreg) vt to shatter, to smash ♦ vr to fall through

zer'schneiden (unreg) vt to cut up

zer'setzen vt, vr to decompose, to dissolve

zer'springen (unreg) vt to shatter, to burst

Zerstäuber [tsɛr'ʃtɔybər] (-s, -) m atomizer

zerstören [tsɛr'ʃtøːrən] vt to destroy

Zerstörung f destruction

zerstreu- [tsɛr'ʃtrɔy] zW: **~en** vt to disperse, to scatter; (unterhalten) to divert; (Zweifel etc) to dispel ♦ vr to disperse, to scatter; to be dispelled; **~t** adj scattered; (Mensch) absent-minded; **Z~theit** f absent-mindedness; **Z~ung** f dispersion; (Ablenkung) diversion

zerstückeln [tsɛr'ʃtʏkəln] vt to cut into pieces

zer'teilen vt to divide into parts

Zertifikat [tsɛrtifi'kaːt] (-(e)s, -e) nt certificate

zer'treten (unreg) vt to crush underfoot

zertrümmern [tsɛr'trʏmərn] vt to shatter;

(Gebäude etc) to demolish

zetern ['tseːtərn] vi to shout, to shriek

Zettel ['tsɛtəl] (-s, -) m piece of paper, slip; (Notiz~) note; (Formular) form

Zeug [tsɔyk] (-(e)s, -e; umg) nt stuff; (Ausrüstung) gear; **dummes ~** (stupid) nonsense; **das ~ haben zu** to have the makings of; **sich ins ~ legen** to put one's shoulder to the wheel

Zeuge ['tsɔygə] (-n, -n) m witness; **z~n** vi to bear witness, to testify ♦ vt (Kind) to father; **es zeugt von ...** it testifies to ...; **~naussage** f evidence; **Zeugin** ['tsɔygɪn] f witness

Zeugnis ['tsɔyknɪs] (-ses, -se) nt certificate; (SCH) report; (Referenz) reference; (Aussage) evidence, testimony; **~ geben von** to be evidence of, to testify to

z.H(d). abk (= zu Händen) attn.

Zickzack ['tsɪktsak] (-(e)s, -e) m zigzag

Ziege ['tsiːgə] f goat

Ziegel ['tsiːgəl] (-s, -) m brick; (Dach~) tile

ziehen ['tsiːən] (unreg) vt to draw; (zerren) to pull; (SCHACH etc) to move; (züchten) to rear ♦ vi to draw; (um~, wandern) to move; (Rauch, Wolke etc) to drift; (reißen) to pull ♦ vb unpers: **es zieht** there is a draught, it's draughty ♦ vr (Gummi) to stretch; (Grenze etc) to run; (Gespräche) to be drawn out; **etw nach sich ~** to lead to sth, to entail sth

Ziehharmonika ['tsiːharmoːnika] f concertina; accordion

Ziehung ['tsiːʊŋ] f (Los~) drawing

Ziel [tsiːl] (-(e)s, -e) nt (einer Reise) destination; (SPORT) finish; (MIL) target; (Absicht) goal; **z~bewußt** adj decisive; **z~en** vi: **z~en (auf** +akk) to aim (at); **z~los** adj aimless; **~scheibe** f target; **z~strebig** adj purposeful

ziemlich ['tsiːmlɪç] adj quite a; fair ♦ adv rather; quite a bit

zieren ['tsiːrən] vr to act coy

zierlich ['tsiːrlɪç] adj dainty

Ziffer ['tsɪfər] (-, -n) f figure, digit; **~blatt** nt dial, clock-face

zig [tsɪç] (umg) adj umpteen

Zigarette [tsiga'rɛtə] f cigarette

Zigaretten- zW: **~automat** m cigarette machine; **~schachtel** f cigarette packet; **~spitze** f cigarette holder

Zigarillo [tsiga'rɪlo] (-s, -s) nt od m cigarillo

Zigarre [tsi'garə] f cigar

Zigeuner(in) [tsi'gɔynər(ɪn)] (-s, -) m(f) gipsy

Zimmer ['tsɪmər] (-s, -) nt room; **~lautstärke** f reasonable volume; **~mädchen** nt chambermaid; **~mann** m carpenter; **z~n** vt to make (from wood); **~nachweis** m accommodation office; **~pflanze** f indoor plant

zimperlich ['tsɪmpərlɪç] adj squeamish;

(pingelig) fussy, finicky
Zimt [tsɪmt] (-(e)s, -e) *m* cinnamon
Zink [tsɪŋk] (-(e)s) *nt* zinc
Zinn [tsɪn] (-(e)s) *nt* (*Element*) tin; (*in ~waren*) pewter; **~soldat** *m* tin soldier
Zins [tsɪns] (-es, -en) *m* interest
Zinseszins *m* compound interest
Zins- *zW:* **~fuß** *m* rate of interest; **z~los** *adj* interest-free; **~satz** *m* rate of interest
Zipfel ['tsɪpfəl] (-s, -) *m* corner; (*spitz*) tip; (*Hemd~*) tail; (*Wurst~*) end; **~mütze** *f* stocking cap; nightcap
zirka ['tsɪrka] *adv* (round) about
Zirkel ['tsɪrkəl] (-s, -) *m* circle; (*MATH*) pair of compasses
Zirkus ['tsɪrkus] (-, -se) *m* circus
zischen ['tsɪʃən] *vi* to hiss
Zitat [tsi'ta:t] (-(e)s, -e) *nt* quotation, quote
zitieren [tsi'ti:rən] *vt* to quote
Zitronat [tsitro'na:t] (-(e)s, -e) *nt* candied lemon peel
Zitrone [tsi'tro:nə] *f* lemon; **~nlimonade** *f* lemonade; **~nsaft** *m* lemon juice
zittern ['tsɪtərn] *vi* to tremble
zivil [tsi'vi:l] *adj* civil; (*Preis*) moderate; **Z~** (-s) *nt* plain clothes *pl*; (*MIL*) civilian clothing; **Z~bevölkerung** *f* civilian population; **Z~courage** *f* courage of one's convictions; **Z~dienst** *m* community service; **Z~isation** *f* civilization; **Z~isationskrankheit** *f* disease peculiar to civilization; **~i'sieren** *vt* to civilize; **Z~ist** [tsivi'lɪst] *m* civilian
zögern ['tsøːɡərn] *vi* to hesitate
Zoll [tsɔl] (-(e)s, ⸚e) *m* customs *pl*; (*Abgabe*) duty; **~abfertigung** *f* customs clearance; **~amt** *nt* customs office; **~beamte(r)** *m* customs official; **~erklärung** *f* customs declaration; **z~frei** *adj* duty-free; **~kontrolle** *f* customs check; **z~pflichtig** *adj* liable to duty, dutiable
Zone ['tso:nə] *f* zone
Zoo [tso:] (-s, -s) *m* zoo; **~loge** [tsoo'lo:gə] (-n, -n) *m* zoologist; **~logie** *f* zoology; **z~'logisch** *adj* zoological
Zopf [tsɔpf] (-(e)s, ⸚e) *m* plait; pigtail; **alter ~** antiquated custom
Zorn [tsɔrn] (-(e)s) *m* anger; **z~ig** *adj* angry
zottig ['tsɔtɪç] *adj* shaggy
z.T. *abk* = **zum Teil**

— *SCHLÜSSELWORT* —

zu [tsu:] *präp* +*dat* **1** (*örtlich*) to; **zum Bahnhof/Arzt gehen** to go to the station/doctor; **zur Schule/Kirche gehen** to go to school/church; **sollen wir zu euch gehen?** shall we go to your place?; **sie sah zu ihm hin** she looked towards him; **zum Fenster herein** through the window; **zu meiner Linken** to *od* on my left
2 (*zeitlich*) at; **zu Ostern** at Easter; **bis zum 1. Mai** until May 1st; (*nicht später als*) by

May 1st; **zu meiner Zeit** in my time
3 (*Zusatz*) with; **Wein zum Essen trinken** to drink wine with one's meal; **sich zu jdm setzen** to sit down beside sb; **setz dich doch zu uns** (come and) sit with us; **Anmerkungen zu etw** notes on sth
4 (*Zweck*) for; **Wasser zum Waschen** water for washing; **Papier zum Schreiben** paper to write on; **etw zum Geburtstag bekommen** to get sth for one's birthday
5 (*Veränderung*) into; **zu etw werden** to turn into sth; **jdn zu etw machen** to make sb (into) sth; **zu Asche verbrennen** to burn to ashes
6 (*mit Zahlen*): **3 zu 2** (*SPORT*) 3-2; **das Stück zu 2 Mark** at 2 marks each; **zum ersten Mal** for the first time
7: **zu meiner Freude** *etc* to my joy *etc*; **zum Glück** luckily; **zu Fuß** on foot; **es ist zum Weinen** it's enough to make you cry
♦ *konj* to; **etw zu essen** sth to eat; **um besser sehen zu können** in order to see better; **ohne es zu wissen** without knowing it; **noch zu bezahlende Rechnungen** bills that are still to be paid
♦ *adv* **1** (*allzu*) too; **zu sehr** too much
2 (*örtlich*) toward(s); **er kam auf mich zu** he came up to me
3 (*geschlossen*) shut; closed; **die Geschäfte haben zu** the shops are closed; **auf/zu** (*Wasserhahn etc*) on/off
4 (*umg: los*): **nur zu!** just keep on!; **mach zu!** hurry up!

zuallererst [tsu''alər''e:rst] *adv* first of all
zuallerletzt [tsu''alər'letst] *adv* last of all
Zubehör ['tsu:bəhø:r] (-(e)s, -e) *nt* accessories *pl*
zubereiten ['tsu:bəraɪtən] *vt* to prepare
zubilligen ['tsu:bɪlɪgən] *vt* to grant
zubinden ['tsu:bɪndən] (*unreg*) *vt* to tie up
zubringen ['tsu:brɪŋən] (*unreg*) *vt* (*Zeit*) to spend
Zubringer (-s, -) *m* (*Straße*) approach *od* slip road
Zucchini [tsu'ki:ni] *pl* (*BOT, KOCH*) courgette (*BRIT*), zucchini (*US*)
Zucht [tsuxt] (-, -en) *f* (*von Tieren*) breeding; (*von Pflanzen*) cultivation; (*Rasse*) breed; (*Erziehung*) raising; (*Disziplin*) discipline
züchten ['tsʏçtən] *vt* (*Tiere*) to breed; (*Pflanzen*) to cultivate, to grow
Züchter (-s, -) *m* breeder; grower
Zuchthaus *nt* prison, penitentiary (*US*)
züchtigen ['tsʏçtɪgən] *vt* to chastise
Züchtung *f* (*Zuchtart, Sorte: von Tier*) breed(: *von Pflanze*) variety
zucken ['tsukən] *vi* to jerk, to twitch; (*Strahl etc*) to flicker ♦ *vt* (*Schultern*) to shrug
Zucker ['tsukər] (-s, -) *m* sugar; (*MED*) dia-

betes; **~guß** *m* icing; **z~krank** *adj* diabetic; **~krankheit** *f* (*MED*) diabetes; **z~n** *vt* to sugar; **~rohr** *nt* sugar cane; **~rübe** *f* sugar beet

Zuckung ['tsʊkʊŋ] *f* convulsion, spasm; (*leicht*) twitch

zudecken ['tsu:dɛkən] *vt* to cover (up)

zudem [tsu'de:m] *adv* in addition (to this)

zudringlich ['tsu:drɪŋlɪç] *adj* forward, pushing, obtrusive

zudrücken ['tsu:drʏkən] *vt* to close; **ein Auge ~** to turn a blind eye

zueinander [tsu'aɪ'nandər] *adv* to one other; (*in Veranbindung*) together

zuerkennen ['tsu:'ɛrkɛnən] (*unreg*) *vt* to award; **jdm etw ~** to award sth to sb, to award sb sth

zuerst [tsu''e:rst] *adv* first; (*zu Anfang*) at first; **~ einmal** first of all

Zufahrt ['tsu:fa:rt] *f* approach; **~sstraße** *f* approach road; (*von Autobahn etc*) slip road

Zufall ['tsu:fal] *m* chance; (*Ereignis*) coincidence; **durch ~** by accident; **so ein ~** what a coincidence; **z~en** (*unreg*) *vi* to close, to shut; (*Anteil, Aufgabe*) to fall

zufällig ['tsu:fɛlɪç] *adj* chance ♦ *adv* by chance; (*in Frage*) by any chance

Zuflucht ['tsu:flʊxt] *f* recourse; (*Ort*) refuge

zufolge [tsu'fɔlɡə] *präp* (+*dat od gen*) judging by; (*laut*) according to

zufrieden [tsu'fri:dən] *adj* content(ed), satisfied; **~geben** (*unreg*) *vr* to be content *od* satisfied (with); **~stellen** *vt* to satisfy

zufrieren ['tsu:fri:rən] (*unreg*) *vi* to freeze up *od* over

zufügen ['tsu:fy:ɡən] *vt* to add; (*Leid etc*): **(jdm) etw ~** to cause (sb) sth

Zufuhr ['tsu:fu:r] (-, -**en**) *f* (*Herbeibringen*) supplying; (*MET*) influx

Zug [tsu:k] (-(e)s, =e) *m* (*EISENB*) train; (*Luft~*) draught; (*Ziehen*) pull(ing); (*Gesichts~*) feature; (*SCHACH etc*) move; (*Klingel~*) pull; (*Schrift~*) stroke; (*Atem~*) breath; (*Charakter~*) trait; (*an Zigarette*) puff, pull, drag; (*Schluck*) gulp; (*Menschengruppe*) procession; (*von Vögeln*) flight; (*MIL*) platoon; **etw in vollen Zügen genießen** to enjoy sth to the full

Zu- ['tsu:] *zW*: **~gabe** *f* extra; (*in Konzert etc*) encore; **~gang** *m* access, approach; **z~gänglich** *adj* accessible; (*Mensch*) approachable

zugeben ['tsu:ge:bən] (*unreg*) *vt* (*beifügen*) to add, to throw in; (*zugestehen*) to admit; (*erlauben*) to permit

zugehen ['tsu:ge:ən] (*unreg*) *vi* (*schließen*) to shut; **es geht dort seltsam zu** there are strange goings-on there; **auf jdn/etw ~** to walk towards sb/sth; **dem Ende ~** to be finishing

Zugehörigkeit ['tsu:ɡəhø:rɪçkaɪt] *f*: **~ (zu)** membership (of), belonging (to)

Zügel ['tsy:ɡəl] (-s, -) *m* rein(s); (*fig*) curb

zuge- ['tsu:ɡə] *zW*: **Z~ständnis** (-ses, -se) *nt* concession; **~stehen** (*unreg*) *vt* to admit; (*Rechte*) to concede

Zugführer *m* (*EISENB*) guard

zugig ['tsu:ɡɪç] *adj* draughty

zügig ['tsy:ɡɪç] *adj* speedy, swift

zugreifen ['tsu:ɡraɪfən] (*unreg*) *vi* to seize *od* grab at; (*helfen*) to help; (*beim Essen*) to help o.s.

zugrunde [tsu'ɡrʊndə] *adv*: **~ gehen** to collapse; (*Mensch*) to perish; **einer Sache** *dat* **etw ~ legen** to base sth on sth; **einer Sache** *dat* **~ liegen** to be based on sth; **~ richten** to ruin, to destroy

zugunsten [tsu'ɡʊnstən] *präp* (+*gen od dat*) in favour of

zugute [tsu'ɡu:tə] *adv*: **jdm etw ~ halten** to concede sth to sb; **jdm ~ kommen** to be of assistance to sb

Zugvogel *m* migratory bird

zuhalten ['tsu:haltən] (*unreg*) *vt* to keep closed ♦ *vi*: **auf jdn/etw ~** to make a bee-line for sb/sth

Zuhälter ['tsu:hɛltər] (-s, -) *m* pimp

Zuhause [tsu'hausə] (-) *nt* home

zuhören ['tsu:hø:rən] *vi* to listen

Zuhörer (-s, -) *m* listener

zukleben ['tsu:kle:bən] *vt* to paste up

zukommen ['tsu:kɔmən] (*unreg*) *vi* to come up; **auf jdn ~** to come up to sb; **jdm etw ~ lassen** to give sb sth; **etw auf sich ~ lassen** to wait and see; **jdm ~** (*sich gehören*) to be fitting for sb

Zukunft ['tsu:kʊnft] (-, **Zukünfte**) *f* future; **zukünftig** ['tsu:kʏnftɪç] *adj* future ♦ *adv* in future; **mein zukünftiger Mann** my husband to be

Zulage ['tsu:la:ɡə] *f* bonus

zulassen ['tsu:lasən] (*unreg*) *vt* (*hereinlassen*) to admit; (*erlauben*) to permit; (*Auto*) to license; (*umg: nicht öffnen*) to (keep) shut

zulässig ['tsu:lɛsɪç] *adj* permissible, permitted

Zulassung *f* (*amtlich*) authorisation; (*von Kfz*) licensing

zulaufen ['tsu:laufən] (*unreg*) *vi* (*subj: Mensch*): **~ auf jdn/etw** to run up to sb/sth; (: *Straße*): **~ auf** to lead towards

zuleide [tsu'laɪdə] *adv*: **jdm etw ~ tun** to hurt *od* harm sb

zuletzt [tsu'lɛtst] *adv* finally, at last

zuliebe [tsu'li:bə] *adv*: **jdm ~** to please sb

zum [tsʊm] = **zu dem**; **~ dritten Mal** for the third time; **~ Scherz** as a joke; **~ Trinken** for drinking

zumachen ['tsu:maxən] *vt* to shut; (*Kleidung*) to do up, to fasten ♦ *vi* to shut; (*umg*) to hurry up

zumal [tsu'ma:l] *konj* especially (as)

zumeist [tsu'maɪst] *adv* mostly

zumindest [tsu'mɪndəst] *adv* at least

zumut- *zW:* **~bar** ['tsu:mtba:r] *adj* reasonable; **~e** *adv:* **wie ist ihm ~e?** how does he feel?; **~en** *vt:* **(jdm) etw ~en** to expect *od* ask sth (of sb); **Z~ung** *f* unreasonable expectation *od* demand, impertinence

zunächst [tsu'nɛ:çst] *adv* first of all; **~ einmal** to start with

Zunahme ['tsu:na:mə] *f* increase

Zuname ['tsu:na:mə] *m* surname

Zünd- [tsʏnd] *zW:* **z~en** *vi* (*Feuer*) to light, to ignite; (*Motor*) to fire; (*begeistern*): **bei jdm z~en** to fire sb (with enthusiasm); **z~end** *adj* fiery; **~en** **(-s, -)** *m* fuse; (*MIL*) detonator; **~holz** ['tsʏnt] *nt* match; **~kerze** *f* (*AUT*) spark(ing) plug; **~schlüssel** *m* ignition key; **~schnur** *f* fuse wire; **~stoff** *m* (*fig*) inflammatory stuff; **~ung** *f* ignition

zunehmen ['tsu:ne:mən] (*unreg*) *vi* to increase, to grow; (*Mensch*) to put on weight

Zuneigung *f* affection

Zunft [tsʊnft] (-, ⁻e) *f* guild

zünftig ['tsʏnftɪç] *adj* proper, real; (*Handwerk*) decent

Zunge ['tsʊŋə] *f* tongue

zunichte [tsu'nɪçtə] *adv:* **~ machen** to ruin, to destroy; **~ werden** to come to nothing

zunutze [tsu'nʊtsə] *adv:* **sich** *dat* **etw ~ machen** to make use of sth

zuoberst [tsu'o:bərst] *adv* at the top

zupfen ['tsʊpfən] *vt* to pull, to pick, to pluck; (*Gitarre*) to pluck

zur [tsu:r] = **zu der**

zurechnungsfähig ['tsu:rɛçnʊŋsfɛ:ɪç] *adj* responsible, accountable

zurecht- [tsu'rɛçt] *zW:* **~finden** (*unreg*) *vr* to find one's way (about); **~kommen** (*unreg*) *vi* to be able to cope, to manage; **~legen** *vt* to get ready, (*Ausrede etc*) to have ready; **~machen** *vt* to prepare ♦ *vr* to get ready; **~weisen** (*unreg*) *vt* to reprimand; **Z~weisung** *f* reprimand, rebuff

zureden ['tsu:re:dən] *vi:* **jdm ~** to persuade *od* urge sb

zurück [tsu'rʏk] *adv* back; **~behalten** (*unreg*) *vt* to keep back; **~bekommen** (*unreg*) *vt* to get back; **~bleiben** (*unreg*) *vi* (*Mensch*) to remain behind; (*nicht nachkommen*) to fall behind, to lag; (*Schaden*) to remain; **~bringen** (*unreg*) *vt* to bring back; **~fahren** (*unreg*) *vi* to travel back; (*vor Schreck*) to recoil, to start ♦ *vt* to drive back; **~finden** (*unreg*) *vi* to find one's way back; **~fordern** *vt* to demand back; **~führen** *vt* to lead back; **etw auf etw akk ~führen** to trace sth back to sth; **~geben** (*unreg*) *vt* to give back; (*antworten*) to retort with; **~geblieben** *adj* retarded; **~gehen** (*unreg*) *vi* to go back; (*fallen*) to go down, to fall; (*zeitlich*): **~gehen (auf** +*akk*) to date back (to); **~gezogen** *adj* retired, withdrawn; **~halten** (*unreg*) *vt* to hold back; (*Mensch*) to restrain; (*hindern*) to prevent ♦ *vr* (*reserviert sein*) to be reserved; (*im Essen*) to hold back; **~haltend** *adj* reserved; **Z~haltung** *f* reserve; **~kehren** *vi* to return; **~kommen** (*unreg*) *vi* to come back; **auf etw** *akk* **~kommen** to return to sth; **~lassen** (*unreg*) *vt* to leave behind; **~legen** *vt* to put back; (*Geld*) to put by; (*reservieren*) to keep back; (*Strecke*) to cover; **~nehmen** (*unreg*) *vt* to take back; **~schrecken** *vi:* **~schrecken (vor** +*dat*) to shrink (from); **~stellen** *vt* to put back, to replace; (*aufschieben*) to put off, to postpone; (*MIL*) to turn down; (*Interessen*) to defer; (*Ware*) to keep; **~treten** (*unreg*) *vi* to step back; (*vom Amt*) to retire; **gegenüber etw** *od* **hinter etw** *dat* **~treten** to diminish in importance in view of sth; **~weisen** (*unreg*) *vt* to turn down; (*Mensch*) to reject; **~zahlen** *vt* to repay, to pay back; **~ziehen** (*unreg*) *vt* to pull back; (*Angebot*) to withdraw ♦ *vr* to retire

Zuruf ['tsu:ru:f] *m* shout, cry

Zusage ['tsu:za:gə] *f* promise; (*Annahme*) consent; **z~n** *vt* to promise ♦ *vi* to accept; **jdm z~n** (*gefallen*) to agree with *od* please sb

zusammen [tsu'zamən] *adv* together; **Z~arbeit** *f* cooperation; **~arbeiten** *vi* to cooperate; **~beißen** (*unreg*) *vt* (*Zähne*) to clench; **~bleiben** (*unreg*) *vi* to stay together; **~brechen** (*unreg*) *vi* to collapse; (*Mensch auch*) to break down; **~bringen** (*unreg*) *vt* to bring *od* get together; (*Geld*) to get; (*Sätze*) to put together; **Z~bruch** *m* collapse; **~fassen** *vt* to summarize; (*vereinigen*) to unite; **Z~fassung** *f* summary, résumé; **~fügen** *vt* to join (together), to unite; **~halten** (*unreg*) *vi* to stick together; **Z~hang** *m* connection; **im/aus dem Z~hang** in/out of context; **~hängen** (*unreg*) *vi* to be connected *od* linked; **~kommen** (*unreg*) *vi* to meet, to assemble; (*sich ereignen*) to occur at once *od* together; **~legen** *vt* to put together; (*stapeln*) to pile up; (*falten*) to fold; (*verbinden*) to combine, to unite; (*Termine, Fest*) to amalgamate; (*Geld*) to collect; **~nehmen** (*unreg*) *vt* to summon up ♦ *vr* to pull o.s. together; **alles ~genommen** all in all; **~passen** *vi* to go well together, to match; **~schließen** (*unreg*) *vt, vr* to join (together); **Z~schluß** *m* amalgamation; **~schreiben** (*unreg*) *vt* to write as one word; (*Bericht*) to put together; **Z~sein** (-s) *nt* get-together; **~setzen** *vt* to put together ♦ *vr* (*Stoff*) to be composed of; (*Menschen*) to get together; **Z~setzung** *f* composition; **~stellen** *vt* to put together; to compile; **Z~stoß** *m* collision; **~stoßen** *(unreg) vi* to collide; **~tref-fen** *(unreg) vi* to coincide; *(Menschen)* to meet; **~zählen** *vt* to add up; **~ziehen** *(unreg) vt (verengern)* to draw together; *(vereinigen)* to bring together; *(addieren)* to add up ♦ *vr* to shrink; *(sich bilden)* to form, to develop

zusätzlich ['tsu:zɛtslɪç] *adj* additional ♦ *adv* in addition

zuschauen ['tsu:ʃauən] *vi* to watch, to look on

Zuschauer(in) **(-s, -)** *m(f)* spectator ♦ *pl (THEAT)* audience *sg*

zuschicken ['tsu:ʃɪkən] *vt*: **(jdm etw)** ~ to send *od* to forward (sth to sb)

Zuschlag ['tsu:ʃlak] *m* extra charge, surcharge; **z~en** *(unreg) vt (Tür)* to slam; *(Ball)* to hit; *(bei Auktion)* to knock down; *(Steine etc)* to knock into shape ♦ *vi (Fen-ster, Tür)* to shut; *(Mensch)* to hit, to punch; **~karte** *f (EISENB)* surcharge ticket; **z~pflichtig** *adj* subject to surcharge

zuschneiden ['tsu:ʃnaɪdən] *(unreg) vt* to cut out; to cut to size

zuschrauben ['tsu:ʃraubən] *vt* to screw down *od* up

zuschreiben ['tsu:ʃraɪbən] *(unreg) vt (fig)* to ascribe, to attribute; *(COMM)* to credit

Zuschrift ['tsu:ʃrɪft] *f* letter, reply

zuschulden [tsu'ʃuldən] *adv*: **sich** *dat* **etw** ~ **kommen lassen** to make o.s. guilty of sth

Zuschuß ['tsu:ʃus] *m* subsidy, allowance

zusehen ['tsu:ze:ən] *(unreg) vi* to watch; *(dafür sorgen)* to take care; **jdm/etw** ~ to watch sb/sth; **~ds** *adv* visibly

zusenden ['tsu:zɛndən] *(unreg) vt* to for-ward, to send on

zusichern ['tsu:zɪçərn] *vt*: **jdm etw** ~ to assure sb of sth

zuspielen ['tsu:ʃpi:lən] *vt, vi* to pass

zuspitzen ['tsu:ʃpɪtsən] *vt* to sharpen ♦ *vr (Lage)* to become critical

zusprechen ['tsu:ʃprɛçən] *(unreg) vt (zuer-kennen)* to award ♦ *vi* to speak; **jdm etw** ~ to award sb sth *od* sth to sb; **jdm Trost** ~ to comfort sb; **dem Essen/Alkohol** ~ to eat/drink a lot

Zustand ['tsu:ʃtant] *m* state, condition; **z~e** [tsu'ʃtandə] *adv*: **z~e bringen** to bring about; **z~e kommen** to come about

zuständig ['tsu:ʃtɛndɪç] *adj* responsible; **Z~keit** *f* competence, responsibility

zustehen ['tsu:ʃte:ən] *(unreg) vi*: **jdm** ~ to be sb's right

zustellen ['tsu:ʃtɛlən] *vt (verstellen)* to block; *(Post etc)* to send

zustimmen ['tsu:ʃtɪmən] *vi* to agree

Zustimmung *f* agreement, consent

zustoßen ['tsu:ʃto:sən] *(unreg) vi (fig)* to happen

zutage [tsu'ta:gə] *adv*: ~ **bringen** to bring

to light; ~ **treten** to come to light

Zutaten ['tsu:ta:tən] *pl* ingredients

zuteilen ['tsu:taɪlən] *vt (Arbeit, Rolle)* to designate, assign; *(Aktien, Wohnung)* to allo-cate

zutiefst [tsu'ti:fst] *adv* deeply

zutragen ['tsu:tra:gən] *(unreg) vt* to bring; *(Klatsch)* to tell ♦ *vr* to happen

zutrau- [tsu'trau] *zW*: **Z~en** **(-s)** *nt*: **Z~en (zn)** trust (in); **~en** *vt*: **jdm etw** ~**en** to credit sb with sth; **~lich** *adj* trusting, friendly

zutreffen ['tsu:trɛfən] *(unreg) vi* to be cor-rect; to apply

zutreffend *adj (richtig)* accurate; **Z~es bit-te unterstreichen** please underline where applicable

Zutritt ['tsu:trɪt] *m* access, admittance

Zutun ['tsu:tu:n] **(-s)** *nt* assistance

zuverlässig ['tsu:fɛrlɛsɪç] *adj* reliable; **Z~keit** *f* reliability

zuversichtlich *adj* confident

zuviel [tsu'fi:l] *adv* too much

zuvor [tsu'fo:r] *adv* before, previously; **~kommen** *(unreg) vi* +*dat* to anticipate; **jdm ~kommen** to beat sb to it; **~kom-mend** *adj* obliging, courteous

Zuwachs ['tsu:vaks] **(-es)** *m* increase, growth; *(umg)* addition; **z~en** *(unreg) vi* to become overgrown; *(Wunde)* to heal (up)

zuwege [tsu've:gə] *adv*: **etw** ~ **bringen** to accomplish sth

zuweilen [tsu'vaɪlən] *adv* at times, now and then

zuweisen ['tsu:vaɪzən] *(unreg) vt* to assign, to allocate

zuwenden ['tsu:vɛndən] *(unreg) vt (+dat)* to turn (towards) ♦ *vr*: **sich jdm/etw** ~ to devote o.s. to sth; to turn to sb/sth; **jdm seine Aufmerksamkeit** ~ to give sb one's attention

zuwenig [tsu've:nɪç] *adv* too little

zuwider [tsu'vi:dər] *adv*: **etw ist jdm** ~ sb loathes sth, sb finds sth repugnant; **~han-deln** *vi*: **einer Sache** *dat* **~handeln** to act contrary to sth; **einem Gesetz ~handeln** to contravene a law

zuziehen ['tsu:tsi:ən] *(unreg) vt (schließen: Vorhang)* to draw, to close; *(herbeirufen: Experten)* to call in ♦ *vi* to move in, to come; **sich** *dat* **etw** ~ *(Krankheit)* to catch sth; *(Zorn)* to incur sth

zuzüglich ['tsu:tsy:klɪç] *präp* +*gen* plus, with the addition of

Zwang [tsvaŋ] **(-(e)s, ²e)** *m* compulsion, coercion

zwängen ['tsvɛŋən] *vt, vr* to squeeze

zwanglos *adj* informal

Zwangs- *zW*: **~arbeit** *f* forced labour; *(Strafe)* hard labour; **~lage** *f* predicament, tight corner; **z~läufig** *adj* necessary, inevit-able

zwanzig ['tsvantsıç] *num* twenty
zwar [tsva:r] *adv* to be sure, indeed; **das ist ~ ..., aber ...** that may be ... but ...; **und ~ am Sonntag** on Sunday to be precise; **und ~ so schnell, daß ...** in fact so quickly that ...
Zweck ['tsvɛk] (-(e)s, -e) *m* purpose, aim; **es hat keinen ~** there's no point; **z~dienlich** *adj* practical; expedient
Zwecke *f* hobnail; (*Heft~*) drawing pin, thumbtack (*US*)
Zweck- *zW*: **z~los** *adj* pointless; **z~mäßig** *adj* suitable, appropriate; **z~s** *präp* +*gen* for the purpose of
zwei [tsvaɪ] *num* two; **~deutig** *adj* ambiguous; (*unanständig*) suggestive; **~erlei** *adj*: **~erlei Stoff** two different kinds of material; **~erlei Meinung** of differing opinions; **~fach** *adj* double
Zweifel ['tsvaɪfəl] (-s, -) *m* doubt; **z~haft** *adj* doubtful, dubious; **z~los** *adj* doubtless; **z~n** *vi*: **(an etw** *dat*) **z~n** to doubt (sth)
Zweig [tsvaɪk] (-(e)s, -e) *m* branch; **~stelle** *f* branch (office)
zwei- *zW*: **~hundert** *num* two hundred; **Z~kampf** *m* duel; **~mal** *adv* twice; **~sprachig** *adj* bilingual; **~spurig** *adj* (*AUT*) two-lane; **~stimmig** *adj* for two voices; **Z~taktmotor** *m* two-stroke engine
zweit [tsvaɪt] *adv*: **zu ~** together; (*bei mehreren Paaren*) in twos; **~beste(r, s)** *adj* second best; **~e(r, s)** *adj* second
zweiteilig *adj* (*Gruppe*) two-piece; (*Fernsehfilm*) two-part; (*Kleidung*) two-piece
zweit- *zW*: **~ens** *adv* secondly; **~größte(r, s)** *adj* second largest; **~klassig** *adj* second-class; **~letzte(r, s)** *adj* last but one, penultimate; **~rangig** *adj* second-rate
Zwerchfell ['tsvɛrçfɛl] *nt* diaphragm

Zwerg [tsvɛrk] (-(e)s, -e) *m* dwarf
Zwetsch(g)e ['tsvɛtʃ(g)ə] *f* plum
Zwieback ['tsvi:bak] (-(e)s, -e) *m* rusk
Zwiebel ['tsvi:bəl] (-, -n) *f* onion; (*Blumen~*) bulb
Zwie- ['tsvi:] *zW*: **z~lichtig** *adj* shady, dubious; **z~spältig** *adj* (*Gefühle*) conflicting; (*Charakter*) contradictory; **~tracht** *f* discord, dissension
Zwilling ['tsvılıŋ] (-s, -e) *m* twin; **~e** *pl* (*ASTROL*) Gemini
zwingen ['tsvıŋən] (*unreg*) *vt* to force; **~d** *adj* (*Grund etc*) compelling
zwinkern ['tsvıŋkərn] *vi* to blink; (*absichtlich*) to wink
Zwirn [tsvırn] (-(e)s, -e) *m* thread
zwischen ['tsvıʃən] *präp* (+*akk od dat*) between; **Z~bemerkung** *f* (incidental) remark; **Z~ding** *nt* cross; **~'durch** *adv* in between; (*räumlich*) here and there; **Z~ergebnis** *nt* intermediate result; **Z~fall** *m* incident; **Z~frage** *f* question; **Z~handel** *m* middlemen *pl*; middleman's trade; **Z~landung** *f* (*AVIAT*) stopover; **~menschlich** *adj* interpersonal; **Z~raum** *m* space; **Z~ruf** *m* interjection; **Z~zeit** *f* interval; **in der Z~zeit** in the interim, meanwhile
zwitschern ['tsvıtʃərn] *vt, vi* to twitter, to chirp
zwo [tsvo:] *num* two
zwölf [tsvœlf] *num* twelve
Zyklus ['tsy:klʊs] (-, Zyklen) *m* cycle
Zylinder [tsi'lındər] (-s, -) *m* cylinder; (*Hut*) top hat
Zyniker ['tsy:nikər] (-s, -) *m* cynic
zynisch ['tsy:nıʃ] *adj* cynical
Zypern ['tsy:pərn] *nt* Cyprus
Zyste ['tsystə] *f* cyst
z.Z(t). *abk* = **zur Zeit**

ENGLISH - GERMAN
ENGLISCH - DEUTSCH

A a

A [eɪ] n (MUS) A nt; ~ **road** Hauptverkehrsstraße f

KEYWORD

a [eɪ, ə] (before vowel or silent h: an) indef art **1** ein; eine; **a woman** eine Frau; **a book** ein Buch; **an eagle** ein Adler; **she's a doctor** sie ist Ärztin

2 (instead of the number 'one') ein; eine; **a year ago** vor einem Jahr; **a hundred/thousand** etc **pounds** (ein) hundert/(ein) tausend etc Pfund

3 (in expressing ratios, prices etc) pro; **3 a day/week** 3 pro Tag/Woche, 3 am Tag/in der Woche; **10 km an hour** 10 km pro Stunde/in der Stunde

---

A.A. n abbr = **Alcoholics Anonymous**; (BRIT) **Automobile Association**
A.A.A. (US) n abbr = **American Automobile Association**
aback [ə'bæk] adv: **to be taken** ~ verblüfft sein
abandon [ə'bændən] vt (give up) aufgeben; (desert) verlassen ♦ n Hingabe f
abate [ə'beɪt] vi nachlassen, sich legen
abattoir ['æbətwɑː*] (BRIT) n Schlachthaus nt
abbey ['æbɪ] n Abtei f
abbot ['æbət] n Abt m
abbreviate [ə'briːvɪeɪt] vt abkürzen
abbreviation [əbriːvɪ'eɪʃən] n Abkürzung f
abdicate ['æbdɪkeɪt] vt aufgeben ♦ vi abdanken
abdomen ['æbdəmən] n Unterleib m
abduct [æb'dʌkt] vt entführen
aberration [æbə'reɪʃən] n (geistige) Verwirrung f
abet [ə'bet] vt see **aid**
abeyance [ə'beɪəns] n: **in** ~ in der Schwebe; (disuse) außer Kraft
abhor [əb'hɔː*] vt verabscheuen

abide [ə'baɪd] vt vertragen; leiden; ~ **by** vt sich halten an +acc
ability [ə'bɪlɪtɪ] n (power) Fähigkeit f; (skill) Geschicklichkeit f
abject ['æbdʒekt] adj (liar) übel; (poverty) größte(r, s); (apology) zerknirscht
ablaze [ə'bleɪz] adj in Flammen
able ['eɪbl] adj geschickt, fähig; **to be** ~ **to do sth** etw tun können; ~**-bodied** adj kräftig; (seaman) Voll-
ably ['eɪblɪ] adv geschickt
abnormal [æb'nɔːməl] adj regelwidrig, abnorm
aboard [ə'bɔːd] adv an Bord ♦ prep an Bord +gen
abode [ə'bəʊd] n: **of no fixed** ~ ohne festen Wohnsitz
abolish [ə'bɒlɪʃ] vt abschaffen
abolition [æbə'lɪʃən] n Abschaffung f
abominable [ə'bɒmɪnəbl] adj scheußlich
aborigine [æbə'rɪdʒɪniː] n Ureinwohner m
abort [ə'bɔːt] vt abtreiben; fehlgebären; ~**ion** [ə'bɔːʃən] n Abtreibung f; (miscarriage) Fehlgeburt f; ~**ive** adj mißlungen
abound [ə'baʊnd] vi im Überfluß vorhanden sein; **to** ~ **in** Überfluß haben an +dat

---
KEYWORD

about [ə'baʊt] adv **1** (approximately) etwa, ungefähr; **about a hundred/thousand** etc etwa hundert/tausend etc; **at about 2 o'clock** etwa um 2 Uhr; **I've just about finished** ich bin gerade fertig

2 (referring to place) herum, umher; **to leave things lying about** Sachen herumliegen lassen; **to run/walk** etc **about** herumrennen/gehen etc

3: **to be about to do sth** im Begriff sein, etw zu tun; **he was about to go to bed** er wollte gerade ins Bett gehen

♦ prep **1** (relating to) über +acc; **a book about London** ein Buch über London;

what is it about? worum geht es?; (*book etc*) wovon handelt es?; **we talked about it** wir haben darüber geredet; **what** *or* **how about doing this?** wollen wir das machen? **2** (*referring to place*) um (... herum); **to walk about the town** in der Stadt herumgehen; **her clothes were scattered about the room** ihre Kleider waren über das ganze Zimmer verstreut

about-face [ə'baut'feɪs] *n* Kehrtwendung *f*
about-turn [ə'baut'tɜ:n] *n* Kehrtwendung *f*
above [ə'bʌv] *adv* oben ♦ *prep* über; ~ **all** vor allem; ~ **board** *adj* offen, ehrlich
abrasive [ə'breɪzɪv] *adj* Abschleif-; (*personality*) zermürbend, aufreibend
abreast [ə'brest] *adv* nebeneinander; **to keep ~ of** Schritt halten mit
abridge [ə'brɪdʒ] *vt* (ab)kürzen
abroad [ə'brɔːd] *adv* (*be*) im Ausland; (*go*) ins Ausland
abrupt [ə'brʌpt] *adj* (*sudden*) abrupt, jäh; (*curt*) schroff
abscess ['æbsɪs] *n* Geschwür *nt*
abscond [əb'skɒnd] *vi* flüchten, sich davonmachen
abseil ['æbsaɪl] *vi* (*also:* ~ **down**) sich abseilen
absence ['æbsəns] *n* Abwesenheit *f*
absent ['æbsənt] *adj* abwesend, nicht da; (*lost in thought*) geistesabwesend; ~**ee** [æbsən'tiː] *n* Abwesende(r) *m*; ~**eeism** [æbsən'tiːɪzəm] *n* Fehlen *nt* (am Arbeitsplatz/in der Schule); ~**-minded** *adj* zerstreut
absolute ['æbsəluːt] *adj* absolut; (*power*) unumschränkt; (*rubbish*) vollkommen, rein; ~**ly** [æbsə'luːtlɪ] *adv* absolut, vollkommen; ~**ly!** ganz bestimmt!
absolve [əb'zɒlv] *vt* entbinden; freisprechen
absorb [əb'zɔːb] *vt* aufsaugen, absorbieren; (*fig*) ganz in Anspruch nehmen, fesseln; **to be ~ed in a book** in ein Buch vertieft sein; ~**ent cotton** (*US*) *n* Verbandwatte *f*; ~**ing** *adj* aufsaugend; (*fig*) packend
absorption [əb'zɔːpʃən] *n* Aufsaugung *f*, Absorption *f*; (*fig*) Versunkenheit *f*
abstain [əb'steɪn] *vi* (*in vote*) sich enthalten; **to ~ from** (*keep from*) sich enthalten +*gen*
abstemious [əb'stiːmɪəs] *adj* enthaltsam
abstention [əb'stenʃən] *n* (*in vote*) (Stimm)enthaltung *f*
abstinence ['æbstɪnəns] *n* Enthaltsamkeit *f*
abstract ['æbstrækt] *adj* abstrakt
absurd [əb'sɜːd] *adj* absurd
abundance [ə'bʌndəns] *n:* ~ **(of)** Überfluß *m* (an +*dat*)
abundant [ə'bʌndənt] *adj* reichlich
abuse [*n* ə'bjuːs, *vb* ə'bjuːz] *n* (*rude language*) Beschimpfung *f*; (*ill usage*) Mißbrauch *m*; (*bad practice*) (Amts)mißbrauch

m ♦ *vt* (*misuse*) mißbrauchen
abusive [ə'bjuːsɪv] *adj* beleidigend, Schimpf-
abysmal [ə'bɪzməl] *adj* scheußlich; (*ignorance*) bodenlos
abyss [ə'bɪs] *n* Abgrund *m*
AC *abbr* (= *alternating current*) Wechselstrom *m*
academic [ækə'demɪk] *adj* akademisch; (*theoretical*) theoretisch ♦ *n* Akademiker(in) *m(f)*
academy [ə'kædəmɪ] *n* (*school*) Hochschule *f*; (*society*) Akademie *f*
accelerate [æk'seləreɪt] *vi* schneller werden; (*AUT*) Gas geben ♦ *vt* beschleunigen
acceleration [ækselə'reɪʃən] *n* Beschleunigung *f*
accelerator [ək'seləreɪtə*] *n* Gas(pedal) *nt*
accent ['æksent] *n* Akzent *m*, Tonfall *m*; (*mark*) Akzent *m*; (*stress*) Betonung *f*
accept [ək'sept] *vt* (*take*) annehmen; (*agree to*) akzeptieren; ~**able** *adj* annehmbar; ~**ance** *n* Annahme *f*
access ['ækses] *n* Zugang *m*; ~**ible** [æk'sesɪbl] *adj* (*easy to approach*) zugänglich; (*within reach*) (leicht) erreichbar
accessory [æk'sesərɪ] *n* Zubehörteil *nt*; **toilet accessories** Toilettenartikel *pl*
accident ['æksɪdənt] *n* Unfall *m*; (*coincidence*) Zufall *m*; **by** ~ zufällig; ~**al** [æksɪ'dentl] *adj* unbeabsichtigt; ~**ally** [æksɪ'dentəlɪ] *adv* zufällig; ~**-prone** *adj*: **to be** ~**-prone** zu Unfällen neigen
acclaim [ə'kleɪm] *vt* zujubeln +*dat* ♦ *n* Beifall *m*
acclimate [ə'klaɪmət] (*US*) *vt* = **acclimatize**
acclimatize [ə'klaɪmətaɪz] *vt*: **to become** ~**d (to)** sich gewöhnen (an +*acc*), sich akklimatisieren (in +*dat*)
accolade ['ækəleɪd] *n* Auszeichnung *f*
accommodate [ə'kɒmədeɪt] *vt* unterbringen; (*hold*) Platz haben für; (*oblige*) (aus)helfen +*dat*
accommodating [ə'kɒmədeɪtɪŋ] *adj* entgegenkommend
accommodation [ə'kɒmə'deɪʃən] (*US* ~**s**) *n* Unterkunft *f*
accompany [ə'kʌmpənɪ] *vt* begleiten
accomplice [ə'kʌmplɪs] *n* Helfershelfer *m*, Komplize *m*
accomplish [ə'kʌmplɪʃ] *vt* (*fulfil*) durchführen; (*finish*) vollenden; (*aim*) erreichen; ~**ed** *adj* vollendet, ausgezeichnet; ~**ment** *n* (*skill*) Fähigkeit *f*; (*completion*) Vollendung *f*; (*feat*) Leistung *f*
accord [ə'kɔːd] *n* Übereinstimmung *f* ♦ *vt* gewähren; **of one's own** ~ freiwillig; ~**ing to** nach, laut +*gen*; ~**ance** *n*: **in** ~**ance with** in Übereinstimmung mit; ~**ingly** *adv* danach, dementsprechend
accordion [ə'kɔːdɪən] *n* Akkordeon *nt*
accost [ə'kɒst] *vt* ansprechen

account [əˈkaunt] *n* (*bill*) Rechnung *f*; (*narrative*) Bericht *m*; (*report*) Rechenschaftsbericht *m*; (*in bank*) Konto *nt*; (*importance*) Geltung *f*; ~s *npl* (*FIN*) Bücher *pl*; on ~ auf Rechnung; of no ~ ohne Bedeutung; on no ~ keinesfalls; on ~ of wegen; to take into ~ berücksichtigen; ~ for *vt fus* (*expenditure*) Rechenschaft ablegen für; how do you ~ for that? wie erklären Sie (sich) das?; ~able *adj* verantwortlich; ~ancy [əˈkauntənsı] *n* Buchhaltung *f*; ~ant [əˈkauntənt] *n* Wirtschaftsprüfer(in) *m(f)*; ~ number *n* Kontonummer *f*

accredited [əˈkredıtıd] *adj* (offiziell) zugelassen

accrue [əˈkruː] *vi* sich ansammeln

accumulate [əˈkjuːmjuleıt] *vt* ansammeln ♦ *vi* sich ansammeln

accuracy [ˈækjurəsı] *n* Genauigkeit *f*

accurate [ˈækjurıt] *adj* genau; ~ly *adv* genau, richtig

accusation [ækjuːˈzeıʃən] *n* Anklage *f*, Beschuldigung *f*

accuse [əˈkjuːz] *vt* anklagen, beschuldigen; ~d *n* Angeklagte(r) *mf*

accustom [əˈkʌstəm] *vt*: to ~ sb (to sth) jdn (an etw *acc*) gewöhnen; ~ed *adj* gewohnt

ace [eıs] *n* As *nt*; (*inf*) As *nt*, Kanone *f*

ache [eık] *n* Schmerz *m* ♦ *vi* (*be sore*) schmerzen, weh tun

achieve [əˈtʃiːv] *vt* zustande bringen; (*aim*) erreichen; ~ment *n* Leistung *f*; (*act*) Erreichen *nt*

acid [ˈæsıd] *n* Säure *f* ♦ *adj* sauer, scharf; ~ rain *n* Saure(r) Regen *m*

acknowledge [əkˈnɒlıdʒ] *vt* (*receipt*) bestätigen; (*admit*) zugeben; ~ment *n* Anerkennung *f*; (*letter*) Empfangsbestätigung *f*

acne [ˈæknı] *n* Akne *f*

acorn [ˈeıkɔːn] *n* Eichel *f*

acoustic [əˈkuːstık] *adj* akustisch; ~s *npl* Akustik *f*

acquaint [əˈkweınt] *vt* vertraut machen; to be ~ed with sb mit jdm bekannt sein; ~ance *n* (*person*) Bekannte(r) *mf*; (*knowledge*) Kenntnis *f*

acquiesce [ækwıˈes] *vi*: to ~ (in) sich abfinden (mit)

acquire [əˈkwaıə*] *vt* erwerben

acquisition [ækwıˈzıʃən] *n* Errungenschaft *f*; (*act*) Erwerb *m*

acquisitive [əˈkwızıtıv] *adj* gewinnsüchtig

acquit [əˈkwıt] *vt* (*free*) freisprechen; to ~ o.s. well sich bewähren; ~tal *n* Freispruch *m*

acre [ˈeıkə*] *n* Morgen *m*

acrid [ˈækrıd] *adj* (*smell, taste*) bitter; (*smoke*) beißend

acrimonious [ækrıˈməunıəs] *adj* bitter

acrobat [ˈækrəbæt] *n* Akrobat *m*

across [əˈkrɒs] *prep* über +*acc* ♦ *adv* hinüber, herüber; he lives ~ the river er wohnt auf der anderen Seite des Flusses; ten metres ~ zehn Meter breit; he lives ~ from us er wohnt uns gegenüber; to run/ swim ~ hinüberlaufen/schwimmen

acrylic [əˈkrılık] *adj* Acryl-

act [ækt] *n* (*deed*) Tat *f*; (*JUR*) Gesetz *nt*; (*THEAT*) Akt *m*; (: *turn*) Nummer *f* ♦ *vi* (*take action*) handeln; (*behave*) sich verhalten; (*pretend*) vorgeben; (*THEAT*) spielen ♦ *vt* (*in play*) spielen; to ~ as fungieren als; ~ing *adj* stellvertretend ♦ *n* Schauspielkunst *f*, (*performance*) Aufführung *f*

action [ˈækʃən] *n* (*deed*) Tat *f*, Handlung *f*; (*motion*) Bewegung *f*, (*way of working*) Funktionieren *nt*; (*battle*) Einsatz *m*, Gefecht *nt*; (*lawsuit*) Klage *f*, Prozeß *m*; out of ~ (*person*) nicht einsatzfähig; (*thing*) außer Betrieb; to take ~ etwas unternehmen; ~ replay *n* (*TV*) Wiederholung *f*

activate [ˈæktıveıt] *vt* (*mechanism*) betätigen; (*CHEM, PHYS*) aktivieren

active [ˈæktıv] *adj* (*brisk*) rege, tatkräftig; (*working*) aktiv; (*GRAM*) aktiv, Tätigkeits-; ~ly *adv* aktiv; (*dislike*) offen

activity [ækˈtıvıtı] *n* Aktivität *f*; (*doings*) Unternehmungen *pl*; (*occupation*) Tätigkeit *f*

actor [ˈæktə*] *n* Schauspieler *m*

actress [ˈæktrıs] *n* Schauspielerin *f*

actual [ˈæktjuəl] *adj* wirklich; ~ly *adv* tatsächlich; ~ly no eigentlich nicht

acumen [ˈækjumen] *n* Scharfsinn *m*

acute [əˈkjuːt] *adj* (*severe*) heftig, akut; (*keen*) scharfsinnig

ad [æd] *n abbr* = **advertisement**

A.D. *adv abbr* (= *Anno Domini*) n.Chr.

Adam [ˈædəm] *n* Adam *m*

adamant [ˈædəmənt] *adj* eisern; hartnäckig

adapt [əˈdæpt] *vt* anpassen ♦ *vi*: to ~ (to) sich anpassen (an +*acc*); ~able *adj* anpassungsfähig; ~ation [ædæpˈteıʃən] *n* (*THEAT etc*) Bearbeitung *f*; (*adjustment*) Anpassung *f*; ~er *n* (*ELEC*) Zwischenstecker *m*; ~or *n* (*ELEC*) Zwischenstecker *m*

add [æd] *vt* (*join*) hinzufügen; (*numbers: also:* ~ up) addieren; ~ up *vi* (*make sense*) stimmen; ~ up to *vt fus* ausmachen

adder [ˈædə*] *n* Kreuzotter *f*, Natter *f*

addict [ˈædıkt] *n* Süchtige(r) *mf*; ~ed [əˈdıktıd] *adj*: ~ed to -süchtig; ~ion [əˈdıkʃən] *n* Sucht *f*; ~ive *adj*: to be ~ive süchtig machen

addition [əˈdıʃən] *n* Anhang *m*, Addition *f*; (*MATH*) Addition *f*, Zusammenzählen *nt*; in ~ zusätzlich, außerdem; ~al *adj* zusätzlich, weiter

additive [ˈædıtıv] *n* Zusatz *m*

address [əˈdres] *n* Adresse *f*; (*speech*) Ansprache *f* ♦ *vt* (*letter*) adressieren; (*speak to*) ansprechen; (*make speech to*) eine Ansprache halten an +*acc*

adept ['ædept] *adj* geschickt; **to be ~ at** gut sein in +*dat*

adequate ['ædɪkwɪt] *adj* angemessen

adhere [əd'hɪə*] *vi*: **to ~ to** haften an +*dat*; (*fig*) festhalten an +*dat*

adhesive [əd'hi:zɪv] *adj* klebend; Kleb(e)- ♦ *n* Klebstoff *m*; **~ tape** *n* (*BRIT*) Klebestreifen *m*; (*US*) Heftpflaster *nt*

ad hoc [æd'hɒk] *adj* (*decision, committee*) Ad-hoc- ♦ *adv* (*decide, appoint*) ad hoc

adjacent [ə'dʒeɪsənt] *adj* benachbart; **~ to** angrenzend an +*acc*

adjective ['ædʒɛktɪv] *n* Adjektiv *nt*, Eigenschaftswort *nt*

adjoining [ə'dʒɔɪnɪŋ] *adj* benachbart, Neben-

adjourn [ə'dʒɜːn] *vt* vertagen ♦ *vi* abbrechen

adjudicate [ə'dʒuːdɪkeɪt] *vi* entscheiden, ein Urteil fällen

adjust [ə'dʒʌst] *vt* (*alter*) anpassen; (*put right*) regulieren, richtig stellen ♦ *vi* sich anpassen; **~able** *adj* verstellbar

ad-lib [æd'lɪb] *vt, vi* improvisieren ♦ *adv*: **ad lib** aus dem Stegreif

administer [æd'mɪnɪstə*] *vt* (*manage*) verwalten; (*dispense*) ausüben; (*justice*) sprechen; (*medicine*) geben

administration [ədmɪnɪs'treɪʃən] *n* Verwaltung *f*; (*POL*) Regierung *f*

administrative [əd'mɪnɪstrətɪv] *adj* Verwaltungs-

administrator [əd'mɪnɪstreɪtə*] *n* Verwaltungsbeamte(r) *m*

admiral ['ædmərəl] *n* Admiral *m*

Admiralty ['ædmərəltɪ] (*BRIT*) *n* Admiralität *f*

admiration [ædmɪ'reɪʃən] *n* Bewunderung *f*

admire [əd'maɪə*] *vt* (*respect*) bewundern; (*love*) verehren; **~r** *n* Bewunderer *m*

admission [əd'mɪʃən] *n* (*entrance*) Einlaß *m*; (*fee*) Eintritt(spreis *m*) *m*; (*confession*) Geständnis *nt*

admit [əd'mɪt] *vt* (*let in*) einlassen; (*confess*) gestehen; (*accept*) anerkennen; **~tance** *n* Zulassung *f*; **~tedly** *adv* zugegebenermaßen

admonish [əd'mɒnɪʃ] *vt* ermahnen

ad nauseam [æd'nɔːsɪæm] *adv* (*repeat, talk*) endlos

ado [ə'duː] *n*: **without more ~** ohne weitere Umstände

adolescence [ædə'lɛsns] *n* Jugendalter *nt*

adolescent [ædə'lɛsnt] *adj* jugendlich ♦ *n* Jugendliche(r) *mf*

adopt [ə'dɒpt] *vt* (*child*) adoptieren; (*idea*) übernehmen; **~ion** [ə'dɒpʃən] *n* Adoption *f*, Übernahme *f*

adore [ə'dɔː*] *vt* anbeten; verehren

adorn [ə'dɔːn] *vt* schmücken

Adriatic [eɪdrɪ'ætɪk] *n*: **the ~ (Sea)** die Adria

adrift [ə'drɪft] *adv* Wind und Wellen preisgegeben

adult ['ædʌlt] *n* Erwachsene(r) *mf*

adultery [ə'dʌltərɪ] *n* Ehebruch *m*

advance [əd'vɑːns] *n* (*progress*) Vorrücken *nt*; (*money*) Vorschuß *m* ♦ *vt* (*move forward*) vorrücken; (*money*) vorschießen; (*argument*) vorbringen ♦ *vi* vorwärtsgehen; **in ~** im voraus; **~d** *adj* (*ahead*) vorgerückt; (*modern*) fortgeschritten; (*study*) für Fortgeschrittene; **~ment** *n* Förderung *f*; (*promotion*) Beförderung *f*

advantage [əd'vɑːntɪdʒ] *n* Vorteil *m*; **to have an ~ over sb** jdm gegenüber im Vorteil sein; **to take ~ of** (*misuse*) ausnutzen; (*profit from*) Nutzen ziehen aus; **~ous** [ædvən'teɪdʒəs] *adj* vorteilhaft

advent ['ædvent] *n* Ankunft *f*; **A~** Advent *m*

adventure [əd'ventʃə*] *n* Abenteuer *nt*

adventurous [əd'ventʃərəs] *adj* abenteuerlich, waghalsig

adverb ['ædvɜːb] *n* Adverb *nt*, Umstandswort *nt*

adversary ['ædvəsərɪ] *n* Gegner *m*

adverse ['ædvɜːs] *adj* widrig

adversity [əd'vɜːsɪtɪ] *n* Widrigkeit *f*, Mißgeschick *nt*

advert ['ædvɜːt] *n* Anzeige *f*

advertise ['ædvətaɪz] *vt* werben für ♦ *vi* annoncieren; **to ~ for sth** etw (per Anzeige) suchen

advertisement [əd'vɜːtɪsmənt] *n* Anzeige *f*, Inserat *nt*

advertiser ['ædvətaɪzə*] *n* (*in newspaper etc*) Inserent *m*

advertising ['ædvətaɪzɪŋ] *n* Werbung *f*

advice [əd'vaɪs] *n* Rat(schlag) *m*; (*notification*) Benachrichtigung *f*

advisable [əd'vaɪzəbl] *adj* ratsam

advise [əd'vaɪz] *vt*: **to ~ (sb)** (jdm) raten

advisedly [əd'vaɪzədlɪ] *adv* (*deliberately*) bewußt

adviser *n* Berater *m*

advisory [əd'vaɪzərɪ] *adj* beratend, Beratungs-

advocate [*vb* 'ædvəkeɪt, *n* 'ædvəkət] *vt* vertreten ♦ *n* Befürworter(in) *m(f)*

Aegean [iː'dʒiːən] *n*: **the ~ (Sea)** die Ägäis

aerial ['ɛərɪəl] *n* Antenne *f* ♦ *adj* Luft-

aerobics [ɛər'əubɪks] *n* Aerobic *nt*

aerodynamic ['ɛərəudaɪ'næmɪk] *adj* aerodynamisch

aeroplane ['ɛərəpleɪn] *n* Flugzeug *nt*

aerosol ['ɛərəsɒl] *n* Aerosol *nt*; Sprühdose *f*

aesthetic [ɪs'θɛtɪk] *adj* ästhetisch

afar [ə'fɑː*] *adv*: **from ~** aus der Ferne

affable ['æfəbl] *adj* umgänglich

affair [ə'fɛə*] *n* (*concern*) Angelegenheit *f*; (*event*) Ereignis *nt*; (*love ~*) Verhältnis *nt*; **~s** *npl* (*business*) Geschäfte *pl*

affect [ə'fɛkt] *vt* (*influence*) (ein)wirken auf

+*acc*; (*move deeply*) bewegen; **this change doesn't ~ us** diese Änderung betrifft uns nicht; **~ed** *adj* affektiert, gekünstelt

affection [ə'fekʃən] *n* Zuneigung *f*; **~ate** [ə'fekʃənɪt] *adj* liebevoll

affiliated [ə'fɪlɪeɪtɪd] *adj* angeschlossen

affinity [ə'fɪnɪtɪ] *n* (*attraction*) gegenseitige Anziehung *f*; (*relationship*) Verwandtschaft *f*

affirmation [æfə'meɪʃən] *n* Behauptung *f*

affirmative [ə'fɜːmətɪv] *adj* bestätigend

affix [ə'fɪks] *vt* aufkleben, anheften

afflict [ə'flɪkt] *vt* quälen, heimsuchen

affluence ['æfluəns] *n* (*wealth*) Wohlstand *m*

affluent ['æfluənt] *adj* wohlhabend, Wohlstands-

afford [ə'fɔːd] *vt* sich *dat* leisten; (*yield*) bieten, einbringen

affront [ə'frʌnt] *n* Beleidigung *f*

Afghanistan [æf'gænɪstɑːn] *n* Afghanistan *nt*

afield [ə'fiːld] *adv*: **far ~** weit fort

afloat [ə'fləʊt] *adj*: **to be ~** schwimmen

afoot [ə'fʊt] *adv* im Gang

afraid [ə'freɪd] *adj* ängstlich; **to be ~ of** Angst haben vor +*dat*; **to be ~ to do sth** sich scheuen, etw zu tun; **I am ~ I have ...** ich habe leider ...; **I'm ~ so/not** leider/ leider nicht; **I am ~ that ...** ich fürchte(, daß) ...

afresh [ə'freʃ] *adv* von neuem

Africa ['æfrɪkə] *n* Afrika *nt*; **~n** *adj* afrikanisch ♦ *n* Afrikaner(in) *m(f)*

aft [ɑːft] *adv* achtern

after ['ɑːftə*] *prep* nach; (*following, seeking*) hinter ... *dat* ... her; (*in imitation*) nach, im Stil von ♦ *adv*: **soon ~** bald danach ♦ *conj* nachdem; **what are you ~?** was wollen Sie?; **~ he left** nachdem er gegangen war; **~ you!** nach Ihnen!; **~ all** letzten Endes; **~ having shaved** als er sich rasiert hatte; **~-effects** *npl* Nachwirkungen *pl*; **~math** *n* Auswirkungen *pl*; **~noon** *n* Nachmittag *m*; **~s** (*inf*) *n* (*dessert*) Nachtisch *m*; **~- sales service** (*BRIT*) *n* Kundendienst *m*; **~-shave (lotion)** *n* Rasierwasser *nt*; **~thought** *n* nachträgliche(r) Einfall *m*; **~wards** *adv* danach, nachher

again [ə'gen] *adv* wieder, noch einmal; (*besides*) außerdem, ferner; **~ and** immer wieder

against [ə'genst] *prep* gegen

age [eɪdʒ] *n* (*of person*) Alter *nt*; (*in history*) Zeitalter *nt* ♦ *vi* altern, alt werden ♦ *vt* älter machen; **to come of ~** mündig werden; **20 years of ~** 20 Jahre alt; **it's been ~s since ...** ist lange her, seit ...; **~d¹** *adj* ... Jahre alt, -jährig; **~d²** ['eɪdʒɪd] (*elderly*) betagt ♦ *npl*: **the ~d** die Alten *pl*; **~ group** *n* Altersgruppe *f*; **~ limit** *n* Altersgrenze *f*

agency ['eɪdʒənsɪ] *n* Agentur *f*; Vermittlung

f; (*CHEM*) Wirkung *f*; **through *or* by the ~ of ...** mit Hilfe von ...

agenda [ə'dʒendə] *n* Tagesordnung *f*

agent ['eɪdʒənt] *n* (*COMM*) Vertreter *m*; (*spy*) Agent *m*

aggravate ['ægrəveɪt] *vt* (*make worse*) verschlimmern; (*irritate*) reizen

aggregate ['ægrɪgɪt] *n* Summe *f*

aggression [ə'greʃən] *n* Aggression *f*

aggressive [ə'gresɪv] *adj* aggressiv

aggrieved [ə'griːvd] *adj* bedrückt, verletzt

aghast [ə'gɑːst] *adj* entsetzt

agile ['ædʒaɪl] *adj* flink; agil; (*mind*) rege

agitate ['ædʒɪteɪt] *vt* rütteln; **to ~ for** sich starkmachen für

ago [ə'gəʊ] *adv*: **two days ~** vor zwei Tagen; **not long ~** vor kurzem; **it's so long ~** es ist schon so lange her

agog [ə'gog] *adj* gespannt

agonizing ['ægənaɪzɪŋ] *adj* quälend

agony ['ægənɪ] *n* Qual *f*; **to be in ~** Qualen leiden

agree [ə'griː] *vt* (*date*) vereinbaren ♦ *vi* (*have same opinion, correspond*) übereinstimmen; (*consent*) zustimmen; (*be in harmony*) sich vertragen; **to ~ to sth** einer Sache *dat* zustimmen; **to ~ that ...** (*admit*) zugeben, daß ...; **to ~ to do sth** sich bereit erklären, etw zu tun; **garlic doesn't ~ with me** Knoblauch vertrage ich nicht; **I ~** einverstanden, ich stimme zu; **to ~ on sth** sich auf etw *acc* einigen; **~able** *adj* (*pleasing*) liebenswürdig; (*willing to consent*) einverstanden; **~d** *adj* vereinbart; **~ment** *n* (*agreeing*) Übereinstimmung *f*; (*contract*) Vereinbarung *f*, Vertrag *m*; **to be in ~ment** übereinstimmen

agricultural [ægrɪ'kʌltʃərəl] *adj* landwirtschaftlich, Landwirtschafts-

agriculture ['ægrɪkʌltʃə*] *n* Landwirtschaft *f*

aground [ə'graʊnd] *adv*: **to run ~** auf Grund laufen

ahead [ə'hed] *adv* vorwärts; **to be ~** voraus sein; **~ of time** der Zeit voraus; **go right *or* straight ~** gehen Sie geradeaus; fahren Sie geradeaus

aid [eɪd] *n* (*assistance*) Hilfe *f*, Unterstützung *f*; (*person*) Hilfe *f*; (*thing*) Hilfsmittel *nt* ♦ *vt* unterstützen, helfen +*dat*; **in ~ of** zugunsten +*gen*; **to ~ and abet sb** jdm Beihilfe leisten

aide [eɪd] *n* (*person*) Gehilfe *m*; (*MIL*) Adjutant *m*

AIDS [eɪdz] *n abbr* (= *acquired immune deficiency syndrome*) Aids *nt*

ailing ['eɪlɪŋ] *adj* kränkelnd

ailment ['eɪlmənt] *n* Leiden *nt*

aim [eɪm] *vt* (*gun, camera*) richten ♦ *vi* (*with gun: also*: **take ~**) zielen; (*intend*) beabsichtigen ♦ *n* (*intention*) Absicht *f*, Ziel *nt*; (*pointing*) Zielen *nt*, Richten *nt*; **to ~ at**

sth auf etw *dat* richten; (*fig*) etw anstreben;
to ~ to do sth vorhaben, etw zu tun;
~less *adj* ziellos; **~lessly** *adv* ziellos
ain't [eɪnt] (*inf*) = **am not; are not; is not;
has not; have not**
air [eə*] *n* Luft *f*; (*manner*) Miene *f*, Anschein *m*; (*MUS*) Melodie *f* ♦ *vt* lüften; (*fig*)
an die Öffentlichkeit bringen ♦ *cpd* Luft-;
by ~ (*travel*) auf dem Luftweg; **to be on
the ~** (*RADIO, TV: programme*) gesendet
werden; **~bed** (*BRIT*) *n* Luftmatratze *f*; **~-
borne** *adj* in der Luft; **~-conditioned** *adj*
mit Klimaanlage; **~-conditioning** *n* Klimaanlage *f*; **~craft** *n* Flugzeug *nt*, Maschine *f*; **~craft carrier** *n* Flugzeugträger *m*;
~field *n* Flugplatz *m*; **~ force** *n* Luftwaffe
f; **~ freshener** *n* Raumspray *nt*; **~gun** *n*
Luftgewehr *nt*; **~ hostess** (*BRIT*) *n* Stewar-
deß *f*; **~ letter** (*BRIT*) *n* Luftpostbrief *m*;
~lift *n* Luftbrücke *f*; **~line** *n* Luftverkehrs-
gesellschaft *f*; **~liner** *n* Verkehrsflugzeug
nt; **~lock** *n* Luftblase *f*; **~mail** *n*: **by
~mail** mit Luftpost; **~plane** (*US*) *n* Flugzeug *nt*; **~port** *n* Flughafen *m*, Flugplatz
m; **~ raid** *n* Luftangriff *m*; **~sick** *adj* luft-
krank; **~space** *n* Luftraum *m*; **~strip** *n*
Landestreifen *m*; **~ terminal** *n* Terminal
m; **~tight** *adj* luftdicht; **~ traffic controller** *n* Fluglotse *m*; **~y** *adj* luftig; (*manner*)
leichtfertig
aisle [aɪl] *n* Gang *m*
ajar [ə'dʒɑː*] *adv* angelehnt; einen Spalt offen
akin [ə'kɪn] *adj*: **~ to** ähnlich +*dat*
alacrity [ə'lækrɪtɪ] *n* Bereitwilligkeit *f*
alarm [ə'lɑːm] *n* (*warning*) Alarm *m*; (*bell
etc*) Alarmanlage *f*; (*anxiety*) Sorge *f* ♦ *vt*
erschrecken; **~ call** *n* (*in hotel etc*)
Weckruf *m*; **~ clock** *n* Wecker *m*
alas [ə'læs] *excl* ach
Albania [æl'beɪnɪə] *n* Albanien *nt*
albeit [ɔːl'biːɪt] *conj* obgleich
album ['ælbəm] *n* Album *nt*
alcohol ['ælkəhɒl] *n* Alkohol *m*; **~ic**
[ælkə'hɒlɪk] *adj* (*drink*) alkoholisch ♦ *n* Al-
koholiker(in) *m(f)*; **~ism** *n* Alkoholismus
m
ale [eɪl] *n* Ale *nt*
alert [ə'lɜːt] *adj* wachsam ♦ *n* Alarm *m* ♦ *vt*
alarmieren; **to be on the ~** wachsam sein
algebra ['ældʒɪbrə] *n* Algebra *f*
Algeria [æl'dʒɪərɪə] *n* Algerien *nt*
alias ['eɪlɪəs] *adv* alias ♦ *n* Deckname *m*
alibi ['ælɪbaɪ] *n* Alibi *nt*
alien ['eɪlɪən] *n* Ausländer *m* ♦ *adj* (*foreign*)
ausländisch; (*strange*) fremd; **~ to** fremd
+*dat*; **~ate** *vt* entfremden
alight [ə'laɪt] *adj* brennend; (*of building*) in
Flammen ♦ *vi* (*descend*) aussteigen; (*bird*)
sich setzen
align [ə'laɪn] *vt* ausrichten
alike [ə'laɪk] *adj* gleich, ähnlich ♦ *adv*

gleich, ebenso; **to look ~** sich *dat* ähnlich
sehen
alimony ['ælɪmənɪ] *n* Unterhalt *m*, Alimente *pl*
alive [ə'laɪv] *adj* (*living*) lebend; (*lively*) lebendig, aufgeweckt; **~ (with)** (*full of*) voll
(von), wimmelnd (von)

--- **KEYWORD**

all [ɔːl] *adj* alle(r, s); **all day/night** den ganzen Tag/die ganze Nacht; **all men are
equal** alle Menschen sind gleich; **all five
came** alle fünf kamen; **all the books/food**
die ganzen Bücher/das ganze Essen; **all the
time** die ganze Zeit (über); **all his life** sein
ganzes Leben (lang)
♦ *pron* **1** alles; **I ate it all, I ate all of it** ich
habe alles gegessen; **all of us/the boys
went** wir gingen alle/alle Jungen gingen;
we all sat down wir setzten uns alle
2 (*in phrases*): **above all** vor allem; **after
all** schließlich; **at all: not at all** (*in answer
to question*) überhaupt nicht; (*in answer to
thanks*) gern geschehen; **I'm not at all tired**
ich bin überhaupt nicht müde; **anything at
all will do** es ist egal, welche(r, s); **all in all**
alles in allem
♦ *adv* ganz; **all alone** ganz allein; **it's not
as hard as all that** so schwer ist es nun
auch wieder nicht; **all the more/the better**
um so mehr/besser; **all but** fast; **the score
is 2 all** es steht 2 zu 2

allay [ə'leɪ] *vt* (*fears*) beschwichtigen
all clear ['ɔːl'klɪə*] *n* Entwarnung *f*
allegation [ælɪ'geɪʃən] *n* Behauptung *f*
allege [ə'ledʒ] *vt* (*declare*) behaupten;
(*falsely*) vorgeben; **~dly** [ə'ledʒɪdlɪ] *adv* angeblich
allegiance [ə'liːdʒəns] *n* Treue *f*
allergic [ə'lɜːdʒɪk] *adj*: **~ (to)** allergisch
(gegen)
allergy ['ælədʒɪ] *n* Allergie *f*
alleviate [ə'liːvɪeɪt] *vt* lindern
alley ['ælɪ] *n* Gasse *f*, Durchgang *m*
alliance [ə'laɪəns] *n* Bund *m*, Allianz *f*
allied ['ælaɪd] *adj* vereinigt; (*powers*) alliiert;
~ (to) verwandt (mit)
alligator ['ælɪgeɪtə*] *n* Alligator *m*
all-in ['ɔːlɪn] *adj, adv* (*charge*) alles
inbegriffen, Gesamt-; **~ wrestling** *n* Frei-
stilringen *nt*
all-night ['ɔːl'naɪt] *adj* (*café, cinema*) die
ganze Nacht geöffnet, Nacht-
allocate ['æləkeɪt] *vt* zuteilen
allot [ə'lɒt] *vt* zuteilen; **~ment** *n* (*share*)
Anteil *m*; (*plot*) Schrebergarten *m*
all-out ['ɔːl'aʊt] *adj* total; **all out** *adv* mit
voller Kraft
allow [ə'laʊ] *vt* (*permit*) erlauben (*sb jdm*),
gestatten; (*grant*) bewilligen; (*deduct*) abziehen; (*concede*): **to ~ that ...** annehmen,

daß **to ~ sb sth** jdm etw erlauben, jdm etw gestatten; **to ~ sb to do sth** jdm erlauben *or* gestatten, etw zu tun; **~ for** *vt fus* berücksichtigen, einplanen; **~ance** *n* Beihilfe *f*; **to make ~ances for** berücksichtigen

alloy ['ælɔɪ] *n* Metallegierung *f*

all right *adv* (*well*) gut; (*correct*) richtig; (*as answer*) okay

all-round ['ɔːl'raʊnd] *adj* (*sportsman*) allseitig, Allround-; (*view*) Rundum-

all-time ['ɔːl'taɪm] *adj* (*record, high*) ... aller Zeiten, Höchst-

allude [ə'luːd] *vi*: **to ~ to** hinweisen auf +*acc*, anspielen auf +*acc*

alluring [ə'ljʊərɪŋ] *adj* verlockend

allusion [ə'luːʒən] *n* Anspielung *f*

ally [*n* 'ælaɪ, *vb* ə'laɪ] *n* Verbündete(r) *mf*; (*POL*) Alliierte(r) *m* ♦ *vr*: **to ~ o.s. with** sich verbünden mit

almighty [ɔːl'maɪtɪ] *adj* allmächtig

almond ['ɑːmənd] *n* Mandel *f*

almost ['ɔːlmoʊst] *adv* fast, beinahe

alms [ɑːmz] *npl* Almosen *nt*

aloft [ə'lɒft] *adv* (*be*) in der Luft; (*throw*) in die Luft

alone [ə'loʊn] *adj, adv* allein; **to leave sth ~** etw sein lassen; **let ~** ... geschweige denn ...

along [ə'lɒŋ] *prep* entlang, längs ♦ *adv* (*onward*) vorwärts, weiter; **~ with** zusammen mit; **he was limping ~** er humpelte einher; **all ~** (*all the time*) die ganze Zeit; **~side** *adv* (*walk*) nebenher; (*come*) nebendran; (*be*) daneben ♦ *prep* (*walk, compared with*) neben +*dat*; (*come*) neben +*acc*; (*be*) entlang, neben +*dat*; (*of ship*) längsseits +*gen*

aloof [ə'luːf] *adj* zurückhaltend ♦ *adv* fern; **to stand ~** abseits stehen

aloud [ə'laʊd] *adv* laut

alphabet ['ælfəbet] *n* Alphabet *nt*; **~ical** [ælfə'betɪkl] *adj* alphabetisch

alpine ['ælpaɪn] *adj* alpin, Alpen-

Alps [ælps] *npl*: **the ~** die Alpen *pl*

already [ɔːl'redɪ] *adv* schon, bereits

alright ['ɔːl'raɪt] (*BRIT*) *adv* = **all right**

Alsatian [æl'seɪʃən] *n* (*dog*) Schäferhund *m*

also ['ɔːlsoʊ] *adv* auch, außerdem

altar ['ɔːltə*] *n* Altar *m*

alter ['ɔːltə*] *vt* ändern; (*dress*) umändern; **~ation** [ɒltə'reɪʃən] *n* Änderung *f*, Umänderung *f*; (*to building*) Umbau *m*

alternate [*adj* ɒl'tɜːnɪt, *vb* 'ɒltɜːneɪt] *adj* abwechselnd ♦ *vi* abwechseln; **on ~ days** jeden zweiten Tag

alternating ['ɒltəneɪtɪŋ] *adj*: **~ current** Wechselstrom *m*

alternative [ɒl'tɜːnətɪv] *adj* andere(r, s) ♦ *n* Alternative *f*; **~ly** *adv* im anderen Falle; **~ly one could** ... oder man könnte ...

alternator ['ɒltɜːneɪtə*] *n* (*AUT*) Lichtmaschine *f*

although [ɔːl'ðoʊ] *conj* obwohl

altitude ['æltɪtjuːd] *n* Höhe *f*

alto ['æltoʊ] *n* Alt *m*

altogether [ɔːltə'geðə*] *adv* (*on the whole*) im ganzen genommen; (*entirely*) ganz und gar

aluminium [æljʊ'mɪnɪəm] (*BRIT*) *n* Aluminium *nt*

aluminum [ə'luːmɪnəm] (*US*) *n* Aluminium *nt*

always ['ɔːlweɪz] *adv* immer

Alzheimer's (disease) ['æltsheɪməz-] *n* (*MED*) Alzheimer-Krankheit *f*

am [æm] *see* be

a.m. *adv abbr* (= *ante meridiem*) vormittags

amalgamate [ə'mælgəmeɪt] *vi* (*combine*) sich vereinigen ♦ *vt* (*mix*) amalgamieren

amass [ə'mæs] *vt* anhäufen

amateur ['æmətə*] *n* Amateur *m*; (*pej*) Amateur *m*, Stümper *m*; **~ish** (*pej*) *adj* dilettantisch, stümperhaft

amaze [ə'meɪz] *vt* erstaunen; **to be ~d (at)** erstaunt sein (über); **~ment** *n* höchste(s) Erstaunen *nt*

amazing [ə'meɪzɪŋ] *adj* höchst erstaunlich

Amazon ['æməzən] *n* (*GEOG*) Amazonas *m*

ambassador [æm'bæsədə*] *n* Botschafter *m*

amber ['æmbə*] *n* Bernstein *m*; **at ~** (*BRIT*: *AUT*) (auf) gelb

ambiguous [æm'bɪgjʊəs] *adj* zweideutig; (*not clear*) unklar

ambition [æm'bɪʃən] *n* Ehrgeiz *m*

ambitious [æm'bɪʃəs] *adj* ehrgeizig

ambivalent [æm'bɪvələnt] *n* (*attitude*) zwiespältig

amble ['æmbl] *vi* (*usu*: **~ along**) schlendern

ambulance ['æmbjʊləns] *n* Krankenwagen *m*; **~man** (*irreg*) *n* Sanitäter *m*

ambush ['æmbʊʃ] *n* Hinterhalt *m* ♦ *vt* (aus dem Hinterhalt) überfallen

amenable [ə'miːnəbl] *adj* gefügig; **~ (to)** (*reason*) zugänglich (+*dat*); (*flattery*) empfänglich (für); (*law*) unterworfen (+*dat*)

amend [ə'mend] *vt* (*law etc*) abändern, ergänzen; **to make ~s** etw wiedergutmachen; **~ment** *n* Abänderung *f*

amenities [ə'miːnɪtɪz] *npl* Einrichtungen *pl*

America [ə'merɪkə] *n* Amerika *nt*; **~n** *adj* amerikanisch ♦ *n* Amerikaner(in) *m(f)*

amiable ['eɪmɪəbl] *adj* liebenswürdig

amicable ['æmɪkəbl] *adj* freundschaftlich; (*settlement*) gütlich

amid(st) [ə'mɪd(st)] *prep* mitten in *or* unter +*dat*

amiss [ə'mɪs] *adv*: **to take sth ~** etw übelnehmen; **there's something ~** da stimmt irgend etwas nicht

ammonia [ə'moʊnɪə] *n* Ammoniak *nt*

ammunition [æmjʊ'nɪʃən] *n* Munition *f*

amnesia [æm'niːzɪə] *n* Gedächtnisverlust *m*

amnesty ['æmnɪstɪ] *n* Amnestie *f*

amok [ə'mɔk] adv: **to run ~** Amok laufen
among(st) [ə'mʌŋ(st)] prep unter
amoral [eɪ'mɔrəl] adj unmoralisch
amorous ['æmərəs] adj verliebt
amount [ə'maʊnt] n (of money) Betrag m; (of water, sand) Menge f ♦ vi: **to ~ to** (total) sich belaufen auf +acc; **a great ~ of time/energy** ein großer Aufwand an Zeit/ Energie (dat); **this ~s to treachery** das kommt Verrat gleich; **it ~s to the same** es läuft aufs gleiche hinaus; **he won't ~ to much** aus ihm wird nie was
amp(ere) ['æmp(εə*)] n Ampere nt
amphibian [æm'fɪbɪən] n Amphibie f
amphibious [æm'fɪbɪəs] adj amphibisch, Amphibien-
ample ['æmpl] adj (portion) reichlich; (dress) weit, groß; **~ time** genügend Zeit
amplifier ['æmplɪfaɪə*] n Verstärker m
amuse [ə'mjuːz] vt (entertain) unterhalten; (make smile) belustigen; **~ment** n (feeling) Unterhaltung f; (recreation) Zeitvertreib m; **~ment arcade** n Spielhalle f
an [æn] see a
anaemia [ə'niːmɪə] n Anämie f
anaemic [ə'niːmɪk] adj blutarm
anaesthetic [ænɪs'θetɪk] n Betäubungsmittel nt; **under ~** unter Narkose
anaesthetist [æ'niːsθɪtɪst] n Anästhesist(in) m(f)
analgesic [ænæl'dʒiːsɪk] n schmerzlindernde(s) Mittel nt
analog(ue) ['ænəlɔg] adj Analog-
analogy [ə'nælədʒɪ] n Analogie f
analyse ['ænəlaɪz] (BRIT) vt analysieren
analyses [ə'næləsiːz] (BRIT) npl of **analysis**
analysis [ə'næləsɪs] (pl **analyses**) n Analyse f
analyst ['ænəlɪst] n Analytiker(in) m(f)
analytic(al) [ænə'lɪtɪk(əl)] adj analytisch
analyze ['ænəlaɪz] (US) vt = **analyse**
anarchy ['ænəkɪ] n Anarchie f
anathema [ə'næθɪmə] n (fig) Greuel nt
anatomy [ə'nætəmɪ] n (structure) anatomische(r) Aufbau m; (study) Anatomie f
ancestor ['ænsestə*] n Vorfahr m
anchor ['æŋkə*] n Anker m ♦ vi (also: **to drop ~**) ankern, vor Anker gehen ♦ vt verankern; **to weigh ~** den Anker lichten
anchovy ['æntʃəvɪ] n Sardelle f
ancient ['eɪnʃənt] adj alt; (car etc) uralt
ancillary [æn'sɪlərɪ] adj Hilfs-
and [ænd] conj und; **~ so on** und so weiter; **try ~ come** versuche zu kommen; **better ~ better** immer besser
Andes ['ændiːz] npl: **the ~** die Anden pl
anemia [ə'niːmɪə] (US) n = **anaemia**
anesthetic [ænɪs'θetɪk] (US) n = **anaesthetic**
anew [ə'njuː] adv von neuem
angel ['eɪndʒəl] n Engel m
anger ['æŋgə*] n Zorn m ♦ vt ärgern

angina [æn'dʒaɪnə] n Angina f
angle ['æŋgl] n Winkel m; (point of view) Standpunkt m
angler n Angler m
Anglican ['æŋglɪkən] adj anglikanisch ♦ n Anglikaner(in) m(f)
angling ['æŋglɪŋ] n Angeln nt
Anglo- ['æŋgləʊ] prefix Anglo-
angrily ['æŋgrɪlɪ] adv ärgerlich, böse
angry ['æŋgrɪ] adj ärgerlich, ungehalten, böse; (wound) entzündet; **to be ~ with sb** auf jdn böse sein; **to be ~ at sth** über etw acc verärgert sein
anguish ['æŋgwɪʃ] n Qual f
angular ['æŋgjʊlə*] adj eckig, winkelförmig; (face) kantig
animal ['ænɪməl] n Tier nt; (living creature) Lebewesen nt ♦ adj tierisch
animate [vb 'ænɪmeɪt, adj 'ænɪmət] vt beleben ♦ adj lebhaft; **~d** adj lebendig; (film) Zeichentrick-
animosity [ænɪ'mɔsɪtɪ] n Feindseligkeit f, Abneigung f
aniseed ['ænɪsiːd] n Anis m
ankle ['æŋkl] n (Fuß)knöchel m; **~ sock** n Söckchen nt
annex [n 'æneks, vb ə'neks] n (also: BRIT: annexe) Anbau m ♦ vt anfügen; (POL) annektieren, angliedern
annihilate [ə'naɪəleɪt] vt vernichten
anniversary [ænɪ'vɜːsərɪ] n Jahrestag m
annotate ['ænəteɪt] vt kommentieren
announce [ə'naʊns] vt ankündigen, anzeigen; **~ment** n Ankündigung f; (official) Bekanntmachung f; **~r** n Ansager(in) m(f)
annoy [ə'nɔɪ] vt ärgern; **don't get ~ed!** reg' dich nicht auf!; **~ance** n Ärgernis nt, Störung f; **~ing** adj ärgerlich; (person) lästig
annual ['ænjʊəl] adj jährlich; (salary) Jahres- ♦ n (plant) einjährige Pflanze f; (book) Jahrbuch nt; **~ly** adv jährlich
annul [ə'nʌl] vt aufheben, annullieren
annum ['ænəm] n see **per**
anomaly [ə'nɔməlɪ] n Abweichung f von der Regel
anonymous [ə'nɔnɪməs] adj anonym
anorak ['ænəræk] n Anorak m, Windjacke f
anorexia [ænə'reksɪə] n (MED) Magersucht f
another [ə'nʌðə*] adj, pron (different) ein(e) andere(r, s); (additional) noch eine(r, s); see also **one**
answer ['ɑːnsə*] n Antwort f ♦ vi antworten; (on phone) sich melden ♦ vt (person) antworten +dat; (letter, question) beantworten; (telephone) gehen an +acc, abnehmen; (door) öffnen; **in ~ to your letter** in Beantwortung Ihres Schreibens; **to ~ the phone** ans Telefon gehen; **to ~ the bell** or **the door** aufmachen; **~ back** vi frech sein; **~ for** vt: **to ~ for sth** für etw verantwort-

lich sein; ~**able** *adj*: **to be ~able to sb for sth** jdm gegenüber für etw verantwortlich sein; ~**ing machine** *n* Anrufbeantworter *m*

ant [ænt] *n* Ameise *f*

antagonism [æn'tægənɪzəm] *n* Antagonismus *m*

antagonize [æn'tægənaɪz] *vt* reizen

Antarctic [ænt'ɑːktɪk] *adj* antarktisch ♦ *n*: **the ~** die Antarktis

antelope ['æntɪləʊp] *n* Antilope *f*

antenatal [æntɪ'neɪtl] *adj* vor der Geburt; **~ clinic** *n* Sprechstunde *f* für werdende Mütter

antenna [æn'tenə] *n* (*BIOL*) Fühler *m*; (*RADIO*) Antenne *f*

antennae [æn'teniː] *npl of* **antenna**

anthem ['ænθəm] *n* Hymne *f*; **national ~** Nationalhymne *f*

anthology [æn'θɒlədʒɪ] *n* Gedichtsammlung *f*, Anthologie *f*

anti- ['æntɪ] *prefix* Gegen-, Anti-

anti-aircraft ['æntɪ'eəkrɑːft] *adj* Flugabwehr-

antibiotic ['æntɪbaɪ'ɒtɪk] *n* Antibiotikum *nt*

antibody ['æntɪbɒdɪ] *n* Antikörper *m*

anticipate [æn'tɪsɪpeɪt] *vt* (*expect: trouble, question*) erwarten, rechnen mit; (*look forward to*) sich freuen auf +*acc*; (*do first*) vorwegnehmen; (*foresee*) ahnen, vorhersehen

anticipation [æntɪsɪ'peɪʃən] *n* Erwartung *f*; (*foreshadowing*) Vorwegnahme *f*

anticlimax ['æntɪ'klaɪmæks] *n* Ernüchterung *f*

anticlockwise ['æntɪ'klɒkwaɪz] *adv* entgegen dem Uhrzeigersinn

antics ['æntɪks] *npl* Possen *pl*

anticyclone ['æntɪ'saɪkləʊn] *n* Hoch *nt*, Hochdruckgebiet *nt*

antidote ['æntɪdəʊt] *n* Gegenmittel *nt*

antifreeze ['æntɪfriːz] *n* Frostschutzmittel *nt*

antihistamine [æntɪ'hɪstəmiːn] *n* Antihistamin *nt*

antiquated ['æntɪkweɪtɪd] *adj* antiquiert

antique [æn'tiːk] *n* Antiquität *f* ♦ *adj* antik; (*old-fashioned*) altmodisch; **~ shop** *n* Antiquitätenladen *m*

antiquity [æn'tɪkwɪtɪ] *n* Altertum *nt*

antiseptic [æntɪ'septɪk] *n* Antiseptikum *nt* ♦ *adj* antiseptisch

antisocial [æntɪ'səʊʃl] *adj* (*person*) ungesellig; (*law*) unsozial

antlers ['æntləz] *npl* Geweih *nt*

anus ['eɪnəs] *n* After *m*

anvil ['ænvɪl] *n* Amboß *m*

anxiety [æŋ'zaɪətɪ] *n* Angst *f*; (*worry*) Sorge *f*

anxious ['æŋkʃəs] *adj* ängstlich; (*worried*) besorgt; **to be ~ to do sth** etw unbedingt tun wollen

<hr>

KEYWORD

any ['enɪ] *adj* **1** (*in questions etc*): **have you any butter?** haben Sie (etwas) Butter?; **have you any children?** haben Sie Kinder?; **if there are any tickets left** falls noch Karten da sind

2 (*with negative*): **I haven't any money/ books** ich habe kein Geld/keine Bücher

3 (*no matter which*) jede(r, s) (beliebige); **any colour (at all)** jede beliebige Farbe; **choose any book you like** nehmen Sie ein beliebiges Buch

4 (*in phrases*): **in any case** in jedem Fall; **any day now** jeden Tag; **at any moment** jeden Moment; **at any rate** auf jeden Fall

♦ *pron* **1** (*in questions etc*): **have you got any?** haben Sie welche?; **can any of you sing?** kann (irgend)einer von euch singen?

2 (*with negative*): **I haven't any (of them)** ich habe keinen/keines (davon)

3 (*no matter which one(s)*): **take any of those books (you like)** nehmen Sie irgendeines dieser Bücher

♦ *adv* **1** (*in questions etc*): **do you want any more soup/sandwiches?** möchten Sie noch Suppe/Brote?; **are you feeling any better?** fühlen Sie sich etwas besser?

2 (*with negative*): **I can't hear him any more** ich kann ihn nicht mehr hören

<hr>

anybody ['enɪbɒdɪ] *pron* (*no matter who*) jede(r); (*in questions etc*) (irgend) jemand, (irgend) eine(r); (*with negative*): **I can't see ~** ich kann niemanden sehen

anyhow ['enɪhaʊ] *adv* (*at any rate*): **I shall go ~** ich gehe sowieso; (*haphazardly*): **do it ~** machen Sie es, wie Sie wollen

anyone ['enɪwʌn] *pron* = **anybody**

<hr>

KEYWORD

anything ['enɪθɪŋ] *pron* **1** (*in questions etc*) (irgend) etwas; **can you see anything?** können Sie etwas sehen?

2 (*with negative*): **I can't see anything** ich kann nichts sehen

3 (*no matter what*): **you can say anything you like** Sie können sagen, was Sie wollen; **anything will do** irgend etwas(, wird genügen), irgendeine(r, s) (wird genügen); **he'll eat anything** er ißt alles

<hr>

anyway ['enɪweɪ] *adv* (*at any rate*) auf jeden Fall; (*besides*): **~, I couldn't come even if I wanted to** jedenfalls könnte ich nicht kommen, selbst wenn ich wollte; **why are you phoning, ~?** warum rufst du überhaupt an?

anywhere ['enɪweə*] *adv* (*in questions etc*) irgendwo; (: *with direction*) irgendwohin; (*no matter where*) überall; (: *with direction*) überallhin; (*with negative*): **I can't see him**

~ ich kann ihn nirgendwo *or* nirgends sehen; **can you see him** ~? siehst du ihn irgendwo?; **put the books down** ~ leg die Bücher irgendwohin
apart [ə'pɑːt] *adv* (*parted*) auseinander; (*away*) beiseite, abseits; **10 miles** ~ 10 Meilen auseinander; **to take** ~ auseinandernehmen; ~ **from** *prep* außer
apartheid [ə'pɑːteɪt] *n* Apartheid *f*
apartment [ə'pɑːtmənt] (*US*) *n* Wohnung *f*; ~ **building** (*US*) *n* Wohnhaus *nt*
apathy ['æpəθɪ] *n* Teilnahmslosigkeit *f*, Apathie *f*
ape [eɪp] *n* (Menschen)affe *m* ♦ *vt* nachahmen
aperitif *n* Aperitif *m*
aperture ['æpətjʊə*] *n* Öffnung *f*; (*PHOT*) Blende *f*
apex ['eɪpeks] *n* Spitze *f*
apiece [ə'piːs] *adv* pro Stück; (*per person*) pro Kopf
apologetic [əpɒlə'dʒetɪk] *adj* entschuldigend; **to be** ~ sich sehr entschuldigen
apologize [ə'pɒlədʒaɪz] *vi*: **to** ~ **(for sth to sb)** sich (für etw bei jdm) entschuldigen
apology [ə'pɒlədʒɪ] *n* Entschuldigung *f*
apostle [ə'pɒsl] *n* Apostel *m*
apostrophe [ə'pɒstrəfɪ] *n* Apostroph *m*
appal [ə'pɔːl] *vt* erschrecken; ~**ling** [ə'pɔːlɪŋ] *adj* schrecklich
apparatus [æpə'reɪtəs] *n* Gerät *nt*
apparel [ə'pærəl] (*US*) *n* Kleidung *f*
apparent [ə'pærənt] *adj* offenbar; ~**ly** *adv* anscheinend
apparition [æpə'rɪʃən] *n* (*ghost*) Erscheinung *f*, Geist *m*; (*appearance*) Erscheinen *nt*
appeal [ə'piːl] *vi* dringend ersuchen; (*JUR*) Berufung einlegen ♦ *n* Aufruf *m*; (*JUR*) Berufung *f*; **to** ~ **for** dringend bitten um; **to** ~ **to** sich wenden an +*acc*; (*to public*) appellieren an +*acc*; **it doesn't** ~ **to me** es gefällt mir nicht; ~**ing** *adj* ansprechend
appear [ə'pɪə*] *vi* (*come into sight*) erscheinen; (*be seen*) auftauchen; (*seem*) scheinen; **it would** ~ **that ...** anscheinend ...; ~**ance** (*coming into sight*) Erscheinen *nt*; (*outward show*) Äußere(s) *nt*
appease [ə'piːz] *vt* beschwichtigen
appendices [ə'pendɪsiːz] *npl of* **appendix**
appendicitis [əpendɪ'saɪtɪs] *n* Blinddarmentzündung *f*
appendix [ə'pendɪks] (*pl* **appendices**) *n* (*in book*) Anhang *m*; (*MED*) Blinddarm *m*
appetite ['æpɪtaɪt] *n* Appetit *m*; (*fig*) Lust *f*
appetizer ['æpətaɪzə*] *n* Appetitanreger *m*
appetizing ['æpɪtaɪzɪŋ] *adj* appetitanregend
applaud [ə'plɔːd] *vi* Beifall klatschen, applaudieren ♦ *vt* Beifall klatschen +*dat*
applause [ə'plɔːz] *n* Beifall *m*, Applaus *m*
apple ['æpl] *n* Apfel *m*; ~ **tree** *n* Apfelbaum *m*

appliance [ə'plaɪəns] *n* Gerät *nt*
applicable [ə'plɪkəbl] *adj* anwendbar; (*in forms*) zutreffend
applicant ['æplɪkənt] *n* Bewerber(in) *m(f)*
application [æplɪ'keɪʃən] *n* (*request*) Antrag *m*; (*for job*) Bewerbung *f*; (*putting into practice*) Anwendung *f*; (*hard work*) Fleiß *m*; ~ **form** *n* Bewerbungsformular *nt*
applied [ə'plaɪd] *adj* angewandt
apply [ə'plaɪ] *vi* (*be suitable*) zutreffen; (*ask*): **to** ~ **(to)** sich wenden an (an +*acc*); (*request*): **to** ~ **for** sich melden für ♦ *vt* (*place on*) auflegen; (*cream*) auftragen; (*put into practice*) anwenden; **to** ~ **for sth** sich um etw bewerben; **to** ~ **o.s. to sth** sich bei etw anstrengen
appoint [ə'pɔɪnt] *vt* (*to office*) ernennen, berufen; (*settle*) festsetzen; ~**ment** *n* (*meeting*) Verabredung *f*; (*at hairdresser etc*) Bestellung *f*; (*in business*) Termin *m*; (*choice for a position*) Ernennung *f*, (*UNIV*) Berufung *f*
appraisal [ə'preɪzl] *n* Beurteilung *f*
appreciable [ə'priːʃəbl] *adj* (*perceptible*) merklich; (*able to be estimated*) abschätzbar
appreciate [ə'priːʃɪeɪt] *vt* (*value*) zu schätzen wissen; (*understand*) einsehen ♦ *vi* (*increase in value*) im Wert steigen
appreciation [əpriːʃɪ'eɪʃən] *n* Wertschätzung *f*; (*COMM*) Wertzuwachs *m*
appreciative [ə'priːʃɪətɪv] *adj* (*showing thanks*) dankbar; (*showing liking*) anerkennend
apprehend [æprɪ'hend] *vt* (*arrest*) festnehmen; (*understand*) erfassen
apprehension [æprɪ'henʃən] *n* Angst *f*
apprehensive [æprɪ'hensɪv] *adj* furchtsam
apprentice [ə'prentɪs] *n* Lehrling *m*; ~**ship** *n* Lehrzeit *f*
approach [ə'prəʊtʃ] *vi* sich nähern ♦ *vt* herantreten an +*acc*; (*problem*) herangehen an +*acc* ♦ *n* Annäherung *f*; (*to problem*) Ansatz *m*; (*path*) Zugang *m*, Zufahrt *f*; ~**able** *adj* zugänglich
appropriate [*adj* ə'prəʊprɪət, *vb* ə'prəʊprɪeɪt] *adj* angemessen; (*remark*) angebracht ♦ *vt* (*take for o.s.*) sich aneignen; (*set apart*) bereitstellen
approval [ə'pruːvəl] *n* (*show of satisfaction*) Beifall *m*; (*permission*) Billigung *f*; **on** ~ (*COMM*) bei Gefallen
approve [ə'pruːv] *vt*, *vi* billigen; **I don't** ~ **of it/him** ich halte nichts davon/von ihm; ~**d school** (*BRIT*) *n* Erziehungsheim *nt*
approximate [*adj* ə'prɒksɪmɪt, *vb* ə'prɒksɪmeɪt] *adj* annähernd, ungefähr ♦ *vt* nahekommen +*dat*; ~**ly** *adv* rund, ungefähr
apricot ['eɪprɪkɒt] *n* Aprikose *f*
April ['eɪprəl] *n* April *m*; ~ **Fools' Day** *n* der erste April
apron ['eɪprən] *n* Schürze *f*
apt [æpt] *adj* (*suitable*) passend; (*able*) be-

gabt; (*likely*): **to be ~ to do sth** dazu neigen, etw zu tun
aptitude ['æptɪtjuːd] n Begabung f
aqualung ['ækwəlʌŋ] n Unterwasseratmungsgerät nt
aquarium [ə'kwɛərɪəm] n Aquarium nt
Aquarius [ə'kwɛərɪəs] n Wassermann m
aquatic [ə'kwætɪk] adj Wasser-
Arab ['ærəb] n Araber(in) m(f)
Arabia [ə'reɪbɪə] n Arabien nt
Arabian [ə'reɪbɪən] adj arabisch
Arabic ['ærəbɪk] adj arabisch ♦ n Arabisch nt
arable ['ærəbl] adj bebaubar, Kultur-
arbitrary ['ɑːbɪtrərɪ] adj willkürlich
arbitration [ɑːbɪ'treɪʃən] n Schlichtung f
arc [ɑːk] n Bogen m
arcade [ɑː'keɪd] n Säulengang m
arch [ɑːtʃ] n Bogen m ♦ vt überwölben; (*back*) krumm machen
archaeologist [ɑːkɪ'ɒlədʒɪst] n Archäologe m
archaeology [ɑːkɪ'ɒlədʒɪ] n Archäologie f
archaic [ɑː'keɪɪk] adj altertümlich
archbishop ['ɑːtʃ'bɪʃəp] n Erzbischof m
archenemy ['ɑːtʃ'enəmɪ] n Erzfeind m
archeology etc (US) = **archaeology** etc
archer ['ɑːtʃə*] n Bogenschütze m; **~y** n Bogenschießen nt
archipelago [ɑːkɪ'pelɪgəʊ] n Archipel m; (*sea*) Inselmeer nt
architect ['ɑːkɪtekt] n Architekt(in) m(f); **~ural** [ɑːkɪ'tektʃərəl] adj architektonisch; **~ure** ['ɑːkɪtektʃə*] n Architektur f
archives ['ɑːkaɪvz] npl Archiv nt
archway ['ɑːtʃweɪ] n Bogen m
Arctic ['ɑːktɪk] adj arktisch ♦ n: **the ~** die Arktis
ardent ['ɑːdənt] adj glühend
arduous ['ɑːdjʊəs] adj mühsam
are [ɑː*] see **be**
area ['ɛərɪə] n Fläche f; (*of land*) Gebiet nt; (*part of sth*) Teil m, Abschnitt m
arena [ə'riːnə] n Arena f
aren't [ɑːnt] = **are not**
Argentina [ɑːdʒən'tiːnə] n Argentinien nt
Argentinian [ɑːdʒən'tɪnɪən] adj argentinisch ♦ n Argentinier(in) m(f)
arguably ['ɑːgjʊəblɪ] adv wohl
argue ['ɑːgjuː] vi diskutieren; (*angrily*) streiten
argument ['ɑːgjʊmənt] n (*theory*) Argument nt; (*reasoning*) Argumentation f; (*row*) Auseinandersetzung f, Streit m; **to have an ~** sich streiten; **~ative** [ɑːgjʊ'mentətɪv] adj streitlustig
aria ['ɑːrɪə] n Arie f
arid ['ærɪd] adj trocken
Aries ['ɛəriːz] n Widder m
arise [ə'raɪz] (*pt* **arose**, *pp* **arisen**) vi aufsteigen; (*get up*) aufstehen; (*difficulties etc*) entstehen; (*case*) vorkommen; **to ~ from**

sth herrühren von etw; **arisen** [ə'rɪzn] pp of **arise**
aristocracy [ærɪs'tɒkrəsɪ] n Adel m, Aristokratie f
aristocrat ['ærɪstəkræt] n Adlige(r) mf, Aristokrat(in) m(f)
arithmetic [ə'rɪθmətɪk] n Rechnen nt, Arithmetik f
ark [ɑːk] n: **Noah's A~** die Arche Noah
arm [ɑːm] n Arm m; (*branch of military service*) Zweig m ♦ vt bewaffnen; **~s** npl (*weapons*) Waffen pl
armaments ['ɑːməmənts] npl Ausrüstung f
armchair n Lehnstuhl m
armed adj (*forces*) Streit-, bewaffnet; **~ robbery** n bewaffnete(r) Raubüberfall m
armistice ['ɑːmɪstɪs] n Waffenstillstand m
armour ['ɑːmə*] (US **armor**) n (*knight's*) Rüstung f; (*MIL*) Panzerplatte f; **~ed car** n Panzerwagen m; **~y** n Waffenlager nt; (*factory*) Waffenfabrik f
armpit ['ɑːmpɪt] n Achselhöhle f
armrest ['ɑːmrest] n Armlehne f
army ['ɑːmɪ] n Armee f, Heer nt; (*host*) Heer nt
aroma [ə'rəʊmə] n Duft m, Aroma nt; **~tic** [ærə'mætɪk] adj aromatisch, würzig
arose [ə'rəʊz] pt of **arise**
around [ə'raʊnd] adv ringsherum; (*almost*) ungefähr ♦ prep um ... herum; **is he ~?** ist er hier?
arouse [ə'raʊz] vt wecken
arrange [ə'reɪndʒ] vt (*time, meeting*) festsetzen; (*holidays*) festlegen; (*flowers, hair, objects*) anordnen; **I ~d to meet him** ich habe mit ihm ausgemacht, ihn zu treffen; **it's all ~d** es ist alles arrangiert; **~ment** n (*order*) Reihenfolge f; (*agreement*) Vereinbarung f; **~ments** npl (*plans*) Pläne pl
array [ə'reɪ] n (*collection*) Ansammlung f
arrears [ə'rɪəz] npl (*of debts*) Rückstand m; (*of work*) Unerledigte(s) nt; **in ~** im Rückstand
arrest [ə'rest] vt (*person*) verhaften; (*stop*) aufhalten ♦ n Verhaftung f; **under ~** in Haft
arrival [ə'raɪvəl] n Ankunft f
arrive [ə'raɪv] vi ankommen; **to ~ at** ankommen in +dat, ankommen bei
arrogance ['ærəgəns] n Überheblichkeit f, Arroganz f
arrogant ['ærəgənt] adj überheblich, arrogant
arrow ['ærəʊ] n Pfeil m
arse [ɑːs] (*inf!*) n Arsch m (*!*)
arsenal ['ɑːsɪnl] n Waffenlager nt, Zeughaus nt
arsenic ['ɑːsnɪk] n Arsen nt
arson ['ɑːsn] n Brandstiftung f
art [ɑːt] n Kunst f; **A~s** npl (*UNIV*) Geisteswissenschaften pl
artery ['ɑːtərɪ] n Schlagader f, Arterie f

artful [ɑːtful] *adj* verschlagen
art gallery *n* Kunstgalerie *f*
arthritis [ɑːˈθraɪtɪs] *n* Arthritis *f*
artichoke [ˈɑːtɪtʃəuk] *n* Artischocke *f*; **Jerusalem ~** Erdartischocke *f*
article [ˈɑːtɪkl] *n* (*PRESS, GRAM*) Artikel *m*; (*thing*) Gegenstand *m*, Artikel *m*; (*clause*) Abschnitt *m*, Paragraph *m*; **~ of clothing** Kleidungsstück *nt*
articulate [*adj* ɑːˈtɪkjulɪt, *vb* ɑːˈtɪkjuleɪt] *adj* (*able to express o.s.*) redegewandt; (*speaking clearly*) deutlich, verständlich ♦ *vt* (*connect*) zusammenfügen, gliedern; **to be ~** sich gut ausdrücken können; **~d vehicle** *n* Sattelschlepper *m*
artificial [ɑːtɪˈfɪʃəl] *adj* künstlich, Kunst-; **~ respiration** *n* künstliche Atmung *f*
artisan [ˈɑːtɪzæn] *n* gelernte(r) Handwerker *m*
artist [ˈɑːtɪst] *n* Künstler(in) *m(f)*; **~ic** [ɑːˈtɪstɪk] *adj* künstlerisch; **~ry** *n* künstlerische(s) Können *nt*
artless [ˈɑːtlɪs] *adj* ungekünstelt; (*character*) arglos
art school *n* Kunsthochschule *f*

─────────── **KEYWORD** ───────────

as [æz] *conj* **1** (*referring to time*) als; **as the years went by** mit den Jahren; **he came in as I was leaving** als er hereinkam, ging ich gerade; **as from tomorrow** ab morgen
2 (*in comparisons*): **as big as** so groß wie; **twice as big as** zweimal so groß wie; **as much/many as** soviel/so viele wie; **as soon as** sobald
3 (*since, because*) da; **he left early as he had to be home by 10** er ging früher, da er um 10 zu Hause sein mußte
4 (*referring to manner, way*) wie; **do as you wish** mach was du willst; **as she said** wie sie sagte
5 (*concerning*): **as for** *or* **to that** was das betrifft *or* angeht
6: **as if** *or* **though** als ob
♦ *prep* als; *see also* **long**; **he works as a driver** er arbeitet als Fahrer; *see also* **such**; **he gave it to me as a present** er hat es mir als Geschenk gegeben; *see also* **well**

─────────────────────────────

a.s.a.p. *abbr* = **as soon as possible**
ascend [əˈsend] *vi* aufsteigen ♦ *vt* besteigen; **~ancy** *n* Oberhand *f*
ascent [əˈsent] *n* Aufstieg *m*; Besteigung *f*
ascertain [æsəˈteɪn] *vt* feststellen
ascribe [əˈskraɪb] *vt*: **to ~ sth to sth/sth to sb** etw einer Sache/jdm etw zuschreiben
ash [æʃ] *n* Asche *f*; (*tree*) Esche *f*
ashamed [əˈʃeɪmd] *adj* beschämt; **to be ~ of sth** sich für etw schämen
ashen [ˈæʃən] *adj* (*pale*) aschfahl
ashore [əˈʃɔː*] *adv* an Land
ashtray [ˈæʃtreɪ] *n* Aschenbecher *m*

Ash Wednesday *n* Aschermittwoch *m*
Asia [ˈeɪʃə] *n* Asien *nt*; **~n** *adj* asiatisch ♦ *n* Asiat(in) *m(f)*
aside [əˈsaɪd] *adv* beiseite ♦ *n* beiseite gesprochene Worte *pl*
ask [ɑːsk] *vt* fragen; (*permission*) bitten um; **~ him his name** frage ihn nach seinem Namen; **he ~ed to see you** er wollte dich sehen; **to ~ sb to do sth** jdn bitten, etw zu tun; **to ~ sb about sth** jdn nach etw fragen; **to ~ (sb) a question** jdn etwas fragen; **to ~ sb out to dinner** jdn zum Essen einladen fragen nach bitten um
askance [əsˈkɑːns] *adv*: **to look ~ at sb** jdn schief ansehen
askew [əsˈkjuː] *adv* schief
asking price [ˈɑːskɪŋ-] *n* Verkaufspreis *m*
asleep [əˈsliːp] *adj*: **to be ~** schlafen; **to fall ~** einschlafen
asparagus [əsˈpærəgəs] *n* Spargel *m*
aspect [ˈæspekt] *n* Aspekt *m*
aspersions [əsˈpɜːʃənz] *npl*: **to cast ~ on sb/sth** sich abfällig über jdn/etw äußern
asphyxiation [əsfɪksɪˈeɪʃən] *n* Erstickung *f*
aspirations [æspəˈreɪʃənz] *npl*: **to have ~ towards sth** etw anstreben
aspire [əsˈpaɪə*] *vi*: **to ~ to** streben nach
aspirin [ˈæsprɪn] *n* Aspirin *nt*
ass [æs] *n* (*also fig*) Esel *m*; (*US: inf!*) Arsch *m* (*!*)
assailant [əˈseɪlənt] *n* Angreifer *m*
assassin [əˈsæsɪn] *n* Attentäter(in) *m(f)*; **~ate** [əˈsæsɪneɪt] *vt* ermorden
assassination [əsæsɪˈneɪʃən] *n* (geglückte(s)) Attentat *nt*
assault [əˈsɔːlt] *n* Angriff *m* ♦ *vt* überfallen; (*woman*) herfallen über +*acc*
assemble [əˈsembl] *vt* versammeln; (*parts*) zusammensetzen ♦ *vi* sich versammeln
assembly [əˈsemblɪ] *n* (*meeting*) Versammlung *f*; (*construction*) Zusammensetzung *f*, Montage *f*; **~ line** *n* Fließband *nt*
assent [əˈsent] *n* Zustimmung *f*
assert [əˈsɜːt] *vt* erklären; **~ion** [əˈsɜːʃən] *n* Behauptung *f*
assess [əˈses] *vt* schätzen; **~ment** *n* Bewertung *f*, Einschätzung *f*; **~or** *n* Steuerberater *m*
asset [ˈæset] *n* Vorteil *m*, Wert *m*; **~s** *npl* (*FIN*) Vermögen *nt*; (*estate*) Nachlaß *m*
assiduous [əˈsɪdjuəs] *adj* fleißig, aufmerksam
assign [əˈsaɪn] *vt* zuweisen
assignment [əˈsaɪnmənt] *n* Aufgabe *f*, Auftrag *m*
assimilate [əˈsɪmɪleɪt] *vt* sich aneignen, aufnehmen
assist [əˈsɪst] *vt* beistehen +*dat*; **~ance** *n* Unterstützung *f*, Hilfe *f*; **~ant** *n* Assistent(in) *m(f)*, Mitarbeiter(in) *m(f)*; (*BRIT: also: shop ~ant*) Verkäufer(in) *m(f)*
assizes [əˈsaɪzɪz] *npl* Landgericht *nt*

associate [n ə'səʊʃɪɪt, vb ə'səʊʃɪeɪt] n (*partner*) Kollege m, Teilhaber m; (*member*) außerordentliche(s) Mitglied nt ♦ vt verbinden ♦ vi (*keep company*) verkehren

association [əsəʊsɪ'eɪʃən] n Verband m, Verein m; (PSYCH) Assoziation f; (*link*) Verbindung f

assorted [ə'sɔːtɪd] adj gemischt

assortment [ə'sɔːtmənt] n Sammlung f; (COMM): ~ (of) Sortiment nt (von), Auswahl f (an +dat)

assume [ə'sjuːm] vt (*take for granted*) annehmen; (*put on*) annehmen, sich geben; ~d name n Deckname m

assumption [ə'sʌmpʃən] n Annahme f

assurance [ə'ʃʊərəns] n (*firm statement*) Versicherung f; (*confidence*) Selbstsicherheit f; (*insurance*) (Lebens)versicherung f

assure [ə'ʃʊə*] vt (*make sure*) sicherstellen; (*convince*) versichern +dat; (*life*) versichern

asterisk ['æstərɪsk] n Sternchen nt

astern [əs'tɜːn] adv achtern

asthma ['æsmə] n Asthma nt

astonish [əs'tɒnɪʃ] vt erstaunen; ~ment n Erstaunen nt

astound [əs'taʊnd] vt verblüffen

astray [əs'treɪ] adv in die Irre; auf Abwege; **to go ~** (*go wrong*) sich vertun; **to lead ~** irreführen

astride [əs'traɪd] adv rittlings ♦ prep rittlings auf

astrologer [əs'trɒlədʒə*] n Astrologe m, Astrologin f

astrology [əs'trɒlədʒɪ] n Astrologie f

astronaut ['æstrənɔːt] n Astronaut(in) m(f)

astronomer [əs'trɒnəmə*] n Astronom m

astronomical [æstrə'nɒmɪkəl] adj astronomisch; (*success*) riesig

astronomy [əs'trɒnəmɪ] n Astronomie f

astute [əs'tjuːt] adj scharfsinnig; schlau, gerissen

asylum [ə'saɪləm] n (*home*) Heim nt; (*refuge*) Asyl nt

— KEYWORD

at [æt] prep **1** (*referring to position, direction*) an +dat, bei +dat; (*with place*) in +dat; **at the top** an der Spitze; **at home/school** zu Hause/in der Schule; **at the baker's** beim Bäcker; **to look at sth** auf etw acc blicken; **to throw sth at sb** etw nach jdm werfen
2 (*referring to time*): **at 4 o'clock** um 4 Uhr; **at night** bei Nacht; **at Christmas** zu Weihnachten; **at times** manchmal
3 (*referring to rates, speed etc*): **at £1 a kilo** zu £1 pro Kilo; **two at a time** zwei auf einmal; **at 50 km/h** mit 50 km/h
4 (*referring to manner*): **at a stroke** mit einem Schlag; **at peace** in Frieden
5 (*referring to activity*): **to be at work** bei der Arbeit sein; **to play at cowboys** Cowboy spielen; **to be good at sth** gut in etw

dat sein
6 (*referring to cause*): **shocked/surprised/annoyed at sth** schockiert/überrascht/verärgert über etw acc; **I went at his suggestion** ich ging auf seinen Vorschlag hin

ate [et, eɪt] pt of **eat**

atheist ['eɪθɪɪst] n Atheist(in) m(f)

Athens ['æθɪnz] n Athen nt

athlete ['æθliːt] n Athlet m, Sportler m

athletic [æθ'letɪk] adj sportlich, athletisch; ~s n Leichtathletik f

Atlantic [ət'læntɪk] adj atlantisch ♦ n: **the ~ (Ocean)** der Atlantik

atlas ['ætləs] n Atlas m

atmosphere ['ætməsfɪə*] n Atmosphäre f

atom ['ætəm] n Atom nt; (*fig*) bißchen nt; ~ic [ə'tɒmɪk] adj atomar, Atom-; ~(ic) **bomb** n Atombombe f; ~izer ['ætəmaɪzə*] n Zerstäuber m

atone [ə'təʊn] vi sühnen; **to ~ for sth** etw sühnen

atrocious [ə'trəʊʃəs] adj gräßlich

atrocity [ə'trɒsɪtɪ] n Scheußlichkeit f; (*deed*) Greueltat f

attach [ə'tætʃ] vt (*fasten*) befestigen; **to be ~ed to sb/sth** an jdm/etw hängen; **to ~ importance etc to sth** Wichtigkeit etc auf etw acc legen, einer Sache dat Wichtigkeit etc beimessen

attaché case [ə'tæʃeɪ-] n Aktenkoffer m

attachment [ə'tætʃmənt] n (*tool*) Zubehörteil nt; (*love*): ~ **(to sb)** Zuneigung f (zu jdm)

attack [ə'tæk] vt angreifen ♦ n Angriff m; (MED) Anfall m; ~er n Angreifer(in) m(f)

attain [ə'teɪn] vt erreichen; ~ments npl Kenntnisse pl

attempt [ə'tempt] n Versuch m ♦ vt versuchen; ~ed **murder** Mordversuch m

attend [ə'tend] vt (*go to*) teilnehmen (an +dat); (*lectures*) besuchen; **to ~ to** (*needs*) nachkommen +dat; (*person*) sich kümmern um; ~ance n (*presence*) Anwesenheit f; (*people present*) Besucherzahl f; **good ~ance** gute Teilnahme; ~ant n (*companion*) Begleiter(in) m(f); Gesellschafter(in) m(f); (*in car park etc*) Wächter(in) m(f); (*servant*) Bedienstete(r) mf ♦ adj begleitend; (*fig*) damit verbunden

attention [ə'tenʃən] n Aufmerksamkeit f; (*care*) Fürsorge f; (*for machine etc*) Pflege f ♦ excl (MIL) Achtung!; **for the ~ of ...** zu Händen (von) ...

attentive [ə'tentɪv] adj aufmerksam

attest [ə'test] vi: **to ~ to** sich verbürgen für

attic ['ætɪk] n Dachstube f, Mansarde f

attitude ['ætɪtjuːd] n (*mental*) Einstellung f

attorney [ə'tɜːnɪ] n (*solicitor*) Rechtsanwalt m; **A~ General** n Justizminister m

attract [ə'trækt] vt anziehen; (*attention*) erregen; ~ion [ə'trækʃən] n Anziehungskraft

f; *(thing)* Attraktion f; **~ive** adj attraktiv
attribute [n 'ætrɪbju:t, vb ə'trɪbju:t] n Eigenschaft f, Attribut nt ♦ vt zuschreiben
attrition [ə'trɪʃən] n: **war of ~** Zermürbungskrieg m
aubergine ['əʊbəʒi:n] n Aubergine f
auburn ['ɔ:bən] adj kastanienbraun
auction ['ɔ:kʃən] n *(also: sale by ~)* Versteigerung f, Auktion f ♦ vt versteigern; **~eer** [ɔ:kʃə'nɪə*] n Versteigerer m
audacity [ɔ:'dæsɪtɪ] n *(boldness)* Wagemut m; *(impudence)* Unverfrorenheit f
audible ['ɔ:dɪbl] adj hörbar
audience ['ɔ:dɪəns] n Zuhörer pl, Zuschauer pl; *(with king etc)* Audienz f
audiotypist ['ɔ:dɪəʊ'taɪpɪst] n Phonotypistin f
audiovisual ['ɔ:dɪəʊ'vɪʒʊəl] adj audiovisuell
audit ['ɔ:dɪt] vt prüfen
audition [ɔ:'dɪʃən] n Probe f
auditor ['ɔ:dɪtə*] n *(accountant)* Rechnungsprüfer(in) m(f), Buchprüfer m
auditorium [ɔ:dɪ'tɔ:rɪəm] n Zuschauerraum m
augment [ɔ:g'ment] vt vermehren
augur ['ɔ:gə*] vi bedeuten, voraussagen; **this ~s well** das ist ein gutes Omen
August ['ɔ:gəst] n August m
aunt [ɑ:nt] n Tante f; **~ie** n Tantchen nt; **~y** n = **auntie**
au pair ['əʊ'pɛə*] n *(also: ~ girl)* Au-pair-Mädchen nt
aura ['ɔ:rə] n Nimbus m
auspices ['ɔ:spɪsɪz] npl: **under the ~ of** unter der Schirmherrschaft von
auspicious [ɔ:s'pɪʃəs] adj günstig; verheißungsvoll
austere [ɒs'tɪə*] adj streng; *(room)* nüchtern
austerity [ɒs'terɪtɪ] n Strenge f; *(POL)* wirtschaftliche Einschränkung f
Australia [ɒs'treɪlɪə] n Australien nt; **~n** adj australisch ♦ n Australier(in) m(f)
Austria ['ɒstrɪə] n Österreich nt; **~n** adj österreichisch ♦ n Österreicher(in) m(f)
authentic [ɔ:'θentɪk] adj echt, authentisch
author ['ɔ:θə*] n Autor m, Schriftsteller m; *(beginner)* Urheber m, Schöpfer m
authoritarian [ɔ:θɒrɪ'tɛərɪən] adj autoritär
authoritative [ɔ:'θɒrɪtətɪv] adj *(account)* maßgeblich; *(manner)* herrisch
authority [ɔ:'θɒrɪtɪ] n *(power)* Autorität f; *(expert)* Autorität f, Fachmann m; **the authorities** npl *(ruling body)* die Behörden pl
authorize ['ɔ:θəraɪz] vt bevollmächtigen; *(permit)* genehmigen
auto ['ɔ:təʊ] *(US)* n Auto nt, Wagen m
autobiography [ɔ:təʊbaɪ'ɒgrəfɪ] n Autobiographie f
autograph ['ɔ:təgrɑ:f] n *(of celebrity)* Auto-

gramm nt ♦ vt mit Autogramm versehen
automatic [ɔ:tə'mætɪk] adj automatisch ♦ n *(gun)* Selbstladepistole f; *(car)* Automatik m; **~ally** adv automatisch
automation [ɔ:tə'meɪʃən] n Automatisierung f
automobile ['ɔ:təməbi:l] *(US)* n Auto(mobil) nt
autonomous [ɔ:'tɒnəməs] adj autonom
autumn ['ɔ:təm] n Herbst m
auxiliary [ɔ:g'zɪlɪərɪ] adj Hilfs-
Av. abbr = **avenue**
avail [ə'veɪl] vt: **to ~ o.s. of sth** sich einer Sache gen bedienen ♦ n: **to no ~** nutzlos
availability [əveɪlə'bɪlɪtɪ] n Erhältlichkeit f, Vorhandensein nt
available [ə'veɪləbl] adj erhältlich; zur Verfügung stehend; *(person)* erreichbar, abkömmlich
avalanche ['ævəlɑ:nʃ] n Lawine f
avarice ['ævərɪs] n Habsucht f, Geiz m
Ave. abbr = **avenue**
avenge [ə'vendʒ] vt rächen, sühnen
avenue ['ævənju:] n Allee f
average ['ævərɪdʒ] n Durchschnitt m ♦ adj durchschnittlich, Durchschnitts- ♦ vt *(figures)* den Durchschnitt nehmen von; *(perform)* durchschnittlich leisten; *(in car etc)* im Schnitt fahren; **on ~** durchschnittlich, im Durchschnitt; **~ out** vi: **to ~ out at** im Durchschnitt betragen
averse [ə'vɜ:s] adj: **to be ~ to doing sth** eine Abneigung dagegen haben, etw zu tun
avert [ə'vɜ:t] vt *(turn away)* abkehren; *(prevent)* abwehren
aviary ['eɪvɪərɪ] n Vogelhaus nt
aviation [eɪvɪ'eɪʃən] n Luftfahrt f, Flugwesen nt
avid ['ævɪd] adj: **~ (for)** gierig (auf +acc)
avocado [ævə'kɑ:dəʊ] n *(also: BRIT: ~ pear)* Avocado(birne) f
avoid [ə'vɔɪd] vt vermeiden
await [ə'weɪt] vt erwarten, entgegensehen +dat
awake [ə'weɪk] *(pt* **awoke,** *pp* **awoken** or **awaked)** adj wach ♦ vt *(auf)wecken ♦ vi aufwachen; **to be ~** wach sein; **~ning** n Erwachen nt
award [ə'wɔ:d] n *(prize)* Preis m ♦ vt: **to ~ (sb sth)** (jdm etw) zuerkennen
aware [ə'wɛə*] adj bewußt; **to be ~** sich bewußt sein; **~ness** n Bewußtsein nt
awash [ə'wɒʃ] adj überflutet
away [ə'weɪ] adv weg, fort; **two hours ~ by car** zwei Autostunden entfernt; **the holiday was two weeks ~** es war noch zwei Wochen bis zum Urlaub; **two kilometres ~** zwei Kilometer entfernt; **~ match** n *(SPORT)* Auswärtsspiel nt
awe [ɔ:] n Ehrfurcht f; **~-inspiring** adj ehrfurchtgebietend; **~some** adj ehrfurchtgebietend

awful ['ɔːful] adj (very bad) furchtbar; ~**ly** adv furchtbar, sehr

awhile [ə'waɪl] adv eine Weile

awkward ['ɔːkwəd] adj (clumsy) ungeschickt, linkisch; (embarrassing) peinlich

awning ['ɔːnɪŋ] n Markise f

awoke [ə'wəuk] pt of **awake**; **awoken** [ə'wəukən] pp of **awake**

awry [ə'raɪ] adv schief; **to go** ~ (person) fehlgehen; (plans) schiefgehen

axe [æks] (US **ax**) n Axt f, Beil nt ♦ vt (end suddenly) streichen

axes¹ ['æksɪz] npl of **axe**

axes² ['æksiːz] npl of **axis**

axis ['æksɪs] (pl **axes**) n Achse f

axle ['æksl] n Achse f

ay(e) [aɪ] excl (yes) ja

azalea [ə'zeɪlɪə] n Azalee f

B b

B [biː] n (MUS) H nt

B.A. n abbr = **Bachelor of Arts**

babble ['bæbl] vi schwätzen; (stream) murmeln

baby ['beɪbɪ] n Baby nt; ~ **carriage** (US) n Kinderwagen m; ~-**sit** vi Kinder hüten, babysitten; ~-**sitter** n Babysitter m

bachelor ['bætʃələ*] n Junggeselle m; **B~ of Arts** Bakkalaureus m der philosophischen Fakultät; **B~ of Science** Bakkalaureus m der Naturwissenschaften

back [bæk] n (of person, horse) Rücken m; (of house) Rückseite f; (of train) Ende nt; (FOOTBALL) Verteidiger m ♦ vt (support) unterstützen; (wager) wetten auf +acc; (car) rückwärts fahren ♦ vi (go backwards) rückwärts gehen or fahren ♦ adj hintere(r, s) ♦ adv zurück; (to the rear) nach hinten; ~ **down** vi zurückstecken; ~ **out** vi sich zurückziehen; (inf) kneifen; ~ **up** vt (support) unterstützen; (car) zurücksetzen; (COMPUT) eine Sicherungskopie machen von; ~**bencher** (BRIT) n Parlamentarier(in) m(f); ~**bone** n Rückgrat nt; (support) Rückhalt m; ~**cloth** n Hintergrund m; ~**date** vt rückdatieren; ~**drop** n (THEAT) = **backcloth**; (background) Hintergrund m; ~**fire** vi (plan) fehlschlagen; (TECH) fehlzünden; ~**ground** n Hintergrund m; (person's education) Vorbildung f; **family** ~**ground** Familienverhältnisse pl; ~**hand** n (TENNIS: also: ~hand stroke) Rückhand f;

~**hander** (BRIT) n (bribe) Schmiergeld nt; ~**ing** n (support) Unterstützung f; ~**lash** n (fig) Gegenschlag m; ~**log** n (of work) Rückstand m; ~ **number** n (PRESS) alte Nummer f; ~**pack** n Rucksack m; ~ **pay** n (Gehalts- or Lohn)nachzahlung f; ~ **payments** npl Zahlungsrückstände pl; ~ **seat** n (AUT) Rücksitz m; ~**side** (inf) n Hintern m; ~**stage** adv hinter den Kulissen; ~**stroke** n Rückenschwimmen nt; ~**up** adj (train) Zusatz-; (plane) Sonder-; (COMPUT) Sicherungs- ♦ n (see adj) Zusatzzug m; Sondermaschine f; Sicherungskopie f; ~**ward** adj (less developed) zurückgeblieben; (primitive) rückständig; ~**wards** adv rückwärts; ~**water** n (fig) Kaff nt; ~**yard** n Hinterhof m

bacon ['beɪkən] n Schinkenspeck m

bacteria [bæk'tɪərɪə] npl Bakterien pl

bad [bæd] adj schlecht, schlimm; **to go** ~ schlecht werden

bade [bæd] pt of **bid**

badge [bædʒ] n Abzeichen nt

badger ['bædʒə*] n Dachs m

badly ['bædlɪ] adv schlecht, schlimm; ~ **wounded** schwerverwundet; **he needs it** ~ er braucht es dringend; **to be** ~ **off (for money)** dringend Geld nötig haben

badminton ['bædmɪntən] n Federball m, Badminton nt

bad-tempered ['bæd'tempəd] adj schlecht gelaunt

baffle ['bæfl] vt (puzzle) verblüffen

bag [bæg] n (sack) Beutel m; (paper) Tüte f; (hand~) Tasche f; (suitcase) Koffer m; (booty) Jagdbeute f ♦ vt (put in sack) in einen Sack stecken; (hunting) erlegen; ~**s of** (inf: lots of) eine Menge +acc; ~**gage** ['bægɪdʒ] n Gepäck nt; ~**gy** ['bægɪ] adj bauschig, sackartig; ~**pipes** ['bægpaɪps] npl Dudelsack m

Bahamas [bə'hɑːməz] npl: **the** ~ die Bahamas pl

bail [beɪl] n (money) Kaution f ♦ vt (prisoner: usu: grant ~ to) gegen Kaution freilassen; (boat: also: ~ out) ausschöpfen; **on** ~ (prisoner) gegen Kaution freigelassen; **to** ~ **sb out** die Kaution für jdn stellen; see also **bale**

bailiff ['beɪlɪf] n Gerichtsvollzieher(in) m(f)

bait [beɪt] n Köder m ♦ vt mit einem Köder versehen; (fig) ködern

bake [beɪk] vt, vi backen; ~**d beans** gebackene Bohnen pl; ~**r** n Bäcker m; ~**ry** n Bäckerei f

baking ['beɪkɪŋ] n Backen nt; ~ **powder** n Backpulver nt

balance ['bæləns] n (scales) Waage f; (equilibrium) Gleichgewicht nt; (FIN: state of account) Saldo m; (difference) Bilanz f; (amount remaining) Restbetrag m ♦ vt

(weigh) wägen; (make equal) ausgleichen; ~ **of trade/payments** Handels-/Zahlungsbilanz f; ~**d** adj ausgeglichen; ~ **sheet** n Bilanz f, Rechnungsabschluß m
balcony ['bælkənɪ] n Balkon m
bald [bɔːld] adj kahl; (statement) knapp
bale [beɪl] n Ballen m; ~ **out** vi (from a plane) abspringen
ball [bɔːl] n Ball m; ~ **bearing** n Kugellager nt
ballet ['bæleɪ] n Ballett nt; ~ **dancer** n Ballettänzer(in) m(f)
balloon [bə'luːn] n (Luft)ballon m
ballot ['bælət] n (geheime) Abstimmung f
ballpoint (pen) ['bɔːlpɔɪnt-] n Kugelschreiber m
ballroom ['bɔːlrum] n Tanzsaal m
Baltic ['bɔːltɪk] n: the ~ (Sea) die Ostsee
bamboo [bæm'buː] n Bambus m
ban [bæn] n Verbot nt ♦ vt verbieten
banana [bə'nɑːnə] n Banane f
band [bænd] n Band nt; (group) Gruppe f; (of criminals) Bande f; (MUS) Kapelle f, Band f; ~ **together** vi sich zusammentun
bandage ['bændɪdʒ] n Verband m; (elastic) Bandage f ♦ vt (cut) verbinden; (broken limb) bandagieren
bandaid ['bændeɪd] ® (US) n Heftpflaster nt
bandwagon ['bændwægən] n: **to jump on the** ~ (fig) auf den fahrenden Zug aufspringen
bandy ['bændɪ] vt wechseln; ~**-legged** ['bændɪ'legɪd] adj o-beinig
bang [bæŋ] n (explosion) Knall m; (blow) Hieb m ♦ vt, vi knallen
Bangladesh [bæŋglə'deʃ] n Bangladesch nt
bangle ['bæŋgl] n Armspange f
bangs [bæŋz] (US) npl (fringe) Pony m
banish ['bænɪʃ] vt verbannen
banister(s) ['bænɪstə(z)] n(pl) (Treppen)geländer nt
bank [bæŋk] n (raised ground) Erdwall m; (of lake etc) Ufer nt; (FIN) Bank f ♦ vt (tilt: AVIAT) in die Kurve bringen; (money) einzahlen; ~ **on** vt fus: **to** ~ **on sth** mit etw rechnen; ~ **account** n Bankkonto nt; ~ **card** n Scheckkarte f; ~**er** n Bankier m; ~**er's card** (BRIT) n = **bank card**; B~ **holiday** (BRIT) n gesetzliche(r) Feiertag m; ~**ing** n Bankwesen nt; ~**note** n Banknote f; ~ **rate** n Banksatz m
bankrupt ['bæŋkrʌpt] adj: **to be** ~ bankrott sein; **to go** ~ Bankrott machen; ~**cy** n Bankrott m
bank statement n Kontoauszug m
banner ['bænə*] n Banner nt
banns [bænz] npl Aufgebot nt
baptism ['bæptɪzəm] n Taufe f
baptize [bæp'taɪz] vt taufen
bar [bɑː*] n (rod) Stange f; (obstacle) Hindernis nt; (of chocolate) Tafel f; (of soap)

Stück nt; (for food, drink) Buffet nt, Bar f; (pub) Wirtschaft f; (MUS) Takt(strich) m ♦ vt (fasten) verriegeln; (hinder) versperren; (exclude) ausschließen; **behind** ~**s** hinter Gittern; **the B~**: **to be called to the B~** als Anwalt zugelassen werden; ~ **none** ohne Ausnahme
barbaric [bɑː'bærɪk] adj primitiv, unkultiviert
barbecue ['bɑːbɪkjuː] n Barbecue nt
barbed wire ['bɑːbd-] n Stacheldraht m
barber ['bɑːbə*] n Herrenfriseur m
bar code n (on goods) Registrierkode f
bare [bɛə*] adj nackt; (trees, country) kahl; (mere) bloß ♦ vt entblößen; ~**back** adv ungesattelt; ~**faced** adj unverfroren; ~**foot** adj, adv barfuß; ~**ly** adv kaum, knapp
bargain ['bɑːgɪn] n (sth cheap) günstiger Kauf; (agreement: written) Kaufvertrag m; (: oral) Geschäft nt; **into the** ~ obendrein; ~ **for** vt: **he got more than he** ~**ed for** er erlebte sein blaues Wunder
barge [bɑːdʒ] n Lastkahn m; ~ **in** vi hereinplatzen; ~ **into** vt rennen gegen
bark [bɑːk] n (of tree) Rinde f; (of dog) Bellen nt ♦ vi (dog) bellen
barley ['bɑːlɪ] n Gerste f; ~ **sugar** n Malzbonbon nt
barmaid ['bɑːmeɪd] n Bardame f
barman ['bɑːmən] (irreg) n Barkellner m
barn [bɑːn] n Scheune f
barometer [bə'rɒmɪtə*] n Barometer nt
baron ['bærən] n Baron m; ~**ess** n Baronin f
barracks ['bærəks] npl Kaserne f
barrage ['bærɑːʒ] n (gunfire) Sperrfeuer nt; (dam) Staudamm m; Talsperre f
barrel ['bærəl] n Faß nt; (of gun) Lauf m
barren ['bærən] adj unfruchtbar
barricade [bærɪ'keɪd] n Barrikade f ♦ vt verbarrikadieren
barrier ['bærɪə*] n (obstruction) Hindernis nt; (fence) Schranke f
barring ['bɑːrɪŋ] prep außer im Falle +gen
barrister ['bærɪstə*] (BRIT) n Rechtsanwalt m
barrow ['bærəʊ] n (cart) Schubkarren m
bartender ['bɑːtendə*] (US) n Barmann or -kellner m
barter ['bɑːtə*] vt handeln
base [beɪs] n (bottom) Boden m, Basis f; (MIL) Stützpunkt m ♦ vt gründen; (opinion, theory): **to be** ~**d on** basieren auf +dat ♦ adj (low) gemein; ~**ball** ['beɪsbɔːl] n Baseball m; ~**ment** ['beɪsmənt] n Kellergeschoß nt
bases[1] ['beɪsɪz] npl of **base**
bases[2] ['beɪsiːz] npl of **basis**
bash [bæʃ] (inf) vt (heftig) schlagen
bashful ['bæʃful] adj schüchtern
basic ['beɪsɪk] adj grundlegend; ~**s** npl: **the**

~s das Wesentliche (sg); ~ally adv im Grunde

basil ['bæzl] n Basilikum nt

basin ['beɪsn] n (dish) Schüssel f; (for washing, also valley) Becken nt; (dock) (Trocken)becken nt

basis ['beɪsɪs] (pl bases) n Basis f, Grundlage f

bask [bɑːsk] vi: to ~ in the sun sich sonnen

basket ['bɑːskɪt] n Korb m; ~ball n Basketball m

bass [beɪs] n (MUS, also instrument) Baß m; (voice) Baßstimme f

bassoon [bə'suːn] n Fagott nt

bastard ['bɑːstəd] n Bastard m; (inf!) Arschloch nt (!)

bastion ['bæstɪən] n (also fig) Bollwerk nt

bat [bæt] n (SPORT) Schlagholz nt; Schläger m; (ZOOL) Fledermaus f ♦ vt: he didn't ~ an eyelid er hat nicht mit der Wimper gezuckt

batch [bætʃ] n (of letters) Stoß m; (of samples) Satz m

bated ['beɪtɪd] adj: with ~ breath mit angehaltenem Atem

bath [bɑːθ, pl bɑːðz] n Bad nt; (~ tub) Badewanne f ♦ vt baden; to have a ~ baden; see also **baths**

bathe [beɪð] vt, vi baden; ~r n Badende(r) mf

bathing ['beɪðɪŋ] n Baden nt; ~ cap n Badekappe f; ~ costume n Badeanzug m; ~ suit (US) n Badeanzug m; ~ trunks (BRIT) npl Badehose f

bathrobe ['bɑːθrəʊb] n Bademantel m

bathroom ['bɑːθrʊm] n Bad(ezimmer nt) nt

baths [bɑːðz] npl (Schwimm)bad nt

bath towel n Badetuch nt

baton ['bætən] n (of police) Gummiknüppel m; (MUS) Taktstock m

batter ['bætə*] vt verprügeln ♦ n Schlagteig m; (for cake) Biskuitteig m; ~ed adj (hat, pan) verbeult

battery ['bætərɪ] n (ELEC) Batterie f; (MIL) Geschützbatterie f

battle ['bætl] n Schlacht f; (small) Gefecht nt ♦ vi kämpfen; ~field n Schlachtfeld nt; ~ship n Schlachtschiff nt

Bavaria n Bayern nt; ~n adj bay(e)risch ♦ n (person) Bayer(in) m(f); (LING) Bay(e)risch nt

bawdy ['bɔːdɪ] adj unflätig

bawl [bɔːl] vi brüllen

bay [beɪ] n (of sea) Bucht f ♦ vi bellen; to keep at ~ unter Kontrolle halten

bay window n Erkerfenster nt

bazaar [bə'zɑː*] n Basar m

B. & B. abbr = bed and breakfast

BBC n abbr (= British Broadcasting Corporation) BBC f or m

B.C. adv abbr (= before Christ) v.Chr.

─── **KEYWORD** ───

be [biː] (pt was, were, pp been) aux vb **1** (with present participle: forming continuous tenses): **what are you doing?** was machst du (gerade)?; **it is raining** es regnet; **I've been waiting for you for hours** ich warte schon seit Stunden auf dich

2 (with pp: forming passives): **to be killed** getötet werden; **the thief was nowhere to be seen** der Dieb war nirgendwo zu sehen

3 (in tag questions): **it was fun, wasn't it?** es hat Spaß gemacht, nicht wahr?

4 (+to +infin): **the house is to be sold** das Haus soll verkauft werden; **he's not to open it** er darf es nicht öffnen

♦ vb +complement **1** (usu) sein; **I'm tired** ich bin müde; **I'm hot/cold** mir ist heiß/kalt; **he's a doctor** er ist Arzt; **2 and 2 are 4** 2 und 2 ist or sind 4; **she's tall/pretty** sie ist groß/hübsch; **be careful/quiet** sei vorsichtig/ruhig

2 (of health): **how are you?** wie geht es dir?; **he's very ill** er ist sehr krank; **I'm fine now** jetzt geht es mir gut

3 (of age): **how old are you?** wie alt bist du?; **I'm sixteen (years) old** ich bin sechzehn (Jahre alt)

4 (cost): **how much was the meal?** was or wieviel hat das Essen gekostet?; **that'll be £5.75, please** das macht £5.75, bitte

♦ vi **1** (exist, occur etc) sein; **is there a God?** gibt es einen Gott?; **be that as it may** wie dem auch sei; **so be it** also gut

2 (referring to place) sein; **I won't be here tomorrow** ich werde morgen nicht hier sein

3 (referring to movement): **where have you been?** wo bist du gewesen?; **I've been in the garden** ich war im Garten

♦ impers vb **1** (referring to time, distance, weather) sein; **it's 5 o'clock** es ist 5 Uhr; **it's 10 km to the village** es sind 10 km bis zum Dorf; **it's too hot/cold** es ist zu heiß/kalt

2 (emphatic): **it's me** ich bin's; **it's the postman** es ist der Briefträger

beach [biːtʃ] n Strand m ♦ vt (ship) auf den Strand setzen

beacon ['biːkən] n (signal) Leuchtfeuer nt; (traffic ~) Bake f

bead [biːd] n Perle f; (drop) Tropfen m

beak [biːk] n Schnabel m

beaker ['biːkə*] n Becher m

beam [biːm] n (of wood) Balken m; (of light) Strahl m; (smile) strahlende(s) Lächeln nt ♦ vi strahlen

bean [biːn] n Bohne f; ~ sprouts npl Sojasprossen pl

bear [bɛə*] (pt bore, pp borne) n Bär m ♦

vt (*weight, crops*) tragen; (*tolerate*) ertragen; (*young*) gebären ♦ vi: **to ~ right/left** sich rechts/links halten; **~ out** vt (*suspicions etc*) bestätigen; **~ up** vi sich halten

beard [bɪəd] n Bart m; **~ed** adj bärtig

bearer ['bɛərə*] n Träger m

bearing ['bɛərɪŋ] n (*posture*) Haltung f; (*relevance*) Relevanz f; (*relation*) Bedeutung f; (*TECH*) Kugellager nt; **~s** npl (*direction*) Orientierung f; (*also*: **ball ~s**) (Kugel)lager nt

beast [biːst] n Tier nt, Vieh nt; (*person*) Biest nt; **~ly** adj viehisch; (*inf*) scheußlich

beat [biːt] (*pt* beat, *pp* beaten) n (*stroke*) Schlag m; (*pulsation*) (Herz)schlag m; (*police round*) Runde f, Revier nt; (*MUS*) Takt m; Beat m ♦ vt, vi schlagen; **to ~ it** abhauen; **off the ~en track** abgelegen; **~ off** vt abschlagen; **~ up** vt zusammenschlagen; **beaten** pp of beat; **~ing** n Prügel pl

beautiful ['bjuːtɪful] adj schön; **~ly** adv ausgezeichnet

beauty ['bjuːtɪ] n Schönheit f; **~ salon** n Schönheitssalon m; **~ spot** n Schönheitsfleck m; (*BRIT: TOURISM*) (besonders) schöne(r) Ort m

beaver ['biːvə*] n Biber m

became [bɪ'keɪm] pt of become

because [bɪ'kɒz] conj weil ♦ prep: **~ of** wegen +gen, wegen +dat (*inf*)

beck [bek] n: **to be at the ~ and call of sb** nach jds Pfeife tanzen

beckon ['bekən] vt, vi: **to ~ to sb** jdm ein Zeichen geben

become [bɪ'kʌm] (*irreg: like* come) vi werden ♦ vt werden; (*clothes*) stehen +dat

becoming [bɪ'kʌmɪŋ] adj (*suitable*) schicklich; (*clothes*) kleidsam

bed [bed] n Bett nt; (*of river*) Flußbett nt; (*foundation*) Schicht f; (*in garden*) Beet nt; **to go to ~** zu Bett gehen; **~ and breakfast** n Übernachtung f mit Frühstück; **~clothes** npl Bettwäsche f; **~ding** n Bettzeug nt

bedlam ['bedləm] n (*uproar*) tolle(s) Durcheinander nt

bedraggled [bɪ'drægld] adj ramponiert

bed: **~ridden** adj bettlägerig; **~room** n Schlafzimmer nt; **~side** n: **at the ~side** am Bett; **~sit(ter)** (*BRIT*) n Einzimmerwohnung f, möblierte(s) Zimmer nt; **~spread** n Tagesdecke f; **~time** n Schlafenszeit f

bee [biː] n Biene f

beech [biːtʃ] n Buche f

beef [biːf] n Rindfleisch nt; **roast ~** Roastbeef nt; **~burger** n Hamburger m

beehive ['biːhaɪv] n Bienenstock m

beeline ['biːlaɪn] n: **to make a ~ for** schnurstracks zugehen auf +acc

been [biːn] pp of be

beer [bɪə*] n Bier nt

beet [biːt] n (*vegetable*) Rübe f; (*US: also*: **red ~**) rote Bete f or Rübe f

beetle ['biːtl] n Käfer m

beetroot ['biːtruːt] (*BRIT*) n rote Bete f

before [bɪ'fɔː*] prep vor ♦ conj bevor ♦ adv (*of time*) zuvor; früher; **the week ~** die Woche zuvor or vorher; **I've done it ~** das hab' ich schon mal getan; **~ going** bevor er/sie etc geht/ging; **~ she goes** bevor sie geht; **~hand** adv im voraus

beg [beg] vt, vi (*implore*) dringend bitten; (*alms*) betteln

began [bɪ'gæn] pt of begin

beggar ['begə*] n Bettler(in) m(f)

begin [bɪ'gɪn] (*pt* began, *pp* begun) vt, vi anfangen, beginnen; (*found*) gründen; **to ~ doing** or **to do sth** anfangen or beginnen, etw zu tun; **to ~ with** zunächst (einmal); **~ner** n Anfänger m; **~ning** n Anfang m

begun [bɪ'gʌn] pp of begin

behalf [bɪ'hɑːf] n: **on ~ of** im Namen +gen; **on my ~** für mich

behave [bɪ'heɪv] vi sich benehmen

behaviour [bɪ'heɪvjə*] (*US* **behavior**) n Benehmen nt

behead [bɪ'hed] vt enthaupten

beheld [bɪ'held] pt, pp of behold

behind [bɪ'haɪnd] prep hinter ♦ adv (*late*) im Rückstand; (*in the rear*) hinten ♦ n (*inf*) Hinterteil nt; **~ the scenes** (*fig*) hinter den Kulissen

behold [bɪ'həʊld] (*irreg: like* hold) vt erblicken

beige [beɪʒ] adj beige

Beijing ['beɪ'dʒɪŋ] n Peking nt

being ['biːɪŋ] n (*existence*) (Da)sein nt; (*person*) Wesen nt; **to come into ~** entstehen

belated [bɪ'leɪtɪd] adj verspätet

belch [beltʃ] vi rülpsen ♦ vt (*smoke*) ausspeien

belfry ['belfrɪ] n Glockenturm m

Belgian ['beldʒən] adj belgisch ♦ n Belgier(in) m(f)

Belgium ['beldʒəm] n Belgien nt

belie [bɪ'laɪ] vt Lügen strafen +acc

belief [bɪ'liːf] n Glaube m; (*conviction*) Überzeugung f; **~ in sb/sth** Glaube an jdn/etw

believe [bɪ'liːv] vt glauben +dat; (*think*) glauben, meinen, denken ♦ vi (*have faith*) glauben; **to ~ in sth** an etw acc glauben; **~r** n Gläubige(r) mf

belittle [bɪ'lɪtl] vt herabsetzen

bell [bel] n Glocke f

belligerent [bɪ'lɪdʒərənt] adj (*person*) streitsüchtig; (*country*) kriegsführend

bellow ['beləʊ] vt, vi brüllen

bellows ['beləʊz] npl (*TECH*) Gebläse nt; (*for fire*) Blasebalg m

belly ['belɪ] n Bauch m

belong [bɪ'lɒŋ] vi gehören; **to ~ to sb** jdm

gehören; **to ~ to a club** *etc* einem Club *etc* angehören; **it does not ~ here** es gehört nicht hierher; **~ings** *npl* Habe *f*

beloved [bɪ'lʌvɪd] *adj* innig geliebt ♦ *n* Geliebte(r) *mf*

below [bɪ'ləʊ] *prep* unter ♦ *adv* unten

belt [belt] *n* (*band*) Riemen *m*; (*round waist*) Gürtel *m* ♦ *vt* (*fasten*) mit Riemen befestigen; (*inf: beat*) schlagen; **~way** (*US*) *n* (*AUT: ring road*) Umgehungsstraße *f*

bemused [bɪ'mjuːzd] *adj* verwirrt

bench [bentʃ] *n* (*seat*) Bank *f*; (*workshop*) Werkbank *f*; (*judge's seat*) Richterbank *f*; (*judges*) Richter *pl*

bend [bend] (*pt, pp* **bent**) *vt* (*curve*) biegen; (*stoop*) beugen ♦ *vt* sich biegen; sich beugen ♦ *n* Biegung *f*; (*BRIT: in road*) Kurve *f*; **~ down** *or* **over** *vi* sich bücken

beneath [bɪ'niːθ] *prep* unter ♦ *adv* darunter

benefactor ['benɪfæktə*] *n* Wohltäter(in) *m(f)*

beneficial [benɪ'fɪʃl] *adj* vorteilhaft; (*to health*) heilsam

benefit ['benɪfɪt] *n* (*advantage*) Nutzen *m* ♦ *vt* fördern ♦ *vi*: **to ~ (from)** Nutzen ziehen (aus)

Benelux ['benɪlʌks] *n* Beneluxstaaten *pl*

benevolent [bɪ'nevələnt] *adj* wohlwollend

benign [bɪ'naɪn] *adj* (*person*) gütig; (*climate*) mild

bent [bent] *pt, pp of* **bend** ♦ *n* (*inclination*) Neigung *f* ♦ *adj* (*inf: dishonest*) unehrlich; **to be ~ on** versessen sein auf +*acc*

bequest [bɪ'kwest] *n* Vermächtnis *nt*

bereaved [bɪ'riːvd] *npl*: **the ~** die Hinterbliebenen *pl*

bereft [bɪ'reft] *adj*: **~ of** bar +*gen*

beret ['bereɪ] *n* Baskenmütze *f*

Berlin [bɜː'lɪn] *n* Berlin *nt*

berm [bɜːm] (*US*) *n* (*AUT*) Seitenstreifen *m*

Bermuda [bɜː'mjuːdə] *n* Bermuda *nt*

berry ['berɪ] *n* Beere *f*

berserk [bə'sɜːk] *adj*: **to go ~** wild werden

berth [bɜːθ] *n* (*for ship*) Ankerplatz *m*; (*in ship*) Koje *f*; (*in train*) Bett *nt* ♦ *vt* am Kai festmachen ♦ *vi* anlegen

beseech [bɪ'siːtʃ] (*pt, pp* **besought**) *vt* anflehen

beset [bɪ'set] (*pt, pp* **beset**) *vt* bedrängen

beside [bɪ'saɪd] *prep* neben, bei; (*except*) außer; **to be ~ o.s. (with)** außer sich sein (vor +*dat*); **that's ~ the point** das tut nichts zur Sache

besides [bɪ'saɪdz] *prep* außer, neben ♦ *adv* außerdem

besiege [bɪ'siːdʒ] *vt* (*MIL*) belagern; (*surround*) umlagern, bedrängen

besought [bɪ'sɔːt] *pt, pp of* **beseech**

best [best] *adj* beste(r, s) ♦ *adv* am besten; **the ~ part of** (*quantity*) das meiste +*gen*; **at ~** höchstens; **to make the ~ of it** das Beste daraus machen; **to do one's ~** sein

Bestes tun; **to the ~ of my knowledge** meines Wissens; **to the ~ of my ability** so gut ich kann; **for the ~** zum Besten; **~ man** *n* Trauzeuge *m*

bestow [bɪ'stəʊ] *vt* verleihen

bet [bet] (*pt, pp* **bet** *or* **betted**) *n* Wette *f* ♦ *vt, vi* wetten

betray [bɪ'treɪ] *vt* verraten

better ['betə*] *adj, adv* besser ♦ *vt* verbessern ♦ *n*: **to get the ~ of sb** jdn überwinden; **he thought ~ of it** er hat sich eines Besseren besonnen; **you had ~ leave** Sie gehen jetzt wohl besser; **to get ~** (*MED*) gesund werden; **~ off** *adj* (*richer*) wohlhabender

betting ['betɪŋ] *n* Wetten *nt*; **~ shop** (*BRIT*) *n* Wettbüro *nt*

between [bɪ'twiːn] *prep* zwischen; (*among*) unter ♦ *adv* dazwischen

beverage ['bevərɪdʒ] *n* Getränk *nt*

bevy ['bevɪ] *n* Schar *f*

beware [bɪ'wɛə*] *vt, vi* sich hüten vor +*dat*; **"~ of the dog"** „Vorsicht, bissiger Hund!"

bewildered [bɪ'wɪldəd] *adj* verwirrt

bewitching [bɪ'wɪtʃɪŋ] *adj* bestrickend

beyond [bɪ'jɒnd] *prep* (*place*) jenseits +*gen*; (*time*) über ... hinaus; (*out of reach*) außerhalb +*gen* ♦ *adv* darüber hinaus; **~ doubt** ohne Zweifel; **~ repair** nicht mehr zu reparieren

bias ['baɪəs] *n* (*slant*) Neigung *f*; (*prejudice*) Vorurteil *nt*; **~(s)ed** *adj* voreingenommen

bib [bɪb] *n* Latz *m*

Bible ['baɪbl] *n* Bibel *f*

bicarbonate of soda [baɪ'kɑːbənɪt-] *n* Natron *nt*

bicker ['bɪkə*] *vi* zanken

bicycle ['baɪsɪkl] *n* Fahrrad *nt*

bid [bɪd] (*pt* **bade** *or* **bid**, *pp* **bid(den)**) *n* (*offer*) Gebot *nt*; (*attempt*) Versuch *m* ♦ *vt, vi* (*offer*) bieten; **to ~ farewell** Lebewohl sagen; **bidden** ['bɪdn] *pp of* **bid**; **~der** *n* (*person*) Steigerer *m*; **the highest ~der** der Meistbietende; **~ding** *n* (*command*) Geheiß *nt*

bide [baɪd] *vt*: **to ~ one's time** abwarten

bifocals [baɪ'fəʊkəlz] *npl* Bifokalbrille *f*

big [bɪg] *adj* groß

big dipper [-'dɪpə*] *n* Achterbahn *f*

bigheaded ['bɪg'hedɪd] *adj* eingebildet

bigot ['bɪgət] *n* Frömmler *m*; **~ed** *adj* bigott; **~ry** *n* Bigotterie *f*

big top *n* Zirkuszelt *nt*

bike [baɪk] *n* Rad *nt*

bikini [bɪ'kiːnɪ] *n* Bikini *m*

bile [baɪl] *n* (*BIOL*) Galle *f*

bilingual [baɪ'lɪŋgwəl] *adj* zweisprachig

bill [bɪl] *n* (*account*) Rechnung *f*; (*POL*) Gesetzentwurf *m*; (*US: FIN*) Geldschein *m*; **to fit** *or* **fill the ~** (*fig*) der/die/das richtige sein; **"post no ~s"** „Plakate ankleben verboten"; ~**board** ['bɪlbɔːd] n Reklameschild nt

billet ['bɪlɪt] n Quartier nt

billfold ['bɪlfəʊld] (US) n Geldscheintasche f

billiards ['bɪljədz] n Billard nt

billion ['bɪljən] n (BRIT) Billion f; (US) Milliarde f

bin [bɪn] n Kasten m; (dust~) (Abfall)eimer m

bind [baɪnd] (pt, pp **bound**) vt (tie) binden; (tie together) zusammenbinden; (oblige) verpflichten; ~**ing** n (Buch)einband m ♦ adj verbindlich

binge [bɪndʒ] (inf) n Sauferei f

bingo ['bɪŋgəʊ] n Bingo nt

binoculars [bɪ'nɒkjʊləz] npl Fernglas nt

bio... [baɪəʊ] prefix: ~**chemistry** n Biochemie f; ~**graphy** n Biographie f; ~**logical** [baɪə'lɒdʒɪkəl] adj biologisch; ~**logy** [baɪ'ɒlədʒɪ] n Biologie f

birch [bɜːtʃ] n Birke f

bird [bɜːd] n Vogel m; (BRIT: inf: girl) Mädchen nt; ~'**s-eye view** n Vogelschau f; ~ **watcher** n Vogelbeobachter(in) m(f)

Biro ['baɪrəʊ] (®) n Kugelschreiber m

birth [bɜːθ] n Geburt f; **to give** ~ **to** zur Welt bringen; ~ **certificate** n Geburtsurkunde f; ~ **control** n Geburtenkontrolle f; ~**day** n Geburtstag m; ~**day card** n Geburtstagskarte f; ~**place** n Geburtsort m; ~ **rate** n Geburtenrate f

biscuit ['bɪskɪt] n Keks m

bisect [baɪ'sekt] vt halbieren

bishop ['bɪʃəp] n Bischof m

bit [bɪt] pt of **bite** ♦ n bißchen, Stückchen nt; (horse's) Gebiß nt; (COMPUT) Bit nt; **a** ~ **tired** etwas müde

bitch [bɪtʃ] n (dog) Hündin f; (unpleasant woman) Weibsstück nt

bite [baɪt] (pt **bit**, pp **bitten**) vt, vi beißen ♦ n Biß m; (mouthful) Bissen m; **to** ~ **one's nails** Nägel kauen; **let's have a** ~ **to eat** laß uns etwas essen

biting ['baɪtɪŋ] adj beißend

bitten ['bɪtn] pp of **bite**

bitter ['bɪtə*] adj bitter; (memory etc) schmerzlich; (person) verbittert ♦ n (BRIT: beer) dunkle(s) Bier nt; ~**ness** n Bitterkeit f

blab [blæb] vi klatschen ♦ vt (also: ~ out) ausplaudern

black [blæk] adj schwarz; (night) finster ♦ vt schwärzen; (shoes) wichsen; (eye) blau schlagen; (BRIT: INDUSTRY) boykottieren; **to give sb a** ~ **eye** jdm ein blaues Auge schlagen; **in the** ~ (bank account) in den schwarzen Zahlen; ~ **and blue** adj grün und blau; ~**berry** n Brombeere f; ~**bird** n Amsel f; ~**board** n (Wand)tafel f; ~ **coffee** n schwarze(r) Kaffee m; ~**currant** n schwarze Johannisbeere f; ~**en** vt

schwärzen; (fig) verunglimpfen; **B**~ **Forest** n Schwarzwald m; ~ **ice** n Glatteis nt; ~**jack** (US) n Siebzehn und Vier; ~**leg** (BRIT) n Streikbrecher(in) m(f); ~**list** n schwarze Liste f; ~**mail** n Erpressung f ♦ vt erpressen; ~ **market** n Schwarzmarkt m; ~**out** n Verdunklung f; (MED): **to have a** ~**out** bewußtlos werden; ~ **Sea** n: **the** ~ **Sea** das Schwarze Meer; ~ **sheep** n schwarze(s) Schaf nt; ~**smith** n Schmied m; ~ **spot** n (AUT) Gefahrenstelle f; (for unemployment etc) schwer betroffene(s) Gebiet nt

bladder ['blædə*] n Blase f

blade [bleɪd] n (of weapon) Klinge f; (of grass) Halm m; (of oar) Ruderblatt nt

blame [bleɪm] n Tadel m, Schuld f ♦ vt Vorwürfe machen +dat; **to** ~ **sb for sth** jdm die Schuld an etw dat geben; **he is to** ~ er ist daran schuld

bland [blænd] adj mild

blank [blæŋk] adj leer, unbeschrieben; (look) verdutzt; (verse) Blank- ♦ n (space) Lücke f; Zwischenraum m; (cartridge) Platzpatrone f; ~ **cheque** n Blankoscheck m; (fig) Freibrief m

blanket ['blæŋkɪt] n (Woll)decke f

blare [blɛə*] vi (radio) plärren; (horn) tuten; (MUS) schmettern

blasé ['blɑːzeɪ] adj blasiert

blast [blɑːst] n Explosion f; (of wind) Windstoß m ♦ vt (blow up) sprengen; ~! (inf) verflixt!; ~**-off** n (SPACE) (Raketen)abschuß m

blatant ['bleɪtənt] adj offenkundig

blaze [bleɪz] n (fire) lodernde(s) Feuer nt ♦ vi lodern ♦ vt: **to** ~ **a trail** Bahn brechen

blazer ['bleɪzə*] n Blazer m

bleach [bliːtʃ] n (also: household ~) Bleichmittel nt ♦ vt bleichen

bleachers ['bliːtʃəz] (US) npl (SPORT) unüberdachte Tribüne f

bleak [bliːk] adj kahl, rauh; (future) trostlos

bleary-eyed ['blɪərɪ'aɪd] adj triefäugig; (on waking up) mit verschlafenen Augen

bleat [bliːt] vi blöken; (fig: complain) meckern

bled [bled] pt, pp of **bleed**

bleed [bliːd] (pt, pp **bled**) vi bluten ♦ vt (draw blood) zur Ader lassen; **to** ~ **to death** verbluten

bleeper [bliːpə*] n (of doctor etc) Funkrufempfänger m

blemish ['blemɪʃ] n Makel m ♦ vt verunstalten

blend [blend] n Mischung f ♦ vt mischen ♦ vi sich mischen

bless [bles] (pt, pp **blessed** or **blest**) vt segnen; (give thanks) preisen; (make happy) glücklich machen; ~ **you!** Gesundheit!; ~**ing** n Segen m; (at table) Tischgebet nt; (happiness) Wohltat f; Segen m; (good

wish) Glück nt
blest [blest] pt, pp of **bless**
blew [blu:] pt of **blow**
blight [blaɪt] vt zunichte machen
blimey ['blaɪmɪ] (BRIT: inf) excl verflucht
blind [blaɪnd] adj blind; (corner) unübersichtlich ♦ n (for window) Rouleau nt ♦ vt blenden; ~ **alley** n Sackgasse f; ~**fold** n Augenbinde f ♦ adj, adv mit verbundenen Augen ♦ vt: to ~**fold sb** jdm die Augen verbinden; ~**ly** adv blind; (fig) blindlings; ~**ness** n Blindheit f; ~ **spot** n (AUT) tote(r) Winkel m; (fig) schwache(r) Punkt m
blink [blɪŋk] vi blinzeln; ~**ers** npl Scheuklappen pl
bliss [blɪs] n (Glück)seligkeit f
blister ['blɪstə*] n Blase f ♦ vi Blasen werfen
blithe [blaɪð] adj munter
blitz [blɪts] n Luftkrieg m
blizzard ['blɪzəd] n Schneesturm m
bloated ['bləʊtɪd] adj aufgedunsen; (inf: full) nudelsatt
blob [blɒb] n Klümpchen nt
bloc [blɒk] n (POL) Block m
block [blɒk] n (of wood) Block m, Klotz m; (of houses) Häuserblock m ♦ vt hemmen; ~**ade** [blɒ'keɪd] n Blockade f ♦ vt blockieren; ~**age** n Verstopfung f; ~**buster** n Knüller m; ~ **of flats** (BRIT) n Häuserblock m; ~ **letters** npl Blockbuchstaben pl
bloke [bləʊk] (BRIT: inf) n Kerl m, Typ m
blond(e) [blɒnd] adj blond ♦ n Blondine f
blood [blʌd] n Blut nt; ~ **donor** n Blutspender m; ~ **group** n Blutgruppe f; ~ **pressure** n Blutdruck m; ~**shed** n Blutvergießen nt; ~**shot** adj blutunterlaufen; ~**stained** adj blutbefleckt; ~**stream** n Blut m, Blutkreislauf m; ~ **test** n Blutprobe f; ~**thirsty** adj blutrünstig; ~**y** adj blutig; (BRIT: inf) verdammt; ~**y-minded** (BRIT: inf) adj stur
bloom [blu:m] n Blüte f; (freshness) Glanz m ♦ vi blühen
blossom ['blɒsəm] n Blüte f ♦ vi blühen
blot [blɒt] n Klecks m ♦ vt beklecksen; (ink) (ab)löschen; ~ **out** vt auslöschen
blotchy ['blɒtʃɪ] adj fleckig
blotting paper ['blɒtɪŋ-] n Löschpapier nt
blouse [blaʊz] n Bluse f
blow [bləʊ] (pt blew, pp blown) n Schlag m ♦ vt blasen ♦ vi (wind) wehen; to ~ **one's nose** sich dat die Nase putzen; ~ **away** vt wegblasen; ~ **down** vt unwehen; ~ **out** vi ausgehen ♦ vt ausblasen; ~ **over** vi vorübergehen; ~ **up** vi explodieren ♦ vt sprengen; ~**-dry** n: to have a ~**-dry** sich fönen lassen ♦ vt fönen; ~**lamp** (BRIT) n Lötlampe f; ~**n** [bləʊn] pp of **blow**; ~**-out** n (AUT) geplatzte(r) Reifen m; ~**torch** n =

blowlamp
blue [blu:] adj blau; (inf: unhappy) niedergeschlagen; (obscene) pornographisch; (joke) anzüglich; **out of the** ~ (fig) aus heiterem Himmel; **to have the** ~**s** traurig sein; ~**bell** n Glockenblume f; ~**bottle** n Schmeißfliege f; ~ **film** n Pornofilm m; ~**print** n (fig) Entwurf m
bluff [blʌf] vi bluffen, täuschen ♦ n (deception) Bluff m; **to call sb's** ~ es darauf ankommen lassen
blunder ['blʌndə*] n grobe(r) Fehler m, Schnitzer m ♦ vi einen groben Fehler machen
blunt [blʌnt] adj (knife) stumpf; (talk) unverblümt ♦ vt abstumpfen
blur [blɜ:*] n Fleck m ♦ vt verschwommen machen
blurb [blɜ:b] n Waschzettel m
blurt [blɜ:t] vt: to ~ **out** herausplatzen mit
blush [blʌʃ] vi erröten ♦ n (Scham)röte f
blustery ['blʌstərɪ] adj stürmisch
boar [bɔ:*] n Keiler m, Eber m
board [bɔ:d] n Brett nt; (of card) Pappe f; (committee) Ausschuß m; (of firm) Aufsichtsrat m; (SCH) Direktorium nt ♦ vt (train) einsteigen in +acc; (ship) an Bord gehen +gen; **on** ~ (AVIAT, NAUT) an Bord; ~ **and lodging** Unterkunft f und Verpflegung; **full/half** ~ (BRIT) Voll-/Halbpension f; **to go by the** ~ flachfallen, über Bord gehen; ~ **up** vt mit Brettern vernageln; ~**er** n Kostgänger m; (SCH) Internatsschüler(in) m(f); ~**ing card** n (AVIAT, NAUT) Bordkarte f; ~**ing house** n Pension f; ~**ing school** n Internat nt; ~**room** n Sitzungszimmer nt
boast [bəʊst] vi prahlen ♦ vt sich rühmen +gen ♦ n Großtuerei f; Prahlerei f; **to** ~ **about** or **of sth** mit etw prahlen
boat [bəʊt] n Boot nt; (big) Schiff nt; ~**er** n (hat) Kreissäge f; ~**swain** n = **bosun**
bob [bɒb] vi sich auf und nieder bewegen ♦ n (BRIT: inf) = **shilling**; ~ **up** vi auftauchen
bobbin ['bɒbɪn] n Spule f
bobby ['bɒbɪ] (BRIT: inf) n Bobby m
bobsleigh ['bɒbsleɪ] n Bob m
bode [bəʊd] vi: to ~ **well/ill** ein gutes/ schlechtes Zeichen sein
bodily ['bɒdɪlɪ] adj, adv körperlich
body ['bɒdɪ] n Körper m; (dead) Leiche f; (group) Mannschaft f; (AUT) Karosserie f; (trunk) Rumpf m; ~**guard** n Leibwache f; ~**work** n Karosserie f
bog [bɒg] n Sumpf m ♦ vt: to get ~**ged down** sich festfahren
boggle ['bɒgl] vi stutzen; **the mind** ~**s** es ist kaum auszumalen
bogus ['bəʊgəs] adj unecht, Schein-
boil [bɔɪl] vt, vi kochen ♦ n (MED) Geschwür nt; **to come to the** (BRIT) or **a** (US)

~ zu kochen anfangen; **to ~ down to** (*fig*) hinauslaufen auf +*acc*; ~ **over** *vi* überkochen; ~**ed egg** *n* gekochte(s) Ei *nt*; ~**ed potatoes** *npl* Salzkartoffeln *pl*; ~**er** *n* Boiler *m*; ~**er suit** (*BRIT*) *n* Arbeitsanzug *m*; ~**ing point** *n* Siedepunkt *m*

boisterous ['bɔɪstərəs] *adj* ungestüm

bold [bəʊld] *adj* (*fearless*) unerschrocken; (*handwriting*) fest und klar

bollard ['bɒləd] *n* (*NAUT*) Poller *m*; (*BRIT*: *AUT*) Pfosten *m*

bolster ['bəʊlstə*] : ~ **up** *vt* unterstützen

bolt [bəʊlt] *n* Bolzen *m*; (*lock*) Riegel *m* ♦ *adv*: ~ **upright** kerzengerade ♦ *vt* verriegeln; (*swallow*) verschlingen ♦ *vi* (*horse*) durchgehen

bomb [bɒm] *n* Bombe *f* ♦ *vt* bombardieren; ~**ard** [bɒm'bɑːd] *vt* bombardieren; ~**ardment** [bɒm'bɑːdmənt] *n* Beschießung *f*; ~ **disposal** *n*: ~ **disposal unit** Bombenräumkommando *nt*; ~**shell** *n* (*fig*) Bombe *f*

bona fide ['bəʊnə'faɪdɪ] *adj* echt

bond [bɒnd] *n* (*link*) Band *nt*; (*FIN*) Schuldverschreibung *f*

bondage ['bɒndɪdʒ] *n* Sklaverei *f*

bone [bəʊn] *n* Knochen *m*; (*of fish*) Gräte *f*; (*piece of* ~) Knochensplitter *m* ♦ *vt* die Knochen herausnehmen +*dat*; (*fish*) entgräten; ~ **idle** *adj* stinkfaul

bonfire ['bɒnfaɪə*] *n* Feuer *nt* im Freien

bonnet ['bɒnɪt] *n* Haube *f*; (*for baby*) Häubchen *nt*; (*BRIT*: *AUT*) Motorhaube *f*

bonus ['bəʊnəs] *n* Bonus *m*; (*annual* ~) Prämie *f*

bony ['bəʊnɪ] *adj* knochig, knochendürr

boo [buː] *vt* auspfeifen

booby trap ['buːbɪ-] *n* Falle *f*

book [bʊk] *n* Buch *nt* ♦ *vt* (*ticket etc*) vorbestellen; (*person*) verwarnen; ~**s** *npl* (*COMM*) Bücher *pl*; ~**case** *n* Bücherregal *nt*; Bücherschrank *m*; ~**ing office** (*BRIT*) *n* (*RAIL*) Fahrkartenschalter *m*; (*THEAT*) Vorverkaufsstelle *f*; ~**keeping** *n* Buchhaltung *f*; ~**let** *n* Broschüre *f*; ~**maker** *n* Buchmacher *m*; ~**seller** *n* Buchhändler *m*; ~**shop**, ~**store** *n* Buchhandlung *f*

boom [buːm] *n* (*noise*) Dröhnen *nt*; (*busy period*) Hochkonjunktur *f* ♦ *vi* dröhnen

boon [buːn] *n* Wohltat *f*, Segen *m*

boost [buːst] *n* Auftrieb *m*; (*fig*) Reklame *f* ♦ *vt* Auftrieb geben +*dat*; ~**er** *n* (*MED*) Wiederholungsimpfung *f*

boot [buːt] *n* Stiefel *m*; (*BRIT*: *AUT*) Kofferraum *m* ♦ *vt* (*kick*) einen Fußtritt geben +*dat*; (*COMPUT*) laden *m*; **to** ~ (*in addition*) obendrein

booth [buːð] *n* (*at fair*) Bude *f*; (*telephone* ~) Zelle *f*; (*voting* ~) Kabine *f*

booze [buːz] (*inf*) *n* Alkohol *m*, Schnaps *m* ♦ *vi* saufen

border ['bɔːdə*] *n* Grenze *f*; (*edge*) Kante *f*; (*in garden*) (Blumen)rabatte *f* ♦ *adj* Grenz-;

the B~s Grenzregion *f* zwischen England und Schottland; ~ **on** *vt* grenzen an +*acc*; ~**line** *n* Grenze *f*; ~**line case** *n* Grenzfall *m*

bore [bɔː*] *pt* of **bear** ♦ *vt* bohren; (*weary*) langweilen ♦ *n* (*person*) Langweiler *m*; (*thing*) langweilige Sache *f*; (*of gun*) Kaliber *nt*; **I am ~d** ich langweile mich; ~**dom** *n* Langeweile *f*

boring ['bɔːrɪŋ] *adj* langweilig

born [bɔːn] *adj*: **to be** ~ geboren werden

borne [bɔːn] *pp* of **bear**

borough ['bʌrə] *n* Stadt(gemeinde) *f*, Stadtbezirk *m*

borrow ['bɒrəʊ] *vt* borgen

Bosnia (and) Herzegovina *n* ['bɒznɪə (ənd) hɜːtsəgəʊ'viːnə] Bosnien und Herzegowina *nt*

bosom ['bʊzəm] *n* Busen *m*

boss [bɒs] *n* Chef *m*, Boß *m* ♦ *vt*: **to** ~ **around** herumkommandieren; ~**y** *adj* herrisch

bosun ['bəʊsn] *n* Bootsmann *m*

botany ['bɒtənɪ] *n* Botanik *f*

botch [bɒtʃ] *vt* (*also*: ~ **up**) verpfuschen

both [bəʊθ] *adj* beide(s) ♦ *pron* beide(s) ♦ *adv*: ~ **X and Y** sowohl X wie auch Y; ~ (**of**) **the books** beide Bücher; ~ **of us went**, **we** ~ **went** wir gingen beide

bother ['bɒðə*] *vt* (*pester*) quälen ♦ *vi* (*fuss*) sich aufregen ♦ *n* Mühe *f*, Umstand *m*; **to** ~ **doing sth** sich *dat* die Mühe machen, etw zu tun; **what a** ~! wie ärgerlich!

bottle ['bɒtl] *n* Flasche *f* ♦ *vt* (*in Flaschen*) abfüllen; ~ **up** *vt* aufstauen; ~ **bank** *n* Altglascontainer *m*; ~**neck** *n* (*also fig*) Engpaß *m*; ~-**opener** *n* Flaschenöffner *m*

bottom ['bɒtəm] *n* Boden *m*; (*of person*) Hintern *m*; (*riverbed*) Flußbett *nt* ♦ *adj* unterste(r, s)

bough [baʊ] *n* Zweig *m*, Ast *m*

bought [bɔːt] *pt*, *pp* of **buy**

boulder ['bəʊldə*] *n* Felsbrocken *m*

bounce [baʊns] *vi* (*ball*) hochspringen; (*person*) herumhüpfen; (*cheque*) platzen ♦ *vt* (*auf*)springen lassen ♦ *n* (*rebound*) Aufprall *m*; ~**r** *n* Rausschmeißer *m*

bound [baʊnd] *pt*, *pp* of **bind** ♦ *n* Grenze *f*; (*leap*) Sprung *m* ♦ *vi* (*spring*, *leap*) (*auf*)springen ♦ *adj* (*obliged*) gebunden, verpflichtet; **out of** ~**s** Zutritt verboten; **to be** ~ **to do sth** verpflichtet sein, etw zu tun; **it's** ~ **to happen** es muß so kommen; **to be** ~ **for ...** nach ... fahren

boundary ['baʊndərɪ] *n* Grenze *f*

bouquet [bʊ'keɪ] *n* Strauß *m*; (*of wine*) Blume *f*

bourgeois ['bʊəʒwɑː] *adj* kleinbürgerlich, bourgeois ♦ *n* Spießbürger(in) *m(f)*

bout [baʊt] *n* (*of illness*) Anfall *m*; (*of contest*) Kampf *m*

bow¹ [bəʊ] *n* (*ribbon*) Schleife *f*; (*weapon*,

MUS) Bogen *m*
bow² [bau] *n* (*with head, body*) Verbeugung *f*; (*of ship*) Bug *m* ♦ *vi* sich verbeugen; (*submit*): **to bow to** sich beugen +*dat*
bowels ['bauəlz] *npl* Darm *m*; (*centre*) Innere *nt*
bowl [bəul] *n* (*basin*) Schüssel *f*; (*of pipe*) (Pfeifen)kopf *m*; (*wooden ball*) (Holz)kugel *f* ♦ *vt, vi* (die Kugel) rollen; **~s** *n* (*game*) Bowls-Spiel *nt*
bow-legged ['bəu'legid] *adj* o-beinig
bowler ['bəulə*] *n* Werfer *m*; (*BRIT: also:* ~ *hat*) Melone *f*
bowling ['bəuliŋ] *n* Kegeln *nt*; ~ **alley** *n* Kegelbahn *f*; ~ **green** *n* Rasen *m* zum Bowling-Spiel
bow tie ['bəu-] *n* Fliege *f*
box [bɒks] *n* (*also: cardboard* ~) Schachtel *f*; (*bigger*) Kasten *m*; (*THEAT*) Loge *f* ♦ *vt* einpacken ♦ *vi* boxen; **~er** *n* Boxer *m*; **~ing** *n* (*SPORT*) Boxen *nt*; **B~ing Day** (*BRIT*) *n* zweite(r) Weihnachtsfeiertag *m*; **~ing gloves** *npl* Boxhandschuhe *pl*; **~ing ring** *n* Boxring *m*; ~ **office** *n* (Theater)kasse *f*; **~room** *n* Rumpelkammer *f*
boy [bɔi] *n* Junge *m*
boycott ['bɔikɒt] *n* Boykott *m* ♦ *vt* boykottieren
boyfriend ['bɔifrend] *n* Freund *m*
boyish ['bɔiiʃ] *adj* jungenhaft
B.R. *n abbr* = **British Rail**
bra [brɑ:] *n* BH *m*
brace [breis] *n* (*TECH*) Stütze *f*; (*MED*) Klammer *f* ♦ *vt* stützen; **~s** *npl* (*BRIT*) Hosenträger *pl*; **to ~ o.s. for sth** (*fig*) sich auf etw *acc* gefaßt machen
bracelet ['breislit] *n* Armband *nt*
bracing ['breisiŋ] *adj* kräftigend
bracken ['brækən] *n* Farnkraut *nt*
bracket ['brækit] *n* Halter *m*, Klammer *f*; (*in punctuation*) Klammer *f*; (*group*) Gruppe *f* ♦ *vt* einklammern; (*fig*) in dieselbe Gruppe einordnen
brag [bræg] *vi* sich rühmen
braid [breid] *n* (*hair*) Flechte *f*; (*trim*) Borte *f*
Braille [breil] *n* Blindenschrift *f*
brain [brein] *n* (*ANAT*) Gehirn *nt*; (*intellect*) Intelligenz *f*, Verstand *m*; (*person*) kluge(r) Kopf *m*; **~s** *npl* (*intelligence*) Verstand *m*; **~child** *n* Erfindung *f*; **~wash** *vt* eine Gehirnwäsche vornehmen bei; **~wave** *n* Geistesblitz *m*; **~y** *adj* gescheit
braise [breiz] *vt* schmoren
brake [breik] *n* Bremse *f* ♦ *vt, vi* bremsen; ~ **fluid** *n* Bremsflüssigkeit *f*; ~ **light** *n* Bremslicht *nt*
bramble ['bræmbl] *n* Brombeere *f*
bran [bræn] *n* Kleie *f*; (*food*) Frühstückflocken *pl*
branch [brɑ:ntʃ] *n* Ast *m*; (*division*) Zweig *m* ♦ *vi* (*also:* ~ *out: road*) sich verzweigen

brand [brænd] *n* (*COMM*) Marke *f*, Sorte *f*; (*on cattle*) Brandmal *nt* ♦ *vt* brandmarken; (*COMM*) ein Warenzeichen geben +*dat*
brandish ['brændiʃ] *vt* (drohend) schwingen
brand-new ['brænd'nju:] *adj* funkelnagelneu
brandy ['brændi] *n* Weinbrand *m*, Kognak *m*
brash [bræʃ] *adj* unverschämt
brass [brɑ:s] *n* Messing *nt*; **the ~** (*MUS*) das Blech; ~ **band** *n* Blaskapelle *f*
brassière ['bræsiə*] *n* Büstenhalter *m*
brat [bræt] *n* Gör *nt*
bravado [brə'vɑ:dəu] *n* Tollkühnheit *f*
brave [breiv] *adj* tapfer ♦ *n* indianische(r) Krieger *m* ♦ *vt* die Stirn bieten +*dat*
bravery ['breivəri] *n* Tapferkeit *f*
brawl [brɔ:l] *n* Rauferei *f*
brawn [brɔ:n] *n* (*ANAT*) Muskeln *pl*; (*strength*) Muskelkraft *f*
bray [brei] *vi* schreien
brazen ['breizn] *adj* (*shameless*) unverschämt ♦ *vt*: **to ~ it out** sich mit Lügen und Betrügen durchsetzen
brazier ['breiziə*] *n* (*of workmen*) offene(r) Kohlenofen *m*
Brazil [brə'zil] *n* Brasilien *nt*; **~ian** *adj* brasilianisch ♦ *n* Brasilianer(in) *m(f)*
breach [bri:tʃ] *n* (*gap*) Lücke *f*; (*MIL*) Durchbruch *m*; (*of discipline*) Verstoß *m* (gegen die Disziplin); (*of faith*) Vertrauensbruch *m* ♦ *vt* durchbrechen; ~ **of contract** Vertragsbruch *m*; ~ **of the peace** öffentliche Ruhestörung *f*
bread [bred] *n* Brot *nt*; ~ **and butter** Butterbrot *nt*; **~bin** *n* Brotkasten *m*; **~box** (*US*) *n* Brotkasten *m*; **~crumbs** *npl* Brotkrumen *pl*; (*COOK*) Paniermehl *nt*; **~line** *n*: **to be on the ~line** sich gerade so durchschlagen
breadth [bretθ] *n* Breite *f*
breadwinner ['bredwinə*] *n* Ernährer *m*
break [breik] (*pt* **broke**, *pp* **broken**) *vt* (*destroy*) (ab- oder zer)brechen; (*promise*) brechen, nicht einhalten ♦ *vi* (*fall apart*) auseinanderbrechen; (*collapse*) zusammenbrechen; (*dawn*) anbrechen ♦ *n* (*gap*) Lücke *f*; (*chance*) Chance *f*, Gelegenheit *f*; (*fracture*) Bruch *m*; (*rest*) Pause *f*; ~ **down** *vt* (*figures, data*) aufschlüsseln; (*undermine*) überwinden ♦ *vi* (*car*) eine Panne haben; (*person*) zusammenbrechen; ~ **even** *vi* die Kosten decken; ~ **free** *vi* sich losreißen; ~ **in** *vt* (*animal*) abrichten; (*horse*) zureiten ♦ *vi* (*burglar*) einbrechen; ~ **into** *vt fus* (*house*) einbrechen in +*acc*; ~ **loose** *vi* sich losreißen; ~ **off** *vi* abbrechen; ~ **open** *vt* (*door etc*) aufbrechen; ~ **out** *vi* ausbrechen; **to ~ out in spots** Pickel bekommen; ~ **up** *vi* zerbrechen; (*fig*) sich zerstreuen; (*BRIT: SCH*) in die Ferien gehen ♦ *vt* brechen;

~**age** n Bruch m, Beschädigung f; ~**down** n (*TECH*) Panne f; (*MED*: also: nervous ~*down*) Zusammenbruch m; ~**down van** (*BRIT*) n Abschleppwagen m; ~**er** n Brecher m

breakfast ['brekfəst] n Frühstück nt

break: ~**-in** n Einbruch m; ~**ing** n: ~**ing and entering** (*JUR*) Einbruch m; ~**through** n Durchbruch m; ~**water** n Wellenbrecher m

breast [brest] n Brust f; ~**-feed** (*irreg: like feed*) vt, vi stillen; ~**-stroke** n Brustschwimmen nt

breath [breθ] n Atem m; **out of** ~ außer Atem; **under one's** ~ flüsternd

Breathalyzer ['breθəlaɪzə*] (®) n Röhrchen nt

breathe [bri:ð] vt, vi atmen; ~ **in** vt, vi einatmen; ~ **out** vt, vi ausatmen; ~**r** n Verschnaufpause f

breathing ['bri:ðɪŋ] n Atmung f

breathless ['breθlɪs] adj atemlos

breathtaking ['breθteɪkɪŋ] adj atemberaubend

bred [bred] pt, pp of **breed**

breed [bri:d] (*pt, pp* **bred**) vi sich vermehren ♦ vt züchten ♦ n (*race*) Rasse f, Zucht f; ~**er** n (*person*) Züchter m; ~**ing** n Züchtung f; (*upbringing*) Erziehung f; (*education*) Bildung f

breeze [bri:z] n Brise f

breezy ['bri:zɪ] adj windig; (*manner*) munter

brevity ['brevɪtɪ] n Kürze f

brew [bru:] vt brauen; (*plot*) anzetteln ♦ vi (*storm*) sich zusammenziehen; ~**ery** n Brauerei f

bribe ['braɪb] n Bestechungsgeld nt, Bestechungsgeschenk nt ♦ vt bestechen; ~**ry** ['braɪbərɪ] n Bestechung f

bric-a-brac ['brɪkəbræk] n Nippes pl

brick [brɪk] n Backstein m; ~**layer** n Maurer m; ~**works** n Ziegelei f

bridal ['braɪdl] adj Braut-

bride [braɪd] n Braut f; ~**groom** n Bräutigam m; ~**smaid** n Brautjungfer f

bridge [brɪdʒ] n Brücke f; (*NAUT*) Kommandobrücke f; (*CARDS*) Bridge nt; (*of nose*) Nasenrücken m ♦ vt eine Brücke schlagen über +acc; (*fig*) überbrücken

bridle ['braɪdl] n Zaum m ♦ vt (*fig*) zügeln; (*horse*) aufzäumen; ~ **path** n Reitweg m

brief [bri:f] adj kurz ♦ n (*JUR*) Akten pl ♦ vt instruieren; ~**s** npl (*underwear*) Schlüpfer m, Slip m; ~**case** n Aktentasche f; ~**ing** n (*genaue*) Anweisung f; ~**ly** adv kurz

brigadier [brɪgə'dɪə*] n Brigadegeneral m

bright [braɪt] adj hell; (*cheerful*) heiter; (*idea*) klug; ~**en (up)** ['braɪtn-] vt aufhellen; (*person*) aufheitern ♦ vi sich aufheitern

brilliance ['brɪljəns] n Glanz m; (*of person*) Scharfsinn m

brilliant ['brɪljənt] adj glänzend

brim [brɪm] n Rand m

brine [braɪn] n Salzwasser nt

bring [brɪŋ] (*pt, pp* **brought**) vt bringen; ~ **about** vt zustande bringen; ~ **back** vt zurückbringen; ~ **down** vt (*price*) senken; ~ **forward** vt (*meeting*) vorverlegen; (*COMM*) übertragen; ~ **in** vt hereinbringen; (*harvest*) einbringen; ~ **off** vt davontragen; (*success*) erzielen; ~ **out** vt (*object*) herausbringen; ~ **round** or **to** vt wieder zu sich bringen; ~ **up** vt aufziehen; (*question*) zur Sprache bringen

brink [brɪŋk] n Rand m

brisk [brɪsk] adj lebhaft

brisket ['brɪskɪt] n Bruststück nt

bristle ['brɪsl] n Borste f ♦ vi sich sträuben; **bristling with** strotzend vor +dat

Britain ['brɪtən] n (*also: Great* ~) Großbritannien nt

British ['brɪtɪʃ] adj britisch ♦ npl: **the** ~ die Briten pl; **the** ~ **Isles** npl die Britischen Inseln pl; ~ **Rail** n die Britischen Eisenbahnen pl

Briton ['brɪtən] n Brite m, Britin f

brittle ['brɪtl] adj spröde

broach [brəʊtʃ] vt (*subject*) anschneiden

broad [brɔ:d] adj breit; (*hint*) deutlich; (*daylight*) hellicht; (*general*) allgemein; (*accent*) stark; **in** ~ **daylight** am hellichten Tag; ~**cast** (*pt, pp* **broadcast**) n Rundfunkübertragung f ♦ vt, vi übertragen, senden; ~**en** vt erweitern ♦ vi sich erweitern; ~**ly** adv allgemein gesagt; ~**-minded** adj tolerant

broccoli ['brɒkəlɪ] n Brokkoli pl

brochure ['brəʊʃʊə*] n Broschüre f

broil [brɔɪl] vt (*grill*) grillen

broke [brəʊk] pt of **break** ♦ adj (*inf*) pleite

broken ['brəʊkən] pp of **break** ♦ adj: ~ **leg** gebrochenes Bein; **in** ~ **English** in gebrochenen Englisch; ~**-hearted** adj untröstlich

broker ['brəʊkə*] n Makler m

brolly ['brɒlɪ] (*BRIT*: *inf*) n Schirm m

bronchitis [brɒŋ'kaɪtɪs] n Bronchitis f

bronze [brɒnz] n Bronze f

brooch [brəʊtʃ] n Brosche f

brood [bru:d] n Brut f ♦ vi brüten

brook [brʊk] n Bach m

broom [bru:m] n Besen m; ~**stick** n Besenstiel m

Bros. abbr = **Brothers**

broth [brɒθ] n Suppe f, Fleischbrühe f

brothel ['brɒθl] n Bordell nt

brother ['brʌðə*] n Bruder m; ~**-in-law** n Schwager m

brought [brɔ:t] pt, pp of **bring**

brow [braʊ] n (*eyebrow*) (Augen)braue f; (*forehead*) Stirn f; (*of hill*) Bergkuppe f

brown [braʊn] adj braun ♦ n Braun nt ♦ vt bräunen; ~ **bread** n Mischbrot nt; **B~ie** n Wichtel m; ~ **paper** n Packpapier nt; ~

sugar n braune(r) Zucker m
browse [brauz] vi (in books) blättern; (in shop) schmökern, herumschauen
bruise [bru:z] n Bluterguß m, blaue(r) Fleck m ♦ vt einen blauen Fleck geben ♦ vi einen blauen Fleck bekommen
brunt [brʌnt] n volle Wucht f
brush [brʌʃ] n Bürste f; (for sweeping) Handbesen m; (for painting) Pinsel m; (fight) kurze(r) Kampf m; (MIL) Scharmützel nt; (fig) Auseinandersetzung f ♦ vt (clean) bürsten; (sweep) fegen; (usu: ~ past, ~ against) streifen; ~ **aside** vt abtun; ~ **up** vt (knowledge) auffrischen; ~**wood** n Gestrüpp nt
brusque [bru:sk] adj schroff
Brussels ['brʌslz] n Brüssel nt; ~ **sprout** n Rosenkohl m
brutal ['bru:tl] adj brutal
brute [bru:t] n (person) Scheusal nt ♦ adj: **by** ♦ **force** mit roher Kraft
B.Sc. n abbr = **Bachelor of Science**
bubble ['bʌbl] n (Luft)blase f ♦ vi sprudeln; (with joy) übersprudeln; ~ **bath** n Schaumbad nt; ~**gum** n Kaugummi m or nt
buck [bʌk] n Bock m; (US: inf) Dollar m ♦ vi bocken; **to pass the** ~ (**to sb**) die Verantwortung (auf jdn) abschieben; ~ **up** (inf) vi sich zusammenreißen
bucket ['bʌkɪt] n Eimer m
buckle ['bʌkl] n Schnalle f ♦ vt (an- or zusammen)schnallen ♦ vi (bend) sich verziehen
bud [bʌd] n Knospe f ♦ vi knospen, keimen
Buddhism ['budɪzəm] n Buddhismus m
budding ['bʌdɪŋ] adj angehend
buddy ['bʌdɪ] (inf) n Kumpel m
budge [bʌdʒ] vt, vi (sich) von der Stelle rühren
budgerigar ['bʌdʒərɪgɑ:*] n Wellensittich m
budget ['bʌdʒɪt] n Budget nt; (POL) Haushalt m ♦ vi: **to** ~ **for sth** etw einplanen
budgie ['bʌdʒɪ] n = **budgerigar**
buff [bʌf] adj (colour) lederfarben ♦ n (enthusiast) Fan m
buffalo ['bʌfələu] (pl ~ or ~**es**) n (BRIT) Büffel m; (US: bison) Bison m
buffer ['bʌfə*] n Puffer m; (COMPUT) Pufferspeicher m
buffet¹ ['bʌfɪt] n (blow) Schlag m ♦ vt (herum)stoßen
buffet² ['bufeɪ] (BRIT) n (bar) Imbißraum m, Erfrischungsraum m; (food) (kaltes) Büffet nt; ~ **car** (BRIT) n Speisewagen m
bug [bʌg] n (also fig) Wanze f ♦ vt verwanzen
bugle ['bju:gl] n Jagdhorn nt; (MIL: MUS) Bügelhorn nt
build [bɪld] (pt, pp **built**) vt bauen ♦ n Körperbau m; ~ **up** vt aufbauen; ~**er** n Bauunternehmer m; ~**ing** n Gebäude nt;

~**ing society** (BRIT) n Bausparkasse f
built [bɪlt] pt, pp of **build**
built-in adj (cupboard) eingebaut
built-up area n Wohngebiet nt
bulb [bʌlb] n (BOT) (Blumen)zwiebel f; (ELEC) Glühlampe f, Birne f
Bulgaria [bʌl'gɛərɪə] n Bulgarien nt; ~**n** adj bulgarisch ♦ n Bulgare m, Bulgarin f; (LING) Bulgarisch nt
bulge [bʌldʒ] n (Aus)bauchung f ♦ vi sich (aus)bauchen
bulk [bʌlk] n Größe f, Masse f; (greater part) Großteil m; **in** ~ (COMM) en gros; **the** ~ **of** der größte Teil +gen; ~**head** n Schott nt; ~**y** adj (sehr) umfangreich; (goods) sperrig
bull [bul] n (animal) Bulle m; (cattle) Stier m; (papal) Bulle f; ~**dog** n Bulldogge f
bulldozer ['buldəuzə*] n Planierraupe f
bullet ['bulɪt] n Kugel f
bulletin ['bulɪtɪn] n Bulletin nt, Bekanntmachung f
bulletproof ['bulɪtpru:f] adj kugelsicher
bullfight ['bulfaɪt] n Stierkampf m; ~**er** n Stierkämpfer m
bullion ['bulɪən] n Barren m
bullock ['bulək] n Ochse m
bullring ['bulrɪŋ] n Stierkampfarena f
bull's-eye ['bulzaɪ] n Zentrum nt
bully ['bulɪ] n Raufbold m ♦ vt einschüchtern
bum [bʌm] n (inf: backside) Hintern m; (tramp) Landstreicher m
bumblebee ['bʌmblbi:] n Hummel f
bump [bʌmp] n (blow) Stoß m; (swelling) Beule f ♦ vt, vi stoßen, prallen; ~ **into** vt fus stoßen gegen ♦ vt (person) treffen; ~ **cars** (US) npl (dodgems) Autoskooter pl; ~**er** n (AUT) Stoßstange f ♦ adj (edition) dick; (harvest) Rekord-
bumptious ['bʌmpʃəs] adj aufgeblasen
bumpy ['bʌmpɪ] adj holprig
bun [bʌn] n Korinthenbrötchen nt
bunch [bʌntʃ] n (of flowers) Strauß m; (of keys) Bund m; (of people) Haufen m
bundle ['bʌndl] n Bündel nt ♦ vt (also: ~ up) bündeln
bungalow ['bʌŋgələu] n einstöckige(s) Haus nt, Bungalow m
bungle ['bʌŋgl] vt verpfuschen
bunion ['bʌnjən] n entzündete(r) Fußballen m
bunk [bʌŋk] n Schlafkoje f; ~ **beds** npl Etagenbett nt
bunker ['bʌŋkə*] n (coal store) Kohlenbunker m; (GOLF) Sandloch nt
bunny ['bʌnɪ] n (also: ~ rabbit) Häschen nt
bunting ['bʌntɪŋ] n Fahnentuch nt
buoy [bɔɪ] n Boje f; (life~) Rettungsboje f; ~ **up** vt Auftrieb geben +dat; ~**ant** adj (floating) schwimmend; (fig) heiter
burden ['bɜ:dn] n (weight) Ladung f, Last f;

(fig) Bürde f ♦ *vt* belasten

bureau ['bjʊərəʊ] *(pl* ~**x**) *n (BRIT: writing desk)* Sekretär *m; (US: chest of drawers)* Kommode f; *(for information etc)* Büro *nt*

bureaucracy [bjʊ'rɒkrəsɪ] *n* Bürokratie f

bureaucrat ['bjʊərəkræt] *n* Bürokrat(in) *m(f)*

bureaux ['bjʊərəʊz] *npl of* **bureau**

burglar ['bɜːglə*] *n* Einbrecher *m;* ~ **alarm** *n* Einbruchssicherung f; ~**y** *n* Einbruch *m*

burial ['berɪəl] *n* Beerdigung f

burly ['bɜːlɪ] *adj* stämmig

Burma ['bɜːmə] *n* Birma *nt*

burn [bɜːn] *(pt, pp* **burned** *or* **burnt**) *vt* verbrennen ♦ *vi* brennen ♦ *n* Brandwunde f; ~ **down** *vt, vi* abbrennen; ~**er** *n* Brenner *m;* ~**ing** *adj* brennend; ~**t** [bɜːnt] *pt, pp of* **burn**

burrow ['bʌrəʊ] *n (of fox)* Bau *m; (of rabbit)* Höhle f ♦ *vt* eingraben

bursar ['bɜːsə*] *n* Kassenverwalter *m,* Quästor *m;* ~**y** *n (BRIT)* Stipendium *nt*

burst [bɜːst] *(pt, pp* **burst**) *vt* zerbrechen ♦ *vi* platzen ♦ *n* Explosion f; *(outbreak)* Ausbruch *m; (in pipe)* Bruch(stelle f) *m;* **to ~ into flames** in Flammen aufgehen; **to ~ into tears** in Tränen ausbrechen; **to ~ out laughing** in Gelächter ausbrechen; ~ **into** *vt fus (room etc)* platzen in +*acc;* ~ **open** *vi* aufbrechen

bury ['berɪ] *vt* vergraben; *(in grave)* beerdigen

bus [bʌs] *n* (Auto)bus *m,* Omnibus *m*

bush [bʊʃ] *n* Busch *m;* **to beat about the ~** wie die Katze um den heißen Brei herumgehen

bushy ['bʊʃɪ] *adj* buschig

busily ['bɪzɪlɪ] *adv* geschäftig

business ['bɪznɪs] *n* Geschäft *nt; (concern)* Angelegenheit f; **it's none of your ~** es geht dich nichts an; **to mean ~** es ernst meinen; **to be away on ~** geschäftlich verreist sein; **it's my ~ to ...** es ist meine Sache, zu ...; ~**like** *adj* geschäftsmäßig; ~**man** *(irreg) n* Geschäftsmann *m;* ~ **trip** *n* Geschäftsreise f; ~**woman** *(irreg) n* Geschäftsfrau f

busker ['bʌskə*] *n (BRIT)* Straßenmusikant *m*

bus stop *n* Bushaltestelle f

bust [bʌst] *n* Büste f ♦ *adj (broken)* kaputt(gegangen); *(business)* pleite; **to go ~** pleite machen

bustle ['bʌsl] *n* Getriebe *nt* ♦ *vi* hasten

bustling ['bʌslɪŋ] *adj* geschäftig

busy ['bɪzɪ] *adj* beschäftigt; *(road)* belebt ♦ *vt:* **to ~ o.s.** sich beschäftigen; ~**body** *n* Übereifrige(r) *mf;* ~ **signal** *(US) n (TEL)* Besetztzeichen *nt*

but [bʌt] *conj* **1** *(yet)* aber; **not X but Y** nicht X sondern Y

2 *(however):* **I'd love to come, but I'm busy** ich würde gern kommen, bin aber beschäftigt

3 *(showing disagreement, surprise etc):* **but that's fantastic!** (aber) das ist ja fantastisch!

♦ *prep (apart from, except):* **nothing but trouble** nichts als Ärger; **no-one but him can do it** niemand außer ihn kann es machen; **but for you/your help** ohne dich/deine Hilfe; **anything but that** alles, nur das nicht

♦ *adv (just, only):* **she's but a child** sie ist noch ein Kind; **had I but known** wenn ich es nur gewußt hätte; **I can but try** ich kann es immerhin versuchen; **all but finished** so gut wie fertig

butcher ['bʊtʃə*] *n* Metzger *m; (murderer)* Schlächter *m* ♦ *vt* schlachten; *(kill)* abschlachten; ~'**s (shop)** *n* Metzgerei f

butler ['bʌtlə*] *n* Butler *m*

butt [bʌt] *n (cask)* große(s) Faß *nt; (BRIT: fig: target)* Zielscheibe f; *(thick end)* dicke(s) Ende *nt; (of gun)* Kolben *m; (of cigarette)* Stummel *m* ♦ *vt* (mit dem Kopf) stoßen; ~ **in** *vi (interrupt)* sich einmischen

butter ['bʌtə*] *n* Butter f ♦ *vt* buttern; ~ **bean** *n* Wachsbohne f; ~**cup** *n* Butterblume f

butterfly ['bʌtəflaɪ] *n* Schmetterling *m; (SWIMMING: also ~ stroke)* Butterflystil *m*

buttocks ['bʌtəks] *npl* Gesäß *nt*

button ['bʌtn] *n* Knopf *m* ♦ *vt, vi (also: ~ up)* zuknöpfen

buttress ['bʌtrɪs] *n* Strebepfeiler *m;* Stützbogen *m*

buxom ['bʌksəm] *adj* drall

buy [baɪ] *(pt, pp* **bought**) *vt* kaufen ♦ *n* Kauf *m;* **to ~ sb a drink** jdm einen Drink spendieren; ~**er** *n* Käufer(in) *m(f)*

buzz [bʌz] *n* Summen *nt* ♦ *vi* summen

buzzer ['bʌzə*] *n* Summer *m*

buzz word *n* Modewort *nt*

by [baɪ] *prep* **1** *(referring to cause, agent)* von, durch; **killed by lightning** vom Blitz getötet; **a painting by Picasso** ein Gemälde von Picasso

2 *(referring to method, manner, means):* **by bus/car/train** mit dem Bus/Auto/Zug; **to pay by cheque** per Scheck bezahlen; **by moonlight** bei Mondschein; **by saving hard, he ...** indem er eisern sparte, ... er ...

3 *(via, through)* über +*acc;* **he came in by the back door** er kam durch die Hintertür herein

4 (close to, past) bei, an +dat; **a holiday by the sea** ein Urlaub am Meer; **she rushed by me** sie eilte an mir vorbei
5 (not later than): **by 4 o'clock** bis 4 Uhr; **by this time tomorrow** morgen um diese Zeit; **by the time I got here it was too late** als ich hier ankam, war es zu spät
6 (during): **by day** bei Tag
7 (amount): **by the kilo/metre** kiloweise/meterweise; **paid by the hour** stundenweise bezahlt
8 (MATH, measure): **to divide by 3** durch 3 teilen; **to multiply by 3** mit 3 malnehmen; **a room 3 metres by 4** ein Zimmer 3 mal 4 Meter; **it's broader by a metre** es ist (um) einem Meter breiter
9 (according to) nach; **it's all right by me** von mir aus gern
10: **(all) by oneself** etc ganz allein
11: **by the way** übrigens
♦ adv **1** see **go; pass** etc
2: **by and by** irgendwann; (with past tenses) nach einiger Zeit; **by and large** (on the whole) im großen und ganzen

bye(-bye) ['baɪ('baɪ)] excl (auf) Wiedersehen
by(e)-law ['baɪlɔ:] n Verordnung f
by-election ['baɪɪˈlekʃən] (BRIT) n Nachwahl f
bygone ['baɪgɒn] adj vergangen ♦ n: **let ~s be ~s** laß(t) das Vergangene vergangen sein
bypass ['baɪpɑ:s] n Umgehungsstraße f ♦ vt umgehen
by-product ['baɪprɒdʌkt] n Nebenprodukt nt
bystander ['baɪstændə*] n Zuschauer m
byte [baɪt] n (COMPUT) Byte nt
byword ['baɪwɜ:d] n Inbegriff m

C c

C [si:] n (MUS) C nt
C. abbr (= centigrade) C
C.A. abbr = **chartered accountant**
cab [kæb] n Taxi nt; (of train) Führerstand m; (of truck) Führersitz m
cabaret ['kæbəreɪ] n Kabarett nt
cabbage ['kæbɪdʒ] n Kohl(kopf) m
cabin ['kæbɪn] n Hütte f; (NAUT) Kajüte f; (AVIAT) Kabine f; ~ **cruiser** n Motorjacht f

cabinet ['kæbɪnɪt] n Schrank m; (for china) Vitrine f; (POL) Kabinett nt; ~**-maker** n Kunsttischler m
cable ['keɪbl] n Drahtseil nt, Tau nt; (TEL) (Leitungs)kabel nt; (telegram) Kabel nt ♦ vt kabeln, telegraphieren; ~**-car** n Seilbahn f; ~ **television** n Kabelfernsehen nt
cache [kæʃ] n geheime(s) (Waffen)lager nt; geheime(s) (Proviant)lager nt
cackle ['kækl] vi gackern
cacti ['kæktaɪ] npl of **cactus**
cactus ['kæktəs] (pl **cacti**) n Kaktus m, Kaktee f
caddie ['kædɪ] n (GOLF) Golfjunge m
caddy n = **caddie**
cadet [kəˈdet] n Kadett m
cadge [kædʒ] vt schmarotzen
Caesarean [si:ˈzɛərɪən] adj: ~ **(section)** Kaiserschnitt m
café ['kæfɪ] n Café nt, Restaurant nt
cafeteria [kæfɪˈtɪərɪə] n Selbstbedienungsrestaurant nt
caffein(e) ['kæfi:n] n Koffein nt
cage [keɪdʒ] n Käfig m ♦ vt einsperren
cagey ['keɪdʒɪ] adj geheimnistuerisch, zurückhaltend
cagoule [kəˈgu:l] n Windhemd nt
Cairo ['kaɪərəʊ] n Kairo nt
cajole [kəˈdʒəʊl] vt überreden
cake [keɪk] n Kuchen m; (of soap) Stück nt; ~**d** adj verkrustet
calamity [kəˈlæmɪtɪ] n Unglück nt, (Schicksals)schlag m
calcium ['kælsɪəm] n Kalzium nt
calculate ['kælkjʊleɪt] vt berechnen, kalkulieren; **calculating** adj berechnend; **calculation** [kælkjʊˈleɪʃən] n Berechnung f; **calculator** n Rechner m
calculus ['kælkjʊləs] n Infinitesimalrechnung f
calendar ['kælɪndə*] n Kalender m; ~ **month** n Kalendermonat m
calf [kɑ:f] (pl **calves**) n Kalb nt; (also: ~skin) Kalbsleder nt; (ANAT) Wade f
calibre ['kælɪbə*] (US **caliber**) n Kaliber nt
call [kɔ:l] vt rufen; (name) nennen; (meeting) einberufen; (awaken) wecken; (TEL) anrufen ♦ vi (shout) rufen; (visit: also: ~ in, ~ round) vorbeikommen ♦ n (shout) Ruf m; (TEL) Anruf m; **to be ~ed** heißen; **on** ~ in Bereitschaft; ~ **back** vi (return) wiederkommen; (TEL) zurückrufen; ~ **for** vt fus (demand) erfordern, verlangen; (fetch) abholen; ~ **off** vt (cancel) absagen; ~ **on** vt fus (visit) besuchen; (turn to) bitten; ~ **out** vi rufen; ~ **up** vt (MIL) einberufen; ~**box** (BRIT) n Telefonzelle f; ~**er** n Besucher(in) m(f); (TEL) Anrufer m; ~ **girl** n Call-Girl nt; ~**-in** (US) n (phone-in) Phone-in nt; ~**ing** n (vocation) Berufung f; ~**ing card** (US) n Visitenkarte f
callous ['kæləs] adj herzlos

calm [kɑːm] n Ruhe f; (NAUT) Flaute f ♦ vt beruhigen ♦ adj ruhig; (person) gelassen; ~ **down** vi sich beruhigen ♦ vt beruhigen

Calor gas ['kælə-] (®) n Propangas nt

calorie ['kælərɪ] n Kalorie f

calves [kɑːvz] npl of **calf**

camber ['kæmbə*] n Wölbung f

Cambodia [kæm'bəudjə] n Kambodscha nt

camcorder ['kæmkɔːdə*] n Camcorder m

came [keɪm] pt of **come**

cameo ['kæmɪəu] n Kamee f

camera ['kæmərə] n Fotoapparat m; (CINE, TV) Kamera f; **in** ~ unter Ausschluß der Öffentlichkeit; ~**man** (irreg) n Kameramann m

camouflage ['kæməflɑːʒ] n Tarnung f ♦ vt tarnen

camp [kæmp] n Lager nt ♦ vi zelten, campen ♦ adj affektiert

campaign [kæm'peɪn] n Kampagne f; (MIL) Feldzug m ♦ vi Krieg führen; (fig) werben, Propaganda machen; (POL) den Wahlkampf führen

campbed ['kæmp'bed] (BRIT) n Campingbett nt

camper ['kæmpə*] n Camper(in) m(f); (vehicle) Camping-wagen m

camping ['kæmpɪŋ] n: **to go** ~ zelten, Camping machen

campsite ['kæmpsaɪt] n Campingplatz m

campus ['kæmpəs] n Universitätsgelände nt, Campus m

can¹ [kæn] n Büchse f, Dose f; (for water) Kanne f ♦ vt konservieren, in Büchsen einmachen

--- KEYWORD

can² [kæn] (negative **cannot, can't**; conditional **could**) aux vb **1** (be able to, know how to) können; **I can see you tomorrow, if you like** ich könnte Sie morgen sehen, wenn Sie wollen; **I can swim** ich kann schwimmen; **can you speak German?** sprechen Sie Deutsch?
2 (may) können, dürfen; **could I have a word with you?** könnte ich Sie kurz sprechen?

Canada ['kænədə] n Kanada nt

Canadian [kə'neɪdɪən] adj kanadisch ♦ n Kanadier(in) m(f)

canal [kə'næl] n Kanal m

canary [kə'neərɪ] n Kanarienvogel m

cancel ['kænsəl] vt absagen; (delete) durchstreichen; (train) streichen; ~**lation** [kænsə'leɪʃən] n Absage f; Streichung f

cancer ['kænsə*] n (also: ASTROL: C~) Krebs m

candid ['kændɪd] adj offen, ehrlich

candidate ['kændɪdeɪt] n Kandidat(in) m(f)

candle ['kændl] n Kerze f; ~**light** n Kerzenlicht nt; ~**stick** n (also: ~ holder) Kerzenhalter m

candour ['kændə*] (US **candor**) n Offenheit f

candy ['kændɪ] n Kandis(zucker) m; (US) Bonbons pl; ~**-floss** (BRIT) n Zuckerwatte f

cane [keɪn] n (BOT) Rohr nt; (stick) Stock m ♦ vt (BRIT: SCH) schlagen

canine ['kænaɪn] adj Hunde-

canister ['kænɪstə*] n Blechdose f

cannabis ['kænəbɪs] n Hanf m, Haschisch nt

canned [kænd] adj Büchsen-, eingemacht

cannibal ['kænɪbəl] n Menschenfresser m

cannon ['kænən] (pl ~ or ~**s**) n Kanone f

cannot ['kænɔt] = **can not**

canny ['kænɪ] adj schlau

canoe [kə'nuː] n Kanu nt

canon ['kænən] n (clergyman) Domherr m; (standard) Grundsatz m

canonize ['kænənaɪz] vt heiligsprechen

can-opener ['-əupnə*] n Büchsenöffner m

canopy ['kænəpɪ] n Baldachin m

can't [kɑːnt] = **can not**

cantankerous [kæn'tæŋkərəs] adj zänkisch, mürrisch

canteen [kæn'tiːn] n Kantine f; (BRIT: of cutlery) Besteckkasten m; (bottle) Feldflasche f

canter ['kæntə*] n Kanter m ♦ vi in kurzem Galopp reiten

canvas ['kænvəs] n Segeltuch nt; (sail) Segel nt; (for painting) Leinwand f; **under** ~ (camping) in Zelten

canvass ['kænvəs] vi um Stimmen werben; ~**ing** n Wahlwerbung f

canyon ['kænjən] n Felsenschlucht f

cap [kæp] n Mütze f; (of pen) Kappe f; (of bottle) Deckel m ♦ vt (surpass) übertreffen; (SPORT) aufstellen; (put limit on) einen Höchstsatz festlegen für

capability [keɪpə'bɪlɪtɪ] n Fähigkeit f

capable ['keɪpəbl] adj fähig

capacity [kə'pæsɪtɪ] n Fassungsvermögen nt; (ability) Fähigkeit f; (position) Eigenschaft f

cape [keɪp] n (garment) Cape nt, Umhang m; (GEOG) Kap nt

caper ['keɪpə*] n (COOK: usu: ~**s**) Kaper f; (prank) Kapriole f

capital ['kæpɪtl] n (~ city) Hauptstadt f; (FIN) Kapital nt; (~ letter) Großbuchstabe m; ~ **gains tax** n Kapitalertragssteuer f; ~**ism** n Kapitalismus m; ~**ist** adj kapitalistisch ♦ n Kapitalist(in) m(f); ~**ize** vi: **to** ~**ize on** Kapital schlagen aus; ~ **punishment** n Todesstrafe f

capitulate [kə'pɪtjuleɪt] vi kapitulieren

capricious [kə'prɪʃəs] adj launisch

Capricorn ['kæprɪkɔːn] n Steinbock m

capsize [kæp'saɪz] vt, vi kentern

capsule ['kæpsjuːl] n Kapsel f

captain ['kæptɪn] n Kapitän m; (MIL) Hauptmann m ♦ vt anführen

caption ['kæpʃən] n (heading) Überschrift f; (to picture) Unterschrift f

captivate ['kæptɪveɪt] vt fesseln

captive ['kæptɪv] n Gefangene(r) mf ♦ adj gefangen(gehalten)

captivity [kæp'tɪvɪtɪ] n Gefangenschaft f

capture ['kæptʃə*] vt gefangennehmen; (place) erobern; (attention) erregen ♦ n Gefangennahme f; (data ~) Erfassung f

car [kɑ:*] n Auto nt, Wagen m; (RAIL) Wagen m

carat ['kærət] n Karat nt

caravan ['kærəvæn] n (BRIT) Wohnwagen m; (in desert) Karawane f; ~ **site** (BRIT) n Campingplatz m für Wohnwagen

carbohydrate [kɑ:bəʊ'haɪdreɪt] n Kohlenhydrat nt

carbon ['kɑ:bən] n Kohlenstoff m; ~ **copy** n Durchschlag m; ~ **paper** n Kohlepapier nt

carburettor ['kɑ:bjʊretə*] (US **carburetor**) n Vergaser m

carcass ['kɑ:kəs] n Kadaver m

card [kɑ:d] n Karte f; ~**board** n Pappe f; ~ **game** n Kartenspiel nt

cardiac ['kɑ:dɪæk] adj Herz-

cardigan ['kɑ:dɪgən] n Strickjacke f

cardinal ['kɑ:dɪnl] adj: ~ **number** Kardinalzahl f ♦ n (REL) Kardinal m

card index n Kartei f; (in library) Katalog m

care [keə*] n (of teeth, car etc) Pflege f; (of children) Fürsorge f; (carefulness) Sorgfalt f; (worry) Sorge f ♦ vi: to ~ **about** sich kümmern um; ~ **of** bei; in sb's ~ in jds Obhut; I **don't** ~ das ist mir egal; I **couldn't** ~ **less** es ist mir doch völlig egal; to take ~ aufpassen; to take ~ of sorgen für; to take ~ to do sth sich bemühen, etw zu tun; ~ **for** vt sorgen für; (like) mögen

career [kə'rɪə*] n Karriere f, Laufbahn f ♦ vi (also: ~ **along**) rasen

carefree ['keəfri:] adj sorgenfrei

careful ['keəfʊl] adj sorgfältig; (be) ~! paß auf!

careless ['keəlɪs] adj nachlässig; ~**ness** n Nachlässigkeit f

carer ['keərə*] n (MED) Betreuer(in) m(f)

caress [kə'res] n Liebkosung f ♦ vt liebkosen

caretaker ['keəteɪkə*] n Hausmeister m

car-ferry ['kɑ:ferɪ] n Autofähre f

cargo ['kɑ:gəʊ] (pl ~**es**) n Schiffsladung f

car hire n Autovermietung f

Caribbean [kærɪ'bi:ən] n: the ~ **(Sea)** die Karibik

caricature ['kærɪkətjʊə*] n Karikatur f

caring ['keərɪŋ] adj (society, organization) sozial eingestellt; (person) liebevoll

carnage ['kɑ:nɪdʒ] n Blutbad nt

carnal ['kɑ:nl] adj fleischlich

carnation [kɑ:'neɪʃən] n Nelke f

carnival ['kɑ:nɪvəl] n Karneval m, Fasching m; (US: fun fair) Kirmes f

carnivorous [kɑ:'nɪvərəs] adj fleischfressend

carol ['kærəl] n: **(Christmas)** ~ (Weihnachts)lied nt

carp [kɑ:p] n (fish) Karpfen m; ~ **at** vt herumnörgeln an +dat

car park (BRIT) n Parkplatz m; (covered) Parkhaus nt

carpenter ['kɑ:pɪntə*] n Zimmermann m

carpentry ['kɑ:pɪntrɪ] n Zimmerei f

carpet ['kɑ:pɪt] n Teppich m ♦ vt mit einem Teppich auslegen; ~ **slippers** npl Pantoffeln pl; ~ **sweeper** n Teppichkehrer m

car phone n (TEL) Autotelefon nt

carriage ['kærɪdʒ] n Kutsche f, (RAIL, of typewriter) Wagen m; (of goods) Beförderung f; (bearing) Haltung f; ~ **return** n (on typewriter) Rücklauftaste f; ~**way** (BRIT) n (part of road) Fahrbahn f

carrier ['kærɪə*] n Träger(in) m(f); (COMM) Spediteur m; ~ **bag** (BRIT) n Tragetasche m

carrot ['kærət] n Möhre f, Karotte f

carry ['kærɪ] vt, vi tragen; to get **carried away** (fig) sich nicht mehr bremsen können; ~ **on** vi (continue) weitermachen; (inf: complain) Theater machen; ~ **out** vt (orders) ausführen; (investigation) durchführen; ~**cot** (BRIT) n Babytragetasche f; ~**-on** (inf) n (fuss) Theater nt

cart [kɑ:t] n Wagen m, Karren m ♦ vt schleppen

cartilage ['kɑ:tɪlɪdʒ] n Knorpel m

carton ['kɑ:tən] n Karton m; (of milk) Tüte f

cartoon [kɑ:'tu:n] n (PRESS) Karikatur f; (comic strip) Comics pl; (CINE) (Zeichen)trickfilm m

cartridge ['kɑ:trɪdʒ] n Patrone f

carve [kɑ:v] vt (wood) schnitzen; (stone) meißeln; (meat) (vor)schneiden; ~ **up** vt aufschneiden

carving ['kɑ:vɪŋ] n Schnitzerei f; ~ **knife** n Tranchiermesser nt

car wash n Autowäsche f

cascade [kæs'keɪd] n Wasserfall m ♦ vi kaskadenartig herabfallen

case [keɪs] n (box) Kasten m; (BRIT: also: suit~) Koffer m; (JUR, matter) Fall m; in ~ falls, im Falle; in any ~ jedenfalls, auf jeden Fall

cash [kæʃ] n (Bar)geld nt ♦ vt einlösen; ~ **on delivery** per Nachnahme; ~ **book** n Kassenbuch nt; ~ **card** n Scheckkarte f; ~ **desk** (BRIT) n Kasse f; ~ **dispenser** n Geldautomat m

cashew [kæ'ʃu:] n (also: ~ **nut**) Cashewnuß

f
cash flow n Cash-flow m
cashier [kæˈʃɪə*] n Kassierer(in) m(f)
cashmere [ˈkæʃmɪə*] n Kaschmirwolle f
cash register n Registrierkasse f
casing [ˈkeɪsɪŋ] n Gehäuse nt
casino [kəˈsiːnəʊ] n Kasino nt
cask [kɑːsk] n Faß nt
casket [ˈkɑːskɪt] n Kästchen nt; (US: coffin) Sarg m
casserole [ˈkæsərəʊl] n Kasserolle f; (food) Auflauf m
cassette [kæˈset] n Kassette f; ~ **player** n Kassettengerät nt
cast [kɑːst] (pt, pp cast) vt werfen; (horns) verlieren; (metal) gießen; (THEAT) besetzen; (vote) abgeben ♦ n (THEAT) Besetzung f; (also: plaster ~) Gipsverband m; ~ **off** vi (NAUT) losmachen
castaway [ˈkɑːstəweɪ] n Schiffbrüchige(r) mf
caste [kɑːst] n Kaste f
caster sugar [ˈkɑːstə-] (BRIT) n Raffinade f
casting vote [ˈkɑːstɪŋ-] (BRIT) n entscheidende Stimme f
cast iron n Gußeisen nt
castle [ˈkɑːsl] n Burg f; Schloß nt; (CHESS) Turm m
castor [ˈkɑːstə*] n (wheel) Laufrolle f
castor oil n Rizinusöl nt
castrate [kæsˈtreɪt] vt kastrieren
casual [ˈkæʒjʊl] adj (attitude) nachlässig; (dress) leger; (meeting) zufällig; (work) Gelegenheits-; ~**ly** adv (dress) zwanglos, leger; (remark) beiläufig
casualty [ˈkæʒjʊltɪ] n Verletzte(r) mf; (dead) Tote(r) mf; (also: ~ department) Unfallstation f
cat [kæt] n Katze f
catalogue [ˈkætəlɒg] (US catalog) n Katalog m ♦ vt katalogisieren
catalyst [ˈkætəlɪst] n Katalysator m
catalytic convertor [kætəˈlɪtɪk kənˈvɜːtə*] n Katalysator m
catapult [ˈkætəpʌlt] n Schleuder f
cataract [ˈkætərækt] n (MED) graue(r) Star m
catarrh [kəˈtɑː*] n Katarrh m
catastrophe [kəˈtæstrəfɪ] n Katastrophe f
catch [kætʃ] (pt, pp caught) vt fangen; (arrest) fassen; (train) erreichen; (person: by surprise) ertappen; (also: ~ up) einholen ♦ vi (fire) in Gang kommen; (in branches etc) hängenbleiben ♦ n (fish etc) Fang m; (trick) Haken m; (of lock) Sperrhaken m; **to ~ an illness** sich dat eine Krankheit holen; **to ~ fire** Feuer fangen; ~ **on** vi (understand) begreifen; (grow popular) ankommen; ~ **up** vi (fig) aufholen
catching [ˈkætʃɪŋ] adj ansteckend
catchment area [ˈkætʃmənt-] (BRIT) n Einzugsgebiet nt

catch phrase n Slogan m
catchy [ˈkætʃɪ] adj (tune) eingängig
catechism [ˈkætɪkɪzəm] n Katechismus m
categoric(al) [kætəˈgɒrɪk(l)] adj kategorisch
category [ˈkætɪgərɪ] n Kategorie f
cater [ˈkeɪtə*] vi versorgen; ~ **for** (BRIT) vt fus (party) ausrichten; (needs) eingestellt sein auf +acc; ~**er** n Lieferant(in) m(f) von Speisen und Getränken; ~**ing** n Gastronomie f
caterpillar [ˈkætəpɪlə*] n Raupe f; ~ **track** ® n Gleiskette f
cathedral [kəˈθiːdrəl] n Kathedrale f, Dom m
catholic [ˈkæθəlɪk] adj (tastes etc) vielseitig; **C~** adj (REL) katholisch ♦ n Katholik(in) m(f)
cat's-eye [ˈkætsaɪ] (BRIT) n (AUT) Katzenauge nt
cattle [ˈkætl] npl Vieh nt
catty [ˈkætɪ] adj gehässig
caucus [ˈkɔːkəs] n (POL) Gremium nt; (US: meeting) Sitzung f
caught [kɔːt] pt, pp of catch
cauliflower [ˈkɒlɪflaʊə*] n Blumenkohl m
cause [kɔːz] n Ursache f; (purpose) Sache f ♦ vt verursachen
causeway [ˈkɔːzweɪ] n Damm m
caustic [ˈkɔːstɪk] adj ätzend; (fig) bissig
caution [ˈkɔːʃən] n Vorsicht f; (warning) Verwarnung f ♦ vt verwarnen
cautious [ˈkɔːʃəs] adj vorsichtig
cavalier [kævəˈlɪə*] adj blasiert
cavalry [ˈkævəlrɪ] n Kavallerie f
cave [keɪv] n Höhle f; ~ **in** vi einstürzen; ~**man** (irreg) n Höhlenmensch m
cavern [ˈkævən] n Höhle f
caviar(e) [ˈkævɪɑː*] n Kaviar m
cavity [ˈkævɪtɪ] n Loch nt
cavort [kəˈvɔːt] vi umherspringen
C.B. n abbr (= Citizens' Band (Radio)) CB
C.B.I. n abbr (= Confederation of British Industry) ≈ BDI m
cc n abbr = **carbon copy**; **cubic centimetres**
CD n abbr (= compact disc) CD f; (: player) CD-Spieler m
CD-ROM n abbr (= compact disk read-only memory) CD-Rom f
cease [siːs] vi aufhören ♦ vt beenden; ~**fire** n Feuereinstellung f; ~**less** adj unaufhörlich
cedar [ˈsiːdə*] n Zeder f
cede [siːd] vt abtreten
ceiling [ˈsiːlɪŋ] n Decke f; (fig) Höchstgrenze f
celebrate [ˈselɪbreɪt] vt, vi feiern; ~**d** adj gefeiert
celebration [selɪˈbreɪʃən] n Feier f
celebrity [sɪˈlebrɪtɪ] n gefeierte Persönlichkeit f
celery [ˈselərɪ] n Sellerie m or f

celestial [sɪˈlestɪəl] adj himmlisch
celibacy [ˈselɪbəsɪ] n Zölibat nt or m
cell [sel] n Zelle f; (ELEC) Element nt
cellar [ˈselə*] n Keller m
'cello [ˈtʃeləʊ] n Cello nt
cellophane [ˈseləfeɪn] (®) n Cellophan nt (®)
cellphone n Funktelefon nt
cellular [ˈseljʊlə*] adj zellular
cellulose [ˈseljʊləʊs] n Zellulose f
Celt [kelt, selt] n Kelte m, Keltin f; **~ic** [ˈkeltɪk, ˈseltɪk] adj keltisch
cement [sɪˈment] n Zement m ♦ vt zementieren; **~ mixer** n Betonmischmaschine f
cemetery [ˈsemɪtrɪ] n Friedhof m
cenotaph [ˈsenətɑːf] n Ehrenmal nt
censor [ˈsensə*] n Zensor m ♦ vt zensieren; **~ship** n Zensur f
censure [ˈsenʃə*] vt rügen
census [ˈsensəs] n Volkszählung f
cent [sent] n (US: coin) Cent m; see also **per cent**
centenary [senˈtiːnərɪ] n Jahrhundertfeier f
center [ˈsentə*] (US) n = **centre**
centigrade [ˈsentɪgreɪd] adj Celsius
centimetre [ˈsentɪmiːtə*] (US **centimeter**) n Zentimeter m
centipede [ˈsentɪpiːd] n Tausendfüßler m
central [ˈsentrəl] adj zentral; **C~ America** n Mittelamerika nt; **~ heating** n Zentralheizung f; **~ize** vt zentralisieren; **~ reservation** (BRIT) n (AUT) Mittelstreifen m
centre [ˈsentə*] (US **center**) n Zentrum nt ♦ vt zentrieren; **~-forward** n (SPORT) Mittelstürmer m; **~-half** n (SPORT) Stopper m
century [ˈsentjʊrɪ] n Jahrhundert nt
ceramic [sɪˈræmɪk] adj keramisch; **~s** npl Keramiken pl
cereal [ˈsɪərɪəl] n (grain) Getreide nt; (at breakfast) Getreideflocken pl
cerebral [ˈserɪbrəl] adj zerebral; (intellectual) geistig
ceremony [ˈserɪmənɪ] n Zeremonie f; **to stand on ~** förmlich sein
certain [ˈsɜːtən] adj sicher; (particular) gewiß; **for ~** ganz bestimmt; **~ly** adv sicher, bestimmt; **~ty** n Gewißheit f
certificate [səˈtɪfɪkɪt] n Bescheinigung f, (SCH etc) Zeugnis nt
certified mail [ˈsɜːtɪfaɪd-] (US) n Einschreiben nt
certified public accountant [ˈsɜːtɪfaɪd-] (US) n geprüfte(r) Buchhalter m
certify [ˈsɜːtɪfaɪ] vt bescheinigen
cervical [ˈsɜːvɪkl] adj (smear, cancer) Gebärmutterhals-
cervix [ˈsɜːvɪks] n Gebärmutterhals m
cessation [seˈseɪʃən] n Einstellung f, Ende nt
cf. abbr (= compare) vgl.
CFC n abbr (= chlorofluorocarbon) FCKW m
ch. abbr (= chapter) Kap.

chafe [tʃeɪf] vt scheuern
chaffinch [ˈtʃæfɪntʃ] n Buchfink m
chagrin [ˈʃægrɪn] n Verdruß m
chain [tʃeɪn] n Kette f ♦ vt (also: ~ up) anketten; **~ reaction** n Kettenreaktion f; **~-smoke** vi kettenrauchen; **~ store** n Kettenladen m
chair [tʃeə*] n Stuhl m; (arm~) Sessel m; (UNIV) Lehrstuhl m ♦ vt (meeting) den Vorsitz führen bei; **~lift** n Sessellift m; **~man** (irreg) n Vorsitzende(r) m
chalet [ˈʃæleɪ] n Chalet nt
chalice [ˈtʃælɪs] n Kelch m
chalk [tʃɔːk] n Kreide f
challenge [ˈtʃælɪndʒ] n Herausforderung f ♦ vt herausfordern; (contest) bestreiten
challenging [ˈtʃælɪndʒɪŋ] adj (tone) herausfordernd; (work) anspruchsvoll
chamber [ˈtʃeɪmbə*] n Kammer f; **~ of commerce** Handelskammer f; **~maid** n Zimmermädchen nt; **~ music** n Kammermusik f
chamois [ˈʃæmwɑː] n Gemse f
champagne [ʃæmˈpeɪn] n Champagner m, Sekt m
champion [ˈtʃæmpɪən] n (SPORT) Meister(in) m(f); (of cause) Verfechter(in) m(f); **~ship** n Meisterschaft f
chance [tʃɑːns] n (luck) Zufall m; (possibility) Möglichkeit f, (opportunity) Gelegenheit f, Chance f; (risk) Risiko nt ♦ adj zufällig ♦ vt: **to ~ it** es darauf ankommen lassen; **by ~** zufällig; **to take a ~** ein Risiko eingehen
chancellor [ˈtʃɑːnsələ*] n Kanzler m; **C~ of the Exchequer** (BRIT) n Schatzkanzler m
chandelier [ʃændɪˈlɪə*] n Kronleuchter m
change [tʃeɪndʒ] vt ändern; (replace, COMM: money) wechseln; (exchange) umtauschen; (transform) verwandeln ♦ vi sich ändern; (~ trains) umsteigen; (~ clothes) sich umziehen ♦ n Veränderung f; (money returned) Wechselgeld nt; (coins) Kleingeld nt; **to ~ one's mind** es sich dat anders überlegen; **to ~ into sth** (be transformed) sich in etw acc verwandeln; **for a ~** zur Abwechslung; **~able** adj (weather) wechselhaft; **~ machine** n Geldwechselautomat m; **~over** n Umstellung f
changing [ˈtʃeɪndʒɪŋ] adj veränderlich; **~ room** (BRIT) n Umkleideraum m
channel [ˈtʃænl] n (stream) Bachbett nt; (NAUT) Straße f; (TV) Kanal m; (fig) Weg m ♦ vt (efforts) lenken; **the (English) C~** der Ärmelkanal; **C~ Islands** npl: **the C~ Islands** die Kanalinseln pl
chant [tʃɑːnt] n Gesang m; (of football fans etc) Sprechchor m ♦ vt intonieren
chaos [ˈkeɪɒs] n Chaos nt
chap [tʃæp] (inf) n Kerl m
chapel [ˈtʃæpəl] n Kapelle f
chaperon [ˈʃæpərəʊn] n Anstandsdame f

chaplain ['tʃæplɪn] n Kaplan m
chapped ['tʃæpt] adj (skin, lips) spröde
chapter ['tʃæptə*] n Kapitel nt
char [tʃɑ:*] vt (burn) verkohlen ♦ n (BRIT)
= **charlady**
character ['kærɪktə*] n Charakter m, Wesen nt; (in novel, film) Figur f; ~**istic**
[kærɪktə'rɪstɪk] adj: ~**istic (of sb/sth)** (für
jdn/etw) charakteristisch ♦ n Kennzeichen
nt; ~**ize** vt charakterisieren, kennzeichnen
charade [ʃə'rɑ:d] n Scharade f
charcoal ['tʃɑ:kəʊl] n Holzkohle f
charge [tʃɑ:dʒ] n (cost) Preis m; (JUR) Anklage f; (explosive) Ladung f; (attack) Angriff m ♦ vt (gun, battery) laden; (price) verlangen; (JUR) anklagen; (MIL) angreifen ♦
vi (rush) (an)stürmen; **bank ~s** Bankge-
bühren pl; **free of ~** kostenlos; **to reverse
the ~s** (TEL) ein R-Gespräch führen; **to be
in ~ of** verantwortlich sein für; **to take ~**
(die Verantwortung) übernehmen; **to ~ sth
(up) to sb's account** jdm etw in Rechnung
stellen; ~ **card** Kundenkarte f
charitable ['tʃærɪtəbl] adj wohltätig; (lenient) nachsichtig
charity ['tʃærɪtɪ] n (institution) Hilfswerk nt;
(attitude) Nächstenliebe f
charlady ['tʃɑ:leɪdɪ] (BRIT) n Putzfrau f
charlatan ['ʃɑ:lətən] n Scharlatan m
charm [tʃɑ:m] n Charme m; (spell) Bann
m; (object) Talisman m ♦ vt bezaubern; ~
ing adj reizend
chart [tʃɑ:t] n Tabelle f; (NAUT) Seekarte f
♦ vt (course) abstecken
charter ['tʃɑ:tə*] vt chartern ♦ n Schutz-
brief m; ~**ed accountant** n Wirt-
schaftsprüfer(in) m(f); ~ **flight** n Charterflug m
charwoman ['tʃɑ:wʊmən] n = **charlady**
chase [tʃeɪs] vt jagen, verfolgen ♦ n Jagd f
chasm ['kæzəm] n Kluft f
chassis ['ʃæsɪ] n Fahrgestell nt
chastity ['tʃæstɪtɪ] n Keuschheit f
chat [tʃæt] vi (also: **have a ~**) plaudern ♦ n
Plauderei f; ~ **show** (BRIT) n Talkshow f
chatter ['tʃætə*] vi schwatzen; (teeth) klappern ♦ n Geschwätz nt; ~**box** n Quassel-
strippe f
chatty ['tʃætɪ] adj geschwätzig
chauffeur ['ʃəʊfə*] n Chauffeur m
chauvinist ['ʃəʊvɪnɪst] n (male ~) Chauvi
m (inf); (nationalist) Chauvinist(in) m(f)
cheap [tʃi:p] adj, adv billig; ~**ly** adv billig
cheat [tʃi:t] vt, vi betrügen; (SCH) mogeln ♦
n Betrüger(in) m(f)
check [tʃek] vt (examine) prüfen; (make
sure) nachsehen; (control) kontrollieren;
(restrain) zügeln; (stop) anhalten ♦ n (examination, restraint) Kontrolle f; (bill) Rechnung f; (pattern) Karo(muster) nt; (US) =
cheque ♦ adj (pattern, cloth) kariert; ~ **in**
vi (in hotel, airport) einchecken ♦ vt (lug-

gage) abfertigen lassen; ~ **out** vi (of hotel)
abreisen; ~ **up** vi nachschauen; ~ **up on**
vt kontrollieren; ~**ered** (US) adj = **chequered**; ~**ers** (US) n (draughts) Damespiel
nt; ~**-in (desk)** n Abfertigung f; ~**ing account** (US) n (current account) Girokonto
nt; ~**mate** n Schachmatt nt; ~**out** n Kasse
f; ~**point** n Kontrollpunkt m; ~ **room**
(US) n (left-luggage office) Gepäckaufbewahrung f; ~**up** n (Nach)prüfung f;
(MED) (ärztliche) Untersuchung f
cheek [tʃi:k] n Backe f; (fig) Frechheit f;
~**bone** n Backenknochen m; ~**y** adj frech
cheep [tʃi:p] vi piepsen
cheer [tʃɪə*] n (usu pl) Hurra- or Beifallsruf
m ♦ vt zubeln; (encourage) aufmuntern ♦
vi jauchzen; ~**s!** Prost!; ~ **up** vi bessere
Laune bekommen ♦ vt aufmuntern; ~ **up!**
nun lach doch mal!; ~**ful** adj fröhlich
cheerio ['tʃɪərɪ'əʊ] (BRIT) excl tschüs!
cheese [tʃi:z] n Käse m; ~**board** n (ge-
mischte) Käseplatte f
cheetah ['tʃi:tə] n Gepard m
chef [ʃef] n Küchenchef m
chemical ['kemɪkəl] adj chemisch ♦ n Chemikalie f
chemist ['kemɪst] n (BRIT: pharmacist)
Apotheker m, Drogist m; (scientist) Chemiker m; ~**ry** n Chemie f; ~**'s (shop)** (BRIT)
n Apotheke f, Drogerie f
cheque [tʃek] (BRIT) n Scheck m; ~**book**
n Scheckbuch nt; ~ **card** n Scheckkarte f
chequered ['tʃekəd] adj (fig) bewegt
cherish ['tʃerɪʃ] vt (person) lieben; (hope)
hegen
cherry ['tʃerɪ] n Kirsche f
chess [tʃes] n Schach nt; ~**board** n
Schachbrett nt; ~**man** (irreg) n Schachfi-
gur f
chest [tʃest] n (ANAT) Brust f; (box) Kiste f;
~ **of drawers** n Kommode f
chestnut ['tʃesnʌt] n Kastanie f; ~ **tree** n
Kastanienbaum m
chew [tʃu:] vt, vi kauen; ~**ing gum** n Kaugummi m
chic [ʃi:k] adj schick, elegant
chick [tʃɪk] n Küken nt; (US: inf: girl) Biene
f
chicken ['tʃɪkɪn] n Huhn nt; (food)
Hähnchen nt; ~ **out** (inf) vi kneifen (inf)
chickenpox ['tʃɪkɪnpɒks] n Windpocken pl
chicory ['tʃɪkərɪ] n (in coffee) Zichorie f;
(plant) Chicorée f
chief [tʃi:f] n (of tribe) Häuptling m;
(COMM) Chef m ♦ adj Haupt-; ~ **executive** n Geschäftsführer(in) m(f); ~**ly**
adv hauptsächlich
chiffon ['ʃɪfɒn] n Chiffon m
chilblain ['tʃɪlbleɪn] n Frostbeule f
child [tʃaɪld] (pl **children**) n Kind nt;
~**birth** n Entbindung f; ~**hood** n Kindheit
f; ~**ish** adj kindisch; ~**like** adj kindlich; ~

minder (*BRIT*) *n* Tagesmutter *f*
children ['tʃɪldrən] *npl* of **child**
Chile ['tʃɪlɪ] *n* Chile *nt;* ~**an** *adj* chilenisch
chill [tʃɪl] *n* Kühle *f;* (*MED*) Erkältung *f* ♦ *vt*
(*CULIN*) kühlen
chilli ['tʃɪlɪ] *n* Peperoni *pl;* (*meal, spice*)
Chili *m*
chilly ['tʃɪlɪ] *adj* kühl, frostig
chime [tʃaɪm] *n* Geläut *nt* ♦ *vi* ertönen
chimney ['tʃɪmnɪ] *n* Schornstein *m;* ~
sweep *n* Schornsteinfeger(in) *m(f)*
chimpanzee [tʃɪmpæn'zi:] *n* Schimpanse *m*
chin [tʃɪn] *n* Kinn *nt*
China ['tʃaɪnə] *n* China *nt*
china ['tʃaɪnə] *n* Porzellan *nt*
Chinese [tʃaɪ'ni:z] *adj* chinesisch ♦ *n* (*inv*)
Chinese *m,* Chinesin *f;* (*LING*) Chinesisch
nt
chink [tʃɪŋk] *n* (*opening*) Ritze *f;* (*noise*)
Klirren *nt*
chip [tʃɪp] *n* (*of wood etc*) Splitter *m* (*in*
poker etc; US: crisp) Chip *m* ♦ *vt* absplittern; ~**s** *npl* (*BRIT: COOK*) Pommes frites
pl; ~ **in** *vi* Zwischenbemerkungen machen
chiropodist [kɪ'rɒpədɪst] (*BRIT*) *n* Fußpfle-
ger(in) *m(f)*
chirp [tʃɜ:p] *vi* zwitschern
chisel ['tʃɪzl] *n* Meißel *m*
chit [tʃɪt] *n* Notiz *f*
chitchat ['tʃɪttʃæt] *n* Plauderei *f*
chivalrous ['ʃɪvəlrəs] *adj* ritterlich
chivalry ['ʃɪvəlrɪ] *n* Ritterlichkeit *f*
chives [tʃaɪvz] *npl* Schnittlauch *m*
chlorine ['klɔ:ri:n] *n* Chlor *m*
chock [tʃɒk] *n* Bremsklotz *m;* ~-**a-block**
adj vollgepfropft; ~-**full** *adj* vollgepfropft
chocolate ['tʃɒklɪt] *n* Schokolade *f*
choice [tʃɔɪs] *n* Wahl *f;* (*of goods*) Auswahl
f ♦ *adj* Qualitäts-
choir ['kwaɪə*] *n* Chor *m;* ~**boy** *n* Chor-
knabe *m*
choke [tʃəʊk] *vi* ersticken ♦ *vt* erdrosseln;
(*block*) (ab)drosseln ♦ *n* (*AUT*) Starterklap-
pe *f*
cholera ['kɒlərə] *n* Cholera *f*
cholesterol [kɒ'lestərəl] *n* Cholesterin *nt*
choose [tʃu:z] (*pt* **chose,** *pp* **chosen**) *vt*
wählen
choosy ['tʃu:zɪ] *adj* wählerisch
chop [tʃɒp] *vt* (*wood*) spalten; (*COOK: also:*
~ *up*) (zer)hacken ♦ *n* Hieb *m;* (*COOK*) Kotelett *nt;* ~**s** *npl* (*jaws*) Lefzen *pl*
chopper ['tʃɒpə*] *n* (*helicopter*) Hubschrauber *m*
choppy ['tʃɒpɪ] *adj* (*sea*) bewegt
chopsticks ['tʃɒpstɪks] *npl* (Eß)stäbchen *pl*
choral ['kɔ:rəl] *adj* Chor-
chord [kɔ:d] *n* Akkord *m*
chore [tʃɔ:*] *n* Pflicht *f;* ~**s** *npl* (*housework*)
Hausarbeit *f*
choreographer [kɒrɪ'ɒɡrəfə*] *n* Choreo-
graph(in) *m(f)*

chorister ['kɒrɪstə*] *n* Chorsänger(in) *m(f)*
chortle ['tʃɔ:tl] *vi* glucksen
chorus ['kɔ:rəs] *n* Chor *m;* (*in song*) Refrain *m*
chose [tʃəʊz] *pt of* **choose**
chosen ['tʃəʊzn] *pp of* **choose**
Christ [kraɪst] *n* Christus *m*
christen ['krɪsn] *vt* taufen
Christian ['krɪstɪən] *adj* christlich ♦ *n*
Christ(in) *m(f);* ~**ity** [krɪstɪ'ænɪtɪ] *n* Chri-
stentum *nt;* ~ **name** *n* Vorname *m*
Christmas ['krɪsməs] *n* Weihnachten *pl;*
Happy *or* Merry ~! Frohe *or* fröhliche
Weihnachten!; ~ **card** *n* Weihnachtskarte
f; ~ **Day** *n* der erste Weihnachtstag; ~
Eve *n* Heiligabend *m;* ~ **tree** *n* Weih-
nachtsbaum *m*
chrome [krəʊm] *n* Verchromung *f*
chromium ['krəʊmɪəm] *n* Chrom *nt*
chronic ['krɒnɪk] *adj* chronisch
chronicle ['krɒnɪkl] *n* Chronik *f*
chronological [krɒnə'lɒdʒɪkəl] *adj* chrono-
logisch
chubby ['tʃʌbɪ] *adj* rundlich
chuck [tʃʌk] *vt* werfen; (*BRIT: also:* ~ *up*)
hinwerfen; ~ **out** *vt* (*person*) rauswerfen;
(*old clothes etc*) wegwerfen
chuckle ['tʃʌkl] *vi* in sich hineinlachen
chug [tʃʌɡ] *vi* tuckern
chum [tʃʌm] *n* Kumpel *m*
chunk [tʃʌŋk] *n* Klumpen *m;* (*of food*)
Brocken *m*
church [tʃɜ:tʃ] *n* Kirche *f;* ~**yard** *n* Kirch-
hof *m*
churlish ['tʃɜ:lɪʃ] *adj* grob
churn [tʃɜ:n] *n* (*for butter*) Butterfaß *nt;* (*for*
milk) Milchkanne *f;* ~ **out** (*inf*) *vt* produzieren
chute [ʃu:t] *n* Rutsche *f;* (*rubbish* ~)
Müllschlucker *m*
CIA (*US*) *n abbr* (= *Central Intelligence*
Agency) CIA *m*
CID (*BRIT*) *n abbr* (= *Criminal Investigation*
Department) ≈ Kripo *f*
cider ['saɪdə*] *n* Apfelwein *m*
cigar [sɪ'ɡɑ:*] *n* Zigarre *f*
cigarette [sɪɡə'ret] *n* Zigarette *f;* ~ **case** *n*
Zigarettenetui *nt;* ~ **end** *n* Zigarettenstum-
mel *m*
Cinderella [sɪndə'relə] *n* Aschenbrödel *nt*
cinders ['sɪndəz] *npl* Asche *f*
cine-camera ['sɪnɪ'kæmərə] (*BRIT*) *n* Filmkamera *f*
cine-film ['sɪnɪfɪlm] (*BRIT*) *n* Schmalfilm *m*
cinema ['sɪnəmə] *n* Kino *nt*
cinnamon ['sɪnəmən] *n* Zimt *m*
cipher ['saɪfə*] *n* (*code*) Chiffre *f*
circle ['sɜ:kl] *n* Kreis *m;* (*in cinema etc*)
Rang *m* ♦ *vi* kreisen ♦ *vt* (*surround*) umgeben; (*move round*) kreisen um
circuit ['sɜ:kɪt] *n* (*track*) Rennbahn *f;* (*lap*)
Runde *f;* (*ELEC*) Stromkreis *m;* ~**ous**

[sɜ:'kju:ɪtəs] *adj* weitschweifig

circular ['sɜ:kjolə*] *adj* rund ♦ *n* Rundschreiben *nt*

circulate ['sɜ:kjoleɪt] *vi* zirkulieren ♦ *vt* in Umlauf setzen; **circulation** [sɜ:kjo'leɪʃən] *n* (*of blood*) Kreislauf *m*; (*of newspaper*) Auflage *f*; (*of money*) Umlauf *m*

circumcise ['sɜ:kəmsaɪz] *vt* beschneiden

circumference [sə'kʌmfərəns] *n* (Kreis)umfang *m*

circumspect ['sɜ:kəmspekt] *adj* umsichtig

circumstances ['sɜ:kəmstənsəz] *npl* Umstände *pl*; (*financial condition*) Verhältnisse *pl*

circumvent [sɜ:kəm'vent] *vt* umgehen

circus ['sɜ:kəs] *n* Zirkus *m*

CIS *n abbr* (= *Commonwealth of Independent States*) GUS *f*

cistern ['sɪstən] *n* Zisterne *f*; (*of W.C.*) Spülkasten *m*

cite [saɪt] *vt* zitieren, anführen

citizen ['sɪtɪzn] *n* Bürger(in) *m(f)*; ~**ship** *n* Staatsbürgerschaft *f*

citrus fruit ['sɪtrəs fru:t] *n* Zitrusfrucht *f*

city ['sɪtɪ] *n* Großstadt *f*; **the C~** die City, das Finanzzentrum Londons

civic ['sɪvɪk] *adj* (*of town*) städtisch; (*of citizen*) Bürger-; ~ **centre** *n* Stadtverwaltung *f*

civil ['sɪvɪl] *adj* bürgerlich; (*not military*) zivil; (*polite*) höflich; ~ **engineer** *n* Bauingenieur *m*; ~**ian** [sɪ'vɪlɪən] *n* Zivilperson *f* ♦ *adj* zivil, Zivil-

civilization [sɪvɪlaɪ'zeɪʃən] *n* Zivilisation *f*

civilized ['sɪvɪlaɪzd] *adj* zivilisiert

civil : ~ **law** *n* Zivilrecht *nt*; ~ **servant** *n* Staatsbeamte(r) *m*; **C~ Service** *n* Staatsdienst *m*; ~ **war** *n* Bürgerkrieg *m*

clad [klæd] *adj*: ~ **in** gehüllt in +*acc*

claim [kleɪm] *vt* beanspruchen; (*have opinion*) behaupten ♦ *vi* (*for insurance*) Ansprüche geltend machen ♦ *n* (*demand*) Forderung *f*; (*right*) Anspruch *m*; (*pretension*) Behauptung *f*; ~**ant** *n* Antragsteller(in) *m(f)*

clairvoyant [kleə'vɔɪənt] *n* Hellseher(in) *m(f)*

clam [klæm] *n* Venusmuschel *f*

clamber ['klæmbə*] *vi* kraxeln

clammy ['klæmɪ] *adj* klamm

clamour ['klæmə*] *vi*: **to ~ for sth** nach etw verlangen

clamp [klæmp] *n* Schraubzwinge *f* ♦ *vt* einspannen; ~ **down on** *vt fus* Maßnahmen ergreifen gegen

clan [klæn] *n* Clan *m*

clandestine [klæn'destɪn] *adj* geheim

clang [klæŋ] *vi* scheppern

clap [klæp] *vi* klatschen ♦ *vt* Beifall klatschen +*dat* ♦ *n* (*of hands*) Klatschen *nt*; (*of thunder*) Donnerschlag *m*; ~**ping** *n* Klatschen *nt*

claret ['klærɪt] *n* rote(r) Bordeaux(wein) *m*

clarify ['klærɪfaɪ] *vt* klären, erklären

clarinet [klærɪ'net] *n* Klarinette *f*

clarity ['klærɪtɪ] *n* Klarheit *f*

clash [klæʃ] *n* (*fig*) Konflikt *m* ♦ *vi* zusammenprallen; (*colours*) sich beißen; (*argue*) sich streiten

clasp [klɑ:sp] *n* Griff *m*; (*on jewels, bag*) Verschluß *m* ♦ *vt* umklammern

class [klɑ:s] *n* Klasse *f* ♦ *vt* einordnen; ~-**conscious** *adj* klassenbewußt

classic ['klæsɪk] *n* Klassiker *m* ♦ *adj* klassisch; ~**al** *adj* klassisch

classified ['klæsɪfaɪd] *adj* (*information*) Geheim-; ~ **advertisement** *n* Kleinanzeige *f*

classify ['klæsɪfaɪ] *vt* klassifizieren

classmate ['klɑ:smeɪt] *n* Klassenkamerad(in) *m(f)*

classroom ['klɑ:srʊm] *n* Klassenzimmer *nt*

clatter ['klætə*] *vi* klappern; (*feet*) trappeln

clause [klɔ:z] *n* (*JUR*) Klausel *f*; (*GRAM*) Satz *m*

claustrophobia [klɒstrə'fəʊbɪə] *n* Platzangst *f*

claw [klɔ:] *n* Kralle *f* ♦ *vt* (zer)kratzen

clay [kleɪ] *n* Lehm *m*; (*for pots*) Ton *m*

clean [kli:n] *adj* sauber ♦ *vt* putzen; (*clothes*) reinigen; ~ **out** *vt* gründlich putzen; ~ **up** *vt* aufräumen; ~-**cut** *adj* (*person*) adrett; (*clear*) klar; ~**er** *n* (*person*) Putzfrau *f*; (*thing*) Putzmittel *nt*; ~**ing** *n* Putzen *nt*; (*clothes*) Reinigung *f*; ~**liness** ['klenlɪnɪs] *n* Reinlichkeit *f*

cleanse [klenz] *vt* reinigen; ~**r** *n* (*for face*) Reinigungsmilch *f*

clean-shaven ['kli:n'ʃeɪvn] *adj* glattrasiert

cleansing department ['klenzɪŋ-] (*BRIT*) *n* Stadtreinigung *f*

clear ['klɪə*] *adj* klar; (*road*) frei ♦ *vt* (*road etc*) freimachen; (*obstacle*) beseitigen; (*JUR: suspect*) freisprechen ♦ *vi* klarwerden; (*fog*) sich lichten ♦ *adv*: ~ **of** von ... entfernt; **to ~ the table** den Tisch abräumen; ~ **up** *vt* aufräumen; (*solve*) aufklären; ~**ance** ['klɪərəns] *n* (*removal*) Räumung *f*; (*free space*) Lichtung *f*; (*permission*) Freigabe *f*; ~-**cut** *adj* (*case*) eindeutig; ~**ing** *n* Lichtung *f*; ~**ing bank** (*BRIT*) *n* Clearingbank *f*; ~**ly** *adv* klar; (*obviously*) eindeutig; ~**way** (*BRIT*) *n* (Straße *f* mit) Halteverbot *nt*

cleaver ['kli:və*] *n* Hackbeil *nt*

clef [klef] *n* Notenschlüssel *m*

cleft [kleft] *n* (*in rock*) Spalte *f*

clemency ['klemənsɪ] *n* Milde *f*

clench [klentʃ] *vt* (*teeth*) zusammenbeißen; (*fist*) ballen

clergy ['klɜ:dʒɪ] *n* Geistliche(n) *pl*; ~**man** (*irreg*) *n* Geistliche(r) *m*

clerical ['klerɪkəl] *adj* (*office*) Schreib-, Büro-; (*REL*) geistlich

clerk [klɑ:k, (*US*) klɜ:k] *n* (*in office*) Büroangestellte(r) *mf*; (*US: sales person*) Verkäufer(in) *m(f)*

clever ['klevə*] adj klug; (crafty) schlau
cliché ['kli:ʃeɪ] n Klischee nt
click [klɪk] vt (heels) zusammenklappen; (tongue) schnalzen mit
client ['klaɪənt] n Klient(in) m(f); ~**ele** [kli:ɒn'tel] n Kundschaft f
cliff [klɪf] n Klippe f
climate ['klaɪmɪt] n Klima nt
climax ['klaɪmæks] n Höhepunkt m
climb [klaɪm] vt besteigen ♦ vi steigen, klettern ♦ n Aufstieg m; ~**-down** n Abstieg m; ~**er** n Bergsteiger(in) m(f); ~**ing** n Bergsteigen nt
clinch [klɪntʃ] vt (decide) entscheiden; (deal) festmachen
cling [klɪŋ] (pt, pp clung) vi (clothes) eng anliegen; **to ~ to** sich festklammern an +dat
clinic ['klɪnɪk] n Klinik f; ~**al** adj klinisch
clink [klɪŋk] vi klimpern
clip [klɪp] n Spange f; (also: paper ~) Klammer f ♦ vt (papers) heften; (hair, hedge) stutzen; ~**pers** npl (for hedge) Heckenschere f; (for hair) Haarschneidemaschine f; ~**ping** n Ausschnitt m
cloak [kləʊk] n Umhang m ♦ vt hüllen; ~**room** n (for coats) Garderobe f; (BRIT: W.C.) Toilette f
clock [klɒk] n Uhr f; ~ **in** or **on** vi stempeln; ~ **off** or **out** vi stempeln; ~**wise** adv im Uhrzeigersinn; ~**work** n Uhrwerk nt ♦ adj zum Aufziehen
clog [klɒg] n Holzschuh m ♦ vt verstopfen
cloister ['klɔɪstə*] n Kreuzgang m
clone [kləʊn] n Klon m
close¹ [kləʊs] adj (near) in der Nähe; (friend, connection, print) eng; (relative) nahe; (result) knapp; (examination) eingehend; (weather) schwül; (room) stickig ♦ adv nahe, dicht; ~ **by** in der Nähe; ~ **at hand** in der Nähe; **to have a ~ shave** (fig) mit knapper Not davorkommen
close² [kləʊz] vt (shut) schließen; (end) beenden ♦ vi (shop etc) schließen; (door etc) sich schließen ♦ n Ende nt; ~ **down** vi schließen; ~**d** adj (shop etc) geschlossen; ~**d shop** n Gewerkschaftszwang m
close-knit [kləʊs'nɪt] adj eng zusammengewachsen
closely ['kləʊslɪ] adv eng; (carefully) genau
closet ['klɒzɪt] n Schrank m
close-up ['kləʊsʌp] n Nahaufnahme f
closure ['kləʊʒə*] n Schließung f
clot [klɒt] n (of blood) Blutgerinnsel nt; (fool) Blödmann m ♦ vi gerinnen
cloth [klɒθ] n (material) Tuch nt; (rag) Lappen m
clothe [kləʊð] vt kleiden; ~**s** npl Kleider pl; ~**s brush** n Kleiderbürste f; ~**s line** n Wäscheleine f; ~**s peg** (US ~**s pin**) n Wäscheklammer f
clothing ['kləʊðɪŋ] n Kleidung f

cloud [klaʊd] n Wolke f; ~**burst** n Wolkenbruch m; ~**y** adj bewölkt; (liquid) trüb
clout [klaʊt] vt hauen
clove [kləʊv] n Gewürznelke f; ~ **of garlic** Knoblauchzehe f
clover ['kləʊvə*] n Klee m
clown [klaʊn] n Clown m ♦ vi (also: ~ about, ~ around) kaspern
cloying ['klɔɪɪŋ] adj (taste, smell) übersüß
club [klʌb] n (weapon) Knüppel m; (society) Klub m; (also: golf ~) Golfschläger m ♦ vt prügeln ♦ vi: **to ~ together** zusammenlegen; ~**s** npl (CARDS) Kreuz nt; ~ **car** (US) n (RAIL) Speisewagen m; ~**house** n Klubhaus nt
cluck [klʌk] vi glucken
clue [klu:] n Anhaltspunkt m; (in crosswords) Frage f; **I haven't a ~** (ich hab') keine Ahnung
clump [klʌmp] n Gruppe f
clumsy ['klʌmzɪ] adj (person) unbeholfen; (shape) unförmig
clung [klʌŋ] pt, pp of cling
cluster ['klʌstə*] n (of trees etc) Gruppe f ♦ vi sich drängen, sich scharen
clutch [klʌtʃ] n Griff m; (AUT) Kupplung f ♦ vt sich festklammern an +dat
clutter ['klʌtə*] vt vollpropfen; (desk) übersäen
CND n abbr = **Campaign for Nuclear Disarmament**
Co. abbr = **county; company**
c/o abbr (= care of) c/o
coach [kəʊtʃ] n (bus) Reisebus m; (horsedrawn) Kutsche f; (RAIL) (Personen)wagen m; (trainer) Trainer m ♦ vt (SCH) Nachhilfeunterricht geben +dat; (SPORT) trainieren; ~ **trip** n Busfahrt f
coagulate [kəʊ'ægjʊleɪt] vi gerinnen
coal [kəʊl] n Kohle f; ~ **face** n Streb m; ~ **field** n Kohlengebiet nt
coalition [kəʊə'lɪʃən] n Koalition f
coalman ['kəʊlmən] (irreg) n Kohlenhändler m
coal merchant n = **coalman**
coal mine n Kohlenbergwerk nt
coarse [kɔːs] adj grob; (fig) ordinär
coast [kəʊst] n Küste f ♦ vi dahinrollen; (AUT) im Leerlauf fahren; ~**al** adj Küsten-; ~**guard** n Küstenwache f; ~**line** n Küste(nlinie) f
coat [kəʊt] n Mantel m; (on animals) Fell nt; (of paint) Schicht f ♦ vt überstreichen; ~ **of arms** n Wappen nt; ~**hanger** n Kleiderbügel m; ~**ing** n Überzug m; (of paint) Schicht f
coax [kəʊks] vt beschwatzen
cob [kɒb] n see corn
cobbler ['kɒblə*] n Schuster m
cobbles ['kɒblz] npl Pflastersteine pl
cobblestones ['kɒblstəʊnz] npl Pflastersteine pl

cobweb ['kɒbweb] n Spinnennetz nt
cocaine [kə'keɪn] n Kokain nt
cock [kɒk] n Hahn m ♦ vt (gun) entsichern;
~**erel** n junge(r) Hahn m; ~**-eyed** adj (fig)
verrückt
cockle ['kɒkl] n Herzmuschel f
cockney ['kɒknɪ] n echte(r) Londoner m
cockpit ['kɒkpɪt] n (AVIAT) Pilotenkanzel f
cockroach ['kɒkrəʊtʃ] n Küchenschabe f
cocktail ['kɒkteɪl] n Cocktail m; ~ **cabinet**
n Hausbar f; ~ **party** n Cocktailparty f
cocoa ['kəʊkəʊ] n Kakao m
coconut ['kəʊkənʌt] n Kokosnuß f
cocoon [kə'kuːn] n Kokon m
cod [kɒd] n Kabeljau m
C.O.D. abbr = **cash on delivery**
code [kəʊd] n Kode m; (JUR) Kodex m
cod-liver oil ['kɒdlɪvər-] n Lebertran m
coercion [kəʊ'ɜːʃən] n Zwang m
coffee ['kɒfɪ] n Kaffee m; ~ **bar** (BRIT) n
Café nt; ~ **bean** n Kaffeebohne f; ~
break n Kaffeepause f; ~**pot** n Kaffeekan-
ne f; ~ **table** n Couchtisch m
coffin ['kɒfɪn] n Sarg m
cog [kɒg] n (Rad)zahn m
cogent ['kəʊdʒənt] adj triftig, überzeugend,
zwingend
cognac ['kɒnjæk] n Kognak m
coherent [kəʊ'hɪərənt] adj zusammenhängend; (person) verständlich
cohesion [kəʊ'hiːʒən] n Zusammenhang m
coil [kɔɪl] n Rolle f; (ELEC) Spule f; (contraceptive) Spirale f ♦ vt aufwickeln
coin [kɔɪn] n Münze f ♦ vt prägen; ~**age**
(word) Prägung f; ~**-box** (BRIT) n
Münzfernsprecher m
coincide [kəʊɪn'saɪd] vi (happen together)
zusammenfallen; (agree) übereinstimmen;
~**nce** [kəʊ'ɪnsɪdəns] n Zufall m
Coke [kəʊk] (®) n (drink) Coca-Cola f (®)
coke n Koks m
colander ['kɒləndə*] n Durchschlag m
cold [kəʊld] adj kalt ♦ n Kälte f; (MED) Erkältung f; **I'm** ~ mir ist kalt; **to catch** ~
sich erkälten; **in** ~ **blood** kaltblütig; **to
give sb the** ~ **shoulder** jdm die kalte
Schulter zeigen; ~**ly** adv kalt; ~**-shoulder**
vt die kalte Schulter zeigen +dat; ~ **sore** n
Erkältungsbläschen nt
coleslaw ['kəʊlslɔː] n Krautsalat m
colic ['kɒlɪk] n Kolik f
collaborate [kə'læbəreɪt] vi zusammenarbeiten
collaboration [kəlæbə'reɪʃən] n Zusammenarbeit f; (POL) Kollaboration f
collapse [kə'læps] vi (people) zusammenbrechen; (things) einstürzen ♦ n Zusammenbruch m; Einsturz m
collapsible [kə'læpsəbl] adj zusammen-
klappbar, Klapp-
collar ['kɒlə*] n Kragen m; ~**bone** n
Schlüsselbein nt

collateral [kɒ'lætərəl] n (zusätzliche) Sicherheit f
colleague ['kɒliːg] n Kollege m, Kollegin f
collect [kə'lekt] vt sammeln; (BRIT: call and
pick up) abholen ♦ vi sich sammeln ♦ adv:
to call ~ (US: TEL) ein R-Gespräch führen;
~**ion** [kə'lekʃən] n Sammlung f; (REL) Kollekte f; (of post) Leerung f
collective [kə'lektɪv] adj gemeinsam; (POL)
kollektiv
collector [kə'lektə*] n Sammler m; (tax ~)
(Steuer)einnehmer m
college ['kɒlɪdʒ] n (UNIV) College nt;
(TECH) Fach-, Berufsschule f
collide [kə'laɪd] vi zusammenstoßen
colliery ['kɒliərɪ] (BRIT) n Zeche f
collision [kə'lɪʒən] n Zusammenstoß m
colloquial [kə'ləʊkwɪəl] adj umgangs-
sprachlich
collusion [kə'luːʒən] n geheime(s) Einverständnis nt
colon ['kəʊlɒn] n Doppelpunkt m; (MED)
Dickdarm m
colonel ['kɜːnl] n Oberst m
colonial [kə'ləʊnɪəl] adj Kolonial-
colonize ['kɒlənaɪz] vt kolonisieren
colony ['kɒlənɪ] n Kolonie f
colour ['kʌlə*] (US **color**) n Farbe f ♦ vt
(also fig) färben ♦ vi sich verfärben; ~**s** npl
(of club) Fahne f; ~ **bar** n Rassenschranke
f; ~**-blind** adj farbenblind; ~**ed** adj farbig;
~ **film** n Farbfilm m; ~**ful** adj bunt;
(personality) schillernd; ~**ing** n (complexion) Gesichtsfarbe f; (substance) Farbstoff
m; ~ **scheme** n Farbgebung f; ~ **television** n Farbfernsehen nt
colt [kəʊlt] n Fohlen nt
column ['kɒləm] n Säule f; (MIL) Kolonne
f; (of print) Spalte f; ~**ist** ['kɒləmnɪst] n Ko-
lumnist m
coma ['kəʊmə] n Koma nt
comb [kəʊm] n Kamm m ♦ vt kämmen;
(search) durchkämmen
combat ['kɒmbæt] n Kampf m ♦ vt bekämpfen
combination [kɒmbɪ'neɪʃən] n Kombina-
tion f
combine [vb kəm'baɪn, n 'kɒmbaɪn] vt verbinden ♦ vi sich vereinigen ♦ n (COMM)
Konzern m; ~ (**harvester**) n Mähdrescher
m
combustion [kəm'bʌstʃən] n Verbrennung
f
come [kʌm] (pt **came**, pp **come**) vi kommen; **to** ~ **undone** aufgehen; ~ **about** vi
geschehen; ~ **across** vt fus (find) stoßen
auf +acc; ~ **away** vi (person) weggehen;
(handle etc) abgehen; ~ **back** vi zurückkommen; ~ **by** vt fus (find): **to** ~ **by
sth** zu etw kommen; ~ **down** vi (price)
fallen; ~ **forward** vi (volunteer) sich melden; ~ **from** vt fus (result) kommen von;

where do you ~ from? wo kommen Sie her?; **I ~ from London** ich komme aus London; **~ in** vi hereinkommen; *(train)* einfahren; **~ in for** vt fus abkriegen; **~ into** vt fus *(inherit)* erben; **~ off** vi *(handle)* abgehen; *(succeed)* klappen; **~ on** vi *(progress)* vorankommen; **~ on!** komm!; *(hurry)* beeil dich!; **~ out** vi herauskommen; **~ round** vi *(MED)* wieder zu sich kommen; **~ to** vi *(MED)* wieder zu sich kommen ♦ vt fus *(bill)* sich belaufen auf +acc; **~ up** vi hochkommen; *(sun)* aufgehen; *(problem)* auftauchen; **~ up against** vt fus *(resistance, difficulties)* stoßen auf +acc; **~ upon** vt fus stoßen auf +acc; **~ up with** vt fus sich einfallen lassen

comedian [kə'miːdɪən] n Komiker m
comedienne [kəmiːdɪ'en] n Komikerin f
comedown ['kʌmdaʊn] n Abstieg m
comedy ['kɒmədɪ] n Komödie f
comet ['kɒmɪt] n Komet m
comeuppance [kʌm'ʌpəns] n: **to get one's ~** seine Quittung bekommen
comfort ['kʌmfət] n Komfort m; *(consolation)* Trost m ♦ vt trösten; **~able** adj bequem; **~ably** adv *(sit etc)* bequem; *(live)* angenehm; **~ station** *(US)* n öffentliche Toilette f
comic ['kɒmɪk] n Comic(heft) nt; *(comedian)* Komiker m ♦ adj *(also: ~al)* komisch
coming ['kʌmɪŋ] n Kommen nt; **~(s) and going(s)** n(pl) Kommen und Gehen nt
comma ['kɒmə] n Komma nt
command [kə'mɑːnd] n Befehl m; *(control)* Führung f; *(MIL)* Kommando nt; *(mastery)* Beherrschung f ♦ vt befehlen +dat; *(MIL)* kommandieren; *(be able to get)* verfügen über +acc; **~eer** [kɒmən'dɪə*] vt requirieren; **~er** n Kommandant m
commandment [kə'mɑːndmənt] n *(REL)* Gebot nt
commando [kə'mɑːndəʊ] n Kommandotruppe nt; *(person)* Mitglied nt einer Kommandotruppe
commemorate [kə'meməreɪt] vt gedenken +gen
commence [kə'mens] vt, vi beginnen
commend [kə'mend] vt *(recommend)* empfehlen; *(praise)* loben
commensurate [kə'mensjʊrɪt] adj: **~ with sth** einer Sache dat entsprechend
comment ['kɒment] n Bemerkung f ♦ vi: **to ~ (on)** sich äußern (zu); **~ary** ['kɒməntrɪ] n Kommentar m; **~ator** ['kɒmənteɪtə*] n Kommentator m; *(TV)* Reporter(in) m(f)
commerce ['kɒmɜːs] n Handel m
commercial [kə'mɜːʃəl] adj kommerziell, geschäftlich; *(training)* kaufmännisch ♦ n *(TV)* Fernsehwerbung f; **~ break** n Werbespot m; **~ize** vt kommerzialisieren

commiserate [kə'mɪzəreɪt] vi: **to ~ with** Mitleid haben mit
commission [kə'mɪʃən] n *(act)* Auftrag m; *(fee)* Provision f; *(body)* Kommission f ♦ vt beauftragen; *(MIL)* zum Offizier ernennen; *(work of art)* in Auftrag geben; **out of ~** außer Betrieb; **~aire** [kəmɪʃə'nɛə*] *(BRIT)* n Portier m; **~er** n *(POLICE)* Polizeipräsident m
commit [kə'mɪt] vt *(crime)* begehen; *(entrust)* anvertrauen; **to ~ o.s.** sich festlegen; **~ment** n Verpflichtung f
committee [kə'mɪtɪ] n Ausschuß m
commodity [kə'mɒdɪtɪ] n Ware f
common ['kɒmən] adj *(cause)* gemeinsam; *(pej)* gewöhnlich; *(widespread)* üblich, häufig ♦ n Gemeindeland nt; **C~s** npl *(BRIT)*: **the C~s** das Unterhaus; **~er** n Bürgerliche(r) mf; **~ law** n Gewohnheitsrecht nt; **~ly** adv gewöhnlich; **C~ Market** n Gemeinsame(r) Markt m; **~place** adj alltäglich; **~room** n Gemeinschaftsraum m; **~ sense** n gesunde(r) Menschenverstand m; **C~wealth** n: **the C~wealth** das Commonwealth
commotion [kə'məʊʃən] n Aufsehen nt
communal ['kɒmjuːnl] adj Gemeinde-; Gemeinschafts-
commune [n 'kɒmjuːn, vb kə'mjuːn] n Kommune f ♦ vi: **to ~ with** sich mitteilen +dat
communicate [kə'mjuːnɪkeɪt] vt *(transmit)* übertragen ♦ vi *(be in touch)* in Verbindung stehen; *(make self understood)* sich verständigen
communication [kəmjuːnɪ'keɪʃən] n *(message)* Mitteilung f; *(making understood)* Kommunikation f; **~ cord** *(BRIT)* n Notbremse f
communion [kə'mjuːnɪən] n *(also: Holy C~)* Abendmahl nt, Kommunion f
communism ['kɒmjʊnɪzəm] n Kommunismus m
communist ['kɒmjʊnɪst] n Kommunist(in) m(f) ♦ adj kommunistisch
community [kə'mjuːnɪtɪ] n Gemeinschaft f; **~ centre** n Gemeinschaftszentrum nt; **~ chest** *(US)* n Wohltätigkeitsfonds m; **~ home** *(BRIT)* n Erziehungsheim nt
commutation ticket [kɒmjuː'teɪʃən-] *(US)* n Zeitkarte f
commute [kə'mjuːt] vi pendeln ♦ vt umwandeln; **~r** n Pendler m
compact [adj kəm'pækt, n 'kɒmpækt] adj kompakt ♦ n *(for make-up)* Puderdose f; **~ disc** n Compact-disc f; **~ disc player** n CD-Spieler m
companion [kəm'pænɪən] n Begleiter(in) m(f); **~ship** n Gesellschaft f
company ['kʌmpənɪ] n Gesellschaft f; *(COMM)* Firma f, Gesellschaft f; **to keep sb ~** jdm Gesellschaft leisten; **~ secretary**

(*BRIT*) *n* ≈ Prokurist(in) *m(f)*
comparable ['kɒmpərəbl] *adj* vergleichbar
comparative [kəm'pærətɪv] *adj* (*relative*) relativ; ~**ly** *adv* verhältnismäßig
compare [kəm'pɛə*] *vt* vergleichen ♦ *vi* sich vergleichen lassen
comparison [kəm'pærɪsn] *n* Vergleich *m*; **in** ~ (**with**) im Vergleich (mit *or* zu)
compartment [kəm'pɑːtmənt] *n* (*RAIL*) Abteil *nt*; (*in drawer etc*) Fach *nt*
compass ['kʌmpəs] *n* Kompaß *m*; ~**es** *npl* (*MATH etc: also: pair of* ~**es**) Zirkel *m*
compassion [kəm'pæʃən] *n* Mitleid *nt*; ~**ate** *adj* mitfühlend
compatible [kəm'pætɪbl] *adj* vereinbar; (*COMPUT*) kompatibel
compel [kəm'pel] *vt* zwingen
compensate ['kɒmpenseɪt] *vt* entschädigen ♦ *vi*: **to** ~ **for** Ersatz leisten für
compensation [kɒmpen'seɪʃən] *n* Entschädigung *f*
compère ['kɒmpeə*] *n* Conférencier *m*
compete [kəm'piːt] *vi* (*take part*) teilnehmen; (*vie with*) konkurrieren
competent ['kɒmpɪtənt] *adj* kompetent
competition [kɒmpɪ'tɪʃən] *n* (*contest*) Wettbewerb *m*; (*COMM, rivalry*) Konkurrenz *f*
competitive [kəm'petɪtɪv] *adj* Konkurrenz-; (*COMM*) konkurrenzfähig
competitor [kəm'petɪtə*] *n* (*COMM*) Konkurrent(in) *m(f)*; (*participant*) Teilnehmer(in) *m(f)*
compile [kəm'paɪl] *vt* zusammenstellen
complacency [kəm'pleɪsnsɪ] *n* Selbstzufriedenheit *f*
complacent [kəm'pleɪsnt] *adj* selbstzufrieden
complain [kəm'pleɪn] *vi* sich beklagen; (*formally*) sich beschweren; ~**t** *n* Klage *f*; (*formal* ~*t*) Beschwerde *f*; (*MED*) Leiden *nt*
complement [*n* 'kɒmplɪmənt, *vb* 'kɒmplɪment] *n* Ergänzung *f*; (*ship's crew etc*) Bemannung *f* ♦ *vt* ergänzen; ~**ary** [kɒmplɪ'mentərɪ] *adj* (sich) ergänzend
complete [kəm'pliːt] *adj* (*full*) vollkommen, ganz; (*finished*) fertig ♦ *vt* vervollständigen; (*finish*) beenden; (*fill in: form*) ausfüllen; ~**ly** *adv* ganz
completion [kəm'pliːʃən] *n* Fertigstellung *f*; (*of contract etc*) Abschluß *m*
complex ['kɒmpleks] *adj* kompliziert
complexion [kəm'plekʃən] *n* Gesichtsfarbe *f*; (*fig*) Aspekt *m*
complexity [kəm'pleksɪtɪ] *n* Kompliziertheit *f*
compliance [kəm'plaɪəns] *n* Fügsamkeit *f*, Einwilligung *f*; **in** ~ **with sth** einer Sache *dat* gemäß
complicate ['kɒmplɪkeɪt] *vt* komplizieren; ~**d** *adj* kompliziert
complication [kɒmplɪ'keɪʃən] *n* Komplikation *f*

complicity [kəm'plɪsɪtɪ] *n*: ~ (**in**) Mittäterschaft *f* (bei)
compliment [*n* 'kɒmplɪmənt, *vb* 'kɒmplɪment] *n* Kompliment *nt* ♦ *vt* ein Kompliment machen +*dat*; ~**s** *npl* (*greetings*) Grüße *pl*; **to pay sb a** ~ jdm ein Kompliment machen; ~**ary** [kɒmplɪ'mentərɪ] *adj* schmeichelhaft; (*free*) Frei-, Gratis-
comply [kəm'plaɪ] *vi*: **to** ~ **with** erfüllen +*acc*; entsprechen +*dat*
component [kəm'pəʊnənt] *adj* Teil- ♦ *n* Bestandteil *m*
compose [kəm'pəʊz] *vt* (*music*) komponieren; (*poetry*) verfassen; **to** ~ **o.s.** sich sammeln; ~**d** *adj* gefaßt; ~**r** *n* Komponist(in) *m(f)*
composite ['kɒmpəzɪt] *adj* zusammengesetzt
composition [kɒmpə'zɪʃən] *n* (*MUS*) Komposition *f*; (*SCH*) Aufsatz *m*; (*structure*) Zusammensetzung *f*, Aufbau *m*
compost ['kɒmpɒst] *n* Kompost *m*
composure [kəm'pəʊʒə*] *n* Fassung *f*
compound ['kɒmpaʊnd] *n* (*CHEM*) Verbindung *f*; (*enclosure*) Lager *nt*; (*LING*) Kompositum *nt* ♦ *adj* zusammengesetzt; (*fracture*) kompliziert; ~ **interest** *n* Zinseszins *m*
comprehend [kɒmprɪ'hend] *vt* begreifen
comprehension [kɒmprɪ'henʃən] *n* Verständnis *nt*
comprehensive [kɒmprɪ'hensɪv] *adj* umfassend ♦ *n* = **comprehensive school**; ~ **insurance** *n* Vollkasko *nt*; ~ **school** (*BRIT*) *n* Gesamtschule *f*
compress [*vb* kəm'pres, *n* 'kɒmpres] *vt* komprimieren ♦ *n* (*MED*) Kompresse *f*
comprise [kəm'praɪz] *vt* (*also: be* ~*d of*) umfassen, bestehen aus
compromise ['kɒmprəmaɪz] *n* Kompromiß *m* ♦ *vt* kompromittieren ♦ *vi* einen Kompromiß schließen
compulsion [kəm'pʌlʃən] *n* Zwang *m*
compulsive [kəm'pʌlsɪv] *adj* zwanghaft
compulsory [kəm'pʌlsərɪ] *adj* obligatorisch
computer [kəm'pjuːtə*] *n* Computer *m*, Rechner *m*; ~ **game** *n* Computerspiel *nt*; ~**ize** *vt* (*information*) computerisieren; (*company, accounts*) auf Computer umstellen; ~ **programmer** *n* Programmierer(in) *m(f)*; ~ **programming** *n* Programmieren *nt*; ~ **science** *n* Informatik *f*
computing *n* (*science*) Informatik *f*; (*work*) Computerei *f*
comrade ['kɒmrɪd] *n* Kamerad *m*; (*POL*) Genosse *m*
con [kɒn] *vt* hereinlegen ♦ *n* Schwindel *nt*
concave [kɒn'keɪv] *adj* konkav
conceal [kən'siːl] *vt* (*secret*) verschweigen; (*hide*) verbergen
concede [kən'siːd] *vt* (*grant*) gewähren;

(*point*) zugeben ♦ *vi* (*admit defeat*) nachgeben

conceit [kən'si:t] *n* Einbildung *f*; **~ed** *adj* eingebildet

conceivable [kən'si:vəbl] *adj* vorstellbar

conceive [kən'si:v] *vt* (*idea*) ausdenken; (*imagine*) sich vorstellen; (*baby*) empfangen ♦ *vi* empfangen

concentrate ['kɒnsəntreɪt] *vi* sich konzentrieren ♦ *vt* konzentrieren; **to ~ on sth** sich auf etw *acc* konzentrieren

concentration [kɒnsən'treɪʃən] *n* Konzentration *f*; **~ camp** *n* Konzentrationslager *nt*, KZ *nt*

concept ['kɒnsept] *n* Begriff *m*

conception [kən'sepʃən] *n* (*idea*) Vorstellung *f*; (*BIOL*) Empfängnis *f*

concern [kən'sɜ:n] *n* (*affair*) Angelegenheit *f*; (*COMM*) Unternehmen *nt*; (*worry*) Sorge *f* ♦ *vt* (*interest*) angehen; (*be about*) handeln von; (*have connection with*) betreffen; **to be ~ed (about)** sich Sorgen machen (um); **~ing** *prep* hinsichtlich +*gen*

concert ['kɒnsət] *n* Konzert *nt*

concerted [kən'sɜ:tɪd] *adj* gemeinsam

concert hall *n* Konzerthalle *f*

concertina [kɒnsə'ti:nə] *n* Handharmonika *f*

concerto [kən'tʃɜ:təu] *n* Konzert *nt*

concession [kən'seʃən] *n* (*yielding*) Zugeständnis *nt*; **tax ~** Steuer-Konzession *f*

conciliation [kənsɪlɪ'eɪʃən] *n* Versöhnung *f*; (*official*) Schlichtung *f*

concise [kən'saɪs] *adj* präzis

conclude [kən'klu:d] *vt* (*end*) beenden; (*treaty*) (ab)schließen; (*decide*) schließen, folgern

conclusion [kən'klu:ʒən] *n* (Ab)schluß *m*; (*deduction*) Schluß *m*

conclusive [kən'klu:sɪv] *adj* schlüssig

concoct [kən'kɒkt] *vt* zusammenbrauen; **~ion** [kən'kɒkʃən] *n* Gebräu *nt*

concourse ['kɒŋkɔ:s] *n* (Bahnhofs)halle *f*, Vorplatz *m*

concrete ['kɒŋkri:t] *n* Beton *m* ♦ *adj* konkret

concur [kən'kɜ:*] *vi* übereinstimmen

concurrently [kən'kʌrəntlɪ] *adv* gleichzeitig

concussion [kən'kʌʃən] *n* (Gehirn)erschütterung *f*

condemn [kən'dem] *vt* (*JUR*) verurteilen; (*building*) abbruchreif erklären

condensation [kɒndən'seɪʃən] *n* Kondensation *f*

condense [kən'dens] *vi* (*CHEM*) kondensieren ♦ *vt* (*fig*) zusammendrängen; **~d milk** *n* Kondensmilch *f*

condescending [kɒndɪ'sendɪŋ] *adj* herablassend

condition [kən'dɪʃən] *n* (*state*) Zustand *m*; (*presupposition*) Bedingung *f* ♦ *vt* (*hair etc*) behandeln; (*accustom*) gewöhnen; **~s** *npl*

(*circumstances*) Verhältnisse *pl*; **on ~ that** ... unter der Bedingung, daß ...; **~ed** *adj* bedingt; (*LING*) Bedingungs-; **~er** *n* (*for hair*) Spülung *f*; (*for fabrics*) Weichspüler *m*

condolences [kən'dəulənsɪz] *npl* Beileid *nt*

condom ['kɒndəm] *n* Kondom *nt or m*

condominium [kɒndə'mɪnɪəm] (*US*) *n* Eigentumswohnung *f*; (*block*) Eigentumsblock *m*

condone [kən'dəun] *vt* gutheißen

conducive [kən'dju:sɪv] *adj*: **~ to** dienlich +*dat*

conduct [*n* 'kɒndʌkt, *vb* kən'dʌkt] *n* (*behaviour*) Verhalten *nt*; (*management*) Führung *f* ♦ *vt* führen; (*MUS*) dirigieren; **~ed tour** *n* Führung *f*; **~or** [kən'dʌktə*] *n* (*of orchestra*) Dirigent *m*; (*in bus, US: on train*) Schaffner *m*; (*ELEC*) Leiter *m*; **~ress** [kən'dʌktrɪs] *n* (*in bus*) Schaffnerin *f*

cone [kəun] *n* (*MATH*) Kegel *m*; (*for ice cream*) (Waffel)tüte *f*; (*BOT*) Tannenzapfen *m*

confectioner [kən'fekʃənə*] *n* Konditor *m*; **~'s (shop)** *n* Konditorei *f*; **~y** *n* Süßigkeiten *pl*

confederation [kənfedə'reɪʃən] *n* Bund *m*

confer [kən'fɜ:*] *vt* (*degree*) verleihen ♦ *vi* (*discuss*) konferieren, verhandeln; **~ence** ['kɒnfərəns] *n* Konferenz *f*

confess [kən'fes] *vt, vi* gestehen; (*ECCL*) beichten; **~ion** [kən'feʃən] *n* Geständnis *nt*; (*ECCL*) Beichte *f*; **~ional** [kən'feʃənl] *n* Beichtstuhl *m*

confetti [kən'fetɪ] *n* Konfetti *nt*

confide [kən'faɪd] *vi*: **to ~ in** (sich) anvertrauen +*dat*

confidence ['kɒnfɪdəns] *n* Vertrauen *nt*; (*assurance*) Selbstvertrauen *nt*; (*secret*) Geheimnis *nt*; **in ~** (*speak, write*) vertraulich; **~ trick** *n* Schwindel *m*

confident ['kɒnfɪdənt] *adj* (*sure*) überzeugt; (*self-assured*) selbstsicher

confidential [kɒnfɪ'denʃəl] *adj* vertraulich

confine [kən'faɪn] *vt* (*limit*) beschränken; (*lock up*) einsperren; **~d** *adj* (*space*) eng; **~ment** *n* (*in prison*) Haft *f*; (*MED*) Wochenbett *nt*; **~s** ['kɒnfaɪnz] *npl* Grenzen *pl*

confirm [kən'fɜ:m] *vt* bestätigen; **~ation** [kɒnfə'meɪʃən] *n* Bestätigung *f*; (*REL*) Konfirmation *f*; **~ed** *adj* unverbesserlich; (*bachelor*) eingefleischt

confiscate ['kɒnfɪskeɪt] *vt* beschlagnahmen

conflict [*n* 'kɒnflɪkt, *vb* kən'flɪkt] *n* Konflikt *m* ♦ *vi* im Widerspruch stehen; **~ing** [kən'flɪktɪŋ] *adj* widersprüchlich

conform [kən'fɔ:m] *vi*: **to ~ (to)** (*things*) entsprechen +*dat*; (*people*) sich anpassen +*dat*; (*to rules*) sich richten (nach)

confound [kən'faund] *vt* verblüffen; (*throw into confusion*) durcheinanderbringen

confront [kən'frʌnt] *vt* (*enemy*) entgegentreten +*dat*; (*problems*) sich stellen +*dat*; **to**

~ sb with sth jdn mit etw konfrontieren; ~ation [kɒnfrən'teɪʃən] n Konfrontation f

confuse [kən'fjuːz] vt verwirren; (sth with sth) verwechseln; ~d adj verwirrt; **confusing** adj verwirrend; **confusion** [kən'fjuːʒən] n (perplexity) Verwirrung f; (mixing up) Verwechslung f; (tumult) Aufruhr m

congeal [kən'dʒiːl] vi (freeze) gefrieren; (clot) gerinnen

congenial [kən'dʒiːnɪəl] adj angenehm

congenital [kən'dʒenɪtəl] adj angeboren

congested [kən'dʒestɪd] adj überfüllt

congestion [kən'dʒestʃən] n Stau m

conglomerate [kən'glɒmərət] n (COMM, GEOL) Konglomerat nt

conglomeration [kənglɒmə'reɪʃən] n Anhäufung f

congratulate [kən'grætjʊleɪt] vt: to ~ sb (on sth) jdn (zu etw) beglückwünschen

congratulations [kəngrætjʊ'leɪʃənz] npl Glückwünsche pl; ~! gratuliere!, herzlichen Glückwunsch!

congregate ['kɒŋgrɪgeɪt] vi sich versammeln

congregation [kɒŋgrɪ'geɪʃən] n Gemeinde f

congress ['kɒŋgres] n Kongreß m; ~**man** (US: irreg) n Mitglied nt des amerikanischen Repräsentantenhauses

conical ['kɒnɪkəl] adj kegelförmig

conifer ['kɒnɪfə*] n Nadelbaum m

conjecture [kən'dʒektʃə*] n Vermutung f

conjugal ['kɒndʒʊgəl] adj ehelich

conjugate ['kɒndʒʊgeɪt] vt konjugieren

conjunction [kən'dʒʌŋkʃən] n Verbindung f; (GRAM) Konjunktion f

conjunctivitis [kəndʒʌŋktɪ'vaɪtɪs] n Bindehautentzündung f

conjure ['kʌndʒə*] vi zaubern; ~ **up** vt heraufbeschwören; ~**r** n Zauberkünstler(in) m(f)

conk out [kɒŋk-] (inf) vi den Geist aufgeben

con man (irreg) n Schwindler m

connect [kə'nekt] vt verbinden; (ELEC) anschließen; **to be** ~**ed with** ein Beziehung haben zu; (be related to) verwandt sein mit; ~**ion** [kə'nekʃən] n Verbindung f; (relation) Zusammenhang m; (ELEC, TEL, RAIL) Anschluß m

connive [kə'naɪv] vi: to ~ **at** stillschweigend dulden

connoisseur [kɒnɪ'sɜː*] n Kenner m

conquer ['kɒŋkə*] vt (feelings) überwinden; (enemy) besiegen; (country) erobern; ~**or** n Eroberer m

conquest ['kɒŋkwest] n Eroberung f

cons [kɒnz] npl see **convenience**; **pro**

conscience ['kɒnʃəns] n Gewissen nt

conscientious [kɒnʃɪ'enʃəs] adj gewissenhaft

conscious ['kɒnʃəs] adj bewußt; (MED) bei

Bewußtsein; ~**ness** n Bewußtsein nt

conscript ['kɒnskrɪpt] n Wehrpflichtige(r) m; ~**ion** [kən'skrɪpʃən] n Wehrpflicht f

consecrate ['kɒnsɪkreɪt] vt weihen

consecutive [kən'sekjʊtɪv] adj aufeinanderfolgend

consensus [kən'sensəs] n allgemeine Übereinstimmung f

consent [kən'sent] n Zustimmung f ♦ vi zustimmen

consequence ['kɒnsɪkwəns] n (importance) Bedeutung f; (effect) Folge f

consequently ['kɒnsɪkwəntlɪ] adv folglich

conservation [kɒnsə'veɪʃən] n Erhaltung f; (nature ~) Umweltschutz m

conservative [kən'sɜːvətɪv] adj konservativ; **C~** (BRIT) adj konservativ ♦ n Konservative(r) mf

conservatory [kən'sɜːvətrɪ] n (room) Wintergarten m

conserve [kən'sɜːv] vt erhalten

consider [kən'sɪdə*] vt überlegen; (take into account) in Betracht ziehen; (regard as) halten für; **to** ~ **doing sth** daran denken, etw zu tun

considerable [kən'sɪdərəbl] adj beträchtlich

considerably adv beträchtlich

considerate [kən'sɪdərɪt] adj rücksichtsvoll

consideration [kənsɪdə'reɪʃən] n Rücksicht(nahme) f; (thought) Erwägung f; (reward) Entgelt nt

considering [kən'sɪdərɪŋ] prep in Anbetracht +gen

consign [kən'saɪn] vt übergeben; ~**ment** n Sendung f

consist [kən'sɪst] vi: to ~ **of** bestehen aus

consistency [kən'sɪstənsɪ] n (of material) Konsistenz f; (of argument, person) Konsequenz f

consistent [kən'sɪstənt] adj (person) konsequent; (argument) folgerichtig

consolation [kɒnsə'leɪʃən] n Trost m

console¹ [kən'səʊl] vt trösten

console² ['kɒnsəʊl] n Kontroll(pult) nt

consolidate [kən'sɒlɪdeɪt] vt festigen

consommé [kən'sɒmeɪ] n Fleischbrühe f

consortium [kən'sɔːtɪəm] n (COMM) Konsortium nt

conspicuous [kən'spɪkjʊəs] adj (prominent) auffällig; (visible) deutlich sichtbar

conspiracy [kən'spɪrəsɪ] n Verschwörung f

conspire [kən'spaɪə*] vi sich verschwören

constable ['kʌnstəbl] (BRIT) n Polizist(in) m(f); **chief** ~ Polizeipräsident m

constabulary [kən'stæbjʊlərɪ] n Polizei f

constant ['kɒnstənt] adj (continuous) ständig; (unchanging) konstant; ~**ly** adv ständig

constellation [kɒnstə'leɪʃən] n Sternbild nt

consternation [kɒnstə'neɪʃən] n Bestürzung f

constipated ['kɒnstɪpeɪtəd] *adj* verstopft
constipation [kɒnstɪ'peɪʃən] *n* Verstopfung *f*
constituency [kən'stɪtjuənsɪ] *n* Wahlkreis *m*
constituent [kən'stɪtjuənt] *n* (*person*) Wähler *m*; (*part*) Bestandteil *m*
constitute ['kɒnstɪtjuːt] *vt* (*make up*) bilden; (*amount to*) darstellen
constitution [kɒnstɪ'tjuːʃən] *n* Verfassung *f*; ~**al** *adj* Verfassungs-
constraint [kən'streɪnt] *n* Zwang *m*; (*shyness*) Befangenheit *f*
construct [kən'strʌkt] *vt* bauen; ~**ion** [kən'strʌkʃən] *n* Konstruktion *f*; (*building*) Bau *m*; ~**ive** *adj* konstruktiv
construe [kən'struː] *vt* deuten
consul ['kɒnsl] *n* Konsul *m*; ~**ate** ['kɒnsjʊlət] *n* Konsulat *nt*
consult [kən'sʌlt] *vt* um Rat fragen; (*doctor*) konsultieren; (*book*) nachschlagen in +*dat*; ~**ant** *n* (*MED*) Facharzt *m*; (*other specialist*) Gutachter *m*; ~**ation** [kɒnsəl'teɪʃən] *n* Beratung *f*; (*MED*) Konsultation *f*; ~**ing room** *n* (*BRIT*) Sprechzimmer *nt*
consume [kən'sjuːm] *vt* verbrauchen; (*food*) konsumieren; ~**r** *n* Verbraucher *m*; ~**r goods** *npl* Konsumgüter *pl*; ~**rism** *n* Konsum *m*; ~**r society** *n* Konsumgesellschaft *f*
consummate ['kɒnsʌmeɪt] *vt* (*marriage*) vollziehen
consumption [kən'sʌmpʃən] *n* Verbrauch *m*; (*of food*) Konsum *m*
cont. *abbr* (= *continued*) Forts.
contact ['kɒntækt] *n* (*touch*) Berührung *f*; (*connection*) Verbindung *f*; (*person*) Kontakt *m* ♦ *vt* sich in Verbindung setzen mit; ~ **lenses** *npl* Kontaktlinsen *pl*
contagious [kən'teɪdʒəs] *adj* ansteckend
contain [kən'teɪn] *vt* enthalten; **to ~ o.s.** sich zügeln; ~**er** *n* Behälter *m*; (*transport*) Container *m*
contaminate [kən'tæmɪneɪt] *vt* verunreinigen
contamination [kəntæmɪ'neɪʃən] *n* Verunreinigung *f*
cont'd *abbr* (= *continued*) Forts.
contemplate ['kɒntəmpleɪt] *vt* (*look at*) (nachdenklich) betrachten; (*think about*) überdenken; (*plan*) vorhaben
contemporary [kən'tempərərɪ] *adj* zeitgenössisch ♦ *n* Zeitgenosse *m*
contempt [kən'tempt] *n* Verachtung *f*; ~ **of court** (*JUR*) Mißachtung *f* des Gerichts; ~**ible** *adj* verachtenswert; ~**uous** *adj* verächtlich
contend [kən'tend] *vt* (*argue*) behaupten ♦ *vi* kämpfen; ~**er** *n* (*for post*) Bewerber(in) *m(f)*; (*SPORT*) Wettkämpfer(in) *m(f)*
content [*adj, vb* kən'tent, *n* 'kɒntent] *adj*

zufrieden ♦ *vt* befriedigen ♦ *n* (*also*: ~s) Inhalt *m*; ~**ed** *adj* zufrieden
contention [kən'tenʃən] *n* (*dispute*) Streit *m*; (*argument*) Behauptung *f*
contentment [kən'tentmənt] *n* Zufriedenheit *f*
contest [*n* 'kɒntest, *vb* kən'test] *n* (Wett)kampf *m* ♦ *vt* (*dispute*) bestreiten; (*JUR*) anfechten; (*POL*) kandidieren in +*dat*; ~**ant** [kən'testənt] *n* Bewerber(in) *m(f)*
context ['kɒntekst] *n* Zusammenhang *m*
continent ['kɒntɪnənt] *n* Kontinent *m*; **the C~** (*BRIT*) das europäische Festland; ~**al** [kɒntɪ'nentl] *adj* kontinental; ~**al quilt** (*BRIT*) *n* Federbett *nt*
contingency [kən'tɪndʒənsɪ] *n* Möglichkeit *f*
contingent [kən'tɪndʒənt] *n* Kontingent *nt*
continual [kən'tɪnjuəl] *adj* (*endless*) fortwährend; (*repeated*) immer wiederkehrend; ~**ly** *adv* immer wieder
continuation [kəntɪnjuˈeɪʃən] *n* Fortsetzung *f*
continue [kən'tɪnjuː] *vi* (*person*) weitermachen; (*thing*) weitergehen ♦ *vt* fortsetzen
continuity [kɒntɪ'njuɪtɪ] *n* Kontinuität *f*
continuous [kən'tɪnjuəs] *adj* ununterbrochen; ~ **stationery** *n* Endlospapier *nt*
contort [kən'tɔːt] *vt* verdrehen; ~**ion** [kən'tɔːʃən] *n* Verzerrung *f*
contour ['kɒntuə*] *n* Umriß *m*; (*also*: ~ line) Höhenlinie *f*
contraband ['kɒntrəbænd] *n* Schmuggelware *f*
contraception [kɒntrə'sepʃən] *n* Empfängnisverhütung *f*
contraceptive [kɒntrə'septɪv] *n* empfängnisverhütende(s) Mittel *nt* ♦ *adj* empfängnisverhütend
contract [*n* 'kɒntrækt, *vb* kən'trækt] *n* Vertrag *m* ♦ *vi* (*muscle, metal*) sich zusammenziehen ♦ *vt* zusammenziehen; **to ~ to do sth** (*COMM*) sich vertraglich verpflichten, etw zu tun; ~**ion** [kən'trækʃən] *n* (*shortening*) Verkürzung *f*; ~**or** [kən'træktə*] *n* Unternehmer *m*
contradict [kɒntrə'dɪkt] *vt* widersprechen +*dat*; ~**ion** [kɒntrə'dɪkʃən] *n* Widerspruch *m*; ~**ory** *adj* widersprüchlich
contraption [kən'træpʃən] (*inf*) *n* Apparat *m*
contrary¹ ['kɒntrərɪ] *adj* (*opposite*) entgegengesetzt ♦ *n* Gegenteil *nt*; **on the ~** im Gegenteil
contrary² [kən'treərɪ] *adj* (*obstinate*) widerspenstig
contrast [*n* 'kɒntrɑːst, *vb* kən'trɑːst] *n* Kontrast *m* ♦ *vt* entgegensetzen; ~**ing** [kən'trɑːstɪŋ] *adj* Kontrast-
contravene [kɒntrə'viːn] *vt* verstoßen gegen

contribute [kən'trɪbjuːt] vt, vi: **to ~ to** beitragen zu
contribution [kɒntrɪ'bjuːʃən] n Beitrag m
contributor [kən'trɪbjʊtə*] n Beitragende(r) mf
contrive [kən'traɪv] vt ersinnen ♦ vi: **to ~ to do sth** es schaffen, etw zu tun
control [kən'trəʊl] vt (direct, test) kontrollieren ♦ n Kontrolle f; **~s** npl (of vehicle) Steuerung f; (of engine) Schalttafel f; **to be in ~ of** (business, office) leiten; (group of children) beaufsichtigen; **out of ~** außer Kontrolle; **under ~** unter Kontrolle; **~ panel** n Schalttafel f; **~ room** n Kontrollraum m; **~ tower** n (AVIAT) Kontrollturm m
controversial [kɒntrə'vɜːʃəl] adj umstritten
controversy ['kɒntrəvɜːsɪ] n Kontroverse f
conurbation [kɒnɜː'beɪʃən] n Ballungsgebiet nt
convalesce [kɒnvə'les] vi genesen; **~nce** n Genesung f
convector [kən'vektə*] n Heizlüfter m
convene [kən'viːn] vt zusammenrufen ♦ vi sich versammeln
convenience [kən'viːnɪəns] n Annehmlichkeit f; **all modern ~s** mit allem Komfort; **all mod cons** (BRIT) mit allem Komfort; **at your ~** wann es Ihnen paßt
convenient [kən'viːnɪənt] adj günstig
convent ['kɒnvənt] n Kloster nt
convention [kən'venʃən] n Versammlung f; (custom) Konvention f; **~al** adj konventionell
converge [kən'vɜːdʒ] vi zusammenlaufen
conversant [kən'vɜːsənt] adj: **to be ~ with** bewandert sein in +dat
conversation [kɒnvə'seɪʃən] n Gespräch nt; **~al** adj Unterhaltungs-
converse [n 'kɒnvɜːs, vb kən'vɜːs] n Gegenteil nt ♦ vi sich unterhalten
conversion [kən'vɜːʃən] n Umwandlung f; (esp REL) Bekehrung f
convert [vb kən'vɜːt, n 'kɒnvɜːt] vt (change) umwandeln; (REL) bekehren ♦ n Bekehrte(r) mf, Konvertit(in) m(f); **~ible** n (AUT) Kabriolett nt ♦ adj umwandelbar; (FIN) konvertierbar
convex [kɒn'veks] adj konvex
convey [kən'veɪ] vt (carry) befördern; (feelings) vermitteln; **~or belt** n Fließband nt
convict [vb kən'vɪkt, n 'kɒnvɪkt] vt verurteilen ♦ n Häftling m; **~ion** [kən'vɪkʃən] n (verdict) Verurteilung f; (belief) Überzeugung f
convince [kən'vɪns] vt überzeugen; **~d** adj: **~d that** überzeugt davon, daß; **convincing** adj überzeugend
convoluted [kɒnvə'luːtɪd] adj verwickelt; (style) gewunden
convoy ['kɒnvɔɪ] n (of vehicles) Kolonne f; (protected) Konvoi m

convulse [kən'vʌls] vt zusammenzucken lassen; **to be ~d with laughter** sich vor Lachen krümmen
convulsion [kən'vʌlʃən] n (esp MED) Zuckung f, Krampf m
coo [kuː] vi gurren
cook [kʊk] vt, vi kochen ♦ n Koch m, Köchin f; **~ book** n Kochbuch nt; **~er** n Herd m; **~ery** n Kochkunst f; **~ery book** (BRIT) n = **cook book**; **~ie** (US) n Plätzchen nt; **~ing** n Kochen nt
cool [kuːl] adj kühl ♦ vt, vi (ab)kühlen; **~ down** vt, vi (fig) (sich) beruhigen; **~ness** n Kühle f; (of temperament) kühle(r) Kopf m
coop [kuːp] n Hühnerstall m ♦ vt: **~ up** (fig) einpferchen
cooperate [kəʊ'ɒpəreɪt] vi zusammenarbeiten; **cooperation** [kəʊɒpə'reɪʃən] n Zusammenarbeit f
cooperative [kəʊ'ɒpərətɪv] adj hilfsbereit; (COMM) genossenschaftlich ♦ n (of farmers) Genossenschaft f; (~ store) Konsumladen m
coordinate [vb kəʊ'ɔːdɪneɪt, n kəʊ'ɔːdɪnət] vt koordinieren ♦ n (MATH) Koordinate f; **~s** npl (clothes) Kombinationen pl
coordination [kəʊɔːdɪ'neɪʃən] n Koordination f
cop [kɒp] (inf) n Polyp m, Bulle m
cope [kəʊp] vi: **to ~ with** fertig werden mit
copious ['kəʊpɪəs] adj reichhaltig
copper ['kɒpə*] n (metal) Kupfer nt; (inf: policeman) Polyp m, Bulle m; **~s** npl (money) Kleingeld nt
coppice ['kɒpɪs] n Unterholz nt
copse [kɒps] n Unterholz nt
copulate ['kɒpjʊleɪt] vi sich paaren
copy ['kɒpɪ] n (imitation) Kopie f; (of book etc) Exemplar nt; (of newspaper) Nummer f ♦ vt kopieren, abschreiben; **~right** n Copyright nt
coral ['kɒrəl] n Koralle f; **~ reef** n Korallenriff nt
cord [kɔːd] n Schnur f; (ELEC) Kabel nt
cordial ['kɔːdɪəl] adj herzlich ♦ n Fruchtsaft m
cordon ['kɔːdn] n Absperrkette f; **~ off** vt abriegeln
corduroy ['kɔːdərɔɪ] n Kord(samt) m
core [kɔː*] n Kern m ♦ vt entkernen
cork [kɔːk] n (bark) Korkrinde f; (stopper) Korken m; **~screw** n Korkenzieher m
corn [kɔːn] n (BRIT: wheat) Getreide nt, Korn nt; (US: maize) Mais m; (on foot) Hühnerauge nt; **~ on the cob** Maiskolben m
cornea ['kɔːnɪə] n Hornhaut f
corned beef ['kɔːnd-] n Corned Beef nt
corner ['kɔːnə*] n Ecke f; (on road) Kurve f ♦ vt in die Enge treiben; (market) monopolisieren ♦ vi (AUT) in die Kurve gehen;

~**stone** n Eckstein m
cornet ['kɔːnɪt] n (MUS) Kornett nt; (BRIT: of ice cream) Eistüte f
cornflakes ['kɔːnfleɪks] npl Cornflakes pl (®)
cornflour ['kɔːnflaʊə*] (BRIT) n Maizena nt (®)
cornstarch ['kɔːnstɑːtʃ] (US) n Maizena nt (®)
Cornwall ['kɔːnwəl] n Cornwall m
corny ['kɔːnɪ] adj (joke) blöd(e)
corollary [kə'rɒlərɪ] n Folgesatz m
coronary ['kɒrənərɪ] n (also: ~ thrombosis) Herzinfarkt m
coronation [kɒrə'neɪʃən] n Krönung f
coroner ['kɒrənə*] n Untersuchungsrichter m
coronet ['kɒrənɪt] n Adelskrone f
corporal ['kɔːpərəl] n Obergefreite(r) m ♦ adj: ~ **punishment** Prügelstrafe f
corporate ['kɔːpərɪt] adj gemeinschaftlich, korporativ
corporation [kɔːpə'reɪʃən] n (of town) Gemeinde f; (COMM) Körperschaft f, Aktiengesellschaft f
corps [kɔː*, pl kɔːz] (pl **corps**) n (Armee)korps nt
corpse [kɔːps] n Leiche f
corpuscle ['kɔːpʌsl] n Blutkörperchen nt
corral [kə'rɑːl] n Pferch m, Korral m
correct [kə'rekt] adj (accurate) richtig; (proper) korrekt ♦ vt korrigieren; ~**ion** [kə'rekʃən] n Berichtigung f
correlation [kɒrɪ'leɪʃən] n Wechselbeziehung f
correspond [kɒrɪs'pɒnd] vi (agree) übereinstimmen; (exchange letters) korrespondieren; ~**ence** n (similarity) Entsprechung f; (letters) Briefwechsel m, Korrespondenz f; ~**ence course** n Fernkurs m; ~**ent** n (PRESS) Berichterstatter m
corridor ['kɒrɪdɔː*] n Gang m
corroborate [kə'rɒbəreɪt] vt bestätigen
corrode [kə'rəʊd] vt zerfressen ♦ vi rosten
corrosion [kə'rəʊʒən] n Korrosion f
corrugated ['kɒrəgeɪtɪd] adj gewellt; ~ **iron** n Wellblech nt
corrupt [kə'rʌpt] adj korrupt ♦ vt verderben; (bribe) bestechen; ~**ion** [kə'rʌpʃən] n (of society) Verdorbenheit f; (bribery) Bestechung f
corset ['kɔːsɪt] n Korsett nt
Corsica ['kɔːsɪkə] n Korsika nt
cortège [kɔː'teɪʒ] n Zug m; (of funeral) Leichenzug m
cosh [kɒʃ] (BRIT) n Totschläger m
cosmetics npl Kosmetika pl
cosmic ['kɒzmɪk] adj kosmisch
cosmonaut ['kɒzmənɔːt] n Kosmonaut(in) m(f)
cosmopolitan [kɒzmə'pɒlɪtən] adj international; (city) Welt-

cosmos ['kɒzmɒs] n Kosmos m
cosset ['kɒsɪt] vt verwöhnen
cost [kɒst] (pt, pp **cost**) n Kosten pl, Preis m ♦ vt, vi kosten; ~**s** npl (JUR) Kosten pl; **how much does it** ~? wieviel kostet das?; **at all** ~**s** um jeden Preis
co-star ['kəʊstɑː*] n zweite(r) or weitere(r) Hauptdarsteller(in) m(f)
cost-effective ['kɒstɪ'fektɪv] adj rentabel
costly ['kɒstlɪ] adj kostspielig
cost-of-living ['kɒstəv'lɪvɪŋ] adj (allowance, index) Lebenshaltungskosten-
cost price n Selbstkostenpreis m
costume ['kɒstjuːm] n Kostüm nt; (fancy dress) Maskenkostüm nt; (BRIT: also: swimming ~) Badeanzug m; ~ **jewellery** n Modeschmuck m
cosy ['kəʊzɪ] (BRIT) adj behaglich; (atmosphere) gemütlich
cot [kɒt] n (BRIT: child's) Kinderbett(chen) nt; (US: campbed) Feldbett nt
cottage ['kɒtɪdʒ] n kleine(s) Haus nt; ~ **cheese** n Hüttenkäse m; ~ **industry** n Heimindustrie f; ~ **pie** n Auflauf mit Hackfleisch und Kartoffelbrei
cotton ['kɒtn] n Baumwolle f; (thread) Garn nt; ~ **on to** (inf) vt kapieren; ~ **candy** (US) n Zuckerwatte f; ~ **wool** (BRIT) n Watte f
couch [kaʊtʃ] n Couch f
couchette [kuː'ʃet] n (on train, boat) Liegewagenplatz m
cough [kɒf] vi husten ♦ n Husten m; ~ **drop** n Hustenbonbon nt
could [kʊd] pt of **can²**; ~**n't** = **could not**
council ['kaʊnsl] n (of town) Stadtrat m; ~ **estate** (BRIT) n Siedlung f des sozialen Wohnungsbaus; ~ **house** (BRIT) n Haus nt des sozialen Wohnungsbaus; ~**lor** ['kaʊnsɪlə*] n Stadtrat m/-rätin f
counsel ['kaʊnsl] n (barrister) Anwalt m; (advice) Rat(schlag) m ♦ vt beraten; ~**lor** n Berater m
count [kaʊnt] vt, vi zählen ♦ n (reckoning) Abrechnung f; (nobleman) Graf m; ~ **on** vt zählen auf +acc; ~**down** n Countdown m
countenance ['kaʊntɪnəns] n (old) Antlitz nt ♦ vt (tolerate) gutheißen
counter ['kaʊntə*] n (in shop) Ladentisch m; (in café) Theke f; (in bank, post office) Schalter m ♦ vt entgegnen; ~**act** [kaʊntə'rækt] vt entgegenwirken +dat; ~**espionage** n Spionageabwehr f
counterfeit ['kaʊntəfiːt] n Fälschung f ♦ vt fälschen ♦ adj gefälscht
counterfoil ['kaʊntəfɔɪl] n (Kontroll)abschnitt m
countermand ['kaʊntəmɑːnd] vt rückgängig machen
counterpart ['kaʊntəpɑːt] n (object) Gegenstück nt; (person) Gegenüber nt
counterproductive ['kaʊntəprə'dʌktɪv] adj

destruktiv

countersign ['kauntəsaɪn] *vt* gegenzeichnen

countess ['kauntɪs] *n* Gräfin *f*

countless ['kauntlɪs] *adj* zahllos, unzählig

country ['kʌntrɪ] *n* Land *nt*; ~ **dancing** (*BRIT*) *n* Volkstanz *m*; ~ **house** *n* Landhaus *nt*; ~**man** (*irreg*) *n* (*national*) Landsmann *m*; (*rural*) Bauer *m*; ~**side** *n* Landschaft *f*

county ['kauntɪ] *n* Landkreis *m*; (*BRIT*) Grafschaft *f*

coup [kuː] *n* Coup *m*; (*also*: ~ *d'état*) Staatsstreich *m*, Putsch *m*

coupé *n* (*AUT*) Coupé *nt*

couple *n* Paar *nt* ♦ *vt* koppeln; **a** ~ **of** ein paar

coupon *n* Gutschein *m*

coups [kuːz] *npl of* **coup**

courage ['kʌrɪdʒ] *n* Mut *m*; ~**ous** [kə'reɪdʒəs] *adj* mutig

courgette [kuə'ʒet] (*BRIT*) *n* Zucchini *f*

courier ['kurɪə*] *n* (*for holiday*) Reiseleiter *m*; (*messenger*) Kurier *m*

course [kɔːs] *n* (*race*) Bahn *f*; (*of stream*) Lauf *m*; (*golf* ~) Platz *m*; (*NAUT, SCH*) Kurs *m*; (*in meal*) Gang *m*; **of** ~ natürlich

court [kɔːt] *n* (*royal*) Hof *m*; (*JUR*) Gericht *nt* ♦ *vt* (*woman*) gehen mit; (*danger*) herausfordern; **to take to** ~ vor Gericht bringen

courteous ['kɔːtɪəs] *adj* höflich

courtesan [kɔːtɪ'zæn] *n* Kurtisane *f*

courtesy ['kɜːtəsɪ] *n* Höflichkeit *f*

court-house ['kɔːthaus] (*US*) *n* Gerichtsgebäude *nt*

courtier ['kɔːtɪə*] *n* Höfling *m*

court-martial ['kɔːt'mɑːʃəl] (*pl* **courts-martial**) *n* Kriegsgericht *nt* ♦ *vt* vor ein Kriegsgericht stellen

courtroom ['kɔːtrum] *n* Gerichtssaal *m*

courts-martial ['kɔːts'mɑːʃəl] *npl of* **court-martial**

courtyard ['kɔːtjɑːd] *n* Hof *m*

cousin ['kʌzn] *n* Cousin *m*, Vetter *m*; Kusine *f*

cove [kəuv] *n* kleine Bucht *f*

covenant ['kʌvənənt] *n* (*ECCL*) Bund *m*; (*JUR*) Verpflichtung *f*

cover ['kʌvə*] *vt* (*spread over*) bedecken; (*shield*) abschirmen; (*include*) sich erstrecken über +*acc*; (*protect*) decken; (*distance*) zurücklegen; (*report on*) berichten über +*acc* ♦ *n* (*lid*) Deckel *m*; (*for bed*) Decke *f*; (*MIL*) Bedeckung *f*; (*of book*) Einband *m*; (*of magazine*) Umschlag *m*; (*insurance*) Versicherung *f*; **to take** ~ (*from rain*) sich unterstellen; (*MIL*) in Deckung gehen; **under** ~ (*indoors*) drinnen; **under** ~ **of** im Schutze +*gen*; **under separate** ~ (*COMM*) mit getrennter Post; **to** ~ **up for sb** jdn decken; ~**age** *n* (*PRESS: reports*) Bericht-

erstattung *f*; (*distribution*) Verbreitung *f*; ~ **charge** *n* Bedienungsgeld *nt*; ~**ing** *n* Bedeckung *f*; ~**ing letter** (*US* ~ **letter**) *n* Begleitbrief *m*; ~ **note** *n* (*INSURANCE*) vorläufige(r) Versicherungsschein *m*

covert ['kʌvət] *adj* geheim

cover-up ['kʌvərʌp] *n* Vertuschung *f*

covet ['kʌvɪt] *vt* begehren

cow [kau] *n* Kuh *f* ♦ *vt* einschüchtern

coward ['kauəd] *n* Feigling *m*; ~**ice** ['kauədɪs] *n* Feigheit *f*; ~**ly** *adj* feige

cowboy ['kaubɔɪ] *n* Cowboy *m*

cower ['kauə*] *vi* kauern

coxswain ['kɒksn] *n* (*abbr*: **cox**) Steuermann *m*

coy [kɔɪ] *adj* schüchtern

coyote [kɔɪ'əutɪ] *n* Präriewolf *m*

cozy ['kəuzɪ] (*US*) *adj* = **cosy**

CPA (*US*) *n abbr* = **certified public accountant**

crab [kræb] *n* Krebs *m*; ~ **apple** *n* Holzapfel *m*

crack [kræk] *n* Riß *m*, Sprung *m*; (*noise*) Knall *m*; (*drug*) Crack *nt* ♦ *vt* (*break*) springen lassen; (*joke*) reißen; (*nut, safe*) knacken; (*whip*) knallen lassen ♦ *vi* springen ♦ *adj* erstklassig; (*troops*) Elite-; ~ **down** *vi*: **to** ~ **down (on)** hart durchgreifen (bei); ~ **up** *vi* (*fig*) zusammenbrechen; ~**er** *n* (*firework*) Knallkörper *m*, Kracher *m*; (*biscuit*) Keks *m*; (*Christmas* ~) Knallbonbon *m*

crackle ['krækl] *vi* knistern; (*fire*) prasseln

cradle ['kreɪdl] *n* Wiege *f*

craft [krɑːft] *n* (*skill*) (Hand- or Kunst)fertigkeit *f*; (*trade*) Handwerk *nt*; (*NAUT*) Schiff *nt*; ~**sman** (*irreg*) *n* Handwerker *m*; ~**smanship** *n* (*quality*) handwerkliche Ausführung *f*; (*ability*) handwerkliche(s) Können *nt*; ~**y** *adj* schlau

crag [kræg] *n* Klippe *f*

cram [kræm] *vt* vollstopfen ♦ *vi* (*learn*) pauken; **to** ~ **sth into sth** etw in etw *acc* stopfen

cramp [kræmp] *n* Krampf *m* ♦ *vt* (*limit*) einengen; (*hinder*) hemmen; ~**ed** *adj* (*position*) verkrampft; (*space*) eng

crampon ['kræmpən] *n* Steigeisen *nt*

cranberry ['krænbərɪ] *n* Preiselbeere *f*

crane [kreɪn] *n* (*machine*) Kran *m*; (*bird*) Kranich *m*

crank [kræŋk] *n* (*lever*) Kurbel *f*; (*person*) Spinner *m*; ~**shaft** *n* Kurbelwelle *f*

cranny ['krænɪ] *n see* **nook**

crash [kræʃ] *n* (*noise*) Krachen *nt*; (*with cars*) Zusammenstoß *m*; (*with plane*) Absturz *m*; (*COMM*) Zusammenbruch *m* ♦ *vt* (*plane*) abstürzen mit ♦ *vi* (*cars*) zusammenstoßen; (*plane*) abstürzen; (*economy*) zusammenbrechen; (*noise*) knallen; ~ **course** *n* Schnellkurs *m*; ~ **helmet** *n* Sturzhelm *m*; ~ **landing** *n* Bruchlandung *f*

crass [kræs] *adj* kraß

crate [kreɪt] n (also fig) Kiste f
crater ['kreɪtə*] n Krater m
cravat(e) [krə'væt] n Halstuch nt
crave [kreɪv] vt verlangen nach
crawl [krɔːl] vi kriechen; (baby) krabbeln ♦ n Kriechen nt; (swim) Kraul nt
crayfish ['kreɪfɪʃ] n inv (freshwater) Krebs m; (saltwater) Languste f
crayon ['kreɪən] n Buntstift m
craze [kreɪz] n Fimmel m
crazy ['kreɪzɪ] adj verrückt; ~ **paving** n Mosaikpflaster nt
creak [kriːk] vi knarren
cream [kriːm] n (from milk) Rahm m, Sahne f; (polish, cosmetic) Creme f; (fig: people) Elite f ♦ adj cremefarbig; ~ **cake** n Sahnetorte f; ~ **cheese** n Rahmquark m; ~**y** adj sahnig
crease [kriːs] n Falte f ♦ vt falten; (untidy) zerknittern ♦ vi (wrinkle up) knittern
create [krɪ'eɪt] vt erschaffen; (cause) verursachen
creation [krɪ'eɪʃən] n Schöpfung f
creative [krɪ'eɪtɪv] adj kreativ
creator [krɪ'eɪtə*] n Schöpfer m
creature ['kriːtʃə*] n Geschöpf nt
crèche [kreʃ] n Krippe f
credence ['kriːdəns] n: **to lend** or **give ~ to sth** etw dat Glauben schenken
credentials [krɪ'denʃəlz] npl Beglaubigungsschreiben nt
credibility [kredɪ'bɪlɪtɪ] n Glaubwürdigkeit f
credible ['kredɪbl] adj (person) glaubwürdig; (story) glaubhaft
credit ['kredɪt] n (also COMM) Kredit m ♦ vt Glauben schenken +dat; (COMM) gutschreiben; ~**s** npl (of film) Mitwirkenden pl; ~**able** adj rühmlich; ~ **card** n Kreditkarte f; ~**or** n Gläubiger m
creed [kriːd] n Glaubensbekenntnis nt
creek [kriːk] n (inlet) kleine Bucht f; (US: river) kleine(r) Wasserlauf m
creep [kriːp] (pt, pp **crept**) vi kriechen; ~**er** n Kletterpflanze f; ~**y** adj (frightening) gruselig
cremate [krɪ'meɪt] vt einäschern
cremation [krɪ'meɪʃən] n Einäscherung f
crêpe [kreɪp] n Krepp m; ~ **bandage** (BRIT) n Elastikbinde f
crept [krept] pt, pp of **creep**
crescent ['kresnt] n (of moon) Halbmond m
cress [kres] n Kresse f
crest [krest] n (of cock) Kamm m; (of wave) Wellenkamm m; (coat of arms) Wappen nt; ~**fallen** adj niedergeschlagen
Crete [kriːt] n Kreta nt
crevice ['krevɪs] n Riß m
crew [kruː] n Besatzung f, Mannschaft f; ~-**cut** n Bürstenschnitt m; ~-**neck** n runde(r) Ausschnitt m

crib [krɪb] n (bed) Krippe f ♦ vt (inf) spicken
crick [krɪk] n Muskelkrampf m
cricket ['krɪkɪt] n (insect) Grille f; (game) Kricket nt
crime [kraɪm] n Verbrechen nt
criminal ['krɪmɪnl] n Verbrecher m ♦ adj kriminell; (act) strafbar
crimson ['krɪmzn] adj leuchtend rot
cringe [krɪndʒ] vi sich ducken
crinkle ['krɪŋkl] vt zerknittern
cripple ['krɪpl] n Krüppel m ♦ vt lahmlegen; (MED) verkrüppeln
crises ['kraɪsiːz] npl of **crisis**
crisis ['kraɪsɪs] (pl **crises**) n Krise f
crisp [krɪsp] adj knusprig; ~**s** (BRIT) npl Chips pl
crisscross ['krɪskrɒs] adj gekreuzt, Kreuz-
criteria [kraɪ'tɪərɪə] npl of **criterion**
criterion [kraɪ'tɪərɪən] (pl **criteria**) n Kriterium nt
critic ['krɪtɪk] n Kritiker(in) m(f); ~**al** adj kritisch; ~**ally** adv kritisch; (ill) gefährlich; ~**ism** ['krɪtɪsɪzəm] n Kritik f; ~**ize** ['krɪtɪsaɪz] vt kritisieren
croak [krəʊk] vi krächzen; (frog) quaken
Croatia [krəʊ'eɪʃə] n Kroatien nt
crochet ['krəʊʃeɪ] n Häkelei f
crockery ['krɒkərɪ] n Geschirr nt
crocodile ['krɒkədaɪl] n Krokodil nt
crocus ['krəʊkəs] n Krokus m
croft [krɒft] (BRIT) n kleine(s) Pachtgut nt
crony ['krəʊnɪ] (inf) n Kumpel m
crook [krʊk] n (criminal) Gauner m; (stick) Hirtenstab m; ~**ed** ['krʊkɪd] adj krumm
crop [krɒp] n (harvest) Ernte f; (riding ~) Reitpeitsche f ♦ vt ernten; ~ **up** vi passieren
croquet ['krəʊkeɪ] n Krocket nt
croquette [krə'ket] n Krokette f
cross [krɒs] n Kreuz nt ♦ vt (road) überqueren; (legs) übereinander legen; kreuzen ♦ adj (annoyed) böse; ~ **out** vt streichen; ~ **over** vi hinübergehen; ~**bar** n Querstange f; ~**country** (race) n Geländelauf m; ~-**examine** vt ins Kreuzverhör nehmen; ~-**eyed** adj: **to be** ~-**eyed** schielen; ~-**fire** n Kreuzfeuer nt; ~**ing** n (crossroads) (Straßen)kreuzung f; (of ship) Überfahrt f; (for pedestrians) Fußgängerüberweg m; ~**ing guard** (US) n Schülerlotse m; ~ **purposes** npl: **to be at** ~ **purposes** aneinander vorbeireden; ~-**reference** n Querverweis m; ~**roads** n Straßenkreuzung f; (fig) Scheideweg m; ~ **section** n Querschnitt m; ~**walk** (US) n Fußgängerüberweg m; ~**wind** n Seitenwind m; ~**word (puzzle)** n Kreuzworträtsel nt
crotch [krɒtʃ] n Zwickel m; (ANAT) Unterleib nt
crotchet ['krɒtʃɪt] n Viertelnote f

crotchety ['krɒtʃɪtɪ] *adj* launenhaft
crouch [krautʃ] *vi* hocken
croupier ['kru:pɪeɪ] *n* Croupier *m*
crow [krəu] *n* (*bird*) Krähe *f*; (*of cock*) Krähen *nt* ♦ *vi* krähen
crowbar ['krəubɑ:*] *n* Stemmeisen *nt*
crowd [kraud] *n* Menge *f* ♦ *vt* (*fill*) überfüllen ♦ *vi* drängen; **~ed** *adj* überfüllt
crown [kraun] *n* Krone *f*; (*of head, hat*) Kopf *m* ♦ *vt* krönen; ~ **jewels** *npl* Kronjuwelen *pl*; ~ **prince** *n* Kronprinz *m*
crow's-feet ['krəuzfi:t] *npl* Krähenfüße *pl*
crucial ['kru:ʃəl] *adj* entscheidend
crucifix ['kru:sɪfɪks] *n* Kruzifix *nt*; ~**ion** [kru:sɪ'fɪkʃən] *n* Kreuzigung *f*
crude [kru:d] *adj* (*raw*) roh; (*humour, behaviour*) grob; (*basic*) primitiv; ~ (**oil**) *n* Rohöl *nt*
cruel [kruəl] *adj* grausam; **~ty** *n* Grausamkeit *f*
cruet ['kru:ɪt] *n* Gewürzständer *m*
cruise [kru:z] *n* Kreuzfahrt *f* ♦ *vi* kreuzen; **~r** *n* (*MIL*) Kreuzer *m*
crumb [krʌm] *n* Krume *f*
crumble ['krʌmbl] *vt, vi* zerbröckeln
crumbly ['krʌmblɪ] *adj* krümelig
crumpet ['krʌmpɪt] *n* Tee(pfann)kuchen *m*
crumple ['krʌmpl] *vt* zerknittern
crunch [krʌntʃ] *n*: **the** ~ (*fig*) der Knackpunkt ♦ *vt* knirschen; **~y** *adj* knusprig
crusade [kru:'seɪd] *n* Kreuzzug *m*
crush [krʌʃ] *n* Gedränge *nt* ♦ *vt* zerdrücken; (*rebellion*) unterdrücken
crust [krʌst] *n* Kruste *f*
crutch [krʌtʃ] *n* Krücke *f*
crux [krʌks] *n* springende(r) Punkt *m*
cry [kraɪ] *vi* (*shout*) schreien; (*weep*) weinen ♦ *n* (*call*) Schrei *m*; ~ **off** *vi* (plötzlich) absagen
crypt [krɪpt] *n* Krypta *f*
cryptic ['krɪptɪk] *adj* hintergründig
crystal ['krɪstl] *n* Kristall *m*; (*glass*) Kristallglas *nt*; (*mineral*) Bergkristall *m*; ~**-clear** *adj* kristallklar
crystallize *vt, vi* kristallisieren; (*fig*) klären
cub [kʌb] *n* Junge(s) *nt*; (*also:* C~ *scout*) Wölfling *m*
Cuba ['kju:bə] *n* Kuba *nt*; **~n** *adj* kubanisch ♦ *n* Kubaner(in) *m(f)*
cubbyhole ['kʌbɪhəul] *n* Eckchen *nt*
cube [kju:b] *n* Würfel *m* ♦ *vt* (*MATH*) hoch drei nehmen; ~ **root** *n* Kubikwurzel *f*
cubic ['kju:bɪk] *adj* würfelförmig; (*centimetre etc*) Kubik-; ~ **capacity** *n* Fassungsvermögen *nt*
cubicle ['kju:bɪkl] *n* Kabine *f*
cuckoo ['kuku:] *n* Kuckuck *m*; ~ **clock** *n* Kuckucksuhr *f*
cucumber ['kju:kʌmbə*] *n* Gurke *f*
cuddle ['kʌdl] *vt, vi* herzen, drücken (*inf*)
cue [kju:] *n* (*THEAT*) Stichwort *nt*; (*snooker* ~) Billardstock *m*

cuff [kʌf] *n* (*BRIT: of shirt, coat etc*) Manschette *f*; Aufschlag *m*; (*US*) = **turn-up**; **off the** ~ aus dem Handgelenk; **~link** *n* Manschettenknopf *m*
cuisine [kwɪ'zi:n] *n* Kochkunst *f*, Küche *f*
cul-de-sac ['kʌldəsæk] *n* Sackgasse *f*
culinary ['kʌlɪnərɪ] *adj* Koch-
cull [kʌl] *vt* (*flowers*) pflücken; (*select*) auswählen
culminate ['kʌlmɪneɪt] *vi* gipfeln
culmination [kʌlmɪ'neɪʃən] *n* Höhepunkt *m*
culottes [kju'lɒts] *npl* Hosenrock *m*
culpable ['kʌlpəbl] *adj* schuldig
culprit ['kʌlprɪt] *n* Täter *m*
cult [kʌlt] *n* Kult *m*
cultivate ['kʌltɪveɪt] *vt* (*AGR*) bebauen; (*mind*) bilden
cultivation [kʌltɪ'veɪʃən] *n* (*AGR*) Bebauung *f*; (*of person*) Bildung *f*
cultural ['kʌltʃərəl] *adj* kulturell, Kultur-
culture ['kʌltʃə*] *n* Kultur *f*; **~d** *adj* gebildet
cumbersome ['kʌmbəsəm] *adj* (*object*) sperrig
cumulative ['kju:mjulətɪv] *adj* gehäuft
cunning ['kʌnɪŋ] *n* Verschlagenheit *f* ♦ *adj* schlau
cup [kʌp] *n* Tasse *f*; (*prize*) Pokal *m*
cupboard ['kʌbəd] *n* Schrank *m*
Cupid ['kju:pɪd] *n* Amor *m*
cup tie (*BRIT*) *n* Pokalspiel *nt*
curate ['kjuərɪt] *n* (*Catholic*) Kurat *m*; (*Protestant*) Vikar *m*
curator [kju'reɪtə*] *n* Kustos *m*
curb [kɜ:b] *vt* zügeln ♦ *n* (*on spending etc*) Einschränkung *f*; (*US*) Bordstein *m*
curdle ['kɜ:dl] *vi* gerinnen
cure [kjuə*] *n* Heilmittel *nt*; (*process*) Heilverfahren *nt* ♦ *vt* heilen
curfew ['kɜ:fju:] *n* Ausgangssperre *f*; Sperrstunde *f*
curio ['kjuərɪəu] *n* Kuriosität *f*
curiosity [kjuərɪ'ɒsɪtɪ] *n* Neugier *f*
curious ['kjuərɪəs] *adj* neugierig; (*strange*) seltsam
curl [kɜ:l] *n* Locke *f* ♦ *vt* locken ♦ *vi* sich locken; ~ **up** *vi* sich zusammenrollen; (*person*) sich ankuscheln; **~er** *n* Lockenwickler *m*; **~y** ['kɜ:lɪ] *adj* lockig
currant ['kʌrənt] *n* Korinthe *f*
currency ['kʌrənsɪ] *n* Währung *f*; **to gain** ~ an Popularität gewinnen
current ['kʌrənt] *n* Strömung *f* ♦ *adj* (*expression*) gängig, üblich; (*issue*) neueste; ~ **account** (*BRIT*) *n* Girokonto *nt*; ~ **affairs** *npl* Zeitgeschehen *nt*; **~ly** *adv* zur Zeit
curricula [kə'rɪkjulə] *npl of* **curriculum**
curriculum [kə'rɪkjuləm] (*pl* ~**s** *or* **curricula**) *n* Lehrplan *m*; ~ **vitae** *n* Lebenslauf *m*
curry ['kʌrɪ] *n* Currygericht *nt* ♦ *vt*: **to** ~ **favour with** sich einschmeicheln bei; ~

powder n Curry(pulver) nt
curse [kɜːs] vi (swear): **to ~ (at)** fluchen (auf or über +acc) ♦ vt (insult) verwünschen ♦ n Fluch m
cursor ['kɜːsə*] n (COMPUT) Cursor m
cursory ['kɜːsərɪ] adj flüchtig
curt [kɜːt] adj schroff
curtail [kɜː'teɪl] vt abkürzen; (rights) einschränken
curtain ['kɜːtn] n Vorhang m
curts(e)y n Knicks m ♦ vi knicksen
curve [kɜːv] n Kurve f; (of body, vase etc) Rundung f ♦ vi sich biegen; (hips, breasts) sich runden; (road) einen Bogen machen
cushion ['kʊʃən] n Kissen nt ♦ vt dämpfen
custard ['kʌstəd] n Vanillesoße f
custodian [kʌs'təʊdɪən] n Kustos m, Verwalter(in) m(f)
custody ['kʌstədɪ] n Aufsicht f; (police ~) Haft f; **to take into ~** verhaften
custom ['kʌstəm] n (tradition) Brauch m; (COMM) Kundschaft f; **~ary** adj üblich
customer ['kʌstəmə*] n Kunde m, Kundin f
customized ['kʌstəmaɪzd] adj (car etc) mit Spezialausrüstung
custom-made ['kʌstəm'meɪd] adj speziell angefertigt
customs ['kʌstəmz] npl Zoll m; **~ duty** n Zollabgabe f; **~ officer** n Zollbeamte(r) m, Zollbeamtin f
cut [kʌt] (pt, pp cut) vt schneiden; (wages) kürzen; (prices) heruntersetzen ♦ vi schneiden; (intersect) sich schneiden ♦ n Schnitt m; (wound) Schnittwunde f; (in book, income etc) Kürzung f; (share) Anteil m; **to ~ a tooth** zahnen; **~ down** vt (tree) fällen; (reduce) einschränken; **~ off** vt (also fig) abschneiden; (allowance) sperren; **~ out** vt (shape) ausschneiden; (delete) streichen; **~ up** vt (meat) aufschneiden; **~back** n Kürzung f; (CINE) Rückblende f
cute [kjuːt] adj niedlich
cuticle ['kjuːtɪkl] n Nagelhaut f
cutlery ['kʌtlərɪ] n Besteck nt
cutlet ['kʌtlɪt] n (pork) Kotelett nt; (veal) Schnitzel nt
cut: **~out** n (cardboard ~out) Ausschneidemodell nt; **~-price** (US **~-rate**) adj verbilligt; **~throat** n Verbrechertyp m ♦ adj mörderisch
cutting ['kʌtɪŋ] adj schneidend ♦ n (BRIT: PRESS) Ausschnitt m; (: RAIL) Durchstich m
CV n abbr = **curriculum vitae**
cwt abbr = **hundredweight(s)**
cyanide ['saɪənaɪd] n Zyankali nt
cycle ['saɪkl] n Fahrrad nt; (series) Reihe f ♦ vi radfahren; **cycling** ['saɪklɪŋ] n Radfahren nt; **cyclist** ['saɪklɪst] n Radfahrer(in) m(f)
cyclone ['saɪkləʊn] n Zyklon m
cygnet ['sɪgnɪt] n junge(r) Schwan m

cylinder ['sɪlɪndə*] n Zylinder m; (TECH) Walze f; **~head gasket** n Zylinderkopfdichtung f
cymbals ['sɪmbəlz] npl Becken nt
cynic ['sɪnɪk] n Zyniker(in) m(f); **~al** adj zynisch; **~ism** ['sɪnɪsɪzəm] n Zynismus m
cypress ['saɪprəs] n Zypresse f
Cyprus ['saɪprəs] n Zypern nt
cyst [sɪst] n Zyste f
cystitis [sɪs'taɪtɪs] n Blasenentzündung f
czar [zɑː*] n Zar m
Czech [tʃek] adj tschechisch ♦ n Tscheche m, Tschechin f
Czechoslovakia [tʃekəslə'vækɪə] n die Tschechoslowakei; **~n** adj tschechoslowakisch ♦ n Tschechoslowake m, Tschechoslowakin f

D d

D [diː] n (MUS) D nt
dab [dæb] vt (wound, paint) betupfen ♦ n (little bit) bißchen nt; (of paint) Tupfer m
dabble ['dæbl] vi: **to ~ in sth** in etw dat machen
dad [dæd] n Papa m, Vati m; **~dy** ['dædɪ] n Papa m, Vati m; **~dy-long-legs** n Weberknecht m
daffodil ['dæfədɪl] n Osterglocke f
daft [dɑːft] (inf) adj blöd(e), doof
dagger ['dægə*] n Dolch m
daily ['deɪlɪ] adj täglich ♦ n (PRESS) Tageszeitung f; (BRIT: cleaning woman) Haushaltshilfe f ♦ adv täglich
dainty ['deɪntɪ] adj zierlich
dairy ['dɛərɪ] n (shop) Milchgeschäft nt; (on farm) Molkerei f ♦ adj Milch-; **~ farm** n Hof m mit Milchwirtschaft; **~ produce** n Molkereiprodukte pl; **~ store** n (US) Milchgeschäft nt
dais ['deɪɪs] n Podium nt
daisy ['deɪzɪ] n Gänseblümchen nt; **~ wheel** n (on printer) Typenrad nt
dale [deɪl] n Tal nt
dam [dæm] n (Stau)damm m ♦ vt stauen
damage ['dæmɪdʒ] n Schaden m ♦ vt beschädigen; **~s** npl (JUR) Schaden(s)ersatz m
damn [dæm] vt verdammen ♦ n (inf): **I don't give a ~** das ist mir total egal ♦ adj (: also: **~ed**) verdammt; **~ it!** verflucht!; **~ing** adj vernichtend
damp [dæmp] adj feucht ♦ n Feuchtigkeit f

♦ vt (also: ~en) befeuchten; (discourage) dämpfen

damson ['dæmzən] n Damaszenerpflaume f

dance [dɑːns] n Tanz m ♦ vi tanzen; ~ **hall** n Tanzlokal nt; ~**r** n Tänzer m

dancing ['dɑːnsɪŋ] n Tanzen nt

dandelion ['dændɪlaɪən] n Löwenzahn m

dandruff ['dændrəf] n (Kopf)schuppen pl

Dane [deɪn] n Däne m, Dänin f

danger ['deɪndʒə*] n Gefahr f; ~! (sign) Achtung!; **to be in** ~ **of doing sth** Gefahr laufen, etw zu tun; ~**ous** adj gefährlich

dangle ['dæŋgl] vi baumeln ♦ vt herabhängen lassen

Danish ['deɪnɪʃ] adj dänisch ♦ n Dänisch nt

dapper ['dæpə*] adj elegant

dare [dɛə*] vt herausfordern ♦ vi: **to** ~ (**to**) **do sth** etw zu wagen, etw zu tun; **I** ~ **say** ich würde sagen; ~-**devil** n Draufgänger(in) m(f)

daring ['dɛərɪŋ] adj (audacious) verwegen; (bold) wagemutig; (dress) gewagt ♦ n Mut m

dark [dɑːk] adj dunkel; (fig) düster, trübe; (deep colour) dunkel- ♦ n Dunkelheit f; **to be left in the** ~ **about** im dunkeln sein über +acc; **after** ~ nach Anbruch der Dunkelheit; ~**en** vt, vi verdunkeln; ~ **glasses** npl Sonnenbrille f; ~**ness** n Finsternis nt; ~**room** n Dunkelkammer f

darling ['dɑːlɪŋ] n Liebling m ♦ adj lieb

darn [dɑːn] vt stopfen

dart [dɑːt] n (weapon) Pfeil m; (in sewing) Abnäher m ♦ vi sausen; ~**s** n (game) Pfeilwerfen nt; ~**board** n Zielscheibe f

dash [dæʃ] n Sprung m; (mark) (Gedanken)strich m; (small amount) bißchen nt ♦ vt (hopes) zunichte machen ♦ vi stürzen; ~ **away** vi davonstürzen; ~ **off** vi davonstürzen

dashboard ['dæʃbɔːd] n Armaturenbrett nt

dashing ['dæʃɪŋ] adj schneidig

data ['deɪtə] npl Einzelheiten pl, Daten pl; ~ **base** n Datenbank f; ~ **processing** n Datenverarbeitung f

date [deɪt] n Datum nt; (for meeting etc) Termin m; (with person) Verabredung f; (fruit) Dattel f ♦ vt (letter etc) datieren; (person) gehen mit; ~ **of birth** Geburtsdatum nt; **to** ~ **bis heute; out of** ~ überholt; **up to** ~ (clothes) modisch; (report) up-to-date; (with news) auf dem laufenden; ~**d** adj altmodisch

daub [dɔːb] vt beschmieren; (paint) schmieren

daughter ['dɔːtə*] n Tochter f; ~-**in-law** n Schwiegertochter f

daunting ['dɔːntɪŋ] adj entmutigend

dawdle ['dɔːdl] vi trödeln

dawn [dɔːn] n Morgendämmerung f ♦ vi dämmern; (fig): **it** ~**ed on him that** ... es dämmerte ihm, daß ...

day [deɪ] n Tag m; **the** ~ **before/after** am Tag zuvor/danach; **the** ~ **after tomorrow** übermorgen; **the** ~ **before yesterday** vorgestern; **by** ~ am Tage; ~**break** n Tagesanbruch m; ~**dream** vi mit offenen Augen träumen; ~**light** n Tageslicht nt; ~ **return** (BRIT) n Tagesrückfahrkarte f; ~**time** n Tageszeit f; ~-**to**~ adj alltäglich

daze [deɪz] vt betäuben ♦ n Betäubung f; **in a** ~ benommen

dazzle ['dæzl] vt blenden

DC abbr (= direct current) Gleichstrom m

D-day ['diːdeɪ] n (HIST) Tag der Invasion durch die Alliierten (6.6.44); (fig) der Tag X

deacon ['diːkən] n Diakon m

dead [ded] adj tot; (without feeling) gefühllos ♦ adv ganz; (exactly) genau ♦ npl: **the** ~ die Toten pl; **to shoot sb** ~ jdn erschießen; ~ **tired** todmüde; **to stop** ~ abrupt stehenbleiben; ~**en** vt (pain) abtöten; (sound) ersticken; ~ **end** n Sackgasse f; ~ **heat** n tote(s) Rennen nt; ~**line** n Stichtag m; ~**lock** n Stillstand m; ~ **loss** (inf) n: **to be a** ~ **loss** ein hoffnungsloser Fall sein; ~**ly** adj tödlich; ~**pan** adj undurchdringlich; **D**~ **Sea** n: **the D**~ **Sea** das Tote Meer

deaf [def] adj taub; ~**en** vt taub machen; ~-**mute** n Taubstumme(r) mf; ~**ness** n Taubheit f

deal [diːl] (pt, pp dealt) n Geschäft nt ♦ vt austeilen; (CARDS) geben; **a great** ~ **of** sehr viel; ~ **in** vt fus handeln mit; ~ **with** vt fus (person) behandeln; (subject) sich befassen mit; (problem) in Angriff nehmen; ~**er** n (COMM) Händler m; (CARDS) Kartengeber m; ~**ings** npl (FIN) Geschäfte pl; (relations) Beziehungen pl; ~**t** [delt] pt, pp of **deal**

dean [diːn] n (Protestant) Superintendent m; (Catholic) Dechant m; (UNIV) Dekan m

dear [dɪə*] adj lieb; (expensive) teuer ♦ n Liebling m ♦ excl: ~ **me!** du liebe Zeit!; **D**~ **Sir** Sehr geehrter Herr!; **D**~ **John** Lieber John!; ~**ly** adv (love) herzlich; (pay) teuer

death [deθ] n Tod m; (statistic) Todesfall m; ~ **certificate** n Totenschein m; ~ **duties** (BRIT) npl Erbschaftssteuer f; ~**ly** adj totenähnlich, Toten-; ~ **penalty** n Todesstrafe f; ~ **rate** n Sterblichkeitsziffer f

debar [dɪ'bɑː*] vt ausschließen

debase [dɪ'beɪs] vt entwerten

debatable [dɪ'beɪtəbl] adj anfechtbar

debate [dɪ'beɪt] n Debatte f ♦ vt debattieren, diskutieren; (consider) überlegen

debauchery [dɪ'bɔːtʃərɪ] n Ausschweifungen pl

debilitating [dɪ'bɪlɪteɪtɪŋ] adj schwächend

debit ['debɪt] n Schuldposten m ♦ vt belasten

debris ['debriː] n Trümmer pl

debt [det] *n* Schuld *f*; **to be in** ~ verschuldet sein; ~**or** *n* Schuldner *m*
debunk [di:'bʌŋk] *vt* entlarven
decade ['dekeɪd] *n* Jahrzehnt *nt*
decadence ['dekədəns] *n* Dekadenz *f*
decaffeinated [di:'kæfɪneɪtɪd] *adj* koffeinfrei
decanter [dɪ'kæntə*] *n* Karaffe *f*
decay [dɪ'keɪ] *n* Verfall *m*; (*tooth* ~) Karies *m* ♦ *vi* verfallen; (*teeth, meat etc*) faulen; (*leaves etc*) verrotten
deceased [dɪ'si:st] *adj* verstorben
deceit [dɪ'si:t] *n* Betrug *m*; ~**ful** *adj* falsch
deceive [dɪ'si:v] *vt* täuschen
December [dɪ'sembə*] *n* Dezember *m*
decency ['di:sənsɪ] *n* Anstand *m*
decent ['di:sənt] *adj* (*respectable*) anständig; (*pleasant*) annehmbar
deception [dɪ'sepʃən] *n* Betrug *m*
deceptive [dɪ'septɪv] *adj* irreführend
decibel ['desɪbel] *n* Dezibel *nt*
decide [dɪ'saɪd] *vt* entscheiden ♦ *vi* sich entscheiden; **to** ~ **on sth** etw beschließen; ~**d** *adj* entschieden; ~**dly** [dɪ'saɪdɪdlɪ] *adv* entschieden
deciduous [dɪ'sɪdjʊəs] *adj* Laub-
decimal ['desɪməl] *adj* dezimal ♦ *n* Dezimalzahl *f*; ~ **point** *n* Komma *nt*
decimate ['desɪmeɪt] *vt* dezimieren
decipher [dɪ'saɪfə*] *vt* entziffern
decision [dɪ'sɪʒən] *n* Entscheidung *f*, Entschluß *m*
decisive [dɪ'saɪsɪv] *adj* entscheidend; (*person*) entschlossen
deck [dek] *n* (*NAUT*) Deck *nt*; (*of cards*) Pack *m*; ~**chair** *n* Liegestuhl *m*
declaration [deklə'reɪʃən] *n* Erklärung *f*
declare [dɪ'kleə*] *vt* erklären; (*CUSTOMS*) verzollen
decline [dɪ'klaɪn] *n* (*decay*) Verfall *m*; (*lessening*) Rückgang *m* ♦ *vt* (*invitation*) ablehnen ♦ *vi* (*of strength*) nachlassen; (*say no*) ablehnen
declutch ['di:'klʌtʃ] *vi* auskuppeln
decode ['di:'kəʊd] *vt* entschlüsseln
decoder *n* (*TV*) decoder *m*
decompose [di:kəm'pəʊz] *vi* (sich) zersetzen
décor ['deɪkɔ:*] *n* Ausstattung *f*
decorate ['dekəreɪt] *vt* (*room: paper*) tapezieren; (: *paint*) streichen; (*adorn*) (aus)schmücken; (*cake*) verzieren; (*honour*) auszeichnen
decoration [dekə'reɪʃən] *n* (*of house*) (Wand)dekoration *f*; (*medal*) Orden *m*
decorator ['dekəreɪtə*] *n* Maler *m*, Anstreicher *m*
decorum [dɪ'kɔ:rəm] *n* Anstand *m*
decoy ['di:kɔɪ] *n* Lockvogel *m*
decrease [*n* 'di:kri:s, *vb* di:'kri:s] *n* Abnahme *f* ♦ *vt* vermindern ♦ *vi* abnehmen
decree [dɪ'kri:] *n* Erlaß *m*; ~ **nisi** *n* vorläufige(s) Scheidungsurteil *nt*
decrepit [dɪ'krepɪt] *adj* hinfällig
dedicate ['dedɪkeɪt] *vt* widmen
dedication [dedɪ'keɪʃən] *n* (*devotion*) Ergebenheit *f*; (*in book*) Widmung *f*
deduce [dɪ'dju:s] *vt*: **to** ~ **sth** (**from sth**) etw (aus etw) ableiten, etw (aus etw) schließen
deduct [dɪ'dʌkt] *vt* abziehen; ~**ion** [dɪ'dʌkʃən] *n* (*of money*) Abzug *m*; (*conclusion*) (Schluß)folgerung *f*
deed *n* Tat *f*; (*document*) Urkunde *f*
deem [di:m] *vt*: **to** ~ **sb/sth (to be)** *adj* jdn/etw für etw halten
deep [di:p] *adj* tief ♦ *adv*: **the spectators stood 20** ~ die Zuschauer standen in 20 Reihen hintereinander; **to be 4m** ~ 4 Meter tief sein; ~**en** *vt* vertiefen ♦ *vi* (*darkness*) tiefer werden; ~**freeze** *n* Tiefkühlung *f*; ~**fry** *vt* fritieren; ~**ly** *adv* tief; ~**sea diving** *n* Tiefseetauchen *nt*; ~**seated** *adj* tiefsitzend
deer [dɪə*] *n* Reh *nt*; ~**skin** *n* Hirsch-/Rehleder *nt*
deface [dɪ'feɪs] *vt* entstellen
defamation [defə'meɪʃən] *n* Verleumdung *f*
default [dɪ'fɔ:lt] *n* Versäumnis *nt*; (*COMPUT*) Standardwert *m* ♦ *vi* versäumen; **by** ~ durch Nichterscheinen
defeat [dɪ'fi:t] *n* Niederlage *f* ♦ *vt* schlagen; ~**ist** *adj* defätistisch ♦ *n* Defätist *m*
defect [*n* di:fekt, *vb* dɪ'fekt] *n* Fehler *m* ♦ *vi* überlaufen; ~**ive** [dɪ'fektɪv] *adj* fehlerhaft
defence [dɪ'fens] *n* Verteidigung *f*; ~**less** *adj* wehrlos
defend [dɪ'fend] *vt* verteidigen; ~**ant** *n* Angeklagte(r) *m*; ~**er** *n* Verteidiger *m*
defense [dɪ'fens] (*US*) *n* = **defence**
defensive [dɪ'fensɪv] *adj* defensiv ♦ *n*: **on the** ~ in der Defensive
defer [dɪ'fɜ:*] *vt* verschieben
deference ['defərəns] *n* Rücksichtnahme *f*
defiance [dɪ'faɪəns] *n* Trotz *m*, Unnachgiebigkeit *f*; **in** ~ **of sth** einer Sache *dat* zum Trotz
defiant [dɪ'faɪənt] *adj* trotzig, unnachgiebig
deficiency [dɪ'fɪʃənsɪ] *n* (*lack*) Mangel *m*; (*weakness*) Schwäche *f*
deficient [dɪ'fɪʃənt] *adj* mangelhaft
deficit ['defɪsɪt] *n* Defizit *nt*
defile [*vb* dɪ'faɪl, *n* 'di:faɪl] *vt* beschmutzen ♦ *n* Hohlweg *m*
define [dɪ'faɪn] *vt* bestimmen; (*explain*) definieren
definite ['defɪnɪt] *adj* (*fixed*) definitiv; (*clear*) eindeutig; ~**ly** *adv* bestimmt
definition [defɪ'nɪʃən] *n* Definition *f*; (*PHOT*) Schärfe *f*
deflate [di:'fleɪt] *vt* die Luft ablassen aus
deflect [dɪ'flekt] *vt* ablenken
deform [dɪ'fɔ:m] *vt* deformieren; ~**ity** *n* Mißbildung *f*

defraud [dɪ'frɔːd] vt betrügen
defray [dɪ'freɪ] vt (costs) übernehmen
defrost [diː'frɒst] vt (fridge) abtauen; (food) auftauen; **~er** (US) n (demister) Gebläse nt
deft [deft] adj geschickt
defunct [dɪ'fʌŋkt] adj verstorben
defuse [diː'fjuːz] vt entschärfen
defy [dɪ'faɪ] vt (disobey) sich widersetzen +dat; (orders, death) trotzen +dat; (challenge) herausfordern
degenerate [vb dɪ'dʒenəreɪt, adj dɪ'dʒenərɪt] vi degenerieren ♦ adj degeneriert
degrading [dɪ'greɪdɪŋ] adj erniedrigend
degree [dɪ'griː] n Grad m; (UNIV) Universitätsabschluß m; **by ~s** allmählich; **to some ~** zu einem gewissen Grad
dehydrated [diːhaɪ'dreɪtɪd] adj (person) ausgetrocknet; (food) Trocken-
de-ice [diː'aɪs] vt enteisen
deign [deɪn] vi sich herablassen
deity ['diːɪtɪ] n Gottheit f
dejected [dɪ'dʒektɪd] adj niedergeschlagen
delay [dɪ'leɪ] vt (hold back) aufschieben ♦ vi (linger) sich aufhalten ♦ n Aufschub m, Verzögerung f; (of train etc) Verspätung f; **to be ~ed** (train) Verspätung haben; **without ~** unverzüglich
delectable [dɪ'lektəbl] adj köstlich; (fig) reizend
delegate [n 'delɪgɪt, vb 'delɪgeɪt] n Delegierte(r) mf ♦ vt delegieren
delete [dɪ'liːt] vt (aus)streichen
deliberate [adj dɪ'lɪbərɪt, vb dɪ'lɪbəreɪt] adj (intentional) absichtlich; (slow) bedächtig ♦ vi (consider) überlegen; (debate) sich beraten; **~ly** adv absichtlich
delicacy ['delɪkəsɪ] n Zartheit f; (weakness) Anfälligkeit f; (food) Delikatesse f
delicate ['delɪkɪt] adj (fine) fein; (fragile) zart; (situation) heikel; (MED) empfindlich
delicatessen [delɪkə'tesn] n Feinkostgeschäft nt
delicious [dɪ'lɪʃəs] adj lecker
delight [dɪ'laɪt] n Wonne f ♦ vt entzücken; **to take ~ in sth** Freude an etw dat haben; **~ed** adj: **~ed (at or with sth)** entzückt (über +acc etw); **~ed to do sth** etw sehr gern tun; **~ful** adj entzückend, herrlich
delinquency [dɪ'lɪŋkwənsɪ] n Kriminalität f
delinquent [dɪ'lɪŋkwənt] n Straffällige(r) mf ♦ adj straffällig
delirious [dɪ'lɪrɪəs] adj im Fieberwahn
deliver [dɪ'lɪvə*] vt (goods) (ab)liefern; (letter) zustellen; (speech) halten; **~y** n (Ab)lieferung f; (of letter) Zustellung f; (of speech) Vortragsweise f; (MED) Entbindung f; **to take ~y of** etw in Empfang nehmen
delude [dɪ'luːd] vt täuschen
deluge ['deljuːdʒ] n Überschwemmung f; (fig) Flut f ♦ vt überfluten
delusion [dɪ'luːʒən] n (Selbst)täuschung f

de luxe [dɪ'lʌks] adj Luxus-
delve [delv] vi: **to ~ into** sich vertiefen in +acc
demand [dɪ'mɑːnd] vt verlangen ♦ n (request) Verlangen nt; (COMM) Nachfrage f; **in ~** gefragt; **on ~** auf Verlangen; **~ing** adj anspruchsvoll
demarcation [diːmɑː'keɪʃən] n Abgrenzung f
demean [dɪ'miːn] vt: **to ~ o.s.** sich erniedrigen
demeanour [dɪ'miːnə*] (US **demeanor**) n Benehmen nt
demented [dɪ'mentɪd] adj wahnsinnig
demise [dɪ'maɪz] n Ableben nt
demister [diː'mɪstə*] n (AUT) Gebläse nt
demo ['deməʊ] (inf) n abbr (= demonstration) Demo f
democracy [dɪ'mɒkrəsɪ] n Demokratie f
democrat ['deməkræt] n Demokrat m; **~ic** [demə'krætɪk] adj demokratisch
demolish [dɪ'mɒlɪʃ] vt abreißen; (fig) vernichten
demolition [demə'lɪʃən] n Abbruch m
demon ['diːmən] n Dämon m
demonstrate ['demənstreɪt] vt, vi demonstrieren
demonstration [demən'streɪʃən] n Demonstration f
demonstrator ['demənstreɪtə*] n (POL) Demonstrant(in) m(f)
demote [dɪ'məʊt] vt degradieren
demure [dɪ'mjʊə*] adj sittsam
den [den] n (of animal) Höhle f; (study) Bude f
denatured alcohol [diː'neɪtʃəd-] (US) n ungenießbar gemachte(r) Alkohol m
denial [dɪ'naɪəl] n Leugnung f; **official ~** Dementi nt
denim ['denɪm] adj Denim-; **~s** npl Denim-Jeans pl
Denmark ['denmɑːk] n Dänemark nt
denomination [dɪnɒmɪ'neɪʃən] n (ECCL) Bekenntnis nt; (type) Klasse f; (FIN) Wert m
denominator [dɪ'nɒmɪneɪtə*] n Nenner m
denote [dɪ'nəʊt] vt bedeuten
denounce [dɪ'naʊns] vt brandmarken
dense [dens] adj dicht; (stupid) schwer von Begriff; **~ly** adv dicht
density ['densɪtɪ] n Dichte f; **single-/double-density disk** Diskette f mit einfacher/doppelter Dichte
dent [dent] n Delle f ♦ vt (also: **make a ~ in**) einbeulen
dental ['dentl] adj Zahn-; **~ surgeon** n = **dentist**
dentist ['dentɪst] n Zahnarzt(ärztin) m(f); **~ry** n Zahnmedizin f
dentures ['dentʃəz] npl Gebiß nt
deny [dɪ'naɪ] vt leugnen; (officially) dementieren; (help) abschlagen

deodorant [di:'əudərənt] *n* Deodorant *nt*

depart [dɪ'pɑːt] *vi* abfahren; **to ~ from** (*fig*: *differ from*) abweichen von

department [dɪ'pɑːtmənt] *n* (*COMM*) Abteilung *f*; (*UNIV*) Seminar *nt*; (*POL*) Ministerium *nt*; **~ store** *n* Warenhaus *nt*

departure [dɪ'pɑːtʃə*] *n* (*of person*) Abreise *f*; (*of train*) Abfahrt *f*; (*of plane*) Abflug *m*; **new ~** Neuerung *f*; **~ lounge** *n* (*at airport*) Abflughalle *f*

depend [dɪ'pend] *vi*: **to ~ on** abhängen von; (*rely on*) angewiesen sein auf +*acc*; **it ~s** es kommt darauf an; **~ing on the result ...** abhängend vom Resultat ...; **~able** *adj* zuverlässig; **~ant** *n* Angehörige(r) *mf*; **~ence** *n* Abhängigkeit *f*; **~ent** *adj* abhängig ♦ *n* = **dependant**; **~ent on** abhängig von

depict [dɪ'pɪkt] *vt* schildern

depleted [dɪ'pliːtɪd] *adj* aufgebraucht

deplorable [dɪ'plɔːrəbl] *adj* bedauerlich

deplore [dɪ'plɔː*] *vt* mißbilligen

deploy [dɪ'plɔɪ] *vt* einsetzen

depopulation ['diːpɒpju'leɪʃən] *n* Entvölkerung *f*

deport [dɪ'pɔːt] *vt* deportieren; **~ation** [diːpɔː'teɪʃən] *n* Abschiebung *f*

deportment [dɪ'pɔːtmənt] *n* Betragen *nt*

depose [dɪ'pəuz] *vt* absetzen

deposit [dɪ'pɒzɪt] *n* (*in bank*) Guthaben *nt*; (*down payment*) Anzahlung *f*; (*security*) Kaution *f*; (*CHEM*) Niederschlag *m* ♦ *vt* (*in bank*) deponieren; (*put down*) niederlegen; **~ account** *n* Sparkonto *nt*

depot ['depəu] *n* Depot *nt*

depraved [dɪ'preɪvd] *adj* verkommen

depreciate [dɪ'priːʃɪeɪt] *vi* im Wert sinken; **depreciation** [dɪpriːʃɪ'eɪʃən] *n* Wertminderung *f*

depress [dɪ'pres] *vt* (*press down*) niederdrücken; (*in mood*) deprimieren; **~ed** *adj* deprimiert; **~ing** *adj* deprimierend; **~ion** [dɪ'preʃən] *n* (*mood*) Depression *f*; (*in trade*) Wirtschaftskrise *f*; (*hollow*) Vertiefung *f*; (*MET*) Tief(druckgebiet) *nt*

deprivation [deprɪ'veɪʃən] *n* Not *f*

deprive [dɪ'praɪv] *vt*: **to ~ sb of sth** jdn einer Sache *gen* berauben; **~d** *adj* (*child*) sozial benachteiligt; (*area*) unterentwickelt

depth [depθ] *n* Tiefe *f*; **in the ~s of despair** in tiefster Verzweiflung

deputation [depju'teɪʃən] *n* Abordnung *f*

deputize ['depjutaɪz] *vi*: **to ~ (for sb)** (jdn) vertreten

deputy ['depjutɪ] *adj* stellvertretend ♦ *n* (Stell)vertreter *m*

derail [dɪ'reɪl] *vt*: **to be ~ed** entgleisen; **~ment** *n* Entgleisung *f*

deranged [dɪ'reɪndʒd] *adj* verrückt

derby ['dɜːbɪ] (*US*) *n* (*bowler hat*) Melone *f*

derelict ['derɪlɪkt] *adj* verlassen

deride [dɪ'raɪd] *vt* auslachen

derisory [dɪ'raɪsərɪ] *adj* spöttisch

derivative [dɪ'rɪvətɪv] *n* Derivat *nt* ♦ *adj* abgeleitet

derive [dɪ'raɪv] *vt* (*get*) gewinnen; (*deduce*) ableiten ♦ *vi* (*come from*) abstammen

dermatitis [dɜːmə'taɪtɪs] *n* Hautentzündung *f*

derogatory [dɪ'rɒgətərɪ] *adj* geringschätzig

derrick ['derɪk] *n* Drehkran *m*

descend [dɪ'send] *vt*, *vi* hinuntersteigen; **to ~ from** abstammen von; **~ant** *n* Nachkomme *m*

descent [dɪ'sent] *n* (*coming down*) Abstieg *m*; (*origin*) Abstammung *f*

describe [dɪs'kraɪb] *vt* beschreiben

description [dɪs'krɪpʃən] *n* Beschreibung *f*; (*sort*) Art *f*

descriptive [dɪs'krɪptɪv] *adj* beschreibend; (*word*) anschaulich

desecrate ['desɪkreɪt] *vt* schänden

desert [*n* 'dezət, *vb* dɪ'zɜːt] *n* Wüste *f* ♦ *vt* verlassen; (*temporarily*) im Stich lassen ♦ *vi* (*MIL*) desertieren; **~s** *npl* (*what one deserves*): **to get one's just ~s** seinen gerechten Lohn bekommen; **~er** *n* Deserteur *m*; **~ion** [dɪ'zɜːʃən] *n* (*of wife*) Verlassen *nt*; (*MIL*) Fahnenflucht *f*; **~ island** *n* einsame Insel *f*

deserve [dɪ'zɜːv] *vt* verdienen

deserving [dɪ'zɜːvɪŋ] *adj* verdienstvoll

design [dɪ'zaɪn] *n* (*plan*) Entwurf *m*; (*planning*) Design *nt* ♦ *vt* entwerfen

designate [*vb* 'dezɪgneɪt, *adj* 'dezɪgnɪt] *vt* bestimmen ♦ *adj* designiert

designer [dɪ'zaɪnə*] *n* Designer(in) *m(f)*; (*TECH*) Konstrukteur(in) *m(f)*; (*fashion ~*) Modeschöpfer(in) *m(f)*

desirable [dɪ'zaɪərəbl] *adj* wünschenswert

desire [dɪ'zaɪə*] *n* Wunsch *m*, Verlangen *nt* ♦ *vt* (*lust*) begehren; (*ask for*) wollen

desk [desk] *n* Schreibtisch *m*; (*BRIT*: *in shop, restaurant*) Kasse *f*

desolate ['desəlɪt] *adj* öde; (*sad*) trostlos

desolation [desə'leɪʃən] *n* Trostlosigkeit *f*

despair [dɪs'pɛə*] *n* Verzweiflung *f* ♦ *vi*: **to ~ (of)** verzweifeln (an +*dat*)

despatch [dɪs'pætʃ] *n*, *vt* = **dispatch**

desperate ['despərɪt] *adj* verzweifelt; **~ly** ['despərɪtlɪ] *adv* verzweifelt

desperation [despə'reɪʃən] *n* Verzweiflung *f*

despicable [dɪs'pɪkəbl] *adj* abscheulich

despise [dɪs'paɪz] *vt* verachten

despite [dɪs'paɪt] *prep* trotz +*gen*

despondent [dɪs'pɒndənt] *adj* mutlos

dessert [dɪ'zɜːt] *n* Nachtisch *m*; **~spoon** *n* Dessertlöffel *m*

destination [destɪ'neɪʃən] *n* (*of person*) (Reise)ziel *nt*; (*of goods*) Bestimmungsort *m*

destiny ['destɪnɪ] *n* Schicksal *nt*

destitute ['destɪtjuːt] *adj* notleidend

destroy [dɪs'trɔɪ] *vt* zerstören; **~er** *n*

(*NAUT*) Zerstörer *m*
destruction [dɪs'trʌkʃən] *n* Zerstörung *f*
destructive [dɪs'trʌktɪv] *adj* zerstörend
detach [dɪ'tætʃ] *vt* loslösen; ~**able** *adj* abtrennbar; ~**ed** *adj* (*attitude*) distanziert; (*house*) Einzel-; ~**ment** *n* (*MIL*) Sonderkommando *nt*; (*fig*) Abstand *m*
detail ['diːteɪl] *n* Einzelheit *f*, Detail *nt* ♦ *vt* (*relate*) ausführlich berichten; (*appoint*) abkommandieren; **in** ~ im Detail; ~**ed** *adj* detailliert
detain [dɪ'teɪn] *vt* aufhalten; (*imprison*) in Haft halten
detect [dɪ'tekt] *vt* entdecken; ~**ion** [dɪ'tekʃən] *n* Aufdeckung *f*; ~**ive** *n* Detektiv *m*; ~**ive story** *n* Kriminalgeschichte *f*, Krimi *m*; ~**or** *n* Detektor *m*
détente ['deɪtɑːnt] *n* Entspannung *f*
detention [dɪ'tenʃən] *n* Haft *f*; (*SCH*) Nachsitzen *nt*
deter [dɪ'tɜː*] *vt* abschrecken
detergent [dɪ'tɜːdʒənt] *n* Waschmittel *nt*
deteriorate [dɪ'tɪərɪəreɪt] *vi* sich verschlechtern; **deterioration** [dɪtɪərɪə'reɪʃən] *n* Verschlechterung *f*
determination [dɪtɜːmɪ'neɪʃən] *n* Entschlossenheit *f*
determine [dɪ'tɜːmɪn] *vt* bestimmen; ~**d** *adj* entschlossen
deterrent [dɪ'terənt] *n* Abschreckungsmittel *nt*
detest [dɪ'test] *vt* verabscheuen
detonate ['detəneɪt] *vt* explodieren lassen ♦ *vi* detonieren
detour ['diːtuə*] *n* Umweg *m*; (*US: AUT: diversion*) Umleitung *f* ♦ *vt* (: *traffic*) umleiten
detract [dɪ'trækt] *vi*: **to** ~ **from** schmälern
detriment ['detrɪmənt] *n*: **to the** ~ **of** zum Schaden +*gen*; ~**al** [detrɪ'mentl] *adj* schädlich
devaluation [dɪvæljuˈeɪʃən] *n* Abwertung *f*
devastate ['devəsteɪt] *vt* verwüsten
devastating ['devəsteɪtɪŋ] *adj* verheerend
develop [dɪ'veləp] *vt* entwickeln; (*resources*) erschließen ♦ *vi* sich entwickeln; ~**ing country** *n* Entwicklungsland *nt*; ~**ment** *n* Entwicklung *f*
deviate ['diːvɪeɪt] *vi* abweichen; **deviation** [diːvɪ'eɪʃən] *n* Abweichung *f*
device [dɪ'vaɪs] *n* Gerät *nt*
devil ['devl] *n* Teufel *m*; ~**ish** *adj* teuflisch
devious ['diːvɪəs] *adj* (*means*) krumm; (*person*) verschlagen
devise [dɪ'vaɪz] *vt* entwickeln
devoid [dɪ'vɔɪd] *adj*: ~ **of** ohne
devolution [diːvə'luːʃən] *n* (*POL*) Dezentralisierung *f*
devote [dɪ'vəut] *vt*: **to** ~ **sth (to sth)** etw (einer Sache *dat*) widmen; ~**d** *adj* ergeben; ~**e** [devəu'tiː] *n* Anhänger(in) *m(f)*, Verehrer(in) *m(f)*
devotion [dɪ'vəuʃən] *n* (*piety*) Andacht *f*;

(*loyalty*) Ergebenheit *f*, Hingabe *f*
devour [dɪ'vauə*] *vt* verschlingen
devout [dɪ'vaut] *adj* andächtig
dew [djuː] *n* Tau *m*
dexterity [deks'terɪtɪ] *n* Geschicklichkeit *f*
diabetes [daɪə'biːtiːz] *n* Zuckerkrankheit *f*
diabetic [daɪə'betɪk] *adj* zuckerkrank; (*food*) Diabetiker- ♦ *n* Diabetiker *m*
diabolical [daɪə'bɒlɪkl] (*inf*) *adj* (*weather, behaviour*) saumäßig
diagnose ['daɪəgnəuz] *vt* diagnostizieren
diagnoses [daɪəg'nəusiːz] *npl of* **diagnosis**
diagnosis [daɪəg'nəusɪs] *n* Diagnose *f*
diagonal [daɪ'ægənl] *adj* diagonal ♦ *n* Diagonale *f*
diagram ['daɪəgræm] *n* Diagramm *nt*, Schaubild *nt*
dial ['daɪəl] *n* (*TEL*) Wählscheibe *f*; (*of clock*) Zifferblatt *nt* ♦ *vt* wählen; ~ **code** (*US*) *n* = **dialling code**
dialect ['daɪəlekt] *n* Dialekt *m*
dialling code ['daɪəlɪŋ-] *n* Vorwahl *f*
dialling tone ['daɪəlɪŋ-] *n* Amtszeichen *nt*
dialogue ['daɪəlɒg] *n* Dialog *m*
dial tone (*US*) *n* = **dialling tone**
diameter [daɪ'æmɪtə*] *n* Durchmesser *m*
diamond ['daɪəmənd] *n* Diamant *m*; ~**s** *npl* (*CARDS*) Karo *nt*
diaper ['daɪəpə*] (*US*) *n* Windel *f*
diaphragm ['daɪəfræm] *n* Zwerchfell *nt*
diarrhoea [daɪə'riːə] (*US* **diarrhea**) *n* Durchfall *m*
diary ['daɪərɪ] *n* Taschenkalender *m*; (*account*) Tagebuch *nt*
dice [daɪs] *n* Würfel *pl* ♦ *vt* in Würfel schneiden
dichotomy [dɪ'kɒtəmɪ] *n* Kluft *f*
dictate [dɪk'teɪt] *vt* diktieren; ~**s** ['dɪkteɪts] *npl* Gebote *pl*
dictation [dɪk'teɪʃən] *n* Diktat *nt*
dictator [dɪk'teɪtə*] *n* Diktator *m*; ~**ship** [dɪk'teɪtəʃɪp] *n* Diktatur *f*
diction ['dɪkʃən] *n* Ausdrucksweise *f*
dictionary ['dɪkʃənrɪ] *n* Wörterbuch *nt*
did [dɪd] *pt of* **do**
didn't ['dɪdənt] = **did not**
die [daɪ] *vi* sterben; **to be dying for sth** etw unbedingt haben wollen; **to be dying to do sth**, darauf brennen, etw zu tun; ~ **away** *vi* schwächer werden; ~ **down** *vi* nachlassen; ~ **out** *vi* aussterben
diehard *n* Dickkopf *m*; (*POL*) Reaktionär *m*
diesel ['diːzəl] *n* (*car*) Diesel *m*; ~ **engine** *n* Dieselmotor *m*; ~ **oil** *n* Dieselkraftstoff *m*
diet ['daɪət] *n* Nahrung *f*; (*special food*) Diät *f*; (*slimming*) Abmagerungskur *f* ♦ *vi* (*also*: **be on a** ~) eine Abmagerungskur machen
differ ['dɪfə*] *vi* sich unterscheiden; (*disagree*) anderer Meinung sein; ~**ence** *n* Unterschied *m*; ~**ent** *adj* anders; (*two*

things) verschieden; **~ential** [dɪfə'renʃəl] n (*in wages*) Lohnstufe f; **~entiate** [dɪfə'renʃɪeɪt] vt, vi unterscheiden; **~ently** adv anders; (*from one another*) unterschiedlich

difficult ['dɪfɪkəlt] adj schwierig; **~y** n Schwierigkeit f

diffident ['dɪfɪdənt] adj schüchtern

diffuse [adj dɪ'fjuːs, vb dɪ'fjuːz] adj langatmig ♦ vt verbreiten

dig [dɪg] (*pt, pp* dug) vt graben ♦ n (*prod*) Stoß m; (*remark*) Spitze f; (*archaeological*) Ausgrabung f; **~ in** vi (*MIL*) sich eingraben; **~ into** vt fus (*sb's past*) wühlen in +dat; (*savings*) angreifen; **~ up** vt ausgraben; (*fig*) aufgabeln

digest [vb daɪ'dʒest, n 'daɪdʒest] vt verdauen ♦ n Auslese f; **~ion** [dɪ'dʒestʃən] n Verdauung f

digit ['dɪdʒɪt] n Ziffer f; (*ANAT*) Finger m; **~al** adj digital, Digital-

dignified ['dɪgnɪfaɪd] adj würdevoll

dignity ['dɪgnɪtɪ] n Würde f

digress [daɪ'gres] vi abschweifen

digs [dɪgz] (*BRIT: inf*) npl Bude f

dilapidated [dɪ'læpɪdeɪtɪd] adj baufällig

dilate [daɪ'leɪt] vt weiten ♦ vi sich weiten

dilemma [daɪ'lemə] n Dilemma nt

diligent ['dɪlɪdʒənt] adj fleißig

dilute [daɪ'luːt] vt verdünnen

dim [dɪm] adj trübe; (*stupid*) schwer von Begriff ♦ vt verdunkeln; **to ~ one's headlights** (*esp US*) abblenden

dime [daɪm] (*US*) n Zehncentstück nt

dimension [dɪ'menʃən] n Dimension f

diminish [dɪ'mɪnɪʃ] vt, vi verringern

diminutive [dɪ'mɪnjʊtɪv] adj winzig ♦ n Verkleinerungsform f

dimmer ['dɪmə*] (*US*) n (*AUT*) Abblendschalter m; **~s** npl Abblendlicht nt; (*sidelights*) Begrenzungsleuchten pl

dimple ['dɪmpl] n Grübchen nt

din [dɪn] n Getöse nt

dine [daɪn] vi speisen; **~r** n Tischgast m; (*RAIL*) Speisewagen m

dinghy ['dɪŋgɪ] n Dinghy nt; **rubber ~** Schlauchboot nt

dingy ['dɪndʒɪ] adj armselig

dining car ['daɪnɪŋ-] (*BRIT*) n Speisewagen m

dining room ['daɪnɪŋ-] n Eßzimmer nt; (*in hotel*) Speisezimmer nt

dinner ['dɪnə*] n (*lunch*) Mittagessen nt; (*evening*) Abendessen nt; (*public*) Festessen nt; **~ jacket** n Smoking m; **~ party** n Tischgesellschaft f; **~ time** n Tischzeit f

dinosaur ['daɪnəsɔː*] n Dinosaurier m

dint [dɪnt] n: **by ~ of** durch

diocese ['daɪəsɪs] n Diözese f

dip [dɪp] n (*hollow*) Senkung f; (*bathe*) kurze(s) Baden nt ♦ vt eintauchen; (*BRIT: AUT: lights*) abblenden ♦ vi (*slope*) sich senken,

abfallen

diploma [dɪ'pləʊmə] n Diplom nt

diplomacy [dɪ'pləʊməsɪ] n Diplomatie f

diplomat ['dɪpləmæt] n Diplomat(in) m(f); **~ic** [dɪplə'mætɪk] adj diplomatisch

dip stick n Ölmeßstab m

dipswitch (*BRIT*) n (*AUT*) Abblendschalter m

dire [daɪə*] adj schrecklich

direct [daɪ'rekt] adj direkt ♦ vt leiten; (*film*) die Regie führen +gen; (*aim*) richten; (*order*) anweisen; **can you ~ me to ...?** können Sie mir sagen, wo ich zu ... komme?

direction [dɪ'rekʃən] n Richtung f; (*CINE*) Regie f; Leitung f; **~s** npl (*for use*) Gebrauchsanleitung f; (*orders*) Anweisungen pl; **sense of ~** Orientierungssinn m

directly [dɪ'rektlɪ] adv direkt; (*at once*) sofort

director [dɪ'rektə*] n Direktor m; (*of film*) Regisseur m

directory [dɪ'rektərɪ] n (*TEL*) Telefonbuch nt

dirt [dɜːt] n Schmutz m, Dreck m; **~-cheap** adj spottbillig; **~y** adj schmutzig ♦ vt beschmutzen; **~y trick** n gemeine(r) Trick m

disability [dɪsə'bɪlɪtɪ] n Körperbehinderung f

disabled [dɪs'eɪbld] adj körperbehindert

disadvantage [dɪsəd'vɑːntɪdʒ] n Nachteil m

disaffection [dɪsə'fekʃən] n Entfremdung f

disagree [dɪsə'griː] vi nicht übereinstimmen; (*quarrel*) (sich) streiten; (*food*): **to ~ with sb** jdm nicht bekommen; **~able** adj unangenehm; **~ment** n (*between persons*) Streit m; (*between things*) Widerspruch m

disallow [dɪsə'laʊ] vt nicht zulassen

disappear [dɪsə'pɪə*] vi verschwinden; **~ance** n Verschwinden nt

disappoint [dɪsə'pɔɪnt] vt enttäuschen; **~ed** adj enttäuscht; **~ing** adj enttäuschend; **~ment** n Enttäuschung f

disapproval [dɪsə'pruːvəl] n Mißbilligung f

disapprove [dɪsə'pruːv] vi: **to ~ of** mißbilligen

disarm [dɪs'ɑːm] vt entwaffnen; (*POL*) abrüsten; **~ament** n Abrüstung f

disarray [dɪsə'reɪ] n: **to be in ~** (*army*) in Auflösung (begriffen) sein; (*clothes*) in unordentlichem Zustand sein

disaster [dɪ'zɑːstə*] n Katastrophe f

disastrous [dɪ'zɑːstrəs] adj verhängnisvoll

disband [dɪs'bænd] vt auflösen ♦ vi auseinandergehen

disbelief ['dɪsbə'liːf] n Ungläubigkeit f

disc [dɪsk] n Scheibe f; (*record*) (Schall)platte f; (*COMPUT*) = **disk**

discard ['dɪskɑːd] vt ablegen

discern [dɪ'sɜːn] *vt* erkennen; **~ing** *adj* scharfsinnig

discharge [*vb* dɪs'tʃɑːdʒ, *n* 'dɪstʃɑːdʒ] *vt* (*ship*) entladen; (*duties*) nachkommen +*dat*; (*dismiss*) entlassen; (*gun*) abschießen; (*JUR*) freisprechen ♦ *n* (*of ship*, *ELEC*) Entladung *f*; (*dismissal*) Entlassung *f*; (*MED*) Ausfluß *m*

disciple [dɪ'saɪpl] *n* Jünger *m*

discipline ['dɪsɪplɪn] *n* Disziplin *f* ♦ *vt* (*train*) schulen; (*punish*) bestrafen

disc jockey *n* Diskjockey *m*

disclaim [dɪs'kleɪm] *vt* nicht anerkennen

disclose [dɪs'kləʊz] *vt* enthüllen

disclosure [dɪs'kləʊʒə*] *n* Enthüllung *f*

disco ['dɪskəʊ] *n abbr* = **discotheque**

discoloured [dɪs'kʌləd] (*US* **discolored**) *adj* verfärbt

discomfort [dɪs'kʌmfət] *n* Unbehagen *nt*

disconcert [dɪskən'sɜːt] *vt* aus der Fassung bringen

disconnect ['dɪskə'nekt] *vt* abtrennen

discontent [dɪskən'tent] *n* Unzufriedenheit *f*; **~ed** *adj* unzufrieden

discontinue ['dɪskən'tɪnjuː] *vt* einstellen

discord ['dɪskɔːd] *n* Zwietracht *f*; (*noise*) Dissonanz *f*; **~ant** [dɪs'kɔːdənt] *adj* uneinig

discotheque ['dɪskəʊtek] *n* Diskothek *f*

discount [*n* 'dɪskaʊnt, *vb* dɪs'kaʊnt] *n* Rabatt *m* ♦ *vt* außer acht lassen

discourage [dɪs'kʌrɪdʒ] *vt* entmutigen; (*prevent*) abraten

discouraging [dɪs'kʌrɪdʒɪŋ] *adj* entmutigend

discourteous [dɪs'kɜːtɪəs] *adj* unhöflich

discover [dɪs'kʌvə*] *vt* entdecken; **~y** *n* Entdeckung *f*

discredit [dɪs'kredɪt] *vt* in Verruf bringen

discreet [dɪs'kriːt] *adj* diskret

discrepancy [dɪs'krepənsɪ] *n* Diskrepanz *f*

discriminate [dɪs'krɪmɪneɪt] *vi* unterscheiden; **to ~ against** diskriminieren

discriminating [dɪs'krɪmɪneɪtɪŋ] *adj* anspruchsvoll

discrimination [dɪskrɪmɪ'neɪʃən] *n* Urteilsvermögen *nt*; (*pej*) Diskriminierung *f*

discuss [dɪs'kʌs] *vt* diskutieren, besprechen; **~ion** [dɪs'kʌʃən] *n* Diskussion *f*, Besprechung *f*

disdain [dɪs'deɪn] *vt* verachten ♦ *n* Verachtung *f*

disease [dɪ'ziːz] *n* Krankheit *f*

disembark [dɪsɪm'bɑːk] *vt* aussteigen lassen ♦ *vi* von Bord gehen

disenchanted ['dɪsɪn'tʃɑːntɪd] *adj* desillusioniert

disengage [dɪsɪn'geɪdʒ] *vt* (*AUT*) auskuppeln

disentangle ['dɪsɪn'tæŋgl] *vt* entwirren

disfigure [dɪs'fɪgə*] *vt* entstellen

disgrace [dɪs'greɪs] *n* Schande *f* ♦ *vt* Schande bringen über +*acc*; **~ful** *adj* unerhört

disgruntled [dɪs'grʌntld] *adj* verärgert

disguise [dɪs'gaɪz] *vt* verkleiden; (*feelings*) verhehlen ♦ *n* Verkleidung *f*; **in ~** verkleidet, maskiert

disgust [dɪs'gʌst] *n* Abscheu *f* ♦ *vt* anwidern; **~ing** *adj* widerlich

dish [dɪʃ] *n* Schüssel *f*; (*food*) Gericht *nt*; **to do** *or* **wash the ~es** abwaschen; **~ up** *vt* auftischen; **~ cloth** *n* Spüllappen *m*

dishearten [dɪs'hɑːtn] *vt* entmutigen

dishevelled [dɪ'ʃevəld] *adj* (*hair*) zerzaust; (*clothing*) ungepflegt

dishonest [dɪs'ɒnɪst] *adj* unehrlich; **~y** *n* Unehrlichkeit *f*

dishonour [dɪs'ɒnə*] (*US* **dishonor**) *n* Unehre *f*; **~able** *adj* unehrenhaft

dishtowel ['dɪʃtaʊəl] *n* Geschirrtuch *nt*

dishwasher ['dɪʃwɒʃə*] *n* Geschirrspülmaschine *f*

disillusion [dɪsɪ'luːʒən] *vt* enttäuschen, desillusionieren

disincentive ['dɪsɪn'sentɪv] *n* Entmutigung *f*

disinfect [dɪsɪn'fekt] *vt* desinfizieren; **~ant** *n* Desinfektionsmittel *nt*

disintegrate [dɪs'ɪntɪgreɪt] *vi* sich auflösen

disinterested [dɪs'ɪntrɪstɪd] *adj* uneigennützig; (*inf*) uninteressiert

disjointed [dɪs'dʒɔɪntɪd] *adj* unzusammenhängend

disk [dɪsk] *n* (*COMPUT*) Diskette *f*; **single-/double-sided ~** einseitige/beidseitige Diskette; **~ drive** *n* Diskettenlaufwerk *nt*; **~ette** (*US*) *n* = **disk**

dislike [dɪs'laɪk] *n* Abneigung *f* ♦ *vt* nicht leiden können

dislocate ['dɪsləʊkeɪt] *vt* auskugeln

dislodge [dɪs'lɒdʒ] *vt* verschieben; (*MIL*) aus der Stellung werfen

disloyal [dɪs'lɔɪəl] *adj* treulos

dismal ['dɪzməl] *adj* trostlos, trübe

dismantle [dɪs'mæntl] *vt* demontieren

dismay [dɪs'meɪ] *n* Bestürzung *f* ♦ *vt* bestürzen

dismiss [dɪs'mɪs] *vt* (*employee*) entlassen; (*idea*) von sich weisen; (*send away*) wegschicken; (*JUR*) abweisen; **~al** *n* Entlassung *f*

dismount [dɪs'maʊnt] *vi* absteigen

disobedience [dɪsə'biːdɪəns] *n* Ungehorsam *m*

disobedient [dɪsə'biːdɪənt] *adj* ungehorsam

disobey ['dɪsə'beɪ] *vt* nicht gehorchen +*dat*

disorder [dɪs'ɔːdə*] *n* (*confusion*) Verwirrung *f*; (*commotion*) Aufruhr *m*; (*MED*) Erkrankung *f*

disorderly [dɪs'ɔːdəlɪ] *adj* (*untidy*) unordentlich; (*unruly*) ordnungswidrig

disorganized [dɪs'ɔːgənaɪzd] *adj* unordentlich

disorientated [dɪs'ɔːrɪenteɪtɪd] *adj* (*person*:

after journey, deep sleep) verwirrt

disown [dɪsˈəʊn] vt verstoßen

disparaging [dɪsˈpærɪdʒɪŋ] adj geringschätzig

disparity [dɪsˈpærɪtɪ] n Verschiedenheit f

dispassionate [dɪsˈpæʃnɪt] adj objektiv

dispatch [dɪsˈpætʃ] vt (*goods*) abschicken, abfertigen ♦ n Absendung f; (*esp MIL*) Meldung f

dispel [dɪsˈpel] vt zerstreuen

dispensary [dɪsˈpensərɪ] n Apotheke f

dispense [dɪsˈpens] vt verteilen, austeilen; ~ **with** vt fus verzichten auf +acc; ~**r** n (*container*) Spender m

dispensing [dɪsˈpensɪŋ] adj: ~ **chemist** (*BRIT*) Apotheker m

dispersal [dɪsˈpɜːsəl] n Zerstreuung f

disperse [dɪsˈpɜːs] vt zerstreuen ♦ vi sich verteilen

dispirited [dɪsˈpɪrɪtɪd] adj niedergeschlagen

displace [dɪsˈpleɪs] vt verschieben; ~**d person** n Verschleppte(r) mf

display [dɪsˈpleɪ] n (*of goods*) Auslage f; (*of feeling*) Zurschaustellung f ♦ vt zeigen; (*ostentatiously*) vorführen; (*goods*) ausstellen

displease [dɪsˈpliːz] vt mißfallen +dat

displeasure [dɪsˈpleʒə*] n Mißfallen nt

disposable [dɪsˈpəʊzəbl] adj Wegwerf-; ~ **nappy** n Papierwindel f

disposal [dɪsˈpəʊzəl] n (*of property*) Verkauf m; (*throwing away*) Beseitigung f; **to be at one's** ~ einem zur Verfügung stehen

dispose [dɪsˈpəʊz] vi: **to** ~ **of** loswerden

disposed [dɪsˈpəʊzd] adj geneigt

disposition [dɪspəˈzɪʃən] n Wesen nt

disproportionate [dɪsprəˈpɔːʃnɪt] adj unverhältnismäßig

disprove [dɪsˈpruːv] vt widerlegen

dispute [dɪsˈpjuːt] n Streit m; (*also: industrial* ~) Arbeitskampf m ♦ vt bestreiten

disqualify [dɪsˈkwɒlɪfaɪ] vt disqualifizieren

disquiet [dɪsˈkwaɪət] n Unruhe f

disregard [dɪsrɪˈgɑːd] vt nicht (be)achten

disrepair [dɪsrɪˈpɛə*] n: **to fall into** ~ verfallen

disreputable [dɪsˈrepjʊtəbl] adj verrufen

disrespectful [dɪsrɪsˈpektfʊl] adj respektlos

disrupt [dɪsˈrʌpt] vt stören; (*service*) unterbrechen; ~**ion** [dɪsˈrʌpʃən] n Störung f, Unterbrechung f

dissatisfaction ['dɪssætɪsˈfækʃən] n Unzufriedenheit f

dissatisfied ['dɪsˈsætɪsfaɪd] adj unzufrieden

dissect [dɪˈsekt] vt zerlegen, sezieren

disseminate [dɪˈsemɪneɪt] vt verbreiten

dissent [dɪˈsent] n abweichende Meinung f

dissertation [dɪsəˈteɪʃən] n wissenschaftliche Arbeit f; (*Ph.D.*) Doktorarbeit f

disservice [dɪsˈsɜːvɪs] n: **to do sb a** ~ jdm einen schlechten Dienst erweisen

dissident ['dɪsɪdənt] adj andersdenkend ♦ n Dissident m

dissimilar ['dɪˈsɪmɪlə*] adj: ~ **(to sb/sth)** (jdm/etw) unähnlich

dissipate ['dɪsɪpeɪt] vt (*waste*) verschwenden; (*scatter*) zerstreuen

dissociate [dɪˈsəʊʃɪeɪt] vt trennen

dissolute ['dɪsəluːt] adj liederlich

dissolution [dɪsəˈluːʃən] n Auflösung f

dissolve [dɪˈzɒlv] vt auflösen ♦ vi sich auflösen

dissuade [dɪˈsweɪd] vt: **to** ~ **sb from doing sth** jdn davon abbringen, etw zu tun

distance ['dɪstəns] n Entfernung f; **in the** ~ in der Ferne

distant ['dɪstənt] adj entfernt, fern; (*with time*) fern; (*formal*) distanziert

distaste ['dɪsˈteɪst] n Abneigung f; ~**ful** adj widerlich

distended [dɪsˈtendɪd] adj (*stomach*) aufgebläht

distil [dɪsˈtɪl] vt destillieren; ~**lery** n Brennerei f

distinct [dɪsˈtɪŋkt] adj (*separate*) getrennt; (*clear*) klar, deutlich; **as** ~ **from** im Unterschied zu; ~**ion** [dɪsˈtɪŋkʃən] n Unterscheidung f; (*eminence*) Auszeichnung f; ~**ive** adj bezeichnend

distinguish [dɪsˈtɪŋgwɪʃ] vt unterscheiden; ~**ed** adj (*eminent*) berühmt; ~**ing** adj bezeichnend

distort [dɪsˈtɔːt] vt verdrehen; (*misrepresent*) entstellen; ~**ion** [dɪsˈtɔːʃən] n Verzerrung f

distract [dɪsˈtrækt] vt ablenken; ~**ing** adj verwirrend; ~**ion** [dɪsˈtrækʃən] n (*distress*) Raserei f; (*diversion*) Zerstreuung f

distraught [dɪsˈtrɔːt] adj bestürzt

distress [dɪsˈtres] n Not f; (*suffering*) Qual f ♦ vt quälen; ~**ing** adj erschütternd; ~ **signal** n Notsignal nt

distribute [dɪsˈtrɪbjuːt] vt verteilen

distribution [dɪstrɪˈbjuːʃən] n Verteilung f

distributor [dɪsˈtrɪbjʊtə*] n Verteiler m

district ['dɪstrɪkt] n (*of country*) Kreis m; (*of town*) Bezirk m; ~ **attorney** (*US*) n Oberstaatsanwalt m; ~ **nurse** n Kreiskrankenschwester f

distrust [dɪsˈtrʌst] n Mißtrauen nt ♦ vt mißtrauen +dat

disturb [dɪsˈtɜːb] vt stören; (*agitate*) erregen; ~**ance** n Störung f; ~**ed** adj beunruhigt; **emotionally** ~**ed** emotional gestört; ~**ing** adj beunruhigend

disuse ['dɪsˈjuːs] n: **to fall into** ~ außer Gebrauch kommen

disused ['dɪsˈjuːzd] adj außer Gebrauch; (*mine, railway line*) stillgelegt

ditch [dɪtʃ] n Graben m ♦ vt (*person*) loswerden; (*plan*) fallenlassen

dither ['dɪðə*] vi verdattert sein

ditto ['dɪtəʊ] adv dito, ebenfalls

divan [dɪˈvæn] n Liegesofa nt

dive [daɪv] n (*into water*) Kopfsprung m; (*AVIAT*) Sturzflug m ♦ vi tauchen; **~r** n Taucher m

diverge [daɪ'vɜːdʒ] vi auseinandergehen

diverse [daɪ'vɜːs] adj verschieden

diversion [daɪ'vɜːʃən] n Ablenkung f; (*BRIT: AUT*) Umleitung f

diversity [daɪ'vɜːsɪtɪ] n Vielfalt f

divert [daɪ'vɜːt] vt ablenken; (*traffic*) umleiten

divide [dɪ'vaɪd] vt teilen ♦ vi sich teilen; **~d highway** (*US*) n Schnellstraße f

divine [dɪ'vaɪn] adj göttlich

diving ['daɪvɪŋ] n (*SPORT*) Turmspringen nt; (*underwater* ~) Tauchen nt; ~ **board** n Sprungbrett nt

divinity [dɪ'vɪnɪtɪ] n Gottheit f; (*subject*) Religion f

division [dɪ'vɪʒən] n Teilung f; (*MIL*) Division f; (*part*) Abteilung f; (*in opinion*) Uneinigkeit f; (*BRIT: POL*) (Abstimmung f durch) Hammelsprung f

divorce [dɪ'vɔːs] n (Ehe)scheidung f ♦ vt scheiden; **~d** adj geschieden; **~e** [dɪvɔː'siː] n Geschiedene(r) mf

divulge [daɪ'vʌldʒ] vt preisgeben

D.I.Y. (*BRIT*) n abbr = **do-it-yourself**

dizzy ['dɪzɪ] adj schwindlig

DJ n abbr = **disc jockey**

──────────── KEYWORD ────────────

do [duː] (*pt* **did**, *pp* **done**) n (*inf: party etc*) Fete f

♦ aux vb **1** (*in negative constructions and questions*): **I don't understand** ich verstehe nicht; **didn't you know?** wußtest du das nicht?; **what do you think?** was meinen Sie?

2 (*for emphasis, in polite expressions*): **she does seem rather tired** sie scheint wirklich sehr müde zu sein; **do sit down/help yourself** setzen Sie sich doch hin/greifen Sie doch zu

3 (*used to avoid repeating vb*): **she swims better than I do** sie schwimmt besser als ich; **she lives in Glasgow — so do I** sie wohnt in Glasgow — ich auch

4 (*in question tags*): **you like him, don't you?** du magst ihn doch, oder?

♦ vt **1** (*carry out, perform etc*) tun, machen; **what are you doing tonight?** was machst du heute abend?; **I've got nothing to do** ich habe nichts zu tun; **to do one's hair/ nails** sich die Haare/Nägel machen

2 (*AUT etc*) fahren

♦ vi **1** (*act, behave*): **do as I do** mach es wie ich

2 (*get on, fare*): **he's doing well/badly at school** er ist gut/schlecht in der Schule; **how do you do?** guten Tag

3 (*be suitable*) gehen; (*be sufficient*) reichen; **to make do (with)** auskommen mit

do away with vt (*kill*) umbringen; (*abolish: law etc*) abschaffen

do up vt (*laces, dress, buttons*) zumachen; (*renovate: room, house*) renovieren

do with vt (*need*) brauchen; (*be connected*) zu tun haben mit

do without vt, vi auskommen ohne

──────────────────────────────

docile ['dəʊsaɪl] adj gefügig

dock [dɒk] n Dock nt; (*JUR*) Anklagebank f ♦ vi ins Dock gehen; **~er** n Hafenarbeiter m; **~yard** n Werft f

doctor ['dɒktə*] n Arzt m, Ärztin f; (*UNIV*) Doktor m ♦ vt (*fig*) fälschen; (*drink etc*) etw beimischen +dat; **D~ of Philosophy** n Doktor m der Philosophie

document ['dɒkjʊmənt] n Dokument nt; **~ary** [dɒkjʊ'mentərɪ] n Dokumentarbericht m; (*film*) Dokumentarfilm ♦ adj dokumentarisch; **~ation** [dɒkjʊmən'teɪʃən] n dokumentarische(r) Nachweis m

dodge [dɒdʒ] n Kniff m ♦ vt ausweichen +dat; **~ms** (*BRIT*) npl Autoskooter m

doe [dəʊ] n (*roe deer*) Ricke f; (*red deer*) Hirschkuh f; (*rabbit*) Weibchen nt

does [dʌz] vb see **do**; **~n't** = **does not**

dog [dɒg] n Hund m; **~ collar** n Hundehalsband nt; (*ECCL*) Kragen m des Geistlichen; **~-eared** adj mit Eselsohren

dogged ['dɒgɪd] adj hartnäckig

dogsbody ['dɒgzbɒdɪ] n Mädchen nt für alles

doings ['duːɪŋz] npl (*activities*) Treiben nt

do-it-yourself ['duːɪtjɔ'self] n Do-it-yourself nt

doldrums ['dɒldrəmz] npl: **to be in the ~** (*business*) Flaute haben; (*person*) deprimiert sein

dole [dəʊl] (*BRIT*) n Stempelgeld nt; **to be on the ~** stempeln gehen; ~ **out** vt ausgeben, austeilen

doleful ['dəʊlfʊl] adj traurig

doll [dɒl] n Puppe f ♦ vt: **to ~ o.s. up** sich aufdonnern

dollar ['dɒlə*] n Dollar m

dolphin ['dɒlfɪn] n Delphin m

dome [dəʊm] n Kuppel f

domestic [də'mestɪk] adj häuslich; (*within country*) Innen-, Binnen-; (*animal*) Haus-; **~ated** adj (*person*) häuslich; (*animal*) zahm

dominant ['dɒmɪnənt] adj vorherrschend

dominate ['dɒmɪneɪt] vt beherrschen

domineering [dɒmɪ'nɪərɪŋ] adj herrisch

dominion [də'mɪnɪən] n (*rule*) Regierungsgewalt f; (*land*) Staatsgebiet nt mit Selbstverwaltung

domino ['dɒmɪnəʊ] (*pl* **dominoes**) n Dominostein m; **~es** n (*game*) Domino(spiel) nt

don [dɒn] (*BRIT*) n akademische(r) Lehrer m

donate [dəʊ'neɪt] vt (*blood, little money*)

spenden; (*lot of money*) stiften
donation [dəʊ'neɪʃən] n Spende f
done [dʌn] pp of **do**
donkey ['dɒŋkɪ] n Esel m
donor ['dəʊnə*] n Spender m
don't [dəʊnt] = **do not**
doodle ['duːdl] vi kritzeln
doom [duːm] n böse(s) Geschick nt; (*downfall*) Verderben nt ♦ vt: **to be ~ed** zum Untergang verurteilt sein; **~sday** n der Jüngste Tag
door [dɔ:*] n Tür f; **~bell** n Türklingel f; **~handle** n Türklinke f; **~man** (*irreg*) n Türsteher m; **~mat** n Fußmatte f; **~step** n Türstufe f; **~way** n Türöffnung f
dope [dəʊp] n (*drug*) Aufputschmittel nt ♦ vt (*horse etc*) dopen
dopey ['dəʊpɪ] (*inf*) adj bekloppt
dormant ['dɔ:mənt] adj latent
dormitory ['dɔ:mɪtrɪ] n Schlafsaal m
dormouse ['dɔ:maʊs] (*pl* -mice) n Haselmaus f
DOS [dɒs] n abbr (= disk operating system) DOS nt
dosage ['dəʊsɪdʒ] n Dosierung f
dose [dəʊs] n Dosis f
doss house [dɒs] (*BRIT*) n Bleibe f
dot [dɒt] n Punkt m; **~ted with** übersät mit; **on the ~** pünktlich
dote [dəʊt] : **to ~ on** vt fus vernarrt sein in +acc
dot matrix printer n Matrixdrucker m
dotted line n punktierte Linie f
double ['dʌbl] adj, adv doppelt ♦ n Doppelgänger m ♦ vt verdoppeln ♦ vi sich verdoppeln; **~s** npl (TENNIS) Doppel nt; **on** or **at the ~** im Laufschritt; **~ bass** n Kontrabaß m; **~ bed** n Doppelbett nt; **~ bend** (*BRIT*) n S-Kurve f; **~-breasted** adj zweireihig; **~cross** vt hintergehen; **~decker** n Doppeldecker m; **~ glazing** (*BRIT*) n Doppelverglasung f; **~ room** n Doppelzimmer nt
doubly ['dʌblɪ] adv doppelt
doubt [daʊt] n Zweifel m ♦ vt bezweifeln; **~ful** adj zweifelhaft; **~less** adv ohne Zweifel
dough [dəʊ] n Teig m; **~nut** n Berliner m
douse [daʊz] vt (*drench*) mit Wasser begießen, durchtränken; (*extinguish*) ausmachen
dove [dʌv] n Taube f
Dover n (GEO) Dover nt
dovetail ['dʌvteɪl] vi (*plans*) übereinstimmen
dowdy ['daʊdɪ] adj unmodern
down [daʊn] n (*fluff*) Flaum m; (*hill*) Hügel m ♦ adv unten; (*motion*) herunter; hinunter ♦ prep: **to go ~ the street** die Straße hinuntergehen ♦ vt niederschlucken; **~ with X!** nieder mit X!; **~-and-out** n Tramp m; **~-at-heel** adj schäbig; **~cast** adj niedergeschlagen; **~fall** n Sturz m; **~hearted** adj niedergeschlagen; **~hill** adv bergab; **~**

payment n Anzahlung f; **~pour** n Platzregen m; **~right** adj ausgesprochen
Down's syndrome [-'sɪndrəʊm] n (MED) Down-Syndrom nt
down: **~stairs** adv unten; (*motion*) nach unten; **~stream** adv flußabwärts; **~-to-earth** adj praktisch; **~town** adv in der Innenstadt; (*motion*) in die Innenstadt; **~under** (*BRIT: inf*) adv in/nach Australien/ Neuseeland; **~ward** adj Abwärts-, nach unten ♦ adv abwärts, nach unten; **~wards** adv abwärts, nach unten
doz. abbr (= **dozen**) Dtzd.
doze [dəʊz] vi dösen; **~ off** vi einnicken
dozen ['dʌzn] n Dutzend nt; **a ~ books** ein Dutzend Bücher; **~s of** Dutzende von
Dr. abbr = **doctor; drive**
drab [dræb] adj düster, eintönig
draft [drɑ:ft] n Entwurf m; (FIN) Wechsel m; (US: MIL) Einberufung f ♦ vt skizzieren; see also **draught**
draftsman ['drɑ:ftsmən] (US; irreg) n = **draughtsman**
drag [dræg] vt schleppen; (*river*) mit einem Schleppnetz absuchen ♦ vi sich (dahin)schleppen ♦ n (*bore*) etwas Blödes; **in ~** als Tunte; **a man in ~** eine Tunte; **~ on** vi sich in die Länge ziehen
dragon ['drægən] n Drache m; **~fly** ['drægənflaɪ] n Libelle f
drain [dreɪn] n Abfluß m; (*fig: burden*) Belastung f ♦ vt ableiten; (*exhaust*) erschöpfen ♦ vi (*of water*) abfließen; **~age** n Kanalisation f; **~ing board** (US **~board**) n Ablaufbrett nt; **~pipe** n Abflußrohr nt
dram [dræm] n Schluck m
drama ['drɑ:mə] n Drama nt; **~tic** [drə'mætɪk] adj dramatisch; **~tist** ['dræmətɪst] n Dramatiker m; **~tize** vt (*events*) dramatisieren; (*adapt: for TV, cinema*) bearbeiten
drank [dræŋk] pt of **drink**
drape [dreɪp] vt drapieren; **~r** (*BRIT*) n Tuchhändler m; **~s** (US) npl Vorhänge pl
drastic ['dræstɪk] adj drastisch
draught [drɑ:ft] (US **draft**) n (*of air*) Zug m; (NAUT) Tiefgang m; **~s** n Damespiel nt; **on ~** (*beer*) vom Faß; **~board** (*BRIT*) n Zeichenbrett nt
draughtsman ['drɑ:ftsmən] (*irreg*) n technische(r) Zeichner m
draw [drɔ:] (pt **drew**, pp **drawn**) vt ziehen; (*crowd*) anlocken; (*picture*) zeichnen; (*money*) abheben; (*water*) schöpfen ♦ vi (SPORT) unentschieden spielen ♦ n Unentschieden nt; (*lottery*) Ziehung f; **~ near** vi näherrücken; **~ out** vi (*train*) ausfahren; (*lengthen*) sich hinziehen; **~ up** vi (*stop*) halten ♦ vt (*document*) aufsetzen; **~back** n Nachteil m; **~bridge** n Zugbrücke f
drawer [drɔ:*] n Schublade f
drawing ['drɔ:ɪŋ] n Zeichnung f; Zeichnen

nt; ~ **board** n Reißbrett nt; ~ **pin** (BRIT) n Reißzwecke f; ~ **room** n Salon m

drawl [drɔːl] n schleppende Sprechweise f

drawn [drɔːn] pp of **draw**

dread [drɛd] n Furcht f ♦ vt fürchten; ~**ful** adj furchtbar

dream [driːm] (pt, pp **dreamed** or **dreamt**) n Traum m ♦ vt träumen ♦ vi: to ~ (**about**) träumen (von); ~**er** n Träumer m; **dreamt** [drɛmt] pt, pp of **dream**; ~**y** adj verträumt

dreary ['drɪərɪ] adj trostlos, öde

dredge [drɛdʒ] vt ausbaggern

dregs [drɛgz] npl Bodensatz m; (fig) Abschaum m

drench [drɛntʃ] vt durchnässen

dress [drɛs] n Kleidung f, (garment) Kleid nt ♦ vt anziehen; (MED) verbinden; **to get** ~**ed** sich anziehen; ~ **up** vi sich fein machen; ~ **circle** (BRIT) n erste(r) Rang m; ~**er** n (furniture) Anrichte f; ~**ing** n (MED) Verband m; (COOK) Soße f; ~**ing gown** (BRIT) n Morgenrock m; ~**ing room** n (THEAT) Garderobe f; (SPORT) Umkleideraum m; ~**ing table** n Toilettentisch m; ~**maker** n Schneiderin f; ~ **rehearsal** n Generalprobe f

drew [druː] pt of **draw**

dribble ['drɪbl] vi sabbern ♦ vt (ball) dribbeln

dried [draɪd] adj getrocknet; (fruit) Dörr-, gedörrte(r, s); ~ **milk** n Milchpulver nt

drier ['draɪə*] n = **dryer**

drift [drɪft] n Strömung f; (snow~) Schneewehe f, (fig) Richtung f ♦ vi sich treiben lassen; ~**wood** n Treibholz nt

drill [drɪl] n Bohrer m; (MIL) Drill m ♦ vt bohren; (MIL) ausbilden ♦ vi: to ~ (**for**) bohren (nach)

drink [drɪŋk] (pt **drank**, pp **drunk**) n Getränk nt; (spirits) Drink m ♦ vt, vi trinken; **to have a** ~ etwas trinken; ~**er** n Trinker m; ~**ing water** n Trinkwasser nt

drip [drɪp] n Tropfen m ♦ vi tropfen; ~**-dry** adj bügelfrei; ~**ping** n Bratenfett nt

drive [draɪv] (pt **drove**, pp **driven**) n Fahrt f; (road) Einfahrt f; (campaign) Aktion f; (energy) Schwung m; (SPORT) Schlag m; (also: **disk** ~) Diskettenlaufwerk nt ♦ vt (car) fahren; (animals, people, objects) treiben; (power) antreiben ♦ vi fahren; **left-/right-hand** ~ Links-/Rechtssteuerung f; **to** ~ **sb mad** jdn verrückt machen

drivel ['drɪvl] n Faselei f

driven ['drɪvn] pp of **drive**

driver ['draɪvə*] n Fahrer m; ~'**s license** (US) n Führerschein m

driveway ['draɪvweɪ] n Auffahrt f, (longer) Zufahrtsstraße f

driving ['draɪvɪŋ] adj (rain) stürmisch; ~ **instructor** n Fahrlehrer m; ~ **lesson** n Fahrstunde f; ~ **licence** (BRIT) n Führerschein m; ~ **school** n Fahrschule f;

~ **test** n Fahrprüfung f

drizzle ['drɪzl] n Nieselregen m ♦ vi nieseln

droll [drəʊl] adj drollig

drone [drəʊn] n (sound) Brummen nt; (bee) Drohne f

drool [druːl] vi sabbern

droop [druːp] vi (schlaff) herabhängen

drop [drɒp] n (of liquid) Tropfen m; (fall) Fall m ♦ vt fallen lassen; (lower) senken; (abandon) fallenlassen ♦ vi (fall) herunterfallen; ~**s** npl (MED) Tropfen pl; ~ **off** vi (sleep) einschlafen ♦ vt (passenger) absetzen; ~ **out** vi (withdraw) ausscheiden; ~-**out** n Aussteiger m; ~**per** n Pipette f; ~**pings** npl Kot m

drought [draʊt] n Dürre f

drove [drəʊv] pt of **drive**

drown [draʊn] vt ertränken; (sound) übertönen ♦ vi ertrinken

drowsy ['draʊzɪ] adj schläfrig

drudgery ['drʌdʒərɪ] n Plackerei f

drug [drʌg] n (MED) Arznei f; (narcotic) Rauschgift nt ♦ vt betäuben; ~ **addict** n Rauschgiftsüchtige(r) mf; ~**gist** (US) n Drogist(in) m(f); ~**store** (US) n Drogerie f

drum [drʌm] n Trommel f ♦ vi trommeln; ~**s** npl (MUS) Schlagzeug nt; ~**mer** n Trommler m

drunk [drʌŋk] pp of **drink** ♦ adj betrunken ♦ n (also: ~**ard**) Trinker(in) m(f); ~**en** adj betrunken

dry [draɪ] adj trocken ♦ vt (ab)trocknen ♦ vi trocknen; ~ **up** vi austrocknen ♦ vt (dishes) abtrocknen; ~ **cleaning** n chemische Reinigung f; ~**er** n Trockner m; (US: spindryer) (Wäsche)schleuder f; ~ **goods store** (US) n Kurzwarengeschäft nt; ~**ness** n Trockenheit f; ~ **rot** n Hausschwamm m

DSS n abbr (BRIT: = Department of Social Security) ≈ Sozialministerium nt

dual ['djʊəl] adj doppelt; ~ **carriageway** (BRIT) n zweispurige Fahrbahn f; ~ **nationality** n doppelte Staatsangehörigkeit f; ~-**purpose** adj Mehrzweck-

dubbed [dʌbd] adj (film) synchronisiert

dubious ['djuːbɪəs] adj zweifelhaft

duchess ['dʌtʃɪs] n Herzogin f

duck [dʌk] n Ente f ♦ vi sich ducken; ~**ling** n Entchen nt

duct [dʌkt] n Röhre f

dud [dʌd] n Niete f ♦ adj (cheque) ungedeckt

due [djuː] adj fällig; (fitting) angemessen ♦ n Gebühr f; (right) Recht nt ♦ adv (south etc) genau; ~**s** npl (for club, union) Beitrag m; (in harbour) Gebühren pl; ~ **to** wegen +gen

duel ['djʊəl] n Duell nt

duet [djuː'ɛt] n Duett nt

duffel ['dʌfl] adj: ~ **bag** Matchbeutel m, Matchsack m; ~ **coat** Dufflecoat m

dug [dʌg] pt, pp of **dig**

duke [dju:k] n Herzog m

dull [dʌl] adj (colour, weather) trübe; (stupid) schwer von Begriff; (boring) langweilig ♦ vt abstumpfen

duly ['dju:lɪ] adv ordnungsgemäß

dumb [dʌm] adj stumm; (inf: stupid) doof, blöde; **~founded** [dʌm'faundɪd] adj verblüfft

dummy ['dʌmɪ] n Schneiderpuppe f; (substitute) Attrappe f; (BRIT: for baby) Schnuller m ♦ adj Schein-

dump [dʌmp] n Abfallhaufen m; (MIL) Stapelplatz m; (inf: place) Nest nt ♦ vt abladen, auskippen; **~ing** n (COMM) Schleuderexport m; (of rubbish) Schuttabladen nt

dumpling ['dʌmplɪŋ] n Kloß m, Knödel m

dumpy ['dʌmpɪ] adj pummelig

dunce [dʌns] n Dummkopf m

dune [dju:n] n Düne f

dung [dʌŋ] n Dünger m

dungarees [dʌŋgə'ri:z] npl Latzhose f

dungeon ['dʌndʒən] n Kerker m

dupe [dju:p] n Gefoppte(r) m ♦ vt hintergehen, anführen

duplex ['dju:pleks] n (US) n zweistöckige Wohnung f

duplicate [n 'dju:plɪkɪt, vb 'dju:plɪkeɪt] n Duplikat nt ♦ vt verdoppeln; (make copies) kopieren; **in ~** in doppelter Ausführung

duplicity [dju:'plɪsɪtɪ] n Doppelspiel nt

durable ['djuərəbl] adj haltbar

duration [djuə'reɪʃən] n Dauer f

duress [djuə'res] n: **under ~** unter Zwang

during ['djuərɪŋ] prep während +gen

dusk [dʌsk] n Abenddämmerung f

dust [dʌst] n Staub m ♦ vt abstauben; (sprinkle) bestäuben; **~bin** (BRIT) n Mülleimer m; **~er** n Staubtuch nt; **~jacket** n Schutzumschlag m; **~man** (BRIT, irreg) n Müllmann m; **~y** adj staubig

Dutch [dʌtʃ] adj holländisch, niederländisch ♦ n (LING) Holländisch nt, Niederländisch nt; **the ~** npl (people) die Holländer pl, die Niederländer pl; **to go ~** getrennte Kasse machen; **~man/woman** (irreg) n Holländer(in) m(f), Niederländer(in) m(f)

dutiful ['dju:tɪful] adj pflichtbewußt

duty ['dju:tɪ] n Pflicht f; (job) Aufgabe f; (tax) Einfuhrzoll m; **on ~** im Dienst; **~-free** adj zollfrei

duvet ['du:veɪ] (BRIT) n Daunendecke f

dwarf [dwɔ:f] (pl **dwarves**) n Zwerg m ♦ vt überragen

dwell [dwel] (pt, pp **dwelt**) vi wohnen; **~ on** vt fus verweilen bei; **~ing** n Wohnung f

dwelt [dwelt] pt, pp of **dwell**

dwindle ['dwɪndl] vi schwinden

dye [daɪ] n Farbstoff m ♦ vt färben

dying ['daɪɪŋ] adj (person) sterbend; (moments) letzt

dyke [daɪk] (BRIT) n (channel) Kanal m; (barrier) Deich m, Damm m

dynamic [daɪ'næmɪk] adj dynamisch

dynamite ['daɪnəmaɪt] n Dynamit nt

dynamo ['daɪnəməu] n Dynamo m

dyslexia [dɪs'leksɪə] n Legasthenie f

E e

E [i:] n (MUS) E nt

each [i:tʃ] adj jeder/jede/jedes ♦ pron (ein) jeder/(eine) jede/(ein) jedes; **~ other** einander; **they have two books ~** sie haben je 2 Bücher

eager ['i:gə*] adj eifrig

eagle ['i:gl] n Adler m

ear [ɪə*] n Ohr nt; (of corn) Ähre f; **~ache** n Ohrenschmerzen pl; **~drum** n Trommelfell nt

earl [ɜ:l] n Graf m

early ['ɜ:lɪ] adj, adv früh; **~ retirement** n vorzeitige Pensionierung

earmark ['ɪəmɑ:k] vt vorsehen

earn [ɜ:n] vt verdienen

earnest ['ɜ:nɪst] adj ernst; **in ~** im Ernst

earnings ['ɜ:nɪŋz] npl Verdienst m

earphones ['ɪəfəunz] npl Kopfhörer pl

earring ['ɪərɪŋ] n Ohrring m

earshot ['ɪəʃɒt] n Hörweite f

earth [ɜ:θ] n Erde f; (BRIT: ELEC) Erdung f ♦ vt erden; **~enware** n Steingut nt

earthquake ['ɜ:θkweɪk] n Erdbeben nt

earthy ['ɜ:θɪ] adj roh; (sensual) sinnlich

earwig ['ɪəwɪg] n Ohrwurm m

ease [i:z] n (simplicity) Leichtigkeit f; (social) Ungezwungenheit f ♦ vt (pain) lindern; (burden) erleichtern; **at ~** ungezwungen; (MIL) rührt euch!; **~ off** or **up** vi nachlassen

easel ['i:zl] n Staffelei f

easily ['i:zɪlɪ] adv leicht

east [i:st] n Osten m ♦ adj östlich ♦ adv nach Osten

Easter ['i:stə*] n Ostern nt; **~ egg** n Osterei nt

easterly ['i:stəlɪ] adj östlich, Ost-

eastern ['i:stən] adj östlich

eastward(s) ['i:stwəd(z)] adv ostwärts

easy ['i:zɪ] adj (task) einfach; (life) bequem; (manner) ungezwungen, natürlich ♦ adv leicht; **~ chair** n Sessel m; **~-going** adj gelassen; (lax) lässig

eat [i:t] (pt **ate**, pp **eaten**) vt essen; (ani-

mals) fressen; (*destroy*) (zer)fressen ♦ *vi* essen; fressen; ~ **away** *vt* zerfressen; ~ **into** *vt fus* zerfressen

eaten *pp* of **eat**

eau de Cologne [əʊdəkə'ləʊn] *n* Kölnisch Wasser *nt*

eaves [i:vz] *npl* Dachrand *m*

eavesdrop ['i:vzdrɒp] *vi* lauschen; **to** ~ **on sb** jdn belauschen

ebb [eb] *n* Ebbe *f* ♦ *vi* (*fig: also:* ~ **away**) (ab)ebben

ebony ['ebənɪ] *n* Ebenholz *nt*

ebullient [ɪ'bʌlɪənt] *adj* sprudelnd, temperamentvoll

EC *n abbr* (= *European Community*) EG *f*

eccentric [ɪk'sentrɪk] *adj* exzentrisch ♦ *n* Exzentriker(in) *m(f)*

ecclesiastical [ɪkli:zɪ'æstɪkəl] *adj* kirchlich

echo ['ekəʊ] (*pl* ~**es**) *n* Echo *nt* ♦ *vt* zurückwerfen; (*fig*) nachbeten ♦ *vi* widerhallen

eclipse [ɪ'klɪps] *n* Finsternis *f* ♦ *vt* verfinstern

ecology [ɪ'kɒlədʒɪ] *n* Ökologie *f*

economic [i:kə'nɒmɪk] *adj* wirtschaftlich; ~**al** *adj* wirtschaftlich; (*person*) sparsam; ~**s** *n* Volkswirtschaft *f*

economist [ɪ'kɒnəmɪst] *n* Volkswirt(schaftler) *m*

economize [ɪ'kɒnəmaɪz] *vi* sparen

economy [ɪ'kɒnəmɪ] *n* (*thrift*) Sparsamkeit *f*; (*of country*) Wirtschaft *f*

ecstasy ['ekstəsɪ] *n* Ekstase *f*; (*drug*) Ecstasy *nt*

ecstatic [eks'tætɪk] *adj* hingerissen

ECU ['eɪkju:] *n abbr* (= *European Currency Unit*) ECU *m*

ecumenical [i:kjʊ'menɪkəl] *adj* ökumenisch

eczema ['eksɪmə] *n* Ekzem *nt*

edge [edʒ] *n* Rand *m*; (*of knife*) Schneide *f* ♦ *vt* (*SEWING*) einfassen; **on** ~ (*fig*) = **edgy**; **to** ~ **away from** langsam abrücken von; ~**ways** *adv*: **he couldn't get a word in** ~**ways** er kam überhaupt nicht zu Wort

edgy ['edʒɪ] *adj* nervös

edible ['edɪbl] *adj* eßbar

edict ['i:dɪkt] *n* Erlaß *m*

edifice ['edɪfɪs] *n* Gebäude *nt*

Edinburgh ['edɪnbərə] *n* (*GEO*) Edinburgh *nt*

edit ['edɪt] *vt* redigieren; ~**ion** [ɪ'dɪʃən] *n* Ausgabe *f*; ~**or** *n* (*of newspaper*) Redakteur *m*; (*of book*) Lektor *m*

editorial [edɪ'tɔ:rɪəl] *adj* Redaktions- ♦ *n* Leitartikel *m*

educate ['edjʊkeɪt] *vt* erziehen, (aus)bilden

education [edjʊ'keɪʃən] *n* (*teaching*) Unterricht *m*; (*system*) Schulwesen *nt*; (*schooling*) Erziehung *f*; Bildung *f*; ~**al** *adj* pädagogisch

eel [i:l] *n* Aal *m*

eerie ['ɪərɪ] *adj* unheimlich

effect [ɪ'fekt] *n* Wirkung *f* ♦ *vt* bewirken; ~**s** *npl* (*sound, visual*) Effekte *pl*; **in** ~ in der Tat; **to take** ~ (*law*) in Kraft treten; (*drug*) wirken; ~**ive** *adj* wirksam, effektiv; ~**ively** *adv* wirksam, effektiv

effeminate [ɪ'femɪnɪt] *adj* weibisch

effervescent [efə'vesnt] *adj* (*also fig*) sprudelnd

efficacy ['efɪkəsɪ] *n* Wirksamkeit *f*

efficiency [ɪ'fɪʃənsɪ] *n* Leistungsfähigkeit *f*

efficient [ɪ'fɪʃənt] *adj* tüchtig; (*TECH*) leistungsfähig; (*method*) wirksam

effigy ['efɪdʒɪ] *n* Abbild *nt*

effort ['efət] *n* Anstrengung *f*; ~**less** *adj* mühelos

effrontery [ɪ'frʌntərɪ] *n* Unverfrorenheit *f*

effusive [ɪ'fju:sɪv] *adj* überschwenglich

e.g. *adv abbr* (= *exempli gratia*) z.B.

egalitarian [ɪgælɪ'teərɪən] *adj* Gleichheits-, egalitär

egg [eg] *n* Ei *nt*; ~ **on** *vt* anstacheln; ~**cup** *n* Eierbecher *m*; ~**plant** (*esp US*) *n* Aubergine *f*; ~**shell** *n* Eierschale *f*

ego ['i:gəʊ] *n* Ich *nt*, Selbst *nt*

egotism ['egəʊtɪzəm] *n* Ichbezogenheit *f*

egotist ['egəʊtɪst] *n* Egozentriker *m*

Egypt ['i:dʒɪpt] *n* Ägypten *nt*; ~**ian** [ɪ'dʒɪpʃən] *adj* ägyptisch ♦ *n* Ägypter(in) *m(f)*

eiderdown ['aɪdədaʊn] *n* Daunendecke *f*

eight [eɪt] *num* acht; ~**een** *num* achtzehn; ~**h** [eɪtθ] *adj* achte(r, s) ♦ *n* Achtel *nt*; ~**y** *num* achtzig

Eire ['eərə] *n* Irland *nt*

either ['aɪðə*] *conj*: ~ ... **or** entweder ... oder ♦ *pron*: ~ **of the two** eine(r, s) von beiden ♦ *adj*: **on** ~ **side** auf beiden Seiten ♦ *adv*: **I don't** ~ ich auch nicht; **I don't want** ~ ich will keins von beiden

eject [ɪ'dʒekt] *vt* ausstoßen, vertreiben

eke [i:k] *vt*: **to** ~ **out** strecken

elaborate [*adj* ɪ'læbərɪt, *vb* ɪ'læbəreɪt] *adj* sorgfältig ausgearbeitet, ausführlich ♦ *vt* sorgfältig ausarbeiten ♦ *vi* ausführlich darstellen

elapse [ɪ'læps] *vi* vergehen

elastic [ɪ'læstɪk] *n* Gummiband *nt* ♦ *adj* elastisch; ~ **band** (*BRIT*) *n* Gummiband *nt*

elated [ɪ'leɪtɪd] *adj* froh

elation [ɪ'leɪʃən] *n* gehobene Stimmung *f*

elbow ['elbəʊ] *n* Ellbogen *m*

elder ['eldə*] *adj* älter ♦ *n* Ältere(r) *mf*; ~**ly** *adj* ältere(r, s) ♦ *npl*: **the** ~**ly** die Älteren *pl*

eldest ['eldɪst] *adj* älteste(r, s) ♦ *n* Älteste(r) *mf*

elect [ɪ'lekt] *vt* wählen ♦ *adj* zukünftig; ~**ion** [ɪ'lekʃən] *n* Wahl *f*; ~**ioneering** [ɪlekʃə'nɪərɪŋ] *n* Wahlpropaganda *f*; ~**or** *n* Wähler *m*; ~**oral** *adj* Wahl-; ~**orate** *n* Wähler *pl*, Wählerschaft *f*

electric [ɪ'lektrɪk] *adj* elektrisch, Elektro-; ~**al** *adj* elektrisch; ~ **blanket** *n* Heizdecke

f; ~ **chair** n elektrische(r) Stuhl m; ~ **fire** n elektrische(r) Heizofen m
electrician [ɪlek'trɪʃən] n Elektriker m
electricity [ɪlek'trɪsɪtɪ] n Elektrizität f
electrify [ɪ'lektrɪfaɪ] vt elektrifizieren; (fig) elektrisieren
electrocute [ɪ'lektrəʊkjuːt] vt durch elektrischen Strom töten
electronic [ɪlek'trɒnɪk] adj elektronisch, Elektronen-; ~ **mail** n elektronische(r) Briefkasten m; ~s n Elektronik f
elegance ['elɪgəns] n Eleganz f
elegant ['elɪgənt] adj elegant
element ['elɪmənt] n Element nt; ~**ary** [elɪ'mentərɪ] adj einfach; (primary) Grund-
elephant ['elɪfənt] n Elefant m
elevate ['elɪveɪt] vt emporheben
elevation [elɪ'veɪʃən] n (height) Erhebung f; (ARCHIT) (Quer)schnitt m
elevator ['elɪveɪtə*] n (US) n Fahrstuhl m, Aufzug m
eleven [ɪ'levn] num elf; ~**ses** (BRIT) npl = zweite(s) Frühstück nt; ~**th** adj elfte(r, s)
elf [elf] (pl **elves**) n Elfe f
elicit [ɪ'lɪsɪt] vt herausbekommen
eligible ['elɪdʒəbl] adj wählbar; **to be ~ for a pension** pensionsberechtigt sein
eliminate [ɪ'lɪmɪneɪt] vt ausschalten
elimination [ɪlɪmɪ'neɪʃən] n Ausschaltung f
elite [eɪ'liːt] n Elite f
elm [elm] n Ulme f
elocution [elə'kjuːʃən] n Sprecherziehung f
elongated ['iːlɒŋgeɪtɪd] adj verlängert
elope [ɪ'ləʊp] vi entlaufen
eloquence ['eləkwəns] n Beredsamkeit f
eloquent ['eləkwənt] adj redegewandt
else [els] adv sonst; **who ~?** wer sonst?; **somebody ~** jemand anders; **or ~** sonst; ~**where** adv anderswo, woanders
elucidate [ɪ'luːsɪdeɪt] vt erläutern
elude [ɪ'luːd] vt entgehen +dat
elusive [ɪ'luːsɪv] adj schwer faßbar
elves [elvz] npl of **elf**
emaciated [ɪ'meɪsɪeɪtɪd] adj abgezehrt
emanate ['eməneɪt] vi: **to ~ from** ausströmen aus
emancipate [ɪ'mænsɪpeɪt] vt emanzipieren; (slave) freilassen
emancipation [ɪmænsɪ'peɪʃən] n Emanzipation f, Freilassung f
embankment [ɪm'bæŋkmənt] n (of river) Uferböschung f; (of road) Straßendamm m
embargo [ɪm'bɑːgəʊ] (pl ~**es**) n Embargo nt
embark [ɪm'bɑːk] vi sich einschiffen; ~ **on** vt fus unternehmen; ~**ation** [embɑː'keɪʃən] n Einschiffung f
embarrass [ɪm'bærəs] vt in Verlegenheit bringen; ~**ed** adj verlegen; ~**ing** adj peinlich; ~**ment** n Verlegenheit f
embassy ['embəsɪ] n Botschaft f
embed [ɪm'bed] vt einbetten

embellish [ɪm'belɪʃ] vt verschönern
embers ['embəz] npl Glut(asche) f
embezzle [ɪm'bezl] vt unterschlagen; ~**ment** n Unterschlagung f
embitter [ɪm'bɪtə*] vt verbittern
embody [ɪm'bɒdɪ] vt (ideas) verkörpern; (new features) (in sich) vereinigen
embossed [ɪm'bɒst] adj geprägt
embrace [ɪm'breɪs] vt umarmen; (include) einschließen ♦ vi sich umarmen ♦ n Umarmung f
embroider [ɪm'brɔɪdə*] vt (be)sticken; (story) ausschmücken; ~**y** n Stickerei f
emerald ['emərəld] n Smaragd m
emerge [ɪ'mɜːdʒ] vi auftauchen; (truth) herauskommen
emergence [ɪ'mɜːdʒəns] n Erscheinen nt
emergency [ɪ'mɜːdʒənsɪ] n Notfall m; ~ **cord** (US) n Notbremse f; ~ **exit** n Notausgang m; ~ **landing** n Notlandung f; ~ **services** npl Notdienste pl
emery board ['emərɪ-] n Papiernagelfeile f
emetic [ɪ'metɪk] n Brechmittel nt
emigrant ['emɪgrənt] n Auswanderer m
emigrate ['emɪgreɪt] vi auswandern
emigration [emɪ'greɪʃən] n Auswanderung f
eminence ['emɪnəns] n hohe(r) Rang m
eminent ['emɪnənt] adj bedeutend
emission [ɪ'mɪʃən] n Ausströmen nt; ~**s** npl Emissionen fpl
emit [ɪ'mɪt] vt von sich dat geben
emotion [ɪ'məʊʃən] n Emotion f, Gefühl nt; ~**al** adj (person) emotional; (scene) ergreifend
emotive [ɪ'məʊtɪv] adj gefühlsbetont
emperor ['empərə*] n Kaiser m
emphases ['emfəsiːz] npl of **emphasis**
emphasis ['emfəsɪs] n (LING) Betonung f; (fig) Nachdruck m
emphasize ['emfəsaɪz] vt betonen
emphatic [ɪm'fætɪk] adj nachdrücklich; ~**ally** [ɪm'fætɪkəlɪ] adv nachdrücklich
empire ['empaɪə*] n Reich nt
empirical [em'pɪrɪkəl] adj empirisch
employ [ɪm'plɔɪ] vt (hire) anstellen; (use) verwenden; ~**ee** [emplɔɪ'iː] n Angestellte(r) mf; ~**er** n Arbeitgeber(in) m(f); ~**ment** n Beschäftigung f; ~**ment agency** n Stellenvermittlung f
empower [ɪm'paʊə*] vt: **to ~ sb to do sth** jdn ermächtigen, etw zu tun
empress ['emprɪs] n Kaiserin f
emptiness ['emptɪnɪs] n Leere f
empty ['emptɪ] adj leer ♦ n (bottle) Leergut nt ♦ vt (contents) leeren; (container) ausleeren ♦ vi (water) abfließen; (river) münden; (house) sich leeren; ~-**handed** adj mit leeren Händen
emulate ['emjʊleɪt] vt nacheifern +dat
emulsion [ɪ'mʌlʃən] n Emulsion f
enable [ɪ'neɪbl] vt: **to ~ sb to do sth** es

jdm ermöglichen, etw zu tun

enact [ɪn'ækt] vt (*law*) erlassen; (*play*) aufführen; (*role*) spielen

enamel [ɪ'næməl] n Email nt; (*of teeth*) (Zahn)schmelz m

encased [ɪn'keɪst] adj: ~ **in** (*enclosed*) eingeschlossen in +dat; (*covered*) verkleidet mit

enchant [ɪn'tʃɑːnt] vt bezaubern; ~**ing** adj entzückend

encircle [ɪn'sɜːkl] vt umringen

encl. abbr (= enclosed) Anl.

enclose [ɪn'kləʊz] vt einschließen; **to** ~ **sth (in** or **with a letter)** etw (einem Brief) beilegen; ~**d** (*in letter*) beiliegend, anbei

enclosure [ɪn'kləʊʒə*] n Einfriedung f; (*in letter*) Anlage f

encompass [ɪn'kʌmpəs] vt (*include*) umfassen

encore ['ɒŋkɔː*] n Zugabe f

encounter [ɪn'kaʊntə*] n Begegnung f; (*MIL*) Zusammenstoß m ♦ vt treffen; (*resistance*) stoßen auf +acc

encourage [ɪn'kʌrɪdʒ] vt ermutigen; ~**ment** n Ermutigung f, Förderung f

encouraging [ɪn'kʌrɪdʒɪŋ] adj ermutigend, vielversprechend

encroach [ɪn'krəʊtʃ] vi: **to** ~ **(up)on** eindringen in +acc; (*time*) in Anspruch nehmen

encrusted [ɪn'krʌstəd] adj: ~ **with** besetzt mit

encumber [ɪn'kʌmbə*] vt: **to be** ~**ed with** (*parcels*) beladen sein mit; (*debts*) belastet sein mit

encyclop(a)edia [ensaɪkləʊ'piːdɪə] n Konversationslexikon nt

end [end] n Ende nt, Schluß m; (*purpose*) Zweck m ♦ vt (*also:* bring to an ~, put an ~ to) beenden ♦ vi zu Ende gehen; **in the** ~ zum Schluß; **on** ~ (*object*) hochkant; **to stand on** ~ (*hair*) zu Berge stehen; **for hours on** ~ stundenlang; ~ **up** vi landen

endanger [ɪn'deɪndʒə*] vt gefährden

endearing [ɪn'dɪərɪŋ] adj gewinnend

endeavour [ɪn'devə*] (*US* endeavor) n Bestrebung f ♦ vi sich bemühen

ending ['endɪŋ] n Ende nt

endive ['endaɪv] n Endivie f

endless ['endlɪs] adj endlos

endorse [ɪn'dɔːs] vt unterzeichnen; (*approve*) unterstützen; ~**ment** n (*on licence*) Eintrag m

endow [ɪn'daʊ] vt: **to** ~ **sb with sth** jdm etw verleihen; (*with money*) etw stiften

endurance [ɪn'djʊərəns] n Ausdauer f

endure [ɪn'djʊə*] vt ertragen ♦ vi (*last*) (fort)dauern

enemy ['enɪmɪ] n Feind m ♦ adj feindlich

energetic [enə'dʒetɪk] adj tatkräftig

energy ['enədʒɪ] n Energie f

enforce [ɪn'fɔːs] vt durchsetzen

engage [ɪn'geɪdʒ] vt (*employ*) einstellen; (*in conversation*) verwickeln; (*TECH*) einschalten ♦ vi ineinandergreifen; (*clutch*) fassen; **to** ~ **in** sich beteiligen an +dat; ~**d** adj verlobt; (*BRIT: TEL, toilet*) besetzt; (: *busy*) beschäftigt; **to get** ~**d** sich verloben; ~**d tone** (*BRIT*) n (*TEL*) Besetztzeichen nt; ~**ment** n (*appointment*) Verabredung f; (*to marry*) Verlobung f; (*MIL*) Gefecht nt; ~**ment ring** n Verlobungsring m

engaging [ɪn'geɪdʒɪŋ] adj gewinnend

engender [ɪn'dʒendə*] vt hervorrufen

engine ['endʒɪn] n (*AUT*) Motor m; (*RAIL*) Lokomotive f; ~ **driver** n Lok(omotiv)führer(in) m(f)

engineer [endʒɪ'nɪə*] n Ingenieur m; (*US: RAIL*) Lok(omotiv)führer(in) m(f); ~**ing** [endʒɪ'nɪərɪŋ] n Technik f

England ['ɪŋglənd] n England nt

English ['ɪŋglɪʃ] adj englisch ♦ n (*LING*) Englisch nt; **the** ~ npl (*people*) die Engländer pl; **the** ~ **Channel** n der Ärmelkanal m; ~**man/woman** (*irreg*) n Engländer(in) m(f)

engraving [ɪn'greɪvɪŋ] n Stich m

engrossed [ɪn'grəʊst] adj vertieft

engulf [ɪn'gʌlf] vt verschlingen

enhance [ɪn'hɑːns] vt steigern, heben

enigma [ɪ'nɪgmə] n Rätsel nt; ~**tic** [enɪg'mætɪk] adj rätselhaft

enjoy [ɪn'dʒɔɪ] vt genießen; (*privilege*) besitzen; **to** ~ **o.s.** sich amüsieren; ~**able** adj erfreulich; ~**ment** n Genuß m, Freude f

enlarge [ɪn'lɑːdʒ] vt erweitern; (*PHOT*) vergrößern ♦ vi: **to** ~ **on sth** etw weiter ausführen; ~**ment** n Vergrößerung f

enlighten [ɪn'laɪtn] vt aufklären; ~**ment** n: **the E~ment** (*HIST*) die Aufklärung

enlist [ɪn'lɪst] vt gewinnen ♦ vi (*MIL*) sich melden

enmity ['enmɪtɪ] n Feindschaft f

enormity [ɪ'nɔːmɪtɪ] n Ungeheuerlichkeit f

enormous [ɪ'nɔːməs] adj ungeheuer

enough [ɪ'nʌf] adj, adv genug; **funnily** ~ komischerweise

enquire [ɪn'kwaɪə*] vt, vi = **inquire**

enrage [ɪn'reɪdʒ] vt wütend machen

enrich [ɪn'rɪtʃ] vt bereichern

enrol [ɪn'rəʊl] vt einschreiben ♦ vi (*register*) sich anmelden; ~**ment** n (*for course*) Anmeldung f

en route [ɑ̃ːn'ruːt] adv unterwegs

ensign ['ensaɪn, 'ensən] n (*NAUT*) Flagge f; (*MIL*) Fähnrich m

enslave [ɪn'sleɪv] vt versklaven

ensue [ɪn'sjuː] vi folgen, sich ergeben

ensure [ɪn'ʃʊə*] vt garantieren

entail [ɪn'teɪl] vt mit sich bringen

entangle [ɪn'tæŋgl] vt verwirren, verstricken; ~**d** adj: **to become** ~**d (in)** (*in net, rope etc*) sich verfangen (in +dat)

enter ['entə*] vt eintreten in +dat, betreten;

(*club*) beitreten +*dat*; (*in book*) eintragen ♦ *vi* hereinkommen, hineingehen; ~ **for** *vt fus* sich beteiligen an +*dat*; ~ **into** *vt fus* (*agreement*) eingehen; (*plans*) eine Rolle spielen bei; ~ **(up)on** *vt fus* beginnen
enterprise ['entəpraɪz] *n* (*in person*) Initiative *f*; (*COMM*) Unternehmen *nt*
enterprising ['entəpraɪzɪŋ] *adj* unternehmungslustig
entertain [entə'teɪn] *vt* (*guest*) bewirten; (*amuse*) unterhalten; ~**er** *n* Unterhaltungskünstler(in) *m(f)*; ~**ing** *adj* unterhaltsam; ~**ment** *n* Unterhaltung *f*
enthralled [ɪn'θrɔːld] *adj* gefesselt
enthusiasm [ɪn'θuːzɪæzəm] *n* Begeisterung *f*
enthusiast [ɪn'θuːzɪæst] *n* Enthusiast *m*; ~**ic** [ɪnθuːzɪ'æstɪk] *adj* begeistert
entice [ɪn'taɪs] *vt* verleiten, locken
entire [ɪn'taɪə*] *adj* ganz; ~**ly** *adv* ganz, völlig; ~**ty** [ɪn'taɪərətɪ] *n*: **in its ~ty** in seiner Gesamtheit
entitle [ɪn'taɪtl] *vt* (*allow*) berechtigen; (*name*) betiteln; ~**d** *adj* (*book*) mit dem Titel; **to be ~d to sth** das Recht auf etw *acc* haben; **to be ~d to do sth** das Recht haben, etw zu tun
entity ['entɪtɪ] *n* Ding *nt*, Wesen *nt*
entourage [ɒntu'rɑːʒ] *n* Gefolge *nt*
entrails ['entreɪlz] *npl* Eingeweide *pl*
entrance [*n* 'entrəns, *vb* ɪn'trɑːns] *n* Eingang *m*; (*entering*) Eintritt *m* ♦ *vt* hinreißen; ~ **examination** *n* Aufnahmeprüfung *f*; ~ **fee** *n* Eintrittsgeld *nt*; ~ **ramp** (*US*) *n* (*AUT*) Einfahrt *f*
entrant ['entrənt] *n* (*for exam*) Kandidat *m*; (*in race*) Teilnehmer *m*
entreat [ɪn'triːt] *vt* anflehen
entrenched [ɪn'trentʃt] *adj* (*fig*) verwurzelt
entrepreneur [ɒntrəprə'nɜː*] *n* Unternehmer(in) *m(f)*
entrust [ɪn'trʌst] *vt*: **to ~ sb with sth** or **sth to sb** jdm etw anvertrauen
entry ['entrɪ] *n* Eingang *m*; (*THEAT*) Auftritt *m*; (*in account*) Eintragung *f*; (*in dictionary*) Eintrag *m*; "**no ~**" „Eintritt verboten"; (*for cars*) „Einfahrt verboten"; ~ **form** *n* Anmeldeformular *nt*; ~ **phone** *n* Sprechanlage *f*
enumerate [ɪ'njuːməreɪt] *vt* aufzählen
enunciate [ɪ'nʌnsɪeɪt] *vt* aussprechen
envelop [ɪn'veləp] *vt* einhüllen
envelope ['envələʊp] *n* Umschlag *m*
enviable ['envɪəbl] *adj* beneidenswert
envious ['envɪəs] *adj* neidisch
environment [ɪn'vaɪərənmənt] *n* Umgebung *f*; (*ECOLOGY*) Umwelt *f*; ~**al** [ɪnvaɪrən'mentl] *adj* Umwelt-; ~**-friendly** *adj* umweltfreundlich
envisage [ɪn'vɪzɪdʒ] *vt* sich *dat* vorstellen
envoy ['envɔɪ] *n* Gesandte(r) *mf*
envy ['envɪ] *n* Neid *m* ♦ *vt*: **to ~ sb sth**

jdn um etw beneiden
enzyme ['enzaɪm] *n* Enzym *nt*
ephemeral [ɪ'femərəl] *adj* flüchtig
epic ['epɪk] *n* Epos *nt* ♦ *adj* episch
epidemic [epɪ'demɪk] *n* Epidemie *f*
epilepsy ['epɪlepsɪ] *n* Epilepsie *f*
epileptic [epɪ'leptɪk] *adj* epileptisch ♦ *n* Epileptiker(in) *m(f)*
episode ['epɪsəʊd] *n* (*incident*) Vorfall *m*; (*story*) Episode *f*
epitaph ['epɪtɑːf] *n* Grabinschrift *f*
epithet ['epɪθət] *n* Beiname *m*
epitome [ɪ'pɪtəmɪ] *n* Inbegriff *m*
epitomize [ɪ'pɪtəmaɪz] *vt* verkörpern
equable ['ekwəbl] *adj* ausgeglichen
equal ['iːkwl] *adj* gleich ♦ *n* Gleichgestellte(r) *mf* ♦ *vt* gleichkommen +*dat*; ~ **to the task** der Aufgabe gewachsen; ~**ity** [ɪ'kwɒlɪtɪ] *n* Gleichheit *f*; (~ *rights*) Gleichberechtigung *f*; ~**ize** *vt* gleichmachen ♦ *vi* (*SPORT*) ausgleichen; ~**izer** *n* (*SPORT*) Ausgleich(streffer) *m*; ~**ly** *adv* gleich
equanimity [ekwə'nɪmɪtɪ] *n* Gleichmut *m*
equate [ɪ'kweɪt] *vt* gleichsetzen
equation [ɪ'kweɪʒən] *n* Gleichung *f*
equator [ɪ'kweɪtə*] *n* Äquator *m*
equestrian [ɪ'kwestrɪən] *adj* Reit-
equilibrium [iːkwɪ'lɪbrɪəm] *n* Gleichgewicht *nt*
equinox ['iːkwɪnɒks] *n* Tag- und Nachtgleiche *f*
equip [ɪ'kwɪp] *vt* ausrüsten; ~**ment** *n* Ausrüstung *f*; (*TECH*) Gerät *nt*
equitable ['ekwɪtəbl] *adj* gerecht, billig
equities ['ekwɪtɪz] (*BRIT*) *npl* (*FIN*) Stammaktien *pl*
equivalent [ɪ'kwɪvələnt] *adj* gleichwertig, entsprechend ♦ *n* Äquivalent *nt*; (*in money*) Gegenwert *m*; ~ **to** gleichwertig +*dat*, entsprechend +*dat*
equivocal [ɪ'kwɪvəkəl] *adj* zweideutig
era ['ɪərə] *n* Epoche *f*, Ära *f*
eradicate [ɪ'rædɪkeɪt] *vt* ausrotten
erase [ɪ'reɪz] *vt* ausradieren; (*tape*) löschen; ~**r** *n* Radiergummi *nt*
erect [ɪ'rekt] *adj* aufrecht ♦ *vt* errichten
erection [ɪ'rekʃən] *n* Errichtung *f*; (*ANAT*) Erektion *f*
ergonomics *n* Ergonomie *f*, Ergonomik *f*
ERM *n abbr* (= *Exchange Rate Mechanism*) Wechselkursmechanismus *m*
erode [ɪ'rəʊd] *vt* zerfressen; (*land*) auswaschen
erotic [ɪ'rɒtɪk] *adj* erotisch; ~**ism** [ɪ'rɒtɪsɪzəm] *n* Erotik *f*
err [ɜː*] *vi* sich irren
errand ['erənd] *n* Besorgung *f*
erratic [ɪ'rætɪk] *adj* unberechenbar
erroneous [ɪ'rəʊnɪəs] *adj* irrig
error ['erə*] *n* Fehler *m*
erudite ['eruːdaɪt] *adj* gelehrt
erupt [ɪ'rʌpt] *vi* ausbrechen; ~**ion**

[ɪˈrʌpʃən] n Ausbruch m
escalate [ˈeskəleɪt] vi sich steigern
escalator [ˈeskəleɪtə*] n Rolltreppe f
escape [ɪsˈkeɪp] n Flucht f; (of gas) Entweichen nt ♦ vi entkommen; (prisoners) fliehen; (leak) entweichen ♦ vt entkommen +dat
escapism [ɪsˈkeɪpɪzəm] n Flucht f (vor der Wirklichkeit)
escort [n ˈeskɔːt, vb ɪsˈkɔːt] n (person accompanying) Begleiter m; (guard) Eskorte f ♦ vt (lady) begleiten; (MIL) eskortieren
especially [ɪsˈpeʃəlɪ] adv besonders
espionage [ˈespɪənɑːʒ] n Spionage f
esplanade [ˈespləneɪd] n Promenade f
espouse [ɪsˈpauz] vt Partei ergreifen für
Esquire [ɪsˈkwaɪə*] n: J. Brown ~ Herrn J. Brown
essay [ˈeseɪ] n Aufsatz m; (LITER) Essay m
essence [ˈesəns] n (quality) Wesen nt; (extract) Essenz f
essential [ɪˈsenʃəl] adj (necessary) unentbehrlich; (basic) wesentlich ♦ n Allernötigste(s) nt; ~**ly** adv eigentlich
establish [ɪsˈtæblɪʃ] vt (set up) gründen; (prove) nachweisen; ~**ed** adj anerkannt; (belief, laws etc) herrschend; ~**ment** n (setting up) Einrichtung f; **the E~ment** das Establishment
estate [ɪsˈteɪt] n Gut nt; (BRIT: housing ~) Siedlung f; (will) Nachlaß m; ~ **agent** (BRIT) n Grundstücksmakler m; ~ **car** (BRIT) n Kombiwagen m
esteem [ɪsˈtiːm] n Wertschätzung f
esthetic [ɪsˈθetɪk] (US) adj = aesthetic
estimate [n ˈestɪmət, vb ˈestɪmeɪt] n Schätzung f; (of price) (Kosten)voranschlag m ♦ vt schätzen
estimation [estɪˈmeɪʃən] n Einschätzung f; (esteem) Achtung f
estranged [ɪsˈtreɪndʒd] adj entfremdet
estuary [ˈestjuərɪ] n Mündung f
etc abbr (= et cetera) usw
etching [ˈetʃɪŋ] n Kupferstich m
eternal [ɪˈtɜːnl] adj ewig
eternity [ɪˈtɜːnɪtɪ] n Ewigkeit f
ether [ˈiːθə*] n Äther m
ethical [ˈeθɪkəl] adj ethisch
ethics [ˈeθɪks] n Ethik f ♦ npl Moral f
Ethiopia [iːθɪˈəupɪə] n Äthiopien nt
ethnic [ˈeθnɪk] adj Volks-, ethnisch
ethos [ˈiːθɒs] n Gesinnung f
etiquette [ˈetɪket] n Etikette f
euphemism [ˈjuːfɪmɪzəm] n Euphemismus m
Eurocheque [ˈjuərəuˈtʃek] n Euroscheck m
Europe [ˈjuərəp] n Europa nt; ~**an** [juərəˈpiːən] adj europäisch ♦ n Europäer(in) m(f)
euro-sceptic n Kritiker(in) m(f) der Europäischen Gemeinschaft
evacuate [ɪˈvækjueɪt] vt (place) räumen;

(people) evakuieren
evacuation [ɪvækjuˈeɪʃən] n Räumung f; Evakuierung f
evade [ɪˈveɪd] vt (escape) entkommen +dat; (avoid) meiden; (duty) sich entziehen +dat
evaluate [ɪˈvæljueɪt] vt bewerten; (information) auswerten
evaporate [ɪˈvæpəreɪt] vi verdampfen ♦ vt verdampfen lassen; ~**d milk** n Kondensmilch f
evasion [ɪˈveɪʒən] n Umgehung f
evasive [ɪˈveɪzɪv] adj ausweichend
eve [iːv] n: **on the** ~ **of** am Vorabend +gen
even [ˈiːvən] adj eben; gleichmäßig; (score etc) unentschieden; (number) gerade ♦ adv: ~ **you** sogar du; **to get** ~ **with sb** jdm heimzahlen; ~ **if** selbst wenn; ~ **so** dennoch; ~ **though** obwohl; ~ **more** sogar noch mehr; ~ **out** vi sich ausgleichen
evening [ˈiːvnɪŋ] n Abend m; **in the** ~ abends, am Abend; ~**s** **class** n Abendschule f; ~ **dress** n (man's) Gesellschaftsanzug m; (woman's) Abendkleid nt
event [ɪˈvent] n (happening) Ereignis nt; (SPORT) Disziplin f; **in the** ~ **of** im Falle +gen; ~**ful** adj ereignisreich
eventual [ɪˈventʃuəl] adj (final) schließlich; ~**ity** [ɪventʃuˈælɪtɪ] n Möglichkeit f; ~**ly** adv (at last) am Ende; (given time) schließlich
ever [ˈevə*] adv (always) immer; (at any time) je(mals) ♦ conj seit; ~ **since** seitdem; **have you** ~ **seen it?** haben Sie es je gesehen?; ~**green** n Immergrün nt; ~**lasting** adj immerwährend
every [ˈevrɪ] adj jede(r, s); ~ **other/third day** jeden zweiten/dritten Tag; ~ **one of them** alle; **I have** ~ **confidence in him** ich habe uneingeschränktes Vertrauen in ihn; **we wish you** ~ **success** wir wünschen Ihnen viel Erfolg; **he's** ~ **bit as clever as his brother** er ist genauso klug wie sein Bruder; ~ **now and then** ab und zu; ~**body** pron = everyone; ~**day** adj (daily) täglich; (commonplace) alltäglich, Alltags-; ~**one** pron jeder, alle pl; ~**thing** pron alles; ~**where** adv überall(hin); (wherever) wohin; ~**where you go** wohin du auch gehst
evict [ɪˈvɪkt] vt ausweisen; ~**ion** n Ausweisung f
evidence [ˈevɪdəns] n (sign) Spur f; (proof) Beweis m; (testimony) Aussage f
evident [ˈevɪdənt] adj augenscheinlich; ~**ly** adv offensichtlich
evil [ˈiːvl] adj böse ♦ n Böse nt
evocative [ɪˈvɒkətɪv] adj: **to be** ~ **of sth** an etw acc erinnern
evoke [ɪˈvəuk] vt hervorrufen
evolution [iːvəˈluːʃən] n Entwicklung f; (of life) Evolution f
evolve [ɪˈvɒlv] vt entwickeln ♦ vi sich entwickeln

ewe [ju:] n Mutterschaf nt
ex- [eks] prefix Ex-, Alt-, ehemalig
exacerbate [ek'sæsəbeıt] vt verschlimmern
exact [ıg'zækt] adj genau ♦ vt (demand) verlangen; **~ing** adj anspruchsvoll; **~ly** adv genau
exaggerate [ıg'zædʒəreıt] vt, vi übertreiben
exaggeration [ıgzædʒə'reıʃən] n Übertreibung f
exalted [ıg'zɔːltıd] adj (position, style) hoch; (person) exaltiert
exam [ıg'zæm] n abbr (SCH) = examination
examination [ıgzæmı'neıʃən] n Untersuchung f; (SCH) Prüfung f, Examen nt; (customs) Kontrolle f
examine [ıg'zæmın] vt untersuchen; (SCH) prüfen; (consider) erwägen; **~r** n Prüfer m
example [ıg'zɑːmpl] n Beispiel nt; for **~** zum Beispiel
exasperate [ıg'zɑːspəreıt] vt zum Verzweifeln bringen
exasperating [ıg'zɑːspəreıtıŋ] adj ärgerlich, zum Verzweifeln bringend
exasperation [ıgzɑːspə'reıʃən] n Verzweiflung f
excavate ['ekskəveıt] vt ausgraben
excavation [ekskə'veıʃən] n Ausgrabung f
exceed [ık'siːd] vt überschreiten; (hopes) übertreffen
exceedingly adv (enormously: stupid, rich, pleasant) äußerst
excel [ık'sel] vi sich auszeichnen
excellence ['eksələns] n Vortrefflichkeit f
excellency [eksələnsı] n: His E~ Seine Exzellenz f
excellent ['eksələnt] adj ausgezeichnet
except [ık'sept] prep (also: **~ for**, **~ing**) außer +dat ♦ vt ausnehmen; **~ion** [ık'sepʃən] n Ausnahme f; **to take ~ion to** Anstoß nehmen an +dat; **~ional** [ık'sepʃənl] adj außergewöhnlich
excerpt ['eksɜːpt] n Auszug m
excess [ek'ses] n Übermaß nt; **an ~ of** ein Übermaß an +dat; **~ baggage** n Mehrgepäck nt; **~ fare** n Nachlösegebühr f; **~ive** adj übermäßig
exchange [ıks'tʃeındʒ] n Austausch m; (also: telephone ~) Zentrale f ♦ vt (goods) tauschen; (greetings) austauschen; (money, blows) wechseln; **~ rate** n Wechselkurs m
Exchequer [ıks'tʃekə*] (BRIT) n: the **~** das Schatzamt
excise [n 'eksaız, vb ek'saız] n Verbrauchssteuer f ♦ vt (MED) herausschneiden
excite [ık'saıt] vt erregen; **to get ~d** sich aufregen; **~ment** n Aufregung f
exciting [ık'saıtıŋ] adj spannend
exclaim [ıks'kleım] vi ausrufen
exclamation [eksklə'meıʃən] n Ausruf m; **~ mark** n Ausrufezeichen nt
exclude [ıks'kluːd] vt ausschließen
exclusion [ıks'kluːʒən] n Ausschluß m

exclusive [ıks'kluːsıv] adj (select) exklusiv; (sole) ausschließlich, Allein-; **~ of** exklusive +gen; **~ly** adv nur, ausschließlich
excommunicate [ekskə'mjuːnıkeıt] vt exkommunizieren
excrement ['ekskrımənt] n Kot m
excruciating [ıks'kruːʃıeıtıŋ] adj qualvoll
excursion [ıks'kɜːʃən] n Ausflug m
excusable [ıks'kjuːzəbl] adj entschuldbar
excuse [n ıks'kjuːs, vb ıks'kjuːz] n Entschuldigung f ♦ vt entschuldigen; **~ me!** entschuldigen Sie!
ex-directory ['eksdaı'rektərı] (BRIT) adj: **to be ~** nicht im Telefonbuch stehen
execute ['eksıkjuːt] vt (carry out) ausführen; (kill) hinrichten
execution [eksı'kjuːʃən] n Ausführung f; (killing) Hinrichtung f; **~er** n Scharfrichter m
executive [ıg'zekjʊtıv] n (COMM) Geschäftsführer m; (POL) Exekutive f ♦ adj Exekutiv-, ausführend
executor [ıg'zekjʊtə*] n Testamentsvollstrecker m
exemplary [ıg'zemplərı] adj musterhaft
exemplify [ıg'zemplıfaı] vt veranschaulichen
exempt [ıg'zempt] adj befreit ♦ vt befreien; **~ion** [ıg'zempʃən] n Befreiung f
exercise ['eksəsaız] n Übung f ♦ vt (power) ausüben; (muscle, patience) üben; (dog) ausführen ♦ vi Sport treiben; **~ bike** n Heimtrainer m; **~ book** n (Schul)heft nt
exert [ıg'zɜːt] vt (influence) ausüben; **to ~ o.s.** sich anstrengen; **~ion** [ıg'zɜːʃən] n Anstrengung f
exhale [eks'heıl] vt, vi ausatmen
exhaust [ıg'zɔːst] n (fumes) Abgase pl; (pipe) Auspuffrohr nt ♦ vt erschöpfen; **~ed** adj erschöpft; **~ion** [ıg'zɔːstʃən] n Erschöpfung f; **~ive** adj erschöpfend
exhibit [ıg'zıbıt] n (ART) Ausstellungsstück nt; (JUR) Beweisstück nt ♦ vt ausstellen; **~ion** [eksı'bıʃən] n (ART) Ausstellung f; (of temper etc) Zurschaustellung f; **~ionist** [eksı'bıʃənıst] n Exhibitionist m
exhilarating [ıg'zıləreıtıŋ] adj erhebend
exhort [ıg'zɔːt] vt ermahnen
exile ['eksaıl] n Exil nt; (person) Verbannte(r) mf ♦ vt verbannen
exist [ıg'zıst] vi existieren; **~ence** n Existenz f; **~ing** adj bestehend
exit ['eksıt] n Ausgang m; (THEAT) Abgang m ♦ vi abtreten; (COMPUT) aus einem Programm herausgehen; **~ ramp** (US) n (AUT) Ausfahrt f
exodus ['eksədəs] n Auszug m
exonerate [ıg'zɒnəreıt] vt entlasten
exorbitant [ıg'zɔːbıtənt] adj übermäßig; (price) Phantasie-
exotic [ıg'zɒtık] adj exotisch
expand [ıks'pænd] vt ausdehnen ♦ vi sich

ausdehnen

expanse [ɪks'pæns] *n* Fläche *f*

expansion [ɪks'pænʃən] *n* Erweiterung *f*

expatriate [eks'pætrɪɪt] *n* Ausländer(in) *m(f)*

expect [ɪks'pekt] *vt* erwarten; (*suppose*) annehmen ♦ *vi:* **to be ~ing** ein Kind erwarten; **~ancy** *n* Erwartung *f*; **~ant mother** *n* werdende Mutter *f*; **~ation** [ekspek'teɪʃən] *n* Hoffnung *f*

expedience [ɪks'pi:dɪəns] *n* Zweckdienlichkeit *f*

expediency [ɪks'pi:dɪəns] *n* Zweckdienlichkeit *f*

expedient [ɪks'pi:dɪənt] *adj* zweckdienlich ♦ *n* (Hilfs)mittel *nt*

expedition [ekspɪ'dɪʃən] *n* Expedition *f*

expel [ɪks'pel] *vt* ausweisen; (*student*) (ver)weisen

expend [ɪks'pend] *vt* (*effort*) aufwenden; **~iture** [ɪk'spendɪtʃə*] *n* Ausgaben *pl*

expense [ɪks'pens] *n* Kosten *pl*; **~s** *npl* (*COMM*) Spesen *pl*; **at the ~ of** auf Kosten von; **~ account** *n* Spesenkonto *nt*

expensive [ɪks'pensɪv] *adj* teuer

experience [ɪks'pɪərɪəns] *n* (*incident*) Erlebnis *nt*; (*practice*) Erfahrung *f* ♦ *vt* erleben; **~d** *adj* erfahren

experiment [*n* ɪks'perɪmənt, *vb* ɪks'perɪment] *n* Versuch *m*, Experiment *nt* ♦ *vi* experimentieren; **~al** [ɪksperɪ'mentl] *adj* experimentell

expert ['ekspə:t] *n* Fachmann *m*; (*official*) Sachverständige(r) *m* ♦ *adj* erfahren; **~ise** [ekspə'ti:z] *n* Sachkenntnis *f*

expire [ɪks'paɪə*] *vi* (*end*) ablaufen; (*ticket*) verfallen; (*die*) sterben

expiry [ɪks'paɪərɪ] *n* Ablauf *m*

explain [ɪks'pleɪn] *vt* erklären

explanation [eksplə'neɪʃən] *n* Erklärung *f*

explanatory [ɪks'plænətərɪ] *adj* erklärend

explicit [ɪks'plɪsɪt] *adj* ausdrücklich

explode [ɪks'pləʊd] *vi* explodieren ♦ *vt* (*bomb*) sprengen; (*theory*) platzen lassen

exploit [*n* 'eksplɔɪt, *vb* ɪks'plɔɪt] *n* (Helden)tat *f* ♦ *vt* ausbeuten; **~ation** [eksplɔɪ'teɪʃən] *n* Ausbeutung *f*

exploration [eksplɔ:'reɪʃən] *n* Erforschung *f*

exploratory [eks'plɔrətərɪ] *adj* Probe-

explore [ɪks'plɔ:*] *vt* (*travel*) erforschen; (*search*) untersuchen; **~r** *n* Erforscher(in) *m(f)*

explosion [ɪks'pləʊʒən] *n* Explosion *f*; (*fig*) Ausbruch *m*

explosive [ɪks'pləʊzɪv] *adj* explosiv, Spreng- ♦ *n* Sprengstoff *m*

exponent [eks'pəʊnənt] *n* Exponent *m*

export [*vb* eks'pɔ:t, *n* 'ekspɔ:t] *vt* exportieren ♦ *n* Export *m* ♦ *cpd* (*trade*) Export-; **~er** *n* Exporteur *m*

expose [ɪks'pəʊz] *vt* (*to danger etc*) aussetzen; (*impostor*) entlarven; **to ~ sb to sth** jdn einer Sache *dat* aussetzen; **~d** [ɪks'pəʊzd] *adj* (*position*) exponiert

exposure [ɪks'pəʊʒə*] *n* (*MED*) Unterkühlung *f*; (*PHOT*) Belichtung *f*; **~ meter** *n* Belichtungsmesser *m*

expound [ɪks'paʊnd] *vt* entwickeln

express [ɪks'pres] *adj* ausdrücklich; (*speedy*) Expreß-, Eil- ♦ *n* (*RAIL*) Schnellzug *m* ♦ *adv* (*send*) per Expreß ♦ *vt* ausdrücken; **to ~ o.s.** sich ausdrücken; **~ion** [ɪks'preʃən] *n* Ausdruck *m*; **~ive** *adj* ausdrucksvoll; **~ly** *adv* ausdrücklich; **~way** (*US*) *n* (*urban motorway*) Schnellstraße *f*

expulsion [ɪks'pʌlʃən] *n* Ausweisung *f*

expurgate ['ekspə:geɪt] *vt* zensieren

exquisite [eks'kwɪzɪt] *adj* erlesen

extend [ɪks'tend] *vt* (*visit etc*) verlängern; (*building*) ausbauen; (*hand*) ausstrecken; (*welcome*) bieten ♦ *vi* (*land*) sich erstrecken

extension [ɪks'tenʃən] *n* Erweiterung *f*; (*of building*) Anbau *m*; (*TEL*) Apparat *m*

extensive [ɪks'tensɪv] *adj* (*knowledge*) umfassend; (*use*) weitgehend

extent [ɪks'tent] *n* Ausdehnung *f*; (*fig*) Ausmaß *nt*; **to a certain ~** bis zu einem gewissen Grade; **to such an ~ that ...** dermaßen, daß ...; **to what ~?** inwieweit?

extenuating [eks'tenjʊeɪtɪŋ] *adj* mildernd

exterior [eks'tɪərɪə*] *adj* äußere(r, s), Außen- ♦ *n* Äußere(s) *nt*

exterminate [eks'tɜ:mɪneɪt] *vt* ausrotten

external [eks'tɜ:nl] *adj* äußere(r, s), Außen-

extinct [ɪks'tɪŋkt] *adj* ausgestorben; **~ion** [ɪks'tɪŋkʃən] *n* Aussterben *nt*

extinguish [ɪks'tɪŋgwɪʃ] *vt* (aus)löschen; **~er** *n* Löschgerät *nt*

extort [ɪks'tɔ:t] *vt* erpressen; **~ion** [ɪks'tɔ:ʃən] *n* Erpressung *f*; **~ionate** [ɪks'tɔ:ʃənɪt] *adj* überhöht, erpresserisch

extra ['ekstrə] *adj* zusätzlich ♦ *adv* besonders ♦ *n* (*for car etc*) Extra *nt*; (*charge*) Zuschlag *m*; (*THEAT*) Statist *m* ♦ *prefix* außer...

extract [*vb* ɪks'trækt, *n* 'ekstrækt] *vt* (heraus)ziehen ♦ *n* (*from book etc*) Auszug *m*; (*COOK*) Extrakt *m*

extracurricular ['ekstrəkə'rɪkjʊlə*] *adj* außerhalb des Stundenplans

extradite ['ekstrədaɪt] *vt* ausliefern

extramarital [ekstrə'mærɪtl] *adj* außerehelich

extramural [ekstrə'mjʊərl] *adj* (*course*) Volkshochschul-

extraordinary [ɪks'trɔ:dnrɪ] *adj* außerordentlich; (*amazing*) erstaunlich

extravagance [ɪks'trævəgəns] *n* Verschwendung *f*; (*lack of restraint*) Zügellosigkeit *f*; (*an ~*) Extravaganz *f*

extravagant [ɪks'trævəgənt] *adj* extravagant

extreme [ɪks'tri:m] *adj* (*edge*) äußerste(r, s), hinterste(r, s); (*cold*) äußerste(r, s); (*be-*

haviour) außergewöhnlich, übertrieben ♦ n Extrem nt; **~ly** adv äußerst, höchst

extremity [ɪks'tremɪtɪ] n (end) Spitze f, äußerste(s) Ende nt; (hardship) bitterste Not f; (ANAT) Hand f, Fuß m

extricate ['ekstrɪkeɪt] vt losmachen, befreien

extrovert ['ekstrəʊvɜːt] n extrovertierte(r) Mensch m

exuberant [ɪg'zuːbərənt] adj ausgelassen

exude [ɪg'zjuːd] vt absondern

exult [ɪg'zʌlt] vi frohlocken

eye [aɪ] n Auge nt; (of needle) Öhr nt ♦ vt betrachten; (up and down) mustern; **to keep an ~ on** aufpassen auf +acc; **~ball** n Augapfel m; **~bath** n Augenbad nt; **~brow** n Augenbraue f; **~brow pencil** n Augenbrauenstift m; **~drops** npl Augentropfen pl; **~lash** n Augenwimper f; **~lid** n Augenlid nt; **~liner** n Eyeliner nt; **~-opener** n: that was an **~-opener** das hat mir/ihm etc die Augen geöffnet; **~shadow** n Lidschatten m; **~sight** n Sehkraft f; **~sore** n Schandfleck m; **~ witness** n Augenzeuge m

F f

F [ef] n (MUS) F nt

F. abbr (= Fahrenheit) F

fable ['feɪbl] n Fabel f

fabric ['fæbrɪk] n Stoff m; (fig) Gefüge nt

fabrication [fæbrɪ'keɪʃən] n Erfindung f

fabulous ['fæbjʊləs] adj sagenhaft

face [feɪs] n Gesicht nt; (surface) Oberfläche f; (of clock) Zifferblatt nt ♦ vt (point towards) liegen nach; (situation, difficulty) sich stellen +dat; **~ down** (person) mit dem Gesicht nach unten; (card) mit der Vorderseite nach unten; **to make** or **pull a ~** das Gesicht verziehen; **in the ~ of** angesichts +gen; **on the ~ of it** so, wie es aussieht; **~ to ~** Auge in Auge; **to ~ up to sth** einer Sache dat ins Auge sehen; **~ cloth** (BRIT) n Waschlappen m; **~ cream** n Gesichtscreme f; **~ lift** n Face-lifting nt; **~ powder** n (Gesichts)puder m

facet ['fæsɪt] n Aspekt m; (of gem) Facette f

facetious [fə'siːʃəs] adj witzig

face value n Nennwert m; **to take sth at (its) ~** (fig) etw für bare Münze nehmen

facial ['feɪʃəl] adj Gesichts-

facile ['fæsaɪl] adj oberflächlich; (US: easy) leicht

facilitate [fə'sɪlɪteɪt] vt erleichtern

facilities [fə'sɪlɪtɪz] npl Einrichtungen pl; **credit ~** Kreditmöglichkeiten pl

facing ['feɪsɪŋ] adj zugekehrt ♦ prep gegenüber

facsimile [fæk'sɪmɪlɪ] n Faksimile nt; (machine) Telekopierer m

fact [fækt] n Tatsache f; **in ~** in der Tat

faction ['fækʃən] n Splittergruppe f

factor ['fæktə*] n Faktor m

factory ['fæktərɪ] n Fabrik f

factual ['fæktjʊəl] adj sachlich

faculty ['fækəltɪ] n Fähigkeit f; (UNIV) Fakultät f; (US: teaching staff) Lehrpersonal nt

fad [fæd] n Tick m; (fashion) Masche f

fade [feɪd] vi (lose colour) verblassen; (grow dim) nachlassen; (sound, memory) schwächer werden; (wither) verwelken

fag [fæg] (inf) n (cigarette) Kippe f

fail [feɪl] vt (exam) nicht bestehen; (student) durchfallen lassen; (courage) verlassen; (memory) im Stich lassen ♦ vi (supplies) zu Ende gehen; (student) durchfallen; (eyesight) nachlassen; (light) schwächer werden; (crop) fehlschlagen; (remedy) nicht wirken; **to ~ to do sth** (neglect) es unterlassen, etw zu tun; (be unable) es nicht schaffen, etw zu tun; **without ~** unbedingt; **~ing** n Schwäche f ♦ prep mangels +gen; **~ure** n (person) Versager m; (act) Versagen nt; (TECH) Defekt m

faint [feɪnt] adj schwach ♦ n Ohnmacht f ♦ vi ohnmächtig werden

fair [fɛə*] adj (just) gerecht, fair; (hair) blond; (skin) hell; (weather) schön; (not very good) mittelmäßig; (sizeable) ansehnlich ♦ adv (play) fair ♦ n (COMM) Messe f; (BRIT: fun~) Jahrmarkt m; **~ly** adv (honestly) gerecht, fair; (rather) ziemlich; **~ness** n Fairneß f

fairy ['fɛərɪ] n Fee f; **~ tale** n Märchen nt

faith [feɪθ] n Glaube m; (trust) Vertrauen nt; (sect) Bekenntnis nt; **~ful** adj treu; **~fully** adv treu; **yours ~fully** (BRIT) hochachtungsvoll

fake [feɪk] n (thing) Fälschung f; (person) Schwindler m ♦ adj vorgetäuscht ♦ vt fälschen

falcon ['fɔːlkən] n Falke m

fall [fɔːl] (pt fell, pp fallen) n Fall m, Sturz m; (decrease) Fallen nt; (of snow) (Schnee)fall m; (US: autumn) Herbst m ♦ vi (also fig) fallen; (night) hereinbrechen; **~s** npl (waterfall) Fälle pl; **to ~ flat** platt hinfallen; (joke) nicht ankommen; **~ back** vi zurückweichen; **~ back on** vt fus zurückgreifen auf +acc; **~ behind** vi zurückbleiben; **~ down** vi (person) hinfallen; (building) einstürzen; **~ for** vt fus (trick) hereinfallen auf +acc; (person) sich verknallen in +acc; **~ in** vi (roof) einstürzen;

~ **off** vi herunterfallen; (diminish) sich vermindern; ~ **out** vi sich streiten; (MIL) wegtreten; ~ **through** vi (plan) ins Wasser fallen

fallacy ['fæləsı] n Trugschluß m

fallen ['fɔːlən] pp of **fall**

fallible ['fæləbl] adj fehlbar

fallout ['fɔːlaut] n radioaktive(r) Niederschlag m; ~ **shelter** n Atombunker m

fallow ['fæləu] adj brach(liegend)

false [fɔːls] adj falsch; (artificial) künstlich; **under** ~ **pretences** unter Vorspiegelung falscher Tatsachen; ~ **alarm** n falscher or blinder Alarm m; ~ **teeth** (BRIT) npl Gebiß nt

falter ['fɔːltə*] vi schwanken; (in speech) stocken

fame [feım] n Ruhm m

familiar [fə'mılıə*] adj bekannt; (intimate) familiär; **to be** ~ **with** vertraut sein mit; ~**ize** vt vertraut machen

family ['fæmılı] n Familie f; (relations) Verwandtschaft f; ~ **business** n Familienunternehmen nt; ~ **doctor** n Hausarzt m

famine ['fæmın] n Hungersnot f

famished ['fæmıʃt] adj ausgehungert

famous ['feıməs] adj berühmt; ~**ly** adv (get on) prächtig

fan [fæn] n (folding) Fächer m; (ELEC) Ventilator m; (admirer) Fan m ♦ vt fächeln; ~ **out** vi sich (fächerförmig) ausbreiten

fanatic [fə'nætık] n Fanatiker(in) m(f)

fan belt n Keilriemen m

fanciful ['fænsıful] adj (odd) seltsam; (imaginative) phantasievoll

fancy ['fænsı] n (liking) Neigung f; (imagination) Einbildung f ♦ adj schick ♦ vt (like) gern haben; wollen; (imagine) sich einbilden; **he fancies her** er mag sie; ~ **dress** n Maskenkostüm nt; ~**-dress ball** n Maskenball m

fang [fæŋ] n Fangzahn m; (of snake) Giftzahn m

fantastic [fæn'tæstık] adj phantastisch

fantasy ['fæntəzı] n Phantasie f

far [fɑː*] adj weit ♦ adv weit entfernt; (very much) weitaus; **by** ~ bei weitem; **so** ~ soweit; bis jetzt; **go as** ~ **as the farm** gehen Sie bis zum Bauernhof; **as** ~ **as I know** soweit or soviel ich weiß; ~**away** adj weit entfernt

farce [fɑːs] n Farce f

farcical ['fɑːsıkəl] adj lächerlich

fare [fɛə*] n Fahrpreis m; Fahrgeld nt; (food) Kost f; **half/full** ~ halber/voller Fahrpreis m

Far East n: **the** ~ der Ferne Osten

farewell [fɛə'wel] n Abschied(sgruß) m ♦ excl lebe wohl!

farm [fɑːm] n Bauernhof m, Farm f ♦ vt bewirtschaften; ~**er** n Bauer m, Landwirt m; ~**hand** n Landarbeiter m; ~**house**

Bauernhaus nt; ~**ing** n Landwirtschaft f; ~**land** n Ackerland nt; ~**yard** n Hof m

far-reaching ['fɑː'riːtʃıŋ] adj (reform, effect) weitreichend

fart [fɑːt] (inf!) n Furz m ♦ vi furzen

farther ['fɑːðə*] adv weiter

farthest ['fɑːðıst] adj fernste(r, s) ♦ adv am weitesten

fascinate ['fæsıneıt] vt faszinieren

fascination [fæsı'neıʃən] n Faszination f

fascism ['fæʃızəm] n Faschismus m

fashion ['fæʃən] n (of clothes) Mode f; (manner) Art f (und Weise f) ♦ vt machen; **in** ~ in Mode; **out of** ~ unmodisch; ~**able** adj (clothes) modisch; (place) elegant; ~ **show** n Mode(n)schau f

fast [fɑːst] adj schnell; (firm) fest ♦ adv schnell; fest ♦ n Fasten nt ♦ vi fasten; **to be** ~ (clock) vorgehen

fasten ['fɑːsn] vt (attach) befestigen; (with rope) zuschnüren; (seat belt) festmachen; (coat) zumachen ♦ vi sich schließen lassen; ~**er** n Verschluß m; ~**ing** n Verschluß m

fast food n Fast food nt

fastidious [fæs'tıdıəs] adj wählerisch

fat [fæt] adj dick ♦ n Fett nt

fatal ['feıtl] adj tödlich; (disastrous) verhängnisvoll; ~**ity** [fə'tælıtı] n (road death etc) Todesopfer nt; ~**ly** adv tödlich

fate [feıt] n Schicksal nt; ~**ful** (prophetic) schicksalsschwer; (important) schicksalhaft

father ['fɑːðə*] n Vater m; (REL) Pater m; ~**-in-law** n Schwiegervater m; ~**ly** adj väterlich

fathom ['fæðəm] n Klafter m ♦ vt ausloten; (fig) ergründen

fatigue [fə'tiːg] n Ermüdung f

fatten ['fætn] vt dick machen; (animals) mästen ♦ vi dick werden

fatty ['fætı] adj fettig ♦ n (inf) Dickerchen nt

fatuous ['fætjuəs] adj albern, affig

faucet ['fɔːsıt] (US) n Wasserhahn m

fault [fɔːlt] n (defect) Defekt m; (ELEC) Störung f; (blame) Schuld f; (GEOG) Verwerfung f ♦ vt: **it's your** ~ du bist daran schuld; **to find** ~ **with (sth/sb)** etwas auszusetzen haben an (etw/jdm); **at** ~ im Unrecht; ~**less** adj tadellos; ~**y** adj fehlerhaft, defekt

favour ['feıvə*] (US **favor**) n (approval) Wohlwollen nt; (kindness) Gefallen m ♦ vt (prefer) vorziehen; **in** ~ **of** für; zugunsten +gen; **to find** ~ **with sb** bei jdm Anklang finden; ~**able** adj günstig; ~**ite** ['feıvərıt] adj Lieblings- ♦ n (child) Liebling m; (SPORT) Favorit m

fawn [fɔːn] adj rehbraun ♦ n (colour) Rehbraun nt; (animal) (Reh)kitz nt ♦ vi: **to** ~ **(up)on** (fig) katzbuckeln vor +dat

fax [fæks] n (document) Fax nt; (machine)

Telefax *nt* ♦ *vt*: **to ~ sth to sb** jdm etw faxen

FBI ['efbi:'aɪ] (*US*) *n abbr* (= *Federal Bureau of Investigation*) FBI *nt*

fear [fɪə*] *n* Furcht *f* ♦ *vt* fürchten; **~ful** *adj* (*timid*) furchtsam; (*terrible*) fürchterlich; **~less** *adj* furchtlos

feasible ['fi:zəbl] *adj* durchführbar

feast [fi:st] *n* Festmahl *nt*; (*REL: also:* **~ day**) Feiertag *m* ♦ *vi*: **to ~ (on)** sich gütlich tun (an +*dat*)

feat [fi:t] *n* Leistung *f*

feather ['feðə*] *n* Feder *f*

feature ['fi:tʃə*] *n* (Gesichts)zug *m*; (*important part*) Grundzug *m*; (*CINE, PRESS*) Feature *nt* ♦ *vt* darstellen; (*advertising etc*) groß herausbringen ♦ *vi* vorkommen; **featuring X** mit X; **~ film** *n* Spielfilm *m*

February ['februərɪ] *n* Februar *m*

fed [fed] *pt, pp of* **feed**

federal ['fedərəl] *adj* Bundes-

federation [fedə'reɪʃən] *n* (*society*) Verband *m*; (*of states*) Staatenbund *m*

fed up *adj*: **to be ~** satt haben; **I'm ~** ich habe die Nase voll

fee [fi:] *n* Gebühr *f*

feeble ['fi:bl] *adj* (*person*) schwach; (*excuse*) lahm

feed [fi:d] (*pt, pp* **fed**) *n* (*for baby*) Essen *nt*; (*for animals*) Futter *nt* ♦ *vt* füttern; (*support*) ernähren; (*data*) eingeben; **to ~ on** fressen; **~back** *n* (*information*) Feedback *nt*; **~ing bottle** (*BRIT*) *n* Flasche *f*

feel [fi:l] (*pt, pp* **felt**) *n*: **it has a soft ~** es fühlt sich weich an ♦ *vt* (*sense*) fühlen; (*touch*) anfassen; (*think*) meinen ♦ *vi* (*person*) sich fühlen; (*thing*) sich anfühlen; **to get the ~ of sth** sich an etw *acc* gewöhnen; **I ~ cold** mir ist kalt; **I ~ like a cup of tea** ich habe Lust auf eine Tasse Tee; **~ about** *or* **around** *vi* herumsuchen; **~er** *n* Fühler *m*; **~ing** *n* Gefühl *nt*; (*opinion*) Meinung *f*

feet [fi:t] *npl of* **foot**

feign [feɪn] *vt* vortäuschen

feline ['fi:laɪn] *adj* katzenartig

fell [fel] *pt of* **fall** ♦ *vt* (*tree*) fällen

fellow ['feləʊ] *n* (*man*) Kerl *m*; **~ citizen** *n* Mitbürger(in) *m(f)*; **~ countryman** (*irreg*) *n* Landsmann *m*; **~ men** *npl* Mitmenschen *pl*; **~ship** *n* (*group*) Körperschaft *f*; (*friendliness*) Kameradschaft *f*; (*scholarship*) Forschungsstipendium *nt*; **~ student** *n* Kommilitone *m*, Kommilitonin *f*

felony ['felənɪ] *n* schwere(s) Verbrechen *nt*

felt [felt] *pt, pp of* **feel** ♦ *n* Filz *m*; **~-tip pen** *n* Filzstift *m*

female ['fi:meɪl] *n* (*of animals*) Weibchen *nt* ♦ *adj* weiblich

feminine ['femɪnɪn] *adj* (*LING*) weiblich; (*qualities*) fraulich

feminist ['femɪnɪst] *n* Feminist(in) *m(f)*

fence [fens] *n* Zaun *m* ♦ *vt* (*also:* **~ in**) einzäunen ♦ *vi* fechten

fencing ['fensɪŋ] *n* Zaun *m*; (*SPORT*) Fechten *nt*

fend [fend] *vi*: **to ~ for o.s.** sich (allein) durchschlagen; **~ off** *vt* abwehren

fender ['fendə*] *n* Kaminvorsetzer *m*; (*US: AUT*) Kotflügel *m*

ferment [*vb* fə'ment, *n* 'fɜ:ment] *vi* (*CHEM*) gären ♦ *n* (*excitement*) Unruhe *f*

fern [fɜ:n] *n* Farn *m*

ferocious [fə'rəʊʃəs] *adj* wild, grausam

ferret ['ferɪt] *n* Frettchen *nt* ♦ *vt*: **to ~ out** aufspüren

ferry ['ferɪ] *n* Fähre *f* ♦ *vt* übersetzen

fertile ['fɜ:taɪl] *adj* fruchtbar

fertilize ['fɜ:tɪlaɪz] *vt* (*AGR*) düngen; (*BIOL*) befruchten; **~r** ['fɜ:tɪlaɪzə*] *n* (Kunst)dünger *m*

fervent ['fɜ:vənt] *adj* (*admirer*) glühend; (*hope*) innig

fervour ['fɜ:və*] (*US* **fervor**) *n* Leidenschaft *f*

fester ['festə*] *vi* eitern

festival ['festɪvəl] *n* (*REL etc*) Fest *nt*; (*ART, MUS*) Festspiele *pl*

festive ['festɪv] *adj* festlich; **the ~ season** (*Christmas*) die Festzeit

festivities [fes'tɪvɪtɪz] *npl* Feierlichkeiten *pl*

festoon [fes'tu:n] *vt*: **to ~ with** schmücken mit

fetch [fetʃ] *vt* holen; (*in sale*) einbringen

fetching ['fetʃɪŋ] *adj* reizend

fête [feɪt] *n* Fest *nt*

fetus ['fi:təs] (*US*) *n* = **foetus**

feud [fju:d] *n* Fehde *f*

feudal ['fju:dl] *adj* Feudal-

fever ['fi:və*] *n* Fieber *nt*; **~ish** *adj* (*MED*) fiebrig; (*fig*) fieberhaft

few [fju:] *adj* wenig; **a ~** einige; **~er** *adj* weniger; **~est** *adj* wenigste(r,s)

fiancé [fɪ'ɑ̃:nseɪ] *n* Verlobte(r) *m*; **~e** *n* Verlobte *f*

fib [fɪb] *n* Flunkerei *f* ♦ *vi* flunkern

fibre ['faɪbə*] (*US* **fiber**) *n* Faser *f*; **~-glass** *n* Glaswolle *f*

fickle ['fɪkl] *adj* unbeständig

fiction ['fɪkʃən] *n* (*novels*) Romanliteratur *f*; (*story*) Erdichtung *f*; **~al** *adj* erfunden

fictitious [fɪk'tɪʃəs] *adj* erfunden, fingiert

fiddle ['fɪdl] *n* Geige *f*; (*trick*) Schwindelei *f* ♦ *vt* (*BRIT: accounts*) frisieren; **~ with** *vt fus* herumfummeln an +*dat*

fidelity [fɪ'delɪtɪ] *n* Treue *f*

fidget ['fɪdʒɪt] *vi* zappeln

field [fi:ld] *n* Feld *nt*; (*range*) Gebiet *nt*; **~ marshal** *n* Feldmarschall *m*; **~work** *n* Feldforschung *f*

fiend [fi:nd] *n* Teufel *m*

fierce [fɪəs] *adj* wild

fiery ['faɪərɪ] *adj* (*hot-tempered*) hitzig

fifteen [fɪf'ti:n] *num* fünfzehn

fifth [fɪfθ] adj fünfte(r, s) ♦ n Fünftel nt

fifty ['fɪftɪ] num fünfzig; **~-fifty** adj, adv halbe halbe, fifty fifty (inf)

fig [fɪg] n Feige f

fight [faɪt] (pt, pp fought) n Kampf m; (brawl) Schlägerei f; (argument) Streit m ♦ vt kämpfen gegen; sich schlagen mit; (fig) bekämpfen ♦ vi kämpfen; sich schlagen; streiten; **~er** n Kämpfer(in) m(f); (plane) Jagdflugzeug nt; **~ing** n Kämpfen nt; (war) Kampfhandlungen pl

figment ['fɪgmənt] n: ~ **of the imagination** reine Einbildung f

figurative ['fɪgərətɪv] adj bildlich

figure ['fɪgə*] n (of person) Figur f; (person) Gestalt f; (number) Ziffer f ♦ vt (US: imagine) glauben ♦ vi (appear) erscheinen; ~ **out** vt herausbekommen; **~head** n (NAUT, fig) Galionsfigur f; ~ **of speech** n Redensart f

filament ['fɪləmənt] n Faden m; (ELEC) Glühfaden m

filch [fɪltʃ] (inf) vt filzen

file [faɪl] n (tool) Feile f; (dossier) Akte f; (folder) Aktenordner m; (COMPUT) Datei f; (row) Reihe f ♦ vt (metal, nails) feilen; (papers) abheften; (claim) einreichen ♦ vi: to ~ **in/out** hintereinander hereinkommen/ hinausgehen; **to ~ past** vorbeimarschieren

filing ['faɪlɪŋ] n Ablage f; ~ **cabinet** n Aktenschrank m

fill [fɪl] vt füllen; (occupy) ausfüllen; (satisfy) sättigen ♦ n: **to eat one's ~** sich richtig satt essen; ~ **in** vt (hole) (auf)füllen; (form) ausfüllen; ~ **up** vt (container) auffüllen; (form) ausfüllen ♦ vi (AUT) tanken

fillet ['fɪlɪt] n Filet nt; ~ **steak** n Filetsteak nt

filling ['fɪlɪŋ] n (COOK) Füllung f; (for tooth) (Zahn)plombe f; ~ **station** n Tankstelle f

film [fɪlm] n Film m ♦ vt (scene) filmen; ~ **star** n Filmstar m; **~strip** n Filmstreifen m

filter ['fɪltə*] n Filter m ♦ vt filtern; ~ **lane** (BRIT) n Abbiegespur f; **~-tipped** adj Filter-

filth [fɪlθ] n Dreck m; **~y** adj dreckig; (weather) scheußlich

fin [fɪn] n Flosse f

final ['faɪnl] adj letzte(r, s); End-; (conclusive) endgültig ♦ n (FOOTBALL etc) Endspiel nt; **~s** npl (UNIV) Abschlußexamen nt; (SPORT) Schlußrunde f; **~e** [fɪ'nɑːlɪ] n (MUS) Finale nt; **~ist** n (SPORT) Schlußrundenteilnehmer m; **~ize** vt endgültige Form geben +dat; abschließen; **~ly** adv (lastly) zuletzt; (eventually) endlich; (irrevocably) endgültig

finance [faɪ'næns] n Finanzwesen nt ♦ vt finanzieren; **~s** npl (funds) Finanzen pl

financial [faɪ'nænʃəl] adj Finanz-; finanziell

find [faɪnd] (pt, pp found) vt finden ♦ n Fund m; **to ~ sb guilty** jdn für schuldig

erklären; ~ **out** vt herausfinden; **~ings** npl (JUR) Ermittlungsergebnis nt; (of report) Befund m

fine [faɪn] adj fein; (good) gut; (weather) schön ♦ adv (well) gut; (small) klein ♦ n (JUR) Geldstrafe f ♦ vt mit einer Geldstrafe belegen; ~ **arts** npl schöne(n) Künste pl

finery ['faɪnərɪ] n Putz m

finger ['fɪŋgə*] n Finger m ♦ vt befühlen; **~nail** n Fingernagel m; **~print** n Fingerabdruck m; **~tip** n Fingerspitze f

finicky ['fɪnɪkɪ] adj pingelig

finish ['fɪnɪʃ] n Ende nt; (SPORT) Ziel nt; (of object) Verarbeitung f; (of paint) Oberflächenwirkung f ♦ vt beenden; (book) zu Ende lesen ♦ vi aufhören; (SPORT) ans Ziel kommen; **to be ~ed with sth** fertig sein mit etw; **to ~ doing sth** mit etw fertig werden; ~ **off** vt (complete) fertigmachen; (kill) den Gnadenstoß geben +dat; (knock out) erledigen (umg); ~ **up** vt (food) aufessen; (drink) austrinken ♦ vi (end up) enden; **~ing line** n Ziellinie f; **~ing school** n Mädchenpensionat nt

finite ['faɪnaɪt] adj endlich, begrenzt

Finland ['fɪnlənd] n Finnland nt

Finn [fɪn] n Finne m, Finnin f; **~ish** adj finnisch ♦ n (LING) Finnisch nt

fir [fɜː*] n Tanne f

fire [faɪə*] n Feuer nt; (in house etc) Brand m ♦ vt (gun) abfeuern; (imagination) entzünden; (dismiss) hinauswerfen ♦ vi (AUT) zünden; **to be on ~** brennen; ~ **alarm** n Feueralarm m; ~ **arm** n Schußwaffe f; ~ **brigade** (BRIT) n Feuerwehr f; ~ **department** (US) n Feuerwehr f; ~ **engine** n Feuerwehrauto nt; ~ **escape** n Feuerleiter f; ~ **extinguisher** n Löschgerät nt; **~man** (irreg) n Feuerwehrmann m; **~place** n Kamin m; **~side** n Kamin m; ~ **station** n Feuerwehrwache f; **~works** npl Feuerwerk nt

firing ['faɪərɪŋ] n Schießen nt; ~ **squad** n Exekutionskommando nt

firm [fɜːm] adj fest ♦ n Firma f

firmly adv (grasp, speak) fest; (push, tug) energisch; (decide) entschieden

first [fɜːst] adj erste(r, s) ♦ adv zuerst; (arrive) als erste(r); (happen) zum erstenmal ♦ n (person: in race) Erste(r) mf; (UNIV) Eins f; (AUT) erste(r) Gang m; **at ~** zuerst; ~ **of all** zu allererst; ~ **aid** n Erste Hilfe f; **~-aid kit** n Verbandskasten m; **~-class** adj erstklassig; (travel) erster Klasse; **~-hand** adj aus erster Hand; ~ **lady** (US) n First Lady f; **~ly** adv erstens; ~ **name** n Vorname m; **~-rate** adj erstklassig

fiscal ['fɪskəl] adj Finanz-

fish [fɪʃ] n inv Fisch m ♦ vi fischen; angeln; **to go ~ing** angeln gehen; (in sea) fischen gehen; **~erman** (irreg) n Fischer m; ~ **farm** n Fischzucht f; ~ **fingers** (BRIT) npl

Fischstäbchen *pl*; ~**ing boat** *n* Fischerboot *nt*; ~**ing line** *n* Angelschnur *f*; ~**ing rod** *n* Angel(rute) *f*; ~**monger's (shop)** *n* Fischhändler *m*; ~ **slice** *n* Fischvorleger *m*; ~ **sticks** (*US*) *npl* = fish fingers; ~**y** (*inf*) *adj* (*suspicious*) faul

fission ['fɪʃən] *n* Spaltung *f*

fissure ['fɪʃə*] *n* Riß *m*

fist [fɪst] *n* Faust *f*

fit [fɪt] *adj* (*MED*) gesund; (*SPORT*) in Form, fit; (*suitable*) geeignet ♦ *vt* passen +*dat*; (*insert, attach*) einsetzen ♦ *vi* passen; (*in space, gap*) hineinpassen ♦ *n* (*of clothes*) Sitz *m*; (*MED, of anger*) Anfall *m*; (*of laughter*) Krampf *m*; **by ~s and starts** (*move*) ruckweise; (*work*) unregelmäßig; ~ **in** *vi* hineinpassen; (*fig: person*) passen; ~ **out** *vt* (*also:* ~ *up*) ausstatten; ~**ful** *adj* (*sleep*) unruhig; ~**ment** *n* Einrichtungsgegenstand *m*; ~**ness** *n* (*suitability*) Eignung *f*; (*MED*) Gesundheit *f*; (*SPORT*) Fitneß *f*; ~**ted carpet** *n* Teppichboden *m*; ~**ted kitchen** *n* Einbauküche *f*; ~**ter** *n* (*TECH*) Monteur *m*; ~**ting** *adj* passend ♦ *n* (*of dress*) Anprobe *f*; (*piece of equipment*) (Ersatz)teil *m*; ~**tings** *npl* (*equipment*) Zubehör *nt*; ~**ting room** *n* Anproberaum *m*

five [faɪv] *num* fünf; ~**r** (*inf*) *n* (*BRIT*) Fünf-Pfund-Note *f*; (*US*) Fünf-Dollar-Note *f*

fix [fɪks] *vt* befestigen; (*settle*) festsetzen; (*repair*) reparieren ♦ *n*: **in a** ~ in der Klemme; ~ **up** *vt* (*meeting*) arrangieren; **to** ~ **sb up with sth** jdm etw *acc* verschaffen; ~**ation** [fɪks'eɪʃən] *n* Fixierung *f*; ~**ed** [fɪkst] *adj* fest; ~**ture** ['fɪkstʃə*] *n* Installationsteil *m*; (*SPORT*) Spiel *nt*

fizzle ['fɪzl] *vi*: **to** ~ **out** verpuffen

fizzy ['fɪzɪ] *adj* Sprudel-, sprudelnd

flabbergasted ['flæbəgɑːstɪd] (*inf*) *adj* platt

flabby ['flæbɪ] *adj* wabbelig

flag [flæg] *n* Fahne *f* ♦ *vi* (*strength*) nachlassen; (*spirit*) erlahmen; ~ **down** *vt* anhalten

flagpole ['flægpəʊl] *n* Fahnenstange *f*

flagrant ['fleɪgrənt] *adj* kraß

flair [flɛə*] *n* Talent *nt*

flak [flæk] *n* Flakfeuer *nt*

flake [fleɪk] *n* (*of snow*) Flocke *f*; (*of rust*) Schuppe *f* ♦ *vi* (*also:* ~ *off*) abblättern

flamboyant [flæm'bɔɪənt] *adj* extravagant

flame [fleɪm] *n* Flamme *f*

flamingo [flə'mɪŋgəʊ] *n* Flamingo *m*

flammable ['flæməbl] *adj* brennbar

flan [flæn] (*BRIT*) *n* Obsttorte *f*

flank [flæŋk] *n* Flanke *f* ♦ *vt* flankieren

flannel ['flænl] *n* Flanell *m*; (*BRIT: also: face* ~) Waschlappen *m*; (: *inf*) Geschwafel *nt*; ~**s** *npl* (*trousers*) Flanellhose *f*

flap [flæp] *n* Klappe *f*; (*inf: crisis*) (helle) Aufregung *f* ♦ *vt* (*wings*) schlagen mit ♦ *vi* flattern

flare [flɛə*] *n* (*signal*) Leuchtsignal *nt*; (*in skirt etc*) Weite *f*; ~ **up** *vi* aufflammen; (*fig*)

aufbrausen; (*revolt*) (plötzlich) ausbrechen

flash [flæʃ] *n* Blitz *m*; (*also: news* ~) Kurzmeldung *f*; (*PHOT*) Blitzlicht *nt* ♦ *vt* aufleuchten lassen ♦ *vi* aufleuchten; **in a** ~ im Nu; ~ **by** *or* **past** *vi* vorbeirasen; ~**back** *n* Rückblende *f*; ~**bulb** *n* Blitzlichtbirne *f*; ~ **cube** *n* Blitzwürfel *m*; ~**light** *n* Blitzlicht *nt*

flashy ['flæʃɪ] (*pej*) *adj* knallig

flask [flɑːsk] *n* (*CHEM*) Kolben *m*; (*also: vacuum* ~) Thermosflasche *f* (®)

flat [flæt] *adj* flach; (*dull*) matt; (*MUS*) erniedrigt; (*beer*) schal; (*tyre*) platt ♦ *n* (*BRIT: rooms*) Wohnung *f*; (*MUS*) b *nt*; (*AUT*) Platte(n) *m*; **to work** ~ **out** auf Hochtouren arbeiten; ~**ly** *adv* glatt; ~**ten** *vt* (*also:* ~*ten out*) ebnen

flatter ['flætə*] *vt* schmeicheln +*dat*; ~**ing** *adj* schmeichelhaft; ~**y** *n* Schmeichelei *f*

flatulence ['flætjʊləns] *n* Blähungen *pl*

flaunt [flɔːnt] *vt* prunken mit

flavour ['fleɪvə*] (*US* **flavor**) *n* Geschmack *m* ♦ *vt* würzen; ~**ed** *adj*: **strawberry-**~**ed** mit Erdbeergeschmack; ~**ing** *n* Würze *f*

flaw [flɔː] *n* Fehler *m*; ~**less** *adj* einwandfrei

flax [flæks] *n* Flachs *m*; ~**en** *adj* flachsfarben

flea [fliː] *n* Floh *m*

fleck [flek] *n* (*mark*) Fleck *m*; (*pattern*) Tupfen *m*

fled [fled] *pt, pp of* flee

flee (*pt, pp* **fled**) *vi* fliehen ♦ *vt* fliehen vor +*dat*; (*country*) fliehen aus

fleece [fliːs] *n* Vlies *nt* ♦ *vt* (*inf*) schröpfen

fleet [fliːt] *n* Flotte *f*

fleeting ['fliːtɪŋ] *adj* flüchtig

Flemish ['flemɪʃ] *adj* flämisch

flesh [fleʃ] *n* Fleisch *nt*; ~ **wound** *n* Fleischwunde *f*

flew [fluː] *pt of* fly

flex [fleks] *n* Kabel *nt* ♦ *vt* beugen; ~**ibility** [fleksɪ'bɪlɪtɪ] *n* Biegsamkeit *f*; (*fig*) Flexibilität *f*; ~**ible** *adj* biegsam; (*plans*) flexibel

flick [flɪk] *n* leichte(r) Schlag *m* ♦ *vt* leicht schlagen; ~ **through** *vt fus* durchblättern

flicker ['flɪkə*] *n* Flackern *nt* ♦ *vi* flackern

flier ['flaɪə*] *n* Flieger *m*

flight [flaɪt] *n* Flug *m*; (*fleeing*) Flucht *f*; (*also:* ~ *of steps*) Treppe *f*; **to take** ~ die Flucht ergreifen; ~ **attendant** (*US*) *n* Steward(eß) *m(f)*; ~ **deck** *n* Flugdeck *nt*

flimsy ['flɪmzɪ] *adj* (*thin*) hauchdünn; (*excuse*) fadenscheinig

flinch [flɪntʃ] *vi*: **to** ~ **(away from)** zurückschrecken (vor +*dat*)

fling [flɪŋ] (*pt, pp* **flung**) *vt* schleudern

flint [flɪnt] *n* Feuerstein *m*

flip [flɪp] *vt* werfen

flippant ['flɪpənt] *adj* schnippisch

flipper ['flɪpə*] *n* Flosse *f*

flirt [flɜːt] *vi* flirten ♦ *n*: **he/she is a** ~ er/

sie flirtet gern; ~**ation** [flɜː'teɪʃən] *n* Flirt *m*

flit [flɪt] *vi* flitzen

float [fləʊt] *n* (*FISHING*) Schwimmer *m*; (*esp in procession*) Plattformwagen *m* ♦ *vi* schwimmen; (*in air*) schweben ♦ *vt* (*COMM*) gründen; (*currency*) floaten

flock [flɒk] *n* (*of sheep, REL*) Herde *f*; (*of birds*) Schwarm *m*; (*of people*) Schar *f*

flog [flɒg] *vt* prügeln; (*inf: sell*) verkaufen

flood [flʌd] *n* Überschwemmung *f*, (*fig*) Flut *f* ♦ *vt* überschwemmen; ~**ing** *n* Überschwemmung *f*; ~**light** *n* Flutlicht *nt*

floor [flɔː*] *n* (Fuß)boden *m*; (*storey*) Stock *m* ♦ *vt* (*person*) zu Boden schlagen; **ground** ~ (*BRIT*) Erdgeschoß *nt*; **first** ~ erste(r) Stock *m*; (*US*) Erdgeschoß *nt*; ~**board** *n* Diele *f*, ~ **show** *n* Kabarettvorstellung *f*

flop [flɒp] *n* Plumps *m*; (*failure*) Reinfall *m* ♦ *vi* (*fail*) durchfallen

floppy ['flɒpɪ] *adj* hängend; ~ (**disk**) *n* (*COMPUT*) Diskette *f*

flora ['flɔːrə] *n* Flora *f*; ~**l** *adj* Blumen-

florid ['flɒrɪd] *adj* (*style*) blumig

florist ['flɒrɪst] *n* Blumenhändler(in) *m(f)*; ~'**s (shop)** *n* Blumengeschäft *nt*

flotation [*FINANCE*] Auflegung *f*

flounce [flaʊns] *n* Volant *m*

flounder ['flaʊndə*] *vi* (*fig*) ins Schleudern kommen ♦ *n* (*ZOOL*) Flunder *f*

flour ['flaʊə*] *n* Mehl *nt*

flourish ['flʌrɪʃ] *vi* blühen; gedeihen ♦ *n* (*waving*) Schwingen *nt*; (*of trumpets*) Tusch *m*, Fanfare *f*; ~**ing** *adj* blühend

flout [flaʊt] *vt* mißachten

flow [fləʊ] *n* Fließen *nt*; (*of sea*) Flut *f* ♦ *vi* fließen; ~ **chart** *n* Flußdiagramm *nt*

flower ['flaʊə*] *n* Blume *f* ♦ *vi* blühen; ~**bed** *n* Blumenbeet *nt*; ~**pot** *n* Blumentopf *m*; ~**y** *adj* (*style*) blumenreich

flown [fləʊn] *pp of* **fly**

flu [fluː] *n* Grippe *f*

fluctuate ['flʌktjʊeɪt] *vi* schwanken

fluctuation ['flʌktjʊ'eɪʃən] *n* Schwankung *f*

fluency ['fluːənsɪ] *n* Flüssigkeit *f*

fluent ['fluːənt] *adj* fließend; ~**ly** *adv* fließend

fluff [flʌf] *n* Fussel *f*; ~**y** *adj* flaumig

fluid ['fluːɪd] *n* Flüssigkeit *f* ♦ *adj* flüssig; (*fig: plans*) veränderbar

fluke [fluːk] (*inf*) *n* Dusel *m*

flung [flʌŋ] *pt, pp of* **fling**

fluoride ['flʊəraɪd] *n* Fluorid *nt*; ~ **toothpaste** *n* Fluorzahnpasta *f*

flurry ['flʌrɪ] *n* (*of snow*) Gestöber *nt*; (*of activity*) Aufregung *f*

flush [flʌʃ] *n* Erröten *nt*; (*of excitement*) Glühen *nt* ♦ *vt* (aus)spülen ♦ *vi* erröten ♦ *adj* glatt; ~ **out** *vt* aufstöbern; ~**ed** *adj* rot

flustered ['flʌstəd] *adj* verwirrt

flute [fluːt] *n* Querflöte *f*

flutter ['flʌtə*] *n* Flattern *nt* ♦ *vi* flattern

flux [flʌks] *n*: **in a state of** ~ im Fluß

fly [flaɪ] (*pt* **flew**, *pp* **flown**) *n* (*insect*) Fliege *f*; (*on trousers: also:* **flies**) (Hosen)schlitz *m* ♦ *vt* fliegen ♦ *vi* fliegen; (*flee*) fliehen; (*flag*) wehen; ~ **away** *or* **off** *vi* (*bird, insect*) wegfliegen; ~**ing** *n* Fliegen *nt* ♦ *adj*: **with** ~**ing colours** mit fliegenden Fahnen; ~**ing start** gute(r) Start *m*; ~**ing visit** Stippvisite *f*; ~**ing saucer** *n* fliegende Untertasse *f*; ~**over** (*BRIT*) *n* Überführung *f*; ~**past** *n* Luftparade *f*; ~**sheet** *n* (*for tent*) Regendach *nt*

foal [fəʊl] *n* Fohlen *nt*

foam [fəʊm] *n* Schaum *m* ♦ *vi* schäumen; ~ **rubber** *n* Schaumgummi *m*

fob [fɒb] *vt*: **to** ~ **sb off with sth** jdm mit etw andrehen; (*with promise*) jdm mit etw abspeisen

focal ['fəʊkəl] *adj* Brenn-; ~ **point** *n* (*of room, activity*) Mittelpunkt *m*

focus ['fəʊkəs] (*pl* ~**es**) *n* Brennpunkt *m* ♦ *vt* (*attention*) konzentrieren; (*camera*) scharf einstellen ♦ *vi*: **to** ~ (**on**) sich konzentrieren (auf +*acc*); **in** ~ scharf eingestellt; **out of** ~ unscharf

fodder ['fɒdə*] *n* Futter *nt*

foe [fəʊ] *n* Feind *m*

foetus ['fiːtəs] (*US* **fetus**) *n* Fötus *m*

fog [fɒg] *n* Nebel *m*; ~**gy** *adj* neblig; ~ **lamp** *n* (*AUT*) Nebellampe *f*

foil [fɔɪl] *vt* vereiteln ♦ *n* (*metal, also fig*) Folie *f*; (*FENCING*) Florett *nt*

fold [fəʊld] *n* (*bend, crease*) Falte *f*; (*AGR*) Pferch *m* ♦ *vt* falten; ~ **up** *vt* (*map etc*) zusammenfalten ♦ *vi* (*business*) eingehen; ~**er** *n* Schnellhefter *m*; ~**ing** *adj* (*chair etc*) Klapp-

foliage ['fəʊlɪɪdʒ] *n* Laubwerk *nt*

folk [fəʊk] *npl* Leute *pl* ♦ *adj* Volks-; ~**s** *npl* (*family*) Leute *pl*; ~**lore** ['fəʊklɔː*] *n* (*study*) Volkskunde *f*; (*tradition*) Folklore *f*; ~ **song** *n* Volkslied *nt*; (*modern*) Folksong *m*

follow ['fɒləʊ] *vt* folgen +*dat*; (*fashion*) mitmachen ♦ *vi* folgen; ~ **up** *vt* verfolgen; ~**er** *n* Anhänger(in) *m(f)*; ~**ing** *adj* folgend ♦ *n* (*people*) Gefolgschaft *f*

folly ['fɒlɪ] *n* Torheit *f*

fond [fɒnd] *adj*: **to be** ~ **of** gern haben

fondle ['fɒndl] *vt* streicheln

font [fɒnt] *n* Taufbecken *nt*

food [fuːd] *n* Essen *nt*; (*for animals*) Futter *nt*; ~ **mixer** *n* Küchenmixer *m*; ~ **poisoning** *n* Lebensmittelvergiftung *f*; ~ **processor** *n* Küchenmaschine *f*; ~**stuffs** *npl* Lebensmittel *pl*

fool [fuːl] *n* Narr *m*, Närrin *f* ♦ *vt* (*deceive*) hereinlegen ♦ *vi* (*also:* ~ **around**) (herum)albern; ~**hardy** *adj* tollkühn; ~**ish** *adj* albern; ~**proof** *adj* idiotensicher

foot [fʊt] (*pl* **feet**) *n* Fuß *m* ♦ *vt* (*bill*) bezahlen; **on** ~ zu Fuß; ~**age** *n* (*CINE*) Filmmaterial *nt*; ~**ball** *n* Fußball *m*; (*game: BRIT*) Fußball *m*; (: *US*) Football *m*; ~**ball player** *n* (*BRIT: also:* ~*baller*) Fußballspieler *m*, Fußballer *m*; (*US*) Footballer *m*; ~**brake** *n* Fußbremse *f*; ~**bridge** *n* Fußgängerbrücke *f*; ~**hills** *npl* Ausläufer *pl*; ~**hold** *n* Halt *m*; ~**ing** *n* Halt *m*; (*fig*) Verhältnis *nt*; ~**lights** *npl* Rampenlicht *nt*; ~**man** (*irreg*) *n* Bedienstete(r) *m*; ~**note** *n* Fußnote *f*; ~**path** *n* Fußweg *m*; ~**print** *n* Fußabdruck *m*; ~**sore** *adj* fußkrank; ~**step** *n* Schritt *m*; ~**wear** *n* Schuhzeug *nt*

KEYWORD
---

for [fɔː*] *prep* **1** für; **is this for me?** ist das für mich?; **the train for London** der Zug nach London; **he went for the paper** er ging die Zeitung holen; **give it to me - what for?** gib es mir - warum?
2 (*because of*) wegen; **for this reason** aus diesem Grunde
3 (*referring to distance*): **there are roadworks for 5 km** die Baustelle ist 5 km lang; **we walked for miles** wir sind meilenweit gegangen
4 (*referring to time*) seit; (: *with future sense*) für; **he was away for 2 years** er war zwei Jahre lang weg
5 (*with infin clauses*): **it is not for me to decide** das kann ich nicht entscheiden; **for this to be possible ...** damit dies möglich wird/wurde ...
6 (*in spite of*) trotz +*gen or* (*inf*) *dat*; **for all his complaints** obwohl er sich ständig beschwert
♦ *conj* denn

forage ['fɒrɪdʒ] *n* (Vieh)futter *nt*
foray ['fɒreɪ] *n* Raubzug *m*
forbad(e) [fə'bæd] *pt of* forbid
forbid [fə'bɪd] (*pt* forbad(e), *pp* forbidden) *vt* verbieten; ~**den** [fə'bɪdn] *pp of* forbid; ~**ding** *adj* einschüchternd
force [fɔːs] *n* Kraft *f*; (*compulsion*) Zwang *m* ♦ *vt* zwingen; (*lock*) aufbrechen; **the F~s** *npl* (*BRIT*) die Streitkräfte; **in ~** (*rule*) gültig; (*group*) in großer Stärke; ~**d** [fɔːst] *adj* (*smile*) gezwungen; (*landing*) Not-; ~**feed** *vt* zwangsernähren; ~**ful** *adj* (*speech*) kraftvoll; (*personality*) resolut
forceps ['fɔːseps] *npl* Zange *f*
forcibly ['fɔːsəblɪ] *adv* zwangsweise
ford [fɔːd] *n* Furt *f* ♦ *vt* durchwaten
fore [fɔː*] *n*: **to the ~** in den Vordergrund
forearm ['fɔːrɑːm] *n* Unterarm *m*
foreboding [fɔː'bəʊdɪŋ] *n* Vorahnung *f*
forecast ['fɔːkɑːst] (*irreg: like* cast) *n* Vorhersage *f* ♦ *vt* voraussagen
forecourt ['fɔːkɔːt] *n* (*of garage*) Vorplatz *m*
forefathers ['fɔːfɑːðəz] *npl* Vorfahren *pl*

forefinger ['fɔːfɪŋɡə*] *n* Zeigefinger *m*
forefront ['fɔːfrʌnt] *n* Spitze *f*
forego [fɔː'ɡəʊ] (*irreg: like* go) *vt* verzichten auf +*acc*
foregone ['fɔːɡɒn] *adj*: **it's a ~ conclusion** es steht von vornherein fest
foreground ['fɔːɡraʊnd] *n* Vordergrund *m*
forehead ['fɒrɪd] *n* Stirn *f*
foreign ['fɒrɪn] *adj* Auslands-; (*accent*) ausländisch; (*trade*) Außen-; (*body*) Fremd-; ~**er** *n* Ausländer(in) *m(f)*; ~ **exchange** *n* Devisen *pl*; **F~ Office** (*BRIT*) *n* Außenministerium *nt*; **F~ Secretary** (*BRIT*) *n* Außenminister *m*
foreleg ['fɔːleɡ] *n* Vorderbein *nt*
foreman ['fɔːmən] (*irreg*) *n* Vorarbeiter *m*
foremost ['fɔːməʊst] *adj* erste(r, s) ♦ *adv*: **first and ~** vor allem
forensic [fə'rensɪk] *adj* gerichtsmedizinisch
forerunner ['fɔːrʌnə*] *n* Vorläufer *m*
foresee [fɔː'siː] (*irreg: like* see) *vt* vorhersehen; ~**able** *adj* absehbar
foreshadow [fɔː'ʃædəʊ] *vt* andeuten
foresight ['fɔːsaɪt] *n* Voraussicht *f*
forest ['fɒrɪst] *n* Wald *m*
forestall [fɔː'stɔːl] *vt* zuvorkommen +*dat*
forestry ['fɒrɪstrɪ] *n* Forstwirtschaft *f*
foretaste ['fɔːteɪst] *n* Vorgeschmack *m*
foretell [fɔː'tel] (*irreg: like* tell) *vt* vorhersagen
forever [fə'revə*] *adv* für immer
foreword ['fɔːwɜːd] *n* Vorwort *nt*
forfeit ['fɔːfɪt] *n* Einbuße *f* ♦ *vt* verwirken
forgave [fə'ɡeɪv] *pt of* forgive
forge [fɔːdʒ] *n* Schmiede *f* ♦ *vt* fälschen; (*iron*) schmieden; ~ **ahead** *vi* Fortschritte machen; ~**r** *n* Fälscher *m*; ~**ry** *n* Fälschung *f*
forget [fə'ɡet] (*pt* forgot, *pp* forgotten) *vt, vi* vergessen; ~**ful** *adj* vergeßlich; ~**-me-not** *n* Vergißmeinnicht *nt*
forgive [fə'ɡɪv] (*pt* forgave, *pp* forgiven) *vt* verzeihen; **to ~ sb (for sth)** jdm (etw) verzeihen; ~**n** *pp of* forgive; ~**ness** *n* Verzeihung *f*
forgo [fɔː'ɡəʊ] (*irreg: like* go) *vt* verzichten auf +*acc*
forgot [fə'ɡɒt] *pt of* forget
forgotten [fə'ɡɒtn] *pp of* forget
fork [fɔːk] *n* Gabel *f*; (*in road*) Gabelung *f* ♦ *vi* (*road*) sich gabeln; ~ **out** (*inf*) *vt* (*pay*) blechen; ~-**lift truck** *n* Gabelstapler *m*
forlorn [fə'lɔːn] *adj* (*person*) verlassen; (*hope*) vergeblich
form [fɔːm] *n* Form *f*; (*type*) Art *f*; (*figure*) Gestalt *f*; (*SCH*) Klasse *f*; (*bench*) (Schul)bank *f*; (*document*) Formular *nt* ♦ *vt* formen; (*be part of*) bilden
formal ['fɔːməl] *adj* formell; (*occasion*) offiziell; ~**ly** *adv* (*ceremoniously*) formell; (*officially*) offiziell
format ['fɔːmæt] *n* Format *nt* ♦ *vt* (*COM-*

PUT) formatieren

formation [fɔː'meɪʃən] n Bildung f; (*AVIAT*) Formation f

formative ['fɔːmətɪv] adj (*years*) formend

former ['fɔːmə*] adj früher; (*opposite of latter*) erstere(r, s); ~**ly** adv früher

formidable ['fɔːmɪdəbl] adj furchtbar

formula ['fɔːmjʊlə] (pl ~e or ~s) n Formel f; **formulae** ['fɔːmjuːliː] npl of **formula**; ~**te** ['fɔːmjʊleɪt] vt formulieren

forsake [fə'seɪk] (pt **forsook**, pp **forsaken**) vt verlassen; **forsaken** pp of **forsake**

forsook [fə'suk] pt of **forsake**

fort [fɔːt] n Feste f, Fort nt

forte ['fɔːtɪ] n Stärke f, starke Seite f

forth [fɔːθ] adv: **and so** ~ und so weiter; ~**coming** adj kommend; (*character*) entgegenkommend; ~**right** adj offen; ~**with** adv umgehend

fortify ['fɔːtɪfaɪ] vt (ver)stärken; (*protect*) befestigen

fortitude ['fɔːtɪtjuːd] n Seelenstärke f

fortnight ['fɔːtnaɪt] (*BRIT*) n vierzehn Tage pl; ~**ly** (*BRIT*) adj zweiwöchentlich ♦ adv alle vierzehn Tage

fortress ['fɔːtrɪs] n Festung f

fortuitous [fɔː'tjuːɪtəs] adj zufällig

fortunate ['fɔːtʃənɪt] adj glücklich; ~**ly** adv glücklicherweise, zum Glück

fortune ['fɔːtʃən] n Glück nt; (*money*) Vermögen nt; ~-**teller** n Wahrsager(in) m(f)

forty ['fɔːtɪ] num vierzig

forum ['fɔːrəm] n Forum nt

forward ['fɔːwəd] adj vordere(r, s); (*movement*) Vorwärts-; (*person*) vorlaut; (*planning*) Voraus- ♦ adv vorwärts ♦ n (*SPORT*) Stürmer m ♦ vt (*send*) schicken; (*help*) fördern; ~**s** adv vorwärts

forwent [fɔː'went] pt of **forgo**

fossil ['fɒsl] n Fossil nt, Versteinerung f

foster ['fɒstə*] vt (*talent*) fördern; ~ **child** n Pflegekind nt; ~ **mother** n Pflegemutter f

fought [fɔːt] pt, pp of **fight**

foul [faʊl] adj schmutzig; (*language*) gemein; (*weather*) schlecht ♦ n (*SPORT*) Foul nt ♦ vt (*mechanism*) blockieren; (*SPORT*) foulen; ~ **play** n (*SPORT*) Foulspiel nt; (*LAW*) Verbrechen nt

found [faʊnd] pt, pp of **find** ♦ vt gründen; ~**ation** [faʊn'deɪʃən] n (*act*) Gründung f; (*fig*) Fundament nt; (*also*: ~*ation cream*) Grundierungscreme f; ~**ations** npl (*of house*) Fundament nt

founder ['faʊndə*] n Gründer(in) m(f) ♦ vi sinken

foundry ['faʊndrɪ] n Gießerei f

fount [faʊnt] n Quelle f; ~**ain** ['faʊntɪn] n (*Spring*)brunnen m; ~**ain pen** n Füllfederhalter m

four [fɔː*] num vier; **on all** ~**s** auf allen vieren; ~-**poster** n Himmelbett nt; ~**some**

n Quartett nt; ~**teen** num vierzehn; ~**teenth** adj vierzehnte(r, s); ~**th** adj vierte(r, s)

fowl [faʊl] n Huhn nt; (*food*) Geflügel nt

fox [fɒks] n Fuchs m ♦ vt täuschen

foyer ['fɔɪeɪ] n Foyer nt, Vorhalle f

fraction ['frækʃən] n (*MATH*) Bruch m; (*part*) Bruchteil m

fracture ['fræktʃə*] n (*MED*) Bruch m ♦ vt brechen

fragile ['frædʒaɪl] adj zerbrechlich

fragment ['frægmənt] n Bruchstück nt; (*small part*) Splitter m

fragrance ['freɪgrəns] n Duft m

fragrant ['freɪgrənt] adj duftend

frail [freɪl] adj schwach, gebrechlich

frame [freɪm] n Rahmen m; (*of spectacles: also*: ~*s*) Gestell nt; (*body*) Gestalt f ♦ vt einrahmen; **to** ~ **sb** (*inf*: *incriminate*) jdm etwas anhängen; ~ **of mind** Verfassung f; ~**work** n Rahmen m; (*of society*) Gefüge nt

France [frɑːns] n Frankreich nt

franchise ['fræntʃaɪz] n (*POL*) (aktives) Wahlrecht nt; (*COMM*) Lizenz f

frank [fræŋk] adj offen ♦ vt (*letter*) frankieren; ~**ly** adv offen gesagt; ~**ness** n Offenheit f

frantic ['fræntɪk] adj verzweifelt

fraternal [frə'tɜːnl] adj brüderlich

fraternity [frə'tɜːnɪtɪ] n (*club*) Vereinigung f; (*spirit*) Brüderlichkeit f; (*US*: *SCH*) Studentenverbindung f

fraternize ['frætənaɪz] vi fraternisieren

fraud [frɔːd] n (*trickery*) Betrug m; (*person*) Schwindler(in) m(f)

fraudulent ['frɔːdjʊlənt] adj betrügerisch

fraught [frɔːt] adj: ~ **with** voller +gen

fray [freɪ] n Rauferei f ♦ vt, vi ausfransen; **tempers were** ~**ed** die Gemüter waren erhitzt

freak [friːk] n Monstrosität f ♦ cpd (*storm etc*) anormal

freckle ['frekl] n Sommersprosse f

free [friː] adj frei; (*loose*) lose; (*liberal*) freigebig ♦ vt (*set free*) befreien; (*unblock*) freimachen; ~ (**of charge**) gratis, umsonst; **for** ~ gratis, umsonst; ~**dom** ['friːdəm] n Freiheit f; ~-**for-all** n (*fight*) allgemeine(s) Handgemenge nt; ~ **gift** n Geschenk nt; ~**hold property** n (freie(r)) Grundbesitz m; ~ **kick** n Freistoß m; ~**lance** adj frei; (*artist*) freischaffend; ~**ly** adv frei; (*admit*) offen; ~**mason** n Freimaurer m; ~**post** n ≈ Gebühr zahlt Empfänger; ~-**range** adj (*hen*) Farmhof-; (*eggs*) Land-; ~ **trade** n Freihandel m; ~**way** n (*US*) n Autobahn f; ~**wheel** vi im Freilauf fahren; ~ **will** n: **of one's own** ~ **will** aus freien Stücken

freeze [friːz] (pt **froze**, pp **frozen**) vi gefrieren; (*feel cold*) frieren ♦ vt (*also fig*) einfrieren ♦ n (*fig*, *FIN*) Stopp m; ~**r** n Tief-

kühltruhe f; (in fridge) Gefrierfach nt
freezing ['fri:zɪŋ] adj eisig; (~ cold) eiskalt;
~ **point** n Gefrierpunkt m
freight [freɪt] n Fracht f; ~ **train** n
Güterzug m
French [frentʃ] adj französisch ♦ n (LING)
Französisch nt; **the** ~ npl (people) die
Franzosen pl; ~ **bean** n grüne Bohne f; ~
fried potatoes (BRIT) npl Pommes frites
pl; ~ **fries** (US) npl Pommes frites pl;
~**man/woman** (irreg) n Franzose m/
Französin f; ~ **window** n Verandatür f
frenzy ['frenzi] n Raserei f
frequency ['fri:kwənsɪ] n Häufigkeit f;
(PHYS) Frequenz f
frequent [adj 'fri:kwənt, vb fri:'kwent] adj
häufig ♦ vt (regelmäßig) besuchen; ~**ly** adv
(often) häufig, oft
fresco ['freskəʊ] n Fresko nt
fresh [freʃ] adj frisch; ~**en** vi (also: ~en
up) (sich) auffrischen; (person) sich frisch
machen; ~**er** (BRIT: inf) n (UNIV) Erstse-
mester nt; ~**ly** adv gerade; ~**man** (US: irreg) n = fresher; ~**ness** n Frische f; ~**water** adj (fish) Süßwasser-
fret [fret] vi sich dat Sorgen machen
friar ['fraɪə*] n Klosterbruder m
friction ['frɪkʃən] n (also fig) Reibung f
Friday ['fraɪdeɪ] n Freitag m
fridge [frɪdʒ] (BRIT) n Kühlschrank m
fried [fraɪd] adj gebraten
friend [frend] n Freund(in) m(f); ~**ly** adj
freundlich; (relations) freundschaftlich;
~**ship** n Freundschaft f
frieze [fri:z] n Fries m
frigate ['frɪgɪt] n Fregatte f
fright [fraɪt] n Schrecken m; **to take** ~ es
mit der Angst zu tun bekommen; ~**en** vt
erschrecken; **to be** ~**ened** Angst haben;
~**ening** adj schrecklich; ~**ful** (inf) adj
furchtbar; ~**fully** (inf) adv furchtbar
frigid ['frɪdʒɪd] adj (woman) frigide
frill [frɪl] n Rüsche f
fringe [frɪndʒ] n Besatz m; (BRIT: of hair)
Pony m; (fig) Peripherie f; ~ **benefits** npl
zusätzliche Leistungen pl
frisk [frɪsk] vt durchsuchen
frisky ['frɪskɪ] adj lebendig, ausgelassen
fritter ['frɪtə*] vt: **to** ~ **away** vergeuden
frivolous ['frɪvələs] adj frivol
frizzy ['frɪzɪ] adj kraus
fro [frəʊ] see **to**
frock [frɒk] n Kleid nt
frog [frɒg] n Frosch m; ~**man** (irreg) n
Froschmann m
frolic ['frɒlɪk] vi ausgelassen sein

— KEYWORD

from [frɒm] prep **1** (indicating starting place)
von; (indicating origin etc) aus +dat; **a
letter/telephone call from my sister** ein
Brief/Anruf von meiner Schwester; **where**

do you come from? woher kommen Sie?;
to drink from the bottle aus der Flasche
trinken
2 (indicating time) von ... an; (: past) seit;
from one o'clock to or **until** or **till two**
von ein Uhr bis zwei; **from January (on)**
ab Januar
3 (indicating distance) von ... (entfernt)
4 (indicating price, number etc) ab +dat;
from £10 ab £10; **there were from 20 to
30 people there** es waren zwischen 20 und
30 Leute da
5 (indicating difference): **he can't tell red
from green** er kann nicht zwischen rot
und grün unterscheiden; **to be different
from sb/sth** anders sein als jd/etw
6 (because of, on the basis of): **from what
he says** aus dem, was er sagt; **weak from
hunger** schwach vor Hunger

front [frʌnt] n Vorderseite f; (of house) Fassade f; (promenade: also: sea ~) Strandpromenade f; (MIL, POL, MET) Front f; (fig: appearances) Fassade f ♦ adj (forward) vorde-
re(r, s), Vorder-; (first) vorderste(r, s); **in** ~
vorne; **in** ~ **of** vor; ~**age** n Vorderfront f;
~**al** adj frontal, Vorder-; ~ **door** n
Haustür f; ~**ier** ['frʌntɪə*] n Grenze f; ~
page n Titelseite f; ~ **room** (BRIT) n
Wohnzimmer nt; ~-**wheel drive** n Vorder-
radantrieb m
frost [frɒst] n Frost m; ~**bite** n Erfrierung
f; ~**ed** adj (glass) Milch-; ~**y** adj frostig
froth [frɒθ] n Schaum m
frown [fraʊn] n Stirnrunzeln nt ♦ vi die
Stirn runzeln
froze [frəʊz] pt of **freeze**
frozen ['frəʊzn] pp of **freeze**
frugal ['fru:gəl] adj sparsam, bescheiden
fruit [fru:t] n inv (as collective) Obst nt;
(particular) Frucht f; ~**erer** n Obsthändler
m; ~**ful** adj fruchtbar; ~**ion** [fru:'ɪʃən] n:
to come to ~**ion** in Erfüllung gehen; ~
juice n Fruchtsaft m; ~ **machine** (BRIT) n
Spielautomat m; ~ **salad** n Obstsalat m
frustrate [frʌs'treɪt] vt vereiteln; ~**d** adj gehemmt; (PSYCH) frustriert
fry [fraɪ] (pt, pp fried) vt braten ♦ npl: **small**
~ kleine Fische pl; ~**ing pan** n Bratpfan-
ne f
ft. abbr = **foot**; **feet**
fuddy-duddy ['fʌdɪdʌdɪ] n altmodische(r)
Kauz m
fudge [fʌdʒ] n Fondant m
fuel [fjʊəl] n (for stove) Brennstoff m; (for heating)
Brennstoff m; (for lighter) Benzin nt; ~ **oil**
n (diesel fuel) Heizöl nt; ~ **tank** n Tank m
fugitive ['fju:dʒɪtɪv] n Flüchtling m
fulfil [fʊl'fɪl] vt (duty) erfüllen; (promise)
einhalten; ~**ment** n Erfüllung f
full [fʊl] adj (box, bottle, price) voll; (person:
satisfied) satt; (member, power, employment,

moon) Voll-; (*complete*) vollständig, Voll-; (*speed*) höchste(r, s); (*skirt*) weit ♦ *adv*: ~ **well** sehr wohl; **in** ~ vollständig; **a** ~ **two hours** volle zwei Stunden; **~-length** *adj* (*lifesize*) lebensgroß; **a** ~**-length photograph** eine Ganzaufnahme; ~ **moon** *n* Vollmond *m*; **~-scale** *adj* (*attack*) General-; (*drawing*) in Originalgröße; ~ **stop** *n* Punkt *m*; **~-time** *adj* (*job*) Ganztags- ♦ *adv* (*work*) ganztags ♦ *n* (*SPORT*) Spielschluß *nt*; **~y** *adv* völlig; **~y-fledged** *adj* (*also fig*) flügge

fulsome ['fulsəm] *adj* übertrieben

fumble ['fʌmbl] *vi*: **to** ~ (**with**) herumfummeln (an +*dat*)

fume [fjuːm] *vi* qualmen; (*fig*) kochen (*inf*); **~s** *npl* (*of fuel, car*) Abgase *pl*

fumigate ['fjuːmɪɡeɪt] *vt* ausräuchern

fun [fʌn] *n* Spaß *m*; **to make** ~ **of** sich lustig machen über +*acc*

function ['fʌŋkʃən] *n* Funktion *f*; (*occasion*) Veranstaltung *f* ♦ *vi* funktionieren; **~al** *adj* funktionell

fund [fʌnd] *n* (*money*) Geldmittel *pl*, Fonds *m*; (*store*) Vorrat *m*; **~s** *npl* (*resources*) Mittel *pl*

fundamental [fʌndə'mentl] *adj* fundamental, grundlegend

funeral ['fjuːnərəl] *n* Beerdigung *f*; ~ **parlour** *n* Leichenhalle *f*; ~ **service** *n* Trauergottesdienst *m*

funfair ['fʌnfɛə*] (*BRIT*) *n* Jahrmarkt *m*

fungi ['fʌŋɡaɪ] *npl of* **fungus**

fungus ['fʌŋɡəs] *n* Pilz *m*

funnel ['fʌnl] *n* Trichter *m*; (*NAUT*) Schornstein *m*

funny ['fʌnɪ] *adj* komisch

fur [fɜː*] *n* Pelz *m*; ~ **coat** *n* Pelzmantel *m*

furious ['fjuərɪəs] *adj* wütend; (*attempt*) heftig

furlong ['fɜːlɒŋ] *n* = 201.17 m

furlough ['fɜːləu] *n* Urlaub *m*

furnace ['fɜːnɪs] *n* (Brenn)ofen *m*

furnish ['fɜːnɪʃ] *vt* einrichten; (*supply*) versehen; **~ings** *npl* Einrichtung *f*

furniture ['fɜːnɪtʃə*] *n* Möbel *pl*; **piece of** ~ Möbelstück *nt*

furrow ['fʌrəu] *n* Furche *f*

furry ['fɜːrɪ] *adj* (*tongue*) pelzig; (*animal*) Pelz-

further ['fɜːðə*] *adj* weitere(r, s) ♦ *adv* weiter ♦ *vt* fördern; ~ **education** *n* Weiterbildung *f*; Erwachsenenbildung *f*; **~more** *adv* ferner

furthest ['fɜːðɪst] *superl of* **far**

furtive ['fɜːtɪv] *adj* verstohlen

fury ['fjuərɪ] *n* Wut *f*, Zorn *m*

fuse [fjuːz] *n* (*ELEC*) Sicherung *f*; (*of bomb*) Zünder *m* ♦ *vt* verschmelzen ♦ *vi* (*BRIT*: *ELEC*) durchbrennen; ~ **box** *n* Sicherungskasten *m*

fuselage ['fjuːzəlɑːʒ] *n* Flugzeugrumpf *m*

fusion ['fjuːʒən] *n* Verschmelzung *f*

fuss [fʌs] *n* Theater *nt*; **~y** *adj* kleinlich

futile ['fjuːtaɪl] *adj* zwecklos, sinnlos

futility [fjuː'tɪlɪtɪ] *n* Zwecklosigkeit *f*

future ['fjuːtʃə*] *adj* zukünftig ♦ *n* Zukunft *f*; **in (the)** ~ in Zukunft

fuze [fjuːz] (*US*) = **fuse**

fuzzy ['fʌzɪ] *adj* (*indistinct*) verschwommen; (*hair*) kraus

G g

G [dʒiː] *n* (*MUS*) G *nt*

G7 *n abbr* (= *Group of Seven*) G7 *f*

gabble ['ɡæbl] *vi* plappern

gable ['ɡeɪbl] *n* Giebel *m*

gadget ['ɡædʒɪt] *n* Vorrichtung *f*

Gaelic ['ɡeɪlɪk] *adj* gälisch ♦ *n* (*LING*) Gälisch *nt*

gaffe [ɡæf] *n* Fauxpas *m*

gag [ɡæɡ] *n* Knebel *m*; (*THEAT*) Gag *m* ♦ *vt* knebeln

gaiety ['ɡeɪətɪ] *n* Fröhlichkeit *f*

gaily ['ɡeɪlɪ] *adv* lustig, fröhlich

gain [ɡeɪn] *vt* (*obtain*) erhalten; (*win*) gewinnen ♦ *vi* (*clock*) vorgehen ♦ *n* Gewinn *m*; **to** ~ **in sth** an etw *dat* gewinnen; ~ **on** *vt fus* einholen

gait [ɡeɪt] *n* Gang *m*

gal. *abbr* = **gallon**

gala ['ɡɑːlə] *n* Fest *nt*

galaxy ['ɡæləksɪ] *n* Sternsystem *nt*

gale [ɡeɪl] *n* Sturm *m*

gallant ['ɡælənt] *adj* tapfer; (*polite*) galant; **~ry** *n* Tapferkeit *f*; Galanterie *f*

gallbladder ['ɡɔːl-] *n* Gallenblase *f*

gallery ['ɡælərɪ] *n* (*also: art* ~) Galerie *f*

galley ['ɡælɪ] *n* (*ship's kitchen*) Kombüse *f*; (*ship*) Galeere *f*

gallon ['ɡælən] *n* Gallone *f*

gallop ['ɡæləp] *n* Galopp *m* ♦ *vi* galoppieren

gallows ['ɡæləuz] *n* Galgen *m*

gallstone ['ɡɔːlstəun] *n* Gallenstein *m*

galore [ɡə'lɔː*] *adv* in Hülle und Fülle

galvanize ['ɡælvənaɪz] *vt* (*metal*) galvanisieren; (*fig*) elektrisieren

gambit ['ɡæmbɪt] *n* (*fig*): **opening** ~ (einleitende(r)) Schachzug *m*

gamble ['ɡæmbl] *vi* (um Geld) spielen ♦ *vt* (*risk*) aufs Spiel setzen ♦ *n* Risiko *nt*; **~r** *n* Spieler(in) *m(f)*

gambling ['ɡæmblɪŋ] *n* Glücksspiel *nt*

game [geɪm] n Spiel nt; (*hunting*) Wild nt ♦ adj: ~ **(for)** bereit (zu); ~**keeper** n Wildhüter m; ~**s console** n (*COMPUT*) Gameboy m (®), Konsole f

gammon ['gæmən] n geräucherte(r) Schinken m

gamut ['gæmət] n Tonskala f

gang [gæŋ] n (*of criminals, youths*) Bande f; (*of workmen*) Kolonne f ♦ vi: **to ~ up on sb** sich gegen jdn verschwören

gangrene ['gæŋgriːn] n Brand m

gangster ['gæŋstə*] n Gangster m

gangway ['gæŋweɪ] n (*NAUT*) Laufplanke f; (*aisle*) Gang m

gaol [dʒeɪl] (*BRIT*) n, vt = **jail**

gap [gæp] n Lücke f

gape [geɪp] vi glotzen

gaping ['geɪpɪŋ] adj (*wound*) klaffend; (*hole*) gähnend

garage ['gærɑːʒ] n Garage f; (*for repair*) (Auto)reparaturwerkstatt f; (*for petrol*) Tankstelle f

garbage ['gɑːbɪdʒ] n Abfall m; ~ **can** (*US*) n Mülltonne f

garbled ['gɑːbld] adj (*story*) verdreht

garden ['gɑːdn] n Garten m; ~**er** n Gärtner(in) m(f); ~**ing** n Gärtnern nt

gargle ['gɑːgl] vi gurgeln

gargoyle ['gɑːgɔɪl] n Wasserspeier m

garish ['gɛərɪʃ] adj grell

garland ['gɑːlənd] n Girlande f

garlic ['gɑːlɪk] n Knoblauch m

garment ['gɑːmənt] n Kleidungsstück nt

garnish ['gɑːnɪʃ] vt (*food*) garnieren

garrison ['gærɪsən] n Garnison f

garrulous ['gærʊləs] adj geschwätzig

garter ['gɑːtə*] n Strumpfband nt; (*US*) Strumpfhalter m

gas [gæs] n Gas nt; (*esp US: petrol*) Benzin nt ♦ vt vergasen; ~ **cooker** (*BRIT*) n Gasherd m; ~ **cylinder** n Gasflasche f; ~ **fire** n Gasofen m

gash [gæʃ] n klaffende Wunde f ♦ vt tief verwunden

gasket ['gæskɪt] n Dichtungsring m

gas mask n Gasmaske f

gas meter n Gaszähler m

gasoline ['gæsəliːn] (*US*) n Benzin nt

gasp [gɑːsp] vi keuchen; (*in astonishment*) tief Luft holen ♦ n Keuchen nt

gas ring n Gasring m

gas tap n Gashahn m

gastric ['gæstrɪk] adj Magen-

gate [geɪt] n Tor nt; (*barrier*) Schranke f; ~**crash** (*BRIT*) vt (*party*) platzen in +*acc*; ~**way** n Toreingang m

gather ['gæðə*] vt (*people*) versammeln; (*things*) sammeln; (*understand*) annehmen ♦ vi (*assemble*) sich versammeln; **to ~ speed** schneller werden; **to ~ (from)** schließen (aus); ~**ing** n Versammlung f

gauche [gəʊʃ] adj linkisch

gaudy ['gɔːdɪ] adj schreiend

gauge [geɪdʒ] n (*instrument*) Meßgerät nt; (*RAIL*) Spurweite f; (*dial*) Anzeiger m; (*measure*) Maß nt ♦ vt (ab)messen; (*fig*) abschätzen

gaunt [gɔːnt] adj hager

gauntlet ['gɔːntlɪt] n (*knight's*) (Fehde)handschuh m

gauze [gɔːz] n Gaze f

gave [geɪv] pt of **give**

gay [geɪ] adj (*homosexual*) schwul; (*lively*) lustig

gaze [geɪz] n Blick m ♦ vi starren; **to ~ at sth** etw dat anstarren

gazelle [gə'zel] n Gazelle f

gazetteer [gæzɪ'tɪə*] n geographische(s) Lexikon nt

gazumping [gə'zʌmpɪŋ] (*BRIT*) n Hauskauf an Höherbietenden trotz Zusage an anderen

GB n abbr = **Great Britain**

GCE (*BRIT*) n abbr = **General Certificate of Education**

GCSE (*BRIT*) n abbr = **General Certificate of Secondary Education**

gear [gɪə*] n Getriebe nt; (*equipment*) Ausrüstung f; (*AUT*) Gang m ♦ vt (*fig: adapt*): **to be ~ed to** ausgerichtet sein auf +*acc*; **top ~** höchste(r) Gang m; **high ~** (*US*) höchste(r) Gang m; **low ~** niedrige(r) Gang m; **in ~** eingekuppelt; ~ **box** n Getriebe(gehäuse) nt; ~ **lever** n Schalthebel m; ~ **shift** (*US*) n Schalthebel m

geese [giːs] npl of **goose**

gel [dʒel] n Gel nt

gelatin(e) ['dʒelətiːn] n Gelatine f

gelignite ['dʒelɪgnaɪt] n Plastiksprengstoff m

gem [dʒem] n Edelstein m; (*fig*) Juwel nt

Gemini ['dʒemɪniː] n Zwillinge pl

gender ['dʒendə*] n (*GRAM*) Geschlecht nt

gene [dʒiːn] n Gen nt

general ['dʒenərəl] n General m ♦ adj allgemein; ~ **delivery** (*US*) n Ausgabe(schalter m) f postlagernder Sendungen; ~ **election** n allgemeine Wahlen pl; ~**ization** ['dʒenərəlaɪ'zeɪʃən] n Verallgemeinerung f; ~**ize** vi verallgemeinern; ~**ly** adv allgemein, im allgemeinen; ~ **practitioner** n praktische(r) Arzt m, praktische Ärztin f

generate ['dʒenəreɪt] vt erzeugen

generation [dʒenə'reɪʃən] n Generation f; (*act*) Erzeugung f

generator ['dʒenəreɪtə*] n Generator m

generosity [dʒenə'rɒsɪtɪ] n Großzügigkeit f

generous ['dʒenərəs] adj großzügig

genetic [dʒɪ'netɪk]: ~ **engineering** n Gentechnologie f; ~ **fingerprinting** n genetische Fingerabdrücke pl

genetics [dʒɪ'netɪks] n Genetik f

Geneva [dʒɪ'niːvə] n Genf nt

genial ['dʒiːnɪəl] adj freundlich, jovial

genitals ['dʒenɪtlz] *npl* Genitalien *pl*
genius ['dʒiːnɪəs] *n* Genie *nt*
genocide ['dʒenəʊsaɪd] *n* Völkermord *m*
gent [dʒent] *n abbr* = **gentleman**
genteel [dʒen'tiːl] *adj* (*polite*) wohlanständig; (*affected*) affektiert
gentle ['dʒentl] *adj* sanft, zart
gentleman ['dʒentlmən] (*irreg*) *n* Herr *m*; (*polite*) Gentleman *m*
gentleness ['dʒentlnɪs] *n* Zartheit *f*, Milde *f*
gently ['dʒentlɪ] *adv* zart, sanft
gentry ['dʒentrɪ] *n* Landadel *m*
gents [dʒents] *n*: G~ (*lavatory*) Herren *pl*
genuine ['dʒenjʊɪn] *adj* echt
geographic(al) [dʒɪə'græfɪk(əl)] *adj* geographisch
geography [dʒɪ'ɒgrəfɪ] *n* Geographie *f*
geological [dʒɪəʊ'lɒdʒɪkəl] *adj* geologisch
geologist [dʒɪ'ɒlədʒɪst] *n* Geologe *m*, Geologin *f*
geology [dʒɪ'ɒlədʒɪ] *n* Geologie *f*
geometric(al) [dʒɪə'metrɪk(l)] *adj* geometrisch
geometry [dʒɪ'ɒmɪtrɪ] *n* Geometrie *f*
geranium [dʒɪ'reɪnɪəm] *n* Geranie *f*
geriatric [dʒerɪ'ætrɪk] *adj* Alten- ♦ *n* Greis(in) *m(f)*
germ [dʒɜːm] *n* Keim *m*; (*MED*) Bazillus *m*
German ['dʒɜːmən] *adj* deutsch ♦ *n* Deutsche(r) *mf*; (*LING*) Deutsch *nt*; ~ **measles** *n* Röteln *pl*
Germany ['dʒɜːmənɪ] *n* Deutschland *nt*
germination [dʒɜːmɪ'neɪʃən] *n* Keimen *nt*
gesticulate [dʒes'tɪkjʊleɪt] *vi* gestikulieren
gesture ['dʒestʃə*] *n* Geste *f*

─── KEYWORD ───

get [get] (*pt, pp* **got**, *pp* **gotten** (*US*)) *vi* **1** (*become, be*) werden; **to get old/tired** alt/müde werden; **to get married** heiraten
2 (*go*) (an)kommen, gehen
3 (*begin*): **to get to know sb** jdn kennenlernen; **let's get going** *or* **started** fangen wir an!
4 (*modal aux vb*): **you've got to do it** du mußt es tun
♦ *vt* **1**: **to get sth done** (*do*) etw machen; (*have done*) etw machen lassen; **to get sth going** *or* **to go** etw in Gang bringen *or* bekommen; **to get sb to do sth** jdn dazu bringen, etw zu tun
2 (*obtain: money, permission, results*) erhalten; (*find: job, flat*) finden; (*fetch: person, doctor, object*) holen; **to get sth for sb** jdm etw besorgen; **get me Mr Jones, please** (*TEL*) verbinden Sie mich bitte mit Mr Jones
3 (*receive: present, letter*) bekommen, kriegen; (*acquire: reputation etc*) erwerben
4 (*catch*) bekommen, kriegen; (*hit: target etc*) treffen, erwischen; **get him!** (*to dog*)

faß!
5 (*take, move*) bringen; **to get sth to sb** jdm etw bringen
6 (*understand*) verstehen; (*hear*) mitbekommen; **I've got it!** ich hab's!
7 (*have, possess*): **to have got sth** etw haben
get about *vi* herumkommen; (*news*) sich verbreiten
get along *vi* (*people*) (gut) zurechtkommen; (*depart*) sich *acc* auf den Weg machen
get at *vt* (*facts*) herausbekommen; **to get at sb** (*nag*) an jdm herumnörgeln
get away *vi* (*leave*) sich *acc* davonmachen; (*escape*): **to get away from sth** von etw *dat* entkommen; **to get away with sth** mit etw davon kommen
get back *vi* (*return*) zurückkommen ♦ *vt* zurückbekommen
get by *vi* (*pass*) vorbeikommen; (*manage*) zurechtkommen
get down *vi* (her)untergehen ♦ *vt* (*depress*) fertigmachen; **to get down to** in Angriff nehmen; (*find time to do*) kommen zu
get in *vi* (*train*) ankommen; (*arrive home*) heimkommen
get into *vt* (*enter*) hinein-/hereinkommen in +*acc*; (: *car, train etc*) einsteigen in +*acc*; (*clothes*) anziehen
get off *vi* (*from train etc*) aussteigen; (*from horse*) absteigen ♦ *vt* aussteigen aus; absteigen von
get on *vi* (*progress*) vorankommen; (*be friends*) auskommen; (*age*) alt werden; (*onto train etc*) einsteigen; (*onto horse*) aufsteigen ♦ *vt* einsteigen in +*acc* **to get on sth** auf etw (*acc*) aufsteigen
get out *vi* (*of house*) herauskommen; (*of vehicle*) aussteigen ♦ *vt* (*take out*) herausholen
get out of *vt* (*duty etc*) herumkommen um
get over *vt* (*illness*) sich *acc* erholen von; (*surprise*) verkraften; (*news*) fassen; (*loss*) sich abfinden mit
get round *vt* herumkommen; (*fig: person*) herumkriegen
get through to *vt* (*TEL*) durchkommen zu
get together *vi* zusammenkommen
get up *vi* aufstehen ♦ *vt* hinaufbringen; (*go up*) hinaufgehen; (*organize*) auf die Beine stellen
get up to *vt* (*reach*) erreichen; (*prank etc*) anstellen

getaway ['getəweɪ] *n* Flucht *f*
get-up ['getʌp] (*inf*) *n* Aufzug *m*
geyser ['giːzə*] *n* Geiser *m*; (*heater*) Durchlauferhitzer *m*
ghastly ['gɑːstlɪ] *adj* gräßlich
gherkin ['gɜːkɪn] *n* Gewürzgurke *f*

ghetto ['getəʊ] n G(h)etto nt; ~ **blaster** n (groß(er)) Radiorekorder m
ghost [gəʊst] n Gespenst nt
giant ['dʒaɪənt] n Riese m ♦ adj riesig, Riesen-
gibberish ['dʒɪbərɪʃ] n dumme(s) Geschwätz nt
gibe [dʒaɪb] n spöttische Bemerkung f
giblets ['dʒɪblɪts] npl Geflügelinnereien pl
Gibraltar [dʒɪ'brɔːltə*] n Gibraltar nt
giddiness ['gɪdɪnəs] n Schwindelgefühl nt
giddy ['gɪdɪ] adj schwindlig
gift [gɪft] n Geschenk nt; (ability) Begabung f; ~**ed** adj begabt; ~ **token**, ~ **voucher** n Geschenkgutschein m
gigantic [dʒaɪ'gæntɪk] adj riesenhaft
giggle ['gɪgl] vi kichern ♦ n Gekicher nt
gild [gɪld] vt vergolden
gill [dʒɪl] n (1/4 pint) Viertelpinte f
gills [gɪlz] npl (of fish) Kiemen pl
gilt [gɪlt] n Vergoldung f ♦ adj vergoldet; ~**-edged** adj mündelsicher
gimmick ['gɪmɪk] n Gag m
ginger ['dʒɪndʒə*] n Ingwer m; ~ **ale** n Ingwerbier nt; ~ **beer** n Ingwerbier nt; ~**bread** n Pfefferkuchen m; ~**-haired** adj rothaarig
gingerly ['dʒɪndʒəlɪ] adv behutsam
gipsy ['dʒɪpsɪ] n Zigeuner(in) m(f)
girder ['gɜːdə*] n Eisenträger m
girdle ['gɜːdl] n Hüftgürtel m
girl [gɜːl] n Mädchen nt; an English ~ eine (junge) Engländerin; ~**friend** n Freundin f; ~**ish** adj mädchenhaft
giro ['dʒaɪrəʊ] n (bank ~) Giro nt; (post office ~) Postscheckverkehr m
girth [gɜːθ] n (measure) Umfang m; (strap) Sattelgurt m
gist [dʒɪst] n Wesentliche(s) nt
give [gɪv] (pt gave, pp given) vt geben ♦ vi (break) nachgeben; ~ **away** vt verschenken; (betray) verraten; ~ **back** vt zurückgeben; ~ **in** vi nachgeben ♦ vt (hand in) abgeben; ~ **off** vt abgeben; ~ **out** vt verteilen; (announce) bekanntgeben; ~ **up** vt, vi aufgeben; to ~ o.s. up sich stellen; (after siege) sich ergeben; ~ **way** vi (BRIT: traffic) Vorfahrt lassen; (to feelings): to ~ **way** to nachgeben +dat; ~**n** pp of give
glacier ['glæsɪə*] n Gletscher m
glad [glæd] adj froh
gladly ['glædlɪ] adv gern(e)
glamorous ['glæmərəs] adj reizvoll
glamour ['glæmə*] n Glanz m
glance [glɑːns] n Blick m ♦ vi: to ~ (at) (hin)blicken (auf +acc); ~ **off** vt fus (fly off) abprallen von
glancing ['glɑːnsɪŋ] adj (blow) Streif-
gland [glænd] n Drüse f
glare [glɛə*] n (light) grelle(s) Licht nt; (stare) wilde(r) Blick m ♦ vi grell scheinen; (angrily): to ~ at böse ansehen

glaring ['glɛərɪŋ] adj (injustice) schreiend; (mistake) kraß
glass [glɑːs] n Glas nt; (mirror: also: looking ~) Spiegel m; ~**es** npl (spectacles) Brille f; ~**house** n Gewächshaus nt; ~**ware** n Glaswaren pl; ~**y** adj glasig
glaze [gleɪz] vt verglasen; (finish with a ~) glasieren ♦ n Glasur f; ~**d** adj (eye) glasig; (pottery) glasiert
glazier ['gleɪzɪə*] n Glaser m
gleam [gliːm] n Schimmer m ♦ vi schimmern; ~**ing** adj schimmernd
glean [gliːn] vt (fig) ausfindig machen
glen [glen] n Bergtal nt
glib [glɪb] adj oberflächlich
glide [glaɪd] vi gleiten; ~**r** n (AVIAT) Segelflugzeug nt
gliding ['glaɪdɪŋ] n Segelfliegen nt
glimmer ['glɪmə*] n Schimmer m
glimpse [glɪmps] n flüchtige(r) Blick m ♦ vt flüchtig erblicken
glint [glɪnt] n Glitzern nt ♦ vi glitzern
glisten ['glɪsn] vi glänzen
glitter ['glɪtə*] vi funkeln ♦ n Funkeln nt
gloat [gləʊt] vi: to ~ over sich weiden an +dat
globe [gləʊb] n Erdball m; (sphere) Globus m
gloom [gluːm] n (darkness) Dunkel nt; (depression) düstere Stimmung f; ~**y** adj düster
glorify ['glɔːrɪfaɪ] vt verherrlichen
glorious ['glɔːrɪəs] adj glorreich
glory ['glɔːrɪ] n Ruhm m
gloss [glɒs] n (shine) Glanz m; ~ **over** vt fus übertünchen
glossary ['glɒsərɪ] n Glossar nt
glossy ['glɒsɪ] adj (surface) glänzend
glove [glʌv] n Handschuh m; ~ **compartment** n (AUT) Handschuhfach nt
glow [gləʊ] vi glühen ♦ n Glühen nt
glower ['glaʊə*] vi: to ~ at finster anblicken
glucose ['gluːkəʊs] n Traubenzucker m
glue [gluː] n Klebstoff m ♦ vt kleben
glum [glʌm] adj bedrückt
glut [glʌt] n Überfluß m
glutton ['glʌtn] n Vielfraß m; a ~ **for work** ein Arbeitstier nt; ~**y** n Völlerei f
glycerin(e) ['glɪsəriːn] n Glyzerin nt
gnarled [nɑːld] adj knorrig
gnat [næt] n Stechmücke f
gnaw [nɔː] vt nagen an +dat
gnome [nəʊm] n Gnom m
go [gəʊ] (pt went, pp gone; pl ~**es**) vi gehen; (travel) reisen, fahren; (depart: train) (ab)fahren; (be sold) verkauft werden; (work) gehen, funktionieren; (fit, suit) passen; (become) werden; (break etc) nachgeben ♦ n (energy) Schwung m; (attempt) Versuch m; he's ~**ing to do it** er wird es tun; to ~ **for a walk** spazieren gehen; to ~

dancing tanzen gehen; **how did it ~?** wie war's?; **to ~ with** (be suitable) passen zu; **to have a ~ at sth** etw versuchen; **to be on the ~** auf Trab sein; **whose ~ is it?** wer ist dran?; **~ about** vi (rumour) umgehen ♦ vt fus: **how do I ~ about this?** wie packe ich das an?; **~ ahead** vi (proceed) weitergehen; **~ along** vi dahingehen, dahinfahren ♦ vt entlanggehen, entlangfahren; **to ~ along with** (agree to support) zustimmen +dat; **~ away** vi (depart) weggehen; **~ back** vi (return) zurückgehen; **~ back on** vt fus (promise) nicht halten; **~ by** vi (years, time) vergehen ♦ vt fus sich richten nach; **~ down** vi (sun) untergehen ♦ vt fus hinuntergehen, hinunterfahren; **~ for** vt fus (fetch) holen (gehen); (like) mögen; (attack) sich stürzen auf +acc; **~ in** vi hineingehen; **~ in for** vt fus (competition) teilnehmen an; **~ into** vt fus (enter) hineingehen in +acc; (study) sich befassen mit; **~ off** vi (depart) weggehen; (lights) ausgehen; (milk etc) sauer werden; (explode) losgehen ♦ vt fus (dislike) nicht mehr mögen; **~ on** vi (continue) weitergehen; (inf: complain) meckern; (lights) angehen; **to ~ on with sth** mit etw weitermachen; **~ out** vi (fire, light) ausgehen; (of house) hinausgehen; **~ over** vi (ship) kentern ♦ vt fus (examine, check) durchgehen; **~ through** vt fus (town etc) durchgehen, durchfahren; **~ up** vi (price) steigen; **~ without** vt fus sich behelfen ohne; (food) entbehren

goad [gəud] vt anstacheln

go-ahead ['gəuəhed] adj zielstrebig; (progressive) fortschrittlich ♦ n grüne(s) Licht nt

goal [gəul] n Ziel nt; (SPORT) Tor nt; **~keeper** n Torwart m; **~-post** n Torpfosten m

goat [gəut] n Ziege f

gobble ['gɒbl] vt (also: ~ down, ~ up) hinunterschlingen

go-between ['gəubitwi:n] n Mittelsmann m

goblet ['gɒblɪt] n Kelch(glas) nt

god [gɒd] n Gott m; **G~** n Gott m; **~child** n Patenkind nt; **~daughter** n Patentochter f; **~dess** n Göttin f; **~father** n Pate m; **~-forsaken** adj gottverlassen; **~mother** n Patin f; **~send** n Geschenk nt des Himmels; **~son** n Patensohn m

goggles ['gɒglz] npl Schutzbrille f

going ['gəuɪŋ] n (HORSE-RACING) Bahn f ♦ adj (rate) gängig; (concern) gutgehend; **it's hard ~** es ist schwierig

gold [gəuld] n Gold nt ♦ adj golden; **~en** adj golden, Gold-; **~fish** n Goldfisch m; **~mine** n Goldgrube f; **~-plated** adj vergoldet; **~smith** n Goldschmied(in) m(f)

golf [gɒlf] n Golf nt; **~ball** n Golfball m; (on typewriter) Kugelkopf m; **~ club** n (society) Golfklub m; (stick) Golfschläger m; **~ course** n Golfplatz m; **~er** n Golfspieler(in) m(f)

gondola ['gɒndələ] n Gondel f

gone [gɒn] pp of **go**

gong [gɒŋ] n Gong m

good [gud] n (benefit) Wohl nt; (moral excellence) Güte f ♦ adj gut; **~s** npl (merchandise etc) Waren pl, Güter pl; **a ~ deal (of)** ziemlich viel; **a ~ many** ziemlich viele; **~ morning!** guten Morgen!; **~ afternoon!** guten Tag!; **~ evening!** guten Abend!; **~ night!** gute Nacht!; **would you be ~ enough to ...?** könnten Sie bitte ...?; **~bye!** excl auf Wiedersehen!; **G~ Friday** n Karfreitag m; **~-looking** adj gutaussehend; **~-natured** adj gutmütig; (joke) harmlos; **~ness** n Güte f; (virtue) Tugend f; **~s train** n (BRIT) Güterzug m; **~will** n (favour) Wohlwollen nt; (COMM) Firmenansehen nt

goose [gu:s] (pl **geese**) n Gans f

gooseberry ['guzbəri] n Stachelbeere f

gooseflesh ['gu:sfleʃ] n Gänsehaut f

goose pimples npl Gänsehaut f

gore [gɔː*] vt aufspießen ♦ n Blut nt

gorge [gɔːdʒ] n Schlucht f ♦ vt: **to ~ o.s.** (sich voll)fressen

gorgeous ['gɔːdʒəs] adj prächtig

gorilla [gə'rɪlə] n Gorilla m

gorse [gɔːs] n Stechginster m

gory ['gɔːrɪ] adj blutig

go-slow ['gəu'sləu] (BRIT) n Bummelstreik m

gospel ['gɒspəl] n Evangelium nt

gossip ['gɒsɪp] n Klatsch m; (person) Klatschbase f ♦ vi klatschen

got [gɒt] pt, pp of **get**

gotten ['gɒtən] (US) pp of **get**

gout [gaut] n Gicht f

govern ['gʌvən] vt regieren; verwalten

governess ['gʌvənɪs] n Gouvernante f

government ['gʌvnmənt] n Regierung f

governor ['gʌvənə*] n Gouverneur m

gown [gaun] n Gewand nt; (UNIV) Robe f

G.P. n abbr = **general practitioner**

grab [græb] vt packen

grace [greɪs] n Anmut f; (blessing) Gnade f; (prayer) Tischgebet nt ♦ vt (adorn) zieren; (honour) auszeichnen; **5 days' ~** 5 Tage Aufschub; **~ful** adj anmutig

gracious ['greɪʃəs] adj gnädig; (kind) freundlich

grade [greɪd] n Grad m; (slope) Gefälle f ♦ vt (classify) einstufen; **~ crossing** (US) n Bahnübergang m; **~ school** (US) n Grundschule f

gradient ['greɪdɪənt] n Steigung f; Gefälle nt

gradual ['grædjuəl] adj allmählich; **~ly** adv allmählich

graduate [n 'grædjuɪt, vb 'grædjueɪt] n: **to**

be a ~ das Staatsexamen haben ♦ *vi* das Staatsexamen machen

graduation [grædjʊ'eɪʃən] *n* Abschlußfeier *f*

graffiti [grə'fiːtɪ] *npl* Graffiti *pl*

graft [grɑːft] *n* (*hard work*) Schufterei *f*; (*MED*) Verpflanzung *f* ♦ *vt* propfen; (*fig*) aufpropfen; (*MED*) verpflanzen

grain [greɪn] *n* Korn *nt*; (*in wood*) Maserung *f*

gram [græm] *n* Gramm *nt*

grammar ['græmə*] *n* Grammatik *f*; ~ **school** (*BRIT*) *n* Gymnasium *nt*

grammatical [grə'mætɪkl] *adj* grammat(ikal)isch

gramme [græm] *n* = **gram**

granary ['grænərɪ] *n* Kornspeicher *m*

grand [grænd] *adj* großartig; ~**child** (*pl* **grandchildren**) *n* Enkelkind *nt*, Enkel(in) *m(f)*; ~**dad** *n* Opa *m*; ~**daughter** *n* Enkelin *f*; ~**eur** ['grændjə*] *f* Erhabenheit *f*; ~**father** *n* Großvater *m*; ~**iose** ['grændɪəʊs] *adj* (*imposing*) großartig; (*pompous*) schwülstig; ~**ma** *n* Oma *f*; ~**mother** *n* Großmutter *f*; ~**pa** *n* = **granddad**; ~**parents** *npl* Großeltern *pl*; ~ **piano** *n* Flügel *m*; ~**son** *n* Enkel *m*; ~**stand** *n* Haupttribüne *f*

granite ['grænɪt] *n* Granit *m*

granny ['grænɪ] *n* Oma *f*

grant [grɑːnt] *vt* gewähren ♦ *n* Unterstützung *f*; (*UNIV*) Stipendium *nt*; **to take sth for** ~**ed** etw als selbstverständlich (an)nehmen

granulated sugar ['grænjʊleɪtɪd-] *n* Zuckerraffinade *f*

granule ['grænjuːl] *n* Körnchen *nt*

grape [greɪp] *n* (Wein)traube *f*

grapefruit ['greɪpfruːt] *n* Pampelmuse *f*, Grapefruit *f*

graph [grɑːf] *n* Schaubild *nt*; ~**ic** ['græfɪk] *adj* (*descriptive*) anschaulich; (*drawing*) graphisch; ~**ics** *npl* Grafik *f*

grapple ['græpl] *vi*: **to** ~ **with** kämpfen mit

grasp [grɑːsp] *vt* ergreifen; (*understand*) begreifen ♦ *n* Griff *m*; (*of subject*) Beherrschung *f*; ~**ing** *adj* habgierig

grass [grɑːs] *n* Gras *nt*; ~**hopper** *n* Heuschrecke *f*; ~**land** *n* Weideland *nt*; ~**roots** *adj* an der Basis; ~ **snake** *n* Ringelnatter *f*

grate [greɪt] *n* Kamin *m* ♦ *vi* (*sound*) knirschen ♦ *vt* (*cheese etc*) reiben; **to** ~ **on the nerves** auf die Nerven gehen

grateful ['greɪtful] *adj* dankbar

grater ['greɪtə*] *n* Reibe *f*

gratify ['grætɪfaɪ] *vt* befriedigen; ~**ing** ['grætɪfaɪɪŋ] *adj* erfreulich

grating ['greɪtɪŋ] *n* (*iron bars*) Gitter *nt* ♦ *adj* (*noise*) knirschend

gratitude ['grætɪtjuːd] *n* Dankbarkeit *f*

gratuity [grə'tjuːɪtɪ] *n* Gratifikation *f*

grave [greɪv] *n* Grab *nt* ♦ *adj* (*serious*) ernst

gravel ['grævəl] *n* Kies *m*

gravestone ['greɪvstəʊn] *n* Grabstein *m*

graveyard ['greɪvjɑːd] *n* Friedhof *m*

gravity ['grævɪtɪ] *n* Schwerkraft *f*; (*seriousness*) Schwere *f*

gravy ['greɪvɪ] *n* (Braten)soße *f*

gray [greɪ] *adj* = **grey**

graze [greɪz] *vi* grasen ♦ *vt* (*touch*) streifen; (*MED*) abschürfen ♦ *n* Abschürfung *f*

grease [griːs] *n* (*fat*) Fett *nt*; (*lubricant*) Schmiere *f* ♦ *vt* (ab)schmieren; ~**proof** (*BRIT*) *adj* (*paper*) Butterbrot-

greasy ['griːsɪ] *adj* fettig

great [greɪt] *adj* groß; (*inf: good*) prima; **G**~ **Britain** *n* Großbritannien *nt*; ~**grandfather** *n* Urgroßvater *m*; ~**grandmother** *n* Urgroßmutter *f*, ~**ly** *adv* sehr; ~**ness** *n* Größe *f*

Greece [griːs] *n* Griechenland *nt*

greed [griːd] *n* (*also*: ~**iness**) Gier *f*; (*meanness*) Geiz *m*; ~(**iness**) **for** Gier nach; ~**y** *adj* gierig

Greek [griːk] *adj* griechisch ♦ *n* Grieche *m*, Griechin *f*; (*LING*) Griechisch *nt*

green [griːn] *adj* grün ♦ *n* (*village* ~) Dorfwiese *f*; ~ **belt** *n* Grüngürtel *m*; ~ **card** *n* (*AUT*) grüne Versicherungskarte *f*; ~**ery** *n* Grün *nt*; grüne(s) Laub *nt*; ~**gage** *n* Reineclaude *f*; ~**grocer** (*BRIT*) *n* Obst- und Gemüsehändler *m*; ~**house** *n* Gewächshaus *nt*; ~**house effect** *n* Treibhauseffekt *m*; ~**house gas** *n* Treibhausgas *nt*; ~**ish** *adj* grünlich

Greenland ['griːnlənd] *n* Grönland *nt*

greet [griːt] *vt* grüßen; ~**ing** *n* Gruß *m*; ~**ing(s) card** *n* Glückwunschkarte *f*

gregarious [grɪ'geərɪəs] *adj* gesellig

grenade [grɪ'neɪd] *n* Granate *f*

grew [gruː] *pt of* **grow**

grey [greɪ] *adj* grau; ~**-haired** *adj* grauhaarig; ~**hound** *n* Windhund *m*; ~**ish** *adj* gräulich

grid [grɪd] *n* Gitter *nt*; (*ELEC*) Leitungsnetz *nt*; (*on map*) Gitternetz *nt*

grief [griːf] *n* Gram *m*, Kummer *m*

grievance ['griːvəns] *n* Beschwerde *f*

grieve [griːv] *vi* sich grämen ♦ *vt* betrüben

grievous ['griːvəs] *adj*: ~ **bodily harm** (*JUR*) schwere Körperverletzung *f*

grill [grɪl] *n* Grill *m* ♦ *vt* (*BRIT*) grillen; (*question*) in die Mangel nehmen

grille [grɪl] *n* (*on car etc*) (Kühler)gitter *nt*

grim [grɪm] *adj* grimmig; (*situation*) düster

grimace [grɪ'meɪs] *n* Grimasse *f* ♦ *vi* Grimassen schneiden

grime [graɪm] *n* Schmutz *m*

grimy ['graɪmɪ] *adj* schmutzig

grin [grɪn] *n* Grinsen *nt* ♦ *vi* grinsen

grind [graɪnd] *n* (*pt, pp* **ground**) *vt* mahlen; (*US: meat*) durch den Fleischwolf drehen; (*sharpen*) schleifen; (*teeth*) knirschen mit ♦

n (bore) Plackerei *f*
grip [grɪp] *n* Griff *m*; *(suitcase)* Handkoffer *m* ♦ *vt* packen; ~**ping** *adj (exciting)* spannend
grisly ['grɪzlɪ] *adj* gräßlich
gristle ['grɪsl] *n* Knorpel *m*
grit [grɪt] *n* Splitt *m*; *(courage)* Mut *m* ♦ *vt (teeth)* zusammenbeißen; *(road)* (mit Splitt be)streuen
groan [grəʊn] *n* Stöhnen *nt* ♦ *vi* stöhnen
grocer ['grəʊsə*] *n* Lebensmittelhändler *m*; ~**ies** *npl* Lebensmittel *pl*; ~**'s (shop)** *n* Lebensmittelgeschäft *nt*
groggy ['grɒgɪ] *adj* benommen
groin [grɔɪn] *n* Leistengegend *f*
groom [gru:m] *n (also: bride~)* Bräutigam *m*; *(for horses)* Pferdeknecht *m* ♦ *vt (horse)* striegeln; **(well-)groomed** gepflegt
groove [gru:v] *n* Rille *f*, Furche *f*
grope [grəʊp] *vi* tasten; ~ **for** *vt fus* suchen nach
gross [grəʊs] *adj (coarse)* dick, plump; *(bad)* grob, schwer; *(COMM)* brutto; ~**ly** *adv* höchst
grotesque [grəʊ'tesk] *adj* grotesk
grotto ['grɒtəʊ] *n* Grotte *f*
ground [graʊnd] *pt, pp of* **grind** ♦ *n* Boden *m*; *(land)* Grundbesitz *m*; *(reason)* Grund *m*; *(US: also:* ~ *wire)* Endleitung *f* ♦ *vi (run ashore)* stranden, auflaufen; ~**s** *npl (dregs)* Bodensatz *m*; *(around house)* (Garten)anlagen *pl*; **on the** ~ am Boden; **to the** ~ zu Boden; **to gain/lose** ~ Boden gewinnen/verlieren; ~ **cloth** *(US)* *n* = **ground sheet**; ~**ing** *n (instruction)* Anfangsunterricht *m*; ~**less** *adj* grundlos; ~**sheet** *(BRIT)* *n* Zeltboden *m*; ~ **staff** *n* Bodenpersonal *nt*; ~ **swell** *n (of sea)* Dünung *f*; *(fig)* Zunahme *f*; ~**work** *n* Grundlage *f*
group [gru:p] *n* Gruppe *f* ♦ *vt (also:* ~ *together)* gruppieren ♦ *vi* sich gruppieren
grouse [graʊs] *n inv (bird)* schottische(s) Moorhuhn *nt* ♦ *vi (complain)* meckern
grove [grəʊv] *n* Gehölz *nt*, Hain *m*
grovel ['grɒvl] *vi (fig)* kriechen
grow [grəʊ] *(pt* **grew***, pp* **grown***) vi* wachsen; *(become)* werden ♦ *vt (raise)* anbauen; ~ **up** *vi* aufwachsen; ~**er** *n* Züchter *m*; ~**ing** *adj* zunehmend
growl [graʊl] *vi* knurren
grown [grəʊn] *pp of* **grow**; ~**-up** *n* Erwachsene(r) *mf*
growth [grəʊθ] *n* Wachstum *nt*; *(increase)* Zunahme *f*; *(of beard etc)* Wuchs *m*
grub [grʌb] *n* Made *f*, Larve *f*; *(inf: food)* Futter *nt*; ~**by** ['grʌbɪ] *adj* schmutzig
grudge [grʌdʒ] *n* Groll *m* ♦ *vt*: **to** ~ **sb sth** jdm etw misgönnen; **to bear sb a** ~ einen Groll gegen jdn hegen
gruelling ['grʊəlɪŋ] *adj (climb, race)* mörderisch

gruesome ['gru:səm] *adj* grauenhaft
gruff [grʌf] *adj* barsch
grumble ['grʌmbl] *vi* murren
grumpy ['grʌmpɪ] *adj* verdrießlich
grunt [grʌnt] *vi* grunzen ♦ *n* Grunzen *nt*
G-string ['dʒi:-] *n* Minislip *m*
guarantee [gærən'ti:] *n* Garantie *f* ♦ *vt* garantieren
guard [gɑ:d] *n (sentry)* Wache *f*; *(BRIT: RAIL)* Zugbegleiter *m* ♦ *vt* bewachen; ~**ed** *adj* vorsichtig; ~**ian** *n* Vormund *m*; *(keeper)* Hüter *m*; ~**'s van** *(BRIT) n (RAIL)* Dienstwagen *m*
guerrilla [gə'rɪlə] *n* Guerilla(kämpfer) *m*; ~ **warfare** *n* Guerillakrieg *m*
guess [ges] *vt, vi* (er)raten, schätzen ♦ *n* Vermutung *f*; ~**work** *n* Raterei *f*
guest [gest] *n* Gast *m*; ~**-house** *n* Pension *f*; ~ **room** *n* Gastzimmer *nt*
guffaw [gʌ'fɔ:] *vi* schallend lachen
guidance ['gaɪdəns] *n (control)* Leitung *f*; *(advice)* Beratung *f*
guide [gaɪd] *n* Führer *m*; *(also: girl* ~*)* Pfadfinderin *f* ♦ *vt* führen; ~**book** *n* Reiseführer *m*; ~ **dog** *n* Blindenhund *m*; ~**lines** *npl* Richtlinien *pl*
guild [gɪld] *n (HIST)* Gilde *f*; ~**hall** *(BRIT)* *n* Stadthalle *f*
guile [gaɪl] *n* Arglist *f*
guillotine [gɪlə'ti:n] *n* Guillotine *f*
guilt [gɪlt] *n* Schuld *f*; ~**y** *adj* schuldig
guinea pig ['gɪnɪ-] *n* Meerschweinchen *nt*; *(fig)* Versuchskaninchen *nt*
guise [gaɪz] *n*: **in the** ~ **of** in der Form +*gen*
guitar [gɪ'tɑ:*] *n* Gitarre *f*
gulf [gʌlf] *n* Golf *m*; *(fig)* Abgrund *m*
gull [gʌl] *n* Möwe *f*
gullet ['gʌlɪt] *n* Schlund *m*
gullible ['gʌlɪbl] *adj* leichtgläubig
gully ['gʌlɪ] *n (Wasser)*rinne *f*
gulp [gʌlp] *vt (also:* ~ *down)* hinunterschlucken ♦ *vi (gasp)* schlucken
gum [gʌm] *n (around teeth)* Zahnfleisch *nt*; *(glue)* Klebstoff *m*; *(also: chewing-~)* Kaugummi *m* ♦ *vt* gummieren; ~**boots** *(BRIT) npl* Gummistiefel *pl*
gumption ['gʌmpʃən] *(inf) n* Mumm *m*
gun [gʌn] *n* Schußwaffe *f*; ~**boat** *n* Kanonenboot *nt*; ~**fire** *n* Geschützfeuer *nt*; ~**man** *(irreg) n* bewaffnete(r) Verbrecher *m*; ~**point** *n*: **at** ~**point** mit Waffengewalt; ~**powder** *n* Schießpulver *nt*; ~**shot** *n* Schuß *m*
gurgle ['gɜ:gl] *vi* gluckern
guru ['gʊru:] *n* Guru *m*
gush [gʌʃ] *vi (rush out)* hervorströmen; *(fig)* schwärmen
gust [gʌst] *n* Windstoß *m*, Bö *f*
gusto ['gʌstəʊ] *n* Genuß *m*, Lust *f*
gut [gʌt] *n (ANAT)* Gedärme *pl*; *(string)* Darm *m*; ~**s** *npl (fig)* Schneid *m*

gutter ['gʌtə*] n Dachrinne f; (in street) Gosse f

guttural ['gʌtərəl] adj guttural, Kehl-

guy [gaɪ] n (also: ~rope) Halteseil nt; (man) Typ m, Kerl m

guzzle ['gʌzl] vt, vi (drink) saufen; (eat) fressen

gym [dʒɪm] n (also: gymnasium) Turnhalle f; (: gymnastics) Turnen nt; ~**nast** ['dʒɪmnæst] n Turner(in) m(f); ~**nastics** [dʒɪm'næstɪks] n Turnen nt, Gymnastik f; ~ **shoes** npl Turnschuhe pl; ~ **slip** (BRIT) n Schulträgerrock m

gynaecologist [gaɪnɪ'kɒlədʒɪst] (US gyne-cologist) n Frauenarzt(ärztin) m(f)

gypsy ['dʒɪpsɪ] n = gipsy

gyrate [dʒaɪ'reɪt] vi kreisen

H h

haberdashery [hæbə'dæʃərɪ] (BRIT) n Kurzwaren pl

habit ['hæbɪt] n (An)gewohnheit f; (monk's) Habit nt or m

habitable ['hæbɪtəbl] adj bewohnbar

habitat ['hæbɪtæt] n Lebensraum m

habitual [hə'bɪtjuəl] adj gewohnheitsmäßig; ~**ly** adv gewöhnlich

hack [hæk] vt hacken ♦ n Hieb m; (writer) Schreiberling m

hacker ['hækə*] n (COMPUT) Hacker m

hackneyed ['hæknɪd] adj abgedroschen

had [hæd] pt, pp of **have**

haddock ['hædək] (pl ~ or ~s) n Schellfisch m

hadn't ['hædnt] = **had not**

haemorrhage ['hemərɪdʒ] (US hemor-rhage) n Blutung f

haemorrhoids ['hemərɔɪdz] (US hemor-rhoids) npl Hämorrhoiden pl

haggard ['hægəd] adj abgekämpft

haggle ['hægl] vi feilschen

Hague [heɪg] n: **The ~** Den Haag nt

hail [heɪl] n Hagel m ♦ vt umjubeln ♦ vi ha-geln; ~**stone** n Hagelkorn nt

hair [hɛə*] n Haar nt, Haare pl; (one ~) Haar nt; ~**brush** n Haarbürste f; ~**cut** n Haarschnitt m; **to get a** ~**cut** sich dat die Haare schneiden lassen; ~**do** n Frisur f; ~**dresser** n Friseur m, Friseuse f; ~**dresser's** n Friseursalon m; ~ **dryer** n Trockenhaube f; (hand-held) Fön m; ~**grip** n Klemme f; ~**net** n Haarnetz nt; ~**pin** n

Haarnadel f; ~**pin bend** (US ~**pin curve**) n Haarnadelkurve f; ~**-raising** adj haar-sträubend; ~ **removing cream** n Enthaa-rungscreme nt; ~ **spray** n Haarspray nt; ~**style** n Frisur f; ~**y** adj haarig

hake [heɪk] n Seehecht m

half [hɑːf] (pl halves) n Hälfte f ♦ adj halb ♦ adv halb, zur Hälfte; ~**-an-hour** eine hal-be Stunde; **two and a** ~ zweieinhalb; **to cut sth in** ~ etw halbieren; ~ **a dozen** ein halbes Dutzend, sechs; ~**-back** n Läufer m; ~ **board** n Halbpension f; ~**-caste** n Mischling m; ~**-hearted** adj lustlos; ~**-hour** n halbe Stunde f; ~**penny** ['heɪpnɪ] (BRIT) n halbe(r) Penny m; ~**-price** n: **(at)** ~**-price** zum halben Preis; ~ **term** (BRIT) n (SCH) Ferien pl in der Mitte des Trime-sters; ~**-time** n Halbzeit f; ~**way** adv halbwegs, auf halbem Wege

halibut ['hælɪbət] n inv Heilbutt m

hall [hɔːl] n Saal m; (entrance ~) Hausflur m; (building) Halle f; ~ **of residence** (BRIT) n Studentenwohnheim nt

hallmark ['hɔːlmɑːk] n Stempel m

hallo [hʌ'ləu] excl = **hello**

Hallowe'en ['hæləu'iːn] n Tag m vor Aller-heiligen

hallucination [həluːsɪ'neɪʃən] n Halluzina-tion f

hallway ['hɔːlweɪ] n Korridor m

halo ['heɪləu] n Heiligenschein m

halt [hɔːlt] n Halt m ♦ vt, vi anhalten

halve [hɑːv] vt halbieren

halves [hɑːvz] pl of **half**

ham [hæm] n Schinken m

hamburger ['hæmbɜːgə*] n Hamburger m

hamlet ['hæmlɪt] n Weiler m

hammer ['hæmə*] n Hammer m ♦ vt, vi hämmern

hammock ['hæmək] n Hängematte f

hamper ['hæmpə*] vt (be)hindern ♦ n Pick-nickkorb m

hand [hænd] n Hand f; (of clock) (Uhr)zeiger m; (worker) Arbeiter m ♦ vt (pass) geben; **to give sb a** ~ jdm helfen; **at** ~ nahe; **to ~; on your** ~ zur Hand; **in** ~ (under con-trol) unter Kontrolle; (being done) im Gan-ge; (extra) übrig; **on** ~ zur Verfügung; **on the one** ~ ..., **on the other** ~ ... einerseits ..., andererseits ...; ~ **in** et abgeben; (forms) einreichen; ~ **out** vt austeilen; ~ **over** vt (deliver) übergeben; (surrender) abgeben; (: prisoner) ausliefern; ~**bag** n Handtasche f; ~**book** n Handbuch nt; ~**brake** n Hand-bremse f; ~**cuffs** npl Handschellen pl; ~**ful** n Handvoll f; (inf: person) Plage f

handicap ['hændɪkæp] n Handikap nt ♦ vt benachteiligen; **mentally/physically** ~**ped** geistig/körperlich behindert

handicraft ['hændɪkrɑːft] n Kunsthandwerk nt

handiwork ['hændɪwɜːk] n Arbeit f; (fig)

Werk nt

handkerchief ['hæŋkətʃɪf] n Taschentuch nt

handle ['hændl] n (of door etc) Klinke f; (of cup etc) Henkel m; (for winding) Kurbel f ♦ vt (touch) anfassen; (deal with: things) sich befassen mit; (: people) umgehen mit; **~bar(s)** n(pl) Lenkstange f

hand: **~ luggage** n Handgepäck nt; **~made** adj handgefertigt; **~out** n (distribution) Verteilung f; (charity) Geldzuwendung f; (leaflet) Flugblatt nt; **~rail** n Geländer nt; (on ship) Reling f; **~shake** n Händedruck f

handsome ['hænsəm] adj gutaussehend

handwriting ['hændraitiŋ] n Handschrift f

handy ['hændi] adj praktisch; (shops) leicht erreichbar; **~man** ['hændimən] (irreg) n Bastler m

hang [hæŋ] (pt, pp **hung**) vt aufhängen; (criminal: pt, pp **hanged**) hängen ♦ vi hängen ♦ n: **to get the ~ of sth** (inf) den richtigen Dreh bei etw herauskriegen; **~ about** vi sich herumtreiben; **~ on** vi (wait) warten; **~ up** vi (TEL) auflegen

hangar ['hæŋə*] n Hangar m

hanger ['hæŋə*] n Kleiderbügel m

hanger-on ['hæŋər'ɒn] n Anhänger(in) m(f)

hang-gliding ['hæŋglaidiŋ] n Drachenfliegen nt

hangover ['hæŋəuvə*] n Kater m

hang-up ['hæŋʌp] n Komplex m

hanker ['hæŋkə*] vi: **to ~ for** or **after** sich sehnen nach

hankie ['hæŋki] n abbr = **handkerchief**

hanky ['hæŋki] n abbr = **handkerchief**

haphazard ['hæp'hæzəd] adj zufällig

happen ['hæpən] vi sich ereignen, passieren; **as it ~s I'm going there today** zufällig(erweise) gehe ich heute (dort)hin; **~ing** n Ereignis nt

happily ['hæpɪli] adv glücklich; (fortunately) glücklicherweise

happiness ['hæpɪnɪs] n Glück nt

happy ['hæpɪ] adj glücklich; **~ birthday!** alles Gute zum Geburtstag!; **~-go-lucky** adj sorglos

harass ['hærəs] vt plagen; **~ment** n Belästigung f

harbour ['hɑːbə*] (US **harbor**) n Hafen m ♦ vt (hope etc) hegen; (criminal etc) Unterschlupf gewähren

hard [hɑːd] adj (firm) hart; (difficult) schwer; (harsh) hart(herzig) ♦ adv (work) hart; (try) sehr; (push, hit) fest; **no ~ feelings!** ich nehme es dir nicht übel; **~ of hearing** schwerhörig; **to be ~ done by** übel dran sein; **~back** n kartonierte Ausgabe f; **~ cash** n Bargeld nt; **~ disk** n (COMPUT) Festplatte f; **~en** vt erhärten; (fig) verhärten ♦ vi hart werden; (fig) sich verhärten; **~-headed** adj nüchtern; **~ la-**

bour n Zwangsarbeit f

hardly ['hɑːdli] adv kaum

hard: **~ness** n Härte f; (difficulty) Schwierigkeit f; **~ship** n Not f; **~-up** adj knapp bei Kasse; **~ware** n Eisenwaren pl; (COMPUT) Hardware f; **~ware shop** n Eisenwarenhandlung f; **~-wearing** adj strapazierfähig; **~-working** adj fleißig

hardy ['hɑːdi] adj widerstandsfähig

hare [hɛə*] n Hase m; **~-brained** adj schwachsinnig

harm [hɑːm] n Schaden m ♦ vt schaden +dat; **out of ~'s way** in Sicherheit; **~ful** adj schädlich; **~less** adj harmlos

harmonica [hɑːˈmɒnɪkə] n Mundharmonika f

harmonious [hɑːˈməunɪəs] adj harmonisch

harmonize ['hɑːmənaiz] vt abstimmen ♦ vi harmonieren

harmony ['hɑːməni] n Harmonie f

harness ['hɑːnɪs] n Geschirr nt ♦ vt (horse) anschirren; (fig) nutzbar machen

harp [hɑːp] n Harfe f ♦ vi: **to ~ on about sth** auf etw dat herumreiten

harpoon [hɑːˈpuːn] n Harpune f

harrowing ['hærəuiŋ] adj nervenaufreibend

harsh [hɑːʃ] adj (rough) rauh; (severe) streng; **~ness** n Härte f

harvest ['hɑːvɪst] n Ernte f ♦ vt, vi ernten; **~er** ['hɑːvɪstə*] n Mähbinder m

has [hæz] vb see **have**

hash [hæʃ] vt kleinhacken ♦ n (mess) Kuddelmuddel m; (meat) Haschee nt

hashish ['hæʃɪʃ] n Haschisch nt

hasn't ['hæznt] = **has not**

hassle ['hæsl] (inf) n Theater nt

haste [heist] n Eile f; **~n** ['heisn] vt beschleunigen ♦ vi eilen

hasty ['heisti] adj hastig; (rash) vorschnell

hat [hæt] n Hut m

hatch [hætʃ] n (NAUT: also: **~way**) Luke f; (in house) Durchreiche f ♦ vi (young) ausschlüpfen ♦ vt (brood) ausbrüten; (plot) aushecken

hatchback ['hætʃbæk] n (AUT) (Auto nt mit) Heckklappe f

hatchet ['hætʃɪt] n Beil nt

hate [heit] vt hassen ♦ n Haß m; **~ful** adj verhaßt

hatred ['heitrid] n Haß m

haughty ['hɔːti] adj hochnäsig, überheblich

haul [hɔːl] vt ziehen ♦ n (catch) Fang m; **~age** n Spedition f; **~ier** (US **~er**) n Spediteur m

haunch [hɔːntʃ] n Lende f

haunt [hɔːnt] vt (ghost) spuken in +dat; (memory) verfolgen; (pub) häufig besuchen ♦ n Lieblingsplatz m; **the castle is ~ed in dem Schloß spukt es**

──────── KEYWORD

have [hæv] (pt, pp **had**) aux vb **1** haben;

(esp with vbs of motion) sein; **to have arrived/slept** angekommen sein/geschlafen haben; **to have been** gewesen sein; **having eaten** *or* **when he had eaten, he left** nachdem er gegessen hatte, ging er
2 *(in tag questions)*: **you've done it, haven't you?** du hast es doch gemacht, oder nicht?
3 *(in short answers and questions)*: **you've made a mistake - so I have/no I haven't** du hast einen Fehler gemacht - ja, stimmt/ nein; **we haven't paid - yes we have!** wir haben nicht bezahlt - doch; **I've been there before, have you?** ich war schon einmal da, du auch?
♦ *modal aux vb (be obliged)*: **to have (got) to do sth** etw tun müssen; **you haven't to tell her** du darfst es ihr nicht erzählen
♦ *vt* **1** *(possess)* haben; **he has (got) blue eyes** er hat blaue Augen; **I have (got) an idea** ich habe eine Idee
2 *(referring to meals etc)*: **to have breakfast/a cigarette** frühstücken/eine Zigarette rauchen
3 *(receive, obtain etc)* haben; **may I have your address?** kann ich Ihre Adresse haben?; **to have a baby** ein Kind bekommen
4 *(maintain, allow)*: **he will have it that he is right** er besteht darauf, daß er recht hat; **I won't have it** das lasse ich mir nicht bieten
5: **to have sth done** etw machen lassen; **to have sb do sth** jdn etw machen lassen; **he soon had them all laughing** er brachte sie alle zum Lachen
6 *(experience, suffer)*: **she had her bag stolen** man hat ihr die Tasche gestohlen; **he had his arm broken** er hat sich den Arm gebrochen
7 *(+noun: take, hold etc)*: **to have a walk/ rest** spazierengehen/sich ausruhen; **to have a meeting/party** eine Besprechung/ Party haben
have out *vt*: **to have it out with sb** *(settle a problem etc)* etw mit jdm bereden

haven ['heɪvn] *n* Zufluchtsort *m*
haven't ['hævnt] = **have not**
haversack ['hævəsæk] *n* Rucksack *m*
havoc ['hævək] *n* Verwüstung *f*
Hawaii [hə'waɪiː] *n* Hawaii *nt*
hawk [hɔːk] *n* Habicht *m*
hay [heɪ] *n* Heu *nt*; **~ fever** *n* Heuschnupfen *m*; **~stack** *n* Heuschober *m*
haywire ['heɪwaɪə*] *(inf) adj* durcheinander
hazard ['hæzəd] *n* Risiko *nt* ♦ *vt* aufs Spiel setzen; **~ous** *adj* gefährlich; **~ (warning) lights** *npl (AUT)* Warnblinklicht *nt*
haze [heɪz] *n* Dunst *m*
hazelnut ['heɪzlnʌt] *n* Haselnuß *f*
hazy ['heɪzɪ] *adj (misty)* dunstig; *(vague)* verschwommen

he [hiː] *pron* er
head [hed] *n* Kopf *m*; *(leader)* Leiter *m* ♦ *vt* (an)führen, leiten; *(ball)* köpfen; **~s (or tails)** Kopf (oder Zahl); **~ first** mit dem Kopf nach unten; **~ over heels** kopfüber; **~ for** *vt fus* zugehen auf +*acc*; **~ache** *n* Kopfschmerzen *pl*; **~dress** *n* Kopfschmuck *m*; **~ing** *n* Überschrift *f*; **~lamp** *n* (*BRIT*) Scheinwerfer *m*; **~land** *n* Landspitze *f*; **~light** *n* Scheinwerfer *m*; **~line** *n* Schlagzeile *f*; **~long** *adv* kopfüber; **~master** *n* *(of primary school)* Rektor *m*; *(of secondary school)* Direktor *m*; **~mistress** *n* Rektorin *f*; Direktorin *f*; **~ office** *n* Zentrale *f*; **~-on** *adj* Frontal-; **~phones** *npl* Kopfhörer *pl*; **~quarters** *npl* Zentrale *f*; *(MIL)* Hauptquartier *nt*; **~rest** *n* Kopfstütze *f*; **~room** *n* *(of bridges etc)* lichte Höhe *f*; **~scarf** *n* Kopftuch *nt*; **~strong** *adj* eigenwillig; **~waiter** *n* Oberkellner *m*; **~way** *n* Fortschritte *pl*; **~wind** *n* Gegenwind *m*; **~y** *adj* berauschend
heal [hiːl] *vt* heilen ♦ *vi* verheilen
health [helθ] *n* Gesundheit *f*; **~ food** *n* Reformkost *f*; **the H~ Service** (*BRIT*) *n* das Gesundheitswesen; **~y** *adj* gesund
heap [hiːp] *n* Haufen *m* ♦ *vt* häufen
hear [hɪə*] (*pt, pp* **heard**) *vt* hören; *(listen to)* anhören ♦ *vi* hören; **~d** [hɜːd] *pt, pp of* **hear**; **~ing** *n* Gehör *nt*; *(JUR)* Verhandlung *f*; **~ing aid** *n* Hörapparat *m*; **~say** *n* Hörensagen *nt*
hearse [hɜːs] *n* Leichenwagen *m*
heart [hɑːt] *n* Herz *nt*; **~s** *npl (CARDS)* Herz *nt*; **by ~** auswendig; **~ attack** *n* Herzanfall *m*; **~beat** *n* Herzschlag *m*; **~breaking** *adj* herzzerbrechend; **~broken** *adj* untröstlich; **~burn** *n* Sodbrennen *nt*; **~ failure** *n* Herzschlag *m*; **~felt** *adj* aufrichtig
hearth [hɑːθ] *n* Herd *m*
heartily ['hɑːtɪlɪ] *adv* herzlich; *(eat)* herzhaft
heartless ['hɑːtlɪs] *adj* herzlos
hearty ['hɑːtɪ] *adj* kräftig; *(friendly)* freundlich
heat [hiːt] *n* Hitze *f*; *(of food, water etc)* Wärme *f*; *(SPORT: also: qualifying ~)* Ausscheidungsrunde *f* ♦ *vt (house)* heizen; *(substance)* heiß machen, erhitzen; **~ up** *vi* warm werden ♦ *vt* aufwärmen; **~ed** *adj* erhitzt; *(fig)* hitzig; **~er** *n* (Heiz)ofen *m*
heath [hiːθ] (*BRIT*) *n* Heide *f*
heathen ['hiːðən] *n* Heide *m*/Heidin *f* ♦ *adj* heidnisch, Heiden-
heather ['heðə*] *n* Heidekraut *nt*
heating ['hiːtɪŋ] *n* Heizung *f*
heatstroke ['hiːtstrəʊk] *n* Hitzschlag *m*
heat wave *n* Hitzewelle *f*
heave [hiːv] *vt* hochheben; *(sigh)* ausstoßen ♦ *vi* wogen; *(breast)* sich heben ♦ *n* Heben *nt*

heaven ['hevn] *n* Himmel *m*; **~ly** *adj* himmlisch

heavily ['hevɪlɪ] *adv* schwer

heavy ['hevɪ] *adj* schwer; **~ goods vehicle** *n* Lastkraftwagen *m*; **~weight** *n* (*SPORT*) Schwergewicht *nt*

Hebrew ['hi:bru:] *adj* hebräisch ♦ *n* (*LING*) Hebräisch *nt*

Hebrides ['hebrɪdi:z] *npl* Hebriden *pl*

heckle ['hekl] *vt* unterbrechen

hectic ['hektɪk] *adj* hektisch

he'd [hi:d] = **he had; he would**

hedge [hedʒ] *n* Hecke *f* ♦ *vt* einzäunen ♦ *vi* (*fig*) ausweichen; **to ~ one's bets** sich absichern

hedgehog ['hedʒhɒg] *n* Igel *m*

heed [hi:d] *vt* (*also:* **take ~ of**) beachten ♦ *n* Beachtung *f*; **~less** *adj* achtlos

heel [hi:l] *n* Ferse *f*; (*of shoe*) Absatz *m* ♦ *vt* (*shoes*) mit Absätzen versehen

hefty ['heftɪ] *adj* (*person*) stämmig; (*portion*) reichlich

heifer ['hefə*] *n* Färse *f*

height [haɪt] *n* (*of person*) Größe *f*; (*of object*) Höhe *f*; **~en** *vt* erhöhen

heir [ɛə*] *n* Erbe *m*; **~ess** ['ɛərɪs] *n* Erbin *f*; **~loom** *n* Erbstück *nt*

held [held] *pt, pp of* **hold**

helicopter ['helɪkɒptə*] *n* Hubschrauber *m*

heliport ['helɪpɔ:t] *n* Hubschrauberlandeplatz *m*

hell [hel] *n* Hölle *f* ♦ *excl* verdammt!

he'll [hi:l] = **he will; he shall**

hellish ['helɪʃ] *adj* höllisch, verteufelt

hello [hʌ'ləʊ] *excl* hallo

helm [helm] *n* Ruder *nt*, Steuer *nt*

helmet ['helmɪt] *n* Helm *m*

help [help] *n* Hilfe *f* ♦ *vt* helfen +*dat*; **I can't ~ it** ich kann nichts dafür; **~ yourself** bedienen Sie sich; **~er** *n* Helfer *m*; **~ful** *adj* hilfreich; **~ing** *n* Portion *f*; **~less** *adj* hilflos

hem [hem] *n* Saum *m* ♦ *vt* säumen; **~ in** *vt* einengen

hemorrhage ['hemərɪdʒ] (*US*) *n* = **haemorrhage**

hemorrhoids ['hemərɔɪdz] (*US*) *npl* = **haemorrhoids**

hen [hen] *n* Henne *f*

hence [hens] *adv* von jetzt an; (*therefore*) daher; **~forth** *adv* von nun an; (*from then on*) von da an

henchman ['hentʃmən] (*irreg*) *n* Gefolgsmann *m*

her [hɜ:*] *pron* (*acc*) sie; (*dat*) ihr ♦ *adj* ihr; *see also* **me; my**

herald ['herəld] *n* (Vor)bote *m* ♦ *vt* verkünden

heraldry ['herəldrɪ] *n* Wappenkunde *f*

herb [hɜ:b] *n* Kraut *nt*

herd [hɜ:d] *n* Herde *f*

here [hɪə*] *adv* hier; (*to this place*) hierher;

~after *adv* hernach, künftig ♦ *n* Jenseits *nt*; **~by** *adv* hiermit

hereditary [hɪ'redɪtərɪ] *adj* erblich

heredity [hɪ'redɪtɪ] *n* Vererbung *f*

heresy ['herəsɪ] *n* Ketzerei *f*

heretic ['herətɪk] *n* Ketzer *m*

heritage ['herɪtɪdʒ] *n* Erbe *nt*

hermetically [hɜ:'metɪkəlɪ] *adv*: **~ sealed** hermetisch verschlossen

hermit ['hɜ:mɪt] *n* Einsiedler *m*

hernia ['hɜ:nɪə] *n* Bruch *m*

hero ['hɪərəʊ] (*pl* **~es**) *n* Held *m*; **~ic** [hɪ'rəʊɪk] *adj* heroisch

heroin ['herəʊɪn] *n* Heroin *nt*

heroine ['herəʊɪn] *n* Heldin *f*

heroism ['herəʊɪzəm] *n* Heldentum *nt*

heron ['herən] *n* Reiher *m*

herring ['herɪŋ] *n* Hering *m*

hers [hɜ:z] *pron* ihre(r, s); *see also* **mine[2]**

herself [hɜ:'self] *pron* sich (selbst); (*emphatic*) selbst; *see also* **oneself**

he's [hi:z] = **he is; he has**

hesitant ['hezɪtənt] *adj* zögernd

hesitate ['hezɪteɪt] *vi* zögern

hesitation [hezɪ'teɪʃən] *n* Zögern *nt*

hew [hju:] (*pt* **hewed**, *pp* **hewn**) *vt* hauen, hacken

hexagon ['heksəgən] *n* Sechseck *nt*; **~al** [hek'sægənəl] *adj* sechseckig

heyday ['heɪdeɪ] *n* Blüte *f*, Höhepunkt *m*

HGV *n abbr* = **heavy goods vehicle**

hi [haɪ] *excl* he, hallo

hiatus [haɪ'eɪtəs] *n* (*gap*) Lücke *f*

hibernate ['haɪbəneɪt] *vi* Winterschlaf *m* halten

hibernation [haɪbə'neɪʃən] *n* Winterschlaf *m*

hiccough ['hɪkʌp] *vi* den Schluckauf haben; **~s** *npl* Schluckauf *m*

hiccup ['hɪkʌp] = **hiccough**

hid [hɪd] *pt of* **hide**; **~den** ['hɪdn] *pp of* **hide**

hide [haɪd] (*pt* **hid**, *pp* **hidden**) *n* (*skin*) Haut *f*, Fell *nt* ♦ *vt* verstecken ♦ *vi* sich verstecken; **~-and-seek** *n* Versteckspiel *nt*; **~away** *n* Versteck *nt*

hideous ['hɪdɪəs] *adj* abscheulich

hiding ['haɪdɪŋ] *n* (*beating*) Tracht *f* Prügel; **to be in ~** (*concealed*) sich versteckt halten; **~ place** *n* Versteck *nt*

hi-fi ['haɪfaɪ] *n* Hi-Fi *nt* ♦ *adj* Hi-Fi-

high [haɪ] *adj* hoch; (*wind*) stark ♦ *adv* hoch; **it is 20m ~** es ist 20 Meter hoch; **~brow** *adj* (betont) intellektuell; **~chair** *n* Hochstuhl *m*; **~er education** *n* Hochschulbildung *f*; **~-handed** *adj* eigenmächtig; **~-heeled** *adj* hochhackig; **~ jump** *n* (*SPORT*) Hochsprung *m*; **the H~lands** *npl* das schottische Hochland; **~light** *n* (*fig*) Höhepunkt *m* ♦ *vt* hervorheben; **~ly** *adv* höchst; **~ly strung** *adj* überempfindlich; **~ness** *n* Höhe *f*; **Her**

H~ness Ihre Hoheit f; **~-pitched** adj hoch; **~-rise block** n Hochhaus nt; **~ school** (US) n Oberschule f; **~ season** (BRIT) n Hochsaison f; **~ street** (BRIT) n Hauptstraße f

highway ['haɪweɪ] n Landstraße f; **H~ Code** (BRIT) n Straßenverkehrsordnung f

hijack ['haɪdʒæk] vt entführen; **~er** n Entführer(in) m(f)

hike [haɪk] vi wandern ♦ n Wanderung f; **~r** n Wanderer m

hilarious [hɪ'lɛərɪəs] adj lustig

hill [hɪl] n Berg m; **~side** n (Berg)hang m; **~y** adj hügelig

hilt [hɪlt] n Heft nt; **(up) to the ~** ganz und gar

him [hɪm] pron (acc) ihn; (dat) ihm; see also **me**

himself [hɪm'self] pron sich (selbst); (emphatic) selbst; see also **oneself**

hind [haɪnd] adj hinter, Hinter-

hinder ['hɪndə*] vt (stop) hindern; (delay) behindern

hindrance ['hɪndrəns] n (delay) Behinderung f; (obstacle) Hindernis nt

hindsight ['haɪndsaɪt] n: **with ~** im nachhinein

Hindu ['hɪnduː] n Hindu m

hinge [hɪndʒ] n Scharnier nt; (on door) Türangel f ♦ vi (fig): **to ~ on** abhängen von

hint [hɪnt] n Tip m; (trace) Anflug m ♦ vt: **to ~ that** andeuten, daß ♦ vi: **to ~ at** andeuten

hip [hɪp] n Hüfte f

hippopotami [hɪpə'pɒtəmaɪ] npl of **hippopotamus**

hippopotamus [hɪpə'pɒtəməs] (pl **~es** or **hippopotami**) n Nilpferd nt

hire ['haɪə*] vt (worker) anstellen; (BRIT: car) mieten ♦ n Miete f; **for ~** (taxi) frei; **~ purchase** (BRIT) n Teilzahlungskauf m

his [hɪz] adj sein ♦ pron seine(r, s); see also **my; mine**[2]

hiss [hɪs] vi zischen ♦ n Zischen nt

historian [hɪs'tɔːrɪən] n Historiker m

historic [hɪs'tɒrɪk] adj historisch

historical [hɪs'tɒrɪkəl] adj historisch, geschichtlich

history ['hɪstərɪ] n Geschichte f

hit [hɪt] (pt, pp **hit**) vt schlagen; (injure) treffen ♦ n (blow) Schlag m; (success) Erfolg m; (MUS) Hit m; **to ~ it off with sb** prima mit jdm auskommen; **~-and-run driver** n jemand, der Fahrerflucht begeht

hitch [hɪtʃ] vt festbinden; (also: **~ up**) hochziehen ♦ n (difficulty) Haken m; **to ~ a lift** trampen

hitchhike ['hɪtʃhaɪk] vi trampen; **~r** n Tramper m

hi-tech ['haɪtek] adj Hi-tech- ♦ n Spitzentechnologie f

hitherto ['hɪðə'tuː] adv bislang

HIV n abbr: **~-negative/-positive** HIV-negativ/-positiv

hive [haɪv] n Bienenkorb m; **~ off** vt ausgliedern

HMS abbr = His (Her) Majesty's Ship

hoard [hɔːd] n Schatz m ♦ vt horten, hamstern

hoarding ['hɔːdɪŋ] n Bretterzaun m; (BRIT: for advertising) Reklamewand f

hoarse [hɔːs] adj heiser, rauh

hoax [həʊks] n Streich m

hob [hɒb] n Kochmulde f

hobble ['hɒbl] vi humpeln

hobby ['hɒbɪ] n Hobby nt; **~-horse** n (fig) Steckenpferd nt

hobo ['həʊbəʊ] (US) n Tippelbruder m

hock [hɒk] n (wine) weiße(r) Rheinwein m

hockey ['hɒkɪ] n Hockey nt

hoe [həʊ] n Hacke f ♦ vt hacken

hog [hɒg] n Schlachtschwein nt ♦ vt mit Beschlag belegen; **to go the whole ~** aufs Ganze gehen

hoist [hɔɪst] n Winde f ♦ vt hochziehen

hold [həʊld] (pt, pp **held**) vt halten; (contain) enthalten; (be able to contain) fassen; (breath) anhalten; (meeting) abhalten ♦ vi (withstand pressure) aushalten ♦ n (grasp) Halt m; (NAUT) Schiffsraum m; **~ the line!** (TEL) bleiben Sie am Apparat!; **to ~ one's own** sich behaupten; **~ back** vt zurückhalten; **~ down** vt niederhalten; (job) behalten; **~ off** vt (enemy) abwehren; **~ on** vi sich festhalten; (resist) durchhalten; (wait) warten; **~ on to** vt fus festhalten an +dat; (keep) behalten; **~ out** vt hinhalten ♦ vi aushalten; **~ up** vt (delay) aufhalten; (rob) überfallen; **~all** (BRIT) n Reisetasche f; **~er** n Behälter m; **~ing** n (share) (Aktien)anteil m; **~up** n (BRIT: in traffic) Stockung f; (robbery) Überfall m; (delay) Verzögerung f

hole [həʊl] n Loch nt ♦ vt durchlöchern

holiday ['hɒlədɪ] n (day) Feiertag m; freie(r) Tag m; (vacation) Urlaub m; (SCH) Ferien pl; **~ camp** n Ferienlager nt; **~-maker** (BRIT) n Urlauber(in) m(f); **~ resort** n Ferienort m

holiness ['həʊlɪnɪs] n Heiligkeit f

Holland ['hɒlənd] n Holland nt

hollow ['hɒləʊ] adj hohl; (fig) leer ♦ n Vertiefung f; **~ out** vt aushöhlen

holly ['hɒlɪ] n Stechpalme f

holocaust ['hɒləkɔːst] n Inferno nt

holster ['həʊlstə*] n Pistolenhalfter m

holy ['həʊlɪ] adj heilig; **the H~ Ghost** or **Spirit** n der Heilige Geist

homage ['hɒmɪdʒ] n Huldigung f; **to pay ~ to** huldigen +dat

home [həʊm] n Zuhause nt; (institution) Heim nt, Anstalt f ♦ adj einheimisch; (POL) inner ♦ adv heim, nach Hause; **at ~** zu

Hause; ~ **address** n Heimatadresse f; ~**coming** n Heimkehr f; ~**land** n Heimat(land nt) f; ~**less** adj obdachlos; ~**ly** adj häuslich; (US: ugly) unscheinbar; ~-**made** adj selbstgemacht; **H**~ **Office** (BRIT) n Innenministerium nt; ~ **rule** n Selbstverwaltung f; **H**~ **Secretary** (BRIT) n Innenminister(in) m(f); ~**sick** adj: **to be** ~**sick** Heimweh haben; ~ **town** n Heimatstadt f; ~**ward** adj (journey) Heim-; ~**work** n Hausaufgaben pl

homicide ['hɒmɪsaɪd] (US) n Totschlag m

homoeopathy [həʊmɪ'ɒpəθɪ] n Homöopathie f

homogeneous [hɒmə'dʒiːnɪəs] adj homogen

homosexual ['hɒməʊ'seksjʊəl] adj homosexuell ♦ n Homosexuelle(r) mf

honest ['ɒnɪst] adj ehrlich; ~**ly** adv ehrlich; ~**y** n Ehrlichkeit f

honey ['hʌnɪ] n Honig m; ~**comb** n Honigwabe f; ~**moon** n Flitterwochen pl, Hochzeitsreise f; ~**suckle** n Geißblatt nt

honk [hɒŋk] vi hupen

honor ['ɒnə*] (US) vt, n = honour

honorary ['ɒnərərɪ] adj Ehren-

honour ['ɒnə*] (US **honor**) vt ehren; (cheque) einlösen ♦ n Ehre f; ~**able** adj ehrenwert; (intention) ehrenhaft; ~**s degree** n (UNIV) akademischer Grad mit Prüfung im Spezialfach

hood [hʊd] n Kapuze f; (BRIT: AUT) Verdeck nt; (US) Kühlerhaube f

hoodlum ['huːdləm] n Rowdy m; (member of gang) Gangster m

hoodwink ['hʊdwɪŋk] vt reinlegen

hoof [huːf] (pl **hooves**) n Huf m

hook [hʊk] n Haken m ♦ vt einhaken

hooligan ['huːlɪgən] n Rowdy m

hoop [huːp] n Reifen m

hoot [huːt] vi (AUT) hupen; ~**er** n (NAUT) Dampfpfeife f; (BRIT: AUT) (Auto)hupe f

hoover ['huːvə*] (®; BRIT) n Staubsauger m ♦ vt staubsaugen

hooves [huːvz] pl of hoof

hop [hɒp] vi hüpfen, hopsen ♦ n (jump) Hopser m

hope [həʊp] vt, vi hoffen ♦ n Hoffnung f; **I** ~ **so/not** hoffentlich/hoffentlich nicht; ~**ful** adj hoffnungsvoll; (promising) vielversprechend; ~**fully** adv hoffentlich; ~**less** adj hoffnungslos

hops [hɒps] npl Hopfen m

horizon [hə'raɪzn] n Horizont m; ~**tal** [hɒrɪ'zɒntl] adj horizontal

hormone ['hɔːməʊn] n Hormon nt

horn [hɔːn] n Horn nt; (AUT) Hupe f

hornet ['hɔːnɪt] n Hornisse f

horny ['hɔːnɪ] adj schwielig; (US: inf) scharf

horoscope ['hɒrəskəʊp] n Horoskop nt

horrendous [hə'rendəs] adj (crime) abscheulich; (error) schrecklich

horrible ['hɒrɪbl] adj fürchterlich

horrid ['hɒrɪd] adj scheußlich

horrify ['hɒrɪfaɪ] vt entsetzen

horror ['hɒrə*] n Schrecken m; ~ **film** n Horrorfilm m

hors d'oeuvre [ɔː'dɜːvr] n Vorspeise f

horse [hɔːs] n Pferd nt; ~**back** n: **on** ~**back** beritten; ~ **chestnut** n Roßkastanie f; ~**man/woman** (irreg) n Reiter(in) m(f); ~**power** n Pferdestärke f; ~-**racing** n Pferderennen nt; ~**radish** n Meerrettich m; ~**shoe** n Hufeisen nt

horticulture ['hɔːtɪkʌltʃə*] n Gartenbau m

hose [həʊz] n (also: ~**pipe**) Schlauch m

hosiery ['həʊzɪərɪ] n Strumpfwaren pl

hospitable [hɒs'pɪtəbl] adj gastfreundlich

hospital ['hɒspɪtl] n Krankenhaus nt

hospitality [hɒspɪ'tælɪtɪ] n Gastfreundschaft f

host [həʊst] n Gastgeber m; (innkeeper) (Gast)wirt m; (large number) Heerschar f; (ECCL) Hostie f

hostage ['hɒstɪdʒ] n Geisel f

hostel ['hɒstəl] n Herberge f; (also: youth ~) Jugendherberge f

hostess ['həʊstes] n Gastgeberin f

hostile ['hɒstaɪl] adj feindlich

hostility [hɒs'tɪlɪtɪ] n Feindschaft f; **hostilities** npl (fighting) Feindseligkeiten pl

hot [hɒt] adj heiß; (drink, food, water) warm; (spiced) scharf; **I'm** ~ mir ist heiß; ~**bed** n (fig) Nährboden m; ~ **dog** n heiße(s) Würstchen nt

hotel [həʊ'tel] n Hotel nt; ~**ier** n Hotelier m

hot: ~**headed** adj hitzig; ~**house** n Treibhaus nt; ~ **line** n (POL) heiße(r) Draht m; ~**ly** adv (argue) hitzig; ~**plate** n Kochplatte f; ~-**water bottle** n Wärmflasche f

hound [haʊnd] n Jagdhund m ♦ vt hetzen

hour ['aʊə*] n Stunde f; (time of day) (Tages)zeit f; ~**ly** adj, adv stündlich

house [n haʊs, pl 'haʊzɪz, vb haʊz] n Haus nt ♦ vt unterbringen; **on the** ~ auf Kosten des Hauses; ~ **arrest** n (POL, MIL) Hausarrest m; ~**boat** n Hausboot nt; ~**breaking** n Einbruch m; ~-**coat** n Morgenmantel m; ~**hold** n Haushalt m; ~**keeper** n Haushälterin f; ~**keeping** n Haushaltung f; ~-**warming party** n Einweihungsparty f; ~**wife** (irreg) n Hausfrau f; ~**work** n Hausarbeit f

housing ['haʊzɪŋ] n (act) Unterbringung f; (houses) Wohnungen pl; (POL) Wohnungsbau m; (covering) Gehäuse nt; ~ **estate** (US ~ **development**) n (Wohn)siedlung f

hovel ['hɒvəl] n elende Hütte f

hover ['hɒvə*] vi (bird) schweben; (person) herumstehen; ~**craft** n Luftkissenfahrzeug nt

how [haʊ] adv wie; ~ **are you?** wie geht es

Ihnen?; ~ **much milk?** wieviel Milch?; ~
many people? wie viele Leute?
however [hau'evə*] *adv* (*but*) (je)doch,
aber; ~ **you phrase it** wie Sie es auch ausdrücken
howl [haul] *n* Heulen *nt* ♦ *vi* heulen
H.P. *abbr* = **hire purchase**
h.p. *abbr* = **horsepower**
H.Q. *abbr* = **headquarters**
hub [hʌb] *n* Radnabe *f*
hubbub ['hʌbʌb] *n* Tumult *m*
hubcap ['hʌbkæp] *n* Radkappe *f*
huddle ['hʌdl] *vi*: **to ~ together** sich zusammendrängen
hue [hju:] *n* Färbung *f*; ~ **and cry** *n* Zeter-
geschrei *nt*
huff [hʌf] *n*: **to go into a ~** einschnappen
hug [hʌg] *vt* umarmen ♦ *n* Umarmung *f*
huge [hju:dʒ] *adj* groß, riesig
hulk [hʌlk] *n* (*ship*) abgetakelte(s) Schiff *nt*;
(*person*) Koloß *m*
hull [hʌl] *n* Schiffsrumpf *m*
hullo [hʌ'ləu] *excl* = **hello**
hum [hʌm] *vt*, *vi* summen
human ['hju:mən] *adj* menschlich ♦ *n* (*also*:
~ **being**) Mensch *m*
humane [hju:'mein] *adj* human
humanitarian [hju:mænɪ'tɛərɪən] *adj* hu-
manitär
humanity [hju:'mænɪtɪ] *n* Menschheit *f*;
(*kindliness*) Menschlichkeit *f*
humble ['hʌmbl] *adj* demütig; (*modest*) bescheiden ♦ *vt* demütigen
humbug ['hʌmbʌg] *n* Humbug *m*; (*BRIT*:
sweet) Pfefferminzbonbon *nt*
humdrum ['hʌmdrʌm] *adj* stumpfsinnig
humid ['hju:mɪd] *adj* feucht; ~**ity** *n* Feuchtigkeit *f*
humiliate [hju:'mɪlɪeɪt] *vt* demütigen
humiliation [hju:mɪlɪ'eɪʃən] *n* Demütigung
f
humility [hju:'mɪlɪtɪ] *n* Demut *f*
humor ['hju:mə*] (*US*) *n*, *vt* = **humour**
humorous ['hju:mərəs] *adj* humorvoll
humour ['hju:mə*] (*US* **humor**) *n* (*fun*) Humor *m*; (*mood*) Stimmung *f* ♦ *vt* bei Stimmung halten
hump [hʌmp] *n* Buckel *m*
hunch [hʌntʃ] *n* Buckel *m*; (*premonition*)
(Vor)ahnung *f*; ~**back** *n* Bucklige(r) *mf*;
~**ed** *adj* gekrümmt
hundred ['hʌndrɪd] *num* hundert;
~**weight** *n* Zentner *m* (*BRIT* = 50.8kg; *US*
= 45.3kg)
hung [hʌŋ] *pt*, *pp* of **hang**
Hungarian [hʌŋ'gɛərɪən] *adj* ungarisch ♦ *n*
Ungar(in) *m(f)*; (*LING*) Ungarisch *nt*
Hungary ['hʌŋgərɪ] *n* Ungarn *nt*
hunger ['hʌŋgə*] *n* Hunger *m* ♦ *vi* hungern
hungry ['hʌŋgrɪ] *adj* hungrig; **to be ~**
Hunger haben
hunk [hʌŋk] *n* (*of bread*) Stück *nt*

hunt [hʌnt] *vt*, *vi* jagen ♦ *n* Jagd *f*; **to ~ for**
suchen; ~**er** *n* Jäger *m*; ~**ing** *n* Jagd *f*
hurdle ['hɜ:dl] *n* (*also fig*) Hürde *f*
hurl [hɜ:l] *vt* schleudern
hurrah [hu'rɑ:] *n* Hurra *nt*
hurray [hu'reɪ] *n* Hurra *nt*
hurricane ['hʌrɪkən] *n* Orkan *m*
hurried ['hʌrɪd] *adj* eilig; (*hasty*) übereilt;
~**ly** *adv* übereilt, hastig
hurry ['hʌrɪ] *n* Eile *f* ♦ *vi* sich beeilen ♦ *vt*
(an)treiben; (*job*) übereilen; **to be in a ~** es
eilig haben; ~ **up** *vi* sich beeilen ♦ *vt* (*person*) zur Eile antreiben; (*work*) vorantreiben
hurt [hɜ:t] (*pt*, *pp* **hurt**) *vt* weh tun +*dat*;
(*injure*, *fig*) verletzen ♦ *vi* weh tun; ~**ful** *adj*
schädlich; (*remark*) verletzend
hurtle ['hɜ:tl] *vi* sausen
husband ['hʌzbənd] *n* (Ehe)mann *m*
hush [hʌʃ] *n* Stille *f* ♦ *vt* zur Ruhe bringen
♦ *excl* pst, still
husk [hʌsk] *n* Spelze *f*
husky ['hʌskɪ] *adj* (*voice*) rauh ♦ *n* Eskimo-
hund *m*
hustle ['hʌsl] *vt* (*push*) stoßen; (*hurry*) antreiben ♦ *n*: ~ **and bustle** Geschäftigkeit *f*
hut [hʌt] *n* Hütte *f*
hutch [hʌtʃ] *n* (Kaninchen)stall *m*
hyacinth ['haɪəsɪnθ] *n* Hyazinthe *f*
hybrid ['haɪbrɪd] *n* Kreuzung *f* ♦ *adj* Misch-
hydrant ['haɪdrənt] *n* (*also*: **fire ~**) Hydrant
m
hydraulic [haɪ'drɒlɪk] *adj* hydraulisch
hydroelectric [haɪdrəʊɪ'lektrɪk] *adj* (*energy*) durch Wasserkraft erzeugt; ~ **power
station** *n* Wasserkraftwerk *nt*
hydrofoil ['haɪdrəʊfɔɪl] *n* Tragflügelboot *nt*
hydrogen ['haɪdrɪdʒən] *n* Wasserstoff *m*
hyena [haɪ'i:nə] *n* Hyäne *f*
hygiene ['haɪdʒi:n] *n* Hygiene *f*
hygienic [haɪ'dʒi:nɪk] *adj* hygienisch
hymn [hɪm] *n* Kirchenlied *nt*
hype [haɪp] (*inf*) *n* Publicity *f*
hypermarket ['haɪpə'mɑ:kɪt] (*BRIT*) *n* Hypermarket *m*
hyphen ['haɪfən] *n* Bindestrich *m*
hypnosis [hɪp'nəusɪs] *n* Hypnose *f*
hypnotic [hɪp'nɒtɪk] *adj* hypnotisierend
hypnotize ['hɪpnətaɪz] *vt* hypnotisieren
hypocrisy [hɪ'pɒkrɪsɪ] *n* Heuchelei *f*
hypocrite ['hɪpəkrɪt] *n* Heuchler *m*
hypocritical [hɪpə'krɪtɪkəl] *adj* scheinheilig,
heuchlerisch
hypothermia ['haɪpəʊ'θɜ:mɪə] *n* Unterkühlung *f*
hypotheses [haɪ'pɒθɪsi:z] *npl of* **hypothesis**
hypothesis [haɪ'pɒθɪsɪs] (*pl* **hypotheses**) *n*
Hypothese *f*
hypothetic(al) [haɪpəʊ'θetɪk(əl)] *adj* hypo-
thetisch
hysterical [hɪs'terɪkəl] *adj* hysterisch
hysterics [hɪs'terɪks] *npl* hysterische(r) An-

fall *m*

I i

I [aɪ] *pron* ich
ice [aɪs] *n* Eis *nt* ♦ *vt* (COOK) mit Zuckerguß überziehen ♦ *vi* (also: ~ up) vereisen; ~ **axe** *n* Eispickel *m*; ~**berg** *n* Eisberg *m*; ~**box** (US) *n* Kühlschrank *m*; ~ **cream** *n* Eis *nt*; ~ **cube** *n* Eiswürfel *m*; ~ **hockey** *n* Eishockey *nt*
Iceland ['aɪslənd] *n* Island *nt*
ice: ~ **lolly** (BRIT) *n* Eis *nt* am Stiel; ~ **rink** *n* (Kunst)eisbahn *f*; ~ **skating** *n* Schlittschuhlaufen *nt*
icicle ['aɪsɪkl] *n* Eiszapfen *m*
icing ['aɪsɪŋ] *n* (on cake) Zuckerguß *m*; (on window) Vereisung *f*; ~ **sugar** (BRIT) *n* Puderzucker *m*
icon ['aɪkɒn] *n* Ikone *f*
icy ['aɪsɪ] *adj* (slippery) vereist; (cold) eisig
I'd [aɪd] = I would; I had
idea [aɪ'dɪə] *n* Idee *f*
ideal [aɪ'dɪəl] *n* Ideal *nt* ♦ *adj* ideal; ~**ist** *n* Idealist *m*
identical [aɪ'dentɪkəl] *adj* identisch; (twins) eineiig
identification [aɪdentɪfɪ'keɪʃən] *n* Identifizierung *f*; **means of** ~ Ausweispapiere *pl*
identify [aɪ'dentɪfaɪ] *vt* identifizieren; (regard as the same) gleichsetzen
Identikit picture [aɪ'dentɪkɪt-] *n* Phantombild *nt*
identity [aɪ'dentɪtɪ] *n* Identität *f*; ~ **card** *n* Personalausweis *m*
ideology [aɪdɪ'ɒlədʒɪ] *n* Ideologie *f*
idiom ['ɪdɪəm] *n* (expression) Redewendung *f*; (dialect) Idiom *nt*; ~**atic** [ɪdɪə'mætɪk] *adj* idiomatisch
idiosyncrasy [ɪdɪə'sɪŋkrəsɪ] *n* Eigenart *f*
idiot ['ɪdɪət] *n* Idiot(in) *m(f)*; ~**ic** [ɪdɪ'ɒtɪk] *adj* idiotisch
idle ['aɪdl] *adj* (doing nothing) untätig; (lazy) faul; (useless) nutzlos; (machine) still(stehend); (threat, talk) leer ♦ *vi* (machine) leerlaufen ♦ *vt*: **to** ~ **away the time** die Zeit vertrödeln; ~**ness** *n* Müßiggang *m*; Faulheit *f*
idol ['aɪdl] *n* Idol *nt*; ~**ize** *vt* vergöttern
i.e. *abbr* (= id est) d.h.

──────── KEYWORD

if [ɪf] *conj* **1** wenn; (in case also) falls; **if I**

were you wenn ich Sie wäre
2 (although): (even) **if** (selbst or auch) wenn
3 (whether) ob
4: **if so/not** wenn ja/nicht; **if only** ... wenn ... doch nur ...; **if only I could** wenn ich doch nur könnte; see also **as**

ignite [ɪg'naɪt] *vt* (an)zünden ♦ *vi* sich entzünden
ignition [ɪg'nɪʃən] *n* Zündung *f*; **to switch on/off the** ~ den Motor anlassen/abstellen; ~ **key** *n* (AUT) Zündschlüssel *m*
ignorance ['ɪgnərəns] *n* Unwissenheit *f*
ignorant ['ɪgnərənt] *adj* unwissend; **to be** ~ **of** nicht wissen
ignore [ɪg'nɔ:*] *vt* ignorieren
I'll [aɪl] = I will; I shall
ill [ɪl] *adj* krank ♦ *n* Übel *nt* ♦ *adv* schlecht; ~**-advised** *adj* unklug; ~**-at-ease** *adj* unbehaglich
illegal [ɪ'li:gəl] *adj* illegal
illegible [ɪ'ledʒəbl] *adj* unleserlich
illegitimate [ɪlɪ'dʒɪtɪmət] *adj* unehelich
ill feeling *n* Verstimmung *f*
illicit [ɪ'lɪsɪt] *adj* verboten
illiterate [ɪ'lɪtərət] *adj* ungebildet
ill-mannered ['ɪl'mænəd] *adj* ungehobelt
illness ['ɪlnəs] *n* Krankheit *f*
illogical [ɪ'lɒdʒɪkəl] *adj* unlogisch
ill-treat ['ɪl'tri:t] *vt* mißhandeln
illuminate [ɪ'lu:mɪneɪt] *vt* beleuchten
illumination [ɪlu:mɪ'neɪʃən] *n* Beleuchtung *f*; ~**s** *pl* (decorative lights) festliche Beleuchtung *f*
illusion [ɪ'lu:ʒən] *n* Illusion *f*; **to be under the** ~ **that** ... sich *dat* einbilden, daß ...
illusory [ɪ'lu:sərɪ] *adj* trügerisch
illustrate ['ɪləstreɪt] *vt* (book) illustrieren; (explain) veranschaulichen
illustration [ɪləs'treɪʃən] *n* Illustration *f*; (explanation) Veranschaulichung *f*
illustrious [ɪ'lʌstrɪəs] *adj* berühmt
ill will *n* Groll *m*
I'm [aɪm] = I am
image ['ɪmɪdʒ] *n* Bild *nt*; (public ~) Image *nt*; ~**ry** *n* Symbolik *f*
imaginary [ɪ'mædʒɪnərɪ] *adj* eingebildet; (world) Phantasie-
imagination [ɪmædʒɪ'neɪʃən] *n* Einbildung *f*; (creative) Phantasie *f*
imaginative [ɪ'mædʒɪnətɪv] *adj* phantasiereich, einfallsreich
imagine [ɪ'mædʒɪn] *vt* sich vorstellen; (wrongly) sich einbilden
imbalance [ɪm'bæləns] *n* Unausgeglichenheit *f*
imbecile ['ɪmbəsi:l] *n* Schwachsinnige(r) *mf*
imbue [ɪm'bju:] *vt*: **to** ~ **sth with** etw erfüllen mit
imitate ['ɪmɪteɪt] *vt* imitieren

imitation [ɪmɪˈteɪʃən] n Imitation f
immaculate [ɪˈmækjʊlɪt] adj makellos; (*dress*) tadellos; (*ECCL*) unbefleckt
immaterial [ɪməˈtɪərɪəl] adj unwesentlich; **it is ~ whether** … es ist unwichtig, ob …
immature [ɪməˈtjʊə*] adj unreif
immediate [ɪˈmiːdɪət] adj (*instant*) sofortig; (*near*) unmittelbar; (*relatives*) nächste(r, s); (*needs*) dringlich; **~ly** adv sofort; **~ly next to** direkt neben
immense [ɪˈmens] adj unermeßlich
immerse [ɪˈmɜːs] vt eintauchen; **to be ~d in** (*fig*) vertieft sein in +acc
immersion heater [ɪˈmɜːʃən-] (*BRIT*) n Boiler m
immigrant [ˈɪmɪgrənt] n Einwanderer m
immigrate [ˈɪmɪgreɪt] vi einwandern
immigration [ɪmɪˈgreɪʃən] n Einwanderung f
imminent [ˈɪmɪnənt] adj bevorstehend
immobile [ɪˈməʊbaɪl] adj unbeweglich
immobilize [ɪˈməʊbɪlaɪz] vt lähmen
immoral [ɪˈmɒrəl] adj unmoralisch; **~ity** [ɪməˈrælɪtɪ] n Unsittlichkeit f
immortal [ɪˈmɔːtl] adj unsterblich
immune [ɪˈmjuːn] adj (*secure*) sicher; (*MED*) immun; **~ from** sicher vor +dat
immunity [ɪˈmjuːnɪtɪ] n (*MED, JUR*) Immunität f; (*fig*) Freiheit f
immunize [ˈɪmjʊnaɪz] vt immunisieren
imp [ɪmp] n Kobold m
impact [ˈɪmpækt] n Aufprall m; (*fig*) Wirkung f
impair [ɪmˈpɛə*] vt beeinträchtigen
impale [ɪmˈpeɪl] vt aufspießen
impart [ɪmˈpɑːt] vt mitteilen; (*knowledge*) vermitteln; (*exude*) abgeben
impartial [ɪmˈpɑːʃəl] adj unparteiisch
impassable [ɪmˈpɑːsəbl] adj unpassierbar
impasse [æmˈpɑːs] n Sackgasse f
impassive [ɪmˈpæsɪv] adj gelassen
impatience [ɪmˈpeɪʃəns] n Ungeduld f
impatient [ɪmˈpeɪʃənt] adj ungeduldig
impeccable [ɪmˈpekəbl] adj tadellos
impede [ɪmˈpiːd] vt (be)hindern
impediment [ɪmˈpedɪmənt] n Hindernis nt; (*in speech*) Sprachfehler m
impending [ɪmˈpendɪŋ] adj bevorstehend
impenetrable [ɪmˈpenɪtrəbl] adj (*also fig*) undurchdringlich
imperative [ɪmˈperətɪv] adj (*necessary*) unbedingt erforderlich ♦ n (*GRAM*) Imperativ m, Befehlsform f
imperceptible [ɪmpəˈseptəbl] adj nicht wahrnehmbar
imperfect [ɪmˈpɜːfɪkt] adj (*faulty*) fehlerhaft; **~ion** [ɪmpɜːˈfekʃən] n Unvollkommenheit f; (*fault*) Fehler m
imperial [ɪmˈpɪərɪəl] adj kaiserlich; **~ism** n Imperialismus m
impersonal [ɪmˈpɜːsnl] adj unpersönlich
impersonate [ɪmˈpɜːsəneɪt] vt sich ausge-

ben als; (*for amusement*) imitieren
impertinent [ɪmˈpɜːtɪnənt] adj unverschämt, frech
impervious [ɪmˈpɜːvɪəs] adj (*fig*): **~ (to)** unempfänglich (für)
impetuous [ɪmˈpetjʊəs] adj ungestüm
impetus [ˈɪmpɪtəs] n Triebkraft f; (*fig*) Auftrieb m
impinge [ɪmˈpɪndʒ] : **~ on** vt beeinträchtigen
implacable [ɪmˈplækəbl] adj unerbittlich
implement [n ˈɪmplɪmənt, vb ˈɪmplɪment] n Werkzeug nt ♦ vt ausführen
implicate [ˈɪmplɪkeɪt] vt verwickeln
implication [ɪmplɪˈkeɪʃən] n (*effect*) Auswirkung f; (*in crime*) Verwicklung f
implicit [ɪmˈplɪsɪt] adj (*suggested*) unausgesprochen; (*utter*) vorbehaltlos
implore [ɪmˈplɔː*] vt anflehen
imply [ɪmˈplaɪ] vt (*hint*) andeuten; (*be evidence for*) schließen lassen auf +acc
impolite [ɪmpəˈlaɪt] adj unhöflich
import [vb ɪmˈpɔːt, n ˈɪmpɔːt] vt einführen ♦ n Einfuhr f; (*meaning*) Bedeutung f
importance [ɪmˈpɔːtəns] n Bedeutung f
important [ɪmˈpɔːtənt] adj wichtig; **it's not ~** es ist unwichtig
importer [ɪmˈpɔːtə*] n Importeur m
impose [ɪmˈpəʊz] vt, vi: **to ~ (on)** auferlegen (+dat); (*penalty, sanctions*) verhängen (gegen); **to ~ (o.s.) on sb** sich jdm aufdrängen
imposing [ɪmˈpəʊzɪŋ] adj eindrucksvoll
imposition [ɪmpəˈzɪʃən] n (*of burden, fine*) Auferlegung f; (*SCH*) Strafarbeit f; **to be an ~ on person**) eine Zumutung sein
impossible [ɪmˈpɒsəbl] adj unmöglich
impostor [ɪmˈpɒstə*] n Hochstapler m
impotent [ˈɪmpətənt] adj machtlos; (*sexually*) impotent
impound [ɪmˈpaʊnd] vt beschlagnahmen
impoverished [ɪmˈpɒvərɪʃt] adj verarmt
impracticable [ɪmˈpræktɪkəbl] adj undurchführbar
impractical [ɪmˈpræktɪkəl] adj unpraktisch
imprecise [ɪmprəˈsaɪs] adj ungenau
impregnable [ɪmˈpregnəbl] adj (*castle*) uneinnehmbar
impregnate [ˈɪmpregneɪt] vt (*saturate*) sättigen; (*fertilize*) befruchten
impress [ɪmˈpres] vt (*influence*) beeindrucken; (*imprint*) (auf)drücken; **to ~ sth on sb** jdm etw einschärfen
impression [ɪmˈpreʃən] n Eindruck m; (*on wax, footprint*) Abdruck m; (*of book*) Auflage f; (*take-off*) Nachahmung f; **I was under the ~** ich hatte den Eindruck; **~able** adj leicht zu beeindrucken; **~ist** n Impressionist m
impressive [ɪmˈpresɪv] adj eindrucksvoll
imprint [ˈɪmprɪnt] n Abdruck m
imprison [ɪmˈprɪzn] vt ins Gefängnis

schicken; ~ment *n* Inhaftierung *f*

improbable [ɪm'prɒbəbl] *adj* unwahrscheinlich

impromptu [ɪm'prɒmptjuː] *adj, adv* aus dem Stegreif, improvisiert

improper [ɪm'prɒpə*] *adj* (*indecent*) unanständig; (*unsuitable*) unpassend

improve [ɪm'pruːv] *vt* verbessern ♦ *vi* besser werden; ~ment *n* (Ver)besserung *f*

improvise ['ɪmprəvaɪz] *vt, vi* improvisieren

imprudent [ɪm'pruːdənt] *adj* unklug

impudent ['ɪmpjʊdənt] *adj* unverschämt

impulse ['ɪmpʌls] *n* Impuls *m*; **to act on** ~ spontan handeln

impunity [ɪm'pjuːnɪtɪ] *n* Straflosigkeit *f*

impure [ɪm'pjʊə*] *adj* (*dirty*) verunreinigt; (*bad*) unsauber

impurity [ɪm'pjʊərɪtɪ] *n* Unreinheit *f*; (*TECH*) Verunreinigung *f*

KEYWORD

---

in [ɪn] *prep* **1** (*indicating place, position*) in +*dat*; (*with motion*) in +*acc*; **in here/there** hier/dort; **in the USA** in den Vereinigten Staaten

2 (*indicating time: during*) in +*dat*; **in summer** im Sommer; **in 1988** (im Jahre) 1988; **in the afternoon** nachmittags, am Nachmittag

3 (*indicating time: in the space of*) innerhalb von; **I'll see you in 2 weeks** *or* **in 2 weeks' time** ich sehe Sie in zwei Wochen

4 (*indicating manner, circumstances, state etc*) in +*dat*; **in the sun/rain** in der Sonne/im Regen; **in English/French** auf Englisch/Französisch; **in a loud/soft voice** mit lauter/leiser Stimme

5 (*with ratios, numbers*): **1 in 10** jeder zehnte; **20 pence in the pound** 20 Pence pro Pfund; **they lined up in twos** sie stellten sich in Zweierreihe auf

6 (*referring to people, works*): **the disease is common in children** die Krankheit ist bei Kindern häufig; **in Dickens** bei Dickens; **we have a loyal friend in him** er ist uns ein treuer Freund

7 (*indicating profession etc*): **to be in teaching/the army** Lehrer(in)/beim Militär sein; **to be in publishing** im Verlagswesen arbeiten

8 (*with present participle*): **in saying this, I** ... weil ich das sage, ... ich; **in accepting this view, he** ... weil er diese Meinung akzeptierte, ... er

♦ *adv*: **to be in** (*person: at home, work*) dasein; (*train, ship, plane*) angekommen sein; (*in fashion*) in sein; **to ask sb in** jdn hereinbitten; **to run/limp** *etc* **in** hereingerannt/gehumpelt *etc* kommen

♦ *n*: **the ins and outs** (*of proposal, situation etc*) die Feinheiten

in. *abbr* = **inch**

inability [ɪnə'bɪlɪtɪ] *n* Unfähigkeit *f*

inaccessible [ɪnæk'sesəbl] *adj* unzugänglich

inaccurate [ɪn'ækjʊrɪt] *adj* ungenau; (*wrong*) unrichtig

inactivity [ɪnæk'tɪvɪtɪ] *n* Untätigkeit *f*

inadequate [ɪn'ædɪkwət] *adj* unzulänglich

inadvertently [ɪnəd'vɜːtəntlɪ] *adv* unabsichtlich

inadvisable [ɪnəd'vaɪzəbl] *adj* nicht ratsam

inane [ɪ'neɪn] *adj* dumm, albern

inanimate [ɪn'ænɪmət] *adj* leblos

inappropriate [ɪnə'prəʊprɪət] *adj* (*clothing*) ungeeignet; (*remark*) unangebracht

inarticulate [ɪnɑː'tɪkjʊlət] *adj* unklar

inasmuch as [ɪnəz'mʌtʃəz] *adv* da; (*in so far as*) soweit

inaudible [ɪn'ɔːdəbl] *adj* unhörbar

inaugural [ɪ'nɔːgjʊrəl] *adj* Eröffnungs-

inaugurate [ɪ'nɔːgjʊreɪt] *vt* (*open*) einweihen; (*admit to office*) (feierlich) einführen

inauguration [ɪnɔːgjʊ'reɪʃən] *n* Eröffnung *f*; (feierliche) Amtseinführung *f*

inborn ['ɪn'bɔːn] *adj* angeboren

inbred ['ɪn'bred] *adj* angeboren

Inc. *abbr* = **incorporated**

incalculable [ɪn'kælkjʊləbl] *adj* (*consequences*) unabsehbar

incapable [ɪn'keɪpəbl] *adj*: ~ **(of doing sth)** unfähig(, etw zu tun)

incapacitate [ɪnkə'pæsɪteɪt] *vt* untauglich machen

incapacity [ɪnkə'pæsɪtɪ] *n* Unfähigkeit *f*

incarcerate [ɪn'kɑːsəreɪt] *vt* einkerkern

incarnation [ɪnkɑː'neɪʃən] *n* (*ECCL*) Menschwerdung *f*; (*fig*) Inbegriff *m*

incendiary [ɪn'sendɪərɪ] *adj* Brand-

incense [*n* 'ɪnsens, *vb* ɪn'sens] *n* Weihrauch *m* ♦ *vt* erzürnen

incentive [ɪn'sentɪv] *n* Anreiz *m*

incessant [ɪn'sesnt] *adj* unaufhörlich; ~ly *adv* unaufhörlich

incest ['ɪnsest] *n* Inzest *m*

inch [ɪntʃ] *n* Zoll *m* ♦ *vi*: **to** ~ **forward** sich Stückchen für Stückchen vorwärts bewegen; **to be within an** ~ **of** kurz davor sein; **he didn't give an** ~ er gab keinen Zentimeter nach

incidence ['ɪnsɪdəns] *n* Auftreten *nt*; (*of crime*) Quote *f*

incident ['ɪnsɪdənt] *n* Vorfall *m*; (*disturbance*) Zwischenfall *m*

incidental [ɪnsɪ'dentl] *adj* (*music*) Begleit-; (*unimportant*) nebensächlich; (*remark*) beiläufig; ~ly *adv* übrigens

incinerator [ɪn'sɪnəreɪtə*] *n* Verbrennungsofen *m*

incipient [ɪn'sɪpɪənt] *adj* beginnend

incision [ɪn'sɪʒən] *n* Einschnitt *m*

incisive [ɪn'saɪsɪv] *adj* (*style*) treffend; (*person*) scharfsinnig

incite [in'sait] *vt* anstacheln
inclination [inkli'neiʃən] *n* Neigung *f*
incline [*n* 'inklain, *vb* in'klain] *n* Abhang *m* ♦ *vt* neigen; (*fig*) veranlassen ♦ *vi* sich neigen; **to be ~d to do sth** dazu neigen, etw zu tun
include [in'kluːd] *vt* einschließen; (*on list, in group*) aufnehmen
including [in'kluːdiŋ] *prep*: ~ X X inbegriffen
inclusion [in'kluːʒən] *n* Aufnahme *f*
inclusive [in'kluːsiv] *adj* einschließlich; (*COMM*) inklusive; ~ **of** einschließlich +*gen*
incoherent [inkəʊ'hiərənt] *adj* zusammenhanglos
income ['inkʌm] *n* Einkommen *nt*; (*from business*) Einkünfte *pl*; ~ **tax** *n* Lohnsteuer *f*; (*of self-employed*) Einkommensteuer *f*
incoming ['inkʌmiŋ] *adj*: ~ **flight** eintreffende Maschine *f*
incomparable [in'kɒmpərəbl] *adj* unvergleichlich
incompatible [inkəm'pætəbl] *adj* unvereinbar; (*people*) unverträglich
incompetence [in'kɒmpitəns] *n* Unfähigkeit *f*
incompetent [in'kɒmpitənt] *adj* unfähig
incomplete [inkəm'pliːt] *adj* unvollständig
incomprehensible [inkɒmpri'hensəbl] *adj* unverständlich
inconceivable [inkən'siːvəbl] *adj* unvorstellbar
incongruous [in'kɒŋgruəs] *adj* seltsam; (*remark*) unangebracht
inconsiderate [inkən'sidərət] *adj* rücksichtslos
inconsistency [inkən'sistənsi] *n* Widersprüchlichkeit *f*; (*state*) Unbeständigkeit *f*
inconsistent [inkən'sistənt] *adj* (*action, speech*) widersprüchlich; (*person, work*) unbeständig; ~ **with** nicht übereinstimmend mit
inconspicuous [inkən'spikjuəs] *adj* unauffällig
incontinent [in'kɒntinənt] *adj* (*MED*) nicht fähig, Stuhl und Harn zurückzuhalten
inconvenience [inkən'viːniəns] *n* Unbequemlichkeit *f*; (*trouble to others*) Unannehmlichkeiten *pl*
inconvenient [inkən'viːniənt] *adj* ungelegen; (*journey*) unbequem
incorporate [in'kɔːpəreit] *vt* (*include*) aufnehmen; (*contain*) enthalten
incorporated [in'kɔːpəreitid] *adj*: ~ **company** (*US*) eingetragene Aktiengesellschaft *f*
incorrect [inkə'rekt] *adj* unrichtig
incorrigible [in'kɒridʒəbl] *adj* unverbesserlich
incorruptible [inkə'rʌptəbl] *adj* unzerstörbar; (*person*) unbestechlich

increase [*n* 'inkriːs, *vb* in'kriːs] *n* Zunahme *f*; (*pay* ~) Gehaltserhöhung *f*; (*in size*) Vergrößerung *f* ♦ *vt* erhöhen; (*wealth, rage*) vermehren; (*business*) erweitern ♦ *vi* zunehmen; (*prices*) steigen; (*in size*) größer werden; (*in number*) sich vermehren
increasing [in'kriːsiŋ] *adj* (*number*) steigend
increasingly [in'kriːsiŋli] *adv* zunehmend
incredible [in'kredəbl] *adj* unglaublich
incredulous [in'kredjuləs] *adj* ungläubig
increment ['inkrimənt] *n* Zulage *f*
incriminate [in'krimineit] *vt* belasten
incubation [inkju'beiʃən] *n* Ausbrüten *nt*
incubator ['inkjubeitə*] *n* Brutkasten *m*
incumbent [in'kʌmbənt] *n* Amtsinhaber(in) *m(f)* ♦ *adj*: **it is ~ on him to ...** es obliegt ihm, ...
incur [in'kɜː*] *vt* sich zuziehen; (*debts*) machen
incurable [in'kjʊərəbl] *adj* unheilbar; (*fig*) unverbesserlich
incursion [in'kɜːʃən] *n* Einfall *m*
indebted [in'detid] *adj* (*obliged*): ~ **(to sb)** (jdm) verpflichtet
indecent [in'diːsnt] *adj* unanständig; ~ **assault** (*BRIT*) *n* Notzucht *f*; ~ **exposure** *n* Exhibitionismus *m*
indecisive [indi'saisiv] *adj* (*battle*) nicht entscheidend; (*person*) unentschlossen
indeed [in'diːd] *adv* tatsächlich, in der Tat; **yes ~!** Allerdings!
indefinitely [in'definitli] *adv* auf unbestimmte Zeit; (*wait*) unbegrenzt lange
indelible [in'deləbl] *adj* unauslöschlich
independence [indi'pendəns] *n* Unabhängigkeit *f*; **independent** *adj* unabhängig
indestructible [,indis'trʌktəbl] *adj* unzerstörbar
indeterminate [,indi'tɜːminit] *adj* unbestimmt
index ['indeks] *n* Index *m*; ~ **card** *n* Karteikarte *f*; ~ **finger** *n* Zeigefinger *m*; ~-**linked** (*US* ~**ed**) *adj* (*salaries*) der Inflationsrate *dat* angeglichen; (*pensions*) dynamisch
India ['indiə] *n* Indien *nt*; ~**n** *adj* indisch ♦ *n* Inder(in) *m(f)*; **Red ~n** Indianer(in) *m(f)*; **the ~n Ocean** *n* der Indische Ozean
indicate ['indikeit] *vt* anzeigen; (*hint*) andeuten
indication [indi'keiʃən] *n* Anzeichen *nt*; (*information*) Angabe *f*
indicative [in'dikətiv] *adj*: ~ **of** bezeichnend für ♦ *n* (*GRAM*) Indikativ *m*
indicator ['indikeitə*] *n* (*sign*) (An)zeichen *nt*; (*AUT*) Richtungsanzeiger *m*
indices ['indisiːz] *npl of* **index**
indictment [in'daitmənt] *n* Anklage *f*
indifference [in'difrəns] *n* Gleichgültigkeit *f*; Unwichtigkeit *f*
indifferent [in'difrənt] *adj* gleichgültig;

(mediocre) mäßig
indigenous [ɪn'dɪdʒɪnəs] *adj* einheimisch
indigestion [ɪndɪ'dʒestʃən] *n* Verdauungsstörung *f*
indignant [ɪn'dɪgnənt] *adj*: **to be ~ about sth** über etw *acc* empört sein
indignation [ɪndɪg'neɪʃən] *n* Entrüstung *f*
indignity [ɪn'dɪgnɪtɪ] *n* Demütigung *f*
indirect [ɪndɪ'rekt] *adj* indirekt; **~ly** *adv* indirekt
indiscreet [ɪndɪs'kriːt] *adj* (*insensitive*) taktlos; (*telling secrets*) indiskret; **indiscretion** *n* Taktlosigkeit *f*; Indiskretion *f*
indiscriminate [ɪndɪs'krɪmɪnət] *adj* wahllos; kritiklos
indispensable [ɪndɪs'pensəbl] *adj* unentbehrlich
indisposed [ɪndɪs'pəuzd] *adj* unpäßlich
indisputable [ɪndɪs'pjuːtəbl] *adj* unbestreitbar; (*evidence*) unanfechtbar
indistinct [ɪndɪs'tɪŋkt] *adj* undeutlich
individual [ɪndɪ'vɪdjuəl] *n* Individuum *nt* ♦ *adj* individuell; (*case*) Einzel-, (*of, for one person*) eigen, individuell; (*characteristic*) eigentümlich; **~ly** *adv* einzeln, individuell
indivisible [ɪndɪ'vɪzəbl] *adj* unteilbar
indoctrinate [ɪn'dɒktrɪneɪt] *vt* indoktrinieren
indolent ['ɪndələnt] *adj* träge
Indonesia [ɪndəu'niːzɪə] *n* Indonesien *nt*
indoor ['ɪndɔː*] *adj* Haus-; Zimmer-; Innen-; (*SPORT*) Hallen-; **~s** [ɪn'dɔːz] *adv* drinnen, im Haus
induce [ɪn'djuːs] *vt* dazu bewegen; (*reaction*) herbeiführen; **~ment** *n* Veranlassung *f*; (*incentive*) Anreiz *m*
induction course (*BRIT*) *n* Einführungskurs *m*
indulge [ɪn'dʌldʒ] *vt* (*give way*) nachgeben +*dat*; (*gratify*) frönen +*dat* ♦ *vi*: **to ~ (in)** frönen (+*dat*); **~nce** *n* Nachsicht *f*; (*enjoyment*) Genuß *m*; **~nt** *adj* nachsichtig; (*pej*) nachgiebig
industrial [ɪn'dʌstrɪəl] *adj* Industrie-, industriell; (*dispute, injury*) Arbeits-; **~ action** *n* Arbeitskampfmaßnahmen *pl*; **~ estate** (*BRIT*) *n* Industriegebiet *nt*; **~ist** *n* Industrielle(r) *mf*; **~ize** *vt* industrialisieren; **~ park** (*US*) *n* Industriegebiet *nt*
industrious [ɪn'dʌstrɪəs] *adj* fleißig
industry ['ɪndəstrɪ] *n* Industrie *f*; (*diligence*) Fleiß *m*
inebriated [ɪ'niːbrɪeɪtɪd] *adj* betrunken
inedible [ɪn'edɪbl] *adj* ungenießbar
ineffective [ɪnɪ'fektɪv] *adj* unwirksam; (*person*) untauglich
ineffectual [ɪnɪ'fektjuəl] *adj* = **ineffective**
inefficiency [ɪnɪ'fɪʃənsɪ] *n* Ineffizienz *f*
inefficient [ɪnɪ'fɪʃənt] *adj* ineffizient; (*ineffective*) unwirksam
inept [ɪ'nept] *adj* (*remark*) unpassend; (*person*) ungeeignet

inequality [ɪnɪ'kwɒlɪtɪ] *n* Ungleichheit *f*
inert [ɪ'nɜːt] *adj* träge; (*CHEM*) inaktiv; (*motionless*) unbeweglich
inertia [ɪ'nɜːʃə] *n* Trägheit *f*
inescapable [ɪnɪs'keɪpəbl] *adj* unvermeidbar
inevitable [ɪn'evɪtəbl] *adj* unvermeidlich
inevitably [ɪn'evɪtəbl] *adv* zwangsläufig
inexcusable [ɪnɪks'kjuːzəbl] *adj* unverzeihlich
inexhaustible [ɪnɪg'zɔːstəbl] *adj* unerschöpflich
inexorable [ɪn'eksərəbl] *adj* unerbittlich
inexpensive [ɪnɪks'pensɪv] *adj* preiswert
inexperience [ɪnɪks'pɪərɪəns] *n* Unerfahrenheit *f*; **~d** [ɪnɪks'pɪərɪənst] *adj* unerfahren
inexplicable [ɪnɪks'plɪkəbl] *adj* unerklärlich
inextricably [ɪnɪks'trɪkəbl] *adv* untrennbar
infallible [ɪn'fæləbl] *adj* unfehlbar
infamous ['ɪnfəməs] *adj* (*place*) verrufen; (*deed*) schändlich; (*person*) niederträchtig
infamy ['ɪnfəmɪ] *n* Verrufenheit *f*; Niedertracht *f*; (*disgrace*) Schande *f*
infancy ['ɪnfənsɪ] *n* frühe Kindheit *f*; (*fig*) Anfangsstadium *nt*
infant ['ɪnfənt] *n* kleine(s) Kind *nt*, Säugling *m*; **~ile** *adj* kindisch, infantil; **~ school** (*BRIT*) *n* Vorschule *f*
infatuated [ɪn'fætjueɪtɪd] *adj* vernarrt; **to become ~ with** sich vernarren in +*acc*
infatuation [ɪnfætju'eɪʃən] *n*: **~ (with)** Vernarrtheit *f* (in +*acc*)
infect [ɪn'fekt] *vt* anstecken (*also fig*); **~ed with** (*illness*) infiziert mit; **~ion** [ɪn'fekʃən] *n* Infektion *f*; **~ious** [ɪn'fekʃəs] *adj* ansteckend
infer [ɪn'fɜː*] *vt* schließen; **~ence** ['ɪnfərəns] *adj* Schlußfolgerung *f*
inferior [ɪn'fɪərɪə*] *adj* (*rank*) untergeordnet; (*quality*) minderwertig ♦ *n* Untergebene(r) *mf*; **~ity** [ɪnfɪərɪ'ɒrɪtɪ] *n* Minderwertigkeit *f*; (*in rank*) untergeordnete Stellung *f*; **~ity complex** *n* Minderwertigkeitskomplex *m*
infernal [ɪn'fɜːnl] *adj* höllisch
infertile [ɪn'fɜːtaɪl] *adj* unfruchtbar
infertility [ɪnfɜː'tɪlɪtɪ] *n* Unfruchtbarkeit *f*
infested [ɪn'festɪd] *adj*: **to be ~ with** wimmeln von
infidelity [ɪnfɪ'delɪtɪ] *n* Untreue *f*
infighting ['ɪnfaɪtɪŋ] *n* Nahkampf *m*
infiltrate ['ɪnfɪltreɪt] *vt* infiltrieren; (*spies*) einschleusen ♦ *vi* (*MIL, liquid*) einsickern; (*POL*): **to ~ (into)** unterwandern (+*acc*)
infinite ['ɪnfɪnɪt] *adj* unendlich
infinitive [ɪn'fɪnɪtɪv] *n* Infinitiv *m*
infinity [ɪn'fɪnɪtɪ] *n* Unendlichkeit *f*
infirm [ɪn'fɜːm] *adj* gebrechlich
infirmary [ɪn'fɜːmərɪ] *n* Krankenhaus *nt*
infirmity [ɪn'fɜːmɪtɪ] *n* Schwäche *f*, Gebrechlichkeit *f*
inflamed [ɪn'fleɪmd] *adj* entzündet

inflammable [ɪnˈflæməbl] (*BRIT*) *adj* feuergefährlich

inflammation [ɪnfləˈmeɪʃən] *n* Entzündung *f*

inflatable [ɪnˈfleɪtəbl] *adj* aufblasbar

inflate [ɪnˈfleɪt] *vt* aufblasen; (*tyre*) aufpumpen; (*prices*) hochtreiben

inflation [ɪnˈfleɪʃən] *n* Inflation *f*; **~ary** [ɪnˈfleɪʃnərɪ] *adj* (*increase*) inflationistisch; (*situation*) inflationär

inflexible [ɪnˈfleksəbl] *adj* (*person*) nicht flexibel; (*opinion*) starr; (*thing*) unbiegsam

inflict [ɪnˈflɪkt] *vt*: **to ~ sth on sb** jdm etw zufügen; (*wound*) jdm etw beibringen

influence [ˈɪnfluəns] *n* Einfluß *m* ♦ *vt* beeinflussen

influential [ɪnfluˈenʃəl] *adj* einflußreich

influenza [ɪnfluˈenzə] *n* Grippe *f*

influx [ˈɪnflʌks] *n* (*of people*) Zustrom *m*; (*of ideas*) Eindringen *nt*

inform [ɪnˈfɔːm] *vt* informieren ♦ *vi*: **to ~ on sb** jdn denunzieren; **to keep sb ~ed** jdn auf dem laufenden halten

informal [ɪnˈfɔːməl] *adj* zwanglos; **~ity** [ɪnfɔːˈmælɪtɪ] *n* Ungezwungenheit *f*

informant [ɪnˈfɔːmənt] *n* Informant(in) *m(f)*

information [ɪnfəˈmeɪʃən] *n* Auskunft *f*, Information *f*; **a piece of ~** eine Auskunft, eine Information; **~ office** *n* Informationsbüro *nt*

informative [ɪnˈfɔːmətɪv] *adj* informativ; (*person*) mitteilsam

informer [ɪnˈfɔːmə*] *n* Denunziant(in) *m(f)*

infra-red [ɪnfrəˈred] *adj* infrarot

infrequent [ɪnˈfriːkwənt] *adj* selten

infringe [ɪnˈfrɪndʒ] *vt* (*law*) verstoßen gegen; **~ upon** *vt* verletzen; **~ment** *n* Verstoß *m*, Verletzung *f*

infuriating [ɪnˈfjʊərɪeɪtɪŋ] *adj* ärgerlich

infusion [ɪnˈfjuːʒən] *n* (*tea etc*) Aufguß *m*

ingenious [ɪnˈdʒiːnɪəs] *adj* genial

ingenuity [ɪndʒɪˈnjuːɪtɪ] *n* Genialität *f*

ingenuous [ɪnˈdʒenjuəs] *adj* aufrichtig; (*naive*) naiv

ingot [ˈɪŋgət] *n* Barren *m*

ingrained [ɪnˈgreɪnd] *adj* tiefsitzend

ingratiate [ɪnˈgreɪʃɪeɪt] *vt*: **to ~ o.s. with sb** sich bei jdm einschmeicheln

ingratitude [ɪnˈgrætɪtjuːd] *n* Undankbarkeit *f*

ingredient [ɪnˈgriːdɪənt] *n* Bestandteil *m*; (*COOK*) Zutat *f*

inhabit [ɪnˈhæbɪt] *vt* bewohnen; **~ant** [ɪnˈhæbɪtnt] *n* Bewohner(in) *m(f)*; (*of island, town*) Einwohner(in) *m(f)*

inhale [ɪnˈheɪl] *vt* einatmen; (*MED, cigarettes*) inhalieren

inherent [ɪnˈhɪərənt] *adj*: **~ (in)** innewohnend (+*dat*)

inherit [ɪnˈherɪt] *vt* erben; **~ance** *n* Erbe *nt*, Erbschaft *f*

inhibit [ɪnˈhɪbɪt] *vt* hemmen; **to ~ sb from**

doing sth jdn daran hindern, etw zu tun; **~ion** [ɪnhɪˈbɪʃən] *n* Hemmung *f*

inhospitable [ɪnhɒsˈpɪtəbl] *adj* (*person*) ungastlich; (*country*) unwirtlich

inhuman [ɪnˈhjuːmən] *adj* unmenschlich

inimitable [ɪˈnɪmɪtəbl] *adj* unnachahmlich

iniquity [ɪˈnɪkwɪtɪ] *n* Ungerechtigkeit *f*

initial [ɪˈnɪʃəl] *adj* anfänglich, Anfangs- ♦ *n* Initiale *f* ♦ *vt* abzeichnen; (*POL*) paraphieren; **~ly** *adv* anfangs

initiate [ɪˈnɪʃɪeɪt] *vt* einführen; (*negotiations*) einleiten; **to ~ sb into a secret** jdn in ein Geheimnis einweihen; **to ~ proceedings against sb** (*JUR*) gerichtliche Schritte gegen jdn einleiten

initiation [ɪnɪʃɪˈeɪʃən] *n* Einführung *f*; Einleitung *f*

initiative [ɪˈnɪʃətɪv] *n* Initiative *f*

inject [ɪnˈdʒekt] *vt* einspritzen; (*fig*) einflößen; **~ion** [ɪnˈdʒekʃən] *n* Spritze *f*

injunction [ɪnˈdʒʌŋkʃən] *n* Verfügung *f*

injure [ˈɪndʒə*] *vt* verletzen; **~d** *adj* (*person, arm*) verletzt

injury [ˈɪndʒərɪ] *n* Verletzung *f*; **to play ~ time** (*SPORT*) nachspielen

injustice [ɪnˈdʒʌstɪs] *n* Ungerechtigkeit *f*

ink [ɪŋk] *n* Tinte *f*

inkling [ˈɪŋklɪŋ] *n* (dunkle) Ahnung *f*

inlaid [ˈɪnˈleɪd] *adj* eingelegt, Einlege-

inland [*adj* ˈɪnlənd, *adv* ˈɪnlænd] *adj* Binnen-; (*domestic*) Inlands- ♦ *adv* landeinwärts; **~ revenue** (*BRIT*) *n* Fiskus *m*

in-laws [ˈɪnlɔːz] *npl* (*parents-in-law*) Schwiegereltern *pl*; (*others*) angeheiratete Verwandte *pl*

inlet [ˈɪnlet] *n* Einlaß *m*; (*bay*) kleine Bucht *f*

inmate [ˈɪnmeɪt] *n* Insasse *m*

inn [ɪn] *n* Gasthaus *nt*, Wirtshaus *nt*

innate [ɪˈneɪt] *adj* angeboren

inner [ˈɪnə*] *adj* inner, Innen-; (*fig*) verborgen; **~ city** *n* Innenstadt *f*; **~ tube** *n* (*of tyre*) Schlauch *m*

innings [ˈɪnɪŋz] *n* (*CRICKET*) Innenrunde *f*

innocence [ˈɪnəsns] *n* Unschuld *f*; (*ignorance*) Unkenntnis *f*

innocent [ˈɪnəsnt] *adj* unschuldig

innocuous [ɪˈnɒkjuəs] *adj* harmlos

innovation [ɪnəʊˈveɪʃən] *n* Neuerung *f*

innuendo [ɪnjuˈendəʊ] *n* (versteckte) Anspielung *f*

innumerable [ɪˈnjuːmərəbl] *adj* unzählig

inoculation [ɪnɒkjuˈleɪʃən] *n* Impfung *f*

inopportune [ɪnˈɒpətjuːn] *adj* (*remark*) unangebracht; (*visit*) ungelegen

inordinately [ɪˈnɔːdɪnɪtlɪ] *adv* unmäßig

inpatient [ˈɪnpeɪʃənt] *n* stationäre(r) Patient *m*/stationäre Patientin *f*

input [ˈɪnpʊt] *n* (*COMPUT*) Eingabe *f*; (*power ~*) Energiezufuhr *f*; (*of energy, work*) Aufwand *m*

inquest [ˈɪnkwest] *n* gerichtliche Untersuchung f

inquire [ɪn'kwaɪə*] vi sich erkundigen ♦ vt (price) sich erkundigen nach; ~ **into** vt untersuchen

inquiry [ɪn'kwaɪərɪ] n (question) Erkundigung f; (investigation) Untersuchung f; ~ **office** (BRIT) n Auskunft(sbüro nt) f

inquisitive [ɪn'kwɪzɪtɪv] adj neugierig

inroad ['ɪnrəʊd] n (MIL) Einfall m; (fig) Eingriff m

ins. abbr = **inches**

insane [ɪn'seɪn] adj wahnsinnig; (MED) geisteskrank

insanity [ɪn'sænɪtɪ] n Wahnsinn m

insatiable [ɪn'seɪʃəbl] adj unersättlich

inscribe [ɪn'skraɪb] vt eingravieren

inscription [ɪn'skrɪpʃən] n (on stone) Inschrift f; (in book) Widmung f

inscrutable [ɪn'skruːtəbl] adj unergründlich

insect ['ɪnsekt] n Insekt nt; ~**icide** [ɪn'sektɪsaɪd] n Insektenvertilgungsmittel nt

insecure [ɪnsɪ'kjʊə*] adj (person) unsicher; (thing) nicht fest or sicher

insecurity [ɪnsɪ'kjʊərɪtɪ] n Unsicherheit f

insemination [ɪnsemɪ'neɪʃən] n: **artificial** ~ künstliche Befruchtung f

insensible [ɪn'sensɪbl] adj (unconscious) bewußtlos

insensitive [ɪn'sensɪtɪv] adj (to pain) unempfindlich; (without feelings) gefühllos

inseparable [ɪn'sepərəbl] adj (people) unzertrennlich; (word) untrennbar

insert [vb ɪn'sɜːt, n 'ɪnsɜːt] vt einfügen; (coin) einwerfen; (stick into) hineinstecken; (advertisement) aufgeben ♦ n (in book) Einlage f; (in magazine) Beilage f; ~**ion** [ɪn'sɜːʃən] n Einfügung f; (PRESS) Inserat nt

in-service ['ɪn'sɜːvɪs] adj (training) berufsbegleitend

inshore ['ɪn'ʃɔː*] adj Küsten- ♦ adv an der Küste

inside ['ɪn'saɪd] n Innenseite f, Innere(s) nt ♦ adj innere(r, s), Innen- ♦ adv (place) innen; (direction) nach innen, hinein ♦ prep (place) in +dat; (direction) in +acc ... hinein; (time) innerhalb +gen; ~**s** npl (inf) Eingeweide nt; ~ **10 minutes** unter 10 Minuten; ~ **lane** n (AUT: in Britain) linke Spur; ~ **out** adv linksherum; (know) inund auswendig

insider dealing n (STOCK EXCHANGE) Insiderhandel m

insider trading n (STOCK EXCHANGE) Insiderhandel m

insidious [ɪn'sɪdɪəs] adj heimtückisch

insight ['ɪnsaɪt] n Einsicht f; ~ **into** Einblick m in +acc

insignificant [ɪnsɪg'nɪfɪkənt] adj unbedeutend

insincere [ɪnsɪn'sɪə*] adj unaufrichtig

insinuate [ɪn'sɪnjʊeɪt] vt (hint) andeuten

insipid [ɪn'sɪpɪd] adj fad(e)

insist [ɪn'sɪst] vi: **to** ~ **(on)** bestehen (auf +acc); ~**ence** n Bestehen nt; ~**ent** adj hartnäckig; (urgent) dringend

insole ['ɪnsəʊl] n Einlegesohle f

insolence ['ɪnsələns] n Frechheit f

insolent ['ɪnsələnt] adj frech

insoluble [ɪn'sɒljʊbl] adj unlösbar; (CHEM) unlöslich

insolvent [ɪn'sɒlvənt] adj zahlungsunfähig

insomnia [ɪn'sɒmnɪə] n Schlaflosigkeit f

inspect [ɪn'spekt] vt prüfen; (officially) inspizieren; ~**ion** [ɪn'spekʃən] n Inspektion f; ~**or** n (official) Inspektor m; (police) Polizeikommissar m; (BRIT: on buses, trains) Kontrolleur m

inspiration [ɪnspɪ'reɪʃən] n Inspiration f

inspire [ɪn'spaɪə*] vt (person) inspirieren; **to** ~ **sth in sb** (respect) jdm etw einflößen; (hope) etw in jdm wecken

instability [ɪnstə'bɪlɪtɪ] n Unbeständigkeit f, Labilität f

install [ɪn'stɔːl] vt (put in) installieren; (telephone) anschließen; (establish) einsetzen; ~**ation** [ɪnstə'leɪʃən] n (of person) (Amts)einsetzung f; (of machinery) Installierung f; (machines etc) Anlage f

installment [ɪn'stɔːlmənt] (US **installment**) n Rate f; (of story) Fortsetzung f; **to pay in** ~**s** auf Raten zahlen

instance ['ɪnstəns] n Fall m; (example) Beispiel nt; **for** ~ zum Beispiel; **in the first** ~ zunächst

instant ['ɪnstənt] n Augenblick m ♦ adj augenblicklich, sofortig

instantaneous [ɪnstən'teɪnɪəs] adj unmittelbar

instant coffee n Instantkaffee m

instantly ['ɪnstəntlɪ] adv sofort

instead [ɪn'sted] adv statt dessen; ~ **of** prep anstatt +gen

instep ['ɪnstep] n Spann m; (of shoe) Blatt nt

instil [ɪn'stɪl] vt (fig): **to** ~ **sth in sb** jdm etw beibringen

instinct ['ɪnstɪŋkt] n Instinkt m; ~**ive** [ɪnstə'leɪ] adj instinktiv

institute ['ɪnstɪtjuːt] n Institut nt ♦ vt einführen; (search) einleiten

institution [ɪnstɪ'tjuːʃən] n Institution f; (home) Anstalt f

instruct [ɪn'strʌkt] vt anweisen; (officially) instruieren; ~**ion** [ɪn'strʌkʃən] n Unterricht m; ~**ions** npl (orders) Anweisungen pl; (for use) Gebrauchsanweisung f; ~**ive** adj lehrreich; ~**or** n Lehrer m; (MIL) Ausbilder m

instrument ['ɪnstrʊmənt] n Instrument nt; ~**al** [ɪnstrʊ'mentl] adj (MUS) Instrumental-; (helpful): ~**al** (in) behilflich (bei); ~ **panel** n Armaturenbrett nt

insubordinate [ɪnsə'bɔːdənət] adj aufsässig, widersetzlich

insubordination ['ɪnsəbɔːdɪ'neɪʃən] n Ge-

horsamsverweigerung f
insufferable [ɪnˈsʌfərəbl] adj unerträglich
insufficient [ɪnsəˈfɪʃənt] adj ungenügend
insular [ˈɪnsjələ*] adj (fig) engstirnig
insulate [ˈɪnsjʊleɪt] vt (ELEC) isolieren; (fig):
to ~ (from) abschirmen (vor +dat)
insulating tape n Isolierband nt
insulation [ɪnsjʊˈleɪʃən] n Isolierung f
insulin [ˈɪnsjʊlɪn] n Insulin nt
insult [n ˈɪnsʌlt, vb ɪnˈsʌlt] n Beleidigung f
♦ vt beleidigen; **~ing** [ɪnˈsʌltɪŋ] adj beleidigend
insuperable [ɪnˈsuːpərəbl] adj unüberwindlich
insurance [ɪnˈʃʊərəns] n Versicherung f;
fire/life ~ Feuer-/Lebensversicherung; **~ agent** n Versicherungsvertreter m; **~ policy** n Versicherungspolice f
insure [ɪnˈʃʊə*] vt versichern
insurrection [ɪnsəˈrekʃən] n Aufstand m
intact [ɪnˈtækt] adj unversehrt
intake [ˈɪnteɪk] n (place) Einlaßöffnung f;
(act) Aufnahme f; (BRIT: SCH): **an ~ of 200 a year** ein Neuzugang von 200 im Jahr
intangible [ɪnˈtændʒəbl] adj nicht greifbar
integral [ˈɪntɪɡrəl] adj (essential) wesentlich; (complete) vollständig; (MATH) Integral-
integrate [ˈɪntɪɡreɪt] vt integrieren ♦ vi sich integrieren
integrity [ɪnˈteɡrɪtɪ] n (honesty) Redlichkeit f, Integrität f
intellect [ˈɪntɪlekt] n Intellekt m; **~ual** [ɪntɪˈlektjʊəl] adj geistig, intellektuell ♦ n Intellektuelle(r) mf
intelligence [ɪnˈtelɪdʒəns] n (understanding) Intelligenz f; (news) Information f; (MIL) Geheimdienst m
intelligent [ɪnˈtelɪdʒənt] adj intelligent; **~ly** adv klug; (write, speak) verständlich
intelligentsia [ɪntelɪˈdʒentsɪə] n Intelligenz f
intelligible [ɪnˈtelɪdʒəbl] adj verständlich
intend [ɪnˈtend] vt beabsichtigen; **that was ~ed for you** das war für dich gedacht
intense [ɪnˈtens] adj stark, intensiv; (person) ernsthaft; **~ly** adv äußerst; (study) intensiv
intensify [ɪnˈtensɪfaɪ] vt verstärken, intensivieren
intensity [ɪnˈtensɪtɪ] n Intensität f
intensive [ɪnˈtensɪv] adj intensiv; **~ care unit** n Intensivstation f
intent [ɪnˈtent] n Absicht f ♦ adj: **to be ~ on doing sth** fest entschlossen sein, etw zu tun; **to all ~s and purposes** praktisch
intention [ɪnˈtenʃən] n Absicht f
intentional adj absichtlich; **~ly** adv absichtlich
intently [ɪnˈtentlɪ] adv konzentriert
interact [ɪntərˈækt] vi aufeinander einwirken; **~ion** n Wechselwirkung f

interactive adj (COMPUT) interaktiv
intercede [ɪntəˈsiːd] vi sich verwenden
intercept [ɪntəˈsept] vt abfangen
interchange [n ˈɪntətʃeɪndʒ, vb ɪntəˈtʃeɪndʒ] n (exchange) Austausch m; (on roads) Verkehrskreuz nt ♦ vt austauschen; **~able** [ɪntəˈtʃeɪndʒəbl] adj austauschbar
intercom [ˈɪntəkɒm] n (Gegen)sprechanlage f
intercourse [ˈɪntəkɔːs] n (exchange) Beziehungen pl; (sexual) Geschlechtsverkehr m
interest [ˈɪntrest] n Interesse nt; (FIN) Zinsen pl; (COMM: share) Anteil m; (group) Interessengruppe f ♦ vt interessieren; **~ed** adj (having claims) beteiligt; (attentive) interessiert; **to be ~ed in** sich interessieren für; **~ing** adj interessant; **~ rate** n Zinssatz m
interface [ˈɪntəfeɪs] n (COMPUT) Schnittstelle f, Interface nt
interfere [ɪntəˈfɪə*] vi: **to ~ (with)** (meddle) sich einmischen (in +acc); (disrupt) stören +acc
interference [ɪntəˈfɪərəns] n Einmischung f; (TV) Störung f
interim [ˈɪntərɪm] n: **in the ~** inzwischen
interior [ɪnˈtɪərɪə*] n Innere(s) nt ♦ adj innere(r, s), Innen-; **~ designer** n Innenarchitekt(in) m(f)
interjection [ɪntəˈdʒekʃən] n Ausruf m
interlock [ɪntəˈlɒk] vi ineinandergreifen
interlude [ˈɪntəluːd] n Pause f
intermarry [ɪntəˈmærɪ] vi untereinander heiraten
intermediary [ɪntəˈmiːdɪərɪ] n Vermittler m
intermediate [ɪntəˈmiːdɪət] adj Zwischen-, Mittel-
interminable [ɪnˈtɜːmɪnəbl] adj endlos
intermission [ɪntəˈmɪʃən] n Pause f
intermittent [ɪntəˈmɪtənt] adj periodisch, stoßweise
intern [vb ɪnˈtɜːn, n ˈɪntɜːn] vt internieren ♦ n (US) Assistenzarzt m/-ärztin f
internal [ɪnˈtɜːnl] adj (inside) innere(r, s); (domestic) Inlands-; **~ly** adv innen; (MED) innerlich; **"not to be taken ~ly"** „nur zur äußerlichen Anwendung"; **I~ Revenue Service** (US) n Finanzamt nt
international [ɪntəˈnæʃnəl] adj international ♦ n (SPORT) Nationalspieler(in) m(f); (: match) internationale(s) Spiel nt
interplay [ˈɪntəpleɪ] n Wechselspiel nt
interpret [ɪnˈtɜːprɪt] vt (explain) auslegen, interpretieren; (translate) dolmetschen; **~ation** [ɪntɜːprɪˈteɪʃən] n Interpretation f; **~er** n Dolmetscher(in) m(f)
interrelated [ɪntərɪˈleɪtɪd] adj untereinander zusammenhängend
interrogate [ɪnˈterəɡeɪt] vt verhören
interrogation [ɪnterəˈɡeɪʃən] n Verhör nt
interrogative [ɪntəˈrɒɡətɪv] adj Frage-
interrupt [ɪntəˈrʌpt] vt unterbrechen; **~ion**

[ɪntə'rʌpʃən] *n* Unterbrechung *f*
intersect [ɪntə'sekt] *vt* (durch)schneiden ♦ *vi* sich schneiden; ~**ion** [ɪntə'sekʃən] *n* (*of roads*) Kreuzung *f*; (*of lines*) Schnittpunkt *m*
intersperse [ɪntə'spɜːs] *vt*: **to ~ sth with sth** etw mit etw durchsetzen
intertwine [ɪntə'twaɪn] *vt* verflechten ♦ *vi* sich verflechten
interval ['ɪntəvəl] *n* Abstand *m*; (*BRIT: SCH, THEAT, SPORT*) Pause *f*; **at ~s** in Abständen
intervene [ɪntə'viːn] *vi* dazwischenliegen; (*act*): **to ~ (in)** einschreiten (gegen)
intervention [ɪntə'venʃən] *n* Eingreifen *nt*, Intervention *f*
interview ['ɪntəvjuː] *n* (*PRESS etc*) Interview *nt*; (*for job*) Vorstellungsgespräch *nt* ♦ *vt* interviewen; ~**er** *n* Interviewer *m*
intestine [ɪn'testɪn] *n*: **large/small ~** Dick-/Dünndarm *m*
intimacy ['ɪntɪməsɪ] *n* Intimität *f*
intimate [*adj* 'ɪntɪmət, *vb* 'ɪntɪmeɪt] *adj* (*inmost*) innerste(r, s); (*knowledge*) eingehend; (*familiar*) vertraut; (*friends*) eng ♦ *vt* andeuten
intimidate [ɪn'tɪmɪdeɪt] *vt* einschüchtern
intimidation [ɪntɪmɪ'deɪʃən] *n* Einschüchterung *f*
into ['ɪntu] *prep* (*motion*) in +*acc* ... hinein; **5 ~ 25** 25 durch 5
intolerable [ɪn'tɒlərəbl] *adj* unerträglich
intolerance [ɪn'tɒlərns] *n* Unduldsamkeit *f*
intolerant [ɪn'tɒlərnt] *adj*: **~ of** unduldsam gegen(über)
intoxicate [ɪn'tɒksɪkeɪt] *vt* berauschen; ~**d** *adj* betrunken
intoxication [ɪntɒksɪ'keɪʃən] *n* Rausch *m*
intractable [ɪn'træktəbl] *adj* schwer zu handhaben; (*problem*) schwer lösbar
intransigent [ɪn'trænsɪdʒənt] *adj* unnachgiebig
intransitive [ɪn'trænsɪtɪv] *adj* intransitiv
intravenous [ɪntrə'viːnəs] *adj* intravenös
in-tray ['ɪntreɪ] *n* Eingangskorb *m*
intrepid [ɪn'trepɪd] *adj* unerschrocken
intricate ['ɪntrɪkət] *adj* kompliziert
intrigue [ɪn'triːg] *n* Intrige *f* ♦ *vt* faszinieren ♦ *vi* intrigieren
intriguing [ɪn'triːgɪŋ] *adj* faszinierend
intrinsic [ɪn'trɪnsɪk] *adj* innere(r, s); (*difference*) wesentlich
introduce [ɪntrə'djuːs] *vt* (*person*) vorstellen; (*sth new*) einführen; (*subject*) anschneiden; **to ~ sb to sb** jdm jdn vorstellen; **to ~ sb to sth** jdn in etw *acc* einführen
introduction [ɪntrə'dʌkʃən] *n* Einführung *f*; (*to book*) Einleitung *f*
introductory [ɪntrə'dʌktərɪ] *adj* Einführungs-, Vor-
introspective [ɪntrəʊ'spektɪv] *adj* nach innen gekehrt

introvert ['ɪntrəʊvɜːt] *n* Introvertierte(r) *mf* ♦ *adj* introvertiert
intrude [ɪn'truːd] *vi*: **to ~ (on sb/sth)** (jdn/etw) stören; ~**r** *n* Eindringling *m*
intrusion [ɪn'truːʒən] *n* Störung *f*
intrusive [ɪn'truːsɪv] *adj* aufdringlich
intuition [ɪntjuː'ɪʃən] *n* Intuition *f*
inundate ['ɪnʌndeɪt] *vt* (*also fig*) überschwemmen
invade [ɪn'veɪd] *vt* einfallen in +*acc*; ~**r** *n* Eindringling *m*
invalid [*n* 'ɪnvəlɪd, *adj* ɪn'vælɪd] *n* (*disabled*) Invalide *m* ♦ *adj* (*ill*) krank; (*disabled*) invalide; (*not valid*) ungültig
invaluable [ɪn'væljʊəbl] *adj* unschätzbar
invariable [ɪn'vɛərɪəbl] *adj* unveränderlich
invariably [ɪn'vɛərɪəblɪ] *adv* ausnahmslos
invasion [ɪn'veɪʒən] *n* Invasion *f*
invent [ɪn'vent] *vt* erfinden; ~**ion** [ɪn'venʃən] *n* Erfindung *f*; ~**ive** *adj* erfinderisch; ~**or** *n* Erfinder *m*
inventory ['ɪnvəntrɪ] *n* Inventar *nt*
inverse ['ɪnvɜːs] *n* Umkehrung *f* ♦ *adj* umgekehrt
invert [ɪn'vɜːt] *vt* umdrehen; ~**ed commas** (*BRIT*) *npl* Anführungsstriche *pl*
invest [ɪn'vest] *vt* investieren
investigate [ɪn'vestɪgeɪt] *vt* untersuchen
investigation [ɪnvestɪ'geɪʃən] *n* Untersuchung *f*
investigator [ɪn'vestɪgeɪtə*] *n* Untersuchungsbeamte(r) *m*
investiture [ɪn'vestɪtʃə*] *n* Amtseinsetzung *f*
investment [ɪn'vestmənt] *n* Investition *f*
investor [ɪn'vestə*] *n* (Geld)anleger *m*
inveterate [ɪn'vetərət] *adj* unverbesserlich
invidious [ɪn'vɪdɪəs] *adj* unangenehm; (*distinctions, remark*) ungerecht
invigilate [ɪn'vɪdʒɪleɪt] *vi* (*in exam*) Aufsicht führen ♦ *vt* Aufsicht führen bei
invigorating [ɪn'vɪgəreɪtɪŋ] *adj* stärkend
invincible [ɪn'vɪnsəbl] *adj* unbesiegbar
invisible [ɪn'vɪzəbl] *adj* unsichtbar
invitation [ɪnvɪ'teɪʃən] *n* Einladung *f*
invite [ɪn'vaɪt] *vt* einladen
inviting [ɪn'vaɪtɪŋ] *adj* einladend
invoice ['ɪnvɔɪs] *n* Rechnung *f* ♦ *vt* (*goods*): **to ~ sb for sth** jdm etw *acc* in Rechnung stellen
invoke [ɪn'vəʊk] *vt* anrufen
involuntary [ɪn'vɒləntərɪ] *adj* unabsichtlich
involve [ɪn'vɒlv] *vt* (*entangle*) verwickeln; (*entail*) mit sich bringen; ~**d** *adj* verwickelt; ~**ment** *n* Verwicklung *f*
inward ['ɪnwəd] *adj* innere(r, s); (*curve*) Innen- ♦ *adv* nach innen; ~**ly** *adv* im Innern; ~**s** *adv* nach innen
I/O *abbr* (*COMPUT*: = *input/output*) I/O
iodine ['aɪədiːn] *n* Jod *nt*
iota [aɪ'əʊtə] *n* (*fig*) bißchen *nt*
IOU *n abbr* (= *I owe you*) Schuldschein *m*

IQ *n abbr* (= *intelligence quotient*) IQ *m*
IRA *n abbr* (= *Irish Republican Army*) IRA *f*
Iran [ɪ'rɑːn] *n* Iran *m*; ~**ian** *adj* iranisch ♦ *n* Iraner(in) *m(f)*; (*LING*) Iranisch *nt*
Iraq [ɪ'rɑːk] *n* Irak *m*; ~**i** *adj* irakisch ♦ *n* Iraker(in) *m(f)*; (*LING*) Irakisch *nt*
irascible [ɪ'ræsɪbl] *adj* reizbar
irate [aɪ'reɪt] *adj* zornig
Ireland ['aɪələnd] *n* Irland *nt*
iris ['aɪrɪs] (*pl* ~**es**) *n* Iris *f*
Irish ['aɪrɪʃ] *adj* irisch ♦ *npl*: **the** ~ die Iren *pl*, die Irländer *pl*; ~**man** (*irreg*) *n* Ire *m*, Irländer *m*; ~ **Sea** *n* (*GEO*): **the** ~ **Sea** die Irische See *f*; ~**woman** (*irreg*) *n* Irin *f*, Irländerin *f*
irksome ['ɜːksəm] *adj* lästig
iron ['aɪən] *n* Eisen *nt*; (*for ironing*) Bügeleisen *nt* ♦ *adj* eisern ♦ *vt* bügeln; ~ **out** *vt* (*also fig*) ausbügeln; **I~ Curtain** *n* Eiserne(r) Vorhang *m*
ironic(al) [aɪ'rɒnɪk(əl)] *adj* ironisch; (*coincidence etc*) witzig
ironing ['aɪənɪŋ] *n* Bügeln *nt*; (*laundry*) Bügelwäsche *f*; ~ **board** *n* Bügelbrett *nt*
irony ['aɪərənɪ] *n* Ironie *f*
irrational [ɪ'ræʃənl] *adj* irrational
irreconcilable [ɪrekən'saɪləbl] *adj* unvereinbar
irrefutable [ɪrɪ'fjuːtəbl] *adj* unwiderlegbar
irregular [ɪ'regjʊlə*] *adj* unregelmäßig; (*shape*) ungleich(mäßig); (*fig*) unüblich; (*behaviour*) ungehörig; ~**ity** [ɪregjʊ'lærɪtɪ] *n* Unregelmäßigkeit *f*; Ungleichmäßigkeit *f*; (*fig*) Vergehen *nt*
irrelevant [ɪ'reləvənt] *adj* belanglos, irrelevant
irreparable [ɪ'repərəbl] *adj* nicht wiedergutzumachen
irreplaceable [ɪrɪ'pleɪsəbl] *adj* unersetzlich
irresistible [ɪrɪ'zɪstəbl] *adj* unwiderstehlich
irrespective [ɪrɪ'spektɪv]: ~ **of** *prep* ungeachtet +*gen*
irresponsible [ɪrɪ'spɒnsəbl] *adj* verantwortungslos
irreverent [ɪ'revərənt] *adj* respektlos
irrevocable [ɪ'revəkəbl] *adj* unwiderrufbar
irrigate ['ɪrɪgeɪt] *vt* bewässern
irrigation [ɪrɪ'geɪʃən] *n* Bewässerung *f*
irritable ['ɪrɪtəbl] *adj* reizbar
irritate ['ɪrɪteɪt] *vt* irritieren, reizen (*also MED*)
irritation [ɪrɪ'teɪʃən] *n* (*anger*) Ärger *m*; (*MED*) Reizung *f*
IRS *n abbr* = **Internal Revenue Service**
is [ɪz] *vb see* **be**
Islam ['ɪzlɑːm] *n* Islam *m*
island ['aɪlənd] *n* Insel *f*; ~**er** *n* Inselbewohner(in) *m(f)*
isle [aɪl] *n* (kleine) Insel *f*
isn't ['ɪznt] = **is not**
isolate ['aɪsəʊleɪt] *vt* isolieren; ~**d** *adj* isoliert; (*case*) Einzel-

isolation [aɪsəʊ'leɪʃən] *n* Isolierung *f*
Israel ['ɪzreɪəl] *n* Israel *nt*; ~**i** [ɪz'reɪlɪ] *adj* israelisch ♦ *n* Israeli *mf*
issue ['ɪʃuː] *n* (*matter*) Frage *f*; (*outcome*) Ausgang *m*; (*of newspaper, shares*) Ausgabe *f*; (*offspring*) Nachkommenschaft *f* ♦ *vt* ausgeben; (*warrant*) erlassen; (*documents*) ausstellen; (*orders*) erteilen; (*books*) herausgeben; (*verdict*) aussprechen; **to be at** ~ zur Debatte stehen; **to take** ~ **with sb over sth** jdm in etw *dat* widersprechen
isthmus ['ɪsməs] *n* Landenge *f*

KEYWORD
---

it [ɪt] *pron* **1** (*specific: subject*) er/sie/es; (: *direct object*) ihn/sie/es; (: *indirect object*) ihm/ihr/ihm; **about/from/in/of it** darüber/davon/darin/davon

2 (*impers*) es; **it's raining** es regnet; **it's Friday tomorrow** morgen ist Freitag; **who is it? - it's me** wer ist da? - ich (bin's)

Italian [ɪ'tæljən] *adj* italienisch ♦ *n* Italiener(in) *m(f)*; (*LING*) Italienisch *nt*
italic [ɪ'tælɪk] *adj* kursiv; ~**s** *npl* Kursivschrift *f*
Italy ['ɪtəlɪ] *n* Italien *nt*
itch [ɪtʃ] *n* Juckreiz *m*; (*fig*) Lust *f* ♦ *vi* jucken; **to be** ~**ing to do sth** darauf brennen, etw zu tun; ~**y** *adj* juckend
it'd ['ɪtd] = **it would**; **it had**
item ['aɪtəm] *n* Gegenstand *m*; (*on list*) Posten *m*; (*in programme*) Nummer *f*; (*in agenda*) (Programm)punkt *m*; (*in newspaper*) (Zeitungs)notiz *f*; ~**ize** *vt* verzeichnen
itinerant [ɪ'tɪnərənt] *adj* (*person*) umherreisend
itinerary [aɪ'tɪnərərɪ] *n* Reiseroute *f*
it'll ['ɪtl] = **it will**; **it shall**
its [ɪts] *adj* (*masculine, neuter*) sein; (*feminine*) ihr
it's [ɪts] = **it is**; **it has**
itself [ɪt'self] *pron* sich (selbst); (*emphatic*) selbst
ITV (*BRIT*) *n abbr* = **Independent Television**
I.U.D. *n abbr* (= *intra-uterine device*) Pessar *nt*
I've [aɪv] = **I have**
ivory ['aɪvərɪ] *n* Elfenbein *nt*
ivy ['aɪvɪ] *n* Efeu *nt*

J j

jab [dʒæb] *vt* (hinein)stechen ♦ *n* Stich *m*, Stoß *m*; (*inf*) Spritze *f*

jabber ['dʒæbə*] *vi* plappern

jack [dʒæk] *n* (AUT) (Wagen)heber *m*; (CARDS) Bube *m*; ~ **up** *vt* aufbocken

jackal ['dʒækəl] *n* (ZOOL) Schakal *m*

jackdaw ['dʒækdɔ:] *n* Dohle *f*

jacket ['dʒækɪt] *n* Jacke *f*; (of book) Schutzumschlag *m*; (TECH) Ummantelung *f*

jackknife ['dʒæknaɪf] *vi* (truck) sich zusammenschieben

jack plug *n* (ELEC) Buchsenstecker *m*

jackpot ['dʒækpɒt] *n* Haupttreffer *m*

jaded ['dʒeɪdɪd] *adj* ermattet

jagged ['dʒægɪd] *adj* zackig

jail [dʒeɪl] *n* Gefängnis *nt* ♦ *vt* einsperren; ~**er** *n* Gefängniswärter *m*

jam [dʒæm] *n* Marmelade *f*; (also: traffic ~) (Verkehrs)stau *m*; (*inf*: trouble) Klemme *f* ♦ *vt* (wedge) einklemmen; (cram) hineinzwängen; (obstruct) blockieren ♦ *vi* sich verklemmen; **to ~ sth into sth** etw in etw *acc* hineinstopfen

Jamaica [dʒə'meɪkə] *n* Jamaika *nt*

jangle ['dʒæŋgl] *vt, vi* klimpern

janitor ['dʒænɪtə*] *n* Hausmeister *m*

January ['dʒænjʊərɪ] *n* Januar *m*

Japan [dʒə'pæn] *n* Japan *nt*; ~**ese** [dʒæpə'ni:z] *adj* japanisch ♦ *n inv* Japaner(in) *m(f)*; (LING) Japanisch *nt*

jar [dʒɑ:*] *n* Glas *nt* ♦ *vi* kreischen; (colours etc) nicht harmonieren

jargon ['dʒɑ:gən] *n* Fachsprache *f*, Jargon *m*

jaundice ['dʒɔ:ndɪs] *n* Gelbsucht *f*; ~**d** *adj* (fig) mißgünstig

jaunt [dʒɔ:nt] *n* Spritztour *f*; ~**y** *adj* (lively) munter; (brisk) flott

javelin ['dʒævlɪn] *n* Speer *m*

jaw [dʒɔ:] *n* Kiefer *m*

jay [dʒeɪ] *n* (ZOOL) Eichelhäher *m*

jaywalker ['dʒeɪwɔ:kə*] *n* unvorsichtige(r) Fußgänger *m*

jazz [dʒæz] *n* Jazz *m*; ~ **up** *vt* (MUS) verjazzen; (enliven) aufpolieren; ~**y** *adj* (colour) schreiend, auffallend

jealous ['dʒeləs] *adj* (envious) mißgünstig; (husband) eifersüchtig; ~**y** *n* Mißgunst *f*; Eifersucht *f*

jeans [dʒi:nz] *npl* Jeans *pl*

jeep [dʒi:p] ® *n* Jeep *m* ®

jeer [dʒɪə*] *vi*: **to ~ (at sb)** (über jdn) höhnisch lachen, (jdn) verspotten

jelly ['dʒelɪ] *n* Gelee *nt*; (dessert) Grütze *f*; ~**fish** *n* Qualle *f*

jeopardize ['dʒepədaɪz] *vt* gefährden

jeopardy ['dʒepədɪ] *n*: **to be in ~** in Gefahr sein

jerk [dʒɜ:k] *n* Ruck *m*; (*inf*: idiot) Trottel *m* ♦ *vt* ruckartig bewegen ♦ *vi* sich ruckartig bewegen

jerkin ['dʒɜ:kɪn] *n* Wams *nt*

jerky ['dʒɜ:kɪ] *adj* (movement) ruckartig; (ride) rüttelnd

jersey ['dʒɜ:zɪ] *n* Pullover *m*

jest [dʒest] *n* Scherz *m* ♦ *vi* spaßen; **in ~** im Spaß

Jesus ['dʒi:zəs] *n* Jesus *m*

jet [dʒet] *n* (stream: of water etc) Strahl *m*; (spout) Düse *f*; (AVIAT) Düsenflugzeug *nt*; ~**-black** *adj* rabenschwarz; ~ **engine** *n* Düsenmotor *m*; ~**-lag** *n* Jet-lag *m*

jettison ['dʒetɪsn] *vt* über Bord werfen

jetty ['dʒetɪ] *n* Landesteg *m*, Mole *f*

Jew [dʒu:] *n* Jude *m*

jewel ['dʒu:əl] *n* (also fig) Juwel *nt*; ~**ler** (US **jeweler**) *n* Juwelier *m*; ~**ler's (shop)** *n* Juwelier *m*; ~**lery** (US **jewelry**) *n* Schmuck *m*

Jewess ['dʒu:ɪs] *n* Jüdin *f*

Jewish ['dʒu:ɪʃ] *adj* jüdisch

jib [dʒɪb] *n* (NAUT) Klüver *m*

jibe [dʒaɪb] *n* spöttische Bemerkung *f*

jiffy ['dʒɪfɪ] (*inf*) *n*: **in a ~** sofort

jigsaw ['dʒɪgsɔ:] *n* (also: ~ puzzle) Puzzle(spiel) *nt*

jilt [dʒɪlt] *vt* den Laufpaß geben +*dat*

jingle ['dʒɪŋgl] *n* (advertisement) Werbesong *m* ♦ *vi* klimpern; (bells) bimmeln ♦ *vt* klimpern mit; bimmeln lassen

jinx [dʒɪŋks] *n*: **there's a ~ on it** es ist verhext

jitters ['dʒɪtəz] (*inf*) *npl*: **to get the ~** einen Bammel kriegen

job [dʒɒb] *n* (piece of work) Arbeit *f*; (position) Stellung *f*; (duty) Aufgabe *f*; (difficulty) Mühe *f*; **it's a good ~ he ...** es ist ein Glück, daß er ...; **just the ~** genau das Richtige; **J~centre** (BRIT) *n* Arbeitsamt *nt*; ~**less** *adj* arbeitslos

jockey ['dʒɒkɪ] *n* Jockei *m* ♦ *vi*: **to ~ for position** sich in eine gute Position drängeln

jocular ['dʒɒkjʊlə*] *adj* scherzhaft

jog [dʒɒg] *vt* (an)stoßen ♦ *vi* (run) joggen; **to ~ along** vor sich *acc* hinwursteln; (work) seinen Gang gehen; ~**ging** *n* Jogging *nt*

join [dʒɔɪn] *vt* (club) beitreten +*dat*; (person) sich anschließen +*dat*; (put together): **to ~ (sth to sth)** (etw mit etw) verbinden ♦ *vi* (unite) sich vereinigen ♦ *n* Verbindungsstelle *f*, Naht *f*; ~ **in** *vt*, *vi*: **to ~ in** (sth) (bei etw) mitmachen; ~ **up** *vi* (*MIL*) zur Armee gehen

joiner ['dʒɔɪnə*] *n* Schreiner *m*; ~**y** *n* Schreinerei *f*

joint [dʒɔɪnt] *n* (*TECH*) Fuge *f*; (of bones) Gelenk *nt*; (of meat) Braten *m*; (inf: place) Lokal *nt* ♦ *adj* gemeinsam; ~ **account** (with bank etc) gemeinsame(s) Konto *nt*; ~**ly** *adv* gemeinsam

joke [dʒəuk] *n* Witz *m* ♦ *vi* Witze machen; **to play a ~ on sb** jdm einen Streich spielen; ~**r** *n* Witzbold *m*; (*CARDS*) Joker *m*

jolly ['dʒɒlɪ] *adj* lustig ♦ *adv* (inf) ganz schön

jolt [dʒəult] *n* (shock) Schock *m*; (jerk) Stoß *m* ♦ *vt* (push) stoßen; (shake) durchschütteln; (fig) aufrütteln ♦ *vi* holpern

Jordan ['dʒɔːdən] *n* Jordanien *nt*; (river) Jordan *m*

jostle ['dʒɒsl] *vt* anrempeln

jot [dʒɒt] *n*: **not one ~** kein Jota *nt*; ~ **down** *vt* notieren; ~**ter** (*BRIT*) *n* Notizblock *m*

journal ['dʒɜːnl] *n* (diary) Tagebuch *nt*; (magazine) Zeitschrift *f*; ~**ism** *n* Journalismus *m*; ~**ist** *n* Journalist(in) *m(f)*

journey ['dʒɜːnɪ] *n* Reise *f*

jovial ['dʒəuvɪəl] *adj* jovial

joy [dʒɔɪ] *n* Freude *f*; ~**ful** *adj* freudig; ~**ous** *adj* freudig; ~ **ride** *n* Schwarzfahrt *f*; ~**rider** *n* Autodieb *m*, der den Wagen nur für eine Spritztour stiehlt; ~**stick** *n* Steuerknüppel *m*; (*COMPUT*) Joystick *m*

J.P. *n abbr* = **Justice of the Peace**

Jr *abbr* = **junior**

jubilant ['dʒuːbɪlənt] *adj* triumphierend

jubilee ['dʒuːbɪliː] *n* Jubiläum *nt*

judge [dʒʌdʒ] *n* Richter *m*; (fig) Kenner *m* ♦ *vt* (*JUR*: person) die Verhandlung führen über +*acc*; (case) verhandeln; (assess) beurteilen; (estimate) einschätzen; ~**ment** *n* (*JUR*) Urteil *nt*; (*ECCL*) Gericht *nt*; (ability) Urteilsvermögen *nt*

judicial [dʒuː'dɪʃəl] *adj* gerichtlich, Justiz-

judiciary [dʒuː'dɪʃɪərɪ] *n* Gerichtsbehörden *pl*; (judges) Richterstand *m*

judicious [dʒuː'dɪʃəs] *adj* weise

judo ['dʒuːdəu] *n* Judo *nt*

jug [dʒʌg] *n* Krug *m*

juggernaut ['dʒʌgənɔːt] (*BRIT*) *n* (huge truck) Schwertransporter *m*

juggle ['dʒʌgl] *vt*, *vi* jonglieren; ~**r** *n* Jongleur *m*

Jugoslav *etc* = **Yugoslav** *etc*

juice [dʒuːs] *n* Saft *m*

juicy ['dʒuːsɪ] *adj* (also *fig*) saftig

jukebox ['dʒuːkbɒks] *n* Musikautomat *m*

July [dʒuː'laɪ] *n* Juli *m*

jumble ['dʒʌmbl] *n* Durcheinander *nt* ♦ *vt* (also: ~ **up**) durcheinanderwerfen; (facts) durcheinanderbringen; ~ **sale** (*BRIT*) *n* Basar *m*, Flohmarkt *m*

jumbo (jet) ['dʒʌmbəu-] *n* Jumbo(-Jet) *m*

jump [dʒʌmp] *vi* springen; (nervously) zusammenzucken ♦ *vt* überspringen ♦ *n* Sprung *m*; **to ~ the queue** (*BRIT*) sich vordrängeln

jumper ['dʒʌmpə*] *n* (*BRIT*: pullover) Pullover *m*; (*US*: dress) Trägerkleid *nt*; ~ **cables** (*US*) *npl* = **jump leads**

jump leads (*BRIT*) *npl* Starthilfekabel *nt*

jumpy ['dʒʌmpɪ] *adj* nervös

Jun. *abbr* = **junior**

junction ['dʒʌŋkʃən] *n* (*BRIT*: of roads) (Straßen)kreuzung *f*; (*RAIL*) Knotenpunkt *m*

juncture ['dʒʌŋktʃə*] *n*: **at this ~** in diesem Augenblick

June [dʒuːn] *n* Juni *m*

jungle ['dʒʌŋgl] *n* Dschungel *m*

junior ['dʒuːnɪə*] *adj* (younger) jünger; (after name) junior; (*SPORT*) Junioren-; (lower position) untergeordnet; (for young people) Junioren- ♦ *n* Jüngere(r) *mf*; ~ **school** (*BRIT*) *n* Grundschule *f*

junk [dʒʌŋk] *n* (rubbish) Plunder *m*; (ship) Dschunke *f*; ~ **food** *n* Plastikessen *nt*; ~ **mail** *n* Reklame *f* die unangefordert in den Briefkasten gestickt ist; ~**shop** *n* Ramschladen *m*

Junr *abbr* = **junior**

jurisdiction [dʒuərɪs'dɪkʃən] *n* Gerichtsbarkeit *f*; (range of authority) Zuständigkeit(sbereich *m*) *f*

juror ['dʒuərə*] *n* Geschworene(r) *mf*; (in competition) Preisrichter *m*

jury ['dʒuərɪ] *n* (court) Geschworene *pl*; (in competition) Jury *f*

just [dʒʌst] *adj* gerecht ♦ *adv* (recently, now) gerade, eben; (barely) gerade noch; (exactly) genau, gerade; (only) nur, bloß; (a small distance) gleich; (absolutely) einfach; ~ **as I arrived** gerade als ich ankam; ~ **as nice** genauso nett; ~ **as well** um so besser; ~ **now** soeben, gerade; ~ **try** versuch es mal; **she's ~ left** sie ist gerade *or* (so)eben gegangen; **he's ~ done it** er hat es gerade *or* (so)eben getan; ~ **before** gerade *or* kurz bevor; ~ **enough** gerade genug; **he ~ missed** er hat fast *or* beinahe getroffen

justice ['dʒʌstɪs] *n* (fairness) Gerechtigkeit *f*; ~ **of the peace** *n* Friedensrichter *m*

justifiable ['dʒʌstɪfaɪəbl] *adj* berechtigt

justification [dʒʌstɪfɪ'keɪʃən] *n* Rechtfertigung *f*

justify ['dʒʌstɪfaɪ] *vt* rechtfertigen; (text) justieren

justly ['dʒʌstlɪ] *adv* (say) mit Recht; (condemn) gerecht

jut [dʒʌt] *vi* (also: ~ **out**) herausragen, vorstehen

juvenile ['dʒuːvənaɪl] *adj* (young) jugendlich; (for the young) Jugend- ♦ *n* Jugendliche(r) *mf*

juxtapose ['dʒʌkstəpəʊz] vt nebeneinanderstellen

K k

K abbr (= one thousand) Tsd.; (= Kilobyte) K

kangaroo [kæŋgə'ruː] n Känguruh nt

karate [kə'rɑːtɪ] n Karate nt

kebab [kə'bæb] n Kebab m

keel [kiːl] n Kiel m; **on an even ~** (fig) im Lot

keen [kiːn] adj begeistert; (intelligence, wind, blade) scharf; (sight, hearing) gut; **to be ~ to do** or **on doing sth** etw unbedingt tun wollen; **to be ~ on sth/sb** scharf auf etw/jdn sein

keep [kiːp] (pt, pp **kept**) vt (retain) behalten; (have) haben; (animals, one's word) halten; (support) versorgen; (maintain in state) halten; (preserve) aufbewahren; (restrain) abhalten ♦ vi (continue in direction) sich halten; (food) sich halten; (remain: quiet etc) bleiben ♦ n Unterhalt m; (tower) Burgfried m; (inf): **for ~s** für immer; **to ~ sth to o.s.** etw für sich behalten; **it ~s happening** es passiert immer wieder; **~ back** vt fernhalten; (secret) verschweigen; **~ on** vi: **~ on doing sth** etw immer weiter tun; **~ out** vi nicht hereinlassen; **"~ out"** „Eintritt verboten!"; **~ up** vi Schritt halten ♦ vt aufrechterhalten; (continue) weitermachen; **to ~ up with** Schritt halten mit; **~er** n Wärter(in) m(f); (goalkeeper) Torhüter(in) m(f); **~-fit** n Keep-fit nt; **~ing** n (care) Obhut f; **in ~ing with** in Übereinstimmung mit; **~sake** n Andenken nt

keg [keg] n Faß nt

kennel ['kenl] n Hundehütte f; **~s** npl (for boarding): **to put a dog in ~s** einen Hund in Pflege geben

Kenya ['kenjə] n Kenia nt; **~n** adj kenianisch ♦ n Kenianer(in) m(f)

kept [kept] pt, pp of **keep**

kerb ['kɜːb] (BRIT) n Bordstein m

kernel ['kɜːnl] n Kern m

kerosene ['kerəsiːn] n Kerosin n

ketchup ['ketʃəp] n Ketchup nt or m

kettle ['ketl] n Kessel m; **~drum** n Pauke f

key [kiː] n Schlüssel m; (of piano, typewriter) Taste f, (MUS) Tonart f ♦ vt (also: **~ in**) eingeben; **~board** n Tastatur f; **~ed up** adj (person) überdreht; **~hole** n

Schlüsselloch nt; **~note** n Grundton m; **~ring** n Schlüsselring m

khaki ['kɑːkɪ] n K(h)aki nt ♦ adj k(h)aki(farben)

kick [kɪk] vt einen Fußtritt geben +dat, treten ♦ vi treten; (baby) strampeln; (horse) ausschlagen ♦ n (Fuß)tritt m; (thrill) Spaß m; **he does it for ~s** er macht das aus Jux; **~ off** vi (SPORT) anstoßen; **~-off** n (SPORT) Anstoß m

kid [kɪd] n (inf: child) Kind nt; (goat) Zicklein nt; (leather) Glacéleder nt ♦ vi (inf) Witze machen

kidnap ['kɪdnæp] vt entführen; **~per** n Entführer m; **~ping** n Entführung f

kidney ['kɪdnɪ] n Niere f

kill [kɪl] vt töten, umbringen ♦ vi töten ♦ n Tötung f; (hunting) (Jagd)beute f; **~er** n Mörder(in) m(f); **~ing** n Mord m; **~joy** n Spaßverderber(in) m(f)

kiln [kɪln] n Brennofen m

kilo ['kiːləʊ] n Kilo nt; **~byte** n (COMPUT) Kilobyte nt; **~gram(me)** ['kɪləʊɡræm] n Kilogramm nt; **~metre** ['kɪləmiːtə*] (US **~meter**) n Kilometer m; **~watt** n Kilowatt nt

kilt [kɪlt] n Schottenrock m

kind [kaɪnd] adj freundlich ♦ n Art f; **a ~ of** eine Art von; (two) **of a ~** (zwei) von der gleichen Art; **in ~** auf dieselbe Art; (in goods) in Naturalien

kindergarten ['kɪndəɡɑːtn] n Kindergarten m

kind-hearted ['kaɪnd'hɑːtɪd] adj gutherzig

kindle ['kɪndl] vt (set on fire) anzünden; (rouse) reizen, (er)wecken

kindly ['kaɪndlɪ] adj freundlich ♦ adv liebenswürdig(erweise); **would you ~ ...?** wären Sie so freundlich und ...?

kindness ['kaɪndnəs] n Freundlichkeit f

kindred ['kɪndrɪd] adj: **~ spirit** Gleichgesinnte(r) mf

king [kɪŋ] n König m; **~dom** n Königreich nt; **~fisher** n Eisvogel m; **~-size** adj (cigarette) Kingsize

kinky ['kɪŋkɪ] (inf) adj (person, ideas) verrückt; (sexual) abartig

kiosk ['kiːɒsk] (BRIT) n (TEL) Telefonhäuschen nt

kipper ['kɪpə*] n Räucherhering m

kiss [kɪs] n Kuß m ♦ vt küssen ♦ vi: **they ~ed** sie küßten sich

kit [kɪt] n Ausrüstung f; (tools) Werkzeug nt

kitchen ['kɪtʃɪn] n Küche f; **~ sink** n Spülbecken nt

kite [kaɪt] n Drachen m

kith [kɪθ] n: **~ and kin** Blutsverwandte pl

kitten ['kɪtn] n Kätzchen nt

kitty ['kɪtɪ] n (money) Kasse f

km abbr (= kilometre) km

knack [næk] n Dreh m, Trick m

knapsack ['næpsæk] n Rucksack m; (MIL)

Tornister *m*
knead [niːd] *vt* kneten
knee [niː] *n* Knie *nt*; ~**cap** *n* Kniescheibe *f*
kneel [niːl] (*pt, pp* **knelt**) *vi* (*also:* ~ *down*) knien
knell [nel] *n* Grabgeläute *nt*
knelt [nelt] *pt, pp of* **kneel**
knew [njuː] *pt of* **know**
knickers ['nɪkəz] (*BRIT*) *npl* Schlüpfer *m*
knife [naɪf] (*pl* **knives**) *n* Messer *nt* ♦ *vt* erstechen
knight [naɪt] *n* Ritter *m*; (*chess*) Springer *m*; ~**hood** *n* (*title*): **to get a** ~**hood** zum Ritter geschlagen werden
knit [nɪt] *vt* stricken ♦ *vi* stricken; (*bones*) zusammenwachsen; ~**ting** *n* (*occupation*) Stricken *nt*; (*work*) Strickzeug *nt*; ~**ting needle** *n* Stricknadel *f*, ~**wear** *n* Strickwaren *pl*
knives [naɪvz] *pl of* **knife**
knob [nɒb] *n* Knauf *m*; (*on instrument*) Knopf *m*; (*BRIT: of butter etc*) kleine(s) Stück *nt*
knock [nɒk] *vt* schlagen; (*criticize*) heruntermachen ♦ *vi*: **to ~ at** *or* **on the door** an die Tür klopfen ♦ *n* Schlag *m*; (*on door*) Klopfen *nt*; ~ **down** *vt* umwerfen; (*with car*) anfahren; ~ **off** *vt* (*do quickly*) hinhauen; (*inf: steal*) klauen ♦ *vi* (*finish*) Feierabend machen; ~ **out** *vt* ausschlagen; (*BOXING*) k.o. schlagen; ~ **over** *vt* (*person, object*) umwerfen; (*with car*) anfahren; ~**er** *n* (*on door*) Türklopfer *m*; ~**-kneed** *adj* x-beinig; ~**out** *n* K.o.-Schlag *m*; (*fig*) Sensation *f*
knot [nɒt] *n* Knoten *m* ♦ *vt* (ver)knoten
knotty ['nɒtɪ] *adj* (*fig*) kompliziert
know [nəu] (*pt* **knew**, *pp* **known**) *vt, vi* wissen; (*be able to*) können; (*be acquainted with*) kennen; (*recognize*) erkennen; **to ~ how to do sth** wissen, wie man etw macht, etw tun können; **to ~ about** *or* **of sth/sb** etw/jdn kennen; ~**-all** *n* Alleswisser *m*; ~**how** *n* Kenntnis *f*, Know-how *nt*; ~**ing** *adj* (*look, smile*) wissend; ~**ingly** *adv* wissend; (*intentionally*) wissentlich
knowledge ['nɒlɪdʒ] *n* Wissen *nt*, Kenntnis *f*, ~**able** *adj* informiert
known [nəun] *pp of* **know**
knuckle ['nʌkl] *n* Fingerknöchel *m*
K.O. *n abbr* = **knockout**
Koran [kɔːˈrɑːn] *n* Koran *m*
Korea [kəˈrɪə] *n* Korea *nt*
kosher ['kəuʃə*] *adj* koscher

L l

l. *abbr* = **litre**
lab [læb] (*inf*) *n* Labor *nt*
label ['leɪbl] *n* Etikett *nt* ♦ *vt* etikettieren
labor *etc* (*US*) = **labour** *etc*
laboratory [ləˈbɒrətərɪ] *n* Laboratorium *nt*
laborious [ləˈbɔːrɪəs] *adj* mühsam
labour ['leɪbə*] (*US* **labor**) *n* Arbeit *f*; (*workmen*) Arbeitskräfte *pl*; (*MED*) Wehen *pl* ♦ *vi*: **to ~ (at)** sich abmühen (mit) ♦ *vt* breittreten (*inf*); **in ~** (*MED*) in den Wehen; **L~** (*BRIT: also the Labour party*) die Labour Party; ~**ed** *adj* (*movement*) schwerfällig; ~**er** *n* Arbeiter *m*; **farm** ~**er** (Land)arbeiter *m*
lace [leɪs] *n* (*fabric*) Spitze *f*; (*of shoe*) Schnürsenkel *m*; (*braid*) Litze *f* ♦ *vt* (*also:* ~ *up*) (zu)schnüren
lack [læk] *n* Mangel *m* ♦ *vt* nicht haben; **sb** ~**s sth** jdm fehlt etw *nom*; **to be** ~**ing** fehlen; **sb is** ~**ing in sth** es fehlt jdm an etw *dat*; **through** *or* **for** ~ **of** aus Mangel an +*dat*
lacquer ['lækə*] *n* Lack *m*
lad [læd] *n* Junge *m*
ladder ['lædə*] *n* Leiter *f*; (*BRIT: in tights*) Laufmasche *f* ♦ *vt* (*: tights*) Laufmaschen bekommen in +*dat*
laden ['leɪdn] *adj* beladen, voll
ladle ['leɪdl] *n* Schöpfkelle *f*
lady ['leɪdɪ] *n* Dame *f*; (*title*) Lady *f*; **young** ~ junge Dame; **the ladies' (room)** die Damentoilette; ~**bird** (*US* ~**bug**) *n* Marienkäfer *m*; ~**like** *adj* damenhaft, vornehm; ~**ship** *n*: **your** ~**ship** Ihre Ladyschaft
lag [læg] *vi* (*also:* ~ *behind*) zurückbleiben ♦ *vt* (*pipes*) verkleiden
lager ['lɑːgə*] *n* helle(s) Bier *nt*
lagging ['lægɪŋ] *n* Isolierung *f*
lagoon [ləˈguːn] *n* Lagune *f*
laid [leɪd] *pt, pp of* **lay**; ~ **back** (*inf*) *adj* cool
lain [leɪn] *pp of* **lie**
lair [lɛə*] *n* Lager *nt*
laity ['leɪɪtɪ] *n* Laien *pl*
lake [leɪk] *n* See *m*
lamb [læm] *n* Lamm *nt*; (*meat*) Lammfleisch *nt*; ~ **chop** *n* Lammkotelett *nt*; ~**swool** *n* Lammwolle *f*
lame [leɪm] *adj* lahm; (*excuse*) faul
lament [ləˈment] *n* Klage *f* ♦ *vt* beklagen

laminated ['læmɪneɪtɪd] adj beschichtet
lamp [læmp] n Lampe f; (in street) Straßenlaterne f
lamppost ['læmppəʊst] n Laternenpfahl m
lampshade ['læmpʃeɪd] n Lampenschirm m
lance [lɑːns] n Lanze f ♦ vt (MED) aufschneiden; ~ **corporal** (BRIT) n Obergefreite(r) m
land [lænd] n Land nt ♦ vi (from ship) an Land gehen; (AVIAT, end up) landen ♦ vt (obtain) kriegen; (passengers) absetzen; (goods) abladen; (troops, space probe) landen; ~**fill site** ['lændfɪl-] n Mülldeponie f; ~**ing** n Landung f; (on stairs) (Treppen)absatz m; ~**ing gear** n Fahrgestell nt; ~**ing stage** (BRIT) n Landesteg m; ~**ing strip** n Landebahn f; ~**lady** n (Haus)wirtin f; ~**locked** adj landumschlossen, Binnen-; ~**lord** n (of house) Hauswirt m, Besitzer m; (of pub) Gastwirt m; (of land) Grundbesitzer m; ~**mark** n Wahrzeichen nt; (fig) Meilenstein m; ~**owner** n Grundbesitzer m
landscape ['lændskeɪp] n Landschaft f
landslide ['lændslaɪd] n (GEOG) Erdrutsch m; (POL) überwältigende(r) Sieg m
lane [leɪn] n (in town) Gasse f; (in country) Weg m; (of motorway) Fahrbahn f, Spur f; (SPORT) Bahn f
language ['læŋgwɪdʒ] n Sprache f; **bad** ~ unanständige Ausdrücke pl; ~ **laboratory** n Sprachlabor f
languid ['læŋgwɪd] adj schlaff, matt
languish ['læŋgwɪʃ] vi schmachten
lank [læŋk] adj dürr
lanky ['læŋkɪ] adj schlaksig
lantern ['læntən] n Laterne f
lap [læp] n Schoß m; (SPORT) Runde f ♦ vt (also: ~ up) auflecken ♦ vi (water) plätschern
lapel [lə'pel] n Revers nt or m
Lapland ['læplænd] n Lappland nt
lapse [læps] n (moral) Fehltritt m ♦ vi (decline) nachlassen; (expire) ablaufen; (claims) erlöschen; **to** ~ **into bad habits** sich schlechte Gewohnheiten angewöhnen
laptop (computer) ['læptɒp] n Laptop(-Computer) m
larceny ['lɑːsənɪ] n Diebstahl m
lard [lɑːd] n Schweineschmalz nt
larder ['lɑːdə*] n Speisekammer f
large [lɑːdʒ] adj groß; **at** ~ auf freiem Fuß; ~**ly** adv zum größten Teil, Groß-; ~**-scale** adj groß angelegt, Groß-
largesse [lɑː'ʒes] n Freigebigkeit f
lark [lɑːk] n (bird) Lerche f; (joke) Jux m; ~ **about** (inf) vi herumalbern
laryngitis [lærɪn'dʒaɪtɪs] n Kehlkopfentzündung f
larynx ['lærɪŋks] n Kehlkopf m
laser ['leɪzə*] n Laser m; ~ **printer** n La-

serdrucker m
lash [læʃ] n Peitschenhieb m; (eye~) Wimper f ♦ vt (rain) schlagen gegen; (whip) peitschen; (bind) festbinden; ~ **out** vi (with fists) um sich schlagen; (spend money) sich in Unkosten stürzen ♦ vt (money etc) springen lassen
lass [læs] n Mädchen nt
lasso [læ'suː] n Lasso nt
last [lɑːst] adj letzte(r, s) ♦ adv zuletzt; (last time) das letztemal ♦ vi (continue) dauern; (remain good) sich halten; (money) ausreichen; **at** ~ endlich; ~ **night** gestern abend; ~ **week** letzte Woche; ~ **but one** vorletzte(r, s); ~**-ditch** adj (attempt) in letzter Minute; ~**ing** adj dauerhaft; (shame etc) andauernd; ~**ly** adv schließlich; ~**-minute** adj in letzter Minute
latch [lætʃ] n Riegel m
late [leɪt] adj spät; (dead) verstorben ♦ adv spät; (after proper time) zu spät; **to be** ~ zu spät kommen; **of** ~ in letzter Zeit; **in** ~ **May** Ende Mai; ~**comer** n Nachzügler(in) m(f); ~**ly** adv in letzter Zeit
later ['leɪtə*] adj (date etc) später; (version etc) neuer ♦ adv später
lateral ['lætərəl] adj seitlich
latest ['leɪtɪst] adj (fashion) neueste(r, s) ♦ n (news) Neu(e)ste(s) nt; **at the** ~ spätestens
lathe [leɪð] n Drehbank f
lather ['lɑːðə*] n (Seifen)schaum m ♦ vt einschäumen ♦ vi schäumen
Latin ['lætɪn] n Latein nt ♦ adj lateinisch; (Roman) römisch; ~ **America** n Lateinamerika nt; ~**-American** adj lateinamerikanisch
latitude ['lætɪtjuːd] n (GEOG) Breite f; (freedom) Spielraum m
latter ['lætə*] adj (second of two) letztere; (coming at end) letzte(r, s), später ♦ n: **the** ~ der/die/das letztere, die letzteren; ~**ly** adv in letzter Zeit
lattice ['lætɪs] n Gitter nt
laudable ['lɔːdəbl] adj löblich
laugh [lɑːf] n Lachen nt ♦ vi lachen; ~ **at** vt lachen über +acc; ~ **off** vi lachend abtun; ~**able** adj lachhaft; ~**ing stock** n Zielscheibe f des Spottes; ~**ter** n Gelächter nt
launch [lɔːntʃ] n (of ship) Stapellauf m; (of rocket) Abschuß m; (boat) Barkasse f; (of product) Einführung f ♦ vt (set afloat) vom Stapel lassen; (rocket) (ab)schießen; (product) auf den Markt bringen; ~**(ing) pad** n Abschußrampe f
launder ['lɔːndə*] vt waschen
laundrette [lɔːn'dret] (BRIT) n Waschsalon m
Laundromat ['lɔːndrəmæt] ((R): (US)) n Waschsalon m
laundry ['lɔːndrɪ] n (place) Wäscherei f; (clothes) Wäsche f; **to do the** ~ waschen

laureate ['lɔːrɪət] *adj see* **poet**
laurel ['lɒrəl] *n* Lorbeer *m*
lava ['lɑːvə] *n* Lava *f*
lavatory ['lævətrɪ] *n* Toilette *f*
lavender ['lævɪndə*] *n* Lavendel *m*
lavish ['lævɪʃ] *n* (*extravagant*) verschwenderisch; (*generous*) großzügig ♦ *vt* (*money*): **to ~ sth on sb** etw auf etw *acc* verschwenden; (*attention, gifts*): **to ~ sth on sb** jdn mit etw überschütten
law [lɔː] *n* Gesetz *nt*; (*system*) Recht *nt*; (*as studies*) Jura *no art*; ~**-abiding** *adj* gesetzzestreu; ~ **and order** *n* Recht *nt* und Ordnung *f*; ~ **court** *n* Gerichtshof *m*; ~**ful** *adj* gesetzlich; ~**less** *adj* gesetzlos
lawn [lɔːn] *n* Rasen *m*; ~**mower** *n* Rasenmäher *m*; ~ **tennis** *n* Rasentennis *nt*
law school *n* Rechtsakademie *f*
lawsuit ['lɔːsuːt] *n* Prozeß *m*
lawyer ['lɔːjə*] *n* Rechtsanwalt *m*, Rechtsanwältin *f*
lax [læks] *adj* (*behaviour*) nachlässig; (*standards*) lax
laxative ['læksətɪv] *n* Abführmittel *nt*
lay [leɪ] (*pt, pp* **laid**) *pt of* **lie** ♦ *adj* Laien- ♦ *vt* (*place*) legen; (*table*) decken; (*egg*) legen; (*trap*) stellen; (*money*) setzen; ~ **aside** *vt* zurücklegen; ~ **by** *vt* (*set aside*) beiseite legen; ~ **down** *vt* hinlegen; (*rules*) vorschreiben; (*arms*) strecken; **to ~ down the law** Vorschriften machen; ~ **off** *vt* (*workers*) (vorübergehend) entlassen; ~ **on** *vt* (*water, gas*) anschließen; (*concert etc*) veranstalten; ~ **out** *vt* (her)auslegen; (*money*) ausgeben; (*corpse*) aufbahren; ~ **up** *vt* (*subj: illness*) ans Bett fesseln; (*supplies*) anlegen; ~**about** *n* Faulenzer *m*; ~**-by** (*BRIT*) *n* Parkbucht *f*; (*bigger*) Rastplatz *m*
layer ['leɪə*] *n* Schicht *f*
layette [leɪ'et] *n* Babyausstattung *f*
layman ['leɪmən] *n* Laie *m*
layout ['leɪaʊt] *n* Anlage *f*; (*ART*) Layout *nt*
laze [leɪz] *vi* faulenzen
laziness ['leɪzɪnəs] *n* Faulheit *f*
lazy ['leɪzɪ] *adj* faul; (*slow-moving*) träge
lb. *abbr* = **pound** (*weight*)
lead[1] [led] *n* (*chemical*) Blei *nt*; (*of pencil*) (Bleistift)mine *f* ♦ *adj* bleiern, Blei-
lead[2] [liːd] (*pt, pp* **led**) *n* (*front position*) Führung *f*; (*distance, time ahead*) Vorsprung *f*; (*example*) Vorbild *nt*; (*clue*) Tip *m*; (*of police*) Spur *f*; (*THEAT*) Hauptrolle *f*; (*dog's*) Leine *f* ♦ *vt* (*guide*) führen; (*group etc*) leiten ♦ *vi* (*be first*) führen; **in the ~** (*SPORT, fig*) in Führung; ~ **astray** *vt* irreführen; ~ **away** *vt* wegführen; (*prisoner*) abführen; ~ **back** *vi* zurückführen; ~ **on** *vt* anführen; ~ **on to** *vt* (*induce*) dazu bringen; ~ **to** *vt* (*street*) (hin)führen nach; (*result in*) führen zu; ~ **up to** *vt* (*drive*) führen zu; (*speaker etc*) hinführen auf +*acc*
leaden ['ledn] *adj* (*sky, sea*) bleiern; (*heavy:*

footsteps) bleischwer
leader ['liːdə*] *n* Führer *m*, Leiter *m*; (*of party*) Vorsitzende(r) *m*; (*PRESS*) Leitartikel *m*; ~**ship** *n* (*office*) Leitung *f*; (*quality*) Führerschaft *f*
lead-free ['ledfriː] *adj* (*petrol*) bleifrei
leading ['liːdɪŋ] *adj* führend; ~ **lady** *n* (*THEAT*) Hauptdarstellerin *f*; ~ **light** *n* (*person*) führende(r) Geist *m*
leaf [liːf] (*pl* **leaves**) *n* Blatt *nt* ♦ *vi*: **to ~ through** durchblättern; **to turn over a new ~** einen neuen Anfang machen
leaflet ['liːflɪt] *n* (*advertisement*) Prospekt *m*; (*pamphlet*) Flugblatt *nt*; (*for information*) Merkblatt *nt*
league [liːg] *n* (*union*) Bund *m*; (*SPORT*) Liga *f*; **to be in ~ with** unter einer Decke stecken mit
leak [liːk] *n* undichte Stelle *f*; (*in ship*) Leck *nt* ♦ *vt* (*liquid etc*) durchlassen ♦ *vi* (*pipe etc*) undicht sein; (*liquid etc*) auslaufen; **the information was ~ed to the enemy** die Information wurde dem Feind zugespielt; ~ **out** *vi* (*liquid etc*) auslaufen; (*information*) durchsickern
leaky ['liːkɪ] *adj* undicht
lean [liːn] (*pt, pp* **leaned** or **leant**) *adj* mager ♦ *vi* sich neigen ♦ *vt* (an)lehnen; **to ~ against sth** an etw *dat* angelehnt sein; sich an etw *acc* anlehnen; ~ **back** *vi* sich zurücklehnen; ~ **forward** *vi* sich vorbeugen; ~ **on** *vt fus* sich stützen auf +*acc*; ~ **out** *vi* sich hinauslehnen; ~ **over** *vi* sich hinüberbeugen; ~**ing** *n* Neigung *f* ♦ *adj* schief; **leant** [lent] *pt, pp of* **lean**; ~**-to** *n* Anbau *m*
leap [liːp] (*pt, pp* **leaped** or **leapt**) *n* Sprung *m* ♦ *vi* springen; ~**frog** *n* Bockspringen *nt*; **leapt** [lept] *pt, pp of* **leap**; ~ **year** *n* Schaltjahr *nt*
learn [lɜːn] (*pt, pp* **learned** or **learnt**) *vt, vi* lernen; (*find out*) erfahren; **to ~ how to do sth** etw (er)lernen; ~**ed** ['lɜːnɪd] *adj* gelehrt; ~**er** *n* Anfänger(in) *m(f)*; (*AUT: BRIT: also ~er driver*) Fahrschüler(in) *m(f)*; ~**ing** *n* Gelehrsamkeit *f*; ~**t** [lɜːnt] *pt, pp of* **learn**
lease [liːs] *n* (*of property*) Mietvertrag *m* ♦ *vt* pachten
leash [liːʃ] *n* Leine *f*
least [liːst] *adj* geringste(r, s) ♦ *adv* am wenigsten ♦ *n* Mindeste(s) *nt*; **the ~ possible effort** möglichst geringer Aufwand; **at ~** zumindest; **not in the ~!** durchaus nicht!
leather ['leðə*] *n* Leder *nt*
leave [liːv] (*pt, pp* **left**) *vt* verlassen; (~ *behind*) zurücklassen; (*forget*) vergessen; (*allow to remain*) lassen; (*after death*) hinterlassen; (*entrust*): **to ~ sth to sb** jdm etw überlassen ♦ *vi* weggehen, wegfahren; (*for journey*) abreisen; (*bus, train*) abfahren ♦ *n* Erlaubnis *f*; (*MIL*) Urlaub *m*; **to be left** (*remain*) übrigbleiben; **there's some milk left**

over es ist noch etwas Milch übrig; **on ~** auf Urlaub; **~ behind** vt (person, object) dalassen; (: forget) liegenlassen, stehenlassen; **~ out** vt auslassen; **~ of absence** n Urlaub m

leaves [liːvz] pl of **leaf**

Lebanon ['lebənən] n Libanon m

lecherous ['letʃərəs] adj lüstern

lecture ['lektʃə*] n Vortrag m; (UNIV) Vorlesung f ♦ vi einen Vortrag halten; (UNIV) lesen ♦ vt (scold) abkanzeln; **to give a ~ on sth** einen Vortrag über etwas halten; **~r** ['lektʃərə*] n Vortragende(r) mf; (BRIT: UNIV) Dozent(in) m(f)

led [led] pt, pp of **lead**[2]

ledge [ledʒ] n Leiste f; (window ~) Sims m or nt; (of mountain) (Fels)vorsprung m

ledger ['ledʒə*] n Hauptbuch nt

leech [liːtʃ] n Blutegel m

leek [liːk] n Lauch m

leer [lɪə*] vi: **to ~ (at sb)** (nach jdm) schielen

leeway ['liːweɪ] n (fig): **to have some ~** etwas Spielraum haben

left [left] pt, pp of **leave** ♦ adj linke(r, s) ♦ n (side) linke Seite f ♦ adv links; **on the ~** links; **to the ~** nach links; **the L~** (POL) die Linke f; **~-handed** adj linkshändig; **~-hand side** n linke Seite f; **~-luggage (office)** (BRIT) n Gepäckaufbewahrung f; **~-overs** npl Reste pl; **~-wing** adj linke(r, s)

leg [leg] n Bein nt; (of meat) Keule f; (stage) Etappe f; **1st/2nd ~** (SPORT) 1./2. Etappe

legacy ['legəsɪ] n Erbe nt, Erbschaft f

legal ['liːgəl] adj gesetzlich; (allowed) legal; **~ holiday** (US) n gesetzliche(r) Feiertag m; **~ize** vt legalisieren; **~ly** adv gesetzlich; legal; **~ tender** n gesetzliche(s) Zahlungsmittel nt

legend ['ledʒənd] n Legende f; **~ary** adj legendär

legible ['ledʒəbl] adj leserlich

legislation [ledʒɪs'leɪʃən] n Gesetzgebung f

legislative ['ledʒɪslətɪv] adj gesetzgebend

legislature ['ledʒɪslətʃə*] n Legislative f

legitimate [lɪ'dʒɪtɪmət] adj rechtmäßig, legitim; (child) ehelich

legroom ['legrum] n Platz m für die Beine

leisure ['leʒə*] n Freizeit f; **to be at ~** Zeit haben; **~ centre** n Freizeitzentrum nt; **~ly** adj gemächlich

lemon ['lemən] n Zitrone f; (colour) Zitronengelb nt; **~ade** [lemə'neɪd] n Limonade f; **~ tea** n Zitronentee m

lend [lend] (pt, pp lent) vt leihen; **to ~ sb sth** jdm etw leihen; **~ing library** n Leihbibliothek f

length [leŋθ] n Länge f; (section of road, pipe etc) Strecke f; (of material) Stück nt; **at ~** (lengthily) ausführlich; (at last) schließ-

lich; **~en** vt verlängern ♦ vi länger werden; **~ways** adv längs; **~y** adj sehr lang, langatmig

lenient ['liːnɪənt] adj nachsichtig

lens [lenz] n Linse f; (PHOT) Objektiv nt

Lent [lent] n Fastenzeit f

lent pt, pp of **lend**

lentil ['lentl] n Linse f

Leo ['liːəʊ] n Löwe m

leotard ['liːətɑːd] n Trikot nt, Gymnastikanzug m

leper ['lepə*] n Leprakranke(r) f(m)

leprosy ['leprəsɪ] n Lepra f

lesbian ['lezbɪən] adj lesbisch ♦ n Lesbierin f

less [les] adj, adv weniger ♦ n weniger ♦ pron weniger; **~ than half** weniger als die Hälfte; **~ than ever** weniger denn je; **~ and ~** immer weniger; **the ~ he works** je weniger er arbeitet

lessen ['lesn] vi abnehmen ♦ vt verringern, verkleinern

lesser ['lesə*] adj kleiner, geringer; **to a ~ extent** in geringerem Maße

lesson ['lesn] n (SCH) Stunde f; (unit of study) Lektion f; (fig) Lehre f; (ECCL) Lesung f; **a maths ~** eine Mathestunde

lest [lest] conj: **~ it happen** damit es nicht passiert

let [let] (pt, pp let) vt lassen; (BRIT: lease) vermieten; **to ~ sb do sth** jdn etw tun lassen; **to ~ sb know sth** jdn etw wissen lassen; **~'s go!** gehen wir!; **~ him come** soll er doch kommen; **~ down** vt hinunterlassen; (disappoint) enttäuschen; **~ go** vi loslassen ♦ vt (things) loslassen; (person) gehen lassen; **~ in** vt hereinlassen; (water) durchlassen; **~ off** vt (gun) abfeuern; (steam) ablassen; (forgive) laufen lassen; **~ on** vi durchblicken lassen; (pretend) vorgeben; **~ out** vt herauslassen; (scream) fahren lassen; **~ up** vi nachlassen; (stop) aufhören

lethal ['liːθəl] adj tödlich

lethargic [le'θɑːdʒɪk] adj lethargisch

letter ['letə*] n (of alphabet) Buchstabe m; (message) Brief m; **~ bomb** n Briefbombe f; **~box** (BRIT) n Briefkasten m; **~ing** n Beschriftung f; **~ of credit** n Akkreditiv m

lettuce ['letɪs] n (Kopf)salat m

let-up ['letʌp] (inf) n Nachlassen nt

leukaemia [luː'kiːmɪə] (US **leukemia**) n Leukämie f

level ['levl] adj (ground) eben; (at same height) auf gleicher Höhe; (equal) gleich gut; (head) kühl ♦ adv auf gleicher Höhe ♦ n (instrument) Wasserwaage f; (altitude) Höhe f; (flat place) ebene Fläche f; (position on scale) Niveau nt; (amount, degree) Grad m ♦ vt (ground) einebnen; **to draw ~ with** gleichziehen mit; **to be ~ with** auf einer Höhe sein mit; **A ~s** (BRIT) ≈ Abitur nt; **O**

~s ≈ mittlere Reife f; **on the** ~ (fig: honest) ehrlich; **to** ~ **sth at sb** (blow) jdm etw versetzen; (remark) etw gegen jdn richten; ~ **off** or **out** vi flach or eben werden; (fig) sich ausgleichen; (plane) horizontal fliegen ♦ vt (ground) planieren; (differences) ausgleichen; ~ **crossing** (BRIT) n Bahnübergang m; ~**-headed** adj vernünftig

lever ['liːvə*] n Hebel m; (fig) Druckmittel nt ♦ vt (hoch)stemmen; ~**age** n Hebelkraft f; (fig) Einfluß m

levity ['levɪtɪ] n Leichtfertigkeit f

levy ['levɪ] n (of taxes) Erhebung f; (tax) Abgaben pl; (MIL) Aushebung f ♦ vt erheben; (MIL) ausheben

lewd [luːd] adj unzüchtig, unanständig

liability [laɪə'bɪlɪtɪ] n (burden) Belastung f; (duty) Pflicht f; (debt) Verpflichtung f; (proneness) Anfälligkeit f; (responsibility) Haftung f

liable ['laɪəbl] adj (responsible) haftbar; (prone) anfällig; **to be** ~ **for sth** etw dat unterliegen; **it's** ~ **to happen** es kann leicht vorkommen

liaise [liː'eɪz] vi: **to** ~ **(with sb)** (mit jdm) zusammenarbeiten

liaison [liː'eɪzɒn] n Verbindung f

liar ['laɪə*] n Lügner m

libel ['laɪbəl] n Verleumdung f ♦ vt verleumden

liberal ['lɪbərəl] adj (generous) großzügig; (open-minded) aufgeschlossen; (POL) liberal

liberate ['lɪbəreɪt] vt befreien

liberation [lɪbə'reɪʃən] n Befreiung f

liberty ['lɪbətɪ] n Freiheit f; (permission) Erlaubnis f; **to be at** ~ **to do sth** etw tun dürfen; **to take the** ~ **of doing sth** sich dat erlauben, etw zu tun

Libra ['liːbrə] n Waage f

librarian [laɪ'brɛərɪən] n Bibliothekar(in) m(f)

library ['laɪbrərɪ] n Bibliothek f; (lending ~) Bücherei f

Libya ['lɪbɪə] n Libyen nt; ~**n** adj libysch ♦ n Libyer(in) m(f)

lice [laɪs] npl of **louse**

licence ['laɪsəns] (US **license**) n (permit) Erlaubnis f; (also: driving ~, US driver's ~) Führerschein m; (excess) Zügellosigkeit f

license ['laɪsəns] n (US) = **licence** ♦ vt genehmigen, konzessionieren; ~**d** adj (for alcohol) konzessioniert (für den Alkoholausschank)

license plate (US) n (AUT) Nummernschild nt

licentious [laɪ'senʃəs] adj ausschweifend

lichen ['laɪkən] n Flechte f

lick [lɪk] vt lecken ♦ n Lecken nt; **a** ~ **of paint** ein bißchen Farbe

licorice ['lɪkərɪs] (US) n = **liquorice**

lid [lɪd] n Deckel m; (eye~) Lid nt

lie [laɪ] (pt **lay**, pp **lain**) vi (rest, be situated)

liegen; (put o.s. in position) sich legen; (pt, pp **lied**: tell lies) lügen ♦ n Lüge f; **to** ~ **low** (fig) untertauchen; ~ **about** vi (things) herumliegen; (people) faulenzen; ~**-down** (BRIT) n: **to have a** ~**-down** ein Nickerchen machen; ~**-in** (BRIT) n: **to have a** ~- **in** sich ausschlafen

lieu [luː] n: **in** ~ **of** anstatt +gen

lieutenant [lef'tenənt, (US) luː'tenənt] n Leutnant m

life [laɪf] (pl **lives**) n Leben nt; ~ **assurance** (BRIT) n = **life insurance**; ~**belt** (BRIT) n Rettungsring m; ~**boat** n Rettungsboot nt; ~**guard** n Rettungsschwimmer m; ~ **insurance** n Lebensversicherung f; ~ **jacket** n Schwimmweste f; ~**less** adj (dead) leblos; (dull) langweilig; ~**like** adj lebenswahr, naturgetreu; ~**line** n Rettungsleine f; (fig) Rettungsanker m; ~**long** adj lebenslang; ~ **preserver** (US) n = **lifebelt**; ~**-saver** n Lebensretter(in) m(f); ~ **sentence** n lebenslängliche Freiheitsstrafe f; ~**-sized** adj in Lebensgröße; ~ **span** n Lebensspanne f; ~**style** n Lebensstil m; ~ **support system** n (MED) Lebenserhaltungssystem nt; ~**time** n: **in his** ~**time** während er lebte; **once in a** ~**time** einmal im Leben

lift [lɪft] vt hochheben ♦ vi sich heben ♦ n (BRIT: elevator) Aufzug m, Lift m; **to give sb a** ~ jdn mitnehmen; ~**-off** n Abheben nt (vom Boden)

ligament ['lɪgəmənt] n Band nt

light [laɪt] (pt, pp **lighted** or **lit**) n Licht nt; (for cigarette etc) **have you got a** ~? haben Sie Feuer? ♦ vt beleuchten (lamp); anmachen; (fire, cigarette) anzünden ♦ adj (bright) hell; (pale) hell-; (not heavy, easy) leicht; (punishment) milde; (touch) leicht; ~**s** npl (AUT) Beleuchtung f; ~ **up** vi (lamp) angehen; (face) aufleuchten ♦ vt (illuminate) beleuchten; (lights) anmachen; ~ **bulb** n Glühbirne f; ~**en** vi (brighten) hell werden; (lightning) blitzen ♦ vt (give light to) erhellen; (hair) aufhellen; (gloom) aufheitern; (make less heavy) leichter machen; (fig) erleichtern; ~**er** n Feuerzeug nt; ~**-headed** adj (thoughtless) leichtsinnig; (giddy) schwindlig; ~**-hearted** adj leichtherzig, fröhlich; ~**house** n Leuchtturm m; ~**ing** n Beleuchtung f; ~**ly** adv leicht; (irresponsibly) leichtfertig; **to get off** ~**ly** mit einem blauen Auge davonkommen; ~**ness** n (of weight) Leichtigkeit f; (of colour) Helle f

lightning ['laɪtnɪŋ] n Blitz m; ~ **conductor** (US ~ **rod**) n Blitzableiter m

light: ~ **pen** n Lichtstift m; ~**weight** adj (suit) leicht; ~**weight boxer** n Leichtgewichtler m; ~ **year** n Lichtjahr nt

like [laɪk] vt mögen, gernhaben ♦ prep wie ♦ adj (similar) ähnlich; (equal) gleich ♦ n: **the** ~ dergleichen; **I would** or **I'd** ~ ich möchte gern; **would you ~ a coffee?** möchten Sie einen Kaffee?; **to be** or **look ~ sb/sth** jdm/etw ähneln; **that's just ~ him** das ist typisch für ihn; **do it ~ this** mach es so; **it is nothing ~** ... es ist nicht zu vergleichen mit ...; **what does it look ~?** wie sieht es aus?; **what does it sound ~?** wie hört es sich an?; **what does it taste ~?** wie schmeckt es?; **his ~s and dislikes** was er mag und was er nicht mag; **~able** *adj* sympathisch

likelihood ['laɪklɪhʊd] *n* Wahrscheinlichkeit *f*

likely ['laɪklɪ] *adj* wahrscheinlich; **he's ~ to leave** er geht möglicherweise; **not ~!** wohl kaum!

likeness ['laɪknɪs] *n* Ähnlichkeit *f*; (*portrait*) Bild *nt*

likewise ['laɪkwaɪz] *adv* ebenso

liking ['laɪkɪŋ] *n* Zuneigung *f*; (*taste*) Vorliebe *f*

lilac ['laɪlək] *n* Flieder *m* ♦ *adj* (*colour*) fliederfarben

lily ['lɪlɪ] *n* Lilie *f*; **~ of the valley** *n* Maiglöckchen *nt*

limb [lɪm] *n* Glied *nt*

limber ['lɪmbə*] : **~ up** *vi* sich auflockern; (*fig*) sich vorbereiten

limbo ['lɪmbəʊ] *n*: **to be in ~** (*fig*) in der Schwebe sein

lime [laɪm] *n* (*tree*) Linde *f*; (*fruit*) Limone *f*; (*substance*) Kalk *m*

limelight ['laɪmlaɪt] *n*: **to be in the ~** (*fig*) im Rampenlicht stehen

limestone ['laɪmstəʊn] *n* Kalkstein *m*

limit ['lɪmɪt] *n* Grenze *f*; (*inf*) Höhe *f* ♦ *vt* begrenzen, einschränken; **~ation** *n* Einschränkung *f*; **~ed** *adj* beschränkt; **to be ~ed to** sich beschränken auf +*acc*; **~ed (liability) company** (*BRIT*) *n* Gesellschaft *f* mit beschränkter Haftung

limp [lɪmp] *n* Hinken *f* ♦ *vi* hinken ♦ *adj* schlaff

limpet ['lɪmpɪt] *n* (*fig*) Klette *f*

line [laɪn] *n* Linie *f*; (*rope*) Leine *f*; (*on face*) Falte *f*; (*row*) Reihe *f*; (*of hills*) Kette *f*; (*US: queue*) Schlange *f*; (*company*) Linie *f*, Gesellschaft *f*; (*RAIL*) Strecke *f*; (*TEL*) Leitung *f*; (*written*) Zeile *f*; (*direction*) Richtung *f*; (*fig: business*) Branche *f*; (*range of items*) Kollektion *f* ♦ *vt* (*coat*) füttern; (*border*) säumen; **~s** *npl* (*RAIL*) Gleise *pl*; **in ~ with** in Übereinstimmung mit; **~ up** *vi* sich aufstellen ♦ *vt* aufstellen; (*prepare*) sorgen für; (*support*) mobilisieren; (*surprise*) planen

linear ['lɪnɪə*] *adj* gerade; (*measure*) Längen-

lined [laɪnd] *adj* (*face*) faltig; (*paper*) liniert

linen ['lɪnɪn] *n* Leinen *nt*; (*sheets etc*) Wäsche *f*

liner ['laɪnə*] *n* Überseedampfer *m*

linesman ['laɪnzmən] (*irreg*) *n* (*SPORT*) Li-

nienrichter *m*

line-up ['laɪnʌp] *n* Aufstellung *f*

linger ['lɪŋgə*] *vi* (*remain long*) verweilen; (*taste*) (zurück)bleiben; (*delay*) zögern, verharren

lingerie ['lænʒəriː] *n* Damenunterwäsche *f*

lingering ['lɪŋgərɪŋ] *adj* (*doubt*) zurückbleibend; (*disease*) langwierig; (*taste*) nachhaltend; (*look*) lang

lingo ['lɪŋgəʊ] (*pl* **~es**; *inf*) *n* Sprache *f*

linguist ['lɪŋgwɪst] *n* Sprachkundige(r) *mf*; (*UNIV*) Sprachwissenschaftler(in) *m(f)*

linguistic [lɪŋ'gwɪstɪk] *adj* sprachlich; sprachwissenschaftlich; **~s** [lɪŋ'gwɪstɪks] *n* Sprachwissenschaft *f*, Linguistik *f*

lining ['laɪnɪŋ] *n* Futter *nt*

link [lɪŋk] *n* Glied *nt*; (*connection*) Verbindung *f* ♦ *vt* verbinden; **~s** *npl* (*GOLF*) Golfplatz *m*; **~ up** *vt* verbinden ♦ *vi* zusammenkommen; (*companies*) sich zusammenschließen; **~-up** *n* (*TEL*) Verbindung *f*; (*of spaceships*) Kopplung *f*

lino ['laɪnəʊ] *n* = **linoleum**

linoleum [lɪ'nəʊlɪəm] *n* Linoleum *nt*

linseed oil ['lɪnsiːd-] *n* Leinöl *nt*

lion ['laɪən] *n* Löwe *m*; **~ess** *n* Löwin *f*

lip [lɪp] *n* Lippe *f*; (*of jug*) Schnabel *m*; **to pay ~ service (to)** ein Lippenbekenntnis ablegen (zu); **~read** (*irreg*) *vi* von den Lippen ablesen; **~ salve** *n* Lippenbalsam *m*; **~stick** *n* Lippenstift *m*

liqueur [lɪ'kjʊə*] *n* Likör *m*

liquid ['lɪkwɪd] *n* Flüssigkeit *f* ♦ *adj* flüssig

liquidate ['lɪkwɪdeɪt] *vt* liquidieren

liquidation [lɪkwɪ'deɪʃən] *n* Liquidation *f*

liquidize ['lɪkwɪdaɪz] *vt* (*CULIN*) (im Mixer) pürieren; **~r** ['lɪkwɪdaɪzə*] *n* Mixgerät *nt*

liquor ['lɪkə*] *n* Alkohol *m*

liquorice ['lɪkərɪs] (*BRIT*) *n* Lakritze *f*

liquor store (*US*) *n* Spirituosengeschäft *nt*

Lisbon ['lɪzbən] *n* Lissabon *nt*

lisp [lɪsp] *n* Lispeln *nt* ♦ *vt, vi* lispeln

list [lɪst] *n* Liste *f*, Verzeichnis *nt*; (*of ship*) Schlagseite *f* ♦ *vt* (*write down*) eine Liste machen von; (*verbally*) aufzählen ♦ *vi* (*ship*) Schlagseite haben

listen ['lɪsn] *vi* hören; **~ to** *vt* zuhören +*dat*; **~er** *n* (Zu)hörer(in) *m(f)*

listless ['lɪstləs] *adj* lustlos

lit [lɪt] *pt, pp of* **light**

liter ['liːtə*] (*US*) *n* = **litre**

literacy ['lɪtərəsɪ] *n* Fähigkeit *f* zu lesen und zu schreiben

literal ['lɪtərəl] *adj* buchstäblich; (*translation*) wortwörtlich; **~ly** *adv* wörtlich; buchstäblich

literary ['lɪtərərɪ] *adj* literarisch

literate ['lɪtərət] *adj* des Lesens und Schreibens kundig

literature ['lɪtrətʃə*] *n* Literatur *f*

lithe [laɪð] *adj* geschmeidig

litigation [lɪtɪ'geɪʃən] *n* Prozeß *m*

litre ['liːtə*] (US **liter**) n Liter m
litter ['lɪtə*] n (rubbish) Abfall m; (of animals) Wurf m ♦ vt in Unordnung bringen; **to be ~ed with** übersät sein mit; **~ bin** (BRIT) n Abfalleimer m
little ['lɪtl] adj klein ♦ adv, n wenig; **a ~** ein bißchen; **~ by** nach und nach
live¹ [laɪv] adj lebendig; (MIL) scharf; (ELEC) geladen; (broadcast) live
live² [lɪv] vi leben; (dwell) wohnen ♦ vt (life) führen; **~ down** vt: **I'll never ~ it down** das wird man mir nie vergessen; **~ on** vi weiterleben ♦ vt fus: **to ~ on sth** von etw leben; **~ together** vi zusammenleben; (share a flat) zusammenwohnen; **~ up to** vt (standards) gerecht werden +dat; (principles) anstreben; (hopes) entsprechen +dat
livelihood ['laɪvlɪhʊd] n Lebensunterhalt m
lively ['laɪvlɪ] adj lebhaft, lebendig
liven up ['laɪvn-] vt beleben
liver ['lɪvə*] n (ANAT) Leber f
lives [laɪvz] pl of life
livestock ['laɪvstɒk] n Vieh nt
livid ['lɪvɪd] adj bläulich; (furious) fuchsteufelswild
living ['lɪvɪŋ] n (Lebens)unterhalt m ♦ adj lebendig; (language etc) lebend; **to earn** or **make a ~** sich dat seinen Lebensunterhalt verdienen; **~ conditions** npl Wohnverhältnisse pl; **~ room** n Wohnzimmer nt; **~ standards** npl Lebensstandard m; **~ wage** n ausreichender Lohn m
lizard ['lɪzəd] n Eidechse f
load [ləʊd] n (burden) Last f; (amount) Ladung f ♦ vt (also: **~ up**) (be)laden; (COMPUT) laden; (camera) Film einlegen in +acc; (gun) laden; **a ~ of, ~s of** (fig) jede Menge; **~ed** adj beladen; (dice) präpariert; (question) Fang-; (inf: rich) steinreich; **~ing bay** n Ladeplatz m
loaf [ləʊf] (pl **loaves**) n Brot nt ♦ vi (also: **~ about, ~ around**) herumlungern, faulenzen
loan [ləʊn] n Leihgabe f; (FIN) Darlehen nt ♦ vt leihen; **on ~** geliehen
loath [ləʊθ] adj: **to be ~ to do sth** etw ungern tun
loathe [ləʊð] vt verabscheuen
loathing ['ləʊðɪŋ] n Abscheu f
loaves [ləʊvz] pl of loaf
lobby ['lɒbɪ] n Vorhalle f; (POL) Lobby f ♦ vt politisch beeinflussen (wollen)
lobe [ləʊb] n Ohrläppchen nt
lobster ['lɒbstə*] n Hummer m
local ['ləʊkəl] adj ortsansässig, Orts- ♦ n (pub) Stammwirtschaft f; **the ~s** npl (people) die Ortsansässigen pl; **~ anaesthetic** n (MED) örtliche Betäubung f; **~ authority** n städtische Behörden pl; **~ call** n (TEL) Ortsgespräch nt; **~ government** n Gemeinde-/Kreisverwaltung f; **~ity** [ləʊ'kælɪtɪ] n Ort m; **~ly** adv örtlich, am

Ort
locate [ləʊ'keɪt] vt ausfindig machen; (establish) errichten
location [ləʊ'keɪʃən] n Platz m, Lage f; **on ~** (CINE) auf Außenaufnahme
loch [lɒx] (SCOTTISH) n See m
lock [lɒk] n Schloß nt; (NAUT) Schleuse f; (of hair) Locke f ♦ vt (fasten) (ver)schließen ♦ vi (door etc) sich schließen (lassen); (wheels) blockieren; **~ up** vt (criminal, mental patient) einsperren; (house) abschließen
locker ['lɒkə*] n Spind m
locket ['lɒkɪt] n Medaillon nt
lock-out ['lɒkaʊt] n Aussperrung f
locksmith ['lɒksmɪθ] n Schlosser(in) m(f)
lockup ['lɒkʌp] n (jail) Gefängnis nt; (garage) Garage f
locomotive [ləʊkə'məʊtɪv] n Lokomotive f
locum ['ləʊkəm] n (MED) Vertreter(in) m(f)
locust ['ləʊkəst] n Heuschrecke f
lodge [lɒdʒ] n (gatehouse) Pförtnerhaus nt; (freemasons') Loge f ♦ vi (get stuck) stecken(bleiben); (in Untermiete): **to ~ (with)** wohnen (bei) ♦ vt (protest) einreichen; **~r** n (Unter)mieter m
lodgings ['lɒdʒɪŋz] n (Miet)wohnung f
loft [lɒft] n (Dach)boden m
lofty ['lɒftɪ] adj hoch(ragend); (proud) hochmütig
log [lɒg] n Klotz m; (book) = logbook
logbook ['lɒgbʊk] n Bordbuch nt; (for lorry) Fahrtenschreiber m; (AUT) Kraftfahrzeugbrief m
loggerheads ['lɒgəhedz] npl: **to be at ~** sich in den Haaren liegen
logic ['lɒdʒɪk] n Logik f; **~al** adj logisch
logistics [lɒ'dʒɪstɪks] npl Logistik f
logo ['ləʊgəʊ] n Firmenzeichen nt
loin [lɔɪn] n Lende f
loiter ['lɔɪtə*] vi herumstehen
loll [lɒl] vi (also: **~ about**) sich rekeln
lollipop ['lɒlɪpɒp] n (Dauer)lutscher m; **~ man/lady** (BRIT) n ≈ Schülerlotse m
London ['lʌndən] n London nt; **~er** n Londoner(in) m(f)
lone [ləʊn] adj einsam
loneliness ['ləʊnlɪnəs] n Einsamkeit f
lonely ['ləʊnlɪ] adj einsam
loner ['ləʊnə*] n Einzelgänger(in) m(f)
long [lɒŋ] adj lang; (distance) weit ♦ adv lange ♦ vi: **to ~ for sth** sich nach etw sehnen; **before ~** bald; **as ~ as** solange; **in the ~ run** auf die Dauer; **don't be ~!** beeil dich!; **how ~ is the street?** wie lang ist die Straße?; **how ~ is the lesson?** wie lange dauert die Stunde?; **6 metres ~** 6 Meter lang; **6 months ~** 6 Monate lang; **all night ~** die ganze Nacht; **he no ~er comes** er kommt nicht mehr; **~ ago** vor langer Zeit; **~ before** lange vorher; **at ~ last** endlich; **~-distance** adj Fern-

longevity [lɒn'dʒevɪtɪ] n Langlebigkeit f
long: ~-**haired** adj langhaarig; ~**hand** n
Langschrift f; ~**ing** n Sehnsucht f ♦ adj
sehnsüchtig
longitude ['lɒŋgɪtju:d] n Längengrad m
long: ~ **jump** n Weitsprung m; ~-**lost** adj
längst verloren geglaubt; ~-**playing**
record n Langspielplatte f; ~-**range** adj
Langstrecken-, Fern-; ~-**sighted** adj weit-
sichtig; ~-**standing** adj alt, seit langer Zeit
bestehend; ~-**suffering** adj schwer geprüft;
~-**term** adj langfristig; ~ **wave** n Lang-
welle f; ~-**winded** adj langatmig
loo [lu:] (BRIT: inf) n Klo nt
look [lʊk] vi schauen; (seem) aussehen;
(building etc): **to** ~ **on to the sea** aufs
Meer gehen ♦ n Blick m; ~**s** npl (appearance) Aussehen nt; ~ **after** vt (care for)
sorgen für; (watch) aufpassen auf +acc; ~
at vt ansehen; (consider) sich überlegen; ~
back vi zurückblicken; (fig) zurückblicken;
~ **down on** vt (fig) herabsehen auf +acc;
~ **for** vt (seek) suchen; ~ **forward to** vt
sich freuen auf +acc; (in letters): **we** ~ **for-**
ward to hearing from you wir hoffen, bald
von Ihnen zu hören; ~ **into** vt untersuchen; ~ **on** vi zusehen; ~ **out** vi hinausse-
hen; (take care) aufpassen; ~ **out for** vt
Ausschau halten nach; (be careful) achtgeben auf +acc; ~ **round** vi sich umsehen;
~ **to** vt (take care of) achtgeben auf +acc;
(rely on) sich verlassen auf +acc; ~ **up** vi
aufblicken; (improve) sich bessern ♦ vt
(word) nachschlagen; (person) besuchen; ~
up to vt aufsehen zu; ~-**out** n (watch)
Ausschau f; (person) Wachposten m;
(place) Ausguck m; (prospect) Aussichten
pl; **to be on the** ~-**out for sth** nach etw
Ausschau halten
loom [lu:m] n Webstuhl m ♦ vi sich abzeichnen
loony ['lu:nɪ] (inf) n Verrückte(r) mf
loop [lu:p] n Schlaufe f; ~**hole** n (fig) Hin-
tertürchen nt
loose [lu:s] adj lose, locker; (free) frei; (in-
exact) unpräzise ♦ vt lösen, losbinden; ~
change n Kleingeld nt; ~ **chippings** npl
(on road) Rollsplit m; ~ **end** n: **to be at a**
~ **end** (BRIT) or **at** ~-**ends** (US) nicht wissen, was man tun soll; ~**ly** adv locker,
lose; ~**n** vt lockern, losmachen
loot [lu:t] n Beute f ♦ vt plündern
lop off vt abhacken
lopsided ['lɒp'saɪdɪd] adj schief
lord [lɔ:d] n (ruler) Herr m; (BRIT: title)
Lord m; **the L**~ (Gott) der Herr; **the**
(House of) L~**s** das Oberhaus; ~**ship** n:
your L~**ship** Eure Lordschaft
lore [lɔ:*] n Überlieferung f
lorry ['lɒrɪ] (BRIT) n Lastwagen m; ~
driver (BRIT) n Lastwagenfahrer(in) m(f)
lose [lu:z] (pt, pp **lost**) vt verlieren; (chance)

verpassen ♦ vi verlieren; **to** ~ **(time)** (clock)
nachgehen; ~**r** n Verlierer m
loss [lɒs] n Verlust m; **at a** ~ (COMM) mit
Verlust; (unable) außerstande
lost [lɒst] pt, pp of **lose** ♦ adj verloren; ~
property (US ~ **and found**) n Fundsachen
pl
lot [lɒt] n (quantity) Menge f; (fate, at auction) Los nt; (inf: people, things) Haufen m;
the ~ alles; (people) alle; **a** ~ **of** (with sg)
viel; (with pl) viele; ~**s of** massenhaft,
viel(e); **I read a** ~ ich lese viel; **to draw**
~**s for sth** etw verlosen
lotion ['ləʊʃən] n Lotion f
lottery ['lɒtərɪ] n Lotterie f
loud [laʊd] adj laut; (showy) schreiend ♦
adv laut; ~**hailer** (BRIT) n Megaphon nt;
~**ly** adv laut; ~**speaker** n Lautsprecher m
lounge [laʊndʒ] n (in hotel) Gesellschafts-
raum m; (in house) Wohnzimmer nt ♦ vi
sich herumlümmeln; ~ **suit** (BRIT) n Stra-
ßenanzug m
louse [laʊs] (pl **lice**) n Laus f
lousy ['laʊzɪ] adj (fig) miserabel
lout [laʊt] n Lümmel m
louvre ['lu:və*] (US **louver**) adj (door, window) Jalousie-
lovable ['lʌvəbl] adj liebenswert
love [lʌv] n Liebe f; (person) Liebling m;
(SPORT) null ♦ vt (person) lieben; (activity)
gerne mögen; **to be in** ~ **with sb** in jdn
verliebt sein; **to make** ~ sich lieben; **for**
the ~ **of** aus Liebe zu; "**15** ~" (TENNIS)
„15 null"; **to** ~ **to do sth** etw (sehr) gerne
tun; ~ **affair** n (Liebes)verhältnis nt; ~
letter n Liebesbrief m; ~ **life** n Liebesle-
ben nt
lovely ['lʌvlɪ] adj schön
lover ['lʌvə*] n Liebhaber(in) m(f)
loving ['lʌvɪŋ] adj liebend, liebevoll
low [ləʊ] adj niedrig; (rank) niedere(r, s);
(level, note, neckline) tief; (intelligence, density) gering; (vulgar) ordinär; (not loud) leise; (depressed) gedrückt ♦ adv (not high)
niedrig; (not loudly) leise ♦ n (low point)
Tiefstand m; (MET) Tief nt; **to feel** ~ sich
mies fühlen; **to turn (down)** ~ leiser stellen; ~-**cut** adj (dress) tiefausgeschnitten
lower ['ləʊə*] vt herunterlassen; (eyes, gun)
senken; (reduce) herabsetzen, senken ♦ vr:
to ~ **o.s.** (fig) sich herablassen zu
low: ~-**fat** adj fettarm, Mager-; ~**lands** npl
(GEOG) Flachland nt; ~**ly** adj bescheiden;
~-**lying** adj tiefgelegen
loyal ['lɔɪəl] adj treu; ~**ty** n Treue f
lozenge ['lɒzɪndʒ] n Pastille f
L.P. n abbr = **long-playing record**
L-plates ['elpleɪts] (BRIT) npl L-Schild nt
(für Fahrschüler)
Ltd abbr (= limited company) GmbH.
lubricant ['lu:brɪkənt] n Schmiermittel nt
lubricate ['lu:brɪkeɪt] vt schmieren

lucid ['lu:sɪd] *adj* klar; (*sane*) bei klarem Verstand; (*moment*) licht
luck [lʌk] *n* Glück *nt*; **bad** *or* **hard** *or* **tough** ~**!** (so ein) Pech!; **good** ~**!** viel Glück!; ~**ily** *adv* glücklicherweise, zum Glück; ~**y** *adj* Glücks-; **to be** ~**y** Glück haben
lucrative ['lu:krətɪv] *adj* einträglich
ludicrous ['lu:dɪkrəs] *adj* grotesk
lug [lʌg] *vt* schleppen
luggage ['lʌgɪdʒ] *n* Gepäck *nt*; ~ **rack** *n* Gepäcknetz *nt*
lukewarm ['lu:kwɔ:m] *adj* lauwarm; (*indifferent*) lau
lull [lʌl] *n* Flaute *f* ♦ *vt* einlullen; (*calm*) beruhigen
lullaby ['lʌləbaɪ] *n* Schlaflied *nt*
lumbago [lʌm'beɪgəʊ] *n* Hexenschuß *m*
lumber ['lʌmbə*] *n* Plunder *m*; (*wood*) Holz *nt*; ~**jack** *n* Holzfäller *m*
luminous ['lu:mɪnəs] *adj* Leucht-
lump [lʌmp] *n* Klumpen *m*; (*MED*) Schwellung *f*; (*in breast*) Knoten *m*; (*of sugar*) Stück *nt* ♦ *vt* (*also:* ~ **together**) zusammentun; (*judge together*) in einen Topf werfen; ~ **sum** *n* Pauschalsumme *f*; ~**y** *adj* klumpig
lunacy ['lu:nəsɪ] *n* Irrsinn *m*
lunar ['lu:nə*] *adj* Mond-
lunatic ['lu:nətɪk] *n* Wahnsinnige(r) *mf* ♦ *adj* wahnsinnig, irr
lunch [lʌntʃ] *n* Mittagessen *nt*
luncheon ['lʌntʃən] *n* Mittagessen *nt*; ~ **meat** *n* Frühstücksfleisch *nt*; ~ **voucher** (*BRIT*) *n* Essensmarke *f*
lunchtime *n* Mittagszeit *f*
lung [lʌŋ] *n* Lunge *f*
lunge [lʌndʒ] *vi* (*also:* ~ **forward**) (los)stürzen; **to** ~ **at** sich stürzen auf +*acc*
lurch [lɜ:tʃ] *vi* taumeln; (*NAUT*) schlingern ♦ *n* Ruck *m*; (*NAUT*) Schlingern *nt*; **to leave sb in the** ~ jdn im Stich lassen
lure [ljʊə*] *n* Köder *m*; (*fig*) Lockung *f* ♦ *vt* (ver)locken
lurid ['ljʊərɪd] *adj* (*shocking*) grausig, widerlich; (*colour*) grell
lurk [lɜ:k] *vi* lauern
luscious ['lʌʃəs] *adj* köstlich
lush [lʌʃ] *adj* satt; (*vegetation*) üppig
lust [lʌst] *n* (*sensation*) Wollust *f*; (*greed*) Gier *f* ♦ *vi*: **to** ~ **after** gieren nach
lustre ['lʌstə*] (*US* **luster**) *n* Glanz *m*
lusty ['lʌstɪ] *adj* gesund und munter
Luxembourg ['lʌksəmbɜ:g] *n* Luxemburg *nt*
luxuriant [lʌg'zjʊərɪənt] *adj* üppig
luxurious [lʌg'zjʊərɪəs] *adj* luxuriös, Luxus-
luxury ['lʌkʃərɪ] *n* Luxus *m* ♦ *cpd* Luxus-
lying ['laɪɪŋ] *n* Lügen *nt* ♦ *adj* verlogen
lynx [lɪŋks] *n* Luchs *m*
lyric ['lɪrɪk] *n* Lyrik *f* ♦ *adj* lyrisch; ~**s** *pl* (*words for song*) (Lied)text *m*; ~**al** *adj* lyrisch, gefühlvoll

M m

m *abbr* = **metre; mile; million**
M.A. *n abbr* = **Master of Arts**
mac [mæk] (*BRIT: inf*) *n* Regenmantel *m*
macaroni [mækə'rəʊnɪ] *n* Makkaroni *pl*
machine [mə'ʃi:n] *n* Maschine *f* ♦ *vt* (*dress etc*) mit der Maschine nähen; ~ **gun** *n* Maschinengewehr *nt*; ~ **language** *n* (*COMPUT*) Maschinensprache *f*; ~**ry** [mə'ʃi:nərɪ] *n* Maschinerie *f*
macho ['mætʃəʊ] *adj* macho
mackerel ['mækrəl] *n* Makrele *f*
mackintosh ['mækɪntɒʃ] (*BRIT*) *n* Regenmantel *m*
mad [mæd] *adj* verrückt; (*dog*) tollwütig; (*angry*) wütend; ~ **about** (*fond of*) verrückt nach, versessen auf +*acc*
madam ['mædəm] *n* gnädige Frau *f*
madden ['mædn] *vt* verrückt machen; (*make angry*) ärgern
made [meɪd] *pt, pp of* **make**
Madeira [mə'dɪərə] *n* (*GEOG*) Madeira *nt*; (*wine*) Madeira *m*
made-to-measure ['meɪdtə'mɛʒə*] (*BRIT*) *adj* Maß-
madly ['mædlɪ] *adv* wahnsinnig
madman ['mædmən] (*irreg*) *n* Verrückte(r) *m*, Irre(r) *m*
madness ['mædnəs] *n* Wahnsinn *m*
Madrid [mə'drɪd] *n* Madrid *nt*
magazine ['mægəzi:n] *n* Zeitschrift *f*; (*in gun*) Magazin *nt*
maggot ['mægət] *n* Made *f*
magic ['mædʒɪk] *n* Zauberei *f*, Magie *f*; (*fig*) Zauber *m* ♦ *adj* magisch, Zauber-; ~**al** *adj* magisch; ~**ian** [mə'dʒɪʃən] *n* Zauberer *m*
magistrate ['mædʒɪstreɪt] *n* (Friedens)richter *m*
magnanimous [mæg'nænɪməs] *adj* großmütig
magnesium [mæg'ni:zɪəm] *n* Magnesium *nt*
magnet ['mægnɪt] *n* Magnet *m*; ~**ic** [mæg'netɪk] *adj* magnetisch; ~**ic tape** *n* Magnetband *nt*; ~**ism** *n* Magnetismus *m*; (*fig*) Ausstrahlungskraft *f*
magnificent [mæg'nɪfɪsənt] *adj* großartig
magnify ['mægnɪfaɪ] *vt* vergrößern; ~**ing glass** *n* Lupe *f*
magnitude ['mægnɪtju:d] *n* (*size*) Größe *f*; (*importance*) Ausmaß *nt*

magpie ['mægpaɪ] n Elster f
mahogany [mə'hɒgənɪ] n Mahagoni nt ♦ cpd Mahagoni-
maid [meɪd] n Dienstmädchen nt; **old ~** alte Jungfer f
maiden ['meɪdn] n Maid f ♦ adj (flight, speech) Jungfern-
mail [meɪl] n Post f ♦ vt aufgeben; **~ box** (US) n Briefkasten m; **~ing list** n Anschreibeliste f; **~ order** n Bestellung f durch die Post; **~ order firm** n Versandhaus nt
maim [meɪm] vt verstümmeln
main [meɪn] adj hauptsächlich, Haupt- ♦ n (pipe) Hauptleitung f; **the ~s** npl (ELEC) das Stromnetz; **in the ~** im großen und ganzen; **~frame** n (COMPUT) Großrechner m; **~land** n Festland nt; **~ly** adv hauptsächlich; **~ road** n Hauptstraße f; **~stay** n (fig) Hauptstütze f; **~stream** n Hauptrichtung f
maintain [meɪn'teɪn] vt (machine, roads) instand halten; (support) unterhalten; (keep up) aufrechterhalten; (claim) behaupten; (innocence) beteuern
maintenance ['meɪntənəns] n (TECH) Wartung f; (of family) Unterhalt m
maize [meɪz] n Mais m
majestic [mə'dʒestɪk] adj majestätisch
majesty ['mædʒɪstɪ] n Majestät f
major ['meɪdʒə*] n Major m ♦ adj (MUS) Dur; (more important) Haupt-; (bigger) größer
Majorca [mə'jɔːkə] n Mallorca nt
majority [mə'dʒɒrɪtɪ] n Mehrheit f; (JUR) Volljährigkeit f
make [meɪk] (pt, pp **made**) vt machen; (appoint) ernennen (zu); (cause to do sth) veranlassen; (reach) erreichen; (in time) schaffen; (earn) verdienen ♦ n Marke f; **to ~ sth happen** etw geschehen lassen; **to ~ it** es schaffen; **what time do you ~ it?** wie spät hast du es?; **to ~ do with** auskommen mit; **~ for** vi gehen/fahren nach; **~ out** vt (write out) ausstellen; (understand) verstehen; (write: cheque) ausstellen; **~ up** vt machen; (face) schminken; (quarrel) beilegen; (story etc) erfinden ♦ vi sich versöhnen; **~ up for** vt wiedergutmachen; (COMM) vergüten; **~-believe** n Phantasie f; **~r** n (COMM) Hersteller m; **~shift** adj behelfsmäßig, Not-; **~-up** n Schminke f, Make-up nt; **~-up remover** n Make-up-Entferner m
making ['meɪkɪŋ] n: **in the ~** im Entstehen; **to have the ~s of** das Zeug haben zu
malaise [mæ'leɪz] n Unbehagen nt
malaria [mə'lɛərɪə] n Malaria f
Malaysia [mə'leɪzɪə] n Malaysia nt
male [meɪl] n Mann m; (animal) Männchen nt ♦ adj männlich
malevolent [mə'levələnt] adj übelwollend

malfunction [mæl'fʌŋkʃən] n (MED) Funktionsstörung f; (of machine) Defekt m
malice ['mælɪs] n Bosheit f
malicious [mə'lɪʃəs] adj böswillig, gehässig
malign [mə'laɪn] vt verleumden ♦ adj böse
malignant [mə'lɪgnənt] adj bösartig
mall [mɔːl] n (also: shopping ~) Einkaufszentrum nt
malleable ['mælɪəbl] adj formbar
mallet ['mælɪt] n Holzhammer m
malnutrition ['mælnju:'trɪʃən] n Unterernährung f
malpractice ['mæl'præktɪs] n Amtsvergehen nt
malt [mɔːlt] n Malz n
Malta ['mɔːltə] n Malta nt; **Maltese** ['mɔːl'tiːz] adj inv maltesisch ♦ n inv Malteser(in) m(f)
maltreat [mæl'triːt] vt mißhandeln
mammal ['mæməl] n Säugetier nt
mammoth ['mæməθ] n Mammut nt ♦ adj Mammut-
man [mæn] (pl **men**) n Mann m; (human race) der Mensch, die Menschen pl ♦ vt bemannen; **an old ~** ein alter Mann, ein Greis m; **~ and wife** Mann und Frau
manage ['mænɪdʒ] vi zurechtkommen ♦ vt (control) führen, leiten; (cope with) fertigwerden mit; **~able** adj (person, animal) fügsam; (object) handlich; **~ment** n (control) Führung f, Leitung f; (directors) Management nt; **~r** n Geschäftsführer m; **~ress** ['mænɪdʒə'res] n Geschäftsführerin f; **~rial** [mænə'dʒɪərɪəl] adj (post) leitend; (problem etc) Management-
managing ['mænɪdʒɪŋ] adj: **~ director** Betriebsleiter m
mandarin ['mændərɪn] n (fruit) Mandarine f
mandatory ['mændətɔrɪ] adj obligatorisch
mane [meɪn] n Mähne f
maneuver [mə'nuːvə*] (US) = **manoeuvre**
manfully ['mænfʊlɪ] adv mannhaft
mangle ['mæŋgl] vt verstümmeln ♦ n Mangel f
mango ['mæŋgəʊ] (pl **~es**) n Mango(pflaume) f
mangy ['meɪndʒɪ] adj (dog) räudig
manhandle ['mænhændl] vt grob behandeln
manhole ['mænhəʊl] n (Straßen)schacht m
manhood ['mænhʊd] n Mannesalter nt; (manliness) Männlichkeit f
man-hour ['mæn'aʊə*] n Arbeitsstunde f
manhunt ['mænhʌnt] n Fahndung f
mania ['meɪnɪə] n Manie f; **~c** ['meɪnɪæk] n Wahnsinnige(r) mf
manic ['mænɪk] adj (behaviour, activity) hektisch
manicure ['mænɪkjʊə*] n Maniküre f; **~ set** n Necessaire nt
manifest ['mænɪfest] vt offenbaren ♦ adj offenkundig; **~ation** n (sign) Anzeichen nt

manifesto [mænɪ'festəʊ] n Manifest nt
manipulate [mə'nɪpjʊleɪt] vt handhaben; (fig) manipulieren
mankind [mæn'kaɪnd] n Menschheit f
manly ['mænlɪ] adj männlich; mannhaft
man-made ['mæn'meɪd] adj (fibre) künstlich
manner ['mænə*] n Art f, Weise f; ~s npl (behaviour) Manieren pl; in a ~ of speaking sozusagen; ~ism n (of person) Angewohnheit f; (of style) Maniertheit f
manoeuvre [mə'nu:və*] (US maneuver) vt, vi manövrieren ♦ n (MIL) Feldzug m; (general) Manöver nt, Schachzug m
manor ['mænə*] n Landgut nt; ~ house n Herrenhaus nt
manpower ['mænpaʊə*] n Arbeitskräfte pl
mansion ['mænʃən] n Villa f
manslaughter ['mænslɔ:tə*] n Totschlag m
mantelpiece ['mæntlpi:s] n Kaminsims m
manual ['mænjʊəl] adj manuell, Hand- ♦ n Handbuch nt
manufacture [mænjʊ'fæktʃə*] vt herstellen ♦ n Herstellung f; ~r n Hersteller m
manure [mə'njʊə*] n Dünger m
manuscript ['mænjʊskrɪpt] n Manuskript nt
Manx [mæŋks] adj der Insel Man
many ['menɪ] adj, pron viele; a great ~ sehr viele; ~ a time oft
map [mæp] n (Land)karte f; (of town) Stadtplan m ♦ vt eine Karte machen von; ~ out vt (fig) ausarbeiten
maple ['meɪpl] n Ahorn m
mar [ma:*] vt verderben
marathon ['mærəθən] n (SPORT) Marathonlauf m; (fig) Marathon m
marauder [mə'rɔ:də*] n Plünderer m
marble ['ma:bl] n Marmor m; (for game) Murmel f
March [ma:tʃ] n März m
march [ma:tʃ] vi marschieren ♦ n Marsch m
mare [meə*] n Stute f
margarine [ma:dʒə'ri:n] n Margarine f
margin ['ma:dʒɪn] n Rand m; (extra amount) Spielraum m; (COMM) Spanne f; ~al adj (note) Rand-; (difference etc) geringfügig; ~al (seat) n (POL) Wahlkreis, der nur mit knapper Mehrheit gehalten wird
marigold ['mærɪgəʊld] n Ringelblume f
marijuana [mærɪ'wa:nə] n Marihuana nt
marina [mə'ri:nə] n Yachthafen m
marinate ['mærɪneɪt] vt marinieren
marine [mə'ri:n] adj Meeres-, See- ♦ n (MIL) Marineinfanterist m
marital ['mærɪtl] adj ehelich, Ehe-; ~ status n Familienstand m
maritime ['mærɪtaɪm] adj See-
mark [ma:k] n (coin) Mark f; (spot) Fleck m; (scar) Kratzer m; (sign) Zeichen nt; (target) Ziel nt; (SCH) Note f ♦ vt (make ~ on) Flecken/Kratzer machen auf +acc; (indi-

cate) markieren; (exam) korrigieren; to ~ time (also fig) auf der Stelle treten; ~ out vt bestimmen; (area) abstecken; ~ed adj deutlich; ~er n (in book) (Lese)zeichen nt; (on road) Schild nt
market ['ma:kɪt] n Markt m; (stock ~) Börse f ♦ vt (COMM: new product) auf den Markt bringen; (sell) vertreiben; ~ garden n (BRIT) n Handelsgärtnerei f; ~ing n Marketing nt; ~ research n Marktforschung f; ~ value n Marktwert m
marksman ['ma:ksmən] (irreg) n Scharfschütze m
marmalade ['ma:məleɪd] n Orangenmarmelade f
maroon [mə'ru:n] vt aussetzen ♦ adj (colour) dunkelrot
marquee [ma:'ki:] n große(s) Zelt nt
marriage ['mærɪdʒ] n Ehe f; (wedding) Heirat f; ~ bureau n Heiratsinstitut nt; ~ certificate n Heiratsurkunde f
married ['mærɪd] adj (person) verheiratet; (couple, life) Ehe-
marrow ['mærəʊ] n (Knochen)mark nt; (vegetable) Kürbis m
marry ['mærɪ] vt (join) trauen; (take as husband, wife) heiraten ♦ vi (also: get married) heiraten
Mars [ma:z] n (planet) Mars m
marsh [ma:ʃ] n Sumpf m
marshal ['ma:ʃəl] n (US) Bezirkspolizeichef m ♦ vt (an)ordnen, arrangieren
marshy ['ma:ʃɪ] adj sumpfig
martial ['ma:ʃəl] adj kriegerisch; ~ law n Kriegsrecht nt
martyr ['ma:tə*] n (also fig) Märtyrer(in) m(f) ♦ vt zum Märtyrer machen; ~dom n Martyrium nt
marvel ['ma:vəl] n Wunder nt ♦ vi: to ~ (at) sich wundern (über +acc); ~lous (US ~ous) adj wunderbar
Marxist ['ma:ksɪst] n Marxist(in) m(f)
marzipan [ma:zɪ'pæn] n Marzipan nt
mascara [mæs'ka:rə] n Wimperntusche f
mascot ['mæskət] n Maskottchen nt
masculine ['mæskjʊlɪn] adj männlich
mash [mæʃ] n Brei m; ~ed potatoes npl Kartoffelbrei m or -püree nt
mask [ma:sk] n (also fig) Maske f ♦ vt maskieren, verdecken
mason ['meɪsn] n (stone~) Steinmetz m; (free~) Freimaurer m; ~ic [mə'sɒnɪk] adj Freimaurer-; ~ry n Mauerwerk nt
masquerade [mæskə'reɪd] n Maskerade f ♦ vi: to ~ as sich ausgeben als
mass [mæs] n Masse f; (greater part) Mehrheit f; (REL) Messe f ♦ vi sich sammeln; the ~es npl (of people) die Masse(n) f(pl)
massacre ['mæsəkə*] n Blutbad nt ♦ vt niedermetzeln, massakrieren
massage ['mæsɑ:ʒ] n Massage f ♦ vt massieren

massive ['mæsɪv] *adj* gewaltig, massiv
mass media *npl* Massenmedien *pl*
mass production *n* Massenproduktion *f*
mast [mɑːst] *n* Mast *m*
master ['mɑːstə*] *n* Herr *m*; (*NAUT*) Kapitän *m*; (*teacher*) Lehrer *m*; (*artist*) Meister *m* ♦ *vt* meistern; (*language etc*) beherrschen; ~**ly** *adj* meisterhaft; ~**mind** *n* Kapazität *f* ♦ *vt* geschickt lenken; **M~ of Arts** *n* Magister *m* der philosophischen; **M~ of Science** *n* Magister *m* der naturwissenschaftlichen; ~**piece** *n* Meisterwerk *nt*; ~ **plan** *n* kluge(r) Plan *m*; ~**y** *n* Können *nt*
masturbate ['mæstəbeɪt] *vi* masturbieren, onanieren
mat [mæt] *n* Matte *f*; (*for table*) Untersetzer *m* ♦ *adj* = **mat(t)**
match [mætʃ] *n* Streichholz *nt*; (*sth corresponding*) Pendant *nt*; (*SPORT*) Wettkampf *m*; (*ball games*) Spiel *nt* ♦ *vt* (*be like, suit*) passen zu; (*equal*) gleichkommen +*dat* ♦ *vi* zusammenpassen; **it's a good ~ (for)** es paßt gut (zu); ~**box** *n* Streichholzschachtel *f*; ~**ing** *adj* passend
mate [meɪt] *n* (*companion*) Kamerad *m*; (*spouse*) Lebensgefährte *m*; (*of animal*) Weibchen *nt*/Männchen *nt*; (*NAUT*) Schiffsoffizier *m* ♦ *vi* (*animals*) sich paaren ♦ *vt* paaren
material [mə'tɪərɪəl] *n* Material *nt*; (*for book, cloth*) Stoff *m* ♦ *adj* (*important*) wesentlich; (*damage*) Sach-; (*comforts etc*) materiell; ~**s** *npl* (*for building etc*) Materialien *pl*; ~**istic** *adj* materialistisch; ~**ize** *vi* sich verwirklichen, zustande kommen
maternal [mə'tɜːnl] *adj* mütterlich, Mutter-
maternity [mə'tɜːnɪtɪ] *adj* (*dress*) Umstands-; (*benefit*) Wochen-; ~ **hospital** *n* Entbindungsheim *nt*
math [mæθ] (*US*) *n* = **maths**
mathematical [mæθə'mætɪkl] *adj* mathematisch
mathematics [mæθə'mætɪks] *n* Mathematik *f*
maths [mæθs] (*US* **math**) *n* Mathe *f*
matinée ['mætɪneɪ] *n* Matinee *f*
mating call ['meɪtɪŋ-] *n* Lockruf *m*
matrices ['meɪtrɪsiːz] *npl of* **matrix**
matriculation [mətrɪkju'leɪʃən] *n* Immatrikulation *f*
matrimonial [mætrɪ'məʊnɪəl] *adj* ehelich, Ehe-
matrimony ['mætrɪmənɪ] *n* Ehestand *m*
matrix ['meɪtrɪks] (*pl* **matrices**) *n* Matrize *f*; (*GEOL etc*) Matrix *f*
matron ['meɪtrən] *n* (*MED*) Oberin *f*; (*SCH*) Hausmutter *f*; ~**ly** *adj* matronenhaft
mat(t) [mæt] *adj* (*paint*) matt
matted ['mætɪd] *adj* verfilzt
matter ['mætə*] *n* (*substance*) Materie *f*; (*affair*) Angelegenheit *f* ♦ *vi* darauf ankom-

men; **no ~ how/what** egal wie/was; **what is the ~?** was ist los?; **as a ~ of course** selbstverständlich; **as a ~ of fact** eigentlich; **it doesn't ~** es macht nichts; ~-**of-fact** *adj* sachlich, nüchtern
mattress ['mætrəs] *n* Matratze *f*
mature [mə'tjʊə*] *adj* reif ♦ *vi* reif werden
maturity [mə'tjʊərɪtɪ] *n* Reife *f*
maudlin ['mɔːdlɪn] *adj* gefühlsduselig
maul [mɔːl] *vt* übel zurichten
maxima ['mæksɪmə] *npl of* **maximum**
maximum ['mæksɪməm] (*pl* **maxima**) *adj* Höchst-, Maximal- ♦ *n* Maximum *nt*
May [meɪ] *n* der 1. Mai
may [meɪ] (*conditional* **might**) *vi* (*be possible*) können; (*have permission*) dürfen; **he ~ come** er kommt vielleicht
maybe ['meɪbiː] *adv* vielleicht
May Day *n* der 1. Mai
mayhem ['meɪhem] *n* Chaos *nt*; (*US*) Körperverletzung *f*
mayonnaise [meɪə'neɪz] *n* Mayonnaise *f*
mayor [meə*] *n* Bürgermeister *m*; ~**ess** *n* (*wife*) Frau *f* Bürgermeister; (*lady ~*) Bürgermeisterin *f*
maypole ['meɪpəʊl] *n* Maibaum *m*
maze [meɪz] *n* Irrgarten *m*; (*fig*) Wirrwarr *nt*
M.D. *abbr* = **Doctor of Medicine**

--- *KEYWORD* ---

me [miː] *pron* **1** (*direct*) mich; **it's me** ich bin's
2 (*indirect*) mir; **give them to me** gib sie mir
3 (*after prep: +acc*) mich; (: +*dat*) mir; **with/without me** mit mir/ohne mich

meadow ['medəʊ] *n* Wiese *f*
meagre ['miːgə*] (*US* **meager**) *adj* dürftig, spärlich
meal [miːl] *n* Essen *nt*, Mahlzeit *f*; (*grain*) Schrotmehl *nt*; **to have a ~** essen (gehen); ~**time** *n* Essenszeit *f*
mean [miːn] (*pt, pp* **meant**) *adj* (*stingy*) geizig; (*spiteful*) gemein; (*average*) durchschnittlich, Durchschnitts- ♦ *vt* (*signify*) bedeuten; (*intend*) vorhaben, beabsichtigen ♦ *n* (*average*) Durchschnitt *m*; ~**s** *npl* (*wherewithal*) Mittel *pl*; (*wealth*) Vermögen *nt*; **do you ~ me?** meinst du mich?; **do you ~ it?** meinst du das ernst?; **what do you ~?** was willst du damit sagen?; **to be ~t for sb/sth** für jdn/etw bestimmt sein; **by ~s of** durch; **by all ~s** selbstverständlich; **by no ~s** keineswegs
meander [mɪ'ændə*] *vi* sich schlängeln
meaning ['miːnɪŋ] *n* Bedeutung *f*; (*of life*) Sinn *m*; ~**ful** *adj* bedeutungsvoll; (*life*) sinnvoll; ~**less** *adj* sinnlos
meanness ['miːnnəs] *n* (*stinginess*) Geiz *m*; (*spitefulness*) Gemeinheit *f*

meant [ment] *pt, pp of* **mean**
meantime ['mi:ntaɪm] *adv* inzwischen
meanwhile ['mi:nwaɪl] *adv* inzwischen
measles ['mi:zlz] *n* Masern *pl*
measly ['mi:zlɪ] (*inf*) *adj* poplig
measure ['meʒə*] *vt, vi* messen ♦ *n* Maß *nt*; (*step*) Maßnahme *f*; **~d** *adj* (*slow*) gemessen; **~ments** *npl* Maße *pl*
meat [mi:t] *n* Fleisch *nt*; **cold ~** Aufschnitt *m*; **~ ball** *n* Fleischkloß *m*; **~ pie** *n* Fleischpastete *f*; **~y** *adj* fleischig; (*fig*) gehaltvoll
Mecca ['mekə] *n* Mekka *nt* (*also fig*)
mechanic [mɪ'kænɪk] *n* Mechaniker *m*; **~al** *adj* mechanisch; **~s** *n* Mechanik *f* ♦ *npl* Technik *f*
mechanism ['mekənɪzəm] *n* Mechanismus *m*
mechanize ['mekənaɪz] *vt* mechanisieren
medal ['medl] *n* Medaille *f*; (*decoration*) Orden *m*; **~list** (*US* **~ist**) *n* Medaillengewinner(in) *m(f)*
meddle ['medl] *vi*: **to ~ (in)** sich einmischen (in +*acc*); **to ~ with sth** sich an etw *dat* zu schaffen machen
media ['mi:dɪə] *npl* Medien *pl*
mediaeval [medɪ'i:vəl] *adj* = **medieval**
median ['mi:dɪən] (*US*) *n* (*also*: **~ strip**) Mittelstreifen *m*
mediate ['mi:dɪeɪt] *vi* vermitteln
mediator ['mi:dɪeɪtə*] *n* Vermittler *m*
Medicaid ['medɪkeɪd] (®: *US*) *n* medizinisches Versorgungsprogramm für Sozialschwache
medical ['medɪkəl] *adj* medizinisch; Medizin-; ärztlich ♦ *n* (ärztliche) Untersuchung *f*
Medicare ['medɪkeə*] (*US*) *n* staatliche Krankenversicherung besonders für Ältere
medicated ['medɪkeɪtɪd] *adj* medizinisch
medication [medɪ'keɪʃən] *n* (*drugs etc*) Medikamente *pl*
medicinal [me'dɪsɪnl] *adj* medizinisch, Heil-
medicine ['medsɪn] *n* Medizin *f*; (*drugs*) Arznei *f*
medieval [medɪ'i:vəl] *adj* mittelalterlich
mediocre [mi:dɪ'əʊkə*] *adj* mittelmäßig
mediocrity [mi:dɪ'ɒkrɪtɪ] *n* Mittelmäßigkeit *f*
meditate ['medɪteɪt] *vi* meditieren; **to ~ (on sth)** (über etw *acc*) nachdenken
meditation [medɪ'teɪʃən] *n* Nachsinnen *nt*; Meditation *f*
Mediterranean [medɪtə'reɪnɪən] *adj* Mittelmeer-; (*person*) südländisch; **the ~ (Sea)** das Mittelmeer
medium ['mi:dɪəm] *adj* mittlere(r, s) Mittel-, mittel- ♦ *n* Mitte *f*; (*means*) Mittel *nt*; (*person*) Medium *nt*; **happy ~** goldener Mittelweg; **~ wave** *n* Mittelwelle *f*
medley ['medlɪ] *n* Gemisch *nt*

meek [mi:k] *adj* sanft(mütig); (*pej*) duckmäuserisch
meet [mi:t] (*pt, pp* **met**) *vt* (*encounter*) treffen, begegnen +*dat*; (*by arrangement*) sich treffen mit; (*difficulties*) stoßen auf +*acc*; (*become acquainted with*) kennenlernen; (*fetch*) abholen; (*join*) zusammentreffen mit; (*satisfy*) entsprechen +*dat* ♦ *vi* sich treffen; (*become acquainted*) sich kennenlernen; **~ with** *vt* (*problems*) stoßen auf +*acc*; (*US: people*) zusammentreffen mit; **~ing** *n* Treffen *nt*; (*business meeting*) Besprechung *f*; (*of committee*) Sitzung *f*; (*assembly*) Versammlung *f*
megabyte ['megəbaɪt] *n* (*COMPUT*) Megabyte *nt*
megaphone ['megəfəʊn] *n* Megaphon *nt*
melancholy ['melənkəlɪ] *adj* (*person*) melancholisch; (*sight, event*) traurig
mellow ['meləʊ] *adj* mild, weich; (*fruit*) reif; (*fig*) gesetzt ♦ *vi* reif werden
melodious [mɪ'ləʊdɪəs] *adj* wohlklingend
melody ['melədɪ] *n* Melodie *f*
melon ['melən] *n* Melone *f*
melt [melt] *vi* schmelzen; (*anger*) verfliegen ♦ *vt* schmelzen; **~ away** *vi* dahinschmelzen; **~ down** *vt* einschmelzen; **~down** *n* (*in nuclear reactor*) Kernschmelze *f*; **~ing point** *n* Schmelzpunkt *m*; **~ing pot** *n* (*fig*) Schmelztiegel *m*
member ['membə*] *n* Mitglied *nt*; (*of tribe, species*) Angehörige(r) *m*; (*ANAT*) Glied *nt*; **M~ of Parliament** (*BRIT*) *n* Parlamentsmitglied *nt*; **M~ of the European Parliament** (*BRIT*) *n* Mitglied *nt* des Europäischen Parlaments; **~ship** *n* Mitgliedschaft *f*; **to seek ~ship of** einen Antrag auf Mitgliedschaft stellen; **~ship card** *n* Mitgliedskarte *f*
memento [mə'mentəʊ] *n* Andenken *nt*
memo ['meməʊ] *n* Mitteilung *f*
memoirs ['memwɑ:z] *npl* Memoiren *pl*
memorable ['memərəbl] *adj* denkwürdig
memoranda [memə'rændə] *npl of* **memorandum**
memorandum [memə'rændəm] (*pl* **memoranda**) *n* Mitteilung *f*
memorial [mɪ'mɔ:rɪəl] *n* Denkmal *nt* ♦ *adj* Gedenk-
memorize ['meməraɪz] *vt* sich einprägen
memory ['memərɪ] *n* Gedächtnis *nt*; (*of computer*) Speicher *m*; (*sth recalled*) Erinnerung *f*
men [men] *pl of* **man** ♦ *n* (*human race*) die Menschen *pl*
menace ['menɪs] *n* Drohung *f*; Gefahr *f* ♦ *vt* bedrohen
menacing ['menɪsɪŋ] *adj* drohend
menagerie [mɪ'nædʒərɪ] *n* Tierschau *f*
mend [mend] *vt* reparieren, flicken ♦ *vi* (ver)heilen ♦ *n* ausgebesserte Stelle *f*; **on the ~** auf dem Wege der Besserung; **~ing**

n (articles) Flickarbeit *f*
menial ['miːnɪəl] *adj* niedrig
meningitis [menɪn'dʒaɪtɪs] *n* Hirnhautent-
zündung *f*, Meningitis *f*
menopause ['menəupɔːz] *n* Wechseljahre
pl, Menopause *f*
menstruation [menstru'eɪʃən] *n* Menstruation *f*
mental ['mentl] *adj* geistig, Geistes-; *(arithmetic)* Kopf-; *(hospital)* Nerven-; *(cruelty)*
seelisch; *(inf: abnormal)* verrückt; **~ity**
[men'tælɪtɪ] *n* Mentalität *f*
menthol ['menθəl] *n* Menthol *nt*
mention ['menʃən] *n* Erwähnung *f ♦ vt* erwähnen; **don't ~ it!** bitte (sehr), gern geschehen
mentor ['mentɔː*] *n* Mentor *m*
menu ['menjuː] *n* Speisekarte *f*
MEP *n abbr* = **Member of the European
Parliament**
mercenary ['mɜːsɪnərɪ] *adj (person)* geld-
gierig; *(MIL)* Söldner- *♦ n* Söldner *m*
merchandise ['mɜːtʃəndaɪz] *n* (Han-
dels)ware *f*
merchant ['mɜːtʃənt] *n* Kaufmann *m*; **~
navy** *(US ~ marine) n* Handelsmarine *f*
merciful ['mɜːsɪful] *adj* gnädig
merciless ['mɜːsɪləs] *adj* erbarmungslos
mercury ['mɜːkjurɪ] *n* Quecksilber *nt*
mercy ['mɜːsɪ] *n* Erbarmen *nt*; Gnade *f*; **at
the ~ of** ausgeliefert +*dat*
mere [mɪə*] *adj* bloß
merely *adv* bloß
merge [mɜːdʒ] *vt* verbinden; *(COMM)* fusionieren *♦ vi* verschmelzen; *(roads)* zusammenlaufen; *(COMM)* fusionieren; **~r** *n*
(COMM) Fusion *f*
meringue [mə'ræŋ] *n* Baiser *nt*
merit ['merɪt] *n* Verdienst *nt*; *(advantage)*
Vorzug *m ♦ vt* verdienen
mermaid ['mɜːmeɪd] *n* Wassernixe *f*
merry ['merɪ] *adj* fröhlich; **~-go-round** *n*
Karussell *nt*
mesh [meʃ] *n* Masche *f ♦ vi (gears)* ineinandergreifen
mesmerize ['mezməraɪz] *vt* hypnotisieren;
(fig) faszinieren
mess [mes] *n* Unordnung *f*; *(dirt)* Schmutz
m; *(trouble)* Schwierigkeiten *pl*; *(MIL)* Messe *f*; **~ about or around** *vi (play the fool)*
herumalbern; *(do nothing in particular)* her-
umgammeln; **~ about or around with** *vt
fus (tinker with)* herummurksen an +*dat*; **~
up** *vt* verpfuschen; *(make untidy)* in
Unordnung bringen
message ['mesɪdʒ] *n* Mitteilung *f*; **to get
the ~** kapieren
messenger ['mesɪndʒə*] *n* Bote *m*
Messrs ['mesəz] *abbr (on letters)* die Herren
messy ['mesɪ] *adj* schmutzig; *(untidy)* unordentlich

met [met] *pt, pp of* **meet**
metabolism [me'tæbəlɪzəm] *n* Stoffwechsel
m
metal ['metl] *n* Metall *nt*
metaphor ['metəfɔː*] *n* Metapher *f*
mete [miːt] : **to ~ out** *vt* austeilen
meteorology [miːtɪə'rɒlədʒɪ] *n* Meteorolo-
gie *f*
meter ['miːtə*] *n* Zähler *m*; *(US)* = **metre**
method ['meθəd] *n* Methode *f*; **~ical**
[mɪ'θɒdɪkəl] *adj* methodisch; **M~ist**
['meθədɪst] *adj* methodistisch *♦ n* Methodi-
st(in) *m(f)*; **~ology** [meθə'dɒlədʒɪ] *n* Me-
thodik *f*
meths [meθs] *(BRIT) n* = **methylated spir-
it(s)**
methylated spirit(s) ['meθɪleɪtɪd
'spɪrɪt(s)] *(BRIT) n* (Brenn)spiritus *m*
meticulous [mɪ'tɪkjuləs] *adj* (über)genau
metre ['miːtə*] *(US* meter) *n* Meter *m or nt*
metric ['metrɪk] *adj (also: ~al)* metrisch
metropolitan [metrə'pɒlɪtən] *adj* der
Großstadt; **the M~ Police** *(BRIT) n* die
Londoner Polizei
mettle ['metl] *n* Mut *m*
mew [mjuː] *vi (cat)* miauen
mews [mjuːz] *n*: **~ cottage** *(BRIT)* ehemali-
ges Kutscherhäuschen
Mexican ['meksɪkən] *adj* mexikanisch *♦ n*
Mexikaner(in) *m(f)*
Mexico ['meksɪkəu] *n* Mexiko *nt*; **~ City** *n*
Mexiko City *f*
miaow [miː'au] *vi* miauen
mice [maɪs] *pl of* **mouse**
micro ['maɪkrəu] *n (also: ~computer)* Mi-
krocomputer *m*
microchip ['maɪkrəutʃɪp] *n* Mikrochip *m*
microcosm ['maɪkrəukɒzəm] *n* Mikrokos-
mos *m*
microfilm ['maɪkrəufɪlm] *n* Mikrofilm *m ♦
vt* auf Mikrofilm aufnehmen
microphone ['maɪkrəfəun] *n* Mikrophon *nt*
microprocessor [maɪkrəu'prəusesə*] *n*
Mikroprozessor *m*
microscope ['maɪkrəskəup] *n* Mikroskop
nt
microwave ['maɪkrəuweɪv] *n (also: ~ oven)*
Mikrowelle(nherd *f*) *m*
mid [mɪd] *adj*: **in ~ afternoon** am Nachmittag; **in ~ air** in der Luft; **in ~ May** Mitte Mai
midday ['mɪddeɪ] *n* Mittag *m*
middle ['mɪdl] *n* Mitte *f*; *(waist)* Taille *f ♦
adj* mittlere(r, s), Mittel-; **in the ~ of** mitten in +*dat*; **~-aged** *adj* mittleren Alters;
the M~ Ages *npl* das Mittelalter; **~-class**
adj Mittelstands-; **the M~ East** *n* der
Nahe Osten; **~man** *(irreg) n (COMM)* Zwi-
schenhändler *m*; **~ name** *n* zweiter Vorname *m*; **~ weight** *n (BOXING)* Mittelge-
wicht *nt*
middling ['mɪdlɪŋ] *adj* mittelmäßig

midge [mɪdʒ] n Mücke f
midget ['mɪdʒɪt] n Liliputaner(in) m(f)
Midlands ['mɪdləndz] npl Midlands pl
midnight ['mɪdnaɪt] n Mitternacht f
midriff ['mɪdrɪf] n Taille f
midst [mɪdst] n: **in the ~ of** (persons) mitten unter +dat; (things) mitten in +dat
midsummer ['mɪd'sʌmə*] n Hochsommer m
midway ['mɪd'weɪ] adv auf halbem Wege ♦ adj Mittel-
midweek ['mɪd'wiːk] adv in der Mitte der Woche
midwife ['mɪdwaɪf] (irreg) n Hebamme f; **~ry** ['mɪdwɪfərɪ] n Geburtshilfe f
midwinter ['mɪd'wɪntə*] n tiefste(r) Winter m
might [maɪt] vi see **may** ♦ n Macht f, Kraft f; **I ~ come** ich komme vielleicht; **~y** adj, adv mächtig
migraine ['miːgreɪn] n Migräne f
migrant ['maɪgrənt] adj Wander-; (bird) Zug-
migrate [maɪ'greɪt] vi (ab)wandern; (birds) (fort)ziehen
migration [maɪ'greɪʃən] n Wanderung f, Zug m
mike [maɪk] n = **microphone**
Milan [mɪ'læn] n Mailand nt
mild [maɪld] adj mild; (medicine, interest) leicht; (person) sanft
mildew ['mɪldjuː] n (on plants) Mehltau m; (on food) Schimmel m
mildly ['maɪldlɪ] adv leicht; **to put it ~** gelinde gesagt
mile [maɪl] n Meile f; **~age** n Meilenzahl f
mileometer n = **milometer**
milestone n (also fig) Meilenstein m
military ['mɪlɪtərɪ] adj militärisch, Militär-, Wehr-
militate ['mɪlɪteɪt] vi: **to ~ against** entgegenwirken +dat
militia [mɪ'lɪʃə] n Miliz f
milk [mɪlk] n Milch f ♦ vt (also fig) melken; **~ chocolate** n Milchschokolade f; **~man** (irreg) n Milchmann m; **~ shake** n Milchmixgetränk nt; **~y** adj milchig; **M~y Way** n Milchstraße f
mill [mɪl] n Mühle f; (factory) Fabrik f ♦ vt mahlen ♦ vi (move around) umherlaufen
millennia [mɪ'lenɪə] npl of **millennium**
millennium [mɪ'lenɪəm] (pl **~s** or **millennia**) n Jahrtausend nt
miller ['mɪlə*] n Müller m
millet ['mɪlɪt] n Hirse f
milligram(me) ['mɪlɪgræm] n Milligramm nt
millimetre ['mɪlɪmiːtə*] (US **millimeter**) n Millimeter m
million ['mɪljən] n Million f; **a ~ times** tausendmal; **~aire** [mɪljə'neə*] n Millionär(in) m(f)

millstone ['mɪlstəʊn] n Mühlstein m
milometer [maɪ'lɒmɪtə*] n ≈ Kilometerzähler m
mime [maɪm] n Pantomime f ♦ vt, vi mimen
mimic ['mɪmɪk] n Mimiker m ♦ vt, vi nachahmen; **~ry** ['mɪmɪkrɪ] n Nachahmung f; (BIOL) Mimikry f
min. abbr = **minutes; minimum**
minaret [mɪnə'ret] n Minarett nt
mince [mɪns] vt (zer)hacken ♦ vi (walk) trippeln ♦ n (meat) Hackfleisch nt; **~meat** n süße Pastetenfüllung f; **~ pie** n gefüllte (süße) Pastete f; **~r** n Fleischwolf m
mind [maɪnd] n Verstand m, Geist m; (opinion) Meinung f ♦ vt aufpassen auf +acc; (object to) etwas haben gegen; **on my ~** auf dem Herzen; **to my ~** meiner Meinung nach; **to be out of one's ~** wahnsinnig sein; **to bear** or **keep in ~** bedenken; **to change one's ~** es sich der anders überlegen; **to make up one's ~** sich entschließen; **I don't ~** das macht mir nichts aus; **~ you, ...** allerdings ...; **never ~!** macht nichts!; **"~ the step"** „Vorsicht Stufe"; **~ your own business** kümmern Sie sich um Ihre eigenen Angelegenheiten; **~er** n Aufpasser(in) m(f); **~ful** adj: **~ful of** achtsam auf +acc; **~less** adj sinnlos
mine¹ [maɪn] n (coal~) Bergwerk nt; (MIL) Mine f ♦ vt abbauen; (MIL) verminen
mine² [maɪn] pron meine(r, s); **that book is ~** das Buch gehört mir; **a friend of ~** ein Freund von mir
minefield ['maɪnfiːld] n Minenfeld nt
miner ['maɪnə*] n Bergarbeiter m
mineral ['mɪnərəl] adj mineralisch, Mineral- ♦ n Mineral nt; **~s** npl (BRIT: soft drinks) alkoholfreie Getränke pl; **~ water** n Mineralwasser nt
minesweeper ['maɪnswiːpə*] n Minensuchboot nt
mingle ['mɪŋgl] vi: **to ~ (with)** sich mischen (unter +acc)
miniature ['mɪnɪtʃə*] adj Miniatur- ♦ n Miniatur f
minibus ['mɪnɪbʌs] n Kleinbus m
minim ['mɪnɪm] n halbe Note f
minimal ['mɪnɪməl] adj minimal
minimize ['mɪnɪmaɪz] vt auf das Mindestmaß beschränken
minimum ['mɪnɪməm] (pl **minima**) n Minimum nt ♦ adj Mindest-
mining ['maɪnɪŋ] n Bergbau m ♦ adj Bergbau-, Berg-
miniskirt ['mɪnɪskɜːt] n Minirock m
minister ['mɪnɪstə*] n (BRIT: POL) Minister m; (ECCL) Pfarrer m ♦ vi: **to ~ to sb/sb's needs** sich um jdn kümmern; **~ial** [mɪnɪs'tɪərɪəl] adj ministeriell, Minister-
ministry ['mɪnɪstrɪ] n (BRIT: POL) Ministerium nt; (ECCL: office) geistliche(s) Amt nt

mink [mɪŋk] *n* Nerz *m*

minnow ['mɪnəu] *n* Elritze *f*

minor ['maɪnə*] *adj* kleiner; (*operation*) leicht; (*problem, poet*) unbedeutend; (*MUS*) Moll ♦ *n* (*BRIT: under 18*) Minderjährige(r) *mf*

minority [maɪ'nɒrɪtɪ] *n* Minderheit *f*

mint [mɪnt] *n* Minze *f*; (*sweet*) Pfefferminzbonbon *nt* ♦ *vt* (*coins*) prägen; **the (Royal** (*BRIT*) **or US** (*US*)) **M~** die Münzanstalt; **in ~ condition** in tadellosem Zustand

minus ['maɪnəs] *n* Minuszeichen *nt*; (*amount*) Minusbetrag *m* ♦ *prep* minus, weniger

minuscule ['mɪnəskjuːl] *adj* winzig

minute¹ [maɪ'njuːt] *adj* winzig; (*detailed*) minuziös

minute² ['mɪnɪt] *n* Minute *f*; (*moment*) Augenblick *m*; **~s** *npl* (*of meeting etc*) Protokoll *nt*

miracle ['mɪrəkl] *n* Wunder *nt*

miraculous [mɪ'rækjuləs] *adj* wunderbar

mirage ['mɪrɑːʒ] *n* Fata Morgana *f*

mire ['maɪə*] *n* Morast *m*

mirror ['mɪrə*] *n* Spiegel *m* ♦ *vt* (wider)spiegeln

mirth [mɜːθ] *n* Heiterkeit *f*

misadventure [mɪsəd'ventʃə*] *n* Mißgeschick *nt*, Unfall *m*

misanthropist [mɪ'zænθrəpɪst] *n* Menschenfeind *m*

misapprehension ['mɪsæprɪ'henʃən] *n* Mißverständnis *nt*

misbehave ['mɪsbɪ'heɪv] *vi* sich schlecht benehmen

miscalculate ['mɪs'kælkjuleɪt] *vt* falsch berechnen

miscarriage ['mɪskærɪdʒ] *n* (*MED*) Fehlgeburt *f*; **~ of justice** Fehlurteil *nt*

miscellaneous [mɪsɪ'leɪnɪəs] *adj* verschieden

mischance [mɪs'tʃɑːns] *n* Mißgeschick *nt*

mischief ['mɪstʃɪf] *n* Unfug *m*

mischievous ['mɪstʃɪvəs] *adj* (*person*) durchtrieben; (*glance*) verschmitzt; (*rumour*) bösartig

misconception ['mɪskən'sepʃən] *n* fälschliche Annahme *f*

misconduct [mɪs'kɒndʌkt] *n* Vergehen *nt*; **professional ~** Berufsvergehen *nt*

misconstrue ['mɪskən'struː] *vt* mißverstehen

misdeed [mɪs'diːd] *n* Untat *f*

misdemeanour [mɪsdɪ'miːnə*] (*US* **misdemeanor**) *n* Vergehen *nt*

miser ['maɪzə*] *n* Geizhals *m*

miserable ['mɪzərəbl] *adj* (*unhappy*) unglücklich; (*headache, weather*) fürchterlich; (*poor*) elend; (*contemptible*) erbärmlich

miserly ['maɪzəlɪ] *adj* geizig

misery ['mɪzərɪ] *n* Elend *nt*, Qual *f*

misfire ['mɪs'faɪə*] *vi* (*gun*) versagen; (*engine*) fehlzünden; (*plan*) fehlgehen

misfit ['mɪsfɪt] *n* Außenseiter *m*

misfortune [mɪs'fɔːtʃən] *n* Unglück *nt*

misgiving(s) [mɪs'gɪvɪŋ(z)] *n(pl)* Bedenken *pl*

misguided ['mɪs'gaɪdɪd] *adj* fehlgeleitet; (*opinions*) irrig

mishandle ['mɪs'hændl] *vt* falsch handhaben

mishap ['mɪshæp] *n* Mißgeschick *nt*

misinform ['mɪsɪn'fɔːm] *vt* falsch unterrichten

misinterpret ['mɪsɪn'tɜːprɪt] *vt* falsch auffassen

misjudge ['mɪs'dʒʌdʒ] *vt* falsch beurteilen

mislay [mɪs'leɪ] (*irreg: like* **lay**) *vt* verlegen

mislead [mɪs'liːd] (*irreg: like* **lead**) *vt* (*deceive*) irreführen; **~ing** *adj* irreführend

mismanage ['mɪs'mænɪdʒ] *vt* schlecht verwalten

misnomer ['mɪs'nəumə*] *n* falsche Bezeichnung *f*

misogynist [mɪ'sɒdʒɪnɪst] *n* Weiberfeind *m*

misplace ['mɪs'pleɪs] *vt* verlegen

misprint ['mɪsprɪnt] *n* Druckfehler *m*

Miss [mɪs] *n* Fräulein *nt*

miss [mɪs] *vt* (*fail to hit, catch*) verfehlen; (*not notice*) verpassen; (*be too late*) versäumen, verpassen; (*omit*) auslassen; (*regret the absence of*) vermissen ♦ *vi* fehlen ♦ *n* (*shot*) Fehlschuß *m*; (*failure*) Fehlschlag *m*; **I ~ you** du fehlst mir; **~ out** *vt* auslassen

missal ['mɪsəl] *n* Meßbuch *nt*

misshapen ['mɪs'ʃeɪpən] *adj* mißgestaltet

missile ['mɪsaɪl] *n* Rakete *f*

missing ['mɪsɪŋ] *adj* (*person*) vermißt; (*thing*) fehlend; **to be ~** fehlen

mission ['mɪʃən] *n* (*work*) Auftrag *m*; (*people*) Delegation *f*; (*REL*) Mission *f*; **~ary** *n* Missionar(in) *m(f)*

misspell ['mɪs'spel] (*irreg: like* **spell**) *vt* falsch schreiben

misspent ['mɪs'spent] *adj* (*youth*) vergeudet

mist [mɪst] *n* Dunst *m*, Nebel *m* ♦ *vi* (*also*: **~ over, ~ up**) sich trüben; (*BRIT: windows*) sich beschlagen

mistake [mɪs'teɪk] (*irreg: like* **take**) *n* Fehler *m* ♦ *vt* (*misunderstand*) mißverstehen; (*mix up*): **to ~ (sth for sth)** (etw mit etw) verwechseln; **to make a ~** einen Fehler machen; **by ~** aus Versehen; **to ~ A for B** A mit B verwechseln; **mistaken** *pp of* **mistake** ♦ *adj* (*idea*) falsch; **to be ~n** sich irren

mister ['mɪstə*] *n* (*inf*) Herr *m*; *see* **Mr**

mistletoe ['mɪsltəu] *n* Mistel *f*

mistook [mɪs'tuk] *pt of* **mistake**

mistress ['mɪstrɪs] *n* (*teacher*) Lehrerin *f*; (*in house*) Herrin *f*; (*lover*) Geliebte *f*; *see* **Mrs**

mistrust ['mɪs'trʌst] *vt* mißtrauen +*dat*

misty ['mɪstɪ] *adj* neblig

misunderstand [ˈmɪsʌndəˈstænd] (*irreg: like* **understand**) *vt, vi* mißverstehen, falsch verstehen; **~ing** *n* Mißverständnis *nt*; (*disagreement*) Meinungsverschiedenheit *f*

misuse [*n* ˈmɪsˈjuːs, *vb* ˈmɪsˈjuːz] *n* falsche(r) Gebrauch *m* ♦ *vt* falsch gebrauchen

mitigate [ˈmɪtɪgeɪt] *vt* mildern

mitt(en) [ˈmɪt(n)] *n* Fausthandschuh *m*

mix [mɪks] *vt* (*blend*) (ver)mischen ♦ *vi* (*liquids*) sich (ver)mischen lassen; (*people: get on*) sich vertragen; (: *associate*) Kontakt haben ♦ *n* (*mixture*) Mischung *f*; **~ up** *vt* zusammenmischen; (*confuse*) verwechseln; **~ed** *adj* gemischt; **~ed-up** *adj* durcheinander; **~er** *n* (*for food*) Mixer *m*; **~ture** *n* Mischung *f*; **~up** *n* Durcheinander *nt*

mm *abbr* (= *millimetre(s)*) mm

moan [məʊn] *n* Stöhnen *nt*; (*complaint*) Klage *f* ♦ *vi* stöhnen; (*complain*) maulen

moat [məʊt] *n* (Burg)graben *m*

mob [mɒb] *n* Mob *m*; (*the masses*) Pöbel *m* ♦ *vt* (*star*) herfallen über +*acc*

mobile [ˈməʊbaɪl] *adj* beweglich; (*library etc*) fahrbar ♦ *n* (*decoration*) Mobile *nt*; **~ home** *n* Wohnwagen *m*; **~ phone** *n* (*TEL*) Mobiltelefon *nt*

mobility [məʊˈbɪlɪtɪ] *n* Beweglichkeit *f*

mobilize [ˈməʊbɪlaɪz] *vt* mobilisieren

moccasin [ˈmɒkəsɪn] *n* Mokassin *m*

mock [mɒk] *vt* verspotten; (*defy*) trotzen +*dat* ♦ *adj* Schein-; **~ery** *n* Spott *m*; (*person*) Gespött *nt*

mod [mɒd] *adj see* **convenience**

mode [məʊd] *n* (Art *f* und) Weise *f*

model [ˈmɒdl] *n* Modell *nt*; (*example*) Vorbild *nt*; (*in fashion*) Mannequin *nt* ♦ *adj* (*railway*) Modell-; (*perfect*) Muster-; vorbildlich *vt* (*make*) bilden; (*clothes*) vorführen ♦ *vi* als Mannequin arbeiten

modem [ˈməʊdem] *n* (*COMPUT*) Modem *nt*

moderate [*adj, n* ˈmɒdərət, *vb* ˈmɒdəreɪt] *adj* gemäßigt ♦ *n* (*POL*) Gemäßigte(r) *mf* ♦ *vi* sich mäßigen ♦ *vt* mäßigen

moderation [mɒdəˈreɪʃən] *n* Mäßigung *f*; **in ~** mit Maßen

modern [ˈmɒdən] *adj* modern; (*history, languages*) neuere(r, s); (*Greek etc*) Neu-; **~ize** *vt* modernisieren

modest [ˈmɒdɪst] *adj* bescheiden; **~y** *n* Bescheidenheit *f*

modicum [ˈmɒdɪkəm] *n* bißchen *nt*

modification [mɒdɪfɪˈkeɪʃən] *n* (Ab)änderung *f*

modify [ˈmɒdɪfaɪ] *vt* abändern

module [ˈmɒdjuːl] *n* (*component*) (Bau)element *nt*; (*SPACE*) (Raum)kapsel *f*

mogul [ˈməʊgəl] *n* (*fig*) Mogul *m*

mohair [ˈməʊheə*] *n* Mohair *m*

moist [mɔɪst] *adj* feucht; **~en** [ˈmɔɪsn] *vt* befeuchten; **~ure** [ˈmɔɪstʃə*] *n* Feuchtigkeit *f*; **~urizer** [ˈmɔɪstʃəraɪzə*] *n* Feuchtigkeitscreme *f*

molar [ˈməʊlə*] *n* Backenzahn *m*

molasses [məˈlæsɪz] *n* Melasse *f*

mold [məʊld] (*US*) = **mould**

mole [məʊl] *n* (*spot*) Leberfleck *m*; (*animal*) Maulwurf *m*; (*pier*) Mole *f*

molest [məʊˈlest] *vt* belästigen

mollycoddle [ˈmɒlɪkɒdl] *vt* verhätscheln

molt [məʊlt] (*US*) *vi* = **moult**

molten [ˈməʊltən] *adj* geschmolzen

mom [mɒm] (*US*) *n* = **mum**

moment [ˈməʊmənt] *n* Moment *m*, Augenblick *m*; (*importance*) Tragweite *f*; **at the ~** im Augenblick; **~ary** *adj* kurz; **~ous** [məʊˈmentəs] *adj* folgenschwer

momentum [məʊˈmentəm] *n* Schwung *m*; **to gather ~** in Fahrt kommen

mommy [ˈmɒmɪ] (*US*) *n* = **mummy**

Monaco [ˈmɒnəkəʊ] *n* Monaco *nt*

monarch [ˈmɒnək] *n* Herrscher(in) *m(f)*; **~y** *n* Monarchie *f*

monastery [ˈmɒnəstrɪ] *n* Kloster *nt*

monastic [məˈnæstɪk] *adj* klösterlich, Kloster-

Monday [ˈmʌndeɪ] *n* Montag *m*

monetary [ˈmʌnɪtərɪ] *adj* Geld-; (*of currency*) Währungs-

money [ˈmʌnɪ] *n* Geld *nt*; **to make ~** Geld verdienen; **~lender** *n* Geldverleiher *m*; **~ order** *n* Postanweisung *f*; **~-spinner** (*inf*) *n* Verkaufsschlager *m* (*inf*)

mongol [ˈmɒŋgəl] *n* (*MED*) mongoloide(s) Kind *nt* ♦ *adj* mongolisch; (*MED*) mongoloid

mongrel [ˈmʌŋgrəl] *n* Promenadenmischung *f*

monitor [ˈmɒnɪtə*] *n* (*SCH*) Klassenordner *m*; (*television ~*) Monitor *m* ♦ *vt* (*broadcasts*) abhören; (*control*) überwachen

monk [mʌŋk] *n* Mönch *m*

monkey [ˈmʌŋkɪ] *n* Affe *m*; **~ nut** (*BRIT*) *n* Erdnuß *f*; **~ wrench** *n* (*TECH*) Engländer *m*, Franzose *m*

monochrome [ˈmɒnəkrəʊm] *adj* schwarzweiß

monopolize [məˈnɒpəlaɪz] *vt* beherrschen

monopoly [məˈnɒpəlɪ] *n* Monopol *nt*

monosyllable [ˈmɒnəsɪləbl] *n* einsilbige(s) Wort *nt*

monotone [ˈmɒnətəʊn] *n* gleichbleibende(r) Ton(fall) *m*; **to speak in a ~** monoton sprechen

monotonous [məˈnɒtənəs] *adj* eintönig

monotony [məˈnɒtənɪ] *n* Eintönigkeit *f*, Monotonie *f*

monsoon [mɒnˈsuːn] *n* Monsun *m*

monster [ˈmɒnstə*] *n* Ungeheuer *nt*; (*person*) Scheusal *nt*

monstrosity [mɒnsˈtrɒsɪtɪ] *n* Ungeheuerlichkeit *f*; (*thing*) Monstrosität *f*

monstrous [ˈmɒnstrəs] *adj* (*shocking*) gräßlich, ungeheuerlich; (*huge*) riesig

month [mʌnθ] *n* Monat *m*; **~ly** *adj* monatlich, Monats- ♦ *adv* einmal im Monat ♦ *n* (*magazine*) Monatsschrift *f*

monument ['mɒnjumənt] *n* Denkmal *nt*; **~al** [mɒnju'mentl] *adj* (*huge*) gewaltig; (*ignorance*) ungeheuer

moo [muː] *vi* muhen

mood [muːd] *n* Stimmung *f*, Laune *f*; **to be in a good/bad ~** gute/schlechte Laune haben; **~y** *adj* launisch

moon [muːn] *n* Mond *m*; **~light** *n* Mondlicht *nt*; **~lighting** *n* Schwarzarbeit *f*; **~lit** *adj* mondhell

moor [muə*] *n* Heide *f*, Hochmoor *nt* ♦ *vt* (*ship*) festmachen, verankern ♦ *vi* anlegen; **~ings** *npl* Liegeplatz *m*

moorland ['muələnd] *n* Heidemoor *nt*

moose [muːs] *n* Elch *m*

mop [mɒp] *n* Mop *m* ♦ *vt* (auf)wischen; **~ up** *vt* aufwischen

mope [məup] *vi* Trübsal blasen

moped ['məuped] *n* Moped *nt*

moral ['mɒrəl] *adj* moralisch; (*values*) sittlich; (*virtuous*) tugendhaft ♦ *n* Moral *f*; **~s** *npl* (*ethics*) Moral *f*; **~e** [mɒ'rɑːl] *n* Moral *f*; **~ity** [mə'ræliti] *n* Sittlichkeit *f*

morass [mə'ræs] *n* Sumpf *m*

morbid ['mɔːbɪd] *adj* krankhaft; (*jokes*) makaber

KEYWORD

more [mɔː*] *adj* (*greater in number etc*) mehr; (*additional*) noch mehr; **do you want (some) more tea?** möchten Sie noch etwas Tee?; **I have no** or **I don't have any more money** ich habe kein Geld mehr

♦ *pron* (*greater amount*) mehr; (*further or additional amount*) noch mehr; **is there any more?** gibt es noch mehr?; (*left over*) ist noch etwas da?; **there's no more** es ist nichts mehr da

♦ *adv* mehr; **more dangerous/easily** etc (**than**) gefährlicher/einfacher etc (als); **more and more** immer mehr; **more and more excited** immer aufgeregter; **more or less** mehr oder weniger; **more than ever** mehr denn je; **more beautiful than ever** schöner denn je

---

moreover [mɔː'rəuvə*] *adv* überdies

morgue [mɔːg] *n* Leichenschauhaus *nt*

moribund ['mɒrɪbʌnd] *adj* aussterbend

Mormon ['mɔːmən] *n* Mormone *m*, Morminin *f*

morning ['mɔːnɪŋ] *n* Morgen *m*; **in the ~** am Morgen; **7 o'clock in the ~** 7 Uhr morgens

Morocco [mə'rɒkəu] *n* Marokko *nt*

moron ['mɔːrɒn] *n* Schwachsinnige(r) *mf*

morose [mə'rəus] *adj* mürrisch

morphine ['mɔːfiːn] *n* Morphium *nt*

Morse [mɔːs] *n* (*also*: **~ code**) Morsealphabet *nt*

morsel ['mɔːsl] *n* Bissen *m*

mortal ['mɔːtl] *adj* sterblich; (*deadly*) tödlich; (*very great*) Todes- ♦ *n* (*human being*) Sterbliche(r) *mf*; **~ity** [mɔː'tæliti] *n* Sterblichkeit *f*; (*death rate*) Sterblichkeitsziffer *f*

mortar ['mɔːtə*] *n* (*for building*) Mörtel *m*; (*bowl*) Mörser *m*; (*MIL*) Granatwerfer *m*

mortgage ['mɔːgɪdʒ] *n* Hypothek *f* ♦ *vt* hypothekarisch belasten; **~ company** *n* ≈ Bausparkasse *f*

mortify ['mɔːtɪfaɪ] *vt* beschämen

mortuary ['mɔːtjuəri] *n* Leichenhalle *f*

mosaic [məu'zeɪɪk] *n* Mosaik *nt*

Moscow ['mɒskəu] *n* Moskau *nt*

Moslem ['mɒzləm] *n* = **Muslim**

mosque [mɒsk] *n* Moschee *f*

mosquito [mɒs'kiːtəu] (*pl* **~es**) *n* Moskito *m*

moss [mɒs] *n* Moos *nt*

most [məust] *adj* meiste(r, s) ♦ *adv* am meisten; (*very*) höchst ♦ *n* das meiste, der größte Teil; (*people*) die meisten; **~ men** die meisten Männer; **at the (very) ~** allerhöchstens; **to make the ~ of** das Beste machen aus; **a ~ interesting book** ein höchst interessantes Buch; **~ly** *adv* größtenteils

MOT (*BRIT*) *n abbr* (= *Ministry of Transport*): **the ~ (test)** ≈ der TÜV

motel [məu'tel] *n* Motel *nt*

moth [mɒθ] *n* Nachtfalter *m*; (*wool-eating*) Motte *f*; **~ball** *n* Mottenkugel *f*

mother ['mʌðə*] *n* Mutter *f* ♦ *vt* bemuttern; **~hood** *n* Mutterschaft *f*; **~-in-law** *n* Schwiegermutter *f*; **~ly** *adj* mütterlich; **~-to-be** *n* werdende Mutter *f*; **~ tongue** *n* Muttersprache *f*

motif [məu'tiːf] *n* Motiv *nt*

motion ['məuʃən] *n* Bewegung *f*; (*in meeting*) Antrag *m* ♦ *vt, vi*: **to ~ (to) sb** jdm winken, jdm zu verstehen geben; **~less** *adj* regungslos; **~ picture** *n* Film *m*

motivated ['məutɪveɪtɪd] *adj* motiviert

motivation [məutɪ'veɪʃən] *n* Motivierung *f*

motive ['məutɪv] *n* Motiv *nt*, Beweggrund *m* ♦ *adj* treibend

motley ['mɒtlɪ] *adj* bunt

motor ['məutə*] *n* Motor *m*; (*BRIT: inf: vehicle*) Auto *nt* ♦ *adj* Motor-; **~bike** *n* Motorrad *nt*; **~boat** *n* Motorboot *nt*; **~car** (*BRIT*) *n* Auto *nt*; **~cycle** *n* Motorrad *nt*; **~cyclist** *n* Motorradfahrer(in) *m(f)*; **~ing** (*BRIT*) *n* Autofahren *nt* ♦ *adj* Auto-; **~ist** ['məutərɪst] *n* Autofahrer(in) *m(f)*; **~ racing** (*BRIT*) *n* Autorennen *nt*; **~ vehicle** *n* Kraftfahrzeug *nt*; **~way** (*BRIT*) *n* Autobahn *f*

mottled ['mɒtld] *adj* gesprenkelt

motto ['mɒtəu] (*pl* **~es**) *n* Motto *nt*

mould [məuld] (*US* **mold**) *n* Form *f*; (*mildew*) Schimmel *m* ♦ *vt* (*also fig*) formen; **~er** *vi* (*decay*) vermodern; **~y** *adj* schim-

melig
moult [məʊlt] (*US* **molt**) *vi* sich mausern
mound [maʊnd] *n* (Erd)hügel *m*
mount [maʊnt] *n* (*liter: hill*) Berg *m*; (*horse*) Pferd *nt*; (*for jewel etc*) Fassung *f* ♦ *vt* (*horse*) steigen auf +*acc*; (*put in setting*) fassen; (*exhibition*) veranstalten; (*attack*) unternehmen ♦ *vi* (*also:* ~ **up**) sich häufen; (*on horse*) aufsitzen
mountain ['maʊntɪn] *n* Berg *m* ♦ *cpd* Berg-; ~ **bike** *n* Mountain-Bike *nt*; ~**eer** [maʊntɪ'nɪə*] *n* Bergsteiger(in) *m(f)*; ~**eering** *n* Bergsteigen *nt*; ~**ous** *adj* bergig; ~ **rescue team** *n* Bergwacht *f*; ~**side** *n* Berg(ab)hang *m*
mourn [mɔːn] *vt* betrauern, beklagen ♦ *vi*: **to** ~ (**for sb**) (um jdn) trauern; ~**er** *n* Trauernde(r) *mf*; ~**ful** *adj* traurig; ~**ing** *n* (*grief*) Trauer *f* ♦ *cpd* (*dress*) Trauer-; **in** ~**ing** (*period etc*) in Trauer; (*dress*) in Trauerkleidung *f*
mouse [maʊs] (*pl* **mice**) *n* Maus *f*; ~**trap** *n* Mausefalle *f*
mousse [muːs] *n* (*CULIN*) Creme *f*; (*cosmetic*) Schaumfestiger *m*
moustache [məs'tɑːʃ] *n* Schnurrbart *m*
mousy ['maʊsɪ] *adj* (*colour*) mausgrau; (*person*) schüchtern
mouth [maʊθ, *pl* maʊðz] *n* Mund *m*; (*opening*) Öffnung *f*; (*of river*) Mündung *f*; ~**ful** *n* Mundvoll *m*; ~ **organ** *n* Mundharmonika *f*; ~**piece** *n* Mundstück *nt*; (*fig*) Sprachrohr *nt*; ~**wash** *n* Mundwasser *nt*; ~**watering** *adj* lecker, appetitlich
movable ['muːvəbl] *adj* beweglich
move [muːv] *n* (*movement*) Bewegung *f*; (*in game*) Zug *m*; (*step*) Schritt *m*; (*of house*) Umzug *m* ♦ *vt* bewegen; (*people*) transportieren; (*in job*) versetzen; (*emotionally*) bewegen ♦ *vi* sich bewegen; (*vehicle, ship*) fahren; (*go to another house*) umziehen; **to get a** ~ **on** sich beeilen; **to** ~ **sb to do sth** jdn veranlassen, etw zu tun; ~ **about** *or* **around** *vi* sich hin- und herbewegen; (*travel*) unterwegs sein; ~ **along** *vi* weitergehen; (*cars*) weiterfahren; ~ **away** *vi* weggehen; ~ **back** *vi* zurückgehen; (*to the rear*) zurückweichen; ~ **forward** *vi* vorwärtsgehen, sich vorwärtsbewegen ♦ *vt* vorschieben; (*time*) vorverlegen; ~ **in** *vi* (*to house*) einziehen; (*troops*) einrücken; ~ **on** *vi* weitergehen ♦ *vt* weitergehen lassen; ~ **out** *vi* (*of house*) ausziehen; (*troops*) abziehen; ~ **over** *vi* zur Seite rücken; ~ **up** *vi* aufsteigen; (*in job*) befördert werden ♦ *vt* nach oben bewegen; (*in job*) befördern
movement ['muːvmənt] *n* Bewegung *f*
movie ['muːvɪ] *n* Film *m*; **to go to the** ~**s** ins Kino gehen; ~ **camera** *n* Filmkamera *f*
moving ['muːvɪŋ] *adj* beweglich; (*touching*) ergreifend
mow [məʊ] (*pt* **mowed**, *pp* **mowed** *or*

mown) *vt* mähen; ~ **down** *vt* (*fig*) niedermähen; ~**er** *n* (*machine*) Mähmaschine *f*; (*lawn~er*) Rasenmäher *m*
mown [məʊn] *pp* of **mow**
MP *n abbr* = **Member of Parliament**
m.p.h. *abbr* = **miles per hour**
Mr ['mɪstə*] (*US* **Mr.**) *n* Herr *m*
Mrs ['mɪsɪz] (*US* **Mrs.**) *n* Frau *f*
Ms [mɪz] (*US* **Ms.**) *n* (= *Miss or Mrs*) Frau *f*
M.Sc. *n abbr* = **Master of Science**
much [mʌtʃ] *adj* viel ♦ *adv* sehr; viel ♦ *n* viel, eine Menge; **how** ~ **is it?** wieviel kostet das?; **too** ~ zuviel; **it's not** ~ es ist nicht viel; **as** ~ **as** sosehr, soviel; **however** ~ **he tries** sosehr er es auch versucht
muck [mʌk] *n* Mist *m*; (*fig*) Schmutz *m*; ~ **about** *or* **around** (*inf*) *vi*: **to** ~ **about** *or* **around** (**with sth**) (an etw *dat*) herumalbern; ~ **up** *vt* (*inf: ruin*) vermasseln; (*dirty*) dreckig machen; ~**y** *adj* (*dirty*) dreckig
mucus ['mjuːkəs] *n* Schleim *m*
mud [mʌd] *n* Schlamm *m*
muddle ['mʌdl] *n* Durcheinander *nt* ♦ *vt* (*also:* ~ **up**) durcheinanderbringen; ~ **through** *vi* sich durchwursteln
muddy ['mʌdɪ] *adj* schlammig
mudguard ['mʌdgɑːd] *n* Schutzblech *nt*
mud-slinging ['mʌdslɪŋɪŋ] (*inf*) *n* Verleumdung *f*
muff [mʌf] *n* Muff *m* ♦ *vt* (*chance*) verpassen; (*lines*) verpatzen (*inf*)
muffin ['mʌfɪn] *n* süße(s) Teilchen *nt*
muffle ['mʌfl] *vt* (*sound*) dämpfen; (*wrap up*) einhüllen; ~**d** *adj* gedämpft
muffler ['mʌflə*] (*US*) *n* (*AUT*) Schalldämpfer *m*
mug [mʌg] *n* (*cup*) Becher *m*; (*inf: face*) Visage *f*; (*: fool*) Trottel *m* ♦ *vt* überfallen und ausrauben; ~**ging** *n* Überfall *m*
muggy ['mʌgɪ] *adj* (*weather*) schwül
mule [mjuːl] *n* Maulesel *m*
mull [mʌl] *n*: ~ **over** *vt* nachdenken über +*acc*
mulled [mʌld] *adj* (*wine*) Glüh-
multi- ['mʌltɪ] *prefix* Multi-, multi-
multicoloured ['mʌltɪ'kʌləd] (*US* **multicolored**) *adj* mehrfarbig
multi-level ['mʌltɪlevl] (*US*) *adj* = **multistorey**
multiple ['mʌltɪpl] *n* Vielfache(s) *nt* ♦ *adj* mehrfach; (*many*) mehrere; ~ **sclerosis** *n* multiple Sklerose *f*
multiply ['mʌltɪplaɪ] *vt*: **to** ~ (**by**) multiplizieren (mit) ♦ *vi* (*BIOL*) sich vermehren
multistorey ['mʌltɪ'stɔːrɪ] (*BRIT*) *adj* (*building, car park*) mehrstöckig
multitude ['mʌltɪtjuːd] *n* Menge *f*
mum [mʌm] *n* (*BRIT: inf*) Mutti *f* ♦ *adj*: **to keep** ~ (**about**) den Mund halten (über +*acc*)
mumble ['mʌmbl] *vt, vi* murmeln ♦ *n* Gemurmel *nt*

mummy ['mʌmɪ] n (dead body) Mumie f; (BRIT: inf) Mami f
mumps [mʌmps] n Mumps m
munch [mʌntʃ] vt, vi mampfen
mundane ['mʌn'deɪn] adj banal
municipal [mju:'nɪsɪpəl] adj städtisch, Stadt-; ~ity [mju:nɪsɪ'pælɪtɪ] n Stadt f mit Selbstverwaltung
mural ['mjuərəl] n Wandgemälde nt
murder ['mɜːdə*] n Mord m ♦ vt ermorden; ~er n Mörder m; ~ous adj Mord-; (fig) mörderisch
murky ['mɜːkɪ] adj finster
murmur ['mɜːmə*] n Murmeln nt; (of water, wind) Rauschen nt ♦ vt, vi murmeln
muscle ['mʌsl] n Muskel m; ~ in vi mitmischen
muscular ['mʌskjʊlə*] adj Muskel-; (strong) muskulös
muse [mju:z] vi (nach)sinnen
museum [mju:'zɪəm] n Museum nt
mushroom ['mʌʃru:m] n Champignon m; Pilz m ♦ vi (fig) emporschießen
music ['mju:zɪk] n Musik f; (printed) Noten pl; ~al adj (sound) melodisch; (person) musikalisch ♦ n (show) Musical nt; ~al instrument n Musikinstrument nt; ~ hall (BRIT) n Varieté nt; ~ian [mju:'zɪʃən] n Musiker(in) m(f)
musk [mʌsk] n Moschus m
Muslim ['mʌzlɪm] adj moslemisch ♦ n Moslem m
muslin ['mʌzlɪn] n Musselin m
mussel ['mʌsl] n Miesmuschel f
must [mʌst] vb aux müssen; (in negation) dürfen ♦ n Muß nt; the film is a ~ den Film muß man einfach gesehen haben
mustard ['mʌstəd] n Senf m
muster ['mʌstə*] vt (MIL) antreten lassen; (courage) zusammennehmen
mustn't ['mʌsnt] = must not
musty ['mʌstɪ] adj muffig
mute [mju:t] adj stumm ♦ n (person) Stumme(r) mf; (MUS) Dämpfer m
muted ['mju:tɪd] adj gedämpft
mutilate ['mju:tɪleɪt] vt verstümmeln
mutiny ['mju:tɪnɪ] n Meuterei f ♦ vi meutern
mutter ['mʌtə*] vt, vi murmeln
mutton ['mʌtn] n Hammelfleisch nt
mutual ['mju:tjʊəl] adj gegenseitig; beiderseitig; ~ly adv gegenseitig; für beide Seiten
muzzle ['mʌzl] n (of animal) Schnauze f; (for animal) Maulkorb m; (of gun) Mündung f ♦ vt einen Maulkorb anlegen +dat
my [maɪ] adj mein; this is ~ car das ist mein Auto; I've washed ~ hair ich habe mir die Haare gewaschen
myopic [maɪ'ɒpɪk] adj kurzsichtig
myriad ['mɪrɪəd] n: a ~ of (people, things) unzählige

myself [maɪ'self] pron mich acc; mir dat; (emphatic) selbst; see also oneself
mysterious [mɪs'tɪərɪəs] adj geheimnisvoll
mystery ['mɪstərɪ] n (secret) Geheimnis nt; (sth difficult) Rätsel nt
mystify ['mɪstɪfaɪ] vt ein Rätsel sein +dat; verblüffen
mystique [mɪs'ti:k] n geheimnisvolle Natur f
myth [mɪθ] n Mythos m; (fig) Erfindung f; ~ology [mɪ'θɒlədʒɪ] n Mythologie f

N n

n/a abbr (= not applicable) nicht zutreffend
nab [næb] (inf) vt schnappen
nag [næg] n (horse) Gaul m; (person) Nörgler(in) m(f) ♦ vt, vi: to ~ (at) sb an jdm herumnörgeln; ~ging adj (doubt) nagend ♦ n Nörgelei f
nail [neɪl] n Nagel m ♦ vt nageln; to ~ sb down to doing sth jdn darauf festnageln, etw zu tun; ~brush n Nagelbürste f; ~file n Nagelfeile f; ~ polish n Nagellack m; ~ polish remover n Nagellackentferner m; ~ scissors npl Nagelschere f; ~ varnish (BRIT) n = nail polish
naïve [naɪ'i:v] adj naiv
naked ['neɪkɪd] adj nackt
name [neɪm] n Name m; (reputation) Ruf m ♦ vt nennen; (sth new) benennen; (appoint) ernennen; by ~ mit Namen; I know him only by ~ ich kenne ihn nur dem Namen nach; what's your ~? wie heißen Sie?; in the ~ of im Namen +gen; (for the sake of) um +gen ...willen; ~less adj namenlos; ~ly adv nämlich; ~sake n Namensvetter m
nanny ['nænɪ] n Kindermädchen nt
nap [næp] n (sleep) Nickerchen nt; (on cloth) Strich m ♦ vi: to be caught ~ping (fig) überrumpelt werden
nape [neɪp] n Nacken m
napkin ['næpkɪn] n (at table) Serviette f; (BRIT: for baby) Windel f
nappy ['næpɪ] (BRIT) n (for baby) Windel f; ~ liner n Windeleinlage f; ~ rash n wunde Stellen pl
narcissi [nɑː'sɪsaɪ] npl of narcissus
narcissus [nɑː'sɪsəs] n (BOT) Narzisse f
narcotic [nɑː'kɒtɪk] adj betäubend ♦ n Betäubungsmittel nt
narrative ['nærətɪv] n Erzählung f ♦ adj er-

zählend

narrator [nəˈreɪtə*] n Erzähler(in) m(f)

narrow [ˈnærəʊ] adj eng, schmal; (limited) beschränkt ♦ vi sich verengen; **to have a ~ escape** mit knapper Not davonkommen; **to ~ sth down to sth** etw auf etw acc einschränken; **~ly** adv (miss) knapp; (escape) mit knapper Not; **~-minded** adj engstirnig

nasty [ˈnɑːstɪ] adj ekelhaft, fies; (business, wound) schlimm

nation [ˈneɪʃən] n Nation f, Volk nt; **~al** [ˈnæʃənl] adj national, National-, Landes- ♦ n Staatsangehörige(r) mf; **~al dress** n Tracht f; **N~al Health Service** (BRIT) n Staatliche(r) Gesundheitsdienst m; **N~al Insurance** (BRIT) n Sozialversicherung f; **~alism** [ˈnæʃnəlɪzəm] n Nationalismus m; **~alist** [ˈnæʃnəlɪst] n Nationalist(in) m(f) ♦ adj nationalistisch; **~ality** [næʃəˈnælɪtɪ] n Staatsangehörigkeit f; **~alize** [ˈnæʃnəlaɪz] vt verstaatlichen; **~ally** [ˈnæʃnəlɪ] adv national, auf Staatsebene; **~-wide** [ˈneɪʃənwaɪd] adj, adv allgemein, landesweit

native [ˈneɪtɪv] n (born in) Einheimische(r) mf; (original inhabitant) Eingeborene(r) mf ♦ adj (coming from a certain place) einheimisch; (of the original inhabitants) Eingeborenen-; (belonging by birth) heimatlich, Heimat-; (inborn) angeboren, natürlich; **a ~ of Germany** ein gebürtiger Deutscher; **a ~ speaker of French** ein französischer Muttersprachler; **~ American** n Indianer(in) m(f), Ureinwohner Americas; **~ language** n Muttersprache f

Nativity [nəˈtɪvɪtɪ] n: **the ~** Christi Geburt no art

NATO [ˈneɪtəʊ] n abbr (= North Atlantic Treaty Organization) NATO f

natter [ˈnætə*] (BRIT; inf) vi quatschen ♦ n Gequatsche nt

natural [ˈnætʃrəl] adj natürlich; Natur-; (inborn) (an)geboren; **~ gas** n Erdgas nt; **~ist** n Naturkundler(in) m(f); **~ize** vt (foreigner) einbürgern; (plant etc) einführen; **~ly** adv natürlich

nature [ˈneɪtʃə*] n Natur f; **by ~** von Natur (aus)

naught [nɔːt] n = **nought**

naughty [ˈnɔːtɪ] adj (child) unartig, ungezogen; (action) ungehörig

nausea [ˈnɔːsɪə] n (sickness) Übelkeit f; (disgust) Ekel m; **~te** [ˈnɔːsɪeɪt] vt anekeln

nautical [ˈnɔːtɪkəl] adj nautisch; See-; (expression) seemännisch

naval [ˈneɪvəl] adj Marine-, Flotten-; **~ officer** n Marineoffizier m

nave [neɪv] n Kirchen(haupt)schiff nt

navel [ˈneɪvəl] n Nabel m

navigate [ˈnævɪgeɪt] vi navigieren

navigation [nævɪˈgeɪʃən] n Navigation f

navigator [ˈnævɪgeɪtə*] n Steuermann m; (AVIAT) Navigator m; (AUT) Beifahrer(in)

m(f)

navvy [ˈnævɪ] (BRIT) n Straßenarbeiter m

navy [ˈneɪvɪ] n (Kriegs)marine f ♦ adj marineblau

Nazi [ˈnɑːtsɪ] n Nazi m

NB abbr (= nota bene) NB

near [nɪə*] adj nah ♦ adv in der Nähe ♦ prep (also: ~ to: space) in der Nähe +gen; (: time) um +acc ... herum ♦ vt sich nähern +dat; **a ~ miss** knapp daneben; **~by** adj nahe (gelegen) ♦ adv in der Nähe; **~ly** adv fast; **I ~ly fell** ich wäre fast gefallen; **~side** n (AUT) Beifahrerseite f ♦ adj auf der Beifahrerseite

near-sighted adj kurzsichtig

neat [niːt] adj (tidy) ordentlich; (solution) sauber; (pure) pur; **~ly** adv (tidily) ordentlich

nebulous [ˈnebjʊləs] adj nebulös

necessarily [ˈnesɪsərɪlɪ] adv unbedingt

necessary [ˈnesɪsərɪ] adj notwendig, nötig; **he did all that was ~** er erledigte alles, was nötig war; **it is ~ to/that ...** man muß ...

necessitate [nɪˈsesɪteɪt] vt erforderlich machen

necessity [nɪˈsesɪtɪ] n (need) Not f; (compulsion) Notwendigkeit f; **necessities** npl (things needed) das Notwendigste

neck [nek] n Hals m ♦ vi (inf) knutschen; **~ and ~** Kopf an Kopf

necklace [ˈneklɪs] n Halskette f

neckline [ˈneklaɪn] n Ausschnitt m

necktie [ˈnektaɪ] (US) n Krawatte f

née [neɪ] adj geborene

need [niːd] n Bedürfnis nt; (lack) Mangel m; (necessity) Notwendigkeit f; (poverty) Not f ♦ vt brauchen; **I ~ to do it** ich muß es tun; **you don't ~ to go** du brauchst nicht zu gehen

needle [ˈniːdl] n Nadel f ♦ vt (fig: inf) ärgern

needless [ˈniːdlɪs] adj unnötig; **~ to say** natürlich

needlework [ˈniːdlwɜːk] n Handarbeit f

needn't [ˈniːdnt] = **need not**

needy [ˈniːdɪ] adj bedürftig

negation [nɪˈgeɪʃən] n Verneinung f

negative [ˈnegətɪv] n (PHOT) Negativ nt ♦ adj negativ; (answer) abschlägig

neglect [nɪˈglekt] vt vernachlässigen ♦ n Vernachlässigung f

negligee [ˈneglɪʒeɪ] n Negligé nt

negligence [ˈneglɪdʒəns] n Nachlässigkeit f

negligible [ˈneglɪdʒəbl] adj unbedeutend, geringfügig

negotiable [nɪˈgəʊʃɪəbl] adj (cheque) übertragbar, einlösbar

negotiate [nɪˈgəʊʃɪeɪt] vi verhandeln ♦ vt (treaty) abschließen; (difficulty) überwinden; (corner) nehmen; **negotiation** [nɪgəʊʃɪˈeɪʃən] n Verhandlung f; **negotiator** n

Unterhändler m

Negress ['niːgres] n Negerin f

Negro ['niːgrəʊ] n Neger m ♦ adj Neger-

neigh [neɪ] vi wiehern

neighbour ['neɪbə*] (US **neighbor**) n Nachbar(in) m(f); ~**hood** n Nachbarschaft f; Umgebung f; ~**ing** adj benachbart, angrenzend; ~**ly** adj (person, attitude) nachbarlich

neither ['naɪðə*] adj, pron keine(r, s) (von beiden) ♦ conj: **he can't do it, and** ~ **can I** er kann es nicht und ich auch nicht ♦ adv: ~ **good nor bad** weder gut noch schlecht; ~ **story is true** keine der beiden Geschichten stimmt

neon ['niːɒn] n Neon nt

nephew ['nefjuː] n Neffe m

nerve [nɜːv] n Nerv m; (courage) Mut m; (impudence) Frechheit f; **to have a fit of** ~**s** in Panik geraten; ~**-racking** adj nervenaufreibend

nervous ['nɜːvəs] adj (of the nerves) Nerven-; (timid) nervös, ängstlich; ~ **breakdown** n Nervenzusammenbruch m; ~**ness** n Nervosität f

nest [nest] n Nest nt ♦ vi nisten; ~ **egg** n (fig) Notgroschen m

nestle ['nesl] vi sich kuscheln

net [net] n Netz nt ♦ adj netto, Netto- ♦ vt netto einnehmen; ~**ball** n Netzball m; ~ **curtain** m Store m

Netherlands ['neðələndz] npl: **the** ~ die Niederlande pl

nett [net] adj = **net**

netting ['netɪŋ] n Netz(werk) nt

nettle ['netl] n Nessel f

network ['netwɜːk] n Netz nt

neurotic [njʊə'rɒtɪk] adj neurotisch ♦ n Neurotiker(in) m(f)

neuter ['njuːtə*] adj (BIOL) geschlechtslos; (GRAM) sächlich ♦ vt kastrieren

neutral ['njuːtrəl] adj neutral ♦ n (AUT) Leerlauf m; ~**ity** n Neutralität f; ~**ize** vt (fig) ausgleichen

never ['nevə*] adv nie(mals); **I** ~ **went** ich bin gar nicht gegangen; ~ **in my life** nie im Leben; ~**-ending** adj endlos; ~**theless** [nevəðə'les] adv trotzdem, dennoch

new [njuː] adj neu; **N~ Age** adj New-Age-; ~**born** adj neugeboren; ~**comer** ['njuːkʌmə*] n Neuankömmling m; ~**fangled** (pej) adj neumodisch; ~**found** adj neuentdeckt; ~**ly** adv frisch, neu; ~**lyweds** npl Frischvermählte pl; ~ **moon** n Neumond m

news [njuːz] n Nachricht f, (RAD, TV) Nachrichten pl; **a piece of** ~ eine Nachricht; ~ **agency** n Nachrichtenagentur f; ~**agent** (BRIT) n Zeitungshändler m; ~**caster** n Nachrichtensprecher(in) m(f); ~ **dealer** (US) n = **newsagent**; ~ **flash** n Kurzmeldung f; ~**letter** n Rundschreiben

nt; ~**paper** n Zeitung f; ~~**print** n Zeitungspapier nt; ~**reader** n = **newscaster**; ~**reel** n Wochenschau f; ~ **stand** n Zeitungsstand m

newt [njuːt] n Wassermolch m

New Year n Neujahr nt; ~**'s Day** n Neujahrstag m; ~**'s Eve** n Silvester(abend m) nt

New York [-'jɔːk] n New York nt

New Zealand [-'ziːlənd] n Neuseeland nt; ~**er** n Neuseeländer(in) m(f)

next [nekst] adj nächste(r, s) ♦ adv (after) dann, darauf; (~ time) das nächstemal; **the** ~ **day** am nächsten or folgenden Tag; ~ **time** das nächste Mal; ~ **year** nächstes Jahr; ~ **door** adv nebenan ♦ adj (neighbour, flat) von nebenan; ~ **of kin** n nächste(r) Verwandte(r) mf; ~ **to** prep neben; ~ **to nothing** so gut wie nichts

NHS n abbr = **National Health Service**

nib [nɪb] n Spitze f

nibble ['nɪbl] vt knabbern an +dat

nice [naɪs] adj (person) nett; (thing) schön; (subtle) fein; ~**-looking** adj gutaussehend; ~**ly** adv gut, nett; ~**ties** ['naɪsɪtɪz] npl Feinheiten pl

nick [nɪk] n Einkerbung f ♦ vt (inf: steal) klauen; **in the** ~ **of time** gerade rechtzeitig

nickel ['nɪkl] n Nickel nt; (US) Nickel m (5 cents)

nickname ['nɪkneɪm] n Spitzname m ♦ vt taufen

niece [niːs] n Nichte f

Nigeria [naɪ'dʒɪərɪə] n Nigeria nt

niggling ['nɪɡlɪŋ] adj pedantisch; (doubt, worry) quälend; (detail) kleinlich

night [naɪt] n Nacht f; (evening) Abend m; **the** ~ **before last** vorletzte Nacht; **at** or **by** ~ (after midnight) nachts; (before midnight) abends; ~**cap** n (drink) Schlummertrunk m; ~**club** n Nachtlokal nt; ~**dress** n Nachthemd nt; ~**fall** n Einbruch m der Nacht; ~ **gown** n = **nightdress**; ~**ie** ['naɪtɪ] (inf) n Nachthemd nt

nightingale ['naɪtɪŋɡeɪl] n Nachtigall f

nightlife ['naɪtlaɪf] n Nachtleben nt

nightly ['naɪtlɪ] adj, adv jeden Abend; jede Nacht

nightmare ['naɪtmɛə*] n Alptraum m

night : ~ **porter** n Nachtportier m; ~ **school** n Abendschule f; ~ **shift** n Nachtschicht f; ~**time** n Nacht f

nil [nɪl] n Null f

Nile [naɪl] n: **the** ~ der Nil

nimble ['nɪmbl] adj beweglich

nine [naɪn] num neun; ~**teen** num neunzehn; ~**ty** num neunzig

ninth [naɪnθ] num neunte(r, s)

nip [nɪp] vt kneifen ♦ n Kneifen nt

nipple ['nɪpl] n Brustwarze f

nippy ['nɪpɪ] (inf) adj (person) flink; (BRIT: car) flott; (: cold) frisch

nitrogen ['naɪtrədʒən] n Stickstoff m

KEYWORD

no [nəʊ] (pl ~es) adv (opposite of yes) nein; **to answer no** (to question) mit Nein antworten; (to request) nein sagen; **no thank you** nein, danke
♦ adj (not any) kein(e); **I have no money/ time** ich habe kein Geld/keine Zeit; **no smoking** Rauchen verboten
♦ n Nein nt; (no vote) Neinstimme f

---

nobility [nəʊ'bɪlɪtɪ] n Adel m
noble ['nəʊbl] adj (rank) adlig; (splendid) nobel, edel
nobody ['nəʊbədɪ] pron niemand, keiner
nocturnal [nɒk'tɜːnl] adj (tour, visit) nächtlich; (animal) Nacht-
nod [nɒd] vi nicken ♦ vt nicken mit ♦ n Nicken nt; ~ **off** vi einnicken
noise [nɔɪz] n (sound) Geräusch nt; (unpleasant, loud) Lärm m
noisy ['nɔɪzɪ] adj laut; (crowd) lärmend
nominal ['nɒmɪnl] adj nominell
nominate ['nɒmɪneɪt] vt (suggest) vorschlagen; (in election) aufstellen; (appoint) ernennen
nomination [nɒmɪ'neɪʃən] n (election) Nominierung f; (appointment) Ernennung f
nominee [nɒmɪ'niː] n Kandidat(in) m(f)
non- [nɒn] prefix Nicht-, un-; ~**-alcoholic** adj alkoholfrei; ~**-aligned** adj bündnisfrei
nonchalant ['nɒnʃələnt] adj lässig
non-committal ['nɒnkə'mɪtl] adj (reserved) zurückhaltend; (uncommitted) unverbindlich
nondescript ['nɒndɪskrɪpt] adj mittelmäßig
none [nʌn] adj, pron kein(e, er, es) ♦ adv: **he's ~ the worse for it** es hat ihm nicht geschadet; ~ **of you** keiner von euch; **I've ~ left** ich habe keinen mehr
nonentity [nɒ'nentɪtɪ] n Null f (inf)
nonetheless ['nʌnðə'les] adv nichtsdestoweniger
non-existent [nɒnɪg'zɪstənt] adj nicht vorhanden
non-fiction ['nɒn'fɪkʃən] n Sachbücher pl
nonplussed ['nɒn'plʌst] adj verdutzt
nonsense ['nɒnsəns] n Unsinn m
non : ~**-smoker** n Nichtraucher(in) m(f); ~**-stick** adj (pan, surface) Teflon- (®); ~**-stop** adj Nonstop-
noodles ['nuːdlz] npl Nudeln pl
nook [nʊk] n Winkel m; ~**s and crannies** Ecken und Winkel
noon [nuːn] n (12 Uhr) Mittag m
no one ['nəʊwʌn] pron = **nobody**
noose [nuːs] n Schlinge f
nor [nɔː*] conj = **neither** ♦ adv see **neither**
norm [nɔːm] n (convention) Norm f; (rule, requirement) Vorschrift f
normal ['nɔːməl] adj normal; ~**ly** adv normal; (usually) normalerweise
north [nɔːθ] n Norden m ♦ adj nördlich, Nord- ♦ adv nördlich, nach or im Norden; **N~ Africa** n Nordafrika nt; ~**-east** n Nordosten m; ~**erly** ['nɔːðəlɪ] adj nördlich; ~**ern** ['nɔːðən] adj nördlich, Nord-; **N~ern Ireland** n Nordirland nt; **N~ Pole** n Nordpol m; **N~ Sea** n Nordsee f; ~**ward(s)** ['nɔːθwəd(z)] adv nach Norden; ~**-west** n Nordwesten m
Norway ['nɔːweɪ] n Norwegen nt
Norwegian [nɔː'wiːdʒən] adj norwegisch ♦ n Norweger(in) m(f); (LING) Norwegisch nt
nose [nəʊz] n Nase f ♦ vi: **to ~ about** herumschnüffeln; ~**bleed** n Nasenbluten nt; ~**-dive** n Sturzflug m; ~**y** adj = **nosy**
nostalgia [nɒs'tældʒɪə] n Nostalgie f; **nostalgic** adj nostalgisch
nostril ['nɒstrɪl] n Nasenloch nt
nosy ['nəʊzɪ] (inf) adj neugierig
not [nɒt] adv nicht; **he is ~** or **isn't here** er ist nicht hier; **it's too late, isn't it?** es ist zu spät, oder or nicht wahr?; ~ **yet/now** noch nicht/nicht jetzt; see also **all; only**
notably ['nəʊtəblɪ] adv (especially) besonders; (noticeably) bemerkenswert
notary ['nəʊtərɪ] n Notar(in) m(f)
notch [nɒtʃ] n Kerbe f, Einschnitt m
note [nəʊt] n (MUS) Note f, Ton m; (short letter) Nachricht f; (POL) Note f; (comment, attention) Notiz f; (of lecture etc) Aufzeichnung f; (bank~) Schein m; (fame) Ruf m ♦ vt (observe) bemerken; (write down) notieren; ~**book** n Notizbuch nt; ~**d** ['nəʊtɪd] adj bekannt; ~**pad** n Notizblock m; ~**paper** n Briefpapier nt
nothing ['nʌθɪŋ] n nichts; ~ **new/much** nichts Neues/nicht viel; **for ~** umsonst
notice ['nəʊtɪs] n (announcement) Bekanntmachung f; (warning) Ankündigung f; (dismissal) Kündigung f ♦ vt bemerken; **to take ~ of** beachten; **at short ~** kurzfristig; **until further ~** bis auf weiteres; **to hand in one's ~** kündigen; ~**able** adj merklich; ~**board** n Anschlagtafel f
notify ['nəʊtɪfaɪ] vt benachrichtigen
notion ['nəʊʃən] n Idee f
notorious [nəʊ'tɔːrɪəs] adj berüchtigt
notwithstanding [nɒtwɪθ'stændɪŋ] adv trotzdem; ~ **this** ungeachtet dessen
nought [nɔːt] n Null f
noun [naʊn] n Substantiv nt
nourish ['nʌrɪʃ] vt nähren; ~**ing** adj nahrhaft; ~**ment** n Nahrung f
novel ['nɒvəl] n Roman m ♦ adj neu(artig); ~**ist** n Schriftsteller(in) m(f); ~**ty** n Neuheit f
November [nəʊ'vembə*] n November m
novice ['nɒvɪs] n Neuling m; (ECCL) Novize m
now [naʊ] adv jetzt; **right ~** jetzt, gerade; **by ~** inzwischen; **just ~** gerade; ~ **and**

then, ~ **and again** ab und zu, manchmal; **from** ~ **on** von jetzt an; ~**adays** ['nauədeɪz] *adv* heutzutage

nowhere ['nəuwɛə*] *adv* nirgends

nozzle ['nɒzl] *n* Düse *f*

nubile ['nju:baɪl] *adj* (*woman*) gut entwickelt

nuclear ['nju:klɪə*] *adj* (*energy etc*) Atom-, Kern-

nuclei ['nju:klɪaɪ] *npl of* **nucleus**

nucleus ['nju:klɪəs] *n* Kern *m*

nude [nju:d] *adj* nackt ♦ *n* (*ART*) Akt *m*; **in the** ~ nackt

nudge [nʌdʒ] *vt* leicht anstoßen

nudist ['nju:dɪst] *n* Nudist(in) *m(f)*

nudity ['nju:dɪtɪ] *n* Nacktheit *f*

nuisance ['nju:sns] *n* Ärgernis *nt*; **what a** ~! wie ärgerlich!

nuke [nju:k] (*inf*) *n* Kernkraftwerk *nt* ♦ *vt* atomar vernichten

null [nʌl] *adj:* ~ **and void** null und nichtig

numb [nʌm] *adj* taub, gefühllos ♦ *vt* betäuben

number ['nʌmbə*] *n* Nummer *f*; (*numeral also*) Zahl *f*; (*quantity*) (An)zahl *f* ♦ *vt* (*give a* ~ *to*) numerieren; (*amount to*) sein; **to** ~**ed among** gezählt werden zu; **a** ~ **of** (*several*) einige; **they were ten in** ~ sie waren zehn an der Zahl; ~ **plate** (*BRIT*) (*AUT*) Nummernschild *nt*

numeral ['nju:mərəl] *n* Ziffer *f*

numerate ['nju:mərɪt] *adj* rechenkundig

numerical [nju:'merɪkəl] *adj* (*order*) zahlenmäßig

numerous ['nju:mərəs] *adj* zahlreich

nun [nʌn] *n* Nonne *f*

nurse [nɜ:s] *n* Krankenschwester *f*; (*for children*) Kindermädchen *nt* ♦ *vt* (*patient*) pflegen; (*doubt etc*) hegen

nursery ['nɜ:sərɪ] *n* (*for children*) Kinderzimmer *nt*; (*for plants*) Gärtnerei *f*; (*for trees*) Baumschule *f*; ~ **rhyme** *n* Kinderreim *m*; ~ **school** *n* Kindergarten *m*; ~ **slope** (*BRIT*) *n* (*SKI*) Idiotenhügel *m* (*inf*), Anfängerhügel *m*

nursing ['nɜ:sɪŋ] *n* (*profession*) Krankenpflege *f*; ~ **home** *n* Privatklinik *f*

nurture ['nɜ:tʃə*] *vt* aufziehen

nut [nʌt] *n* Nuß *f*; (*screw*) Schraubenmutter *f*; (*inf*) Verrückte(r) *mf*; **he's** ~**s** er ist verrückt

nutcrackers ['nʌtkrækəz] *npl* Nußknacker *m*

nutmeg ['nʌtmeg] *n* Muskat(nuß *f*) *m*

nutrient ['nju:trɪənt] *n* Nährstoff *m*

nutrition [nju:'trɪʃn] *n* Nahrung *f*

nutritious [nju:'trɪʃəs] *adj* nahrhaft

nylon ['naɪlɒn] *n* Nylon *nt* ♦ *adj* Nylon-

O o

oak [əuk] *n* Eiche *f* ♦ *adj* Eichen(holz)-

O.A.P. *abbr* = **old-age pensioner**

oar [ɔ:*] *n* Ruder *nt*

oases [əu'eɪsi:z] *npl of* **oasis**

oasis [əu'eɪsɪs] *n* Oase *f*

oath [əuθ] *n* (*statement*) Eid *m*, Schwur *m*; (*swearword*) Fluch *m*

oatmeal ['əutmi:l] *n* Haferschrot *m*

oats [əuts] *npl* Hafer *m*

obedience [ə'bi:dɪəns] *n* Gehorsam *m*

obedient [ə'bi:dɪənt] *adj* gehorsam

obesity [əu'bi:sɪtɪ] *n* Fettleibigkeit *f*

obey [ə'beɪ] *vt, vi:* **to** ~ (**sb**) (jdm) gehorchen

obituary [ə'bɪtjuərɪ] *n* Nachruf *m*

object [*n* 'ɒbdʒɪkt, *vb* əb'dʒekt] *n* (*thing*) Gegenstand *m*, Objekt *nt*; (*purpose*) Ziel *nt* ♦ *vi* dagegen sein; **expense is no** ~ Ausgaben spielen keine Rolle; **I** ~! ich protestiere!; **to** ~ **to sth** Einwände gegen etw haben; (*morally*) Anstoß an etw *acc* nehmen; **to** ~ **that** einwenden, daß; ~**ion** [əb'dʒekʃən] *n* (*reason against*) Einwand *m*, Einspruch *m*; (*dislike*) Abneigung *f*; **I have no** ~**ion to ...** ich habe nichts gegen ... einzuwenden; ~**ionable** [əb'dʒekʃnəbl] *adj* nicht einwandfrei; (*language*) anstößig; ~**ive** [əb'dʒektɪv] *n* Ziel *nt* ♦ *adj* objektiv

obligation [ɒblɪ'geɪʃən] *n* Verpflichtung *f*; **without** ~ unverbindlich

obligatory [ɒ'blɪgətərɪ] *adj* obligatorisch

oblige [ə'blaɪdʒ] *vt* (*compel*) zwingen; (*do a favour*) einen Gefallen tun +*dat*; **to be** ~**d to sb for sth** jdm für etw verbunden sein

obliging [ə'blaɪdʒɪŋ] *adj* entgegenkommend

oblique [ə'bli:k] *adj* schräg, schief ♦ *n* Schrägstrich *m*

obliterate [ə'blɪtəreɪt] *vt* auslöschen

oblivion [ə'blɪvɪən] *n* Vergessenheit *f*

oblivious [ə'blɪvɪəs] *adj* nicht bewußt

oblong ['ɒblɒŋ] *n* Rechteck *nt* ♦ *adj* länglich

obnoxious [əb'nɒkʃəs] *adj* widerlich

obscene [əb'si:n] *adj* obszön

obscenity [əb'senɪtɪ] *n* Obszönität *f*; **obscenities** *npl* (*swearwords*) Zoten *pl*

obscure [əb'skjuə*] *adj* unklar; (*indistinct*) undeutlich; (*unknown*) unbekannt; (*dark*) düster ♦ *vt* verdunkeln; (*view*) verbergen; (*confuse*) verwirren

obscurity [əb'skjʊərɪtɪ] *n* Unklarheit *f*; (*darkness*) Dunkelheit *f*
obsequious [əb'si:kwɪəs] *adj* servil
observance [əb'zɜːvəns] *n* Befolgung *f*
observant [əb'zɜːvənt] *adj* aufmerksam
observation [ɒbzə'veɪʃən] *n* (*noticing*) Beobachtung *f*; (*surveillance*) Überwachung *f*; (*remark*) Bemerkung *f*
observatory [əb'zɜːvətrɪ] *n* Sternwarte *f*, Observatorium *nt*
observe [əb'zɜːv] *vt* (*notice*) bemerken; (*watch*) beobachten; (*customs*) einhalten; ~**r** *n* Beobachter(in) *m(f)*
obsess [əb'ses] *vt* verfolgen, quälen; ~**ion** [əb'seʃən] *n* Besessenheit *f*, Wahn *m*; ~**ive** *adj* krankhaft
obsolescence [ɒbsə'lesns] *n* Veralten *nt*
obsolete ['ɒbsəliːt] *adj* überholt, veraltet
obstacle ['ɒbstəkl] *n* Hindernis *nt*; ~ **race** *n* Hindernisrennen *nt*
obstetrics [ɒb'stetrɪks] *n* Geburtshilfe *f*
obstinate ['ɒbstɪnət] *adj* hartnäckig, stur
obstruct [əb'strʌkt] *vt* versperren; (*pipe*) verstopfen; (*hinder*) hemmen; ~**ion** [əb'strʌkʃən] *n* Versperrung *f*; Verstopfung *f*; (*obstacle*) Hindernis *nt*
obtain [əb'teɪn] *vt* erhalten, bekommen; (*result*) erzielen
obtrusive [əb'truːsɪv] *adj* aufdringlich
obvious ['ɒbvɪəs] *adj* offenbar, offensichtlich; ~**ly** *adv* offensichtlich
occasion [ə'keɪʒən] *n* Gelegenheit *f*; (*special event*) Ereignis *nt*; (*reason*) Anlaß *m* ♦ *vt* veranlassen; ~**al** *adj* gelegentlich; ~**ally** *adv* gelegentlich
occupant ['ɒkjʊpənt] *n* Inhaber(in) *m(f)*; (*of house etc*) Bewohner(in) *m(f)*
occupation [ɒkjʊ'peɪʃən] *n* (*employment*) Tätigkeit *f*, Beruf *m*; (*pastime*) Beschäftigung *f*; (*of country*) Besetzung *f*, Okkupation *f*; ~**al hazard** *n* Berufsrisiko *nt*
occupier ['ɒkjʊpaɪə*] *n* Bewohner(in) *m(f)*
occupy ['ɒkjʊpaɪ] *vt* (*take possession of*) besetzen; (*seat*) belegen; (*live in*) bewohnen; (*position, office*) bekleiden; (*position in sb's life*) einnehmen; (*time*) beanspruchen; **to ~ o.s. with sth** sich mit etw beschäftigen; **to ~ o.s. by doing sth** sich damit beschäftigen, etw zu tun
occur [ə'kɜː*] *vi* vorkommen; **to ~ to sb** jdm einfallen; ~**rence** *n* (*event*) Ereignis *nt*; (*appearing*) Auftreten *nt*
ocean ['əʊʃən] *n* Ozean *m*, Meer *nt*; ~**-going** *adj* Hochsee-
o'clock [ə'klɒk] *adv*: **it is 5** ~ es ist 5 Uhr
OCR *n abbr* = **optical character reader**
octagonal [ɒk'tægənl] *adj* achteckig
October [ɒk'təʊbə*] *n* Oktober *m*
octopus ['ɒktəpəs] *n* Krake *f*, (*small*) Tintenfisch *m*
odd [ɒd] *adj* (*strange*) sonderbar; (*not even*) ungerade; (*the other part missing*) einzeln;

(*surplus*) übrig; **60-~** so um die 60; **at ~ times** ab und zu; **to be the ~ one out** (*person*) das fünfte Rad am Wagen sein; (*thing*) nicht dazugehören; ~**ity** *n* (*strangeness*) Merkwürdigkeit *f*; (*queer person*) seltsame(r) Kauz *m*; (*thing*) Kuriosität *f*; ~**-job man** (*irreg*) *n* Mädchen *nt* für alles; ~ **jobs** *npl* gelegentlich anfallende Arbeiten; ~**ly** *adv* seltsam; ~**ments** *npl* Reste *pl*; ~**s** *npl* Chancen *pl*; (*betting*) Gewinnchancen *pl*; **it makes no ~s** es spielt keine Rolle; **at ~s** uneinig; ~**s and ends** *npl* Krimskrams *m*
odious ['əʊdɪəs] *adj* verhaßt; (*action*) abscheulich
odometer [əʊ'dɒmətə*] (*esp US*) *n* Tacho(meter) *m*
odour ['əʊdə*] (*US* **odor**) *n* Geruch *m*

— KEYWORD

of [ɒv, əv] *prep* **1** von +*dat*, use of *gen*; **the history of Germany** die Geschichte Deutschlands; **a friend of ours** ein Freund von uns; **a boy of 10** ein 10-jähriger Junge; **that was kind of you** das war sehr freundlich von Ihnen
2 (*expressing quantity, amount, dates etc*): **a kilo of flour** ein Kilo Mehl; **how much of this do you need?** wieviel brauchen Sie (davon)?; **there were 3 of them** (*people*) sie waren zu dritt; (*objects*) es gab 3 (davon); **a cup of tea/vase of flowers** eine Tasse Tee/Vase mit Blumen; **the 5th of July** der 5 Juli
3 (*from, out of*) aus; **a bridge made of wood** eine Holzbrücke, eine Brücke aus Holz

off [ɒf] *adj, adv* (*absent*) weg, fort; (*switch*) aus(geschaltet), ab(geschaltet); (*BRIT: food: bad*) schlecht; (*cancelled*) abgesagt ♦ *prep* von +*dat*; **to be ~** (*to leave*) gehen; **to be ~ sick** krank sein; **a day ~** ein freier Tag; **to have an ~ day** einen schlechten Tag haben; **he had his coat ~** er hatte seinen Mantel aus; **10% ~** (*COMM*) 10% Rabatt; **5 km ~ (the road)** 5 km (von der Straße) entfernt; ~ **the coast** vor der Küste; **I'm ~ meat** (*no longer eat it*) ich esse kein Fleisch mehr; (*no longer like it*) ich mag kein Fleisch mehr; **on the ~ chance** auf gut Glück
offal ['ɒfəl] *n* Innereien *pl*
offbeat ['ɒfbiːt] *adj* unkonventionell
off-colour ['ɒf'kʌlə*] *adj* nicht wohl
offence [ə'fens] (*US* **offense**) *n* (*crime*) Vergehen *nt*, Straftat *f*; (*insult*) Beleidigung *f*; **to take ~ at** gekränkt sein wegen
offend [ə'fend] *vt* beleidigen; ~**er** *n* Gesetzesübertreter *m*
offense [ə'fens] (*US*) *n* = **offence**
offensive [ə'fensɪv] *adj* (*unpleasant*) übel,

abstoßend; (*weapon*) Kampf-; (*remark*) verletzend ♦ *n* Angriff *m*

offer ['ɒfə*] *n* Angebot *f* ♦ *vt* anbieten; (*opinion*) äußern; (*resistance*) leisten; **on ~** zum Verkauf angeboten; **~ing** *n* Gabe *f*

offhand ['ɒf'hænd] *adj* lässig ♦ *adv* ohne weiteres

office ['ɒfɪs] *n* Büro *nt*; (*position*) Amt *nt*; **doctor's ~** (*US*) Praxis *f*; **to take ~** sein Amt antreten; (*POL*) die Regierung übernehmen; **~ automation** *n* Büroautomatisierung *f*; **~ block** (*US* **~ building**) *n* Büro(hoch)haus *nt*; **~ hours** *npl* Dienstzeit *f*; (*US: MED*) Sprechstunde *f*

officer ['ɒfɪsə*] *n* (*MIL*) Offizier *m*; (*public ~*) Beamte(r) *m*

official [ə'fɪʃəl] *adj* offiziell, amtlich ♦ *n* Beamte(r) *m*; **~dom** *n* Beamtentum *nt*

officiate [ə'fɪʃɪeɪt] *vi* amtieren

officious [ə'fɪʃəs] *adj* aufdringlich

offing ['ɒfɪŋ] *n*: **in the ~** in (Aus)sicht

off: **~-licence** (*BRIT*) *n* (*shop*) Wein- und Spirituosenhandlung *f*; **~-line** *adj* (*COMPUT*) Off-line- ♦ *adv* (*COMPUT*) off line; **~-peak** (*charges*) verbilligt; **~-putting** (*BRIT*) *adj* (*person, remark etc*) abstoßend; **~-season** *adv* außer Saison

offset ['ɒfset] (*irreg: like* set) *vt* ausgleichen ♦ *n* (*also*: **~ printing**) Offset(druck) *m*

offshoot ['ɒfʃuːt] *n* (*fig: of organization*) Zweig *m*; (: *of discussion etc*) Randergebnis *nt*

offshore ['ɒf'ʃɔː*] *adv* in einiger Entfernung von der Küste ♦ *adj* küstennah, Küsten-

offside ['ɒf'saɪd] *adj* (*SPORT*) im Abseits ♦ *adv* abseits ♦ *n* (*AUT*) Fahrerseite *f*

offspring ['ɒfsprɪŋ] *n* Nachkommenschaft *f*; (*one*) Sprößling *m*

off: **~stage** *adv* hinter den Kulissen; **~-the-cuff** *adj* unvorbereitet, aus dem Stegreif; **~-the-peg** (*US* **~-the-rack**) *adv* von der Stange; **~-white** *adj* naturweiß

often ['ɒfən] *adv* oft

ogle ['əʊgl] *vt* liebäugeln mit

oh [əʊ] *excl* oh, ach

oil [ɔɪl] *n* Öl *nt* ♦ *vt* ölen; **~can** *n* Ölkännchen *nt*; **~field** *n* Ölfeld *nt*; **~ filter** *n* (*AUT*) Ölfilter *m*; **~-fired** *adj* Öl-; **~ painting** *n* Ölgemälde *nt*; **~-rig** *n* Ölplattform *f*; **~skins** *npl* Ölzeug *nt*; **~ tanker** *n* (Öl)tanker *m*; **~ well** *n* Ölquelle *f*; **~y** *adj* ölig; (*dirty*) ölbeschmiert

ointment ['ɔɪntmənt] *n* Salbe *f*

O.K. ['əʊ'keɪ] *excl* in Ordnung, O.K. ♦ *adj* in Ordnung ♦ *vt* genehmigen

okay ['əʊ'keɪ] = **O.K.**

old [əʊld] *adj* alt; **how ~ are you?** wie alt bist du?; **he's 10 years ~** er ist 10 Jahre alt; **~ brother** ältere(r) Bruder *m*; **~ age** *n* Alter *nt*; **~-age pensioner** (*BRIT*) *n* Rentner(in) *m(f)*; **~-fashioned** *adj* altmo-

disch

olive ['ɒlɪv] *n* (*fruit*) Olive *f*; (*colour*) Olive *nt* ♦ *adj* Oliven-; (*coloured*) olivenfarbig; **~ oil** *n* Olivenöl *nt*

Olympic [əʊ'lɪmpɪk] *adj* olympisch; **the ~ Games, the ~s** die Olympischen Spiele

omelet(te) ['ɒmlət] *n* Omelett *nt*

omen ['əʊmən] *n* Omen *nt*

ominous ['ɒmɪnəs] *adj* bedrohlich

omission [əʊ'mɪʃən] *n* Auslassung *f*; (*neglect*) Versäumnis *nt*

omit [əʊ'mɪt] *vt* auslassen; (*fail to do*) versäumen

─────────── **KEYWORD** ───────────

on [ɒn] *prep* **1** (*indicating position*) auf +*dat*; (*with vb of motion*) auf +*acc*; (*on vertical surface, part of body*) an +*dat/acc*; **it's on the table** es ist auf dem Tisch; **she put the book on the table** sie legte das Buch auf den Tisch; **on the left** links

2 (*indicating means, method, condition etc*): **on foot** (*go, be*) zu Fuß; **on the train/ plane** (*go*) mit dem Zug/Flugzeug; (*be*) im Zug/Flugzeug; **on the telephone/television** am Telefon/im Fernsehen; **to be on drugs** Drogen nehmen; **to be on holiday/ business** im Urlaub/auf Geschäftsreise sein

3 (*referring to time*): **on Friday** (am) Freitag; **on Fridays** freitags; **on June 20th** am 20. Juni; **a week on Friday** Freitag in einer Woche; **on arrival he ...** als er ankam, ... er ...

4 (*about, concerning*) über +*acc*

♦ *adv* **1** (*referring to dress*) an; **she put her boots/hat on** sie zog ihre Stiefel an/setzte ihren Hut auf

2 (*further, continuously*) weiter; **to walk on** weitergehen

♦ *adj* **1** (*functioning, in operation: machine, TV, light*) an; (: *tap*) aufgedreht; (: *brakes*) angezogen; **is the meeting still on?** findet die Versammlung noch statt?; **there's a good film on** es läuft ein guter Film

2: **that's not on!** (*inf: of behaviour*) das liegt nicht drin!

───────────

once [wʌns] *adv* einmal ♦ *conj* wenn ... einmal; **~ he had left/it was done** nachdem er gegangen war/es fertig war; **at ~** sofort; (*at the same time*) gleichzeitig; **~ a week** einmal in der Woche; **~ more** noch einmal; **~ and for all** ein für allemal; **~ upon a time** es war einmal

oncoming ['ɒnkʌmɪŋ] *adj* (*traffic*) Gegen-, entgegenkommend

─────────── **KEYWORD** ───────────

one [wʌn] *num* eins; (*with noun, referring back to noun*) ein/eine/ein; **it is one (o'clock)** es ist eins, es ist ein Uhr; **one hundred and fifty** einhundertfünfzig

◆ adj 1 (sole) einzige(r, s); **the one book which** das einzige Buch, welches
2 (same) derselbe/dieselbe/dasselbe; **they came in the one car** sie kamen alle in dem einen Auto
3 (indef): **one day I discovered ...** eines Tages bemerkte ich ...
◆ pron 1 eine(r, s); **do you have a red one?** haben Sie einen roten/eine rote/ein rotes?; **this one** diese(r, s); **that one** der/die/das; **which one?** welche(r, s)?; **one by one** einzeln
2: **one another** einander; **do you two ever see one another?** seht ihr beide euch manchmal?
3 (impers) man; **one never knows** man kann nie wissen; **to cut one's finger** sich in den Finger schneiden

one: **~-armed bandit** n einarmiger Bandit m; **~-day excursion** (US) n (day return) Tagesrückfahrkarte f; **~-man** adj Einmann-; **~-man band** n Einmannkapelle f; (fig) Einmannbetrieb m; **~-off** (BRIT: inf) n Einzelfall m

oneself [wʌn'self] pron (reflexive: after prep) sich; (~ personally) sich selbst or selber; (emphatic) (sich) selbst; **to hurt ~** sich verletzen

one: **~-sided** adj (argument) einseitig; **~-to-one** adj (relationship) eins-zu-eins; **~-upmanship** n die Kunst, anderen um eine Nasenlänge voraus zu sein; **~-way** adj (street) Einbahn-

ongoing ['ɒngəʊɪŋ] adj momentan; (progressing) sich entwickelnd

onion ['ʌnjən] n Zwiebel f

on-line ['ɒn'laɪn] adj (COMPUT) On-line-

onlooker ['ɒnlʊkə*] n Zuschauer(in) m(f)

only ['əʊnlɪ] adv nur, bloß ◆ adj einzige(r, s) ◆ conj nur, bloß; **an ~ child** ein Einzelkind; **not ~ ... but also ...** nicht nur ... sondern auch ...

onset ['ɒnset] n (beginning) Beginn m

onshore ['ɒnʃɔː*] adj (wind) See-

onslaught ['ɒnslɔːt] n Angriff m

onto ['ɒntʊ] prep = **on to**

onus ['əʊnəs] n Last f, Pflicht f

onward(s) ['ɒnwəd(z)] adv (place) voran, vorwärts; **from that day onwards** von dem Tag an; **from today onwards** ab heute

ooze [uːz] vi sickern

opaque [əʊ'peɪk] adj undurchsichtig

OPEC ['əʊpek] n abbr (= Organization of Petroleum-Exporting Countries) OPEC f

open ['əʊpən] adj offen; (public) öffentlich; (mind) aufgeschlossen ◆ vt öffnen, aufmachen; (trial, motorway, account) eröffnen ◆ vi (begin) anfangen; (shop) aufmachen; (door, flower) aufgehen; (play) Premiere haben; **in the ~** (air) im Freien; **~ on to** vt fus sich öffnen auf +acc; **~ up** vt (route)

erschließen; (shop, prospects) eröffnen ◆ vi öffnen; **~ing** n (hole) Öffnung f; (beginning) Anfang m; (good chance) Gelegenheit f; **~ly** adv (publicly) öffentlich; **~-minded** adj aufgeschlossen; **~-necked** adj offen; **~-plan** adj (office) Großraum-; (flat etc) offen angelegt

opera ['ɒpərə] n Oper f; **~ house** n Opernhaus nt

operate ['ɒpəreɪt] vt (machine) bedienen; (brakes, light) betätigen ◆ vi (machine) laufen, in Betrieb sein; (person) arbeiten; (MED): **to ~ on** operieren

operatic [ɒpə'rætɪk] adj Opern-

operating ['ɒpəreɪtɪŋ] adj: **~ table/theatre** Operationstisch m/-saal m

operation [ɒpə'reɪʃən] n (working) Betrieb m; (MED) Operation f; (undertaking) Unternehmen nt; (MIL) Einsatz m; **to be in ~** (JUR) in Kraft sein; (machine) in Betrieb sein; **to have an ~** (MED) operiert werden; **~al** adj einsatzbereit

operative ['ɒpərətɪv] adj wirksam; (MED) operativ

operator ['ɒpəreɪtə*] n (of machine) Arbeiter m; (TEL) Telefonist(in) m(f)

ophthalmic [ɒf'θælmɪk] adj Augen-

opinion [ə'pɪnjən] n Meinung f; **in my ~** meiner Meinung nach; **~ated** adj starrsinnig; **~ poll** n Meinungsumfrage f

opponent [ə'pəʊnənt] n Gegner m

opportunity [ɒpə'tjuːnɪtɪ] n Gelegenheit f, Möglichkeit f; **to take the ~ of doing sth** die Gelegenheit ergreifen, etw zu tun

oppose [ə'pəʊz] vt entgegentreten +dat; (argument, idea) ablehnen; (plan) bekämpfen; **to be ~d to sth** gegen etw sein; **as ~d to** im Gegensatz zu

opposing [ə'pəʊzɪŋ] adj gegnerisch; (points of view) entgegengesetzt

opposite ['ɒpəzɪt] adj (house) gegenüberliegend; (direction) entgegengesetzt ◆ adv gegenüber ◆ prep gegenüber ◆ n Gegenteil nt

opposition [ɒpə'zɪʃən] n (resistance) Widerstand m; (POL) Opposition f; (contrast) Gegensatz m

oppress [ə'pres] vt unterdrücken; (heat etc) bedrücken; **~ion** [ə'preʃən] n Unterdrückung f; **~ive** adj (authority, law) repressiv; (burden, thought) bedrückend; (heat) drückend

opt [ɒpt] vi: **to ~ for** sich entscheiden für; **to ~ to do sth** sich entscheiden, etw zu tun; **to ~ out of** sich drücken vor +dat; (of society) ausflippen aus

optical ['ɒptɪkəl] adj optisch; **~ character reader** n optische(s) Lesegerät nt

optician [ɒp'tɪʃən] n Optiker m

optimist ['ɒptɪmɪst] n Optimist m; **~ic** ['ɒptɪ'mɪstɪk] adj optimistisch

optimum ['ɒptɪməm] adj optimal

option ['ɒpʃən] n Wahl f; (COMM) Option f; **to keep one's ~s open** sich alle Möglichkeiten offenhalten; **~al** adj freiwillig; (subject) wahlfrei; **~al extras** npl Extras auf Wunsch

opulent ['ɒpjulənt] adj sehr reich

or [ɔː*] conj oder; **he could not read ~ write** er konnte weder lesen noch schreiben; **~ else** sonst

oral ['ɔːrəl] adj mündlich ♦ n (exam) mündliche Prüfung f

orange ['ɒrɪndʒ] n (fruit) Apfelsine f, Orange f; (colour) Orange nt ♦ adj orange

orator ['ɒrətə*] n Redner(in) m(f)

orbit ['ɔːbɪt] n Umlaufbahn f

orchard ['ɔːtʃəd] n Obstgarten m

orchestra ['ɔːkɪstrə] n Orchester nt; (US: seating) Parkett nt; **~l** [ɔː'kestrəl] adj Orchester-, orchestral

orchid ['ɔːkɪd] n Orchidee f

ordain [ɔː'deɪn] vt (ECCL) weihen; (decide) verfügen

ordeal [ɔː'diːl] n Qual f

order ['ɔːdə*] n (sequence) Reihenfolge f; (good arrangement) Ordnung f; (command) Befehl m; (JUR) Anordnung f; (peace) Ordnung f; (condition) Zustand m; (rank) Klasse f; (COMM) Bestellung f; (ECCL, honour) Orden m ♦ vt (also: put in ~) ordnen; (command) befehlen; (COMM) bestellen; **in ~** in der Reihenfolge; **in (working) ~** in gutem Zustand; **in ~ to do sth** um etw zu tun; **on ~** (COMM) auf Bestellung; **to ~ sb to do sth** jdm befehlen, etw zu tun; **to ~ sth** (command) etw acc befehlen; **~ form** n Bestellschein m; **~ly** n (MIL) Sanitäter m; (MED) Pfleger m ♦ adj (tidy) ordentlich; (well-behaved) ruhig

ordinary ['ɔːdnrɪ] adj gewöhnlich; **out of the ~** außergewöhnlich

ordnance ['ɔːdnəns] n Artillerie f; **O~ Survey** (BRIT) n amtliche(r) Kartographiedienst m

ore [ɔː*] n Erz nt

organ ['ɔːgən] n (MUS) Orgel f; (BIOL, fig) Organ nt

organic [ɔː'gænɪk] adj (food, farming etc) biodynamisch

organization [ɔːgənaɪ'zeɪʃən] n Organisation f; (make-up) Struktur f

organize ['ɔːgənaɪz] vt organisieren; **~r** n Organisator m, Veranstalter m

orgasm ['ɔːgæzəm] n Orgasmus m

orgy ['ɔːdʒɪ] n Orgie f

Orient ['ɔːrɪənt] n Orient m

oriental [ɔːrɪ'entəl] adj orientalisch

origin ['ɒrɪdʒɪn] n Ursprung m; (of the world) Anfang m, Entstehung f

original [ə'rɪdʒɪnl] adj (first) ursprünglich; (painting) original; (idea) originell ♦ n Original nt; **~ly** adv ursprünglich; originell

originate [ə'rɪdʒɪneɪt] vi entstehen ♦ vt ins

Leben rufen; **to ~ from** stammen aus

Orkneys ['ɔːknɪz] npl (also: the Orkney Islands) die Orkneyinseln pl

ornament ['ɔːnəmənt] n Schmuck m; (on mantelpiece) Nippesfigur f; **~al** [ɔːnə'mentl] adj Zier-

ornate [ɔː'neɪt] adj reich verziert

orphan ['ɔːfən] n Waise f, Waisenkind nt ♦ vt: **to be ~ed** Waise werden; **~age** n Waisenhaus nt

orthodox ['ɔːθədɒks] adj orthodox; **~y** n Orthodoxie f; (fig) Konventionalität f

orthopaedic [ɔːθəu'piːdɪk] (US **orthopedic**) adj orthopädisch

ostensibly [ɒs'tensəblɪ] adv vorgeblich, angeblich

ostentatious [ɒsten'teɪʃəs] adj großtuerisch, protzig

ostracize ['ɒstrəsaɪz] vt ausstoßen

ostrich ['ɒstrɪtʃ] n Strauß m

other ['ʌðə*] adj andere(r, s) ♦ pron andere(r, s) ♦ adv: **~ than** anders als; **the ~ (one)** der/die/das andere; **the ~ day** neulich; **~s** (~ people) andere; **~wise** adv (in a different way) anders; (or else) sonst

ouch [autʃ] excl aua

ought [ɔːt] vb aux sollen; **I ~ to do it** ich sollte es tun; **this ~ to have been corrected** das hätte korrigiert werden sollen

ounce [auns] n Unze f

our [auə*] adj unser; see also **my**; **~s** pron unsere(r, s); see also **mine²**; **~selves** pron uns (selbst); (emphatic) (wir) selbst; see also **oneself**

oust [aust] vt verdrängen

out [aut] adv hinaus/heraus; (not indoors) draußen; (not alight) aus; (unconscious) bewußtlos; (results) bekanntgegeben; **to eat/ go ~** auswärts essen/ausgehen; **~ there** da draußen; **he is ~** (absent) er ist nicht da; **he was ~ in his calculations** seine Berechnungen waren nicht richtig; **~ loud** laut; **~ of** aus; (away from) außerhalb +gen; **to be ~ of milk** etc keine Milch etc mehr haben; **~ of order** außer Betrieb; **~-and-out** adj (liar, thief etc) ausgemacht

outback ['autbæk] n Hinterland nt

outboard (motor) ['autbɔːd-] n Außenbordmotor m

outbreak ['autbreɪk] n Ausbruch m

outburst ['autbɜːst] n Ausbruch m

outcast ['autkɑːst] n Ausgestoßene(r) mf

outcome ['autkʌm] n Ergebnis nt

outcrop ['autkrɒp] n (of rock) Felsnase f

outcry ['autkraɪ] n Protest m

outdated ['aut'deɪtɪd] adj überholt

outdo [aut'duː] (irreg: like **do**) vt übertrumpfen

outdoor ['autdɔː*] adj Außen-; (SPORT) im Freien; **~s** adv im Freien

outer ['autə*] adj äußere(r, s); **~ space** n Weltraum m

outfit ['autfɪt] *n* Kleidung *f*; **~ters** (*BRIT*) *n* (*for men's clothes*) Herrenausstatter *m*

outgoing ['autgəʊɪŋ] *adj* (*character*) aufgeschlossen; **~s** (*BRIT*) *npl* Ausgaben *pl*

outgrow [aut'grəʊ] (*irreg: like* **grow**) *vt* (*clothes*) herauswachsen aus; (*habit*) ablegen

outhouse ['authaʊs] *n* Nebengebäude *nt*

outing ['autɪŋ] *n* Ausflug *m*

outlandish [aut'lændɪʃ] *adj* eigenartig

outlaw ['autlɔː] *n* Geächtete(r) *m* ♦ *vt* ächten; (*thing*) verbieten

outlay ['autleɪ] *n* Auslage *f*

outlet ['autlet] *n* Auslaß *m*, Abfluß *m*; (*also: retail* ~) Absatzmarkt *m*; (*US: ELEC*) Steckdose *f*; (*for emotions*) Ventil *nt*

outline ['autlaɪn] *n* Umriß *m*

outlive [aut'lɪv] *vt* überleben

outlook ['autlʊk] *n* (*also fig*) Aussicht *f*; (*attitude*) Einstellung *f*

outlying ['autlaɪɪŋ] *adj* entlegen; (*district*) Außen-

outmoded [aut'məʊdɪd] *adj* veraltet

outnumber [aut'nʌmbə*] *vt* zahlenmäßig überlegen sein +*dat*

out-of-date [autəv'deɪt] *adj* (*passport*) abgelaufen; (*clothes etc*) altmodisch; (*ideas etc*) überholt

out-of-the-way [autəvðə'weɪ] *adj* abgelegen

outpatient ['autpeɪʃənt] *n* ambulante(r) Patient *m*/ambulante Patientin *f*

outpost ['autpəʊst] *n* (*MIL, fig*) Vorposten *m*

output ['autput] *n* Leistung *f*, Produktion *f*; (*COMPUT*) Ausgabe *f*

outrage ['autreɪdʒ] *n* (*cruel deed*) Ausschreitung *f*; (*indecency*) Skandal *m* ♦ *vt* (*morals*) verstoßen gegen; (*person*) empören; **~ous** [aut'reɪdʒəs] *adj* unerhört

outright [*adv* aut'raɪt, *adj* 'autraɪt] *adv* (*at once*) sofort; (*openly*) ohne Umschweife ♦ *adj* (*denial*) völlig; (*sale*) Total-; (*winner*) unbestritten

outset ['autset] *n* Beginn *m*

outside ['aut'saɪd] *n* Außenseite *f* ♦ *adj* äußere(r, s), Außen-; (*chance*) gering ♦ *adv* außen ♦ *prep* außerhalb +*gen*; **at the ~** (*fig*) maximal; (*time*) spätestens; **to go ~** nach draußen gehen; **~ lane** *n* (*AUT*) äußere Spur *f*; **~ line** *n* (*TEL*) Amtsanschluß *m*; **~r** *n* Außenseiter(in) *m(f)*

outsize ['autsaɪz] *adj* übergroß

outskirts ['autskɜːts] *npl* Stadtrand *m*

outspoken [aut'spəʊkən] *adj* freimütig

outstanding [aut'stændɪŋ] *adj* hervorragend; (*debts etc*) ausstehend

outstay [aut'steɪ] *vt*: **to ~ one's welcome** länger bleiben als erwünscht

outstretched ['autstretʃt] *adj* ausgestreckt

outstrip [aut'strɪp] *vt* übertreffen

out-tray ['autreɪ] *n* Ausgangskorb *m*

outward ['autwəd] *adj* äußere(r, s); (*journey*) Hin-; (*freight*) ausgehend ♦ *adv* nach außen; **~ly** *adv* äußerlich

outweigh [aut'weɪ] *vt* (*fig*) überwiegen

outwit [aut'wɪt] *vt* überlisten

oval ['əʊvəl] *adj* oval ♦ *n* Oval *nt*

ovary ['əʊvərɪ] *n* Eierstock *m*

ovation [əʊ'veɪʃən] *n* Beifallssturm *m*

oven ['ʌvn] *n* Backofen *m*; **~proof** *adj* feuerfest

over ['əʊvə*] *adv* (*across*) hinüber/herüber; (*finished*) vorbei; (*left*) übrig; (*again*) wieder, noch einmal ♦ *prep* über ♦ *prefix* (*excessively*) übermäßig; **~ here** hier(hin); **~ there** dort(hin); **all ~** (*everywhere*) überall; (*finished*) vorbei; **~ and ~** immer wieder; **~ and above** darüber hinaus; **to ask sb ~** jdn einladen; **to bend ~** sich bücken

overall [*adj, n* 'əʊvərɔːl, *adv* əʊvər'ɔːl] *adj* (*situation*) allgemein; (*length*) Gesamt- ♦ *n* (*BRIT*) Kittel *m* ♦ *adv* insgesamt; **~s** *npl* (*for man*) Overall *m*

overawe [əʊvər'ɔː] *vt* (*frighten*) einschüchtern; (*make impression*) überwältigen

overbalance [əʊvə'bæləns] *vi* Übergewicht bekommen

overbearing [əʊvə'bɛərɪŋ] *adj* aufdringlich

overboard ['əʊvəbɔːd] *adv* über Bord

overbook [əʊvə'bʊk] *vi* überbuchen

overcast ['əʊvəkɑːst] *adj* bedeckt

overcharge [əʊvə'tʃɑːdʒ] *vt*: **to ~ sb** von jdm zuviel verlangen

overcoat ['əʊvəkəʊt] *n* Mantel *m*

overcome [əʊvə'kʌm] (*irreg: like* **come**) *vt* überwinden

overcrowded [əʊvə'kraʊdɪd] *adj* überfüllt

overcrowding [əʊvə'kraʊdɪŋ] *n* Überfüllung *f*

overdo [əʊvə'duː] (*irreg: like* **do**) *vt* (*cook too much*) verkochen; (*exaggerate*) übertreiben

overdose ['əʊvədəʊs] *n* Überdosis *f*

overdraft ['əʊvədrɑːft] *n* (Konto)-überziehung *f*

overdrawn [əʊvə'drɔːn] *adj* (*account*) überzogen

overdue ['əʊvə'djuː] *adj* überfällig

overestimate ['əʊvər'estɪmeɪt] *vt* überschätzen

overexcited ['əʊvərɪk'saɪtɪd] *adj* überreizt; (*children*) aufgeregt

overflow [*vb* əʊvə'fləʊ, *n* 'əʊvəfləʊ] *vi* überfließen ♦ *n* (*excess*) Überschuß *m*; (*also: ~ pipe*) Überlaufrohr *nt*

overgrown ['əʊvə'grəʊn] *adj* (*garden*) verwildert

overhaul [*vb* əʊvə'hɔːl, *n* 'əʊvəhɔːl] *vt* (*car*) überholen; (*plans*) überprüfen ♦ *n* Überholung *f*

overhead [*adv* əʊvə'hed, *adj, n* 'əʊvəhed] *adv* oben ♦ *adj* Hoch-; (*wire*) oberirdisch; (*lighting*) Decken- ♦ *n* (*US*) = **~s**; **~s** *npl*

(costs) allgemeine Unkosten *pl*
overhear [əʊvə'hɪə*] *(irreg: like* **hear**) *vt*
(mit an)hören
overheat [əʊvə'hiːt] *vi (engine)* heiß laufen
overjoyed [əʊvə'dʒɔɪd] *adj* überglücklich
overkill ['əʊvəkɪl] *n (fig)* Rundumschlag *m*
overland [*adj* 'əʊvəlænd, *adv* əʊvə'lænd] *adj*
Überland- ♦ *adv (travel)* über Land
overlap [*vb* əʊvə'læp, *n* 'əʊvəlæp] *vi* sich
überschneiden; *(objects)* sich teilweise
decken ♦ *n* Überschneidung *f*
overleaf [əʊvə'liːf] *adv* umseitig
overload ['əʊvə'ləʊd] *vt* überladen
overlook [əʊvə'lʊk] *vt (view from above)*
überblicken; *(not notice)* übersehen; *(pardon)* hinwegsehen über +*acc*
overnight [*adv* 'əʊvə'naɪt, *adj* 'əʊvənaɪt]
adv über Nacht ♦ *adj (journey)* Nacht-; ~
stay Übernachtung *f;* **to stay** ~
übernachten
overpass ['əʊvəpɑːs] *n* Überführung *f*
overpower [əʊvə'paʊə*] *vt* überwältigen;
~**ing** *adj* überwältigend
overrate ['əʊvə'reɪt] *vt* überschätzen
override [əʊvə'raɪd] *(irreg: like* **ride**) *vt (order, decision)* aufheben; *(objection)*
übergehen
overriding [əʊvə'raɪdɪŋ] *adj* vorherrschend
overrule [əʊvə'ruːl] *vt* verwerfen
overrun [əʊvə'rʌn] *(irreg: like* **run**) *vt (country)* einfallen in; *(time limit)* überziehen
overseas ['əʊvə'siːz] *adv* nach/in Übersee
♦ *adj* überseeisch, Übersee-
overseer ['əʊvəsɪə*] *n* Aufseher *m*
overshadow [əʊvə'ʃædəʊ] *vt* überschatten
overshoot ['əʊvə'ʃuːt] *(irreg: like* **shoot**) *vt*
(runway) hinausschießen über +*acc*
oversight ['əʊvəsaɪt] *n (mistake)* Versehen
nt
oversleep ['əʊvə'sliːp] *(irreg: like* **sleep**) *vi*
verschlafen
overspill ['əʊvəspɪl] *n* (Bevölkerungs)-
überschuß *m*
overstate ['əʊvə'steɪt] *vt* übertreiben
overstep [əʊvə'step] *vt:* **to** ~ **the mark** zu
weit gehen
overt [əʊ'vɜːt] *adj* offen(kundig)
overtake [əʊvə'teɪk] *(irreg: like* **take**) *vt, vi*
überholen
overthrow [əʊvə'θrəʊ] *(irreg: like* **throw**) *vt*
(POL) stürzen
overtime ['əʊvətaɪm] *n* Überstunden *pl*
overtone ['əʊvətəʊn] *n (fig)* Note *f*
overture ['əʊvətʃʊə*] *n* Ouvertüre *f*
overturn [əʊvə'tɜːn] *vt, vi* umkippen
overweight ['əʊvə'weɪt] *adj* zu dick
overwhelm [əʊvə'welm] *vt* überwältigen;
~**ing** *adj* überwältigend
overwork ['əʊvə'wɜːk] *n* Überarbeitung *f* ♦
vt überlasten ♦ *vi* sich überarbeiten
overwrought ['əʊvə'rɔːt] *adj* überreizt
owe [əʊ] *vt* schulden; **to** ~ **sth to sb**

(money) jdm etw schulden; *(favour etc)* jdm
etw verdanken
owing to ['əʊɪŋ-] *prep* wegen +*gen*
owl [aʊl] *n* Eule *f*
own [əʊn] *vt* besitzen ♦ *adj* eigen; **a room
of my** ~ mein eigenes Zimmer; **to get
one's** ~ **back** sich rächen; **on one's** ~ allein; ~ **up** *vi:* **to** ~ **up (to sth)** (etw) zugeben; ~**er** *n* Besitzer(in) *m(f);* ~**ership** *n*
Besitz *m*
ox [ɒks] *(pl* **oxen**) *n* Ochse *m*
oxen ['ɒksn] *npl of* **ox**
oxtail ['ɒksteɪl] *n:* ~ **soup** Ochsenschwanz-
suppe *f*
oxygen ['ɒksɪdʒən] *n* Sauerstoff *m;* ~
mask *n* Sauerstoffmaske *f,* ~ **tent** *n*
Sauerstoffzelt *nt*
oyster ['ɔɪstə*] *n* Auster *f*
oz. *abbr* = **ounce(s)**
ozone ['əʊzəʊn] *n* Ozon *m;* ~**-friendly** *adj*
(aerosol) ohne Treibgas; *(fridge)* FCKW-frei;
~ **hole** *n* Ozonloch *nt;* ~ **layer** *n* Ozon-
schicht *f*

P p

p [piː] *abbr* = **penny; pence**
pa [pɑː] *(inf) n* Papa *m*
P.A. *n abbr* = **personal assistant; public
address system**
p.a. *abbr* = **per annum**
pace [peɪs] *n* Schritt *m;* *(speed)* Tempo *nt* ♦
vi schreiten; **to keep** ~ **with** Schritt halten
mit; ~**-maker** *n* Schrittmacher *m*
pacific [pə'sɪfɪk] *adj* pazifisch ♦ *n:* **the P**~
(Ocean) der Pazifik
pacifist ['pæsɪfɪst] *n* Pazifist *m*
pacify ['pæsɪfaɪ] *vt* befrieden; *(calm)* beruhigen
pack [pæk] *n (of goods)* Packung *f;* *(of
hounds)* Meute *f;* *(of cards)* Spiel *nt;* *(gang)*
Bande *f* ♦ *vt (case)* packen; *(clothes)* einpacken ♦ *vi* packen; **to** ~ **sb off to ...** jdn
nach ... schicken; ~ **it in!** laß es gut sein!
package ['pækɪdʒ] *n* Paket *nt;* ~ **tour** *n*
Pauschalreise *f*
packed lunch ['pækt-] *n* Lunchpaket *nt*
packet ['pækɪt] *n* Päckchen *nt*
packing ['pækɪŋ] *n (action)* Packen *nt;* *(material)* Verpackung *f,* ~ **case** *n* (Pack)kiste
f
pact [pækt] *n* Pakt *m,* Vertrag *m*
pad [pæd] *n (of paper)* (Schreib)block *m;*

(stuffing) Polster nt ♦ vt polstern; ~**ding** n Polsterung f

paddle ['pædl] n Paddel nt; (US: for table tennis) Schläger m ♦ vt (boat) paddeln ♦ vi (in sea) planschen; ~ **steamer** n Raddampfer m

paddling pool ['pædlɪŋ-] (BRIT) n Planschbecken nt

paddock ['pædək] n Koppel f

paddy field ['pædɪ-] n Reisfeld nt

padlock ['pædlɒk] n Vorhängeschloß nt ♦ vt verschließen

paediatrics [piːdɪ'ætrɪks] (US **pediatrics**) n Kinderheilkunde f

pagan ['peɪɡən] adj heidnisch ♦ n Heide m, Heidin f

page [peɪdʒ] n Seite f; (person) Page m ♦ vt (in hotel etc) ausrufen lassen

pageant ['pædʒənt] n Festzug m; ~**ry** n Gepränge nt

pager ['peɪdʒə*] n (TEL) Funkrufempfänger m, Piepser m (inf)

paging device ['peɪdʒɪŋ-] n (TEL) = pager

paid [peɪd] pt, pp of **pay** ♦ adj bezahlt; **to put ~ to** (BRIT) zunichte machen

pail [peɪl] n Eimer m

pain [peɪn] n Schmerz m; **to be in ~** Schmerzen haben; **on ~ of death** bei Todesstrafe; **to take ~s to do sth** sich dat Mühe geben, etw zu tun; ~**ed** adj (expression) gequält; ~**ful** adj (physically) schmerzhaft; (embarrassing) peinlich; (difficult) mühsam; ~**fully** adv (fig: very) schrecklich; ~**killer** n Schmerzmittel nt; ~**less** adj schmerzlos; ~**staking** ['peɪnzteɪkɪŋ] adj gewissenhaft

paint [peɪnt] n Farbe f ♦ vt anstreichen; (picture) malen; **to ~ the door blue** die Tür blau streichen; ~**brush** n Pinsel m; ~**er** n Maler m; ~**ing** n Malerei f; (picture) Gemälde nt; (of car) Lack m

pair [peə*] n Paar nt; ~ **of scissors** Schere f; ~ **of trousers** Hose f

pajamas [pə'dʒɑːməz] (US) npl Schlafanzug m

Pakistan [pɑːkɪ'stɑːn] n Pakistan nt; ~**i** adj pakistanisch ♦ n Pakistani mf

pal [pæl] (inf) n Kumpel m

palace ['pæləs] n Palast m, Schloß nt

palatable ['pælətəbl] adj schmackhaft

palate ['pælɪt] n Gaumen m

palatial [pə'leɪʃəl] adj palastartig

pale [peɪl] adj blaß, bleich ♦ n: **to be beyond the ~** die Grenzen überschreiten

Palestine ['pælɪstaɪn] n Palästina nt

Palestinian [pælɪs'tɪnɪən] adj palästinensisch ♦ n Palästinenser(in) m(f)

palette ['pælɪt] n Palette f

paling ['peɪlɪŋ] n (stake) Zaunpfahl m; (fence) Lattenzaun m

pall [pɔːl] n (of smoke) (Rauch)wolke f ♦ vi

jeden Reiz verlieren, verblassen

pallet ['pælɪt] n (for goods) Palette f

pallid ['pælɪd] adj blaß, bleich

pallor ['pælə*] n Blässe f

palm [pɑːm] n (of hand) Handfläche f; (also: ~ **tree**) Palme f ♦ vt: **to ~ sth off on sb** jdm etw andrehen; **P~ Sunday** n Palmsonntag m

palpable ['pælpəbl] adj (also fig) greifbar

palpitation [pælpɪ'teɪʃən] n Herzklopfen nt

paltry ['pɔːltrɪ] adj armselig

pamper ['pæmpə*] vt verhätscheln

pamphlet ['pæmflət] n Broschüre f

pan [pæn] n Pfanne f ♦ vi (CINE) schwenken

panacea [pænə'sɪə] n (fig) Allheilmittel nt

panache [pə'næʃ] n Schwung m

pancake ['pænkeɪk] n Pfannkuchen m

pancreas ['pæŋkrɪəs] n Bauchspeicheldrüse f

panda ['pændə] n Panda m; ~ **car** (BRIT) n (Funk)streifenwagen m

pandemonium [pændɪ'məʊnɪəm] n Hölle f; (noise) Höllenlärm m

pander ['pændə*] vi: **to ~ to** sich richten nach

pane [peɪn] n (Fenster)scheibe f

panel ['pænl] n (of wood) Tafel f; (TV) Diskussionsrunde f; ~**ling** (US ~**ing**) n Täfelung f

pang [pæŋ] n: ~**s of hunger** quälende(r) Hunger m; ~**s of conscience** Gewissensbisse pl

panic ['pænɪk] n Panik f ♦ vi in Panik geraten; **don't ~** (nur) keine Panik; ~**ky** adj (person) überängstlich; ~-**stricken** adj von panischem Schrecken erfaßt; (look) panisch

pansy ['pænzɪ] n (flower) Stiefmütterchen nt; (inf) Schwule(r) m

pant [pænt] vi keuchen; (dog) hecheln

panther ['pænθə*] n Panther m

panties ['pæntɪz] npl (Damen)slip m

pantihose ['pæntɪhəʊz] (US) n Strumpfhose f

pantomime ['pæntəmaɪm] (BRIT) n Märchenkomödie f um Weihnachten

pantry ['pæntrɪ] n Vorratskammer f

pants [pænts] npl (BRIT: woman's) Schlüpfer m; (: man's) Unterhose f; (US: trousers) Hose f

papal ['peɪpəl] adj päpstlich

paper ['peɪpə*] n Papier nt; (news~) Zeitung f; (essay) Referat nt ♦ adj Papier-, aus Papier ♦ vt (wall) tapezieren; ~**s** npl (identity ~) Ausweis(papiere pl) m; ~**back** n Taschenbuch nt; ~ **bag** n Tüte f; ~ **clip** n Büroklammer f; ~ **hankie** n Tempotaschentuch nt ®; ~**weight** n Briefbeschwerer m; ~**work** n Schreibarbeit f

par [pɑː*] n (COMM) Nennwert m; (GOLF) Par nt; **on a ~ with** ebenbürtig +dat

parable ['pærəbl] n (REL) Gleichnis nt

parachute ['pærəʃuːt] n Fallschirm m ♦ vi (mit dem Fallschirm) abspringen

parade [pə'reɪd] n Parade f ♦ vt aufmarschieren lassen; (fig) zur Schau stellen ♦ vi paradieren, vorbeimarschieren

paradise ['pærədaɪs] n Paradies nt

paradox ['pærədɒks] n Paradox nt; ~**ically** [pærə'dɒksɪkəli] adv paradoxerweise

paraffin ['pærəfɪn] (BRIT) n Paraffin nt

paragon ['pærəgən] n Muster nt

paragraph ['pærəgrɑːf] n Absatz m

parallel ['pærəlel] adj parallel ♦ n Parallele f

paralyse ['pærəlaɪz] (BRIT) vt (MED) lähmen, paralysieren; (fig: organization, production etc) lahmlegen

paralysis [pə'rælɪsɪs] n Lähmung f

paralyze ['pærəlaɪz] vt = **paralyse**

parameter [pə'ræmɪtə*] n Parameter m; ~**s** npl (framework, limits) Rahmen m

paramount ['pærəmaʊnt] adj höchste(r, s), oberste(r, s)

paranoid ['pærənɔɪd] adj (person) paranoid, an Verfolgungswahn leidend; (feeling) krankhaft

parapet ['pærəpɪt] n Brüstung f

paraphernalia ['pærəfə'neɪlɪə] n Zubehör nt, Utensilien pl

paraphrase ['pærəfreɪz] vt umschreiben

paraplegic [pærə'pliːdʒɪk] n Querschnittsgelähmte(r) mf

parasite ['pærəsaɪt] n (also fig) Schmarotzer m, Parasit m

parasol ['pærəsɒl] n Sonnenschirm m

paratrooper ['pærətruːpə*] n Fallschirmjäger m

parcel ['pɑːsl] n Paket nt ♦ vt (also: ~ up) einpacken

parch [pɑːtʃ] vt (aus)dörren; ~**ed** adj ausgetrocknet; (person) am Verdursten

parchment ['pɑːtʃmənt] n Pergament nt

pardon ['pɑːdn] n Verzeihung f ♦ vt (JUR) begnadigen; ~ **me!, I beg your** ~! verzeihen Sie bitte!; ~ **me?** (US) wie bitte?; **(I beg your)** ~? wie bitte?

parent ['peərənt] n Elternteil m; ~**s** npl (mother and father) Eltern pl; ~**al** [pə'rentl] adj elterlich, Eltern-

parentheses [pə'renθɪsiːz] npl of **parenthesis**

parenthesis [pə'renθɪsɪs] n Klammer f; (sentence) Parenthese f

Paris ['pærɪs] n Paris nt

parish ['pærɪʃ] n Gemeinde f

parity ['pærɪti] n (FIN) Umrechnungskurs m, Parität f

park [pɑːk] n Park m ♦ vt, vi parken

parking ['pɑːkɪŋ] n Parken nt; "**no** ~" „Parken verboten"; ~ **lot** (US) n Parkplatz m; ~ **meter** n Parkuhr f; ~ **ticket** n Strafzettel m

parlance ['pɑːləns] n Sprachgebrauch m

parliament ['pɑːləmənt] n Parlament nt; ~**ary** [pɑːlə'mentəri] adj parlamentarisch, Parlaments-

parlour ['pɑːlə*] (US **parlor**) n Salon m

parochial [pə'rəʊkɪəl] adj Gemeinde-; (narrow-minded) eng(stirnig)

parole [pə'rəʊl] n: **on** ~ (prisoner) auf Bewährung

paroxysm ['pærəksɪzəm] n Anfall m

parrot ['pærət] n Papagei m

parry ['pæri] vt parieren, abwehren

parsimonious [pɑːsɪ'məʊnɪəs] adj knauserig

parsley ['pɑːsli] n Petersilie m

parsnip ['pɑːsnɪp] n Pastinake f

parson ['pɑːsn] n Pfarrer m

part [pɑːt] n (piece) Teil m; (THEAT) Rolle f; (of machine) Teil nt ♦ adv = **partly** ♦ vt trennen; (hair) scheiteln ♦ vi (people) sich trennen; **to take** ~ **in** teilnehmen an +dat; **to take sth in good** ~ etw nicht übelnehmen; **to take sb's** ~ sich auf jds Seite acc stellen; **for my** ~ ich für meinen Teil; **for the most** ~ meistens, größtenteils; **in** ~ **exchange** (BRIT) in Zahlung; ~ **with** vt fus hergeben; (renounce) aufgeben; ~**ial** ['pɑːʃəl] adj (incomplete) teilweise; (biased) parteiisch; **to be** ~**ial to** eine (besondere) Vorliebe haben für

participant [pɑː'tɪsɪpənt] n Teilnehmer(in) m(f)

participate [pɑː'tɪsɪpeɪt] vi: **to** ~ **(in)** teilnehmen (an +dat)

participation [pɑːtɪsɪ'peɪʃən] n Teilnahme f; (sharing) Beteiligung f

participle ['pɑːtɪsɪpl] n Partizip nt

particle ['pɑːtɪkl] n Teilchen nt; (GRAM) Partikel m

particular [pə'tɪkjʊlə*] adj bestimmt; (exact) genau; (fussy) eigen; **in** ~ besonders; ~**ly** adv besonders; ~**s** npl (details) Einzelheiten pl; (of person) Personalien pl

parting ['pɑːtɪŋ] n (separation) Abschied m; (BRIT: of hair) Scheitel m ♦ adj Abschieds-

partition [pɑː'tɪʃən] n (wall) Trennwand f; (division) Teilung f ♦ vt aufteilen

partly ['pɑːtli] adv zum Teil, teilweise

partner ['pɑːtnə*] n Partner m ♦ vt der Partner sein von; ~**ship** n Partnerschaft f; (COMM) Teilhaberschaft f

partridge ['pɑːtrɪdʒ] n Rebhuhn nt

part-time ['pɑːt'taɪm] adj Teilzeit- ♦ adv stundenweise

party ['pɑːti] n (POL, JUR) Partei f; (group) Gesellschaft f; (celebration) Party f ♦ adj (dress) Party-; (politics) Partei-; ~ **line** n (TEL) Gemeinschaftsanschluß m

pass [pɑːs] vt (on foot) vorbeigehen an +dat; (driving) vorbeifahren an +dat; (surpass) übersteigen; (hand on) weitergeben; (approve) genehmigen; (time) verbringen; (exam) bestehen ♦ vi (go by) vorbeigehen;

vorbeifahren; (*years*) vergehen; (*be successful*) bestehen ♦ n (*in mountains, SPORT*) Paß m; (*permission*) Passierschein m; (*in exam*): **to get a ~** bestehen; **to ~ sth through sth** etw durch etw führen; **to make a ~ at sb** (*inf*) bei jdm Annäherungsversuche machen; **~ away** vi (*euph*) verscheiden; **~ by** vi vorbeigehen; vorbeifahren; (*years*) vergehen; **~ for** vt fus gehalten werden für; **~ on** vt weitergeben; **~ out** vi (*faint*) ohnmächtig werden; **~ up** vt vorbeigehen lassen; **~able** adj (*road*) passierbar; (*fairly good*) passabel

passage ['pæsɪdʒ] n (*corridor*) Gang m; (*in book*) (Text)stelle f; (*voyage*) Überfahrt f; **~way** n Durchgang m

passbook ['pɑːsbʊk] n Sparbuch nt

passenger ['pæsɪndʒə*] n Passagier m; (*on bus*) Fahrgast m

passer-by ['pɑːsə'baɪ] n Passant(in) m(f)

passing ['pɑːsɪŋ] adj (*car*) vorbeifahrend; (*thought, affair*) momentan ♦ n: **in ~** en passant; **~ place** n (*AUT*) Ausweichstelle f

passion ['pæʃən] n Leidenschaft f; **~ate** adj leidenschaftlich

passive ['pæsɪv] adj passiv; (*LING*) passivisch; **~ smoking** n passives Rauchen nt

Passover ['pɑːsəʊvə*] n Passahfest nt

passport ['pɑːspɔːt] n (Reise)paß m; **~ control** n Paßkontrolle f

password ['pɑːswɜːd] n Parole f, Kennwort nt, Losung f

past [pɑːst] prep (*motion*) an +dat ... vorbei; (*position*) hinter +dat; (*later than*) nach ♦ adj (*years*) vergangen; (*president etc*) ehemalig ♦ n Vergangenheit f; **he's ~ forty** er ist über vierzig; **for the ~ few/3 days** in den letzten paar/3 Tagen; **to run ~** vorbeilaufen; **ten/quarter ~ eight** zehn/viertel nach acht

pasta ['pæstə] n Teigwaren pl

paste [peɪst] n (*fish ~ etc*) Paste f; (*glue*) Kleister m ♦ vt kleben; (*put ~ on*) mit Kleister bestreichen

pasteurized ['pæstəraɪzd] adj pasteurisiert

pastime ['pɑːstaɪm] n Zeitvertreib m

pastor ['pɑːstə*] n Pfarrer m

pastry ['peɪstrɪ] n Blätterteig m; **pastries** npl (*tarts etc*) Stückchen pl

pasture ['pɑːstʃə*] n Weide f

pasty [n 'pæstɪ, adj 'peɪstɪ] n (Fleisch)pastete f ♦ adj bläßlich, käsig

pat [pæt] n leichte(r) Schlag m, Klaps m ♦ vt tätscheln

patch [pætʃ] n Fleck m ♦ vt flicken; **(to go through) a bad ~** eine Pechsträhne (haben); **~ up** vt flicken; (*quarrel*) beilegen; **~y** adj (*irregular*) ungleichmäßig

pâté ['pæteɪ] n Pastete f

patent ['peɪtənt] n Patent nt ♦ vt patentieren lassen; (*by authorities*) patentieren ♦ adj offenkundig; **~ leather** n Lackleder nt

paternal [pə'tɜːnl] adj väterlich

paternity [pə'tɜːnɪtɪ] n Vaterschaft f

path [pɑːθ] n Pfad m; Weg m; (*of the sun*) Bahn f

pathetic [pə'θetɪk] adj (*very bad*) kläglich

pathological [pæθə'lɒdʒɪkl] adj pathologisch

pathology [pə'θɒlədʒɪ] n Pathologie f

pathos ['peɪθɒs] n Rührseligkeit f

pathway ['pɑːθweɪ] n Weg m

patience ['peɪʃəns] n Geduld f; (*BRIT: CARDS*) Patience f

patient ['peɪʃənt] n Patient(in) m(f), Kranke(r) mf ♦ adj geduldig

patio ['pætɪəʊ] n Terrasse f

patriotic [pætrɪ'ɒtɪk] adj patriotisch

patrol [pə'trəʊl] n Patrouille f; (*police*) Streife f ♦ vt patrouillieren in +dat ♦ vi (*police*) die Runde machen; (*MIL*) patrouillieren; **~ car** n Streifenwagen m; **~man** (*US; irreg*) n (Streifen)polizist m

patron ['peɪtrən] n (*in shop*) (Stamm)kunde m; (*in hotel*) (Stamm)gast m; (*supporter*) Förderer m; **~ of the arts** Mäzen m; **~age** ['pætrənɪdʒ] n Schirmherrschaft f; **~ize** ['pætrənaɪz] vt (*support*) unterstützen; (*shop*) besuchen; (*treat condescendingly*) von oben herab behandeln; **~ saint** n Schutzpatron(in) m(f)

patter ['pætə*] n (*sound: of feet*) Trappeln nt; (: *of rain*) Prasseln nt; (*sales talk*) Gerede nt ♦ vi (*feet*) trappeln; (*rain*) prasseln

pattern ['pætən] n Muster nt; (*SEWING*) Schnittmuster nt; (*KNITTING*) Strickanleitung f

paunch [pɔːntʃ] n Wanst m

pauper ['pɔːpə*] n Arme(r) mf

pause [pɔːz] n Pause f ♦ vi innehalten

pave [peɪv] vt pflastern; **to ~ the way for** den Weg bahnen für

pavement ['peɪvmənt] (*BRIT*) n Bürgersteig m

pavilion [pə'vɪlɪən] n Pavillon m; (*SPORT*) Klubhaus nt

paving ['peɪvɪŋ] n Straßenpflaster nt; **~ stone** n Pflasterstein m

paw [pɔː] n Pfote f; (*of big cats*) Tatze f, Pranke f ♦ vt (*scrape*) scharren; (*handle*) betatschen

pawn [pɔːn] n Pfand nt; (*chess*) Bauer m ♦ vt verpfänden; **~broker** n Pfandleiher m; **~shop** n Pfandhaus nt

pay [peɪ] (*pt, pp paid*) n Bezahlung f, Lohn m ♦ vt bezahlen ♦ vi zahlen; (*be profitable*) sich bezahlt machen; **to ~ attention (to)** achtgeben (auf +acc); **to ~ sb a visit** jdn besuchen; **~ back** vt zurückzahlen; **~ for** vt fus bezahlen; **~ in** vt einzahlen; **~ off** vt abzahlen ♦ vi (*scheme, decision*) sich bezahlt machen; **~ up** vi bezahlen; **~able** adj zahlbar, fällig; **~ee** [peɪ'iː] n Zahlungsempfänger m; **~ envelope** (*US*) n Lohntüte f; **~ment** n Bezahlung f; **advance ~ment** Vorauszahlung f; **monthly ~ment** monatliche Rate f; **~ packet** (BRIT) n Lohntüte f; **~ phone** n Münzfernsprecher m; **~roll** n Lohnliste f; **~ slip** n Lohn-/ Gehaltsstreifen m; **~ television** n Münzfernsehen nt

PC n abbr = **personal computer**

p.c. abbr = **per cent**

pea [pi:] n Erbse f

peace [pi:s] n Friede(n) m; **~able** adj friedlich; **~ful** adj friedlich, ruhig; **~-keeping** adj Friedens-

peach [pi:tʃ] n Pfirsich m

peacock ['pi:kɒk] n Pfau m

peak [pi:k] n Spitze f; (of mountain) Gipfel m; (fig) Höhepunkt m; **~ hours** npl (traffic) Hauptverkehrszeit f, (telephone, electricity) Hauptbelastungszeit f; **~ period** n Stoßzeit f, Hauptzeit f

peal [pi:l] n (Glocken)läuten nt; **~s of laughter** schallende(s) Gelächter n

peanut ['pi:nʌt] n Erdnuß f; **~ butter** n Erdnußbutter f

pear [pɛə*] n Birne f

pearl [pɜ:l] n Perle f

peasant ['pezənt] n Bauer m

peat [pi:t] n Torf m

pebble ['pebl] n Kiesel m

peck [pek] vt, vi picken ♦ n (with beak) Schnabelhieb m; (kiss) flüchtige(r) Kuß m; **~ing order** n Hackordnung f; **~ish** (BRIT: inf) adj ein bißchen hungrig

peculiar [pɪˈkjuːlɪə*] adj (odd) seltsam; **~ to** charakteristisch für; **~ity** [pɪkjuːlɪˈærɪtɪ] n (singular quality) Besonderheit f; (strangeness) Eigenartigkeit f

pedal ['pedl] n Pedal nt ♦ vt, vi (cycle) fahren, radfahren

pedantic [pɪˈdæntɪk] adj pedantisch

peddler ['pedlə*] n Hausierer(in) m(f); (of drugs) Drogenhändler(in) m(f)

pedestal ['pedɪstl] n Sockel m

pedestrian [pɪˈdestrɪən] n Fußgänger m ♦ adj Fußgänger-; (humdrum) langweilig; **~ crossing** (BRIT) n Fußgängerübergang m

pediatrics [pi:dɪˈætrɪks] (US) n = **paediatrics**

pedigree ['pedɪgri:] n Stammbaum m ♦ cpd (animal) reinrassig, Zucht-

pedlar ['pedlə*] n = **peddler**

pee [pi:] (inf) vi pissen, pinkeln

peek [pi:k] vi gucken

peel [pi:l] n Schale f ♦ vt schälen ♦ vi (paint etc) abblättern; (skin) sich schälen

peep [pi:p] n (BRIT: look) kurze(r) Blick m; (sound) Piepsen nt ♦ vi (BRIT: look) gucken; **~ out** vi herausgucken; **~hole** n Guckloch nt

peer [pɪə*] vi starren; (peep) gucken ♦ n (nobleman) Peer m; (equal) Ebenbürtige(r) m; **~age** n Peerswürde f

peeved [pi:vd] adj ärgerlich; (person) sauer

peevish ['pi:vɪʃ] adj verdrießlich

peg [peg] n (stake) Pflock m; (BRIT: also: clothes ~) Wäscheklammer f

Peking [pi:ˈkɪŋ] n Peking nt

pelican ['pelɪkən] n Pelikan m; **~ crossing** (BRIT) n (AUT) Ampelüberweg m

pellet ['pelɪt] n Kügelchen nt

pelmet ['pelmɪt] n Blende f

pelt [pelt] vt bewerfen ♦ vi (rain) schütten ♦ n Pelz m, Fell nt

pelvis ['pelvɪs] n Becken nt

pen [pen] n (fountain ~) Federhalter m; (ball-point ~) Kuli m; (for sheep) Pferch m

penal ['pi:nl] adj Straf-; **~ize** vt (punish) bestrafen; (disadvantage) benachteiligen; **~ty** ['penltɪ] n Strafe f; (FOOTBALL) Elfmeter m; **~ty (kick)** n Elfmeter m

penance ['penəns] n Buße f

pence [pens] (BRIT) npl of **penny**

pencil ['pensl] n Bleistift m; **~ case** n Federmäppchen nt; **~ sharpener** n Bleistiftspitzer m

pendant ['pendənt] n Anhänger m

pending ['pendɪŋ] prep bis (zu) ♦ adj unentschieden, noch offen

pendulum ['pendjʊləm] n Pendel nt

penetrate ['penɪtreɪt] vt durchdringen; (enter into) eindringen in +acc

penetration [penɪˈtreɪʃən] n Durchdringen nt; Eindringen n

penfriend ['penfrend] (BRIT) n Brieffreund(in) m(f)

penguin ['peŋgwɪn] n Pinguin m

penicillin [penɪˈsɪlɪn] n Penizillin nt

peninsula [pɪˈnɪnsjʊlə] n Halbinsel f

penis ['pi:nɪs] n Penis m

penitence ['penɪtəns] n Reue f

penitent ['penɪtənt] adj reuig

penitentiary [penɪˈtenʃərɪ] (US) n Zuchthaus m

penknife ['pennaɪf] n Federmesser nt

pen name n Pseudonym nt

penniless ['penɪlɪs] adj mittellos

penny ['penɪ] (pl **pennies** or BRIT **pence**) n Penny m; (US) Centstück nt

penpal ['penpæl] n Brieffreund(in) m(f)

pension ['penʃən] n Rente f; **~er** (BRIT) n Rentner(in) m(f); **~ fund** n Rentenfonds m

pensive ['pensɪv] adj nachdenklich

Pentecost ['pentɪkɒst] n Pfingsten pl or nt

penthouse ['penthaʊs] n Dachterrassenwohnung f

pent-up ['pentʌp] adj (feelings) angestaut

penultimate [pɪˈnʌltɪmət] adj vorletzte(r, s)

people ['pi:pl] n (nation) Volk n ♦ npl (persons) Leute pl; (inhabitants) Bevölkerung f ♦ vt besiedeln; **several ~ came** mehrere Leute kamen; **~ say that ...** man sagt, daß ...

pep [pep] (inf) n Schwung m, Schmiß m; **~ up** vt aufmöbeln

pepper ['pepǝ*] n Pfeffer m; (vegetable) Paprika m ♦ vt (pelt) bombardieren; ~**mint** n (plant) Pfefferminze f; (sweet) Pfefferminz nt

peptalk ['peptɔːk] (inf) n Anstachelung f

per [pɜː*] prep pro; ~ **day/person** pro Tag/Person; ~ **annum** adv pro Jahr; ~ **capita** adj (income) Pro-Kopf- ♦ adv pro Kopf

perceive [pǝ'siːv] vt (realize) wahrnehmen; (understand) verstehen

per cent [pǝ'sent] n Prozent nt

percentage [pǝ'sentɪdʒ] n Prozentsatz m

perception [pǝ'sepʃǝn] n Wahrnehmung f; (insight) Einsicht f

perceptive [pǝ'septɪv] adj (person) aufmerksam; (analysis) tiefgehend

perch [pɜːtʃ] n Stange f; (fish) Flußbarsch m ♦ vi sitzen, hocken

percolator ['pɜːkǝleɪtǝ*] n Kaffeemaschine f

percussion [pɜː'kʌʃǝn] n (MUS) Schlagzeug nt

peremptory [pǝ'remptǝrɪ] adj schroff

perennial [pǝ'renɪǝl] adj wiederkehrend; (everlasting) unvergänglich

perfect [adj, n 'pɜːfɪkt, vb pǝ'fekt] adj vollkommen; (crime, solution) perfekt ♦ n (GRAM) Perfekt nt ♦ vt vervollkommnen; ~**ion** [pǝ'fekʃǝn] n Vollkommenheit f; ~**ionist** [pǝ'fekʃǝnɪst] n Perfektionist m; ~**ly** adv vollkommen, perfekt; (quite) ganz, einfach

perforate ['pɜːfǝreɪt] vt durchlöchern

perforation [pǝfǝ'reɪʃǝn] n Perforieren nt; (line of holes) Perforation f

perform [pǝ'fɔːm] vt (carry out) durch- or ausführen; (task) verrichten; (THEAT) spielen, geben ♦ vi auftreten; ~**ance** n Durchführung f, (efficiency) Leistung f; (show) Vorstellung f; ~**er** n Künstler(in) m(f); ~**ing** adj (animal) dressiert

perfume ['pɜːfjuːm] n Duft m; (lady's) Parfüm nt

perfunctory [pǝ'fʌŋktǝrɪ] adj oberflächlich, mechanisch

perhaps [pǝ'hæps] adv vielleicht

peril ['perɪl] n Gefahr f

perimeter [pǝ'rɪmɪtǝ*] n Peripherie f; (of circle etc) Umfang m

period ['pɪǝrɪǝd] n Periode f, (GRAM) Punkt m; (MED) Periode f ♦ adj (costume) historisch; ~**ic** [pɪǝrɪ'ɒdɪk] adj periodisch; ~**ical** [pɪǝrɪ'ɒdɪkǝl] n Zeitschrift f; ~**ically** [pɪǝrɪ'ɒdɪkǝlɪ] adv periodisch

peripheral [pǝ'rɪfǝrǝl] adj Rand-, peripher ♦ n (COMPUT) Peripheriegerät nt

perish ['perɪʃ] vi umkommen; (fruit) verderben; ~**able** adj leicht verderblich

perjury ['pɜːdʒǝrɪ] n Meineid m

perk [pɜːk] (inf) n (fringe benefit) Vergünstigung f; ~ **up** vi munter werden; ~**y** adj (cheerful) keck

perm [pɜːm] n Dauerwelle f

permanent ['pɜːmǝnǝnt] adj dauernd, ständig

permeate ['pɜːmɪeɪt] vt, vi durchdringen

permissible [pǝ'mɪsǝbl] adj zulässig

permission [pǝ'mɪʃǝn] n Erlaubnis f

permissive [pǝ'mɪsɪv] adj nachgiebig; **the** ~ **society** die permissive Gesellschaft

permit [n 'pɜːmɪt, vb pǝ'mɪt] n Zulassung f ♦ vt erlauben, zulassen

pernicious [pɜː'nɪʃǝs] adj schädlich

perpendicular [pɜːpǝn'dɪkjulǝ*] adj senkrecht

perpetrate ['pɜːpɪtreɪt] vt begehen

perpetual [pǝ'petjuǝl] adj dauernd, ständig

perpetuate [pǝ'petjueɪt] vt verewigen, bewahren

perplex [pǝ'pleks] vt verblüffen

persecute ['pɜːsɪkjuːt] vt verfolgen

persecution [pɜːsɪ'kjuːʃǝn] n Verfolgung f

perseverance [pɜːsɪ'vɪǝrǝns] n Ausdauer f

persevere [pɜːsɪ'vɪǝ*] vi durchhalten

Persian ['pɜːʃǝn] adj persisch ♦ n Perser(in) m(f); **the (~) Gulf** der Persische Golf

persist [pǝ'sɪst] vi (in belief etc) bleiben; (rain, smell) andauern; (continue) nicht aufhören; **to** ~ **in** bleiben bei; ~**ence** n Beharrlichkeit f; ~**ent** adj beharrlich; (unending) ständig

person ['pɜːsn] n Person f; **in** ~ persönlich; ~**able** adj gut aussehend; ~**al** persönlich; (private) privat; (of body) körperlich, Körper-; ~**al assistant** n Assistent(in) m(f); ~**al computer** n Personalcomputer m; ~**ality** [pɜːsǝ'nælɪtɪ] n Persönlichkeit f; ~**ally** adv persönlich; ~**al organiser** n Terminplaner m, Zeitplaner m; (electronic) elektronisches Notizbuch nt; ~**al stereo** n Walkman m ®; ~**ify** [pɜː'sɒnɪfaɪ] vt verkörpern

personnel [pɜːsǝ'nel] n Personal nt

perspective [pǝ'spektɪv] n Perspektive f

Perspex ['pɜːspeks] ® n Acrylglas nt

perspiration [pɜːspǝ'reɪʃǝn] n Transpiration f

perspire [pǝs'paɪǝ*] vi transpirieren

persuade [pǝ'sweɪd] vt überreden; (convince) überzeugen

persuasion [pǝ'sweɪʒǝn] n Überredung f; Überzeugung f

persuasive [pǝ'sweɪsɪv] adj überzeugend

pert [pɜːt] adj keck

pertaining [pɜː'teɪnɪŋ]: ~ **to** prep betreffend +acc

pertinent ['pɜːtɪnǝnt] adj relevant

perturb [pǝ'tɜːb] vt beunruhigen

peruse [pǝ'ruːz] vt lesen

pervade [pǝ'veɪd] vt erfüllen

perverse [pǝ'vɜːs] adj pervers; (obstinate) eigensinnig

pervert [n 'pɜːvɜːt, vb pǝ'vɜːt] n perverse(r)

Mensch *m* ♦ *vt* verdrehen; *(morally)* verderben

pessimist ['pesɪmɪst] *n* Pessimist *m*; **~ic** [pesɪ'mɪstɪk] *adj* pessimistisch

pest [pest] *n* (*insect*) Schädling *m*; (*fig: person*) Nervensäge *f*; (: *thing*) Plage *f*

pester ['pestə*] *vt* plagen

pesticide ['pestɪsaɪd] *n* Insektenvertilgungsmittel *nt*

pet [pet] *n* (*animal*) Haustier *nt* ♦ *vt* liebkosen, streicheln ♦ *vi* (*inf*) Petting machen

petal ['petl] *n* Blütenblatt *nt*

peter out ['piːtə-] *vi* allmählich zu Ende gehen

petite [pə'tiːt] *adj* zierlich

petition [pə'tɪʃən] *n* Bittschrift *f*

petrified ['petrɪfaɪd] *adj* versteinert; (*person*) starr (vor Schreck)

petrify ['petrɪfaɪ] *vt* versteinern; (*person*) erstarren lassen

petrol ['petrəl] (*BRIT*) *n* Benzin *nt*, Kraftstoff *m*; **two-/four-star ~** ≈ Normal-/Superbenzin *nt*; **~ can** *n* Benzinkanister *m*

petroleum [pɪ'trəʊlɪəm] *n* Petroleum *nt*

petrol: **~ pump** (*BRIT*) *n* (*in car*) Benzinpumpe *f*; (*at garage*) Zapfsäule *f*; **~ station** (*BRIT*) *n* Tankstelle *f*; **~ tank** (*BRIT*) *n* Benzintank *m*

petticoat ['petɪkəʊt] *n* Unterrock *m*

petty ['petɪ] *adj* (*unimportant*) unbedeutend; (*mean*) kleinlich; **~ cash** *n* Portokasse *f*; **~ officer** *n* Maat *m*

petulant ['petjʊlənt] *adj* leicht reizbar

pew [pjuː] *n* Kirchenbank *f*

pewter ['pjuːtə*] *n* Zinn *nt*

pharmacist ['fɑːməsɪst] *n* Pharmazeut *m*; (*druggist*) Apotheker *m*

pharmacy ['fɑːməsɪ] *n* Pharmazie *f*; (*shop*) Apotheke *f*

phase [feɪz] *n* Phase *f* ♦ *vt*: **to ~ sth in** etw allmählich einführen; **to ~ sth out** etw auslaufen lassen

Ph.D. *n abbr* = **Doctor of Philosophy**

pheasant ['feznt] *n* Fasan *m*

phenomena [fɪ'nɒmɪnə] *npl of* **phenomenon**

phenomenon [fɪ'nɒmɪnən] *n* Phänomen *nt*

philanthropist [fɪ'lænθrəpɪst] *n* Philanthrop *m*, Menschenfreund *m*

Philippines ['fɪlɪpiːnz] *npl*: **the ~** die Philippinen *pl*

philosopher [fɪ'lɒsəfə*] *n* Philosoph *m*

philosophical [fɪlə'sɒfɪkl] *adj* philosophisch

philosophy [fɪ'lɒsəfɪ] *n* Philosophie *f*

phlegm [flem] *n* (*MED*) Schleim *m*; (*calmness*) Gelassenheit *f*; **~atic** [fleg'mætɪk] *adj* gelassen

phobia ['fəʊbjə] *n* (*irrational fear: of insects, flying, water etc*) Phobie *f*

phone [fəʊn] *n* Telefon *nt* ♦ *vt*, *vi* telefonieren, anrufen; **to be on the ~** telephonie-

ren; **~ back** *vt*, *vi* zurückrufen; **~ up** *vt*, *vi* anrufen; **~ book** *n* Telefonbuch *nt*; **~ booth** *n* Telefonzelle *f*; **~ box** *n* Telefonzelle *f*; **~ call** *n* Telefonanruf *m*; **~ card** *n* (*TEL*) Telefonkarte *f*; **~-in** *n* (*RADIO, TV*) Phone-in *nt*

phonetics [fə'netɪks] *n* Phonetik *f*

phoney ['fəʊnɪ] (*inf*) *adj* unecht ♦ *n* (*person*) Schwindler *m*; (*thing*) Fälschung *f*; (*banknote*) Blüte *f*

phony ['fəʊnɪ] *adj, n* = **phoney**

photo ['fəʊtəʊ] *n* Foto *nt*

photocopier ['fəʊtəʊˈkɒpɪə*] *n* Kopiergerät *nt*

photocopy ['fəʊtəʊkɒpɪ] *n* Fotokopie *f* ♦ *vt* fotokopieren

photogenic [fəʊtəʊˈdʒenɪk] *adj* fotogen

photograph ['fəʊtəgrɑːf] *n* Fotografie *f*, Aufnahme *f* ♦ *vt* fotografieren; **~er** [fə'tɒgrəfə*] *n* Fotograf *m*; **~ic** [fəʊtə'græfɪk] *adj* fotografisch; **~y** [fə'tɒgrəfɪ] *n* Fotografie *f*

phrase [freɪz] *n* Satz *m*; (*expression*) Ausdruck *m* ♦ *vt* ausdrücken, formulieren; **~ book** *n* Sprachführer *m*

physical ['fɪzɪkəl] *adj* physikalisch; (*bodily*) körperlich, physisch; **~ education** *n* Turnen *nt*; **~ly** *adv* physikalisch

physician [fɪ'zɪʃən] *n* Arzt *m*

physicist ['fɪzɪsɪst] *n* Physiker(in) *m(f)*

physics ['fɪzɪks] *n* Physik *f*

physiotherapy [fɪzɪə'θerəpɪ] *n* Heilgymnastik *f*, Physiotherapie *f*

physique [fɪ'ziːk] *n* Körperbau *m*

pianist ['pɪənɪst] *n* Pianist(in) *m(f)*

piano [pɪ'ænəʊ] *n* Klavier *nt*

pick [pɪk] *n* (*tool*) Pickel *m*; (*choice*) Auswahl *f* ♦ *vt* (*fruit*) pflücken; (*choose*) aussuchen; **take your ~** such dir etwas aus; **to ~ sb's pocket** jdn bestehlen; **~ off** *vt* (*kill*) abschießen; **~ on** *vt fus* (*person*) herumhacken auf +*dat*; **~ out** *vt* auswählen; **~ up** *vi* (*improve*) sich erholen ♦ *vt* (*lift up*) aufheben; (*learn*) (schnell) mitbekommen; (*collect*) abholen; (*girl*) (sich *dat*) anlachen; (*AUT: passenger*) mitnehmen; (*speed*) gewinnen an +*dat*; **to ~ o.s. up** aufstehen

picket ['pɪkɪt] *n* (*striker*) Streikposten *m* ♦ *vt* (*factory*) (Streik)posten aufstellen vor +*dat* ♦ *vi* (Streik)posten stehen

pickle ['pɪkl] *n* (*salty mixture*) Pökel *m*; (*inf*) Klemme *f* ♦ *vt* (in Essig) einlegen; einpökeln

pickpocket ['pɪkpɒkɪt] *n* Taschendieb *m*

pick-up ['pɪkʌp] *n* (*BRIT: on record player*) Tonabnehmer *m*; (*small truck*) Lieferwagen *m*

picnic ['pɪknɪk] *n* Picknick *nt* ♦ *vi* picknicken

pictorial [pɪk'tɔːrɪəl] *adj* in Bildern

picture ['pɪktʃə*] *n* Bild *nt* ♦ *vt* (*visualize*) sich *dat* vorstellen; **the ~s** *npl* (*BRIT*) das

Kino; ~ **book** n Bilderbuch nt

picturesque [pɪktʃə'resk] adj malerisch

pie [paɪ] n (*meat*) Pastete f; (*fruit*) Torte f

piece [piːs] n Stück nt ♦ vt: **to ~ together** zusammenstückeln; (*fig*) sich dat zusammenreimen; **to take to ~s** in Einzelteile zerlegen; ~**meal** adv stückweise, Stück für Stück; ~**work** n Akkordarbeit f

pie chart n Kreisdiagramm nt

pier [pɪə*] n Pier m, Mole f

pierce [pɪəs] vt durchstechen, durchbohren (*also look*); **piercing** ['pɪəsɪŋ] adj (*cry*) durchdringend

piety ['paɪətɪ] n Frömmigkeit f

pig [pɪg] n Schwein nt

pigeon ['pɪdʒən] n Taube f; ~**hole** n (*compartment*) Ablegefach nt

piggy bank ['pɪgɪ-] n Sparschwein nt

pigheaded ['pɪg'hedɪd] adj dickköpfig

piglet ['pɪglət] n Ferkel nt

pigskin ['pɪgskɪn] n Schweinsleder nt

pigsty ['pɪgstaɪ] n (*also fig*) Schweinestall m

pigtail ['pɪgteɪl] n Zopf m

pike [paɪk] n Pike f; (*fish*) Hecht m

pilchard ['pɪltʃəd] n Sardine f

pile [paɪl] n Haufen m; (*of books, wood*) Stapel m; (*in ground*) Pfahl m; (*on carpet*) Flausch m ♦ vt (*also: ~ up*) anhäufen ♦ vi (*also: ~ up*) sich anhäufen

piles [paɪlz] npl Hämorrhoiden pl

pile-up ['paɪlʌp] n (*AUT*) Massenzusammenstoß m

pilfering ['pɪlfərɪŋ] n Diebstahl m

pilgrim ['pɪlgrɪm] n Pilger(in) m(f); ~**age** n Wallfahrt f

pill [pɪl] n Tablette f, Pille f; **the ~** die (Antibaby)pille

pillage ['pɪlɪdʒ] vt plündern

pillar ['pɪlə*] n Pfeiler m, Säule f (*also fig*); ~ **box** (*BRIT*) n Briefkasten m

pillion ['pɪljən] n Soziussitz m

pillory ['pɪlərɪ] vt (*fig*) anprangern

pillow ['pɪləʊ] n Kissen nt; ~**case** n Kissenbezug m

pilot ['paɪlət] n Pilot m; (*NAUT*) Lotse m ♦ adj (*scheme etc*) Versuchs- ♦ vt führen; (*ship*) lotsen; ~ **light** n Zündflamme f

pimp [pɪmp] n Zuhälter m

pimple ['pɪmpl] n Pickel m

pimply ['pɪmplɪ] adj pick(e)lig

pin [pɪn] n Nadel f; (*for sewing*) Stecknadel f; (*TECH*) Stift m, Bolzen m ♦ vt stecken; (*keep in one position*) pressen, drücken; **to ~ sth to sth** etw an etw acc heften; **to ~ sth on sb** (*fig*) jdm etw anhängen; ~**s and needles** Kribbeln nt; ~ **down** vt (*fig: person*): **to ~ sb down (to sth)** jdn (auf etw acc) festnageln

pinafore ['pɪnəfɔː*] n Schürze f, ~ **dress** n Kleiderrock m

pinball ['pɪnbɔːl] n Flipper m

pincers ['pɪnsəz] npl Kneif- or Beißzange f;

(*MED*) Pinzette f

pinch [pɪntʃ] n Zwicken nt, Kneifen nt; (*of salt*) Prise f ♦ vt zwicken, kneifen; (*inf: steal*) klauen; (: *arrest*) schnappen ♦ vi (*shoe*) drücken; **at a ~** notfalls, zur Not

pincushion ['pɪnkʊʃən] n Nadelkissen nt

pine [paɪn] n (*also: ~ tree*) Kiefer f ♦ vi: **to ~ for** sich sehnen nach; ~ **away** vi sich zu Tode sehnen

pineapple ['paɪnæpl] n Ananas f

ping [pɪŋ] n Klingeln nt; ~-**pong** (®) n Pingpong nt

pink [pɪŋk] adj rosa inv ♦ n Rosa nt; (*BOT*) Nelke f

pinnacle ['pɪnəkl] n Spitze f

PIN (number) n Geheimnummer f

pinpoint ['pɪnpɔɪnt] vt festlegen

pinstripe ['pɪnstraɪp] n Nadelstreifen m

pint [paɪnt] n Pint nt; (*BRIT: inf: of beer*) große(s) Bier nt

pioneer [paɪə'nɪə*] n Pionier m; (*fig also*) Bahnbrecher m

pious ['paɪəs] adj fromm

pip [pɪp] n Kern m; **the ~s** npl (*BRIT: time signal on radio*) das Zeitzeichen

pipe [paɪp] n (*smoking*) Pfeife f; (*tube*) Rohr nt; (*in house*) (Rohr)leitung f ♦ vt (durch Rohre) leiten; (*MUS*) blasen; ~**s** npl (*also: bagpipes*) Dudelsack m; ~ **down** vi (*be quiet*) die Luft anhalten; ~ **cleaner** n Pfeifenreiniger m; ~-**dream** n Luftschloß nt; ~**line** n (*for oil*) Pipeline f; ~**r** n Pfeifer m; (*bagpipes*) Dudelsackbläser m

piping ['paɪpɪŋ] adv: ~ **hot** siedend heiß

pique [piːk] n gekränkte(r) Stolz m

pirate ['paɪərɪt] n Pirat m, Seeräuber m; ~ **radio** (*BRIT*) n Piratensender m

Pisces ['paɪsiːz] n Fische pl

piss [pɪs] (*inf*) vi pissen; ~**ed** (*inf*) adj (*drunk*) voll

pistol ['pɪstl] n Pistole f

piston ['pɪstən] n Kolben m

pit [pɪt] n Grube f; (*THEAT*) Parterre nt; (*orchestra ~*) Orchestergraben m ♦ vt (*mark with scars*) zerfressen; (*compare*): **to ~ sb against sb** jdn an jdn messen; **the ~s** npl (*MOTOR RACING*) die Boxen

pitch [pɪtʃ] n Wurf m; (*of trader*) Stand m; (*SPORT*) (Spiel)feld nt; (*MUS*) Tonlage f; (*substance*) Pech nt ♦ vt werfen; (*set up*) aufschlagen ♦ vi (*NAUT*) rollen; **to ~ a tent** ein Zelt aufbauen; ~-**black** adj pechschwarz; ~**ed battle** n offene Schlacht f

pitcher ['pɪtʃə*] n Krug m

piteous ['pɪtɪəs] adj kläglich, erbärmlich

pitfall ['pɪtfɔːl] n (*fig*) Falle f

pith [pɪθ] n Mark nt

pithy ['pɪθɪ] adj prägnant

pitiful ['pɪtɪfʊl] adj (*deserving pity*) bedauernswert; (*contemptible*) jämmerlich

pitiless ['pɪtɪləs] adj erbarmungslos

pittance ['pɪtəns] n Hungerlohn m

pity ['pɪtɪ] n (*sympathy*) Mitleid nt ♦ vt Mitleid haben mit; **what a ~!** wie schade!
pivot ['pɪvət] n Drehpunkt m ♦ vi: **to ~ (on)** sich drehen (um)
pixie ['pɪksɪ] n Elf m, Elfe f
pizza ['pi:tsə] n Pizza f
placard ['plækɑ:d] n Plakat nt, Anschlag m
placate [plə'keɪt] vt beschwichtigen
place [pleɪs] n Platz m; (*spot*) Stelle f; (*town etc*) Ort m ♦ vt setzen, stellen, legen; (*order*) aufgeben; (*SPORT*) plazieren; (*identify*) unterbringen; **to take ~** stattfinden; **out of ~** nicht am rechten Platz; (*fig: remark*) unangebracht; **in the first ~** erstens; **to change ~s with sb** mit jdm den Platz tauschen; **to be ~d third** (*in race, exam*) auf dem dritten Platz liegen
placid ['plæsɪd] adj gelassen, ruhig
plagiarism ['pleɪdʒɪərɪzəm] n Plagiat nt
plague [pleɪg] n Pest f; (*fig*) Plage f ♦ vt plagen
plaice [pleɪs] n Scholle f
plain [pleɪn] adj (*clear*) klar, deutlich; (*simple*) einfach, schlicht; (*not beautiful*) alltäglich ♦ n Ebene f; **in ~ clothes** (*police*) in Zivil(kleidung); **~ chocolate** n Bitterschokolade f
plaintiff ['pleɪntɪf] n Kläger m
plaintive ['pleɪntɪv] adj wehleidig
plait [plæt] n Zopf m ♦ vt flechten
plan [plæn] n Plan m ♦ vt, vi planen; **according to ~** planmäßig; **to ~ to do sth** vorhaben, etw zu tun
plane [pleɪn] n Ebene f; (*AVIAT*) Flugzeug nt; (*tool*) Hobel m; (*tree*) Platane f
planet ['plænɪt] n Planet m
plank [plæŋk] n Brett nt
planning ['plænɪŋ] n Planung f; **family ~** Familienplanung f; **~ permission** n Baugenehmigung f
plant [plɑ:nt] n Pflanze f; (*TECH*) (Maschinen)anlage f; (*factory*) Fabrik f, Werk nt ♦ vt pflanzen; (*set firmly*) stellen
plantation [plæn'teɪʃən] n Plantage f
plaque [plæk] n Gedenktafel f; (*on teeth*) (Zahn)belag m
plaster ['plɑ:stə*] n Gips m; (*in house*) Verputz m; (*BRIT: also: sticking ~*) Pflaster nt; (*for fracture: ~ of Paris*) Gipsverband m ♦ vt gipsen; (*hole*) zugipsen; (*ceiling*) verputzen; (*fig: with pictures etc*) bekleben, verkleiden; **~ed** (*inf*) adj besoffen; **~er** n Gipser m
plastic ['plæstɪk] n Plastik nt or f ♦ adj (*made of ~*) Plastik-; (*ART*) plastisch, bildend; **~ bag** n Plastiktüte f
plasticine ['plæstɪsi:n] (®) n Plastilin nt
plastic surgery n plastische Chirurgie f
plate [pleɪt] n Teller m; (*gold/silver ~*) vergoldete(s)/versilberte(s) Tafelgeschirr nt; (*flat sheet*) Platte f; (*in book*) (Bild)tafel f
plateau ['plætəʊ] (*pl ~s or ~x*) n (*GEO*) Plateau nt, Hochebene f

plateaux ['plætəʊz] npl of **plateau**
plate glass n Tafelglas nt
platform ['plætfɔ:m] n (*at meeting*) Plattform f, Podium nt; (*RAIL*) Bahnsteig m; (*POL*) Parteiprogramm nt; **~ ticket** n Bahnsteigkarte f
platinum ['plætɪnəm] n Platin nt
platoon [plə'tu:n] n (*MIL*) Zug m
platter ['plætə*] n Platte f
plausible ['plɔ:zɪbl] adj (*theory, excuse, statement*) plausibel; (*person*) überzeugend
play [pleɪ] n (*also TECH*) Spiel nt; (*THEAT*) (Theater)stück nt ♦ vt spielen; (*another team*) spielen gegen ♦ vi spielen; **to ~ safe** auf Nummer sicher gehen; **~ down** vt herunterspielen; **~ up** vi (*cause trouble*) frech werden; (*bad leg etc*) weh tun ♦ vt (*person*) plagen; **to ~ up to sb** jdm flattieren; **~-acting** n Schauspielerei f; **~boy** n Playboy m; **~er** n Spieler(in) m(f); **~ful** adj spielerisch; **~ground** n Spielplatz m; **~group** n Kindergarten m; **~ing card** n Spielkarte f; **~ing field** n Sportplatz m; **~mate** n Spielkamerad m; **~-off** n (*SPORT*) Entscheidungsspiel nt; **~pen** n Laufstall m; **~school** n = playgroup; **~thing** n Spielzeug nt; **~wright** n Theaterschriftsteller m
plc abbr (= public limited company) AG
plea [pli:] n Bitte f; (*general appeal*) Appell m; (*JUR*) Plädoyer nt
plead [pli:d] vt (*poverty*) zur Entschuldigung anführen; (*JUR: sb's case*) vertreten ♦ vi (*beg*) dringend bitten; (*JUR*) plädieren; **to ~ with sb** jdn dringend bitten
pleasant ['plezənt] adj angenehm; **~ness** n Angenehme(s) nt; (*of person*) Freundlichkeit f; **~ries** npl (*polite remarks*) Nettigkeiten pl
please [pli:z] vt, vi (*be agreeable to*) gefallen +dat; **~!** bitte!; **~ yourself!** wie du willst!; **~d** adj zufrieden; (*glad*): **~d (about sth)** erfreut (über etw acc); **~d to meet you** angenehm
pleasing ['pli:zɪŋ] adj erfreulich
pleasure ['pleʒə*] n Freude f-; (*old: will*) Wünsche pl ♦ cpd Vergnügungs-; **"it's a ~"** „gern geschehen"
pleat [pli:t] n Falte f
plectrum ['plektrəm] n Plektron nt
pledge [pledʒ] n Pfand nt; (*promise*) Versprechen nt ♦ vt verpfänden; (*promise*) geloben, versprechen
plentiful ['plentɪful] adj reichlich
plenty ['plentɪ] n Fülle f, Überfluß m; **~ of** eine Menge, viel
pleurisy ['plʊərɪsɪ] n Rippenfellentzündung f
pliable ['plaɪəbl] adj biegsam; (*person*) beeinflußbar
pliers ['plaɪəz] npl (Kneif)zange f
plight [plaɪt] n (Not)lage f
plimsolls ['plɪmsəlz] (*BRIT*) npl Turn-

schuhe *pl*

plinth [plɪnθ] *n* Sockel *m*

plod [plɒd] *vi* (*work*) sich abplagen; (*walk*) trotten; **~der** *n* Arbeitstier *nt*

plonk [plɒŋk] *n* (*BRIT: inf: wine*) billige(r) Wein *m* ♦ *vt:* **to ~ sth down** etw hinknallen

plot [plɒt] *n* Komplott *nt*; (*story*) Handlung *f*; (*of land*) Grundstück *nt* ♦ *vt* markieren; (*curve*) zeichnen; **~ through** *vt fus* (*water*) durchpflügen; (*book*) sich kämpfen durch

plow (*US*) = **plough**

ploy [plɔɪ] *n* Masche *f*

pluck [plʌk] *vt* (*fruit*) pflücken; (*guitar*) zupfen; (*goose etc*) rupfen ♦ *n* Mut *m*; **to ~ up courage** all seinen Mut zusammennehmen; **~y** *adj* beherzt

plug [plʌg] *n* Stöpsel *m*; (*ELEC*) Stecker *m*; (*inf: publicity*) Schleichwerbung *f*; (*AUT*) Zündkerze *f* ♦ *vt* (zu)stopfen; (*inf: advertise*) Reklame machen für; **~ in** *vt* (*ELEC*) anschließen

plum [plʌm] *n* Pflaume *f*, Zwetsch(g)e *f* ♦ *adj* (*job etc*) Bomben-

plumage ['plu:mɪdʒ] *n* Gefieder *nt*

plumb [plʌm] *adj* senkrecht ♦ *n* Lot *nt* ♦ *adv* (*exactly*) genau ♦ *vt* ausloten; (*fig*) sondieren

plumber ['plʌmə*] *n* Klempner *m*, Installateur *m*

plumbing ['plʌmɪŋ] *n* (*craft*) Installieren *nt*; (*fittings*) Leitungen *pl*

plume [plu:m] *n* Feder *f*; (*of smoke etc*) Fahne *f*

plummet ['plʌmɪt] *vi* (ab)stürzen

plump [plʌmp] *adj* rundlich, füllig ♦ *vt* plumpsen lassen; **to ~ for** (*inf: choose*) sich entscheiden für

plunder ['plʌndə*] *n* Plünderung *f*; (*loot*) Beute *f* ♦ *vt* plündern

plunge [plʌndʒ] *n* Sturz *m* ♦ *vt* stoßen ♦ *vi* (sich) stürzen; **to take the ~** den Sprung wagen

plunging ['plʌndʒɪŋ] *adj* (*neckline*) offenherzig

pluperfect ['plu:'pɜ:fɪkt] *n* Plusquamperfekt *nt*

plural ['plʊərəl] *n* Plural *m*, Mehrzahl *f*

plus [plʌs] *n* (*also:* **~ sign**) Plus(zeichen) *nt* ♦ *prep* plus, und; **ten/twenty ~** mehr als zehn/zwanzig

plush [plʌʃ] *adj* (*also* **~y:** *inf: luxurious*) feudal

ply [plaɪ] *vt* (*trade*) (be)treiben; (*with questions*) zusetzen +*dat*; (*ship, taxi*) befahren ♦ *vi* verkehren ♦ *n:* **three-~** (*wool*) Dreifach-; **to ~ sb with drink** jdn zum

Trinken animieren; **~wood** *n* Sperrholz *nt*

P.M. *n abbr* = **Prime Minister**

p.m. *adv abbr* (= *post meridiem*) nachmittags

pneumatic [nju:'mætɪk] *adj* pneumatisch; (*TECH*) Luft-; **~ drill** *n* Preßlufthammer *m*

pneumonia [nju:'məʊnɪə] *n* Lungenentzündung *f*

poach [pəʊtʃ] *vt* (*COOK*) pochieren; (*game*) stehlen ♦ *vi* (*steal*) wildern; **~ed** *adj* (*egg*) verloren; **~er** *n* Wilddieb *m*

P.O. Box *n abbr* = **Post Office Box**

pocket ['pɒkɪt] *n* Tasche *f*; (*of resistance*) (Widerstands)nest *nt* ♦ *vt* einstecken; **to be out of ~** (*BRIT*) draufzahlen; **~book** *n* Taschenbuch *nt*; **~ knife** *n* Taschenmesser *nt*; **~ money** *n* Taschengeld *nt*

pod [pɒd] *n* Hülse *f*; (*of peas also*) Schote *f*

podgy ['pɒdʒɪ] *adj* pummelig

podiatrist [pɒ'di:ətrɪst] (*US*) *n* Fußpfleger(in) *m(f)*

poem ['pəʊɪm] *n* Gedicht *nt*

poet ['pəʊɪt] *n* Dichter *m*, Poet *m*; **~ic** [pəʊ'etɪk] *adj* poetisch, dichterisch; **~ laureate** *n* Hofdichter *m*; **~ry** *n* Poesie *f*; (*poems*) Gedichte *pl*

poignant ['pɔɪnjənt] *adj* (*touching*) ergreifend

point [pɔɪnt] *n* (*also in discussion, scoring*) Punkt *m*; (*spot*) Punkt *m*, Stelle *f*; (*sharpened tip*) Spitze *f*; (*moment*) (Zeit)punkt *m*; (*purpose*) Zweck *m*; (*idea*) Argument *nt*; (*decimal*) Dezimalstelle *f*; (*personal characteristic*) Seite *f* ♦ *vt* zeigen mit; (*gun*) richten ♦ *vi* zeigen; **~s** *npl* (*RAIL*) Weichen *pl*; **to be on the ~ of doing sth** drauf und dran sein, etw zu tun; **to make a ~ of** Wert darauf legen; **to get the ~** verstehen, worum es geht; **to come to the ~** zur Sache kommen; **there's no ~ (in doing sth)** es hat keinen Sinn(, etw zu tun); **~ out** *vt* hinweisen auf +*acc*; **~ to** *vt fus* zeigen auf +*acc*; **~-blank** *adv* (*at close range*) aus nächster Entfernung; (*bluntly*) unverblümt; **~ed** *adj* (*also fig*) spitz, scharf; **~edly** *adv* (*fig*) spitz; **~er** *n* Zeigestock *m*; (*on dial*) Zeiger *m*; **~less** *adj* sinnlos; **~ of view** *n* Stand- *or* Gesichtspunkt *m*

poise [pɔɪz] *n* Haltung *f*; (*fig*) Gelassenheit *f*

poison ['pɔɪzn] *n* (*also fig*) Gift *nt* ♦ *vt* vergiften; **~ing** *n* Vergiftung *f*; **~ous** *adj* giftig, Gift-

poke [pəʊk] *vt* stoßen; (*put*) stecken; (*fire*) schüren; (*hole*) bohren; **~ about** *vi* herumstochern; (*nose around*) herumwühlen

poker ['pəʊkə*] *n* Schürhaken *m*; (*CARDS*) Poker *nt*; **~-faced** *adj* undurchdringlich

poky ['pəʊkɪ] *adj* eng

Poland ['pəʊlənd] *n* Polen *nt*

polar ['pəʊlə*] *adj* Polar-, polar; **~ bear** *n* Eisbär *m*; **~ize** *vt* polarisieren

Pole [pəʊl] *n* Pole *m*, Polin *f*
pole [pəʊl] *n* Stange *f*, Pfosten *m*; (*flag~, telegraph ~*) Stange *f*, Mast *m*; (*ELEC, GEOG*) Pol *m*; (*SPORT: vaulting ~*) Stab *m*; (*ski ~*) Stock *m*; ~ **bean** (*US*) *n* (*runner bean*) Stangenbohne *f*; ~ **vault** *n* Stabhochsprung *m*
police [pə'liːs] *n* Polizei *f* ♦ *vt* kontrollieren; ~ **car** *n* Polizeiwagen *m*; ~**man** (*irreg*) *n* Polizist *m*; ~ **state** *n* Polizeistaat *m*; ~ **station** *n* (Polizei)revier *nt*, Wache *f*; ~**woman** (*irreg*) *n* Polizistin *f*
policy ['pɒlɪsɪ] *n* Politik *f*; (*insurance*) (Versicherungs)police *f*
polio ['pəʊlɪəʊ] *n* (spinale) Kinderlähmung *f*, Polio *f*
Polish ['pəʊlɪʃ] *adj* polnisch ♦ *n* (*LING*) Polnisch *nt*
polish ['pɒlɪʃ] *n* Politur *f*; (*for floor*) Wachs *nt*; (*for shoes*) Creme *f*; (*for nails*) Lack *m*; (*shine*) Glanz *m*; (*of furniture*) Politur *f*; (*fig*) Schliff *m* ♦ *vt* polieren; (*shoes*) putzen; (*fig*) den letzten Schliff geben +*dat*; ~ **off** *vt* (*inf: work*) erledigen; (: *food*) wegputzen; (: *drink*) hinunterschütten; ~**ed** *adj* (*also fig*) glänzend; (*manners*) verfeinert
polite [pə'laɪt] *adj* höflich; ~**ness** *n* Höflichkeit *f*
politic ['pɒlɪtɪk] *adj* (*prudent*) diplomatisch; ~**al** [pə'lɪtɪkəl] *adj* politisch; ~**ally** *adv* politisch; ~**ian** [pɒlɪ'tɪʃən] *n* Politiker *m*; ~**s** *npl* Politik *f*
polka dot *n* Tupfen *m*
poll [pəʊl] *n* Abstimmung *f*; (*in election*) Wahl *f*; (*votes cast*) Wahlbeteiligung *f*; (*opinion ~*) Umfrage *f* ♦ *vt* (*votes*) erhalten
pollen ['pɒlən] *n* (*BOT*) Blütenstaub *m*, Pollen *m*
pollination [pɒlɪ'neɪʃən] *n* Befruchtung *f*
polling ['pəʊlɪŋ] (*BRIT*): ~ **booth** (*BRIT*) *n* Wahlkabine *f*; ~ **day** (*BRIT*) *n* Wahltag *m*; ~ **station** (*BRIT*) *n* Wahllokal *nt*
pollute [pə'luːt] *vt* verschmutzen, verunreinigen; **pollution** [pə'luːʃən] *n* Verschmutzung *f*
polo ['pəʊləʊ] *n* Polo *nt*; ~-**neck** *n* Rollkragen *m*; Rollkragenpullover *m*; ~ **shirt** *n* Polohemd *nt*
polystyrene [pɒlɪ'staɪriːn] *n* Styropor *nt*
polytechnic [pɒlɪ'teknɪk] *n* technische Hochschule *f*
polythene ['pɒlɪθiːn] *n* Plastik *nt*
pomegranate ['pɒməgrænɪt] *n* Granatapfel *m*
pommel ['pʌml] *vt* mit den Fäusten bearbeiten ♦ *n* Sattelknopf *m*
pompom ['pɒmpɒm] *n* Troddel *f*, Pompon *m*
pompous ['pɒmpəs] *adj* aufgeblasen; (*language*) geschwollen
pond [pɒnd] *n* Teich *m*, Weiher *m*
ponder ['pɒndə*] *vt* nachdenken über

+*acc*; ~**ous** *adj* schwerfällig
pong [pɒŋ] (*BRIT: inf*) *n* Mief *m*
pontiff ['pɒntɪf] *n* Pontifex *m*
pontificate [pɒn'tɪfɪkeɪt] *vi* (*fig*) geschwollen reden
pontoon [pɒn'tuːn] *n* Ponton *m*; (*CARDS*) 17-und-4 *nt*
pony ['pəʊnɪ] *n* Pony *nt*; ~**tail** *n* Pferdeschwanz *m*; ~ **trekking** (*BRIT*) *n* Ponyreiten *nt*
poodle ['puːdl] *n* Pudel *m*
pool [puːl] *n* (*swimming ~*) Schwimmbad *nt*; (: *private*) Swimmingpool *m*; (*of spilt liquid, blood*) Lache *f*; (*fund*) (gemeinsame) Kasse *f*; (*billiards*) Poolspiel *nt* ♦ *vt* (*money etc*) zusammenlegen; **typing** ~ Schreibzentrale *f*; (*football*) ~**s** Toto *nt*
poor [pʊə*] *adj* arm; (*not good*) schlecht ♦ *npl*: **the** ~ die Armen *pl*; ~ **in** (*resources etc*) arm an +*dat*; ~**ly** *adv* schlecht; (*dressed*) ärmlich ♦ *adj* schlecht
pop [pɒp] *n* Knall *m*; (*music*) Popmusik *f*; (*drink*) Limo(nade) *f*; (*US: inf*) Pa *m* ♦ *vt* (*put*) stecken; (*balloon*) platzen lassen ♦ *vi* knallen; ~ **in** *vi* kurz vorbeigehen *or* vorbeikommen; ~ **out** *vi* (*person*) kurz rausgehen; (*thing*) herausspringen; ~ **up** *vi* auftauchen; ~**corn** *n* Puffmais *m*
pope [pəʊp] *n* Papst *m*
poplar ['pɒplə*] *n* Pappel *f*
poppy ['pɒpɪ] *n* Mohn *m*
Popsicle ['pɒpsɪkl] (®; *US*) *n* (*ice lolly*) Eis *nt* am Stiel
populace ['pɒpjʊlɪs] *n* Volk *nt*
popular ['pɒpjʊlə*] *adj* beliebt, populär; (*of the people*) volkstümlich; (*widespread*) allgemein; ~**ity** [pɒpjʊ'lærɪtɪ] *n* Beliebtheit *f*, Popularität *f*; ~**ize** [pɒpjʊlərɪz] *vt* popularisieren; ~**ly** *adv* allgemein, überall
population [pɒpjʊ'leɪʃən] *n* Bevölkerung *f*; (*of town*) Einwohner *pl*
populous ['pɒpjʊləs] *adj* dicht besiedelt
porcelain ['pɔːslɪn] *n* Porzellan *nt*
porch [pɔːtʃ] *n* Vorbau *m*, Veranda *f*
porcupine ['pɔːkjʊpaɪn] *n* Stachelschwein *nt*
pore [pɔː*] *n* Pore *f* ♦ *vi*: **to** ~ **over** brüten über +*dat*
pork [pɔːk] *n* Schweinefleisch *nt*
pornography [pɔː'nɒgrəfɪ] *n* Pornographie *f*
porous ['pɔːrəs] *adj* porös; (*skin*) porig
porpoise ['pɔːpəs] *n* Tümmler *m*
porridge ['pɒrɪdʒ] *n* Haferbrei *m*
port [pɔːt] *n* Hafen *m*; (*town*) Hafenstadt *f*; (*NAUT: left side*) Backbord *nt*; (*wine*) Portwein *m*; ~ **of call** Anlaufhafen *m*
portable ['pɔːtəbl] *adj* tragbar
portent ['pɔːtent] *n* schlimme(s) Vorzeichen *nt*
porter ['pɔːtə*] *n* Pförtner(in) *m(f)*; (*for luggage*) (Gepäck)träger *m*

portfolio [pɔːtˈfəuliəu] *n* (*case*) Mappe *f*; (*POL*) Geschäftsbereich *m*; (*FIN*) Portefeuille *nt*; (*of artist*) Kollektion *f*
porthole [ˈpɔːthəul] *n* Bullauge *nt*
portion [ˈpɔːʃən] *n* Teil *m*, Stück *nt*; (*of food*) Portion *f*
portly [ˈpɔːtlɪ] *adj* korpulent, beleibt
portrait [ˈpɔːtrɪt] *n* Porträt *nt*
portray [pɔːˈtreɪ] *vt* darstellen; ~**al** *n* Darstellung *f*
Portugal [ˈpɔːtjugəl] *n* Portugal *nt*
Portuguese [pɔːtjuˈgiːz] *adj* portugiesisch ♦ *n inv* Portugiese *m*, Portugiesin *f*; (*LING*) Portugiesisch *nt*
pose [pəuz] *n* Stellung *f*, Pose *f*; (*affectation*) Pose *f* ♦ *vi* posieren ♦ *vt* stellen
posh [pɔʃ] (*inf*) *adj* (piek)fein
position [pəˈzɪʃən] *n* Stellung *f*, (*place*) Lage *f*; (*job*) Stelle *f*; (*attitude*) Standpunkt *m* ♦ *vt* aufstellen
positive [ˈpɔzɪtɪv] *adj* positiv; (*convinced*) sicher; (*definite*) eindeutig
posse [ˈpɔsɪ] (*US*) *n* Aufgebot *nt*
possess [pəˈzes] *vt* besitzen; ~**ion** [pəˈzeʃən] *n* Besitz *m*; ~**ive** *adj* besitzergreifend, eigensüchtig
possibility [pɔsəˈbɪlɪtɪ] *n* Möglichkeit *f*
possible [ˈpɔsəbl] *adj* möglich; **as big as ~** so groß wie möglich, möglichst groß
possibly [ˈpɔsəblɪ] *adv* möglicherweise, vielleicht; **I cannot ~ come** ich kann unmöglich kommen
post [pəust] *n* (*BRIT: letters, delivery*) Post *f*; (*pole*) Pfosten *m*, Pfahl *m*; (*place of duty*) Posten *m*; (*job*) Stelle *f* ♦ *vt* (*notice*) anschlagen; (*BRIT: letters*) aufgeben; (: *appoint*) versetzen; (*soldiers*) aufstellen; ~**age** *n* Postgebühr *f*, Porto *nt*; ~**al** *adj* Post-; ~**al order** *n* Postanweisung *f*; ~**box** (*BRIT*) *n* Briefkasten *m*; ~**card** *n* Postkarte *f*; ~**code** (*BRIT*) *n* Postleitzahl *f*
postdate [pəustˈdeɪt] *vt* (*cheque*) nachdatieren
poster [ˈpəustə*] *n* Plakat *nt*, Poster *nt*
poste restante [ˈpəustˈrestãːnt] *n* Aufbewahrungsstelle *f* für postlagernde Sendungen
posterior [pɔsˈtɪərɪə*] (*inf*) *n* Hintern *m*
posterity [pɔsˈterɪtɪ] *n* Nachwelt *f*
postgraduate [ˈpəustˈgrædjuɪt] *n* Weiterstudierende(r) *mf*
posthumous [ˈpɔstjuməs] *adj* post(h)um
postman [ˈpəustmən] (*irreg*) *n* Briefträger *m*
postmark [ˈpəustmɑːk] *n* Poststempel *m*
post-mortem [ˈpəustˈmɔːtəm] *n* Autopsie *f*
post office *n* Postamt *nt*, Post *f*; (*organization*) Post *f*; **P~ O~ Box** *n* Postfach *nt*
postpone [pəˈspəun] *vt* verschieben
postscript [ˈpəusskrɪpt] *n* Postskript *nt*; (*to affair*) Nachspiel *nt*
postulate [ˈpɔstjuleɪt] *vt* voraussetzen;

(*maintain*) behaupten
posture [ˈpɔstʃə*] *n* Haltung *f* ♦ *vi* posieren
postwar [ˈpəustˈwɔː*] *adj* Nachkriegs-
posy [ˈpəuzɪ] *n* Blumenstrauß *m*
pot [pɔt] *n* Topf *m*; (*tea~*) Kanne *f*; (*inf: marijuana*) Hasch *m* ♦ *vt* (*plant*) eintopfen; **to go to ~** (*inf: work, performance*) auf den Hund kommen
potato [pəˈteɪtəu] (*pl* ~**es**) *n* Kartoffel *f*; ~ **peeler** *n* Kartoffelschäler *m*
potent [ˈpəutənt] *adj* stark; (*argument*) zwingend
potential [pəˈtenʃəl] *adj* potentiell ♦ *n* Potential *nt*; ~**ly** *adv* potentiell
pothole [ˈpɔthəul] *n* (*in road*) Schlagloch *nt*; (*BRIT: underground*) Höhle *f*
potholing [ˈpɔthəulɪŋ] (*BRIT*) *n*: **to go ~** Höhlen erforschen
potion [ˈpəuʃən] *n* Trank *m*
potluck [ˈpɔtˈlʌk] *n*: **to take ~ with sth** etw auf gut Glück nehmen
potshot [ˈpɔtʃɔt] *n*: **to take a ~ at sth** auf etw *acc* ballern
potted [ˈpɔtɪd] *adj* (*food*) eingelegt, eingemacht; (*plant*) Topf-; (*fig: book, version*) konzentriert
potter [ˈpɔtə*] *n* Töpfer *m* ♦ *vi* herumhantieren; ~**y** *n* Töpferwaren *pl*; (*place*) Töpferei *f*
potty [ˈpɔtɪ] *adj* (*inf: mad*) verrückt ♦ *n* Töpfchen *nt*
pouch [pautʃ] *n* Beutel *m*
pouf(fe) [puːf] *n* Sitzkissen *nt*
poultry [ˈpəultrɪ] *n* Geflügel *nt*
pounce [pauns] *vi* sich stürzen ♦ *n* Sprung *m*, Satz *m*; **to ~ on** sich stürzen auf +*acc*
pound [paund] *n* (*FIN, weight*) Pfund *nt*; (*for cars, animals*) Auslösestelle *f* ♦ *vt* (zer)stampfen ♦ *vi* klopfen, hämmern; ~ **sterling** *n* Pfund Sterling *nt*
pour [pɔː*] *vt* gießen, schütten ♦ *vi* gießen; (*crowds etc*) strömen; ~ **away** *vt* abgießen; ~ **in** *vi* (*people*) hereinströmen; ~ **off** *vt* abgießen; ~ **out** *vi* (*people*) herausströmen ♦ *vt* (*drink*) einschenken; ~**ing** *adj*: ~**ing rain** strömende(r) Regen *m*
pout [paut] *vi* schmollen
poverty [ˈpɔvətɪ] *n* Armut *f*; ~**-stricken** *adj* verarmt, sehr arm
powder [ˈpaudə*] *n* Pulver *nt*; (*cosmetic*) Puder *m* ♦ *vt* pulverisieren; **to ~ one's nose** sich *dat* die Nase pudern; ~ **compact** *n* Puderdose *f*; ~**ed milk** *n* Milchpulver *nt*; ~ **room** *n* Damentoilette *f*; ~**y** *adj* pulverig
power [ˈpauə*] *n* (*also POL*) Macht *f*; (*ability*) Fähigkeit *f*; (*strength*) Stärke *f*; (*MATH*) Potenz *f*; (*ELEC*) Strom *m* ♦ *vt* betreiben, antreiben; **to be in ~** (*POL etc*) an der Macht sein; ~ **cut** *n* Stromausfall *m*; ~**ed** *adj*: ~**ed by** betrieben mit; ~ **failure** (*US*)

n Stromausfall *m*; ~**ful** *adj* (*person*)
mächtig; (*engine, government*) stark; ~**less**
adj machtlos; ~ **point** (*BRIT*) *n* elektri-
sche(r) Anschluß *m*; ~ **station** *n* Elektri-
zitätswerk *nt*

p.p. *abbr* (= *per procurationem*): ~ **J.** Smith
i.A. J. Smith

PR *n abbr* = **public relations**

practicable ['præktɪkəbl] *adj* durchführbar

practical ['præktɪkəl] *adj* praktisch; ~**ity**
[præktɪ'kælɪtɪ] *n* (*of person*) praktische Ver-
anlagung *f*; (*of situation etc*) Durch-
führbarkeit *f*; ~ **joke** *n* Streich *m*; ~**ly** *adv*
praktisch

practice ['præktɪs] *n* Übung *f*; (*reality, also
of doctor, lawyer*) Praxis *f*; (*custom*) Brauch
m; (*in business*) Usus *m* ♦ *vt, vi* (*US*) =
practise; **in** ~ (*in reality*) in der Praxis; **out
of** ~ außer Übung

practicing (*US*) *adj* = **practising**

practise ['præktɪs] (*US* **practice**) *vt* üben;
(*profession*) ausüben ♦ *vi* (sich) üben; (*doctor, lawyer*) praktizieren

practising ['præktɪsɪŋ] (*US* **practicing**) *adj*
praktizierend; (*Christian etc*) aktiv

practitioner [præk'tɪʃənə*] *n* praktische(r)
Arzt *m*

pragmatic [præg'mætɪk] *adj* pragmatisch

prairie ['preərɪ] *n* Prärie *f*, Steppe *f*

praise [preɪz] *n* Lob *nt* ♦ *vt* loben;
~**worthy** *adj* lobenswert

pram [præm] (*BRIT*) *n* Kinderwagen *m*

prance [prɑːns] *vi* (*horse*) tänzeln; (*person*)
stolzieren; (: *gaily*) herumhüpfen

prank [præŋk] *n* Streich *m*

prattle ['prætl] *vi* schwatzen, plappern

prawn [prɔːn] *n* Garnele *f*, Krabbe *f*

pray [preɪ] *vi* beten; ~**er** [preə*] *n* Gebet *nt*

preach [priːtʃ] *vi* predigen; ~**er** *n* Prediger
m

preamble [priː'æmbl] *n* Einleitung *f*

precarious [prɪ'keərɪəs] *adj* prekär, unsicher

precaution [prɪ'kɔːʃən] *n* (Vor-
sichts)maßnahme *f*

precede [prɪ'siːd] *vi* vorausgehen ♦ *vt* vorausgehen +*dat*; ~**nce** ['presɪdəns] *n* Vorrang *m*; ~**nt** ['presɪdənt] *n* Präzedenzfall *m*

preceding [prɪ'siːdɪŋ] *adj* vorhergehend

precept ['priːsept] *n* Gebot *nt*, Regel *f*

precinct ['priːsɪŋkt] *n* (*US: district*) Bezirk
m; ~**s** *npl* (*round building*) Gelände *nt*;
(*area, environs*) Umgebung *f*; **pedestrian** ~
Fußgängerzone *f*, **shopping** ~ Ge-
schäftsviertel *nt*

precious ['preʃəs] *adj* kostbar, wertvoll; (*affected*) preziös, geziert

precipice ['presɪpɪs] *n* Abgrund *m*

precipitate [*adj* prɪ'sɪpɪtɪt, *vb* prɪ'sɪpɪteɪt]
adj überstürzt, übereilt ♦ *vt* hinunter-
stürzen; (*events*) heraufbeschwören

precise [prɪ'saɪs] *adj* genau, präzis; ~**ly** *adv*

genau, präzis

precision [prɪ'sɪʒən] *n* Präzision *f*

preclude [prɪ'kluːd] *vt* ausschließen

precocious [prɪ'kəʊʃəs] *adj* frühreif

preconceived ['priːkən'siːvd] *adj* (*idea*)
vorgefaßt

precondition ['priːkən'dɪʃən] *n* Vorbedin-
gung *f*, Voraussetzung *f*

precursor [priː'kɜːsə*] *n* Vorläufer *m*

predator ['predətə*] *n* Raubtier *nt*

predecessor ['priːdɪsesə*] *n* Vorgänger *m*

predestination [priːdestɪ'neɪʃən] *n* Vorher-
bestimmung *f*

predicament [prɪ'dɪkəmənt] *n* mißliche
Lage *f*

predict [prɪ'dɪkt] *vt* voraussagen; ~**able** *adj*
vorhersagbar; ~**ion** [prɪ'dɪkʃən] *n* Voraus-
sage *f*

predominantly [prɪ'dɒmɪnəntlɪ] *adv*
überwiegend, hauptsächlich

predominate [prɪ'dɒmɪneɪt] *vi* vorherrschen; (*fig*) vorherrschen, überwiegen

pre-eminent [priː'emɪnənt] *adj* hervorragend, herausragend

pre-empt [priː'empt] *vt* (*action, decision*)
vorwegnehmen

preen [priːn] *vt* putzen; **to** ~ **o.s.** (*person*)
sich brüsten

prefab ['priːfæb] *n* Fertighaus *nt*

prefabricated ['priːfæbrɪkeɪtɪd] *adj* vorgefertigt, Fertig-

preface ['prefɪs] *n* Vorwort *nt*

prefect ['priːfekt] *n* Präfekt *m*; (*SCH*) Auf-
sichtsschüler(in) *m(f)*

prefer [prɪ'fɜː*] *vt* vorziehen, lieber mögen;
to ~ **to do sth** etw lieber tun; ~**ably** *adv*
vorzugsweise, am liebsten; ~**ence** *n*
Präferenz *f*, Vorzug *m*; ~**ential**
[prefə'renʃəl] *adj* bevorzugt, Vorzugs-

prefix ['priːfɪks] *n* Vorsilbe *f*, Präfix *nt*

pregnancy ['pregnənsɪ] *n* Schwangerschaft
f

pregnant ['pregnənt] *adj* schwanger

prehistoric ['priːhɪs'tɒrɪk] *adj* prähistorisch,
vorgeschichtlich

prejudice ['predʒʊdɪs] *n* (*opinion*) Vorurteil
nt; (*bias*) Voreingenommenheit *f*; (*harm*)
Schaden *m* ♦ *vt* beeinträchtigen; ~**d** *adj*
(*person*) voreingenommen

preliminary [prɪ'lɪmɪnərɪ] *adj* einleitend,
Vor-

prelude ['preljuːd] *n* Vorspiel *nt*; (*fig*) Auftakt *m*

premarital ['priː'mærɪtl] *adj* vorehelich

premature ['premətʃʊə*] *adj* vorzeitig, verfrüht; (*birth*) Früh-

premeditated [priː'medɪteɪtɪd] *adj* geplant;
(*murder*) vorsätzlich

premier ['premɪə*] *adj* erste(r, s) ♦ *n* Premier *m*

première [premɪ'eə*] *n* Premiere *f*; Urauf-
führung *f*

premise ['premɪs] n Voraussetzung f, Prämisse f; ~s npl (shop) Räumlichkeiten pl; (grounds) Gelände nt; on the ~s im Hause

premium ['priːmɪəm] n Prämie f; to be at a ~ über pari stehen; ~ bond (BRIT) n Prämienanleihe f

premonition [premə'nɪʃən] n Vorahnung f

preoccupation [priːɒkjʊ'peɪʃən] n Sorge f

preoccupied [priː'ɒkjʊpaɪd] adj (look) geistesabwesend

prep [prep] n (SCH: study) Hausaufgabe f

prepaid ['priːpeɪd] adj vorausbezahlt; (letter) frankiert

preparation [prepə'reɪʃən] n Vorbereitung f

preparatory [prɪ'pærətərɪ] adj Vor(bereitungs)-; ~ school n (BRIT) private Vorbereitungsschule für die Public School; (US) private Vorbereitungsschule für die Hochschule

prepare [prɪ'pɛə*] vt vorbereiten ♦ vi sich vorbereiten; to ~ for/~ sth for sich/etw vorbereiten auf +acc; to be ~d to ... bereit sein zu ...

preponderance [prɪ'pɒndərəns] n Übergewicht nt

preposition [prepə'zɪʃən] n Präposition f, Verhältniswort nt

preposterous [prɪ'pɒstərəs] adj absurd

prep school n = **preparatory school**

prerequisite ['priː'rekwɪzɪt] n (unerläßliche) Voraussetzung f

prerogative [prɪ'rɒgətɪv] n Vorrecht nt

Presbyterian [prezbɪ'tɪərɪən] adj presbyterianisch ♦ n Presbyterier(in) m(f)

preschool ['priːskuːl] adj Vorschul-

prescribe [prɪs'kraɪb] vt vorschreiben; (MED) verschreiben

prescription [prɪs'krɪpʃən] n (MED) Rezept nt

presence ['prezns] n Gegenwart f; ~ of mind Geistesgegenwart f

present [adj, n 'preznt, vb prɪ'zent] adj (here) anwesend; (current) gegenwärtig ♦ n Gegenwart f; (gift) Geschenk nt ♦ vt vorlegen; (introduce) vorstellen; (show) zeigen; (give): to ~ sb with sth jdm etw überreichen; at ~ im Augenblick; to give sb a ~ jdm ein Geschenk machen; ~able [prɪ'zentəbl] adj präsentabel; ~ation [prezən'teɪʃən] n Überreichung f; ~-day adj heutig; ~er [prɪ'zentə*] n (RADIO, TV) Moderator(in) m(f); ~ly adv bald; (at present) im Augenblick

preservation [prezə'veɪʃən] n Erhaltung f

preservative [prɪ'zɜːvətɪv] n Konservierungsmittel nt

preserve [prɪ'zɜːv] vt erhalten; (food) einmachen ♦ n (jam) Eingemachte(s) nt; (hunting) Schutzgebiet nt

preside [prɪ'zaɪd] vi den Vorsitz haben

presidency ['prezɪdənsɪ] n (POL) Präsidentschaft f

president ['prezɪdənt] n Präsident m; ~ial [prezɪ'denʃəl] adj Präsidenten-; (election) Präsidentschafts-; (system) Präsidial-

press [pres] n Presse f; (printing house) Druckerei f ♦ vt drücken; (iron) bügeln; (urge) (be)drängen ♦ vi (push) drücken; to be ~ed for time unter Zeitdruck stehen; to ~ for sth drängen auf etw acc; ~ on vi vorwärtsdrängen; ~ agency n Presseagentur f; ~ conference n Pressekonferenz f; ~ing adj dringend; ~-stud (BRIT) n Druckknopf m; ~-up (BRIT) n Liegestütz m

pressure ['preʃə*] n Druck m; ~ cooker n Schnellkochtopf m; ~ gauge n Druckmesser m

pressurized ['preʃəraɪzd] adj Druck-

prestige [pres'tiːʒ] n Prestige nt

prestigious [pres'tɪdʒəs] adj Prestige-

presumably [prɪ'zjuːməblɪ] adv vermutlich

presume [prɪ'zjuːm] vt, vi annehmen; to ~ to do sth sich erlauben, etw zu tun

presumption [prɪ'zʌmpʃən] n Annahme f

presumptuous [prɪ'zʌmptjuəs] adj anmaßend

presuppose [priːsə'pəʊz] vt voraussetzen

pretence [prɪ'tens] (US **pretense**) n Vorgabe f, Vortäuschung f; (false claim) Vorwand m

pretend [prɪ'tend] vt vorgeben, so tun als ob ... ♦ vi so tun; to ~ to sth Anspruch erheben auf etw acc

pretense [prɪ'tens] (US) n = **pretence**

pretension [prɪ'tenʃən] n Anspruch m; (impudent claim) Anmaßung f

pretentious [prɪ'tenʃəs] adj angeberisch

pretext ['priːtekst] n Vorwand m

pretty ['prɪtɪ] adj hübsch ♦ adv (inf) ganz schön

prevail [prɪ'veɪl] vi siegen; (custom) vorherrschen; to ~ against or over siegen über +acc; to ~ (up)on sb to do sth jdn dazu bewegen, etw zu tun; ~ing adj vorherrschend

prevalent ['prevələnt] adj vorherrschend

prevent [prɪ'vent] vt (stop) verhindern, verhüten; to ~ sb from doing sth jdn (daran) hindern, etw zu tun; ~ative n Vorbeugungsmittel nt; ~ion [prɪ'venʃən] n Verhütung f; ~ive adj vorbeugend, Schutz-

preview ['priːvjuː] n private Voraufführung f; (trailer) Vorschau f

previous ['priːvɪəs] adj früher, vorherig; ~ly adv früher

prewar ['priː'wɔː*] adj Vorkriegs-

prey [preɪ] n Beute f; ~ on vt fus Jagd machen auf +acc; it was ~ing on his mind es quälte sein Gewissen

price [praɪs] n Preis m; (value) Wert m ♦ vt (label) auszeichnen; ~less adj (also fig) unbezahlbar; **~ list** *n* Preisliste *f*

prick [prɪk] *n* Stich *m* ♦ *vt, vi* stechen; **to ~ up one's ears** die Ohren spitzen

prickle ['prɪkl] *n* Stachel *m*, Dorn *m*

prickly ['prɪklɪ] *adj* stachelig; (*fig: person*) reizbar; **~ heat** *n* Hitzebläschen *pl*

pride [praɪd] *n* Stolz *m*; (*arrogance*) Hochmut *m* ♦ *vt:* **to ~ o.s. on sth** auf etw *acc* stolz sein

priest [priːst] *n* Priester *m*; **~ess** *n* Priesterin *f*; **~hood** *n* Priesteramt *nt*

prig [prɪg] *n* Selbstgefällige(r) *mf*

prim [prɪm] *adj* prüde

primarily ['praɪmərɪlɪ] *adv* vorwiegend

primary ['praɪmərɪ] *adj* (*main*) Haupt-; (*SCH*) Grund-; **~ school** (*BRIT*) *n* Grundschule *f*

prime [praɪm] *adj* erste(r, s); (*excellent*) erstklassig ♦ *vt* vorbereiten; (*gun*) laden; **in the ~ of life** in der Blüte der Jahre; **P~ Minister** *n* Premierminister *m*, Ministerpräsident *m*; **~r** ['praɪmə*] *n* Fibel *f*

primeval [praɪ'miːvəl] *adj* vorzeitlich; (*forests*) Ur-

primitive ['prɪmɪtɪv] *adj* primitiv

primrose ['prɪmrəʊz] *n* (gelbe) Primel *f*

primus (stove) ['praɪməs-] (®; *BRIT*) *n* Primuskocher *m*

prince [prɪns] *n* Prinz *m*; (*ruler*) Fürst *m*; **~ss** [prɪn'ses] *n* Prinzessin *f*; Fürstin *f*

principal ['prɪnsɪpəl] *adj* Haupt- ♦ *n* (*SCH*) (Schul)direktor *m*, Rektor *m*; (*money*) (Grund)kapital *nt*

principle ['prɪnsɪpl] *n* Grundsatz *m*, Prinzip *nt*; **in ~** im Prinzip; **on ~** aus Prinzip, prinzipiell

print [prɪnt] *n* Druck *m*; (*made by feet, fingers*) Abdruck *m*; (*PHOT*) Abzug *m* ♦ *vt* drucken; (*name*) in Druckbuchstaben schreiben; (*PHOT*) abziehen; **out of ~** vergriffen; **~ed matter** *n* Drucksache *f*; **~er** *n* Drucker *m*; **~ing** *n* Drucken *nt*; (*of photos*) Abziehen *nt*; **~out** *n* (*COMPUT*) Ausdruck *m*

prior ['praɪə*] *adj* früher ♦ *n* Prior *m*; **~ to sth** vor etw *dat*; **~ to going abroad, she had ...** bevor sie ins Ausland ging, hatte sie ...

priority [praɪ'ɒrɪtɪ] *n* Vorrang *m*; Priorität *f*

prise [praɪz] *vt:* **to ~ open** aufbrechen

prison ['prɪzn] *n* Gefängnis *nt* ♦ *adj* Gefängnis-; (*system etc*) Strafvollzugs-; **~er** *n* Gefangene(r) *mf*

pristine ['prɪstiːn] *adj* makellos

privacy ['prɪvəsɪ] *n* Ungestörtheit *f*, Ruhe *f*; Privatleben *nt*

private ['praɪvɪt] *adj* privat, Privat-; (*secret*) vertraulich, geheim ♦ *n* einfache(r) Soldat *m*; **"~"** (*on envelope*) „persönlich"; **in ~** privat, unter vier Augen; **~ enterprise** *n* Privatunternehmen *nt*; **~ eye** *n* Privatdetektiv *m*; **~ly** *adv* privat; vertraulich,

geheim; **~ property** *n* Privatbesitz *m*; **~ school** *n* Privatschule *f*; **privatize** *vt* privatisieren

privet ['prɪvɪt] *n* Liguster *m*

privilege ['prɪvɪlɪdʒ] *n* Privileg *nt*; **~d** *adj* bevorzugt, privilegiert

privy ['prɪvɪ] *adj* geheim, privat; **P~ Council** *n* Geheime(r) Staatsrat *m*

prize [praɪz] *n* Preis *m* ♦ *adj* (*example*) erstklassig; (*idiot*) Voll- ♦ *vt* (hoch)schätzen; **~-giving** *n* Preisverteilung *f*; **~winner** *n* Preisträger(in) *m(f)*

pro [prəʊ] *n* (*professional*) Profi *m*; **the ~s and cons** (*for and against*) das Für und Wider

probability [prɒbə'bɪlɪtɪ] *n* Wahrscheinlichkeit *f*

probable ['prɒbəbl] *adj* wahrscheinlich

probably *adv* wahrscheinlich

probation [prə'beɪʃən] *n* Probe(zeit) *f*; (*JUR*) Bewährung *f*; **on ~** auf Probe; auf Bewährung

probe [prəʊb] *n* Sonde *f*; (*enquiry*) Untersuchung *f* ♦ *vt, vi* erforschen

problem ['prɒbləm] *n* Problem *nt*; **~atic** [prɒblɪ'mætɪk] *adj* problematisch

procedure [prə'siːdʒə*] *n* Verfahren *nt*

proceed [prə'siːd] *vi* (*advance*) vorrücken; (*start*) anfangen; (*carry on*) fortfahren; (*set about*) vorgehen; **~ings** *npl* Verfahren *nt*; **~s** ['prəʊsiːdz] *npl* Erlös *m*

process ['prəʊses] *n* Prozeß *m*; (*method*) Verfahren *nt* ♦ *vt* bearbeiten; (*food*) verarbeiten; (*film*) entwickeln; **~ing** *n* (*PHOT*) Entwickeln *nt*

procession [prə'seʃən] *n* Prozession *f*, Umzug *m*; **funeral ~** Trauerprozession *f*

proclaim [prə'kleɪm] *vt* verkünden

proclamation [prɒklə'meɪʃən] *n* Verkündung *f*

procrastinate [prəʊ'kræstɪneɪt] *vi* zaudern

procreation [prəʊkrɪ'eɪʃən] *n* (Er)zeugung *f*

procure [prə'kjʊə*] *vt* beschaffen

prod [prɒd] *vt* stoßen ♦ *n* Stoß *m*

prodigal ['prɒdɪgəl] *adj:* **~ (with or of)** verschwenderisch (mit)

prodigious [prə'dɪdʒəs] *adj* gewaltig; (*wonderful*) wunderbar

prodigy ['prɒdɪdʒɪ] *n* Wunder *nt*

produce [*n* 'prɒdjuːs, *vb* prə'djuːs] *n* (*AGR*) (Boden)produkte *pl*, (Natur)erzeugnis *nt* ♦ *vt* herstellen, produzieren; (*cause*) hervorrufen; (*farmer*) erzeugen; (*yield*) liefern, bringen; (*play*) inszenieren; **~r** *n* Hersteller *m*, Produzent *m* (*also CINE*); Erzeuger *m*

product ['prɒdʌkt] *n* Produkt *nt*, Erzeugnis *nt*

production [prə'dʌkʃən] *n* Produktion *f*, Herstellung *f*; (*thing*) Erzeugnis *nt*, Produkt *nt*; (*THEAT*) Inszenierung *f*; **~ line** *n* Fließband *nt*

productive [prə'dʌktɪv] *adj* produktiv; (*fer-*

tile) ertragreich, fruchtbar

productivity [prɒdʌk'tɪvɪtɪ] *n* Produktivität *f*

profane [prə'feɪn] *adj* (*secular, lay*) weltlich, profan; (*language etc*) gotteslästerlich

profess [prə'fes] *vt* bekennen; (*show*) zeigen; (*claim to be*) vorgeben

profession [prə'feʃən] *n* Beruf *m*; (*declaration*) Bekenntnis *nt*; **~al** *n* Fachmann *m*; (*SPORT*) Berufsspieler(in) *m(f)* ♦ *adj* Berufs-; (*expert*) fachlich; (*player*) professionell

professor [prə'fesə*] *n* Professor *m*

proficiency [prə'fɪʃənsɪ] *n* Können *nt*

proficient [prə'fɪʃənt] *adj* fähig

profile ['prəʊfaɪl] *n* Profil *nt*; (*fig: report*) Kurzbiographie *f*

profit ['prɒfɪt] *n* Gewinn *m* ♦ *vi*: to ~ (by or from) profitieren (von); **~ability** [prɒfɪtə'bɪlɪtɪ] *n* Rentabilität *f*; **~able** *adj* einträglich, rentabel

profiteering [prɒfɪ'tɪərɪŋ] *n* Profitmacherei *f*

profound [prə'faʊnd] *adj* tief

profuse [prə'fju:s] *adj* überreich; **~ly** [prə'fju:slɪ] *adv* überschwenglich; (*sweat*) reichlich

profusion [prə'fju:ʒən] *n*: ~ (of) Überfülle *f* (von), Überfluß *m* (an +*dat*)

progeny ['prɒdʒɪnɪ] *n* Nachkommenschaft *f*

programme ['prəʊgræm] (*US* program) *n* Programm *nt* ♦ *vt* planen; (*computer*) programmieren

programmer (*US* programer) *n* Programmierer(in) *m(f)*

programming ['prəʊgræmɪŋ] (*US* programing) *n* Programmieren *nt*

progress [*n* 'prəʊgres, *vb* prə'gres] *n* Fortschritt *m* ♦ *vi* fortschreiten, weitergehen; **in** ~ im Gang; **~ion** [prə'greʃən] *n* Folge *f*; **~ive** [prə'gresɪv] *adj* fortschrittlich, progressiv

prohibit [prə'hɪbɪt] *vt* verbieten; **to** ~ **sb from doing sth** jdm untersagen, etw zu tun; **~ion** [prəʊɪ'bɪʃən] *n* Verbot *nt*; (*US*) Alkoholverbot *nt*, Prohibition *f*; **~ive** *adj* (*price etc*) unerschwinglich

project [*n* 'prɒdʒekt, *vb* prə'dʒekt] *n* Projekt *nt* ♦ *vt* vorausplanen; (*film etc*) projizieren; (*personality, voice*) zum Tragen bringen ♦ *vi* (*stick out*) hervorragen, (her)vorstehen

projectile [prə'dʒektaɪl] *n* Geschoß *nt*

projection [prə'dʒekʃən] *n* Projektion *f*; (*sth prominent*) Vorsprung *m*

projector [prə'dʒektə*] *n* Projektor *m*

proletariat [prəʊlə'teərɪət] *n* Proletariat *nt*

proliferate [prə'lɪfəreɪt] *vi* sich vermehren

prolific [prə'lɪfɪk] *adj* fruchtbar; (*author etc*) produktiv

prologue ['prəʊlɒg] *n* Prolog *m*; (*event*) Vorspiel *nt*

prolong [prə'lɒŋ] *vt* verlängern

prom [prɒm] *n abbr* = **promenade; promenade concert** ♦ *n* (*US: college ball*) Studentenball *m*

promenade [prɒmɪ'nɑ:d] *n* Promenade *f*; ~ **concert** *n* Promenadenkonzert *nt*

prominence ['prɒmɪnəns] *n* (große) Bedeutung *f*

prominent ['prɒmɪnənt] *adj* bedeutend; (*politician*) prominent; (*easily seen*) herausragend, auffallend

promiscuous [prə'mɪskjʊəs] *adj* lose

promise ['prɒmɪs] *n* Versprechen *nt*; (*hope*): **promise of sth** Aussicht *f* auf etw *acc* ♦ *vt, vi* versprechen

promising ['prɒmɪsɪŋ] *adj* vielversprechend

promontory ['prɒməntrɪ] *n* Vorsprung *m*

promote [prə'məʊt] *vt* befördern; (*help on*) fördern, unterstützen; **~r** *n* (*in sport, entertainment*) Veranstalter *m*; (*for charity etc*) Organisator *m*

promotion [prə'məʊʃən] *n* (*in rank*) Beförderung *f*; (*furtherance*) Förderung *f*; (*COMM*): ~ (**of**) Werbung *f* (für)

prompt [prɒmpt] *adj* prompt, schnell ♦ *adv* (*punctually*) genau ♦ *n* (*COMPUT*) Meldung *f* ♦ *vt* veranlassen; (*THEAT*) soufflieren +*dat*; **to** ~ **sb to do sth** jdn dazu veranlassen, etw zu tun; **~ly** *adv* sofort

prone [prəʊn] *adj* hingestreckt; **to be** ~ **to sth** zu etw neigen

prong [prɒŋ] *n* Zinke *f*

pronoun ['prəʊnaʊn] *n* Fürwort *nt*

pronounce [prə'naʊns] *vt* aussprechen; (*JUR*) verkünden ♦ *vi* (*give an opinion*): **to** ~ (**on**) sich äußern (zu); **~d** *adj* ausgesprochen; **~ment** *n* Erklärung *f*

pronunciation [prənʌnsɪ'eɪʃən] *n* Aussprache *f*

proof [pru:f] *n* Beweis *m*; (*PRINT*) Korrekturfahne *f*; (*of alcohol*) Alkoholgehalt *m* ♦ *adj* sicher

prop [prɒp] *n* (*also fig*) Stütze *f*; (*THEAT*) Requisit *nt* ♦ *vt* (*also*: ~ **up**) (ab)stützen

propaganda [prɒpə'gændə] *n* Propaganda *f*

propagate ['prɒpəgeɪt] *vt* fortpflanzen; (*news*) propagieren, verbreiten

propel [prə'pel] *vt* (an)treiben; **~ler** *n* Propeller *m*; **~ling pencil** (*BRIT*) *n* Drehbleistift *m*

propensity [prə'pensɪtɪ] *n* Tendenz *f*

proper ['prɒpə*] *adj* richtig; (*seemly*) schicklich; **~ly** *adv* richtig; ~ **noun** *n* Eigenname *m*

property ['prɒpətɪ] *n* Eigentum *nt*; (*quality*) Eigenschaft *f*; (*land*) Grundbesitz *m*; ~ **owner** *n* Grundbesitzer *m*

prophecy ['prɒfɪsɪ] *n* Prophezeiung *f*

prophesy ['prɒfɪsaɪ] *vt* prophezeien

prophet ['prɒfɪt] *n* Prophet *m*

proportion [prə'pɔ:ʃən] *n* Verhältnis *nt*; (*share*) Teil *m* ♦ *vt*: **to** ~ (**to**) abstimmen (auf +*acc*); ~**al** *adj* proportional; ~**ate** *adj* verhältnismäßig

proposal [prə'pəuzl] *n* Vorschlag *m*; (*of marriage*) Heiratsantrag *m*

propose [prə'pəuz] *vt* vorschlagen; (*toast*) ausbringen ♦ *vi* (*offer marriage*) einen Heiratsantrag machen; **to ~ to do sth** beabsichtigen, etw zu tun

proposition [prɒpə'zɪʃən] *n* Angebot *nt*; (*statement*) Satz *m*

proprietor [prə'praɪətə*] *n* Besitzer *m*, Eigentümer *m*

propriety [prə'praɪətɪ] *n* Anstand *m*

pro rata [prəu'rɑːtə] *adv* anteilmäßig

prose [prəuz] *n* Prosa *f*

prosecute ['prɒsɪkjuːt] *vt* (strafrechtlich) verfolgen

prosecution [prɒsɪ'kjuːʃən] *n* (*JUR*) strafrechtliche Verfolgung *f*; (*party*) Anklage *f*

prosecutor ['prɒsɪkjuːtə*] *n* Vertreter *m* der Anklage; **Public P~** Staatsanwalt *m*

prospect [*n* 'prɒspekt, *vb* prə'spekt] *n* Aussicht *f* ♦ *vt* auf Bodenschätze hin untersuchen ♦ *vi*: **to ~** (**for**) suchen (nach); ~**ing** [prə'spektɪŋ] *n* (*for minerals*) Suche *f*; ~**or** *n* (Gold)sucher *m*; ~**us** *n* (Werbe)prospekt *m*

prosper ['prɒspə*] *vi* blühen, gedeihen; (*person*) erfolgreich sein; ~**ity** [prɒ'sperɪtɪ] *n* Wohlstand *m*; ~**ous** *adj* wohlhabend, reich

prostitute ['prɒstɪtjuːt] *n* Prostituierte *f*

prostrate ['prɒstreɪt] *adj* ausgestreckt (liegend); **~ with grief/exhaustion** von Schmerz/Erschöpfung übermannt

protagonist [prəu'tægənɪst] *n* Hauptperson *f*, Held *m*

protect [prə'tekt] *vt* (be)schützen; ~**ion** *n* Schutz *m*; ~**ive** *adj* Schutz-, (be)schützend

protégé ['prɒteʒeɪ] *n* Schützling *m*

protein ['prəutiːn] *n* Protein *nt*, Eiweiß *nt*

protest [*n* 'prəutest, *vb* prə'test] *n* Protest *m* ♦ *vi* protestieren ♦ *vt* (*affirm*) beteuern

Protestant ['prɒtɪstənt] *adj* protestantisch ♦ *n* Protestant(in) *m(f)*

protester [prə'testə*] *n* (*demonstrator*) Demonstrant(in) *m(f)*

protracted [prə'træktɪd] *adj* sich hinziehend

protrude [prə'truːd] *vi* (her)vorstehen

proud [praud] *adj*: ~ (**of**) stolz (auf +*acc*)

prove [pruːv] *vt* beweisen ♦ *vi*: **to ~** (**to be**) **correct** sich als richtig erweisen; **to ~ o.s.** sich bewähren

proverb ['prɒvɜːb] *n* Sprichwort *nt*; ~**ial** [prə'vɜːbɪəl] *adj* sprichwörtlich

provide [prə'vaɪd] *vt* versehen; (*supply*) besorgen; **to ~ sb with sth** jdn mit etw versorgen; **~ for** *vt fus* sorgen für; (*emergency*) Vorkehrungen treffen für; **~d** (**that**) *conj* vorausgesetzt (, daß); **P~nce** ['prɒvɪdəns] *n* die Vorsehung

providing [prə'vaɪdɪŋ] *conj* vorausgesetzt(, daß)

province ['prɒvɪns] *n* Provinz *f*; (*division of work*) Bereich *m*

provincial [prə'vɪnʃəl] *adj* provinziell, Provinz-

provision [prə'vɪʒən] *n* Vorkehrung *f*; (*condition*) Bestimmung *f*; **~s** *npl* (*food*) Vorräte *pl*, Proviant *m*; ~**al** *adj* provisorisch

proviso [prə'vaɪzəu] *n* Bedingung *f*

provocative [prə'vɒkətɪv] *adj* provozierend

provoke [prə'vəuk] *vt* provozieren; (*cause*) hervorrufen

prow [prau] *n* Bug *m*

prowess ['praues] *n* überragende(s) Können *nt*

prowl [praul] *vi* herumstreichen; (*animal*) schleichen ♦ *n*: **on the ~** umherstreifend; ~**er** *n* Herumtreiber(in) *m(f)*

proximity [prɒk'sɪmɪtɪ] *n* Nähe *f*

proxy ['prɒksɪ] *n* (Stell)vertreter *m*; (*authority, document*) Vollmacht *f*; **by ~** durch einen Stellvertreter

prudence ['pruːdəns] *n* Umsicht *f*

prudent ['pruːdənt] *adj* klug, umsichtig

prudish ['pruːdɪʃ] *adj* prüde

prune [pruːn] *n* Backpflaume *f* ♦ *vt* ausputzen; (*fig*) zurechtstutzen

pry [praɪ] *vi*: **to ~** (**into**) seine Nase stecken (in +*acc*)

PS *n abbr* (= *postscript*) PS

pseudo- ['sjuːdəu] *prefix* Pseudo-; ~**nym** *n* Pseudonym *nt*, Deckname *m*

psychiatric [saɪkɪ'ætrɪk] *adj* psychiatrisch

psychiatrist [saɪ'kaɪətrɪst] *n* Psychiater *m*

psychic ['saɪkɪk] *adj* (*also*: ~**al**) übersinnlich; (*person*) paranormal begabt

psychoanalyse [saɪkəu'ænəlaɪz] (*US* **psychoanalyze**) *vt* psychoanalytisch behandeln

psychoanalyst [saɪkəu'ænəlɪst] *n* Psychoanalytiker(in) *m(f)*

psychological [saɪkə'lɒdʒɪkəl] *adj* psychologisch

psychologist [saɪ'kɒlədʒɪst] *n* Psychologe *m*, Psychologin *f*

psychology [saɪ'kɒlədʒɪ] *n* Psychologie *f*

PTO *abbr* = **please turn over**

pub [pʌb] *n abbr* (= *public house*) Kneipe *f*

pubic ['pjuːbɪk] *adj* Scham-

public ['pʌblɪk] *adj* öffentlich ♦ *n* (*also: general ~*) Öffentlichkeit *f*; **in ~** in der Öffentlichkeit; **~ address system** *n* Lautsprecheranlage *f*

publican ['pʌblɪkən] *n* Wirt *m*

publication [pʌblɪ'keɪʃən] *n* Veröffentlichung *f*

public: **~ company** *n* Aktiengesellschaft *f*; **~ convenience** (*BRIT*) *n* öffentliche Toiletten *pl*; **~ holiday** *n* gesetzliche(r) Feiertag *m*; **~ house** (*BRIT*) *n* Lokal *nt*, Kneipe *f*

publicity [pʌb'lɪsɪtɪ] n Publicity f, Werbung f

publicize ['pʌblɪsaɪz] vt bekannt machen; (advertise) Publicity machen für

publicly ['pʌblɪklɪ] adv öffentlich

public : ~ **opinion** n öffentliche Meinung f; ~ **relations** npl Public Relations pl; ~ **school** n (BRIT) Privatschule f; (US) staatliche Schule f; ~**-spirited** adj mit Gemeinschaftssinn; ~ **transport** n öffentliche Verkehrsmittel pl

publish ['pʌblɪʃ] vt veröffentlichen; (event) bekanntgeben; ~**er** n Verleger m; ~**ing** n (business) Verlagswesen nt

pucker ['pʌkə*] vt (face) verziehen; (lips) kräuseln

pudding ['pudɪŋ] n (BRIT: course) Nachtisch m; Pudding m; **black** ~ ≈ Blutwurst f

puddle ['pʌdl] n Pfütze f

puff [pʌf] n (of wind etc) Stoß m; (cosmetic) Puderquaste f ♦ vt blasen, pusten; (pipe) paffen ♦ vi keuchen, schnaufen; (smoke) paffen; **to ~ out smoke** Rauch ausstoßen; ~**ed** (inf) adj (out of breath) außer Puste; ~ **pastry** (US ~ **paste**) n Blätterteig m; ~**y** adj aufgedunsen

pull [pul] n Ruck m; (influence) Beziehung f ♦ vt ziehen; (trigger) abdrücken ♦ vi ziehen; **to ~ sb's leg** jdn auf den Arm nehmen; **to ~ to pieces** in Stücke reißen; (fig) verreißen; **to ~ one's punches** sich zurückhalten; **to ~ one's weight** sich in die Riemen legen; **to ~ o.s. together** sich zusammenreißen; ~ **apart** vt (break) zerreißen; (dismantle) auseinandernehmen; (fighters) trennen; ~ **down** vi (house) abreißen; ~ **in** vi hineinfahren; (stop) anhalten; (RAIL) einfahren; ~ **off** vt (deal etc) abschließen; ~ **out** vi (car) herausfahren; (fig: partner) aussteigen ♦ vt herausziehen; ~ **over** vi (AUT) an die Seite fahren; ~ **round** vi durchkommen; ~ **through** vi durchkommen; ~ **up** vi anhalten ♦ vt (uproot) herausreißen; (stop) anhalten

pulley ['pulɪ] n Rolle f, Flaschenzug m

pullover ['puləuvə*] n Pullover m

pulp [pʌlp] n Brei m; (of fruit) Fruchtfleisch nt

pulpit ['pulpɪt] n Kanzel f

pulsate [pʌl'seɪt] vi pulsieren

pulse [pʌls] n Puls m

pummel ['pʌml] vt mit den Fäusten bearbeiten

pump [pʌmp] n Pumpe f; (shoe) leichter (Tanz)schuh m ♦ vt pumpen; ~ **up** vt (tyre) aufpumpen

pumpkin ['pʌmpkɪn] n Kürbis m

pun [pʌn] n Wortspiel nt

punch [pʌntʃ] n (tool) Locher m; (blow) (Faust)schlag m; (drink) Punsch m, Bowle f ♦ vt lochen; (strike) schlagen, boxen; ~**line** n Pointe f; ~**-up** n (BRIT: inf) n Keilerei f

punctual ['pʌŋktjuəl] adj pünktlich

punctuate ['pʌŋktjueɪt] vt mit Satzzeichen versehen; (fig) unterbrechen

punctuation [pʌŋktju'eɪʃən] n Zeichensetzung f, Interpunktion f

puncture ['pʌŋktʃə*] n Loch nt; (AUT) Reifenpanne f ♦ vt durchbohren

pundit ['pʌndɪt] n Gelehrte(r) m

pungent ['pʌndʒənt] adj scharf

punish ['pʌnɪʃ] vt bestrafen; (in boxing etc) übel zurichten; ~**ment** n Strafe f; (action) Bestrafung f

punk [pʌŋk] n (also: ~ rocker) Punker(in) m(f); (: ~ rock) Punk m; (US: inf: hoodlum) Ganove m

punt [pʌnt] n Stechkahn m

punter ['pʌntə*] (BRIT) n (better) Wetter m

puny ['pju:nɪ] adj kümmerlich

pup [pʌp] n = **puppy**

pupil ['pju:pl] n Schüler(in) m(f); (in eye) Pupille f

puppet ['pʌpɪt] n Puppe f; Marionette f

puppy ['pʌpɪ] n junge(r) Hund m

purchase ['pɜ:tʃɪs] n Kauf m; (grip) Halt m ♦ vt kaufen, erwerben; ~**r** n Käufer(in) m(f)

pure [pjuə*] adj (also fig) rein; ~**ly** ['pjuəlɪ] adv rein

purgatory ['pɜ:gətərɪ] n Fegefeuer nt

purge [pɜ:dʒ] n (also POL) Säuberung f; (medicine) Abführmittel nt ♦ vt reinigen; (body) entschlacken

purify ['pjuərɪfaɪ] vt reinigen

purity ['pjuərɪtɪ] n Reinheit f

purl [pɜ:l] n linke Masche f

purple ['pɜ:pl] adj violett; (face) dunkelrot

purport [pɜ:'pɔ:t] vi vorgeben

purpose ['pɜ:pəs] n Zweck m, Ziel nt; (of person) Absicht f; **on** ~ absichtlich; ~**ful** adj zielbewußt, entschlossen

purr [pɜ:*] n Schnurren nt ♦ vi schnurren

purse [pɜ:s] n Portemonnaie nt, Geldbeutel m ♦ vt (lips) zusammenpressen, schürzen

purser ['pɜ:sə*] n Zahlmeister m

pursue [pə'sju:] vt verfolgen; (study) nachgehen +dat; ~**r** n Verfolger m

pursuit [pə'sju:t] n Verfolgung f; (occupation) Beschäftigung f

purveyor [pɜ:'veɪə*] n Lieferant m

pus [pʌs] n Eiter m

push [puʃ] n Stoß m, Schub m; (MIL) Vorstoß m ♦ vt stoßen, schieben; (button) drücken; (idea) durchsetzen ♦ vi stoßen, schieben; ~ **aside** vt beiseiteschieben; ~ **off** (inf) vi abschieben; ~ **on** vi weitermachen; ~ **through** vt durchdrücken; (policy) durchsetzen; ~ **up** vt (total) erhöhen; (prices) hochtreiben; ~**chair** (BRIT) n (Kinder)sportwagen m; ~**over** (inf) n Kinderspiel nt; ~**-up** (US) n (press-up) Liegestütz m; ~**y** (inf) adj aufdringlich

puss [pus] n Mieze(katze) f; ~**y(-cat)** ['pusɪ(kæt)] n Mieze(katze) f

put [put] (*pt, pp* **put**) *vt* setzen, stellen, legen; (*express*) ausdrücken, sagen; (*write*) schreiben; ~ **about** *vi* (*turn back*) wenden ♦ *vt* (*spread*) verbreiten; ~ **across** *vt* (*explain*) erklären; ~ **away** *vt* weglegen; (*store*) beiseitelegen; ~ **back** *vt* zurückstellen *or* -legen; ~ **by** *vt* zurücklegen, sparen; ~ **down** *vt* hinstellen *or* -legen; (*rebellion*) niederschlagen; (*animal*) einschläfern; (*in writing*) niederschreiben; ~ **forward** *vt* (*idea*) vorbringen; (*clock*) vorstellen; ~ **in** *vt* (*application, complaint*) einreichen; ~ **off** *vt* verschieben; (*discourage*) to ~ **sb off sth** jdn von etw abbringen; ~ **on** *vt* (*clothes etc*) anziehen; (*light etc*) anschalten, anmachen; (*play etc*) aufführen; (*brake*) anziehen; ~ **out** *vt* (*hand etc*) (her)ausstrecken; (*news, rumour*) verbreiten; (*light etc*) ausschalten, ausmachen; ~ **through** *vt* (*TEL: person*) verbinden; (: *call*) durchstellen; ~ **up** *vt* (*tent*) aufstellen; (*building*) errichten; (*price*) erhöhen; (*person*) unterbringen; ~ **up with** *vt fus* sich abfinden mit

putrid ['pjuːtrɪd] *adj* faul

putt [pʌt] *vt* (*golf*) putten ♦ *n* Putten *nt*; ~**ing green** *n* kleine(r) Golfplatz *m* nur zum Putten

putty ['pʌtɪ] *n* Kitt *m*; (*fig*) Wachs *nt*

put-up ['putʌp] *adj:* ~ **job** abgekartete(s) Spiel *nt*

puzzle ['pʌzl] *n* Rätsel *nt*; (*toy*) Geduldspiel *nt* ♦ *vt* verwirren ♦ *vi* sich den Kopf zerbrechen

puzzling ['pʌzlɪŋ] *adj* rätselhaft, verwirrend

pyjamas [pɪ'dʒɑːməz] (*BRIT*) *npl* Schlafanzug *m*, Pyjama *m*

pylon ['paɪlən] *n* Mast *m*

pyramid ['pɪrəmɪd] *n* Pyramide *f*

Q q

quack [kwæk] *n* Quaken *nt*; (*doctor*) Quacksalber *m* ♦ *vi* quaken

quad [kwɒd] *n abbr* = **quadrangle; quadruplet**

quadrangle ['kwɒdræŋgl] *n* (*court*) Hof *m*; (*MATH*) Viereck *nt*

quadruple [kwɒ'druːpl] *adj* vierfach ♦ *vi* sich vervierfachen ♦ *vt* vervierfachen

quadruplets [kwɒ'druːpləts] *npl* Vierlinge *pl*

quagmire ['kwægmaɪə*] *n* Morast *m*

quail [kweɪl] *n* (*bird*) Wachtel *f* ♦ *vi* (*vor Angst*) zittern

quaint [kweɪnt] *adj* kurios; malerisch

quake [kweɪk] *vi* beben, zittern ♦ *n abbr* = **earthquake**

qualification [kwɒlɪfɪ'keɪʃən] *n* Qualifikation *f*; (*sth which limits*) Einschränkung *f*

qualified ['kwɒlɪfaɪd] *adj* (*competent*) qualifiziert; (*limited*) bedingt

qualify ['kwɒlɪfaɪ] *vt* (*prepare*) befähigen; (*limit*) einschränken ♦ *vi* sich qualifizieren; **to ~ as a lawyer/doctor** sein juristisches/ medizinisches Staatsexamen machen

quality ['kwɒlɪtɪ] *n* Qualität *f*; (*characteristic*) Eigenschaft *f*

qualm [kwɑːm] *n* Bedenken *nt*

quandary ['kwɒndərɪ] *n:* **to be in a ~** in Verlegenheit sein

quantity ['kwɒntɪtɪ] *n* Menge *f*; ~ **surveyor** *n* Baukostenkalkulator *m*

quarantine ['kwɒrəntiːn] *n* Quarantäne *f*

quarrel ['kwɒrəl] *n* Streit *m* ♦ *vi* sich streiten; ~**some** *adj* streitsüchtig

quarry ['kwɒrɪ] *n* Steinbruch *m*; (*animal*) Wild *nt*; (*fig*) Opfer *nt*

quart [kwɔːt] *n* Quart *nt*

quarter ['kwɔːtə*] *n* Viertel *nt*; (*of year*) Quartal *nt* ♦ *vt* (*divide*) vierteln; (*MIL*) einquartieren; ~**s** *npl* (*esp MIL*) Quartier *nt*; ~ **of an hour** Viertelstunde *f*; ~ **final** *n* Viertelfinale *nt*; ~**ly** *adj* vierteljährlich

quartet(te) [kwɔː'tet] *n* Quartett *nt*

quartz [kwɔːts] *n* Quarz *m*

quash [kwɒʃ] *vt* (*verdict*) aufheben

quasi- ['kwɑːzɪ] *prefix* Quasi-

quaver ['kweɪvə*] *n* (*BRIT: MUS*) Achtelnote *f* ♦ *vi* (*tremble*) zittern

quay [kiː] *n* Kai *m*

queasy ['kwiːzɪ] *adj* übel

queen [kwiːn] *n* Königin *f*; ~ **mother** *n* Königinmutter *f*

queer [kwɪə*] *adj* seltsam ♦ *n* (*inf: homosexual*) Schwule(r) *m*

quell [kwel] *vt* unterdrücken

quench [kwentʃ] *vt* (*thirst*) löschen

querulous ['kwerʊləs] *adj* nörglerisch

query ['kwɪərɪ] *n* (*question*) (An)frage *f*; (*question mark*) Fragezeichen *nt* ♦ *vt* in Zweifel ziehen, in Frage stellen

quest [kwest] *n* Suche *f*

question ['kwestʃən] *n* Frage *f* ♦ *vt* (*ask*) (be)fragen; (*suspect*) verhören; (*doubt*) in Frage stellen, bezweifeln; **beyond ~** ohne Frage; **out of the ~** ausgeschlossen; ~**able** *adj* zweifelhaft; ~ **mark** *n* Fragezeichen *nt*

questionnaire [kwestʃə'nɛə*] *n* Fragebogen *m*

queue [kjuː] (*BRIT*) *n* Schlange *f* ♦ *vi* (*also:* ~ **up**) Schlange stehen

quibble ['kwɪbl] *vi* kleinlich sein

quick [kwɪk] *adj* schnell ♦ *n* (*of nail*) Nagelhaut *f*; **be ~!** mach schnell!; **cut to the ~**

(*fig*) tief getroffen; **~en** *vt* (*hasten*) beschleunigen ♦ *vi* sich beschleunigen; **~ly** *adj* schnell; **~sand** *n* Treibsand *m*; **~witted** *adj* schlagfertig

quid [kwɪd] (*BRIT: inf*) *n* (*£1*) Pfund *nt*

quiet ['kwaɪət] *adj* (*without noise*) leise; (*peaceful, calm*) still, ruhig ♦ *n* Stille *f*, Ruhe *f* ♦ *vt, vi* (*US*) = **quieten**; **keep ~!** sei still!; **~en** *vi* (*also:* **~en down**) ruhig werden ♦ *vt* beruhigen; **~ly** *adv* leise, ruhig; **~ness** *n* Ruhe *f*, Stille *f*

quilt [kwɪlt] *n* (*continental ~*) Steppdecke *f*

quin [kwɪn] *n abbr* = **quintuplet**

quinine [kwɪ'niːn] *n* Chinin *nt*

quintuplets [kwɪn'tjuːpləts] *npl* Fünflinge *pl*

quip [kwɪp] *n* witzige Bemerkung *f*

quirk [kwɜːk] *n* (*oddity*) Eigenart *f*

quit [kwɪt] (*pt, pp* **quit** *or* **quitted**) *vt* verlassen ♦ *vi* aufhören

quite [kwaɪt] *adv* (*completely*) ganz, völlig; (*fairly*) ziemlich; **~ a few of them** ziemlich viele von ihnen; **~ (so)!** richtig!

quits [kwɪts] *adj* quitt; **let's call it ~** lassen wir's gut sein

quiver ['kwɪvə*] *vi* zittern ♦ *n* (*for arrows*) Köcher *m*

quiz [kwɪz] *n* (*competition*) Quiz *nt* ♦ *vt* prüfen; **~zical** *adj* fragend

quorum ['kwɔːrəm] *n* beschlußfähige Anzahl *f*

quota ['kwəʊtə] *n* Anteil *m*; (*COMM*) Quote *f*

quotation [kwəʊ'teɪʃən] *n* Zitat *nt*; (*price*) Kostenvoranschlag *m*; **~ marks** *npl* Anführungszeichen *pl*

quote [kwəʊt] *n* = **quotation** ♦ *vi* (*from book*) zitieren ♦ *vt* zitieren; (*price*) angeben

R r

rabbi ['ræbaɪ] *n* Rabbiner *m*; (*title*) Rabbi *m*

rabbit ['ræbɪt] *n* Kaninchen *nt*; **~ hole** *n* Kaninchenbau *m*; **~ hutch** *n* Kaninchenstall *m*

rabble ['ræbl] *n* Pöbel *m*

rabies ['reɪbiːz] *n* Tollwut *f*

RAC (*BRIT*) *n abbr* = **Royal Automobile Club**

raccoon [rə'kuːn] *n* Waschbär *m*

race [reɪs] *n* (*species*) Rasse *f*; (*competition*) Rennen *nt*; (*on foot*) Rennen *nt*, Wettlauf *m*; (*rush*) Hetze *f* ♦ *vt* um die Wette laufen

mit; (*horses*) laufen lassen ♦ *vi* (*run*) rennen; (*in contest*) am Rennen teilnehmen; **~ car** (*US*) *n* = **racing car**; **~ car driver** (*US*) *n* = **racing driver**; **~course** *n* (*for horses*) Rennbahn *f*; **~horse** *n* Rennpferd *nt*; **~track** *n* (*for cars etc*) Rennstrecke *f*

racial ['reɪʃəl] *adj* Rassen-; **~ist** *adj* rassistisch ♦ *n* Rassist *m*

racing ['reɪsɪŋ] *n* Rennen *nt*; **~ car** (*BRIT*) *n* Rennwagen *m*; **~ driver** (*BRIT*) *n* Rennfahrer *m*

racism ['reɪsɪzəm] *n* Rassismus *m*

racist ['reɪsɪst] *n* Rassist *m* ♦ *adj* rassistisch

rack [ræk] *n* Ständer *m*, Gestell *nt* ♦ *vt* plagen; **to go to ~ and ruin** verfallen; **to ~ one's brains** sich *dat* den Kopf zerbrechen

racket ['rækɪt] *n* (*din*) Krach *m*; (*scheme*) (Schwindel)geschäft *nt*; (*TENNIS: also* **racquet**) (Tennis)schläger *m*

racoon [rə'kuːn] *n* = **raccoon**

racquet ['rækɪt] *n* (Tennis)schläger *m*

racy ['reɪsɪ] *adj* gewagt; (*style*) spritzig

radar ['reɪdɑː*] *n* Radar *nt or m*

radial ['reɪdɪəl] *adj* (*also: US:* **~-ply**) radial

radiance ['reɪdɪəns] *n* strahlende(r) Glanz *m*

radiant ['reɪdɪənt] *adj* strahlend; (*giving out rays*) Strahlungs-

radiate ['reɪdɪeɪt] *vi* ausstrahlen; (*roads, lines*) strahlenförmig wegführen ♦ *vt* ausstrahlen

radiation [reɪdɪ'eɪʃən] *n* (Aus)strahlung *f*

radiator ['reɪdɪeɪtə*] *n* (*for heating*) Heizkörper *m*; (*AUT*) Kühler *m*

radical ['rædɪkəl] *adj* radikal

radii ['reɪdɪaɪ] *npl of* **radius**

radio ['reɪdɪəʊ] *n* Rundfunk *m*, Radio *nt*; (*set*) Radio *nt*, Radioapparat *m*; **on the ~** im Radio; **~active** [reɪdɪəʊ'æktɪv] *adj* radioaktiv; **~logy** [reɪdɪ'ɒlədʒɪ] *n* Strahlenkunde *f*; **~ station** *n* Rundfunkstation *f*; **~therapy** *n* ['reɪdɪəʊ'θerəpɪ] *n* Röntgentherapie *f*

radish ['rædɪʃ] *n* (*big*) Rettich *m*; (*small*) Radieschen *nt*

radius ['reɪdɪəs] *n* (*pl* **radii**) *n* Radius *m*; (*area*) Umkreis *m*

RAF *n abbr* = **Royal Air Force**

raffle ['ræfl] *n* Verlosung *f*, Tombola *f* ♦ *vt* verlosen

raft [rɑːft] *n* Floß *nt*

rafter ['rɑːftə*] *n* Dachsparren *m*

rag [ræg] *n* (*cloth*) Lumpen *m*, Lappen *m*; (*inf: newspaper*) Käseblatt *nt*; (*UNIV: for charity*) studentische Sammelaktion *f* ♦ *vt* (*BRIT*) auf den Arm nehmen; **~s** *npl* (*cloth*) Lumpen *pl*; **~-and-bone man** (*irreg*; *BRIT*) *n* = **ragman**; **~ doll** *n* Flickenpuppe *f*

rage [reɪdʒ] *n* Wut *f*; (*fashion*) große Mode *f* ♦ *vi* wüten, toben

ragged ['rægɪd] *adj* (*edge*) gezackt; (*clothes*)

zerlumpt
ragman ['rægmæn] (*irreg*) *n* Lumpensammler *m*
raid [reɪd] *n* Überfall *m*; (*MIL*) Angriff *m*; (*by police*) Razzia *f* ♦ *vt* überfallen
rail [reɪl] *n* (*also RAIL*) Schiene *f*; (*on stair*) Geländer *nt*; (*of ship*) Reling *f*; ~**s** (*RAIL*) Geleise *pl*; **by** ~ per Bahn; ~**ing(s)** *n(pl)* Geländer *nt*; ~**road** (*US*) *n* Eisenbahn *f*; ~**way** (*BRIT*) *n* Eisenbahn *f*; ~**way line** (*BRIT*) *n* (Eisen)bahnlinie *f*; (*track*) Gleis *nt*; ~**wayman** (*irreg*; *BRIT*) *n* Eisenbahner *m*; ~**way station** (*BRIT*) *n* Bahnhof *m*
rain [reɪn] *n* Regen *m* ♦ *vt, vi* regnen; **in the** ~ im Regen; **it's** ~**ing** es regnet; ~**bow** *n* Regenbogen *m*; ~**coat** *n* Regenmantel *m*; ~**drop** *n* Regentropfen *m*; ~**fall** *n* Niederschlag *m*; ~**forest** *n* Regenwald *m*; ~**y** *adj* (*region, season*) Regen-; (*day*) regnerisch, verregnet
raise [reɪz] *n* (*esp US: increase*) (Gehalts)erhöhung *f* ♦ *vt* (*lift*) (hoch)heben; (*increase*) erhöhen; (*question*) aufwerfen; (*doubts*) äußern; (*funds*) beschaffen; (*family*) großziehen; (*livestock*) züchten; **to** ~ **one's voice** die Stimme erheben
raisin ['reɪzən] *n* Rosine *f*
rake [reɪk] *n* Rechen *m*, Harke *f*; (*person*) Wüstling *m* ♦ *vt* rechen, harken; (*with gun*) (mit Feuer) bestreichen; (*search*) (durch)suchen
rakish ['reɪkɪʃ] *adj* verwegen
rally ['rælɪ] *n* (*POL etc*) Kundgebung *f*; (*AUT*) Rallye *f* ♦ *vt* (*MIL*) sammeln ♦ *vi* Kräfte sammeln; ~ **round** *vt fus* (*sich*) scharen um; (*help*) zu Hilfe kommen +*dat* ♦ *vi* zu Hilfe kommen
RAM [ræm] *n abbr* (= *random access memory*) RAM *m*
ram [ræm] *n* Widder *m*; (*instrument*) Ramme *f* ♦ *vt* (*strike*) rammen; (*stuff*) (hinein)stopfen
ramble ['ræmbl] *n* Wanderung *f* ♦ *vi* (*talk*) schwafeln; ~**r** *n* Wanderer *m*
rambling ['ræmblɪŋ] *adj* (*speech*) weitschweifig; (*town*) ausgedehnt
ramp [ræmp] *n* Rampe *f*; **on/off** ~ (*US: AUT*) Ein-/Ausfahrt *f*
rampage [ræm'peɪdʒ] *n*: **to be on the** ~ randalieren ♦ *vi* randalieren
rampant ['ræmpənt] *adj* wild wuchernd
rampart ['ræmpɑːt] *n* (Schutz)wall *m*
ramshackle ['ræmʃækl] *adj* baufällig
ran [ræn] *pt of* **run**
ranch [rɑːntʃ] *n* Ranch *f*
rancid ['rænsɪd] *adj* ranzig
rancour ['ræŋkə*] (*US* **rancor**) *n* Verbitterung *f*, Groll *m*
random ['rændəm] *adj* ziellos, wahllos ♦ *n*: **at** ~ aufs Geratewohl; ~ **access** *n* (*COMPUT*) wahlfreie(r) Zugriff *m*
randy ['rændɪ] (*BRIT: inf*) *adj* geil, scharf

rang [ræŋ] *pt of* **ring**
range [reɪndʒ] *n* Reihe *f*; (*of mountains*) Kette *f*; (*COMM*) Sortiment *nt*; (*reach*) (Reich)weite *f*; (*of gun*) Schußweite *f*; (*for shooting practice*) Schießplatz *m*; (*stove*) (großer) Herd *m* ♦ *vt* (*set in row*) anordnen, aufstellen; (*roam*) durchstreifen ♦ *vi*: **to** ~ **over** (*wander*) umherstreifen in +*dat*; (*extend*) sich erstrecken auf +*acc*; **a** ~ **of** (*selection*) eine (große) Auswahl an +*dat*; **prices ranging from £5 to £10** Preise, die sich zwischen £5 und £10 bewegen; ~**r** ['reɪndʒə*] *n* Förster *m*
rank [ræŋk] *n* (*row*) Reihe *f*; (*BRIT: also: taxi* ~) (Taxi)stand *m*; (*MIL*) Rang *m*; (*social position*) Stand *m* ♦ *vi* (*have* ~): **to** ~ **among** gehören zu ♦ *adj* (*strong-smelling*) stinkend; (*extreme*) krass; **the** ~ **and file** (*fig*) die breite Masse
rankle ['ræŋkl] *vi* nagen
ransack ['rænsæk] *vt* (*plunder*) plündern; (*search*) durchwühlen
ransom ['rænsəm] *n* Lösegeld *nt*; **to hold sb to** ~ jdn gegen Lösegeld festhalten
rant [rænt] *vi* hochtrabend reden
rap [ræp] *n* Schlag *m*; (*music*) Rap *m* ♦ *vt* klopfen
rape [reɪp] *n* Vergewaltigung *f*; (*BOT*) Raps *m* ♦ *vt* vergewaltigen; ~**(seed) oil** *n* Rapsöl *nt*
rapid ['ræpɪd] *adj* rasch, schnell; ~**ity** [rə'pɪdɪtɪ] *n* Schnelligkeit *f*; ~**ly** *adv* schnell; ~**s** *npl* Stromschnellen *pl*
rapist ['reɪpɪst] *n* Vergewaltiger *m*
rapport [ræ'pɔː*] *n* gute(s) Verhältnis *nt*
rapture ['ræptʃə*] *n* Entzücken *nt*
rapturous ['ræptʃərəs] *adj* (*applause*) stürmisch; (*expression*) verzückt
rare [reə*] *adj* selten, rar; (*underdone*) nicht durchgebraten
rarely ['reəlɪ] *adv* selten
raring ['reərɪŋ] *adj*: **to be** ~ **to go** (*inf*) es kaum erwarten können, bis es losgeht
rarity ['reərɪtɪ] *n* Seltenheit *f*
rascal ['rɑːskəl] *n* Schuft *m*
rash [ræʃ] *adj* übereilt; (*reckless*) unbesonnen ♦ *n* (Haut)ausschlag *m*
rasher ['ræʃə*] *n* Speckscheibe *f*
raspberry ['rɑːzbərɪ] *n* Himbeere *f*
rasping ['rɑːspɪŋ] *adj* (*noise*) kratzend; (*voice*) krächzend
rat [ræt] *n* (*animal*) Ratte *f*; (*person*) Halunke *m*
rate [reɪt] *n* (*proportion*) Rate *f*; (*price*) Tarif *m*; (*speed*) Tempo *nt* ♦ *vt* (ein)schätzen; ~**s** *npl* (*BRIT: tax*) Grundsteuer *f*; **to** ~ **as** für etw halten; ~**able value** (*BRIT*) *n* Einheitswert *m* (*als Bemessungsgrundlage*); ~**payer** (*BRIT*) *n* Steuerzahler(in) *m(f)*
rather ['rɑːðə*] *adv* (*in preference*) lieber, eher; (*to some extent*) ziemlich; **I would** *or* **I'd** ~ **go** ich würde lieber gehen; **it's** ~ **ex-**

pensive (*quite*) es ist ziemlich teuer; (*too*) es ist etwas zu teuer; **there's ~ a lot** es ist ziemlich viel

ratify ['rætɪfaɪ] *vt* bestätigen; (*POL*) ratifizieren

rating ['reɪtɪŋ] *n* Klasse *f*; (*BRIT: sailor*) Matrose *m*

ratio ['reɪʃɪəʊ] *n* Verhältnis *nt*; **in the ~ of 100 to 1** im Verhältnis 100 zu 1

ration ['ræʃən] *n* (*usu pl*) Ration *f* ♦ *vt* rationieren

rational ['ræʃənl] *adj* rational; **~e** [ræʃə'nɑːl] *n* Grundprinzip *nt*; **~ize** ['ræʃnəlaɪz] *vt* rationalisieren; **~ly** *adv* rational

rat race *n* Konkurrenzkampf *m*

rattle ['rætl] *n* (*sound*) Rasseln *nt*; (*toy*) Rassel *f* ♦ *vi* ratteln, klappern ♦ *vt* rasseln mit; **~snake** *n* Klapperschlange *f*

raucous ['rɔːkəs] *adj* heiser, rauh

ravage ['rævɪdʒ] *vt* verheeren; **~s** *npl* verheerende Wirkungen *pl*

rave [reɪv] *vi* (*talk wildly*) phantasieren; (*rage*) toben

raven ['reɪvn] *n* Rabe *m*

ravenous ['rævənəs] *adj* heißhungrig

ravine [rə'viːn] *n* Schlucht *f*

raving ['reɪvɪŋ] *adj*: **~ lunatic** völlig Wahnsinnige(r) *mf*

ravishing ['rævɪʃɪŋ] *adj* atemberaubend

raw [rɔː] *adj* roh; (*tender*) wund(gerieben); (*inexperienced*) unerfahren; **to get a ~ deal** (*inf*) schlecht wegkommen; **~ material** *n* Rohmaterial *nt*

ray [reɪ] *n* (*of light*) Strahl *m*; **~ of hope** Hoffnungsschimmer *m*

raze [reɪz] *vt* (*also: raze to the ground*) dem Erdboden gleichmachen

razor ['reɪzə*] *n* Rasierapparat *m*; **~ blade** *n* Rasierklinge *f*

Rd *abbr* = **road**

re [riː] *prep* (*COMM*) betreffs +*gen*

reach [riːtʃ] *n* Reichweite *f*; (*of river*) Strecke *f* ♦ *vt* (*arrive at*) erreichen; (*give*) reichen ♦ *vi* (*stretch*) sich erstrecken; **within ~** (*shops etc*) in erreichbarer Weite or Entfernung; **out of ~** außer Reichweite; **to ~ for** (*try to get*) langen nach; **~ out** *vi* die Hand ausstrecken; **to ~ out for sth** nach etw greifen

react [riː'ækt] *vi* reagieren; **~ion** [riː'ækʃən] *n* Reaktion *f*

reactor [riː'æktə*] *n* Reaktor *m*

read¹ [red] *pt, pp of* **read²**

read² [riːd] (*pt, pp* **read**) *vt, vi* lesen; (*aloud*) vorlesen; **~ out** *vt* vorlesen; **~able** *adj* leserlich; (*worth reading*) lesenswert; **~er** *n* (*person*) Leser(in) *m(f)*; (*book*) Lesebuch *nt*; **~ership** *n* Leserschaft *f*

readily ['redɪlɪ] *adv* (*willingly*) bereitwillig; (*easily*) prompt

readiness ['redɪnəs] *n* (*willingness*) Bereit-

willigkeit *f*; (*being ready*) Bereitschaft *f*; **in ~** (*prepared*) bereit

reading ['riːdɪŋ] *n* Lesen *nt*

readjust ['riːə'dʒʌst] *vt* neu einstellen ♦ *vi* (*person*): **to ~ to** sich wieder anpassen an +*acc*

ready ['redɪ] *adj* (*prepared, willing*) bereit ♦ *adv*: **~-cooked** vorgekocht ♦ *n*: **at the ~** bereit; **~-made** *adj* gebrauchsfertig, Fertig-; (*clothes*) Konfektions-; **~ money** *n* Bargeld *nt*; **~ reckoner** *n* Rechentabelle *f*; **~-to-wear** *adj* Konfektions-

real [rɪəl] *adj* wirklich; (*actual*) eigentlich; (*not fake*) echt; **in ~ terms** effektiv; **~ estate** *n* Grundbesitz *m*; **~istic** [rɪə'lɪstɪk] *adj* realistisch

reality [riː'ælɪtɪ] *n* Wirklichkeit *f*, Realität *f*; **in ~** in Wirklichkeit

realization [rɪəlaɪ'zeɪʃən] *n* (*understanding*) Erkenntnis *f*; (*fulfilment*) Verwirklichung *f*

realize ['rɪəlaɪz] *vt* (*understand*) begreifen; (*make real*) verwirklichen; (*money*) einbringen; **I didn't ~ ...** ich wußte nicht, ...

really ['rɪəlɪ] *adv* wirklich; **~?** (*indicating interest*) tatsächlich?; (*expressing surprise*) wirklich?

realm [relm] *n* Reich *nt*

realtor ['rɪəltɔː*] (®; *US*) *n* Grundstücksmakler(in) *m(f)*

reap [riːp] *vt* ernten

reappear ['riːə'pɪə*] *vi* wieder erscheinen

rear [rɪə*] *adj* hintere(r, s), Rück- ♦ *n* Rückseite *f*; (*last part*) Schluß *m* ♦ *vt* (*bring up*) aufziehen ♦ *vi* (*horse*) sich aufbäumen; **~guard** *n* Nachhut *f*

rearmament ['riː'ɑːməmənt] *n* Wiederaufrüstung *f*

rearrange ['riːə'reɪndʒ] *vt* umordnen

rear-view mirror ['rɪəvjuː-] *n* Rückspiegel *m*

reason ['riːzn] *n* (*cause*) Grund *m*; (*ability to think*) Verstand *m*; (*sensible thoughts*) Vernunft *f* ♦ *vi* (*think*) denken; (*use arguments*) argumentieren; **it stands to ~ that** es ist logisch, daß; **to ~ with sb** mit jdm diskutieren; **~able** *adj* vernünftig; **~ably** *adv* vernünftig; (*fairly*) ziemlich; **~ed** *adj* (*argument*) durchdacht; **~ing** *n* Urteilen *nt*; (*argumentation*) Beweisführung *f*

reassurance ['riːə'ʃʊərəns] *n* Beruhigung *f*; (*confirmation*) Bestätigung *f*

reassure ['riːə'ʃʊə*] *vt* beruhigen; **to ~ sb of sth** jdm etw versichern

reassuring ['riːə'ʃʊərɪŋ] *adj* beruhigend

rebate ['riːbeɪt] *n* Rückzahlung *f*

rebel [*n* 'rebl, *vb* rɪ'bel] *n* Rebell *m* ♦ *vi* rebellieren; **~lion** [rɪ'beljən] *n* Rebellion *f*, Aufstand *m*; **~lious** [rɪ'beljəs] *adj* (*subject, child, behaviour*) rebellisch

rebirth ['riː'bɜːθ] *n* Wiedergeburt *f*

rebound [*vb* rɪ'baʊnd, *n* 'riːbaʊnd] *vi* zurückprallen ♦ *n* Rückprall *m*

rebuff [rɪ'bʌf] n Abfuhr f ♦ vt abblitzen lassen

rebuild ['riː'bɪld] (*irreg*) vt wiederaufbauen; (*fig*) wiederherstellen

rebuke [rɪ'bjuːk] n Tadel m ♦ vt tadeln, rügen

rebut [rɪ'bʌt] vt widerlegen

recalcitrant [rɪ'kælsɪtrənt] adj widerspenstig

recall [rɪ'kɔːl] vt (*call back*) zurückrufen; (*remember*) sich erinnern an +acc ♦ n Rückruf m

recant [rɪ'kænt] vi widerrufen

recap ['riːkæp] vt, vi wiederholen

recapitulate [riːkə'pɪtjuleɪt] vt, vi = **recap**

rec'd abbr (= received) Eing.

recede [rɪ'siːd] vi zurückweichen

receding [rɪː'siːdɪŋ] adj: ~ **hairline** Stirnglatze f

receipt [rɪ'siːt] n (*document*) Quittung f; (*receiving*) Empfang m; ~**s** npl (ECON) Einnahmen pl

receive [rɪ'siːv] vt erhalten; (*visitors etc*) empfangen; ~**r** [rɪ'siːvə*] n (TEL) Hörer m

recent ['riːsnt] adj vor kurzem (geschehen), neuerlich; (*modern*) neu; ~**ly** adv kürzlich, neulich

receptacle [rɪ'septəkl] n Behälter m

reception [rɪ'sepʃən] n Empfang m; ~ **desk** n Empfang m; (*in hotel*) Rezeption f; ~**ist** n (*in hotel*) Empfangschef m, Empfangsdame f; (MED) Sprechstundenhilfe f

receptive [rɪ'septɪv] adj aufnahmebereit

recess [rɪ'ses] n (*break*) Ferien pl; (*hollow*) Nische f; ~**ion** [rɪ'seʃən] n Rezession f

recharge ['riː'tʃɑːdʒ] vt (*battery*) aufladen

recipe ['resɪpɪ] n Rezept nt

recipient [rɪ'sɪpɪənt] n Empfänger m

reciprocal [rɪ'sɪprəkəl] adj gegenseitig; (*mutual*) wechselseitig

recital [rɪ'saɪtl] n Vortrag m

recite [rɪ'saɪt] vt vortragen, aufsagen

reckless ['rekləs] adj leichtsinnig; (*driving*) fahrlässig

reckon ['rekən] vt (*count*) rechnen, berechnen, errechnen; (*estimate*) schätzen; (*think*): **I ~ that ...** ich nehme an, daß ...; ~ **on** vt fus rechnen mit; ~**ing** n (*calculation*) Rechnen nt

reclaim [rɪ'kleɪm] vt (*expenses*) zurückverlangen; (*land*): **to ~ (from sth)** (etw dat) gewinnen

reclamation [reklə'meɪʃən] n (*of land*) Gewinnung f

recline [rɪ'klaɪn] vi sich zurücklehnen

reclining [rɪ'klaɪnɪŋ] adj Liege-

recluse [rɪ'kluːs] n Einsiedler m

recognition [rekəg'nɪʃən] n (*recognizing*) Erkennen nt; (*acknowledgement*) Anerkennung f; **transformed beyond ~** völlig verändert

recognizable ['rekəgnaɪzəbl] adj erkennbar

recognize ['rekəgnaɪz] vt erkennen; (POL, *approve*) anerkennen; **to ~ as** anerkennen als; **to ~ by** erkennen an +dat

recoil [rɪ'kɔɪl] vi (*in horror*) zurückschrecken; (*rebound*) zurückprallen; (*person*): **to ~ from doing sth** davor zurückschrecken, etw zu tun

recollect [rekə'lekt] vt sich erinnern an +acc; ~**ion** [rekə'lekʃən] n Erinnerung f

recommend [rekə'mend] vt empfehlen; ~**ation** n Empfehlung f

recompense ['rekəmpens] n (*compensation*) Entschädigung f; (*reward*) Belohnung f ♦ vt entschädigen; belohnen

reconcile ['rekənsaɪl] vt (*facts*) vereinbaren; (*people*) versöhnen; **to ~ o.s. to sth** sich mit etw abfinden

reconciliation [rekənsɪlɪ'eɪʃən] n Versöhnung f

recondition ['riːkən'dɪʃən] vt (*machine*) generalüberholen

reconnaissance [rɪ'kɒnɪsəns] n Aufklärung f

reconnoitre [rekə'nɔɪtə*] (US **reconnoiter**) vt erkunden ♦ vi aufklären

reconsider ['riːkən'sɪdə*] vt von neuem erwägen, noch einmal überdenken ♦ vi es noch einmal überdenken

reconstruct ['riːkən'strʌkt] vt wiederaufbauen; (*crime*) rekonstruieren; ~**ion** ['riːkən'strʌkʃən] n Rekonstruktion f

record [n 'rekɔːd, vb rɪ'kɔːd] n Aufzeichnung f; (MUS) Schallplatte f; (*best performance*) Rekord m ♦ vt aufzeichnen; (*music etc*) aufnehmen; **off the ~** vertraulich ♦ adv im Vertrauen; **in ~ time** in Rekordzeit; ~ **card** n (*in file*) Karteikarte f; ~**ed delivery** (BRIT) n (POST) Einschreiben nt; ~**er** n (TECH) Registriergerät nt; (MUS) Blockflöte f; ~ **holder** n (SPORT) Rekordinhaber m; ~**ing** n (MUS) Aufnahme f; ~ **player** n Plattenspieler m

recount [rɪ'kaunt] vt (*tell*) berichten

re-count ['riːkaunt] n Nachzählung f ♦ vt nachzählen

recoup [rɪ'kuːp] vt: **to ~ one's losses** seinen Verlust wiedergutmachen

recourse [rɪ'kɔːs] n: **to have ~ to** Zuflucht nehmen zu or bei

recover [rɪ'kʌvə*] vt (*get back*) zurückerhalten ♦ vi sich erholen

re-cover [riː'kʌvə*] vt (*quilt etc*) neu überziehen

recovery [rɪ'kʌvərɪ] n Wiedererlangung f; (*of health*) Erholung f

recreate ['riːkrɪ'eɪt] vt wiederherstellen

recreation [rekrɪ'eɪʃən] n Erholung f; ~**al** adj Erholungs-

recrimination [rɪkrɪmɪ'neɪʃən] n Gegenbeschuldigung f

recruit [rɪ'kruːt] n Rekrut m ♦ vt rekrutieren; ~**ment** n Rekrutierung f

rectangle ['rɛktæŋgl] n Rechteck nt
rectangular [rɛk'tæŋgjʊlə*] adj rechteckig, rechtwinklig
rectify ['rɛktɪfaɪ] vt berichtigen
rector ['rɛktə*] n (REL) Pfarrer m; (SCH) Direktor(in) m(f); ~**y** ['rɛktərɪ] n Pfarrhaus nt
recuperate [rɪ'kuːpəreɪt] vi sich erholen
recur [rɪ'kɜː*] vi sich wiederholen; ~**rence** n Wiederholung f; ~**rent** adj wiederkehrend
recycle vt wiederverwerten, wiederaufbereiten
red [rɛd] n Rot nt; (POL) Rote(r) m ♦ adj rot; **in the** ~ in den roten Zahlen; ~ **carpet treatment** n Sonderbehandlung f, große(r) Bahnhof m; **R~ Cross** n Rote(s) Kreuz nt; ~**currant** n rote Johannisbeere f; ~**den** vi sich röten; (blush) erröten ♦ vt röten; ~**dish** adj rötlich
redeem [rɪ'diːm] vt (COMM) einlösen; (save) retten
redeeming [rɪ'diːmɪŋ] adj: ~ **feature** versöhnende(s) Moment nt
redeploy ['riːdɪ'plɔɪ] vt (resources) umverteilen
red-haired ['rɛd'hɛəd] adj rothaarig
red-handed ['rɛd'hændɪd] adv: **to be caught** ~ auf frischer Tat ertappt werden
redhead ['rɛdhɛd] n Rothaarige(r) mf
red herring n Ablenkungsmanöver nt
red-hot ['rɛd'hɔt] adj rotglühend
redirect ['riːdaɪ'rɛkt] vt umleiten
red light n: **to go through a** ~ (AUT) bei Rot über die Ampel fahren; **red-light district** n Strichviertel nt
redo ['riː'duː] (irreg: like do) vt nochmals machen
redolent ['rɛdəʊlənt] adj: ~ **of** riechend nach; (fig) erinnernd an +acc
redouble [riː'dʌbl] vt: **to** ~ **one's efforts** seine Anstrengungen verdoppeln
redress [rɪ'drɛs] n Entschädigung f ♦ vt wiedergutmachen
Red Sea n: **the** ~ das Rote Meer
redskin ['rɛdskɪn] n Rothaut f
red tape n Bürokratismus m
reduce [rɪ'djuːs] vt (speed, temperature) vermindern; (photo) verkleinern; "~ **speed now**" (AUT) ≈ „langsam"; **to** ~ **the price (to)** den Preis herabsetzen (auf +acc); **at a** ~**d price** zum ermäßigten Preis
reduction [rɪ'dʌkʃən] n Verminderung f; Verkleinerung f; Herabsetzung f; (amount of money) Nachlaß m
redundancy [rɪ'dʌndənsɪ] n Überflüssigkeit f; (of workers) Entlassung f
redundant [rɪ'dʌndənt] adj überflüssig; (workers) ohne Arbeitsplatz; **to be made** ~ arbeitslos werden
reed [riːd] n Schilf nt; (MUS) Rohrblatt nt
reef [riːf] n Riff nt

reek [riːk] vi: **to** ~ **(of)** stinken (nach)
reel [riːl] n Spule f, Rolle f ♦ vt (also: ~ **in**) wickeln, spulen ♦ vi (stagger) taumeln
ref [rɛf] (inf) n abbr (= referee) Schiri m
refectory [rɪ'fɛktərɪ] n (UNIV) Mensa f; (SCH) Speisesaal m; (ECCL) Refektorium nt
refer [rɪ'fɜː*] vt: **to** ~ **sb to sb/sth** jdn an jdn/etw verweisen ♦ vi: **to** ~ **to** (to book) nachschlagen in +dat; (mention) sich beziehen auf +acc
referee [rɛfə'riː] n Schiedsrichter m; (BRIT: for job) Referenz f ♦ vt schiedsrichtern
reference ['rɛfrəns] n (for job) Referenz f; (in book) Verweis m; (number, code) Aktenzeichen nt; (allusion): ~ **(to)** Anspielung (auf +acc); **with** ~ **to** in bezug auf +acc; ~ **book** n Nachschlagewerk nt; ~ **number** n Aktenzeichen nt
referenda [rɛfə'rɛndə] npl of **referendum**
referendum [rɛfə'rɛndəm] (pl -**da**) n Volksabstimmung f
refill [vb 'riː'fɪl, n 'riːfɪl] vt nachfüllen ♦ n (for pen) Ersatzmine f
refine [rɪ'faɪn] vt (purify) raffinieren; ~**d** adj kultiviert; ~**ment** n Kultiviertheit f
reflect [rɪ'flɛkt] vt (light) reflektieren; (fig) (wider)spiegeln ♦ vi (meditate): **to** ~ **(on)** nachdenken (über +acc); **it** ~**s badly/well on him** das stellt ihn in ein schlechtes/gutes Licht; ~**ion** [rɪ'flɛkʃən] n Reflexion f; (image) Spiegelbild nt; (thought) Überlegung f; **on** ~**ion** wenn man sich dat das recht überlegt
reflex ['riːflɛks] adj Reflex- ♦ n Reflex m; ~**ive** [rɪ'flɛksɪv] adj reflexiv
reform [rɪ'fɔːm] n Reform f ♦ vt (person) bessern; **the R~ation** n die Reformation; ~**atory** (US) n Besserungsanstalt f
refrain [rɪ'freɪn] vi: **to** ~ **from** unterlassen ♦ n Refrain m
refresh [rɪ'frɛʃ] vt erfrischen; ~**er course** (BRIT) n Wiederholungskurs m; ~**ing** adj erfrischend; ~**ments** npl Erfrischungen pl
refrigeration [rɪfrɪdʒə'reɪʃən] n Kühlung f
refrigerator [rɪ'frɪdʒəreɪtə*] n Kühlschrank m
refuel ['riː'fjʊəl] vt, vi auftanken
refuge ['rɛfjuːdʒ] n Zuflucht f; **to take** ~ **in** sich flüchten in +acc
refugee [rɛfju'dʒiː] n Flüchtling m
refund [n 'riːfʌnd, vb rɪ'fʌnd] n Rückvergütung f ♦ vt zurückerstatten
refurbish ['riː'fɜːbɪʃ] vt aufpolieren
refusal [rɪ'fjuːzəl] n (Ver)weigerung f; **first** ~ Vorkaufsrecht nt
refuse[1] [rɪ'fjuːz] vt abschlagen ♦ vi sich weigern
refuse[2] ['rɛfjuːs] n Abfall m, Müll m; ~ **collection** n Müllabfuhr f
refute [rɪ'fjuːt] vt widerlegen
regain [rɪ'geɪn] vt wiedergewinnen; (consciousness) wiedererlangen

regal ['ri:gəl] adj königlich

regalia [rɪ'geɪlɪə] npl Insignien pl

regard [rɪ'gɑ:d] n Achtung f ♦ vt ansehen; **to send one's ~s to sb** jdn grüßen lassen; **"with kindest ~s"** „mit freundlichen Grüßen"; **~ing** or **as ~s** or **with ~ to** bezüglich +gen, in bezug auf +acc; **~less** adj: **~less of** ohne Rücksicht auf +acc ♦ adv trotzdem

regenerate [rɪ'dʒenəreɪt] vt erneuern

régime [reɪ'ʒi:m] n Regime nt

regiment [n 'redʒɪmənt, vb 'redʒɪment] n Regiment nt ♦ vt (fig) reglementieren; **~al** [redʒɪ'mentl] adj Regiments-

region [ri:dʒən] n Region f; **in the ~ of** (fig) so um; **~al** adj örtlich, regional

register ['redʒɪstə*] n Register nt ♦ vt (list) registrieren; (emotion) zeigen; (write down) eintragen ♦ vi (at hotel) sich eintragen; (with police) sich melden; (make impression) wirken, ankommen; **to ~ with the police** sich bei der Polizei melden, sich polizeilich melden; **~ed** (BRIT) adj (letter) Einschreibe-, eingeschrieben; **~ed trademark** n eingetragene(s) Warenzeichen nt

registrar [redʒɪs'trɑ:*] n Standesbeamte(r) m

registration [redʒɪs'treɪʃən] n (act) Registrierung f; (AUT: also: ~ number) polizeiliche(s) Kennzeichen nt

registry ['redʒɪstrɪ] n Sekretariat nt; **~ office** (BRIT) n Standesamt nt; **to get married in a ~ office** standesamtlich heiraten

regret [rɪ'gret] n Bedauern nt ♦ vt bedauern; **~fully** adv mit Bedauern, ungern; **~table** adj bedauerlich

regroup [ri:'gru:p] vt umgruppieren ♦ vi sich umgruppieren

regular ['regjʊlə*] adj regelmäßig; (usual) üblich; (inf) gehörig ♦ n (client etc) Stammkunde m; **~ity** [regjʊ'lærɪtɪ] n Regelmäßigkeit f; **~ly** adv regelmäßig

regulate ['regjʊleɪt] vt regeln, regulieren

regulation [regjʊ'leɪʃən] n (rule) Vorschrift f; (control) Regulierung f

rehabilitation ['ri:həbɪlɪ'teɪʃən] n (of criminal) Resozialisierung f

rehearsal [rɪ'hɜ:səl] n Probe f

rehearse [rɪ'hɜ:s] vt proben

reign [reɪn] n Herrschaft f ♦ vi herrschen

reimburse [ri:ɪm'bɜ:s] vt: **to ~ sb for sth** jdn für etw entschädigen, jdm etw zurückzahlen

rein [reɪn] n Zügel m

reincarnation ['ri:ɪnkɑ:'neɪʃən] n Wiedergeburt f

reindeer ['reɪndɪə*] n Ren nt

reinforce [ri:ɪn'fɔ:s] vt verstärken; **~d concrete** n Stahlbeton m; **~ment** n Verstärkung f; **~ments** npl (MIL) Verstärkungstruppen pl

reinstate [ri:ɪn'steɪt] vt wiedereinsetzen

reissue ['ri:'ɪʃu:] vt neu herausgeben

reiterate [ri:'ɪtəreɪt] vt wiederholen

reject [n 'ri:dʒekt, vb rɪ'dʒekt] n (COMM) Ausschuß(artikel) m ♦ vt ablehnen; **~ion** ['ri:dʒekʃən] n Zurückweisung f

rejoice [rɪ'dʒɔɪs] vi: **to ~ at** or **over** sich freuen über +acc

rejuvenate [rɪ'dʒu:vɪneɪt] vt verjüngen

rekindle ['ri:'kɪndl] vt wieder anfangen

relapse [rɪ'læps] n Rückfall m

relate [rɪ'leɪt] vt (tell) erzählen; (connect) verbinden ♦ vi: **to ~ to** zusammenhängen mit; (form relationship) eine Beziehung aufbauen zu; **~d** adj: **~d (to)** verwandt (mit); **relating** prep: **relating to** bezüglich +gen

relation [rɪ'leɪʃən] n Verwandte(r) mf; (connection) Beziehung f; **~ship** n Verhältnis nt, Beziehung f

relative ['relətɪv] n Verwandte(r) mf ♦ adj relativ; **~ly** adv verhältnismäßig

relax [rɪ'læks] vi (slacken) sich lockern; (muscles, person) sich entspannen ♦ vt (ease) lockern, entspannen; **~ation** [ri:læk'seɪʃən] n Entspannung f; **~ed** adj entspannt, locker; **~ing** adj entspannend

relay ['ri:leɪ] n (SPORT) Staffel f ♦ vt (message) weiterleiten; (RADIO, TV) übertragen

release [rɪ'li:s] n (freedom) Entlassung f; (TECH) Auslöser m ♦ vt befreien; (prisoner) entlassen; (report, news) verlautbaren, bekanntgeben

relegate ['reləgeɪt] vt (SPORT): **to be ~d** absteigen

relent [rɪ'lent] vi nachgeben; **~less** adj unnachgiebig; **~lessly** adv unnachgiebig

relevant ['reləvənt] adj wichtig, relevant; **~ to** relevant für

reliability [rɪlaɪə'bɪlɪtɪ] n Zuverlässigkeit f

reliable [rɪ'laɪəbl] adj zuverlässig; **reliably** adv zuverlässig; **to be reliably informed that ...** aus zuverlässiger Quelle wissen, daß ...

reliance [rɪ'laɪəns] n: **~ (on)** Abhängigkeit f (von)

relic ['relɪk] n (from past) Überbleibsel nt; (REL) Reliquie f

relief [rɪ'li:f] n Erleichterung f; (help) Hilfe f; (person) Ablösung f

relieve [rɪ'li:v] vt (ease) erleichtern; (bring help) entlasten; (person) ablösen; **to ~ sb of sth** jdm etw abnehmen; **to ~ o.s.** (euph) sich erleichtern (euph)

religion [rɪ'lɪdʒən] n Religion f

religious [rɪ'lɪdʒəs] adj religiös

relinquish [rɪ'lɪŋkwɪʃ] vt aufgeben

relish ['relɪʃ] n Würze f ♦ vt genießen; **to ~ doing** gern tun

relocate ['ri:ləʊ'keɪt] vt verlegen ♦ vi umziehen

reluctance [rɪ'lʌktəns] n Widerstreben nt, Abneigung f

reluctant [rɪ'lʌktənt] adj widerwillig; **~ly**

adv ungern

rely [rɪ'laɪ] : **to ~ on** *vt fus* sich verlassen auf +*acc*

remain [rɪ'meɪn] *vi* (*be left*) übrigbleiben; (*stay*) bleiben; **~der** *n* Rest *m*; **~ing** *adj* übrig(geblieben); **~s** *npl* Überreste *pl*

remand [rɪ'mɑːnd] *n*: **on ~** in Untersuchungshaft ♦ *vt*: **to ~ in custody** in Untersuchungshaft schicken; **~ home** (*BRIT*) *n* Untersuchungsgefängnis *nt* für Jugendliche

remark [rɪ'mɑːk] *n* Bemerkung *f* ♦ *vt* bemerken; **~able** *adj* bemerkenswert

remarry [riː'mærɪ] *vi* sich wieder verheiraten

remedial [rɪ'miːdɪəl] *adj* Heil-; (*teaching*) Hilfsschul-

remedy ['remədɪ] *n* Mittel *nt* ♦ *vt* (*pain*) abhelfen +*dat*; (*trouble*) in Ordnung bringen

remember [rɪ'membə*] *vt* sich erinnern an +*acc*

remembrance [rɪ'membrəns] *n* Erinnerung *f*; (*official*) Gedenken *nt*

remind [rɪ'maɪnd] *vt*: **to ~ sb to do sth** jdn daran erinnern, etw zu tun; **to ~ sb of sth** jdn an etw *acc* erinnern; **she ~s me of her mother** sie erinnert mich an ihre Mutter; **~er** *n* Mahnung *f*

reminisce [remɪ'nɪs] *vi* in Erinnerungen schwelgen

reminiscent [remɪ'nɪsnt] *adj*: **to be ~ of sth** an etw *acc* erinnern

remiss [rɪ'mɪs] *adj* nachlässig

remission [rɪ'mɪʃən] *n* Nachlaß *m*; (*of debt, sentence*) Erlaß *m*

remit [rɪ'mɪt] *vt* (*money*): **to ~ (to)** überweisen (an +*acc*); **~tance** *n* Geldanweisung *f*

remnant ['remnənt] *n* Rest *m*; **~s** *npl* (*COMM*) Einzelstücke *pl*

remorse [rɪ'mɔːs] *n* Gewissensbisse *pl*; **~ful** *adj* reumütig; **~less** *adj* unbarmherzig; **~lessly** *adv* unbarmherzig

remote [rɪ'məʊt] *adj* abgelegen; (*slight*) gering; **~ control** *n* Fernsteuerung *f*; **~ly** *adv* entfernt

remould ['riːməʊld] (*BRIT*) *n* runderneuerte(r) Reifen *m*

removable [rɪ'muːvəbl] *adj* entfernbar

removal [rɪ'muːvəl] *n* Beseitigung *f*; (*of furniture*) Umzug *m*; (*from office*) Entlassung *f*; **~ van** (*BRIT*) *n* Möbelwagen *m*

remove [rɪ'muːv] *vt* beseitigen, entfernen; **~rs** *npl* Möbelspedition *f*

remuneration [rɪmjuːnə'reɪʃən] *n* Vergütung *f*, Honorar *nt*

render ['rendə*] *vt* machen; (*translate*) übersetzen; **~ing** *n* (*MUS*) Wiedergabe *f*

rendezvous ['rɒndɪvuː] *n* (*meeting*) Rendezvous *nt*; (*place*) Treffpunkt *m* ♦ *vi* sich treffen

renew [rɪ'njuː] *vt* erneuern; (*contract, licence*) verlängern; (*replace*) ersetzen;

~able *adj* regenerierbar; **~al** *n* Erneuerung *f*; Verlängerung *f*

renounce [rɪ'naʊns] *vt* (*give up*) verzichten auf +*acc*; (*disown*) verstoßen

renovate ['renəveɪt] *vt* renovieren; (*building*) restaurieren

renown [rɪ'naʊn] *n* Ruf *m*; **~ed** *adj* namhaft

rent [rent] *n* Miete *f*, (*for land*) Pacht *f* ♦ *vt* (*hold as tenant*) mieten; pachten; (*let*) vermieten; verpachten; (*car etc*) mieten; (*firm*) vermieten; **~al** *n* Miete *f*

renunciation [rɪnʌnsɪ'eɪʃən] *n*: **~ (of)** Verzicht *m* (auf +*acc*)

reorganize ['riː'ɔːgənaɪz] *vt* umgestalten, reorganisieren

rep [rep] *n abbr* (*COMM*) = **representative**; (*THEAT*) = **repertory**

repair [rɪ'peə*] *n* Reparatur *f* ♦ *vt* reparieren; (*damage*) wiedergutmachen; **in good/ bad ~** in gutem/schlechtem Zustand; **~ kit** *n* Werkzeugkasten *m*

repartee [repɑː'tiː] *n* Witzeleien *pl*

repatriate [riː'pætrɪeɪt] *vt* in die Heimat zurückschicken

repay [riː'peɪ] (*irreg*) *vt* zurückzahlen; (*reward*) vergelten; **~ment** *n* Rückzahlung *f*; (*fig*) Vergeltung *f*

repeal [rɪ'piːl] *n* Aufhebung *f* ♦ *vt* aufheben

repeat [rɪ'piːt] *n* (*RADIO, TV*) Wiederholung(ssendung) *f* ♦ *vt* wiederholen; **~edly** *adv* wiederholt

repel [rɪ'pel] *vt* (*drive back*) zurückschlagen; (*disgust*) abstoßen; **~lent** *adj* abstoßend ♦ *n*: **insect ~lent** Insektenmittel *nt*

repent [rɪ'pent] *vt, vi*: **to ~ (of)** bereuen; **~ance** *n* Reue *f*

repercussion [riːpə'kʌʃən] *n* Auswirkung *f*; **to have ~s** ein Nachspiel haben

repertory ['repətərɪ] *n* Repertoire *nt*

repetition [repə'tɪʃən] *n* Wiederholung *f*

repetitive [rɪ'petɪtɪv] *adj* sich wiederholend

replace [rɪ'pleɪs] *vt* ersetzen; (*put back*) zurückstellen; **~ment** *n* Ersatz *m*

replay ['riːpleɪ] *n* (*of match*) Wiederholungsspiel *nt*; (*of tape, film*) Wiederholung *f*

replenish [rɪ'plenɪʃ] *vt* ergänzen

replete [rɪ'pliːt] *adj* (zum Platzen) voll

replica ['replɪkə] *n* Kopie *f*

reply [rɪ'plaɪ] *n* Antwort *f* ♦ *vi* antworten; **~ coupon** *n* Antwortschein *m*

report [rɪ'pɔːt] *n* Bericht *m*; (*BRIT: SCH*) Zeugnis *nt* ♦ *vt* (*tell*) berichten; (*give information against*) melden; (*to police*) anzeigen ♦ *vi* (*make report*) Bericht erstatten; (*present o.s.*): **to ~ (to sb)** sich (bei jdm) melden; **~ card** (*US, SCOTTISH*) *n* Zeugnis *nt*; **~edly** *adv* wie verlautet; **~er** *n* Reporter *m*

repose [rɪ'pəʊz] *n*: **in ~** (*face, body*) entspannt; (*mind*) gelassen

reprehensible [reprɪ'hensɪbl] *adj* tadelns-

wert
represent [reprɪˈzent] vt darstellen; (speak for) vertreten; ~**ation** [reprɪzenˈteɪʃən] n Darstellung f; (being represented) Vertretung f; ~**ations** npl (protest) Vorhaltungen pl; ~**ative** n (person) Vertreter m; (US: POL) Abgeordnete(r) mf ♦ adj repräsentativ
repress [rɪˈpres] vt unterdrücken; ~**ion** [rɪˈpreʃən] n Unterdrückung f
reprieve [rɪˈpriːv] n (JUR) Begnadigung f; (fig) Gnadenfrist f ♦ vt (JUR) begnadigen
reprimand [ˈreprɪmɑːnd] n Verweis m ♦ vt einen Verweis erteilen +dat
reprint [n ˈriːprɪnt, vb riːˈprɪnt] n Neudruck m ♦ vt wieder abdrucken
reprisal [rɪˈpraɪzəl] n Vergeltung f
reproach [rɪˈprəʊtʃ] n Vorwurf m ♦ vt Vorwürfe machen +dat; **to ~ sb with sth** jdm etw vorwerfen; ~**ful** adj vorwurfsvoll
reproduce [riːprəˈdjuːs] vt reproduzieren ♦ vi (have offspring) sich vermehren
reproduction [riːprəˈdʌkʃən] n (ART, PHOT) Reproduktion f; (breeding) Fortpflanzung f
reproductive [riːprəˈdʌktɪv] adj reproduktiv; (breeding) Fortpflanzungs-
reproof [rɪˈpruːf] n Tadel m
reprove [rɪˈpruːv] vt tadeln
reptile [ˈreptaɪl] n Reptil nt
republic [rɪˈpʌblɪk] n Republik f
repudiate [rɪˈpjuːdɪeɪt] vt zurückweisen
repugnant [rɪˈpʌgnənt] adj widerlich
repulse [rɪˈpʌls] vt (drive back) zurückschlagen; (reject) abweisen
repulsive [rɪˈpʌlsɪv] adj abstoßend
reputable [ˈrepjʊtəbl] adj angesehen
reputation [repjʊˈteɪʃən] n Ruf m
repute [rɪˈpjuːt] n hohe(s) Ansehen nt; ~**d** adj angeblich; ~**dly** adv angeblich
request [rɪˈkwest] n Bitte f ♦ vt (thing) erbitten; **to ~ sth of or from sb** jdn um etw bitten; (formally) jdn um etw ersuchen; ~ **stop** (BRIT) n Bedarfshaltestelle f
require [rɪˈkwaɪə*] vt (need) brauchen; (demand) erfordern; ~**ment** n (condition) Anforderung f; (need) Bedarf m
requisite [ˈrekwɪzɪt] n Erfordernis nt ♦ adj erforderlich
requisition [rekwɪˈzɪʃən] n Anforderung f ♦ vt beschlagnahmen
resale [ˈriːseɪl] n Weiterverkauf m
rescind [rɪˈsɪnd] vt aufheben
rescue [ˈreskjuː] n Rettung f ♦ vt retten; ~ **party** n Rettungsmannschaft f; ~**r** n Retter m
research [rɪˈsɜːtʃ] n Forschung f ♦ vi forschen ♦ vt erforschen; ~**er** n Forscher m
resemblance [rɪˈzembləns] n Ähnlichkeit f
resemble [rɪˈzembl] vt ähneln +dat
resent [rɪˈzent] vt übelnehmen; ~**ful** adj nachtragend, empfindlich; ~**ment** n Verstimmung f, Unwille m

reservation [rezəˈveɪʃən] n (booking) Reservierung f; (THEAT) Vorbestellung f; (doubt) Vorbehalt m; (land) Reservat nt
reserve [rɪˈzɜːv] n (store) Vorrat m, Reserve f; (manner) Zurückhaltung f; (game ~) Naturschutzgebiet nt; (SPORT) Ersatzspieler(in) m(f) ♦ vt reservieren; (judgement) sich dat vorbehalten; ~**s** npl (MIL) Reserve f; **in ~** in Reserve; ~**d** adj reserviert
reshape [riːˈʃeɪp] vt umformen
reshuffle [riːˈʃʌfl] n (POL): **cabinet ~** Kabinettsumbildung f ♦ vt (POL) umbilden
reside [rɪˈzaɪd] vi wohnen, ansässig sein
residence [ˈrezɪdəns] n (house) Wohnsitz m; (living) Aufenthalt m
resident [ˈrezɪdənt] n (in house) Bewohner m; (in area) Einwohner m ♦ adj wohnhaft, ansässig; ~**ial** [rezɪˈdenʃəl] adj Wohn-
residue [ˈrezɪdjuː] n Rest m; (CHEM) Rückstand m; (fig) Bodensatz m
resign [rɪˈzaɪn] vt (office) aufgeben, zurücktreten von ♦ vi (from office) zurücktreten; (employee) kündigen; **to be ~ed to sth, to ~ o.s. to sth** sich mit etw abfinden; ~**ation** [rezɪgˈneɪʃən] n (from job) Kündigung f; (POL) Rücktritt m; (submission) Resignation f; ~**ed** adj resigniert
resilience [rɪˈzɪlɪəns] n Spannkraft f; (of person) Unverwüstlichkeit f
resilient [rɪˈzɪlɪənt] adj unverwüstlich
resin [ˈrezɪn] n Harz nt
resist [rɪˈzɪst] vt widerstehen +dat; ~**ance** n Widerstand m
resolute [ˈrezəluːt] adj entschlossen, resolut
resolution [rezəˈluːʃən] n (firmness) Entschlossenheit f; (intention) Vorsatz m; (decision) Beschluß m
resolve [rɪˈzɒlv] n Entschlossenheit f ♦ vt (decide) beschließen ♦ vi sich lösen; ~**d** adj (fest) entschlossen
resonant [ˈrezənənt] adj voll
resort [rɪˈzɔːt] n (holiday place) Erholungsort m; (help) Zuflucht f ♦ vi: **to ~ to** Zuflucht nehmen zu; **as a last ~** als letzter Ausweg
resound [rɪˈzaʊnd] vi: **to ~ (with)** widerhallen (von); ~**ing** [rɪˈzaʊndɪŋ] adj nachhallend; (success) groß
resource [rɪˈsɔːs] n Findigkeit f; ~**s** npl (financial) Geldmittel pl; (natural) Bodenschätze pl; ~**ful** adj findig
respect [rɪsˈpekt] n Respekt m ♦ vt achten, respektieren; ~**s** npl (regards) Grüße pl; **with ~ to** in bezug auf +acc, hinsichtlich +gen; **in this ~** in dieser Hinsicht; ~**ability** [rɪspektəˈbɪlɪtɪ] n Anständigkeit f; ~**able** adj (decent) anständig; (fairly good) leidlich; ~**ful** adj höflich
respective [rɪsˈpektɪv] adj jeweilig; ~**ly** adv beziehungsweise
respiration [respɪˈreɪʃən] n Atmung f
respite [ˈrespaɪt] n Ruhepause f

resplendent [rɪs'plendənt] *adj* strahlend
respond [rɪs'pɒnd] *vi* antworten; (*react*): **to ~ (to)** reagieren (auf +*acc*)
response [rɪs'pɒns] *n* Antwort *f*; Reaktion *f*; (*to advertisement etc*) Resonanz *f*
responsibility [rɪspɒnsə'bɪlɪtɪ] *n* Verantwortung *f*
responsible [rɪs'pɒnsəbl] *adj* verantwortlich; (*reliable*) verantwortungsvoll
responsive [rɪs'pɒnsɪv] *adj* empfänglich
rest [rest] *n* Ruhe *f*; (*break*) Pause *f*; (*remainder*) Rest *m* ♦ *vi* sich ausruhen; (*be supported*) (auf)liegen ♦ *vt* (*lean*): **to ~ sth on/against sth** etw gegen etw *acc* lehnen; **the ~** of them die übrigen; **it ~s with him to ...** es liegt bei ihm, zu ...
restaurant ['restərɒŋ] *n* Restaurant *nt*; **~ car** (*BRIT*) *n* Speisewagen *m*
restful ['restful] *adj* erholsam, ruhig
rest home *n* Erholungsheim *nt*
restive ['restɪv] *adj* unruhig
restless ['restləs] *adj* unruhig
restoration [restə'reɪʃən] *n* Rückgabe *f*; (*of building etc*) Rückerstattung *f*
restore [rɪ'stɔː*] *vt* (*order*) wiederherstellen; (*customs*) wieder einführen; (*person to position*) wiedereinsetzen; (*give back*) zurückgeben; (*paintings, buildings*) restaurieren
restrain [rɪs'treɪn] *vt* zurückhalten; (*curiosity etc*) beherrschen; (*person*): **to ~ sb from doing sth** jdn davon abhalten, etw zu tun; **~ed** *adj* (*style etc*) gedämpft, verhalten; **~t** *n* (*self-control*) Zurückhaltung *f*
restrict [rɪs'trɪkt] *vt* einschränken; **~ion** [rɪs'trɪkʃən] *n* Einschränkung *f*; **~ive** *adj* einschränkend
rest room (*US*) *n* Toilette *f*
restructure ['riː'strʌktʃə*] *vt* umstrukturieren
result [rɪ'zʌlt] *n* Resultat *nt*, Folge *f*; (*of exam, game*) Ergebnis *nt* ♦ *vi*: **to ~ in sth** etw zur Folge haben; **as a ~ of** als Folge +*gen*
resume [rɪ'zjuːm] *vt* fortsetzen; (*occupy again*) wieder einnehmen ♦ *vi* (*work etc*) wieder beginnen
résumé ['reɪzjuːmeɪ] *n* Zusammenfassung *f*
resumption [rɪ'zʌmpʃən] *n* Wiederaufnahme *f*
resurgence [rɪ'sɜːdʒəns] *n* Wiedererwachen *nt*
resurrection [rezə'rekʃən] *n* Auferstehung *f*
resuscitate [rɪ'sʌsɪteɪt] *vt* wiederbeleben
resuscitation [rɪsʌsɪ'teɪʃən] *n* Wiederbelebung *f*
retail [*n, adj* 'riːteɪl, *vb* 'riː'teɪl] *n* Einzelhandel *m* ♦ *adj* Einzelhandels- ♦ *vt* im kleinen verkaufen ♦ *vi* im Einzelhandel kosten; **~er** ['riːteɪlə*] *n* Einzelhändler *m*, Kleinhändler *m*; **~ price** *n* Ladenpreis *m*
retain [rɪ'teɪn] *vt* (*keep*) (zurück)behalten;

~er *n* (*servant*) Gefolgsmann *m*; (*fee*) (Honorar)vorschuß *m*
retaliate [rɪ'tælɪeɪt] *vi* zum Vergeltungsschlag ausholen
retaliation [rɪtælɪ'eɪʃən] *n* Vergeltung *f*
retarded [rɪ'tɑːdɪd] *adj* zurückgeblieben
retch [retʃ] *vi* würgen
retentive [rɪ'tentɪv] *adj* (*memory*) gut
reticent ['retɪsənt] *adj* schweigsam
retina ['retɪnə] *n* Netzhaut *f*
retinue ['retɪnjuː] *n* Gefolge *nt*
retire [rɪ'taɪə*] *vi* (*from work*) in den Ruhestand treten; (*withdraw*) sich zurückziehen; (*go to bed*) schlafen gehen; **~d** *adj* (*person*) pensioniert, im Ruhestand; **~ment** *n* Ruhestand *m*
retiring [rɪ'taɪərɪŋ] *adj* zurückhaltend
retort [rɪ'tɔːt] *n* (*reply*) Erwiderung *f*; (*SCI*) Retorte *f* ♦ *vi* (*scharf*) erwidern
retrace [rɪ'treɪs] *vt* zurückverfolgen; **to ~ one's steps** denselben Weg zurückgehen
retract [rɪ'trækt] *vt* (*statement*) zurücknehmen; (*claws*) einziehen ♦ *vi* einen Rückzieher machen; **~able** *adj* (*aerial*) ausziehbar
retrain [riː'treɪn] *vt* umschulen; **~ing** *n* Umschulung *f*
retread ['riːtred] *n* (*tyre*) Reifen *m* mit erneuerter Lauffläche
retreat [rɪ'triːt] *n* Rückzug *m*; (*place*) Zufluchtsort *m* ♦ *vi* sich zurückziehen
retribution [retrɪ'bjuːʃən] *n* Strafe *f*
retrieval [rɪ'triːvəl] *n* Wiedergewinnung *f*
retrieve [rɪ'triːv] *vt* wiederbekommen; (*rescue*) retten; **~r** *n* Apportierhund *m*
retrograde ['retrəʊgreɪd] *adj* (*step*) Rück-; (*policy*) rückschrittlich
retrospect ['retrəʊspekt] *n*: **in ~** im Rückblick, rückblickend; **~ive** [retrəʊ'spektɪv] *adj* (*action*) rückwirkend; (*look*) rückblickend
return [rɪ'tɜːn] *n* Rückkehr *f*; (*profits*) Ertrag *m*; (*BRIT: rail ticket etc*) Rückfahrkarte *f*; (: *plane ticket*) Rückflugkarte *f* ♦ *adj* (*journey, match*) Rück- ♦ *vi* zurückkehren, zurückkommen ♦ *vt* zurückgeben, zurücksenden; (*pay back*) zurückzahlen; (*elect*) wählen; (*verdict*) aussprechen; **~s** *npl* (*COMM*) Gewinn *m*; (*receipts*) Einkünfte *pl*; **in ~** dafür; **by ~ of post** postwendend; **many happy ~s (of the day)!** herzlichen Glückwunsch zum Geburtstag!
reunion [riː'juːnjən] *n* Wiedervereinigung *f*; (*SCH etc*) Treffen *nt*
reunite [riːjuː'naɪt] *vt* wiedervereinigen
rev [rev] *n* *abbr* (*AUT*: = *revolution*) Drehzahl *f* ♦ *vt* (*also*: **~ up: engine**) auf Touren bringen ♦ *vi* (*also*: **~ up**) den Motor auf Touren bringen
revamp [riː'væmp] *vt* aufpolieren
reveal [rɪ'viːl] *vt* enthüllen; **~ing** *adj* aufschlußreich

reveille [rɪ'vælɪ] n Wecken nt
revel ['revl] vi: **to ~ in sth/in doing sth** seine Freude an etw dat haben/daran haben, etw zu tun
revelation [revə'leɪʃən] n Offenbarung f
revelry ['revlrɪ] n Rummel m
revenge [rɪ'vendʒ] n Rache f; **to take ~ on** sich rächen an +dat
revenue ['revənjuː] n Einnahmen pl
reverberate [rɪ'vɜːbəreɪt] vi widerhallen
revere [rɪ'vɪə*] vt (ver)ehren; **~nce** ['revərəns] n Ehrfurcht f
Reverend ['revərənd] adj: **the ~ Robert Martin** ≈ Pfarrer Robert Martin
reverent ['revərənt] adj ehrfurchtsvoll
reversal [rɪ'vɜːsəl] n Umkehrung f
reverse [rɪ'vɜːs] n Rückseite f; (AUT: gear) Rückwärtsgang m ♦ adj (order, direction) entgegengesetzt ♦ vt umkehren ♦ vi (BRIT: AUT) rückwärts fahren; **~-charge call** (BRIT) n R-Gespräch nt; **reversing lights** npl (AUT) Rückfahrscheinwerfer pl
revert [rɪ'vɜːt] vi: **to ~ to** zurückkehren zu; (to bad state) zurückfallen in +acc
review [rɪ'vjuː] n (MIL) Truppenschau f; (of book) Rezension f, (magazine) Zeitschrift f ♦ vt Rückschau halten auf +acc; (MIL) mustern; (book) rezensieren; (reexamine) von neuem untersuchen; **~er** n (critic) Rezensent m
revile [rɪ'vaɪl] vt verunglimpfen
revise [rɪ'vaɪz] vt (book) überarbeiten; (reconsider) ändern, revidieren
revision [rɪ'vɪʒən] n Prüfung f; (COMM) Revision f; (SCH) Wiederholung f
revitalize ['riː'vaɪtəlaɪz] vt neu beleben
revival [rɪ'vaɪvəl] n Wiederbelebung f; (REL) Erweckung f; (THEAT) Wiederaufnahme f
revive [rɪ'vaɪv] vt wiederbeleben; (fig) wieder auffrischen ♦ vi wiedererwachen; (fig) wieder aufleben
revoke [rɪ'vəuk] vt aufheben
revolt [rɪ'vəult] n Aufstand m, Revolte f ♦ vi sich auflehnen ♦ vt entsetzen; **~ing** adj widerlich
revolution [revə'luːʃən] n (turn) Umdrehung f; (POL) Revolution f; **~ary** adj revolutionär ♦ n Revolutionär m; **~ize** vt revolutionieren
revolve [rɪ'vɒlv] vi kreisen; (on own axis) sich drehen
revolver [rɪ'vɒlvə*] n Revolver m
revolving door [rɪ'vɒlvɪŋ-] n Drehtür f
revulsion [rɪ'vʌlʃən] n Ekel m
reward [rɪ'wɔːd] n Belohnung f ♦ vt belohnen; **~ing** adj lohnend
rewire ['riː'waɪə*] vt (house) neu verkabeln
reword ['riː'wɜːd] vt anders formulieren
rewrite ['riː'raɪt] (irreg: like write) vt umarbeiten, neu schreiben
rheumatism ['ruːmətɪzəm] n Rheumatismus m, Rheuma nt

Rhine [raɪn] n: **the ~** der Rhein
rhinoceros [raɪ'nɒsərəs] n Nashorn nt
Rhone [rəun] n: **the ~** die Rhone
rhubarb ['ruːbɑːb] n Rhabarber m
rhyme [raɪm] n Reim m
rhythm ['rɪðəm] n Rhythmus m
rib [rɪb] n Rippe f ♦ vt (mock) hänseln, aufziehen
ribald ['rɪbəld] adj saftig
ribbon ['rɪbən] n Band nt; **in ~s** (torn) in Fetzen
rice [raɪs] n Reis m; **~ pudding** n Milchreis m
rich [rɪtʃ] adj reich; (food) reichhaltig ♦ npl: **the ~** die Reichen pl; **~es** npl Reichtum m; **~ly** adv reich; (deserve) völlig
rickets ['rɪkɪts] n Rachitis f
rickety ['rɪkɪtɪ] adj wack(e)lig
rickshaw ['rɪkʃɔː] n Rickscha f
ricochet ['rɪkəʃeɪ] n Abprallen nt; (shot) Querschläger m ♦ vi abprallen
rid [rɪd] (pt, pp rid) vt befreien; **to get ~ of** loswerden
riddle ['rɪdl] n Rätsel nt ♦ vt: **to be ~d with** völlig durchlöchert sein von
ride [raɪd] (pt rode, pp ridden) n (in vehicle) Fahrt f; (on horse) Ritt m ♦ vt (horse) reiten; (bicycle) fahren ♦ vi fahren, reiten; **to take sb for a ~** mit jdm eine Fahrt etc machen; (fig) jdn aufs Glatteis führen; **~r** n Reiter m; (addition) Zusatz m
ridge [rɪdʒ] n Kamm m; (of roof) First m
ridicule ['rɪdɪkjuːl] n Spott m ♦ vt lächerlich machen
ridiculous [rɪ'dɪkjuləs] adj lächerlich; **~ly** adv lächerlich
riding ['raɪdɪŋ] n Reiten nt; **~ school** n Reitschule f
rife [raɪf] adj weit verbreitet; **to be ~** grassieren; **to be ~ with** voll sein von
riffraff ['rɪfræf] n Pöbel m
rifle ['raɪfl] n Gewehr nt ♦ vt berauben; **~ range** n Schießstand m
rift [rɪft] n Spalte f; (fig) Bruch m
rig [rɪg] n (outfit) Takelung f; (fig) Aufmachung f; (oil ~) Bohrinsel f ♦ vt (election etc) manipulieren; **~ out** (BRIT) vt ausstatten; **~ up** vt zusammenbasteln; **~ging** n Takelage f
right [raɪt] adj (correct, just) richtig, recht; (~ side) rechte(r, s) ♦ n Recht nt; (not left, POL) Rechte f ♦ adv (on the ~) rechts; (to the ~) nach rechts; (look, work) richtig, recht; (directly) gerade; (exactly) genau ♦ vt in Ordnung bringen, korrigieren ♦ excl gut!; **on the ~** rechts; **to be in the ~** im Recht sein; **by ~s** von Rechts wegen; **to be ~** recht haben; **~ away** sofort; **~ now** in diesem Augenblick, eben; **~ in the middle** genau in der Mitte; **~ angle** n rechte(r) Winkel m; **~eous** ['raɪtʃəs] adj rechtschaffen; **~ful** adj rechtmäßig; **~-handed** adj rechts-

händig; **~-hand man** (*irreg*) *n* rechte Hand *f*; **~-hand side** *n* rechte Seite *f*; **~ly** *adv* mit Recht; **~ of way** *n* Vorfahrt *f*; **~-wing** *adj* rechtsorientiert

rigid ['rɪdʒɪd] *adj* (*stiff*) starr, steif; (*strict*) streng; **~ity** [rɪ'dʒɪdɪtɪ] *n* Starrheit *f*; Strenge *f*

rigmarole ['rɪgmərəʊl] *n* Gewäsch *nt*

rigor (*US*) *n* = **rigour**

rigorous ['rɪgərəs] *adj* streng

rigour ['rɪgə*] (*US* **rigor**) *n* Strenge *f*, Härte *f*

rile [raɪl] *vt* ärgern

rim [rɪm] *n* (*edge*) Rand *m*; (*of wheel*) Felge *f*

rind [raɪnd] *n* Rinde *f*

ring [rɪŋ] (*pt* **rang**, *pp* **rung**) *n* Ring *m*; (*of people*) Kreis *m*; (*arena*) Manege *f*; (*of telephone*) Klingeln *nt* ♦ *vt*, *vi* (*bell*) läuten; (*BRIT*) anrufen; **~ back** (*BRIT*) *vt*, *vi* zurückrufen; **~ off** (*BRIT*) *vi* aufhängen; **~ up** (*BRIT*) *vt* anrufen; **~ing** *n* Klingeln *nt*; (*of large bell*) Läuten *nt*; (*in ears*) Klingen *nt*; **~ing tone** *n* (*TEL*) Rufzeichen *nt*

ringleader ['rɪŋliːdə*] *n* Anführer *m*, Rädelsführer *m*

ringlets ['rɪŋlɪts] *npl* Ringellocken *pl*

ring road (*BRIT*) *n* Umgehungsstraße *f*

rink [rɪŋk] *n* (*ice ~*) Eisbahn *f*

rinse [rɪns] *n* Spülen *nt* ♦ *vt* spülen

riot ['raɪət] *n* Aufruhr *m* ♦ *vi* randalieren; **to run ~** (*people*) randalieren; (*vegetation*) wuchern; **~er** *n* Aufrührer *m*; **~ous** *adj* aufrührerisch; (*noisy*) lärmend; **~ously** *adv* aufrührerisch

rip [rɪp] *n* Schlitz *m*, Riß *m* ♦ *vt*, *vi* (zer)reißen; **~cord** ['rɪpkɔːd] *n* Reißleine *f*

ripe [raɪp] *adj* reif; **~n** *vi* reifen ♦ *vt* reifen lassen

rip-off ['rɪpɔf] (*inf*) *n*: **it's a ~!** das ist Wucher!

ripple ['rɪpl] *n* kleine Welle *f* ♦ *vt* kräuseln ♦ *vi* sich kräuseln

rise [raɪz] (*pt* **rose**, *pp* **risen**) *n* (*slope*) Steigung *f*; (*esp in wages*: *BRIT*) Erhöhung *f*; (*growth*) Aufstieg *m* ♦ *vi* (*sun*) aufgehen; (*smoke*) aufsteigen; (*mountain*) sich erheben; (*ground*) ansteigen; (*prices*) steigen; (*in revolt*) sich erheben; **to give ~ to** Anlaß geben zu; **to ~ to the occasion** sich der Lage gewachsen zeigen; **risen** ['rɪzn] *pp* of **rise**

rising ['raɪzɪŋ] *adj* (*increasing*: *tide, numbers, prices*) steigend; (*sun, moon*) aufgehend ♦ *n* (*uprising*) Aufstand *m*

risk [rɪsk] *n* Gefahr *f*, Risiko *nt* ♦ *vt* (*venture*) wagen; (*chance loss of sth*) riskieren, aufs Spiel setzen; **to take** *or* **run the ~ of doing** das Risiko eingehen, zu tun; **at ~** in Gefahr; **at one's own ~** auf eigene Gefahr; **~y** *adj* riskant

risqué ['riːskeɪ] *adj* gewagt

rissole ['rɪsəʊl] *n* Fleischklößchen *nt*

rite [raɪt] *n* Ritus *m*; **last ~s** Letzte Ölung *f*

ritual ['rɪtjʊəl] *n* Ritual *nt* ♦ *adj* ritual, Ritual-; (*fig*) rituell

rival ['raɪvəl] *n* Rivale *m*, Konkurrent *m* ♦ *adj* rivalisierend ♦ *vt* rivalisieren mit; (*COMM*) konkurrieren mit; **~ry** *n* Rivalität *f*, Konkurrenz *f*

river ['rɪvə*] *n* Fluß *m*, Strom *m* ♦ *cpd* (*port, traffic*) Fluß-; **up/down ~** flußaufwärts/-abwärts; **~bank** *n* Flußufer *nt*; **~bed** *n* Flußbett *nt*

rivet ['rɪvɪt] *n* Niete *f* ♦ *vt* (*fasten*) (ver)nieten

Riviera [rɪvɪ'ɛərə] *n*: **the ~** die Riviera

road [rəʊd] *n* Straße *f* ♦ *cpd* Straßen-; **major/minor ~** Haupt-/Nebenstraße *f*; **~block** *n* Straßensperre *f*; **~hog** *n* Verkehrsrowdy *m*; **~map** *n* Straßenkarte *f*; **safety** *n* Verkehrssicherheit *f*; **~side** *n* Straßenrand *m* ♦ *adj* an der Landstraße (gelegen); **~ sign** *n* Straßenschild *nt*; **~ user** *n* Verkehrsteilnehmer *m*; **~way** *n* Fahrbahn *f*; **~works** *npl* Straßenbauarbeiten *pl*; **~worthy** *adj* verkehrssicher

roam [rəʊm] *vi* (umher)streifen ♦ *vt* durchstreifen

roar [rɔː*] *n* Brüllen *nt*, Gebrüll *nt* ♦ *vi* brüllen; **to ~ with laughter** vor Lachen brüllen; **to do a ~ing trade** ein Riesengeschäft machen

roast [rəʊst] *n* Braten *m* ♦ *vt* braten, schmoren; **~ beef** *n* Roastbeef *nt*

rob [rɒb] *vt* bestehlen, berauben; (*bank*) ausrauben; **to ~ sb of sth** jdm etw rauben; **~ber** *n* Räuber *m*; **~bery** *n* Raub *m*

robe [rəʊb] *n* (*dress*) Gewand *nt*; (*US*) Hauskleid *nt*; (*judge's*) Robe *f*

robin ['rɒbɪn] *n* Rotkehlchen *nt*

robot ['rəʊbɒt] *n* Roboter *m*

robust [rəʊ'bʌst] *adj* (*person*) robust; (*appetite, economy*) gesund

rock [rɒk] *n* Felsen *m*; (*BRIT*: *sweet*) Zuckerstange *f* ♦ *vt* wiegen, schaukeln ♦ *vi* schaukeln; **on the ~s** (*drink*) mit Eis(würfeln); (*marriage*) gescheitert; (*ship*) aufgelaufen; **~ and roll** *n* Rock and Roll *m*; **~-bottom** *n* (*fig*) Tiefpunkt *m*; **~ery** *n* Steingarten *m*

rocket ['rɒkɪt] *n* Rakete *f*

rocking chair ['rɒkɪŋ-] *n* Schaukelstuhl *m*

rocking horse ['rɒkɪŋ-] *n* Schaukelpferd *nt*

rocky ['rɒkɪ] *adj* felsig

rod [rɒd] *n* (*bar*) Stange *f*; (*stick*) Rute *f*

rode [rəʊd] *pt* of **ride**

rodent ['rəʊdənt] *n* Nagetier *nt*

roe [rəʊ] *n* (*deer*) Reh *nt*; (*of fish*: *also*: **hard ~**) Rogen *m*; **soft ~** Milch *f*

rogue [rəʊg] *n* Schurke *m*

role [rəʊl] *n* Rolle *f*

roll [rəʊl] *n* Rolle *f*; (*bread*) Brötchen *nt*; (*list*) (Namens)liste *f*; (*of drum*) Wirbel *m* ♦

vt (*turn*) rollen, (herum)wälzen; (*grass etc*) walzen ♦ vi (*swing*) schlingern; (*sound*) rollen, grollen; ~ **about** or **around** vi herumkugeln; (*ship*) schlingern; (*dog etc*) sich wälzen; ~ **by** vi (*time*) verfließen; ~ **in** vi (*mail*) hereinkommen; ~ **over** vi sich (herum)drehen; ~ **up** vi (*arrive*) kommen, auftauchen ♦ vt (*carpet*) aufrollen; ~ **call** n Namensaufruf m; ~**er** n Rolle f, Walze f; (*road roller*) Straßenwalze f; ~**er coaster** n Achterbahn f; ~**er skates** npl Rollschuhe pl

rolling ['rəʊlɪŋ] adj (*landscape*) wellig; ~ **pin** n Nudel- or Wellholz nt; ~ **stock** n Wagenmaterial nt

ROM [rɒm] n abbr (= *read only memory*) ROM m

Roman ['rəʊmən] adj römisch ♦ n Römer(in) m(f); ~ **Catholic** adj römisch-katholisch ♦ n Katholik(in) m(f)

romance [rəʊ'mæns] n Romanze f; (*story*) (Liebes)roman m

Romania [rəʊ'meɪnɪə] n = **Rumania**

Roman numeral n römische Ziffer

romantic [rəʊ'mæntɪk] adj romantisch; ~**ism** [rəʊ'mæntɪsɪzəm] n Romantik f

Rome [rəʊm] n Rom nt

romp [rɒmp] n Tollen nt ♦ vi (*also*: ~ *about*) herumtollen

rompers ['rɒmpəz] npl Spielanzug m

roof [ru:f] (pl **roofs**) n Dach nt; (*of mouth*) Gaumen m ♦ vt überdachen, überdecken; ~**ing** n Deckmaterial nt; ~ **rack** n (AUT) Dachgepäckträger m

rook [rʊk] n (*bird*) Saatkrähe f; (*chess*) Turm m

room [rʊm] n Zimmer nt, Raum m; (*space*) Platz m; (*fig*) Spielraum m; ~**s** npl (*accommodation*) Wohnung f; "~**s to let** (BRIT) or **for rent** (US)" „Zimmer zu vermieten"; **single/double** ~ Einzel-/Doppelzimmer nt; ~**ing house** n (US) n Mietshaus nt (*mit möblierten Wohnungen*); ~**-mate** n Mitbewohner(in) m(f); ~ **service** n Zimmerbedienung f; ~**y** adj geräumig

roost [ru:st] n Hühnerstange f ♦ vi auf der Stange hocken

rooster ['ru:stə*] n Hahn m

root [ru:t] n (*also fig*) Wurzel f ♦ vi wurzeln; ~ **about** vi (*fig*) herumwühlen; ~ **for** vt fus Stimmung machen für; ~ **out** vt ausjäten; (*fig*) ausrotten

rope [rəʊp] n Seil nt ♦ vt (*tie*) festschnüren; **to know the** ~**s** sich auskennen; **to** ~ **sb in** jdn gewinnen; ~ **off** vt absperren; ~ **ladder** n Strickleiter f

rosary ['rəʊzərɪ] n Rosenkranz m

rose [rəʊz] pt of **rise** ♦ n Rose f ♦ adj Rosen-, rosenrot

rosé ['rəʊzeɪ] n Rosé m

rosebud ['rəʊzbʌd] n Rosenknospe f

rosebush ['rəʊzbʊʃ] n Rosenstock m

rosemary ['rəʊzmərɪ] n Rosmarin m

rosette [rəʊ'zet] n Rosette f

roster ['rɒstə*] n Dienstplan m

rostrum ['rɒstrəm] n Rednerbühne f

rosy ['rəʊzɪ] adj rosig

rot [rɒt] n Fäulnis f; (*nonsense*) Quatsch m ♦ vi verfaulen ♦ vt verfaulen lassen

rota ['rəʊtə] n Dienstliste f

rotary ['rəʊtərɪ] adj rotierend

rotate [rəʊ'teɪt] vt rotieren lassen; (*two or more things in order*) turnusmäßig wechseln ♦ vi rotieren

rotating [rəʊ'teɪtɪŋ] adj rotierend

rotation [rəʊ'teɪʃən] n Umdrehung f

rote [rəʊt] n: **by** ~ auswendig

rotten ['rɒtn] adj faul; (*fig*) schlecht, gemein; **to feel** ~ (*ill*) sich elend fühlen

rotund [rəʊ'tʌnd] adj rundlich

rouble ['ru:bl] (US **ruble**) n Rubel m

rough [rʌf] adj (*not smooth*) rauh; (*path*) uneben; (*violent*) roh, grob; (*crossing*) stürmisch; (*without comforts*) hart, unbequem; (*unfinished, makeshift*) grob; (*approximate*) ungefähr ♦ n (BRIT: *person*) Rowdy m, Rohling m; (GOLF): **in the** ~ im Rauh ♦ vt: **to** ~ **it** primitiv leben; **to sleep** ~ im Freien schlafen; ~**age** n Ballaststoffe pl; ~**-and-ready** adj provisorisch; (*work*) zusammengehauen; ~ **copy** n Entwurf m; ~ **draft** n Entwurf m; ~**en** vt aufrauhen; ~**ly** adv grob; (*about*) ungefähr; ~**ness** n Rauheit f; (*of manner*) Ungeschliffenheit f

roulette [ru:'let] n Roulett(e) nt

Roumania [ru:'meɪnɪə] n = **Rumania**

round [raʊnd] adj rund; (*figures*) aufgerundet ♦ adv (*in a circle*) rundherum ♦ prep um ... herum ♦ n Runde f; (*of ammunition*) Magazin nt ♦ vt (*corner*) biegen um; **all** ~ überall; **the long way** ~ der Umweg; **all the year** ~ das ganze Jahr über; **it's just** ~ **the corner** (*fig*) es ist gerade um die Ecke; ~ **the clock** rund um die Uhr; **to go** ~ **to sb's (house)** jdn besuchen; **to go** ~ **the back** hinterherum gehen; **to go** ~ **a house** um ein Haus herumgehen; **enough to go** ~ genug für alle; **to go the** ~**s** (*story*) die Runde machen; **a** ~ **of applause** ein Beifall m; **a** ~ **of drinks** eine Runde Drinks; **a** ~ **of sandwiches** ein Sandwich nt or m, ein belegtes Brot; ~ **off** vt abrunden; ~ **up** vt (*end*) abschließen; (*figures*) aufrunden; (*criminals*) hochnehmen; ~**about** n (BRIT: *traffic*) Kreisverkehr m; (: *merry-go-round*) Karussell nt ♦ adj auf Umwegen; ~**ers** npl (*game*) ≈ Schlagball m; ~**ly** adv (*fig*) gründlich; ~**-shouldered** adj mit abfallenden Schultern; ~ **trip** n Rundreise f; ~**up** n Zusammentreiben nt, Sammeln nt

rouse [raʊz] vt (*waken*) (auf)wecken; (*stir up*) erregen

rousing ['raʊzɪŋ] adj (*welcome*) stürmisch; (*speech*) zündend

route [ruːt] n Weg m, Route f; ~ **map** (BRIT) n (for journey) Streckenkarte f
routine [ruːˈtiːn] n Routine f ♦ adj Routine-
row¹ [rau] n (noise) Lärm m; (dispute) Streit m ♦ vi sich streiten
row² [rəu] n (line) Reihe f ♦ vt, vi (boat) rudern; in a ~ (fig) hintereinander
rowboat ['rəubəut] (US) n Ruderboot nt
rowdy ['raudɪ] adj rüpelhaft ♦ n (person) Rowdy m
rowing ['rəuɪŋ] n Rudern nt; (SPORT) Rudersport m; ~ **boat** (BRIT) n Ruderboot nt
royal ['rɔɪəl] adj königlich, Königs-; R~ **Air Force** n Königliche Luftwaffe f
royalty ['rɔɪəltɪ] n (family) königliche Familie f; (for book) Tantieme f
rpm abbr (= revs per minute) U/min
R.S.V.P. abbr (= répondez s'il vous plaît) u.A.w.g.
Rt. Hon. (BRIT) abbr (= Right Honourable) Abgeordnete(r) mf
rub [rʌb] n (with cloth) Polieren nt; (on person) Reiben nt ♦ vt reiben; **to ~ sb up** (BRIT) or **to ~ sb** (US) **the wrong way** jdn aufreizen; ~ **off** vi (also fig): **to ~ off (on)** abfärben (auf +acc); ~ **out** vt herausreiben; (with eraser) ausradieren
rubber ['rʌbə*] n Gummi m; (BRIT) Radiergummi m; ~ **band** n Gummiband nt; ~ **plant** n Gummibaum m; ~**y** adj gummiartig
rubbish ['rʌbɪʃ] n (waste) Abfall m; (nonsense) Blödsinn m, Quatsch m; ~ **bin** (BRIT) n Mülleimer m; ~ **dump** n Müllabladeplatz m
rubble ['rʌbl] n (Stein)schutt m
ruby ['ruːbɪ] n Rubin m ♦ adj rubinrot
rucksack ['rʌksæk] n Rucksack m
ructions ['rʌkʃənz] npl Krach m
rudder ['rʌdə*] n Steuerruder nt
ruddy ['rʌdɪ] adj (colour) rötlich; (inf: bloody) verdammt
rude [ruːd] adj unverschämt; (shock) hart; (awakening) unsanft; (unrefined, rough) grob; ~**ness** n Unverschämtheit f; Grobheit f
rudiment ['ruːdɪmənt] n Grundlage f
rueful ['ruːfʊl] adj reuevoll; (situation) beklagenswert
ruffian ['rʌfɪən] n Rohling m
ruffle ['rʌfl] vt kräuseln
rug [rʌg] n Brücke f; (in bedroom) Bettvorleger m; (BRIT: for knees) (Reise)decke f
rugby ['rʌgbɪ] n (also: ~ football) Rugby nt
rugged ['rʌgɪd] adj (coastline) zerklüftet; (features) markig
rugger ['rʌgə*] (BRIT: inf) n Rugby nt
ruin ['ruːɪn] n Ruine f; (downfall) Ruin m ♦ vt ruinieren; ~**s** npl (fig) Trümmer pl; ~**ous** adj ruinierend
rule [ruːl] n Regel f; (government) Regierung f; (for measuring) Lineal nt ♦ vt (govern)

herrschen über +acc, regieren; (decide) anordnen, entscheiden; (make lines on) linieren ♦ vi herrschen, regieren; entscheiden; **as a ~** in der Regel; ~ **out** vt ausschließen; ~**d** adj (paper) liniert; ~**r** n Lineal nt; Herrscher m
ruling ['ruːlɪŋ] adj (party) Regierungs-; (class) herrschend ♦ n (JUR) Entscheid m
rum [rʌm] n Rum m
Rumania [ruːˈmeɪnɪə] n Rumänien nt; ~**n** adj rumänisch ♦ n Rumäne m, Rumänin f; (LING) Rumänisch nt
rumble ['rʌmbl] n Rumpeln nt; (of thunder) Grollen nt ♦ vi rumpeln; grollen
rummage ['rʌmɪdʒ] vi durchstöbern
rumour ['ruːmə*] (US **rumor**) n Gerücht nt ♦ vt: **it is ~ed that** man sagt or man munkelt, daß
rump [rʌmp] n Hinterteil nt; ~ **steak** n Rumpsteak nt
rumpus ['rʌmpəs] n Spektakel m
run [rʌn] (pt **ran**, pp **run**) n Lauf m; (in car) (Spazier)fahrt f; (series) Serie f, Reihe f; (ski ~) (Ski)abfahrt f; (in stocking) Laufmasche f ♦ vt (cause to ~) laufen lassen; (car, train, bus) fahren; (race, distance) laufen, rennen; (manage) leiten; (COMPUT) laufen lassen; (pass: hand, eye) gleiten lassen ♦ vi laufen; (move quickly) laufen, rennen; (bus, train) fahren; (flow) fließen, laufen; (colours) (ab)färben; **there was a ~ on** (meat, tickets) es gab einen Ansturm auf +acc; **on the ~** auf der Flucht; **in the long ~** auf die Dauer; **I'll ~ you to the station** ich fahre dich zum Bahnhof; **to ~ a risk** ein Risiko eingehen; ~ **about** or **around** vi (children) umherspringen; ~ **across** vt fus (find) stoßen auf +acc; ~ **away** vi weglaufen; ~ **down** vi (clock) ablaufen ♦ vt (production, factory) allmählich auflösen; (with car) überfahren; (talk against) heruntermachen; **to be ~ down** erschöpft or abgespannt sein; ~ **in** (BRIT) vt (car) einfahren; ~ **into** vt fus (meet: person) zufällig treffen; (: trouble) bekommen; (collide with) rennen gegen; fahren gegen; ~ **off** vi fortlaufen; ~ **out** vi (person) hinausrennen; (liquid) auslaufen; (lease) ablaufen; (money) ausgehen; **he ran out of money/petrol** ihm ging das Geld/Benzin aus; ~ **over** vt (in accident) überfahren; ~ **through** vt (instructions) durchgehen; ~ **up** vt (debt, bill) machen; ~ **up against** vt fus (difficulties) stoßen auf +acc; ~**away** adj (horse) ausgebrochen; (person) flüchtig
rung [rʌŋ] pp of **ring** ♦ n Sprosse f
runner ['rʌnə*] n Läufer(in) m(f); (for sleigh) Kufe f; ~ **bean** (BRIT) n Stangenbohne f; ~**-up** n Zweite(r) mf
running ['rʌnɪŋ] n (of business) Leitung f; (of machine) Betrieb m ♦ adj (water) fließend; (commentary) laufend; **to be in/out**

of the ~ **for sth** im/aus dem Rennen für etw sein; **3 days** ~ 3 Tage lang *or* hintereinander

runny ['rʌnɪ] *adj* dünn; *(nose)* laufend

run-of-the-mill ['rʌnəvðə'mɪl] *adj* gewöhnlich, alltäglich

runt [rʌnt] *n (animal)* Kümmerer *m*; *(pej: person)* Wicht *m*

run-up ['rʌnʌp] *n*: **the** ~ **to** *(election etc)* die Endphase vor +*dat*

runway ['rʌnweɪ] *n* Startbahn *f*

rupee [ruː'piː] *n* Rupie *f*

rupture ['rʌptʃə*] *n (MED)* Bruch *m*

rural ['ruərəl] *adj* ländlich, Land-

ruse [ruːz] *n* Kniff *m*, List *f*

rush [rʌʃ] *n* Eile *f*, Hetze *f*; *(FIN)* starke Nachfrage *f* ♦ *vt (carry along)* auf dem schnellsten Wege schaffen *or* transportieren; *(attack)* losstürmen auf +*acc* ♦ *vi (hurry)* eilen, stürzen; **don't** ~ **me** dräng mich nicht; ~ **hour** *n* Hauptverkehrszeit *f*

rusk [rʌsk] *n* Zwieback *m*

Russia ['rʌʃə] *n* Rußland *nt*; ~**n** *adj* russisch ♦ *n* Russe *m*, Russin *f*; *(LING)* Russisch *nt*

rust [rʌst] *n* Rost *m* ♦ *vi* rosten

rustic ['rʌstɪk] *adj* bäuerlich, ländlich

rustle ['rʌsl] *vi* rauschen, rascheln ♦ *vt* rascheln lassen; *(cattle)* stehlen

rustproof ['rʌstpruːf] *adj* rostfrei

rusty ['rʌstɪ] *adj* rostig

rut [rʌt] *n (in track)* Radspur *f*; **to be in a** ~ im Trott stecken

ruthless ['ruːθləs] *adj* rücksichtslos

rye [raɪ] *n* Roggen *m*; ~ **bread** *n* Roggenbrot *nt*

S s

sabbath ['sæbəθ] *n* Sabbat *m*

sabotage ['sæbətɑːʒ] *n* Sabotage *f* ♦ *vt* sabotieren

saccharin ['sækərɪn] *n* Saccharin *nt*

sachet ['sæʃeɪ] *n (of shampoo etc)* Briefchen *nt*, Kissen *nt*

sack [sæk] *n* Sack *m* ♦ *vt (inf)* hinauswerfen; *(pillage)* plündern; **to get the** ~ rausfliegen; ~**ing** *n (material)* Sackleinen *nt*; *(inf)* Rausschmiß *m*

sacrament ['sækrəmənt] *n* Sakrament *nt*

sacred ['seɪkrɪd] *adj* heilig

sacrifice ['sækrɪfaɪs] *n* Opfer *nt* ♦ *vt (also fig)* opfern

sacrilege ['sækrɪlɪdʒ] *n* Schändung *f*

sad [sæd] *adj* traurig; ~**den** *vt* traurig machen, betrüben

saddle ['sædl] *n* Sattel *m* ♦ *vt (burden)*: **to** ~ **sb with sth** jdm etw aufhalsen; ~**bag** *n* Satteltasche *f*

sadistic [sə'dɪstɪk] *adj* sadistisch

sadly ['sædlɪ] *adv* traurig; *(unfortunately)* leider

sadness ['sædnəs] *n* Traurigkeit *f*

sae *abbr* (= *stamped addressed envelope*) adressierte(r) Rückumschlag *m*

safe [seɪf] *adj (free from danger)* sicher; *(careful)* vorsichtig ♦ *n* Safe *m*; ~ **and sound** gesund und wohl; *(just)* **to be on the** ~ **side** um ganz sicher zu gehen; ~ **from** *(attack)* sicher vor +*dat*; ~-**conduct** *n* freie(s) Geleit *nt*; ~-**deposit** *n (vault)* Tresorraum *m*; *(box)* Banksafe *m*; ~**guard** *n* Sicherung *f* ♦ *vt* sichern, schützen; ~-**keeping** *n* sichere Verwahrung *f*; ~**ly** *adv* sicher; *(arrive)* wohlbehalten; ~ **sex** *n (MED)* geschützter Sex *m*

safety ['seɪftɪ] *n* Sicherheit *f*; ~ **belt** *n* Sicherheitsgurt *m*; ~ **pin** *n* Sicherheitsnadel *f*; ~ **valve** *n* Sicherheitsventil *nt*

sag [sæg] *vi* (durch)sacken

sage [seɪdʒ] *n (herb)* Salbei *m*; *(person)* Weise(r) *mf*

Sagittarius [sædʒɪ'tɛərɪəs] *n* Schütze *m*

Sahara [sə'hɑːrə] *n*: **the** ~ **(Desert)** die (Wüste) Sahara

said [sed] *pt, pp of* **say**

sail [seɪl] *n* Segel *nt*; *(trip)* Fahrt *f* ♦ *vt* segeln ♦ *vi* segeln; *(begin voyage: person)* abfahren; *(: ship)* auslaufen; *(fig: cloud etc)* dahinsegeln; **to go for a** ~ segeln gehen; **they** ~**ed into Copenhagen** sie liefen in Kopenhagen ein; ~ **through** *vt fus, vi (fig)* (es) spielend schaffen; ~**boat** *(US) n* Segelboot *nt*; ~**ing** *n* Segeln *nt*; ~**ing ship** *n* Segelschiff *nt*; ~**or** *n* Matrose *m*, Seemann *m*

saint [seɪnt] *n* Heilige(r) *mf*; ~**ly** *adj* heilig, fromm

sake [seɪk] *n*: **for the** ~ **of** um +*gen* willen

salad ['sæləd] *n* Salat *m*; ~ **bowl** *n* Salatschüssel *f*; ~ **cream** *(BRIT) n* gewürzte Mayonnaise *f*; ~ **dressing** *n* Salatsoße *f*

salami [sə'lɑːmɪ] *n* Salami *f*

salary ['sælərɪ] *n* Gehalt *nt*

sale [seɪl] *n* Verkauf *m*; *(reduced prices)* Schlußverkauf *m*; **"for ~"** „zu verkaufen"; **on** ~ zu verkaufen; ~**room** *n* Verkaufsraum *m*; ~**s assistant** *n* Verkäufer(in) *m(f)*; ~**s clerk** *(US) n* Verkäufer(in) *m(f)*; ~**sman** *(irreg) n* Verkäufer *m*; *(representative)* Vertreter *m*; ~**swoman** *(irreg) n* Verkäuferin *f*

salient ['seɪlɪənt] *adj* bemerkenswert

saliva [sə'laɪvə] *n* Speichel *m*

sallow ['sæləʊ] *adj* fahl; *(face)* bleich

salmon ['sæmən] n Lachs m
saloon [sə'luːn] n Salz nt ♦ (BRIT: AUT) Limousine f; (ship's lounge) Salon m
salt [sɔːlt] n Salz nt ♦ vt (cure) einsalzen; (flavour) salzen; ~ **away** (inf) vt (money) auf die hohe Kante legen; ~**cellar** n Salzfaß nt; ~**-water** adj Salzwasser-; ~**y** adj salzig
salutary ['sæljutəri] adj nützlich
salute [sə'luːt] n (MIL) Gruß m; (with guns) Salutschüsse pl ♦ vt (MIL) salutieren
salvage ['sælvɪdʒ] n (from ship) Bergung f; (property) Rettung f ♦ vt bergen; retten
salvation [sæl'veɪʃən] n Rettung f; **S~ Army** n Heilsarmee f
same [seɪm] adj, pron (similar) gleiche(r, s); (identical) derselbe/dieselbe/dasselbe; **the ~ book** as das gleiche Buch wie; **at the ~ time** zur gleichen Zeit, gleichzeitig; (however) zugleich, andererseits; **all** or **just the ~** trotzdem; **the ~ to you!** gleichfalls!; **to do the ~ (as sb)** das gleiche tun (wie jd)
sample ['saːmpl] n Probe f ♦ vt probieren
sanctify ['sæŋktɪfaɪ] vt weihen
sanctimonious [sæŋktɪ'məunɪəs] adj scheinheilig
sanction ['sæŋkʃən] n Sanktion f
sanctity ['sæŋktɪtɪ] n Heiligkeit f; (fig) Unverletzlichkeit f
sanctuary ['sæŋktjuərɪ] n (for fugitive) Asyl nt; (refuge) Zufluchtsort m; (for animals) Schutzgebiet nt
sand [sænd] n Sand m ♦ vt (furniture) schmirgeln
sandal ['sændl] n Sandale f
sand: ~**box** (US) n = **sandpit**; ~**castle** n Sandburg f; ~ **dune** n (Sand)düne f; ~**paper** n Sandpapier nt; ~**pit** n Sandkasten m; ~**stone** n Sandstein m
sandwich ['sænwɪdʒ] n Sandwich m or nt ♦ vt (also: ~ **in**) einklemmen; **cheese/ham** ~ Käse-/Schinkenbrot; ~**ed between** eingeklemmt zwischen; ~ **board** n Reklametafel f; ~ **course** (BRIT) n theorie- und praxisabwechselnde(r) Ausbildungsgang
sandy ['sændɪ] adj sandig; (hair) rotblond
sane [seɪn] adj geistig gesund or normal; (sensible) vernünftig, gescheit
sang [sæŋ] pt of **sing**
sanitary ['sænɪtərɪ] adj hygienisch; ~ **napkin** (US) n (Monats)binde f; ~ **towel** n (Monats)binde f
sanitation [sænɪ'teɪʃən] n sanitäre Einrichtungen pl; ~ **department** (US) n Stadtreinigung f
sanity ['sænɪtɪ] n geistige Gesundheit f; (good sense) Vernunft f
sank [sæŋk] pt of **sink**
Santa Claus [sæntə'klɔːz] n Nikolaus m, Weihnachtsmann m
sap [sæp] n (of plants) Saft m ♦ vt (strength) schwächen

sapling ['sæplɪŋ] n junge(r) Baum m
sapphire ['sæfaɪə*] n Saphir m
sarcasm ['saːkæzəm] n Sarkasmus m
sarcastic [saː'kæstɪk] adj sarkastisch
sardine [saː'diːn] n Sardine f
Sardinia [saː'dɪnɪə] n Sardinien nt
sardonic [saː'dɒnɪk] adj zynisch
sash [sæʃ] n Schärpe f
sat [sæt] pt, pp of **sit**
Satan ['seɪtn] n Satan m
satchel ['sætʃəl] n (for school) Schulmappe f
sated ['seɪtɪd] adj (appetite, person) gesättigt
satellite dish n (TECH) Parabolantenne f
satellite television n Satellitenfernsehen nt
satisfaction [sætɪs'fækʃən] n Befriedigung f, Genugtuung f
satisfactory [sætɪs'fæktərɪ] adj zufriedenstellend, befriedigend
satisfy ['sætɪsfaɪ] vt befriedigen, zufriedenstellen; (convince) überzeugen; (conditions) erfüllen; ~**ing** adj befriedigend; (meal) sättigend
saturate ['sætʃəreɪt] vt (durch)tränken
saturation [sætʃə'reɪʃən] n Durchtränkung f; (CHEM, fig) Sättigung f
Saturday ['sætədeɪ] n Samstag m, Sonnabend m
sauce [sɔːs] n Soße f, Sauce f; ~**pan** n Kasserolle f
saucer ['sɔːsə*] n Untertasse f
saucy ['sɔːsɪ] adj frech, keck
Saudi ['saudɪ] : ~ **Arabia** n Saudi-Arabien nt; ~ **(Arabian)** adj saudiarabisch ♦ n Saudiaraber(in) m(f)
sauna ['sɔːnə] n Sauna f
saunter ['sɔːntə*] vi schlendern
sausage ['sɒsɪdʒ] n Wurst f; ~ **roll** n Wurst f im Schlafrock, Wurstpastete f
sauté ['səuteɪ] adj Röst-
savage ['sævɪdʒ] adj wild ♦ n Wilde(r) mf ♦ vt (animals) zerfleischen; ~**ry** n Roheit f, Grausamkeit f
save [seɪv] vt retten; (money, electricity etc) sparen; (strength etc) aufsparen; (COMPUT) speichern ♦ vi (also: ~ **up**) sparen ♦ n (SPORT) (Ball)abwehr f ♦ prep, conj außer, ausgenommen
saving ['seɪvɪŋ] adj: **the ~ grace of** das Versöhnende an +dat ♦ n Sparen nt, Ersparnis f; ~**s** npl (money) Ersparnisse pl; ~**s account** n Sparkonto nt; ~**s bank** n Sparkasse f
saviour ['seɪvjə*] (US **savior**) n (REL) Erlöser m
savour ['seɪvə*] (US **savor**) vt (taste) schmecken; (fig) genießen; ~**y** adj pikant, würzig
saw [sɔː] (pt **sawed**, pp **sawed** or **sawn**) pt of **see** ♦ n (tool) Säge f ♦ vt, vi sägen; ~**dust** n Sägemehl nt; ~**mill** n Sägewerk

nt; **sawn** [sɔːn] *pp of* **saw**; **~n-off shotgun** *n* Gewehr *nt* mit abgesägtem Lauf
say [seɪ] (*pt, pp* **said**) *n*: **to have a/no ~ in
sth** Mitspracherecht/kein Mitspracherecht
bei etw haben ♦ *vt, vi* sagen; **let him have
his ~** laß ihn doch reden; **to ~ yes/no**
ja/nein sagen; **that goes without ~ing** das
versteht sich von selbst; **that is to ~** das
heißt; **~ing** *n* Sprichwort *nt*
scab [skæb] *n* Schorf *m*; (*pej*) Streikbrecher
m
scaffold ['skæfəʊld] *n* (*for execution*) Scha-
fott *nt*; **~ing** *n* (Bau)gerüst *nt*
scald [skɔːld] *n* Verbrühung *f* ♦ *vt* (*burn*)
verbrühen; (*clean*) (ab)brühen
scale [skeɪl] *n* (*of fish*) Schuppe *f*; (*MUS*)
Tonleiter *f*; (*on map, size*) Maßstab *m*; (*gra-
dation*) Skala *f* ♦ *vt* (*climb*) erklimmen; **~s**
npl (*balance*) Waage *f*; **on a large ~** (*fig*)
im großen, in großem Umfang; **~ of
charges** Gebührenordnung *f*; **~ down** *vt*
verkleinern; **~ model** *n* maßstabgetreue(s)
Modell *nt*
scallop ['skɒləp] *n* Kammuschel *f*
scalp [skælp] *n* Kopfhaut *f*
scamper ['skæmpə*] *vi*: **to ~ away** *or* **off**
sich davonmachen
scampi ['skæmpɪ] *npl* Scampi *pl*
scan [skæn] *vt* (*examine*) genau prüfen;
(*quickly*) überfliegen; (*horizon*) absuchen;
(*poetry*) skandieren
scandal ['skændl] *n* Skandal *m*; (*piece of
gossip*) Skandalgeschichte *f*
Scandinavia [skændɪ'neɪvɪə] *n* Skandina-
vien *nt*; **~n** *adj* skandinavisch ♦ *n* Skandi-
navier(in) *m(f)*
scant [skænt] *adj* knapp; **~ily** *adv* knapp,
dürftig; **~y** *adj* knapp, unzureichend
scapegoat ['skeɪpgəʊt] *n* Sündenbock *m*
scar [skɑː*] *n* Narbe *f* ♦ *vt* durch Narben
entstellen
scarce ['skeəs] *adj* selten, rar; (*goods*)
knapp; **~ly** *adv* kaum
scarcity ['skeəsɪtɪ] *n* Mangel *m*
scare ['skeə*] *n* Schrecken *m* ♦ *vt* erschrecken; **bomb ~** Bombendrohung *f*; **to
~ sb stiff** jdn zu Tode erschrecken; **to be
~d** Angst haben; **~crow** *n* Vogelscheuche
f
scarf [skɑːf] (*pl* **scarves**) *n* Schal *m*;
(*head~*) Kopftuch *nt*
scarlet ['skɑːlət] *adj* scharlachrot ♦ *n*
Scharlachrot *nt*; **~ fever** *n* Scharlach *m*
scarves [skɑːvz] *npl of* **scarf**
scary ['skeərɪ] (*inf*) *adj* schaurig
scathing ['skeɪðɪŋ] *adj* scharf, vernichtend
scatter ['skætə*] *vt* (*sprinkle*) (ver)streuen;
(*disperse*) zerstreuen ♦ *vi* sich zerstreuen;
~brained *adj* flatterhaft, schusselig
scavenger ['skævɪndʒə*] *n* (*animal*) Aas-
fresser *m*
scenario [sɪ'nɑːrɪəʊ] *n* (*THEAT, CINE*) Sze-

narium *nt*; (*fig*) Szenario *nt*
scene [siːn] *n* (*of happening*) Ort *m*; (*of
play, incident*) Szene *f*; (*view*) Anblick *m*;
(*argument*) Szene *f*, Auftritt *m*; **~ry**
['siːnərɪ] *n* (*THEAT*) Bühnenbild *nt*; (*landscape*) Landschaft *f*
scenic ['siːnɪk] *adj* landschaftlich
scent [sent] *n* Parfüm *nt*; (*smell*) Duft *m* ♦
vt parfümieren
sceptical ['skeptɪkəl] (*US* **skeptical**) *adj*
skeptisch
schedule ['ʃedjuːl, (*US*) 'skedjuːl] *n* (*list*)
Liste *f*; (*plan*) Programm *nt*; (*of work*) Zeitplan *m* ♦ *vt* planen; **on ~** pünktlich; **to be
ahead of/behind ~** dem Zeitplan voraus/
im Rückstand sein; **~d flight** *n* (*not charter*) Linienflug *m*
scheme [skiːm] *n* Schema *nt*; (*dishonest*)
Intrige *f*; (*plan of action*) Plan *m* ♦ *vi* intrigieren ♦ *vt* planen
scheming ['skiːmɪŋ] *adj* intrigierend
scholar ['skɒlə*] *n* Gelehrte(r) *m*; (*holding
~ship*) Stipendiat *m*; **~ly** *adj* gelehrt;
~ship *n* Gelehrsamkeit *f*; (*grant*) Stipendium *nt*
school [skuːl] *n* Schule *f*; (*UNIV*) Fakultät *f*
♦ *vt* schulen; (*dog*) trainieren; **~ age** *n*
schulpflichtige(s) Alter *nt*; **~book** *n* Schul-
buch *nt*; **~boy** *n* Schüler *m*; **~children**
npl Schüler *pl*, Schulkinder *pl*; **~days** *npl*
(*alte*) Schulzeit *f*; **~girl** *n* Schülerin *f*;
~ing *n* Schulung *f*, Ausbildung *f*; **~mas-
ter** *n* Lehrer *m*; **~mistress** *n* Lehrerin *f*;
~teacher *n* Lehrer(in) *m(f)*
sciatica [saɪ'ætɪkə] *n* Ischias *m or nt*
science ['saɪəns] *n* Wissenschaft *f*; (*natural
~*) Naturwissenschaft *f*
scientific [saɪən'tɪfɪk] *adj* wissenschaftlich;
(*natural sciences*) naturwissenschaftlich
scientist ['saɪəntɪst] *n* Wissenschaftler(in)
m(f)
scintillating ['sɪntɪleɪtɪŋ] *adj* sprühend
scissors ['sɪzəz] *npl* Schere *f*; **a pair of ~**
eine Schere
scoff [skɒf] *vt* (*BRIT: inf: eat*) fressen ♦ *vi*
(*mock*): **to ~ (at)** spotten (über +*acc*)
scold [skəʊld] *vt* schimpfen
scone [skɒn] *n* weiche(s) Teegebäck *nt*
scoop [skuːp] *n* Schaufel *f*; (*news*) sensatio-
nelle Erstmeldung *f*; **~ out** *vt* herausschau-
feln; (*liquid*) herausschöpfen; **~ up** *vt* auf-
schaufeln; (*liquid*) aufschöpfen
scooter ['skuːtə*] *n* Motorroller *m*; (*child's*)
Roller *m*
scope [skəʊp] *n* Ausmaß *nt*; (*opportunity*)
(Spiel)raum *m*
scorch [skɔːtʃ] *n* Brandstelle *f* ♦ *vt* versengen; **~ing** *adj* brennend
score [skɔː*] *n* (*in game*) Punktzahl *f*; (*final
~*) (Spiel)ergebnis *nt*; (*MUS*) Partitur *f*; (*line*)
Kratzer *m*; (*twenty*) zwanzig, zwanzig
Stück ♦ *vt* (*goal*) schießen; (*points*) ma-

chen; (mark) einritzen ♦ vi (keep record) Punkte zählen; **on that** ~ in dieser Hinsicht; **what's the ~?** wie steht's?; **to ~ 6 out of 10** 6 von 10 Punkten erzielen; ~ **out** vt ausstreichen; ~**board** n Anschreibetafel f; ~**r** n Torschütze m; (recorder) (Auf)schreiber m

scorn ['skɔːn] n Verachtung f ♦ vt verhöhnen; ~**ful** adj verächtlich

Scorpio ['skɔːpɪəʊ] n Skorpion m

Scot [skɔt] n Schotte m, Schottin f

Scotch [skɔtʃ] n Scotch m

scotch vt (end) unterbinden

scot-free ['skɔt'friː] adv: **to get off** ~ (unpunished) ungeschoren davonkommen

Scotland ['skɔtlənd] n Schottland nt

Scots [skɔts] adj schottisch; ~**man/woman** (irreg) n Schotte m/Schottin f

Scottish ['skɔtɪʃ] adj schottisch

scoundrel ['skaʊndrəl] n Schuft m

scour ['skaʊə*] vt (search) absuchen; (clean) schrubben

scourge [skɜːdʒ] n (whip) Geißel f; (plague) Qual f

scout [skaʊt] n (MIL) Späher m; (also: boy ~) Pfadfinder m; ~ **around** vi: **to ~ around (for)** sich umsehen (nach)

scowl [skaʊl] n finstere(r) Blick m ♦ vi finster blicken

scrabble ['skræbl] (also: ~ around: search) (herum)tasten ♦ vi; (claw): **to ~ (at)** kratzen (an +dat) ♦ n: **S~** ® Scrabble nt (®)

scraggy ['skrægɪ] adj dürr, hager

scram [skræm] (inf) vi abhauen

scramble ['skræmbl] n (climb) Kletterei f; (struggle) Kampf m ♦ vi klettern; (fight) sich schlagen; **to ~ out/through** krabbeln aus/durch; **to ~ for sth** sich um etw raufen; ~**d eggs** npl Rührei nt

scrap [skræp] n (bit) Stückchen nt; (fight) Keilerei f; (also: ~ iron) Schrott m ♦ vt verwerfen ♦ vi (fight) streiten, sich prügeln; ~**s** npl (leftovers) Reste pl; (waste) Abfall m; ~**book** n Einklebealbum nt; ~ **dealer** n Schrotthändler(in) m(f)

scrape [skreɪp] n Kratzen nt; (trouble) Klemme f ♦ vt kratzen; (car) zerkratzen; (clean) abkratzen ♦ vi (make harsh noise) kratzen; **to ~ through** gerade noch durchkommen; ~**r** n Kratzer m

scrap: ~ **heap** n Schrotthaufen m; **on the ~ heap** (fig) beim alten Eisen; ~ **iron** n Schrott m; ~ **merchant** (BRIT) n Altwarenhändler(in) m(f)

scrappy ['skræpɪ] adj zusammengestoppelt

scratch [skrætʃ] n (wound) Kratzer m, Schramme f ♦ adj: ~ **team** zusammengewürfelte Mannschaft ♦ vt kratzen; (car) zerkratzen ♦ vi (sich) kratzen; **to start from** ~ ganz von vorne anfangen; **to be up to** ~ den Anforderungen entsprechen

scrawl [skrɔːl] n Gekritzel nt ♦ vt, vi kritzeln

scrawny ['skrɔːnɪ] adj (person, neck) dürr

scream [skriːm] n Schrei m ♦ vi schreien

scree [skriː] n Geröll(halde f) nt

screech [skriːtʃ] n Schrei m ♦ vi kreischen

screen [skriːn] n (protective) Schutzschirm m; (CINE) Leinwand f; (TV) Bildschirm m ♦ vt (shelter) (be)schirmen; (film) zeigen, vorführen; ~**ing** n (MED) Untersuchung f; ~**play** n Drehbuch nt

screw [skruː] n Schraube f ♦ vt (fasten) schrauben; (vulgar) bumsen; ~ **up** vt (paper etc) zerknüllen; (inf: ruin) vermasseln (inf); ~**driver** n Schraubenzieher m

scribble ['skrɪbl] n Gekritzel nt ♦ vt kritzeln

script [skrɪpt] n (handwriting) Handschrift f; (for film) Drehbuch nt; (THEAT) Manuskript nt, Text m

Scripture ['skrɪptʃə*] n Heilige Schrift f

scroll [skrəʊl] n Schriftrolle f

scrounge [skraʊndʒ] (inf) vt: **to ~ sth off or from sb** etw bei jdm abstauben ♦ n: **on the** ~ beim Schnorren

scrub [skrʌb] n (clean) Schrubben nt; (in countryside) Gestrüpp nt ♦ vt (clean) schrubben; (reject) fallenlassen

scruff [skrʌf] n: **by the** ~ **of the neck** am Genick

scruffy ['skrʌfɪ] adj unordentlich, vergammelt

scrum(mage) ['skrʌm(ɪdʒ)] n Getümmel nt

scruple ['skruːpl] n Skrupel m, Bedenken nt

scrupulous ['skruːpjʊləs] adj peinlich genau, gewissenhaft

scrutinize ['skruːtɪnaɪz] vt genau prüfen

scrutiny ['skruːtɪnɪ] n genaue Untersuchung f

scuff [skʌf] vt (shoes) abstoßen

scuffle ['skʌfl] n Handgemenge nt

scullery ['skʌlərɪ] n Spülküche f

sculptor ['skʌlptə*] n Bildhauer(in) m(f)

sculpture ['skʌlptʃə*] n (ART) Bildhauerei f; (statue) Skulptur f

scum [skʌm] n (also fig) Abschaum m

scupper ['skʌpə*] vt (NAUT) versenken; (fig) zerstören

scurrilous ['skʌrɪləs] adj unflätig

scurry ['skʌrɪ] vi huschen

scuttle ['skʌtl] n (also: coal ~) Kohleneimer m ♦ vt (ship) versenken ♦ vi (scamper): **to ~ away** or **off** sich davonmachen

scythe [saɪð] n Sense f

SDP (BRIT) n abbr = **Social Democratic Party**

sea [siː] n Meer nt, See f; (fig) Meer nt ♦ adj Meeres-, See-; **by** ~ (travel) auf dem Seeweg; **on the** ~ (boat) auf dem Meer; (town) am Meer; **out to** ~ aufs Meer hinaus; **out at** ~ aufs Meer; **to be all at** ~ (fig) nicht durchblicken; ~**board** n Küste

f; ~**food** n Meeresfrüchte pl; ~ **front** n Strandpromenade f; ~**going** adj seetüchtig, Hochsee-; ~**gull** n Möwe f
seal [siːl] n (animal) Robbe f, Seehund m; (stamp, impression) Siegel nt ♦ vt versiegeln
sea level n Meeresspiegel m
sea lion n Seelöwe m
seam [siːm] n Saum m; (edges joining) Naht f; (of coal) Flöz nt
seaman ['siːmən] (irreg) n Seemann m
seamy ['siːmɪ] adj (people, café) zwielichtig; (life) anrüchig
seaplane ['siːpleɪn] n Wasserflugzeug nt
seaport ['siːpɔːt] n Seehafen m
search [sɜːtʃ] n (for person, thing) Suche f; (of drawer, pockets, house) Durchsuchung f ♦ vi suchen ♦ vt durchsuchen; **in** ~ **of** auf der Suche nach; **to** ~ **for** suchen nach; ~ **through** vt durchsuchen; ~**ing** adj (look) forschend; ~**light** n Scheinwerfer m; ~ **party** n Suchmannschaft f, ~ **warrant** n Durchsuchungsbefehl m
seashore ['siːʃɔː*] n Meeresküste f
seasick ['siːsɪk] adj seekrank; ~**ness** n Seekrankheit f
seaside ['siːsaɪd] n Küste f; ~ **resort** n Badeort m
season ['siːzn] n Jahreszeit f; (Christmas etc) Zeit f, Saison f ♦ vt (flavour) würzen; ~**al** adj Saison-; ~**ed** adj (fig) erfahren; ~**ing** n Gewürz nt, Würze f; ~ **ticket** n (RAIL) Zeitkarte f; (THEAT) Abonnement nt
seat [siːt] n Sitz m, Platz m; (in Parliament) Sitz m; (part of body) Gesäß nt; (of trousers) Hosenboden m ♦ vt (place) setzen; (have space for) Sitzplätze bieten für; **to be** ~**ed** sitzen; ~ **belt** n Sicherheitsgurt m
sea water n Meerwasser nt
seaweed ['siːwiːd] n (See)tang m
seaworthy ['siːwɜːðɪ] adj seetüchtig
sec. abbr (= second(s)) Sek.
secluded [sɪ'kluːdɪd] adj abgelegen
seclusion [sɪ'kluːʒən] n Zurückgezogenheit f
second ['sekənd] adj zweite(r,s) ♦ adv (in position) an zweiter Stelle ♦ n Sekunde f; (person) Zweite(r) mf; (COMM: imperfect) zweite Wahl f; (SPORT) Sekundant m; (AUT: also: ~ **gear**) zweite(r) Gang m; (BRIT: UNIV: degree) mittlere Note bei Abschlußprüfungen ♦ vt (support) unterstützen; ~**ary** adj zweitrangig; ~**ary school** n höhere Schule f, Mittelschule f; ~~-**class** adj zweiter Klasse; ~**hand** adj aus zweiter Hand; (car etc) gebraucht; ~ **hand** n (on clock) Sekundenzeiger m; ~**ly** adv zweitens; ~**ment** [sɪ'kɒndmənt] (BRIT) n Abordnung f, ~~-**rate** adj mittelmäßig; ~ **thoughts** npl: **to have** ~ **thoughts** es sich dat anders überlegen; **on** ~ **thoughts** (BRIT) or **thought** (US) oder lieber (nicht)
secrecy ['siːkrəsɪ] n Geheimhaltung f

secret ['siːkrət] n Geheimnis nt ♦ adj geheim, Geheim-; **in** ~ geheim
secretarial [sekrə'tɛərɪəl] adj Sekretärinnen-
secretary ['sekrətrɪ] n Sekretär(in) m(f)
Secretary of State (BRIT) n (POL): ~ **(for)** Minister(in) m(f) (für)
secretion [sɪ'kriːʃən] n Absonderung f
secretive ['siːkrətɪv] adj geheimtuerisch
secretly adv geheim
sectarian [sek'tɛərɪən] adj (riots etc) Konfessions-, zwischen den Konfessionen
section ['sekʃən] n (part) Teil m, (department) Abteilung f; (of document) Abschnitt m
sector ['sektə*] n Sektor m
secular ['sekjʊlə*] adj weltlich, profan
secure [sɪ'kjʊə*] adj (safe) sicher; (firmly fixed) fest ♦ vt (make firm) befestigen, sichern; (obtain) sichern
security [sɪ'kjʊərɪtɪ] n Sicherheit f; (pledge) Pfand nt; (document) Wertpapier nt; (national ~) Staatssicherheit f
sedan [sɪ'dæn] (US) n (AUT) Limousine f
sedate [sɪ'deɪt] adj gesetzt ♦ vt (MED) ein Beruhigungsmittel geben +dat
sedation [sɪ'deɪʃən] n (MED) Einfluß m von Beruhigungsmitteln
sedative ['sedətɪv] n Beruhigungsmittel nt ♦ adj beruhigend, einschläfernd
sedentary ['sedntrɪ] adj (job) sitzend
sediment ['sedɪmənt] n (Boden)satz m
sedition [sə'dɪʃən] n Aufwiegelung f
seduce [sɪ'djuːs] vt verführen
seduction [sɪ'dʌkʃən] n Verführung f
seductive [sɪ'dʌktɪv] adj verführerisch
see [siː] (pt **saw**, pp **seen**) vt sehen; (understand) (ein)sehen, erkennen; (visit) besuchen ♦ vi (be aware) sehen; (find out) nachsehen ♦ n (ECCL: R.C.) Bistum nt; (: Protestant) Kirchenkreis m; **to** ~ **sb to the door** jdn hinausbegleiten; **to** ~ **that** (ensure) dafür sorgen, daß; ~ **you soon!** bis bald!; ~ **about** vt fus sich kümmern um; ~ **off** vt: **to** ~ **sb off** jdn zum Zug etc begleiten; ~ **through** vt: **to** ~ **sth through** etw durchfechten; **to** ~ **through sb/sth** jdn/etw durchschauen; ~ **to** vt fus: **to** ~ **to it** dafür sorgen
seed [siːd] n Samen m ♦ vt (TENNIS) plazieren; **to go to** ~ (plant) schießen; (fig) herunterkommen; ~**ling** n Setzling m; ~**y** adj (café) übel; (person) zweifelhaft
seeing ['siːɪŋ] conj: ~ **(that)** da
seek [siːk] (pt, pp **sought**) vt suchen
seem [siːm] vi scheinen; **it** ~**s that** ... es scheint, daß ...; ~**ingly** adv anscheinend
seen [siːn] pp of **see**
seep [siːp] vi sickern
seesaw ['siːsɔː] n Wippe f
seethe [siːð] vi: **to** ~ **with anger** vor Wut kochen
see-through ['siːθruː] adj (dress etc)

durchsichtig

segment ['segmənt] n Teil m; (of circle) Ausschnitt m

segregate ['segrigeit] vt trennen

seize [si:z] vt (grasp) (er)greifen, packen; (power) ergreifen; (take legally) beschlagnahmen; ~ (up)on vt fus sich stürzen auf +acc; ~ up vt (TECH) sich festfressen

seizure ['si:ʒə*] n (illness) Anfall m

seldom ['seldəm] adv selten

select [sɪ'lekt] adj ausgewählt ♦ vt auswählen; ~ion [sɪ'lekʃən] n Auswahl f; ~ive adj (person) wählerisch

self [self] (pl selves) pron selbst ♦ n Selbst nt, Ich nt; the ~ das Ich; ~-assured adj selbstbewußt; ~-catering (BRIT) adj für Selbstversorger; ~-centred (US ~-centered) adj egozentrisch; ~-coloured (US ~-colored) adj (of one colour) einfarbig, uni; ~-confidence n Selbstvertrauen nt, Selbstbewußtsein nt; ~-conscious adj gehemmt, befangen; ~-contained adj (complete) (in sich) geschlossen; (person) verschlossen; (BRIT: flat) separat; ~-control n Selbstbeherrschung f; ~-defence (US ~-defense) n Selbstverteidigung f, (JUR) Notwehr f; ~-discipline n Selbstdisziplin f; ~-employed adj frei(schaffend); ~-evident adj offensichtlich; ~-governing adj selbstverwaltet; ~-indulgent adj zügellos; ~-interest n Eigennutz m; ~-ish adj egoistisch, selbstsüchtig; ~ishness n Egoismus m, Selbstsucht f; ~-lessly adv selbstlos; ~-made adj: ~-made man Selfmademan m; ~-pity n Selbstmitleid nt; ~-portrait n Selbstbildnis nt; ~-possessed adj selbstbeherrscht; ~-preservation n Selbsterhaltung f; ~-reliant adj unabhängig; ~-respect n Selbstachtung f; ~-righteous adj selbstgerecht; ~-sacrifice n Selbstaufopferung f; ~-satisfied adj selbstzufrieden; ~-service adj Selbstbedienungs-; ~-sufficient adj selbstgenügsam; ~-taught adj selbsterlernt; ~-taught person Autodidakt m

sell [sel] (pt, pp sold) vt verkaufen ♦ vi verkaufen; (goods) sich verk. aufen; to ~ at or for £10 für £10 verkaufen; ~ off vt verkaufen; ~ out vi alles verkaufen; ~-by date n Verfalldatum nt; ~er n Verkäufer m; ~ing price n Verkaufspreis m

Sellotape ['seləuteip] (®; BRIT) n Tesafilm m (®)

sellout ['selaut] n (of tickets): it was a ~ es war ausverkauft

selves [selvz] npl of **self**

semaphore ['seməfɔ:*] n Winkzeichen pl

semblance ['semblans] n Anschein m

semen ['si:mən] n Sperma nt

semester [sɪ'mestə*] (US) n Semester nt

semi ['semi] n = **semidetached house**; ~circle n Halbkreis m; ~colon n Semiko-

lon nt; ~conductor n Halbleiter m; ~detached house (BRIT) n halbe(s) Doppelhaus nt; ~final n Halbfinale nt

seminary ['seminəri] n (REL) Priesterseminar nt

semiskilled ['semi'skild] adj angelernt

senate ['senit] n Senat m; **senator** n Senator m

send [send] (pt, pp sent) vt senden, schicken; (inf: inspire) hinreißen; ~ away vt wegschicken; ~ away for vt fus anfordern; ~ back vt zurückschicken; ~ for vt fus holen lassen; ~ off vt (goods) abschicken; (BRIT: SPORT: player) vom Feld schicken; ~ out vt (invitation) aussenden; ~ up vt hinaufsenden; (BRIT: parody) verulken; ~er n Absender m; ~-off n: to give sb a good ~-off jdn (ganz) groß verabschieden

senior ['si:niə*] adj (older) älter; (higher rank) Ober- ♦ n (older person) Ältere(r) mf; (higher ranking) Rangälteste(r) mf; ~ citizen n ältere(r) Mitbürger(in) m(f); ~ity [si:ni'ɔriti] n (of age) höhere(s) Alter nt; (in rank) höhere(r) Dienstgrad m

sensation [sen'seiʃən] n Gefühl nt; (excitement) Sensation f, Aufsehen nt

sense [sens] n Sinn m; (understanding) Verstand m, Vernunft f; (feeling) Gefühl nt ♦ vt fühlen, spüren; ~ of humour Humor m; to make ~ Sinn ergeben; ~less adj sinnlos; (unconscious) besinnungslos

sensibility [sensɪ'bɪlɪtɪ] n Empfindsamkeit f; (feeling hurt) Empfindlichkeit f; **sensibilities** npl (feelings) Zartgefühl nt

sensible ['sensəbl] adj vernünftig

sensitive ['sensɪtɪv] adj: ~ (to) empfindlich (gegen)

sensitivity [sensɪ'tɪvɪtɪ] n Empfindlichkeit f; (artistic) Feingefühl nt; (tact) Feinfühligkeit f

sensual ['sensjuəl] adj sinnlich

sensuous ['sensjuəs] adj sinnlich

sent [sent] pt, pp of **send**

sentence ['sentəns] n Satz m; (JUR) Strafe f, Urteil n ♦ vt: to ~ sb to death/to 5 years jdn zum Tode/zu 5 Jahren verurteilen

sentiment ['sentimənt] n Gefühl nt; (thought) Gedanke m; ~al [senti'mentl] adj sentimental; (of feelings rather than reason) gefühlsmäßig

sentry ['sentri] n (Schild)wache f

separate [adj 'seprət, vb 'sepəreit] adj getrennt, separat ♦ vt trennen ♦ vi sich trennen; ~ly adv getrennt; ~s npl (clothes) Röcke, Pullover etc

separation [sepə'reiʃən] n Trennung f

September [sep'tembə*] n September m

septic ['septik] adj vereitert, septisch; ~ tank n Klärbehälter m

sequel ['si:kwəl] n Folge f

sequence ['si:kwəns] n (Reihen)folge f

sequin ['siːkwɪn] n Paillette f
Serbia ['sɜːbɪə] n Serbien nt
serene [sə'riːn] adj heiter
serenity [sɪ'renɪtɪ] n Heiterkeit f
sergeant ['saːdʒənt] n Feldwebel m; (PO-
LICE) (Polizei)wachtmeister m
serial ['sɪərɪəl] n Fortsetzungsroman m;
(TV) Fernsehserie f ♦ adj (number)
(fort)laufend; ~**ize** vt in Fortsetzungen veröffentlichen; in Fortsetzungen senden
series ['sɪərɪz] n inv Serie f, Reihe f
serious ['sɪərɪəs] adj ernst; (injury) schwer;
~**ly** adv ernst(haft); (hurt) schwer; ~**ness**
n Ernst m, Ernsthaftigkeit f
sermon ['sɜːmən] n Predigt f
serrated [se'reɪtɪd] adj gezackt
servant ['sɜːvənt] n Diener(in) m(f)
serve [sɜːv] vt dienen +dat; (guest, customer) bedienen; (food) servieren ♦ vi dienen, nützen; (at table) servieren; (TENNIS)
geben, aufschlagen; **it** ~**s him right** das ge-
schieht ihm recht; **that'll** ~ **as a table** das
geht als Tisch; **to** ~ **a summons (on sb)**
(jdn) vor Gericht laden; ~ **out** or **up** vt
(food) auftragen, servieren
service ['sɜːvɪs] n (help) Dienst m; (trains
etc) Verbindung f; (hotel) Service m, Bedienung f; (set of dishes) Service nt; (REL)
Gottesdienst m; (car) Inspektion f; (for TVs
etc) Kundendienst m; (TENNIS) Aufschlag
m ♦ vt (AUT, TECH) warten, überholen; **the
S~s** npl (armed forces) die Streitkräfte pl;
to be of ~ **to sb** jdm einen großen Dienst
erweisen; ~**able** adj brauchbar; ~ **area** n
(on motorway) Raststätte f; ~ **charge**
(BRIT) n Bedienung f; ~**man** (irreg) n (soldier etc) Soldat m; ~ **station** n
(Groß)tankstelle f
serviette [sɜːvɪ'et] n Serviette f
servile ['sɜːvaɪl] adj unterwürfig
session ['seʃən] n Sitzung f; (POL) Sit-
zungsperiode f; **to be in** ~ tagen
set [set] (pt, pp set) n (collection of things)
Satz m, Set nt; (RADIO, TV) Apparat m;
(TENNIS) Satz m; (group of people) Kreis
m; (CINE) Szene f; (THEAT) Bühnenbild n
♦ adj festgelegt; (ready) bereit ♦ vt (place)
setzen, stellen, legen; (arrange) (an)ordnen;
(table) decken; (time, price) festsetzen;
(alarm, watch, task) stellen; (jewels)
(ein)fassen; (exam) ausarbeiten ♦ vi (sun)
untergehen; (become hard) fest werden;
(bone) zusammenwachsen; **to be** ~ **on
doing sth** etw unbedingt tun wollen; **to** ~
to music vertonen; **to** ~ **on fire** anstecken;
to ~ **free** freilassen; **to** ~ **sth going** etw in
Gang bringen; **to** ~ **sail** losfahren; ~
about vt fus (task) anpacken; ~ **aside** vt
beiseitelegen; ~ **back** vt: **to** ~ **back (by)**
zurückwerfen (um); ~ **off** vi aufbrechen ♦
vt (explode) sprengen; (alarm) losgehen lassen; (show up well) hervorheben; ~ **out** vi:

to ~ **out to do sth** vorhaben, etw zu tun
(arrange) anlegen, arrangieren; (state) darle-
gen; ~ **up** vt (organization) aufziehen;
(record) aufstellen; (monument) erstellen;
~**back** n Rückschlag m; ~ **menu** n Tages-
karte f
settee [se'tiː] n Sofa nt
setting ['setɪŋ] n Hintergrund m
settle ['setl] vt beruhigen; (pay) begleichen,
bezahlen; (agree) regeln ♦ vi sich einleben;
(come to rest) sich niederlassen; (sink) sich
setzen; (calm down) sich beruhigen; **to** ~
for sth sich mit etw zufriedengeben; **to** ~
on sth sich für etw entscheiden; **to** ~ **up
with sb** mit jdm abrechnen; ~ **down** vi
(feel at home) sich einleben; (calm down)
sich beruhigen; ~ **in** vi sich eingewöhnen;
~**ment** n Regelung f; (payment) Begleich-
ung f; (colony) Siedlung f; ~**r** n Siedler m
setup ['setʌp] n (situation) Lage f
seven ['sevn] num sieben; ~**teen** num siebzehn; ~**th** adj siebte(r, s) ♦ n Siebtel nt;
~**ty** num siebzig
sever ['sevə*] vt abtrennen
several ['sevrəl] adj mehrere, verschiedene
♦ pron mehrere; ~ **of us** einige von uns
severance ['sevərəns] n: ~ **pay** Abfindung
f
severe [sɪ'vɪə*] adj (strict) streng; (serious)
schwer; (climate) rauh
severity [sɪ'verɪtɪ] n Strenge f; Schwere f;
Rauheit f
sew [səʊ] (pt sewed, pp sewn) vt, vi
nähen; ~ **up** vt zunähen
sewage ['sjuːɪdʒ] n Abwässer pl
sewer ['sjuːə*] n (Abwasser)kanal m
sewing ['səʊɪŋ] n Näharbeit f; ~ **machine**
n Nähmaschine f
sewn [səʊn] pp of sew
sex [seks] n Sex m; (gender) Geschlecht nt;
to have ~ **with sb** mit jdm Geschlechtsverkehr haben; ~**ist** adj sexistisch ♦ n Se-
xist(in) m(f)
sexual ['seksjʊəl] adj sexuell, geschlechtlich,
Geschlechts-
sexy ['seksɪ] adj sexy
shabby ['ʃæbɪ] adj (also fig) schäbig
shack [ʃæk] n Hütte f
shackles ['ʃæklz] npl (also fig) Fesseln pl,
Ketten pl
shade [ʃeɪd] n Schatten m; (for lamp) Lampenschirm m; (colour) Farbton m ♦ vt abschirmen; **in the** ~ im Schatten; **a** ~
smaller ein bißchen kleiner
shadow ['ʃædəʊ] n Schatten m ♦ vt (follow) beschatten ♦ adj: ~ **cabinet** (BRIT:
POL) Schattenkabinett nt; ~**y** adj schattig
shady ['ʃeɪdɪ] adj schattig; (fig) zwielichtig
shaft [ʃaːft] n (of spear etc) Schaft m; (in
mine) Schacht m; (TECH) Welle f; (of light)
Strahl m
shaggy ['ʃægɪ] adj struppig

shake [ʃeɪk] (pt **shook**, pp **shaken**) vt schütteln, rütteln; (shock) erschüttern ♦ vi (move) schwanken; (tremble) zittern, beben ♦ n (jerk) Schütteln nt, Rütteln nt; **to ~ hands with** die Hand geben +dat; **to ~ one's head** den Kopf schütteln; **~ off** vt abschütteln; **~ up** vt aufschütteln; (fig) aufrütteln; **shaken** ['ʃeɪkn] pp of **shake**

shaky ['ʃeɪkɪ] adj zittrig; (weak) unsicher

shall [ʃæl] vb aux: **I ~ go** ich werde gehen; **~ I open the door?** soll ich die Tür öffnen?; **I'll buy some cake, ~ I?** soll ich Kuchen kaufen?, ich kaufe Kuchen, oder?

shallow ['ʃæləʊ] adj seicht

sham [ʃæm] n Schein m ♦ adj unecht, falsch

shambles ['ʃæmblz] n Durcheinander nt

shame [ʃeɪm] n Scham f; (disgrace, pity) Schande f ♦ vt beschämen; **it is a ~ that** es ist schade, daß; **it is a ~ to do** ... es ist eine Schande, ... zu tun; **what a ~!** wie schade!; **~faced** adj beschämt; **~ful** adj schändlich; **~less** adj schamlos

shampoo [ʃæm'puː] n Shampoo(n) nt ♦ vt (hair) waschen; **~ and set** n Waschen nt und Legen

shamrock ['ʃæmrɒk] n Kleeblatt nt

shandy ['ʃændɪ] n Bier nt mit Limonade

shan't [ʃɑːnt] = **shall not**

shanty town ['ʃæntɪ-] n Bidonville f

shape [ʃeɪp] n Form f ♦ vt formen, gestalten ♦ vi (also: **~ up**) sich entwickeln; **to take ~** Gestalt annehmen; **-shaped** suffix: **heart-~d** herzförmig; **~less** adj formlos; **~ly** adj wohlproportioniert

share [ʃɛə*] n (An)teil m; (FIN) Aktie f ♦ vt teilen; **to ~ out (among/between)** verteilen (unter/zwischen); **~holder** n Aktionär(in) m(f)

shark [ʃɑːk] n Hai(fisch) m; (swindler) Gauner m

sharp [ʃɑːp] adj scharf; (pin) spitz; (person) clever, erhöht ♦ adv (MUS) zu hoch; **nine o'clock ~** Punkt neun; **~en** vt schärfen; (pencil) spitzen; **~ener** n (also: **pencil ~ener**) Anspitzer m; **~-eyed** adj scharfsichtig; **~ly** adv (turn, stop) plötzlich; (stand out, contrast) deutlich; (criticize, retort) scharf

shatter ['ʃætə*] vt zerschmettern; (fig) zerstören ♦ vi zerspringen

shave [ʃeɪv] n Rasur f ♦ vt rasieren ♦ vi sich rasieren; **to have a ~** sich rasieren (lassen); **~r** n (also: **electric ~r**) Rasierapparat m

shaving ['ʃeɪvɪŋ] n (action) Rasieren nt; **~s** npl (of wood etc) Späne pl; **~ brush** n Rasierpinsel m; **~ cream** n Rasierkrem f; **~ foam** n Rasierschaum m

shawl [ʃɔːl] n Schal m, Umhang m

she [ʃiː] pron sie ♦ adj weiblich; **~-bear** Bärenweibchen nt

sheaf [ʃiːf] (pl **sheaves**) n Garbe f

shear [ʃɪə*] (pt **~ed**, pp **~ed** or **shorn**) vt scheren; **~ off** vi abbrechen; **~s** npl Heckenschere f

sheath [ʃiːθ] n Scheide f; (condom) Kondom m or nt

sheaves [ʃiːvz] npl of **sheaf**

shed [ʃed] (pt, pp **shed**) n Schuppen m; (for animals) Stall m ♦ vt (leaves etc) verlieren; (tears) vergießen

she'd [ʃiːd] = **she had; she would**

sheen [ʃiːn] n Glanz m

sheep [ʃiːp] n inv Schaf nt; **~dog** n Schäferhund m; **~ish** adj verlegen; **~skin** n Schaffell nt

sheer [ʃɪə*] adj bloß, rein; (steep) steil; (transparent) (hauch)dünn ♦ adv (directly) direkt

sheet [ʃiːt] n Bettuch nt, Bettlaken nt; (of paper) Blatt nt; (of metal etc) Platte f; (of ice) Fläche f

sheik(h) [ʃeɪk] n Scheich m

shelf [ʃelf] (pl **shelves**) n Bord nt, Regal nt

shell [ʃel] n Schale f; (sea~) Muschel f; (explosive) Granate f ♦ vt (peas) schälen; (fire on) beschießen

she'll [ʃiːl] = **she will; she shall**

shellfish ['ʃelfɪʃ] n Schalentier nt; (as food) Meeresfrüchte pl

shell suit n Ballonseidenanzug m

shelter ['ʃeltə*] n Schutz m; (air-raid) Bunker m ♦ vt schützen, bedecken; (refugees) aufnehmen ♦ vi sich unterstellen; **~ed** adj (life) behütet; (spot) geschützt

shelve [ʃelv] vt aufschieben ♦ vi abfallen

shelves [ʃelvz] npl of **shelf**

shepherd ['ʃepəd] n Schäfer m ♦ vt treiben, führen; **~'s pie** n Auflauf m aus Hackfleisch und Kartoffelbrei

sheriff ['ʃerɪf] n Sheriff m; (SCOTTISH) Friedensrichter m

sherry ['ʃerɪ] n Sherry m

she's [ʃiːz] = **she is; she has**

Shetland ['ʃetlənd] n (also: **the ~s, the ~ Isles**) die Shetlandinseln pl

shield [ʃiːld] n Schild m; (fig) Schirm m ♦ vt (be)schirmen; (TECH) abschirmen

shift [ʃɪft] n Verschiebung f; (work) Schicht f ♦ vt (ver)rücken, verschieben; (arm) wegnehmen ♦ vi sich verschieben; **~less** adj (person) träge; **~ work** n Schichtarbeit f; **~y** adj verschlagen

shilly-shally ['ʃɪlɪʃælɪ] vi zögern

shin [ʃɪn] n Schienbein nt

shine [ʃaɪn] (pt, pp **shone**) n Glanz m, Schein m ♦ vt polieren ♦ vi scheinen; (fig) glänzen; **to ~ a torch on sb** jdn (mit einer Lampe) anleuchten

shingle ['ʃɪŋgl] n Strandkies m; **~s** npl (MED) Gürtelrose f

shiny ['ʃaɪnɪ] adj glänzend

ship [ʃɪp] n Schiff nt ♦ vt verschiffen; **~-**

building n Schiffbau m; **~ment** n Schiffsladung f; **~per** n Verschiffer m; **~ping** n (act) Verschiffung f; (ships) Schiffahrt f; **~wreck** n Schiffbruch m; (destroyed ship) Wrack nt ♦ vt: **to be ~wrecked** Schiffbruch erleiden; **~yard** n Werft f

shire ['ʃaɪə*] (BRIT) n Grafschaft f

shirk [ʃɜːk] vt ausweichen +dat

shirt [ʃɜːt] n (Ober)hemd nt; **in ~ sleeves** in Hemdsärmeln; **~y** (inf) adj mürrisch

shit [ʃɪt] (inf!) excl Scheiße (!)

shiver ['ʃɪvə*] n Schauer m ♦ vi frösteln, zittern

shoal [ʃəʊl] n (Fisch)schwarm m

shock [ʃɒk] n Erschütterung f; (mental) Schock m; (ELEC) Schlag m ♦ vt erschüttern; (offend) schockieren; **~ absorber** n Stoßdämpfer m; **~ing** adj unerhört

shod [ʃɒd] pt, pp of **shoe** ♦ adj beschuht

shoddy ['ʃɒdɪ] adj schäbig

shoe [ʃuː] (pt, pp **shod**) n Schuh m; (of horse) Hufeisen nt ♦ vt (horse) beschlagen; **~brush** n Schuhbürste f; **~horn** n Schuhlöffel m; **~lace** n Schnürsenkel m; **~polish** n Schuhcreme f; **~ shop** n Schuhgeschäft nt; **~string** n (fig): **on a ~string** mit sehr wenig Geld

shone [ʃɒn] pt, pp of **shine**

shoo [ʃuː] excl sch; (to dog etc) pfui

shook [ʃʊk] pt of **shake**

shoot [ʃuːt] (pt, pp **shot**) n (branch) Schößling m ♦ vt (gun) abfeuern; (goal, arrow) schießen; (person) anschießen; (kill) erschießen; (film) drehen ♦ vi (gun, move quickly) schießen; **to ~ (at)** schießen (auf +acc); **~ down** vt abschießen; **~ in** vi hineinschießen; **~ out** vi hinausschießen; **~ up** vi (fig) aus dem Boden schießen; **~ing** n Schießerei f; **~ing star** n Sternschnuppe f

shop [ʃɒp] n (esp BRIT) Geschäft nt, Laden m; (work~) Werkstatt f ♦ vi (also: **go ~ping**) einkaufen gehen; **~ assistant** (BRIT) n Verkäufer(in) m(f); **~ floor** (BRIT) n Werkstatt f; **~keeper** n Geschäftsinhaber m; **~lifting** n Ladendiebstahl m; **~per** n Käufer(in) m(f); **~ping** n Einkaufen nt, Einkauf m; **~ping bag** n Einkaufstasche f; **~ping centre** (US **~ping center**) n Einkaufszentrum nt; **~-soiled** adj angeschmutzt; **~ steward** (BRIT) n (INDUSTRY) Betriebsrat m; **~ window** n Schaufenster nt

shore [ʃɔː*] n Ufer nt; (of sea) Strand m ♦ vt: **to ~ up** abstützen

shorn [ʃɔːn] pp of **shear**

short [ʃɔːt] adj kurz; (person) klein; (curt) kurz angebunden; (measure) zu knapp ♦ n (also: **~ film**) Kurzfilm m ♦ adv (suddenly) plötzlich ♦ vi (ELEC) einen Kurzschluß haben; **~s** npl (clothes) Shorts pl; **to be ~ of**

sth nicht genug von etw haben; **in ~** kurz gesagt; **~ of doing sth** ohne so weit zu gehen, etw zu tun; **everything ~ of ...** alles außer ...; **it is ~ for** das ist die Kurzform von; **to cut ~** abkürzen; **to fall ~ of** sth etw nicht erreichen; **to stop ~** plötzlich anhalten; **to stop ~ of** haltmachen vor; **~age** n Knappheit f, Mangel m; **~bread** n Mürbegebäck nt; **~change** vt: **to ~change** sb jdm zuwenig herausgeben; **~ circuit** n Kurzschluß m ♦ vi einen Kurzschluß haben ♦ vt kurzschließen; **~coming** n Mangel m; **~(crust) pastry** (BRIT) n Mürbeteig m; **~ cut** n Abkürzung f; **~en** vt (ab)kürzen; (clothes) kürzer machen; **~fall** n Defizit nt; **~hand** (BRIT) n Stenographie f; **~hand typist** (BRIT) n Stenotypistin f; **~list** (BRIT) n (for job) engere Wahl f; **~lived** adj kurzlebig; **~ly** adv bald; **~sighted** (BRIT) adj (also fig) kurzsichtig; **~staffed** adj: **to be ~staffed** zu wenig Personal haben; **~story** n Kurzgeschichte f; **~tempered** adj leicht aufbrausend; **~term** adj (effect) kurzfristig; **~ wave** n (RADIO) Kurzwelle f

shot [ʃɒt] pt, pp of **shoot** ♦ n (from gun) Schuß m; (person) Schütze m; (try) Versuch m; (injection) Spritze f; (PHOT) Aufnahme f; **like a ~** wie der Blitz; **~gun** n Schrotflinte f

should [ʃʊd] vb aux: **I ~ go now** ich sollte jetzt gehen; **he ~ be there now** er sollte eigentlich schon da sein; **I ~ go if I were you** ich würde gehen, wenn ich du wärst; **I ~ like to** ich möchte gerne

shoulder ['ʃəʊldə*] n Schulter f; (BRIT: of road): **hard ~** Seitenstreifen m ♦ vt (rifle) schultern; (fig) auf sich nehmen; **~ bag** n Umhängetasche f; **~ blade** n Schulterblatt nt; **~ strap** n (MIL) Schulterklappe f; (of dress etc) Träger m

shouldn't ['ʃʊdnt] = **should not**

shout [ʃaʊt] n Schrei m; (call) Ruf m ♦ vt rufen ♦ vi schreien; **~ down** vt niederbrüllen; **~ing** n Geschrei nt

shove [ʃʌv] n Schubs m, Stoß m ♦ vt schieben, stoßen, schubsen; (inf: put): **to ~ sth in(to) sth** etw in etw acc hineinschieben; **~ off** vi (NAUT) abstoßen; (fig: inf) abhauen

shovel ['ʃʌvl] n Schaufel f ♦ vt schaufeln

show [ʃəʊ] (pt **showed**, pp **shown**) n (display) Schau f; (exhibition) Ausstellung f; (CINE, THEAT) Vorstellung f, Show f ♦ vt zeigen; (kindness) erweisen ♦ vi zu sehen sein; **to be on ~** (exhibits etc) ausgestellt sein; **to ~ sb in** jdn hereinführen; **to ~ sb out** jdn hinausbegleiten; **~ off** vi (pej) angeben ♦ vt (display) ausstellen; **~ up** vi (stand out) sich abheben; (arrive) erscheinen ♦ vt aufzeigen; (unmask) bloßstellen; **~ business** n Showbusiness nt; **~down** n

Kraftprobe f

shower ['ʃauə*] n Schauer m; (of stones) (Stein)hagel m; (~ bath) Dusche f ♦ vi duschen ♦ vt: to ~ sb with sth jdn mit etw überschütten; ~**proof** adj wasserabstoßend

showing ['ʃəuɪŋ] n Vorführung f

show jumping n Turnierreiten nt

shown [ʃəun] pp of **show**

show: ~-**off** ['ʃəuɒf] n Angeber(in) m(f); ~**piece** ['ʃəupiːs] n Paradestück nt; ~**room** ['ʃəurum] n Ausstellungsraum m

shrank [ʃræŋk] pt of **shrink**

shred [ʃred] n Fetzen m ♦ vt zerfetzen; (COOK) raspeln; ~**der** n (for vegetables) Gemüseschneider m; (for documents) Reißwolf m

shrewd [ʃruːd] adj clever

shriek [ʃriːk] n Schrei m ♦ vt, vi kreischen, schreien

shrimp [ʃrɪmp] n Krabbe f, Garnele f

shrink [ʃrɪŋk] (pt **shrank**, pp **shrunk**) vi schrumpfen, eingehen ♦ vt einschrumpfen lassen; to ~ from doing sth davor zurückschrecken, etw zu tun; ~**age** n Schrumpfung f; ~**wrap** vt einschweißen

shrivel ['ʃrɪvl] vt, vi (also: ~ up) schrumpfen, schrumpeln

shroud [ʃraud] n Leichentuch nt ♦ vt: ~**ed in mystery** mit einem Geheimnis umgeben

Shrove Tuesday ['ʃrəuv-] n Fastnachtsdienstag m

shrub [ʃrʌb] n Busch m, Strauch m; ~**bery** n Gebüsch nt

shrug [ʃrʌg] n Achselzucken nt ♦ vt, vi: to ~ (one's shoulders) die Achseln zucken; ~ **off** vt auf die leichte Schulter nehmen

shrunk [ʃrʌŋk] pp of **shrink**

shudder ['ʃʌdə*] n Schauder m ♦ vi schaudern

shuffle ['ʃʌfl] n (CARDS) (Karten)mischen nt ♦ vt (cards) mischen; to ~ (one's feet) schlurfen

shun [ʃʌn] vt scheuen, (ver)meiden

shunt [ʃʌnt] vt rangieren

shut [ʃʌt] (pt, pp **shut**) vt schließen, zumachen ♦ vi schließen (lassen); ~ **down** vt, vi schließen; ~ **off** vt (supply) abdrehen; ~ **up** vi (keep quiet) den Mund halten ♦ vt (close) zuschließen; ~**ter** n Fensterladen m; (PHOT) Verschluß m

shuttle ['ʃʌtl] n (plane, train etc) Pendelflugzeug nt/-zug m etc; (space ~) Raumtransporter m; (also: ~ service) Pendelverkehr m

shuttlecock ['ʃʌtlkɒk] n Federball m

shy [ʃaɪ] adj schüchtern; ~**ness** n Schüchternheit f

Siamese [saɪə'miːz] adj: ~ **cat** Siamkatze f

Siberia [saɪ'bɪərɪə] n Sibirien nt

sibling ['sɪblɪŋ] n Geschwister nt

Sicily ['sɪsɪlɪ] n Sizilien nt

sick [sɪk] adj krank; (joke) makaber; I **feel** ~ mir ist schlecht; I **was** ~ ich habe gebrochen; to be ~ **of sb/sth** jdn/etw satt haben; ~ **bay** n (Schiffs)lazarett nt; ~**en** vt (disgust) krankmachen ♦ vi krank werden; ~**ening** adj (sight) widerlich; (annoying) zum Weinen

sickle ['sɪkl] n Sichel f

sick: ~ **leave** n: to be on ~ **leave** krank geschrieben sein; ~**ly** adj kränklich, blaß; (causing nausea) widerlich; ~**ness** n Krankheit f; (vomiting) Übelkeit f, Erbrechen nt; ~ **pay** n Krankengeld nt

side [saɪd] n Seite f ♦ adj (door, entrance) Seiten-, Neben- ♦ vi: to ~ **with sb** jds Partei ergreifen; by the ~ **of** neben; ~ **by** ~ nebeneinander; on all ~s von allen Seiten; to take ~s (with) Partei nehmen (für); from all ~s von allen Seiten; ~**boards** (BRIT) npl Koteletten pl; ~**burns** npl Koteletten pl; ~**car** n Beiwagen m; ~ **drum** n (MUS) kleine Trommel; ~ **effect** n Nebenwirkung f; ~**light** n (AUT) Parkleuchte f; ~**line** n (SPORT) Seitenlinie f; (fig: hobby) Nebenbeschäftigung f; ~**long** adj Seiten-; ~**saddle** adv im Damensattel; ~ **show** n Nebenausstellung f; ~**step** vt (fig) ausweichen; ~ **street** n Seitenstraße f; ~**track** vt (fig) ablenken; ~**walk** (US) n Bürgersteig m; ~**ways** adv seitwärts

siding ['saɪdɪŋ] n Nebengleis nt

sidle ['saɪdl] vi: to ~ **up (to)** sich heranmachen (an +acc)

siege [siːdʒ] n Belagerung f

sieve [sɪv] n Sieb nt ♦ vt sieben

sift [sɪft] vt sieben; (fig) sichten

sigh [saɪ] n Seufzer m ♦ vi seufzen

sight [saɪt] n (power of seeing) Sehvermögen nt; (look) Blick m; (fact of seeing) Anblick m; (of gun) Visier nt ♦ vt sichten; in ~ in Sicht; out of ~ außer Sicht; ~**seeing** n Besuch m von Sehenswürdigkeiten; to go ~**seeing** Sehenswürdigkeiten besichtigen

sign [saɪn] n Zeichen nt; (notice, road ~ etc) Schild nt ♦ vt unterschreiben; to ~ sth **over to sb** jdm etw überschreiben; ~ **on** vi (MIL) sich verpflichten; (as unemployed) sich (arbeitslos) melden ♦ vt (MIL) verpflichten; (employee) anstellen; ~ **up** vi (MIL) sich verpflichten ♦ vt verpflichten

signal ['sɪgnl] n Signal nt ♦ vt ein Zeichen geben +dat; ~**man** n (irreg) (RAIL) Stellwerkswärter m

signature ['sɪgnətʃə*] n Unterschrift f; ~ **tune** n Erkennungsmelodie f

signet ring ['sɪgnət-] n Siegelring m

significance [sɪg'nɪfɪkəns] n Bedeutung f

significant [sɪg'nɪfɪkənt] adj (meaning sth) bedeutsam; (important) bedeutend

signify ['sɪgnɪfaɪ] vt bedeuten; (show) andeuten, zu verstehen geben

sign language n Zeichensprache f, Fingersprache f

signpost ['saɪnpəʊst] n Wegweiser m

silence ['saɪləns] n Stille f; (of person)
Schweigen nt ♦ vt zum Schweigen bringen;
~**r** n (on gun) Schalldämpfer m; (BRIT:
AUT) Auspufftopf m

silent ['saɪlənt] adj still; (person) schweigsam; **to remain** ~ schweigen; ~ **partner** n
(COMM) stille(r) Teilhaber m

silicon chip ['sɪlɪkən] n Siliciumchip nt

silk [sɪlk] n Seide f ♦ adj seiden, Seiden-;
~**y** adj seidig

silly ['sɪlɪ] adj dumm, albern

silt [sɪlt] n Schlamm m, Schlick m

silver ['sɪlvə*] n Silber nt ♦ adj silbern,
Silber-; ~ **paper** (BRIT) n Silberpapier nt;
~**-plated** adj versilbert; ~**smith** n Sil-
berschmied m; ~**ware** n Silber nt; ~**y** adj
silbern

similar ['sɪmɪlə*] adj: ~ (**to**) ähnlich (+dat);
~**ity** [sɪmɪˈlærɪtɪ] n Ähnlichkeit f; ~**ly** adv
in ähnlicher Weise

simile ['sɪmɪlɪ] n Vergleich m

simmer ['sɪmə*] vi sieden ♦ vt sieden lassen

simpering ['sɪmpərɪŋ] adj albern

simple ['sɪmpl] adj einfach; ~
(-minded) adj einfältig; ~**ton** n Einfalts-
pinsel m

simplicity [sɪmˈplɪsɪtɪ] n Einfachheit f; (of
person) Einfältigkeit f

simplify ['sɪmplɪfaɪ] vt vereinfachen

simply ['sɪmplɪ] adv einfach

simulate ['sɪmjʊleɪt] vt simulieren

simultaneous [sɪməlˈteɪnɪəs] adj gleichzeitig

sin [sɪn] n Sünde f ♦ vi sündigen

since [sɪns] adv seither ♦ prep seit, seitdem
♦ conj (time) seit; (because) da, weil; ~
then seitdem

sincere [sɪnˈsɪə*] adj aufrichtig; ~**ly** adv:
yours ~**ly** mit freundlichen Grüßen

sincerity [sɪnˈserɪtɪ] n Aufrichtigkeit f

sinew ['sɪnjuː] n Sehne f

sinful ['sɪnfʊl] adj sündig, sündhaft

sing [sɪŋ] (pt **sang**, pp **sung**) vt, vi singen

Singapore [sɪŋgəˈpɔː*] n Singapur m

singe [sɪndʒ] vt versengen

singer ['sɪŋə*] n Sänger(in) m(f)

single ['sɪŋgl] adj (one only) einzig; (bed,
room) Einzel-, einzeln; (unmarried) ledig;
(BRIT: ticket) einfach; (having one part only)
einzeln ♦ n (BRIT: also: ~ ticket) einfache
Fahrkarte f; **in** ~ **file** hintereinander; ~
out vt aussuchen, auswählen; ~ **bed** n
Einzelbett nt; ~**-breasted** adj einreihig;
~**-handed** adj allein; ~**-minded** adj zielstrebig; ~ **room** n Einzelzimmer nt; ~**s** n
(TENNIS) Einzel nt

singlet ['sɪŋglət] n Unterhemd nt

singly ['sɪŋglɪ] adv einzeln, allein

singular ['sɪŋgjʊlə*] adj (GRAM) Singular-;

(odd) merkwürdig, seltsam ♦ n (GRAM)
Einzahl f, Singular m

sinister ['sɪnɪstə*] adj (evil) böse; (ghostly)
unheimlich

sink [sɪŋk] (pt **sank**, pp **sunk**) n Spülbecken
nt ♦ vt (ship) versenken ♦ vi sinken; **to** ~
sth into (teeth, claws) etw schlagen in
+acc; ~ **in** vi (news etc) eingehen

sinner ['sɪnə*] n Sünder(in) m(f)

sinus ['saɪnəs] n (ANAT) Sinus m

sip [sɪp] n Schlückchen nt ♦ vt nippen an
+dat

siphon ['saɪfən] n Siphon(flasche f) m; ~
off vt absaugen; (fig) abschöpfen

sir [sɜː*] n (respect) Herr m; (knight) Sir m;
S~ John Smith Sir John Smith; **yes** ~
ja(wohl, mein Herr)

siren ['saɪərən] n Sirene f

sirloin ['sɜːlɔɪn] n Lendenstück nt

sissy ['sɪsɪ] (inf) n Waschlappen m

sister ['sɪstə*] n Schwester f; (BRIT: nurse)
Oberschwester f; (nun) Ordensschwester f;
~**-in-law** n Schwägerin f

sit [sɪt] (pt, pp **sat**) vi sitzen; (hold session)
tagen ♦ vt (exam) machen; ~ **down** vi sich
hinsetzen; ~ **in on** vt fus dabeisein bei; ~
up vi (after lying) sich aufsetzen; (straight)
sich gerade setzen; (at night) aufbleiben

sitcom ['sɪtkɒm] n abbr (= situation comedy) Situationskomödie f

site [saɪt] n Platz m; (also: building ~) Baustelle f ♦ vt legen

sitting ['sɪtɪŋ] n (meeting) Sitzung f; ~
room n Wohnzimmer nt

situated ['sɪtjʊeɪtɪd] adj: **to be** ~ liegen

situation [sɪtjʊˈeɪʃən] n Situation f, Lage f;
(place) Lage f; (employment) Stelle f; "~**s**
vacant" (BRIT) „Stellenangebote" pl

six [sɪks] num sechs; ~**teen** num sechzehn;
~**th** adj sechste(r, s) ♦ n Sechstel nt; ~**ty**
num sechzig

size [saɪz] n Größe f; (of project) Umfang m;
~ **up** vt (assess) abschätzen, einschätzen;
~**able** adj ziemlich groß, ansehnlich

sizzle ['sɪzl] vi zischen; (COOK) brutzeln

skate [skeɪt] n Schlittschuh m; (fish: pl inv)
Rochen m ♦ vi Schlittschuh laufen; ~**r** n
Schlittschuhläufer(in) m(f)

skating ['skeɪtɪŋ] n Eislauf m; **to go** ~ Eislaufen gehen; ~ **rink** n Eisbahn f

skeleton ['skelɪtn] n Skelett nt; (fig) Gerüst
nt; ~ **key** n Dietrich m; ~ **staff** n Notbe-
setzung f

skeptical ['skeptɪkl] (US) adj = **sceptical**

sketch [sketʃ] n Skizze f; (THEAT) Sketch
m ♦ vt skizzieren; ~**book** n Skizzenbuch
nt; ~**y** adj skizzenhaft

skewer ['skjuːə*] n Fleischspieß m

ski [skiː] n Ski m, Schi m ♦ vi Ski or Schi
laufen; ~ **boot** n Skistiefel m

skid [skɪd] n (AUT) Schleudern nt ♦ vi rutschen; (AUT) schleudern

skier ['skiːə*] n Skiläufer(in) m(f)
skiing ['skiːɪŋ] n: **to go** ~ Skilaufen gehen
ski-jump n Sprungschanze f ♦ vi Ski springen
skilful ['skɪlful] adj geschickt
ski-lift n Skilift m
skill [skɪl] n Können nt; ~**ed** adj geschickt; (worker) Fach-, gelernt
skim [skɪm] vt (liquid) abschöpfen; (glide over) gleiten über +acc ♦ vi: ~ **through** (book) überfliegen; ~**med milk** n Magermilch f
skimp [skɪmp] vt (do carelessly) oberflächlich tun; ~**y** adj (work) schlecht gemacht; (dress) knapp
skin [skɪn] n Haut f; (peel) Schale f ♦ vt abhäuten; schälen; ~ **cancer** n Hautkrebs m; ~-**deep** adj oberflächlich; ~ **diving** n Schwimmtauchen nt; ~**ny** adj dünn; ~**tight** adj (dress etc) hauteng
skip [skɪp] n Sprung m ♦ vi hüpfen; (with rope) Seil springen ♦ vt (pass over) übergehen
ski pants npl Skihosen pl
ski pole n Skistock m
skipper ['skɪpə*] n Kapitän m ♦ vt führen
skipping rope ['skɪpɪŋ-] (BRIT) n Hüpfseil nt
skirmish ['skɜːmɪʃ] n Scharmützel nt
skirt [skɜːt] n Rock m ♦ vt herumgehen um; (fig) umgehen; ~**ing board** (BRIT) n Fußleiste f
ski suit n Skianzug m
skit [skɪt] n Parodie f
skittle ['skɪtl] n Kegel m; ~**s** n (game) Kegeln nt
skive [skaɪv] (BRIT: inf) vi schwänzen
skulk [skʌlk] vi sich herumdrücken
skull [skʌl] n Schädel m
skunk [skʌŋk] n Stinktier nt
sky [skaɪ] n Himmel m; ~**light** n Oberlicht nt; ~**scraper** n Wolkenkratzer m
slab [slæb] n (of stone) Platte f
slack [slæk] adj (loose) locker, (business) flau; (careless) nachlässig, lasch ♦ vi nachlässig sein ♦ n: **to take up the** ~ straffziehen; ~**s** npl (trousers) Hose(n pl) f; ~**en** vi (also: ~**en off**) locker werden; (: become slower) nachlassen, stocken ♦ vt(: loosen) lockern
slag [slæg] n Schlacke f; ~ **heap** n Halde f
slain [sleɪn] pp of **slay**
slam [slæm] n Knall m ♦ vt (door) zuschlagen; (throw down) knallen ♦ vi zuschlagen
slander ['slɑːndə*] n Verleumdung f ♦ vt verleumden
slant [slɑːnt] n Schräge f, (fig) Tendenz f ♦ vt schräg legen ♦ vi schräg liegen; ~**ed** adj schräg; ~**ing** adj schräg
slap [slæp] n Klaps m ♦ vt einen Klaps geben +dat ♦ adv (directly) geradewegs; ~**dash** adj salopp; ~**stick** n (comedy) Klamauk m; ~-**up** (BRIT) adj (meal) erstklassig, prima
slash [slæʃ] n Schnittwunde f ♦ vt (auf)schlitzen; (expenditure) radikal kürzen
slat [slæt] n (of wood, plastic) Leiste f
slate [sleɪt] n (stone) Schiefer m; (roofing) Dachziegel m ♦ vt (criticize) verreißen
slaughter ['slɔːtə*] n (of animals) Schlachten nt, (of people) Gemetzel nt ♦ vt schlachten; (people) niedermetzeln; ~**house** n Schlachthof m
Slav [slɑːv] adj slawisch
slave [sleɪv] n Sklave m, Sklavin f ♦ vi schuften, sich schinden; ~**ry** n Sklaverei f; (work) Schinderei f
slay [sleɪ] (pt **slew**, pp **slain**) vt ermorden
sleazy ['sliːzɪ] adj (place) schmierig
sledge [sledʒ] n Schlitten m; ~**hammer** n Schmiedehammer m
sleek [sliːk] adj glatt; (shape) rassig
sleep [sliːp] (pt, pp **slept**) n Schlaf m ♦ vi schlafen; **to go to** ~ einschlafen; ~ **in** vi ausschlafen; (oversleep) verschlafen; ~**er** n (person) Schläfer m; (BRIT: RAIL) Schlafwagen m; (: beam) Schwelle f; ~**ing bag** n Schlafsack m; ~**ing car** n Schlafwagen m; ~**ing pill** n Schlaftablette f; ~**less** adj (night) schlaflos; ~**walker** n Schlafwandler(in) m(f); ~**y** adj schläfrig
sleet [sliːt] n Schneeregen m
sleeve [sliːv] n Ärmel m; (of record) Umschlag m; ~**less** adj ärmellos
sleigh [sleɪ] n Pferdeschlitten m
sleight [slaɪt] n: ~ **of hand** Fingerfertigkeit f
slender ['slendə*] adj schlank; (fig) gering
slept [slept] pt, pp of **sleep**
slew [sluː] vi (veer) (herum)schwenken ♦ pt of **slay**
slice [slaɪs] n Scheibe f ♦ vt in Scheiben schneiden
slick [slɪk] adj (clever) raffiniert, aalglatt ♦ n Ölteppich m
slid [slɪd] pt, pp of **slide**
slide [slaɪd] (pt, pp **slid**) n Rutschbahn f; (PHOT) Dia(positiv) nt; (BRIT: for hair) (Haar)spange f ♦ vt schieben ♦ vi (slip) gleiten, rutschen
sliding ['slaɪdɪŋ] adj (door) Schiebe-; ~ **scale** n gleitende Skala f
slight [slaɪt] adj zierlich; (trivial) geringfügig; (small) gering ♦ n Kränkung f ♦ vt (offend) kränken; **not in the** ~**est** nicht im geringsten; ~**ly** adv etwas, ein bißchen
slim [slɪm] adj schlank; (book) dünn; (chance) gering ♦ vi eine Schlankheitskur machen
slime [slaɪm] n Schleim m
slimming ['slɪmɪŋ] n Schlankheitskur f
slimy ['slaɪmɪ] adj glitschig; (dirty) schlammig; (person) schmierig
sling [slɪŋ] (pt, pp **slung**) n Schlinge f;

(*weapon*) Schleuder f ♦ vt schleudern

slip [slɪp] n (*mistake*) Flüchtigkeitsfehler m; (*petticoat*) Unterrock m; (*of paper*) Zettel m ♦ vt (*put*) stecken, schieben ♦ vi (*lose balance*) ausrutschen; (*move*) gleiten, rutschen; (*decline*) nachlassen; (*move smoothly*): **to ~ in/out** (*person*) hinein-/hinausschlüpfen; **to give sb the ~** jdm entwischen; **~ of the tongue** Versprecher m; **it ~ped my mind** das ist mir entfallen; **to ~ sth on/off** etw über-/abstreifen; **~ away** vi sich wegstehlen; **~ by** vi (*time*) verstreichen; **~ in** vt hineingleiten lassen ♦ vi (*errors*) sich einschleichen; **~ped disc** n Bandscheibenschaden m

slipper ['slɪpə*] n Hausschuh m

slippery ['slɪpərɪ] adj glatt

slip: **~-road** n (*BRIT*) Einfahrt f/Ausfahrt f; **~shod** ['slɪpʃɔd] adj schlampig; **~-up** ['slɪpʌp] n Panne f; **~way** ['slɪpweɪ] n Auslaufbahn f

slit [slɪt] (*pt, pp* slit) n Schlitz m ♦ vt aufschlitzen

slither ['slɪðə*] vi schlittern; (*snake*) sich schlängeln

sliver ['slɪvə*] n (*of glass, wood*) Splitter m; (*of cheese etc*) Scheibchen nt

slob [slɔb] (*inf*) n Klotz m

slog [slɔg] vi (*work hard*) schuften ♦ n: **it was a ~** es war eine Plackerei

slogan ['sləʊgən] n Schlagwort nt; (*COMM*) Werbespruch m

slop [slɔp] vi (*also*: ~ **over**) überschwappen ♦ vt verschütten

slope [sləʊp] n Neigung f; (*of mountains*) (Ab)hang m ♦ vi: **to ~ down** sich senken; **to ~ up** ansteigen

sloping ['sləʊpɪŋ] adj schräg

sloppy ['slɔpɪ] adj schlampig

slot [slɔt] n Schlitz m ♦ vt: **to ~ sth in** etw einlegen

sloth [sləʊθ] n (*laziness*) Faulheit f

slot machine n (*BRIT*: *vending machine*) Automat m; (*for gambling*) Spielautomat m

slouch [slaʊtʃ] vi: **to ~ about** (*laze*) herumhängen (*inf*)

slovenly ['slʌvnlɪ] adj schlampig; (*speech*) salopp

slow [sləʊ] adj langsam ♦ adv langsam; **to be ~** (*clock*) nachgehen; (*stupid*) begriffsstutzig sein; **"~"** (*road sign*) „Langsam"; **in ~ motion** in Zeitlupe; **~ down** vi langsamer werden ♦ vt verlangsamen; **~ up** vi sich verlangsamen, sich verzögern ♦ vt aufhalten, langsamer machen; **~ly** adv langsam

sludge [slʌdʒ] n Schlamm m

slug [slʌg] n Nacktschnecke f; (*inf*: *bullet*) Kugel f; **~gish** adj träge; (*COMM*) schleppend

sluice [sluːs] n Schleuse f

slum [slʌm] n (*house*) Elendsquartier nt

slumber ['slʌmbə*] n Schlummer m

slump [slʌmp] n Rückgang m ♦ vi fallen, stürzen

slung [slʌŋ] pt, pp of **sling**

slur [slɜː*] n Undeutlichkeit f; (*insult*) Verleumdung f; **~red** [slɜːd] adj (*pronunciation*) undeutlich

slush [slʌʃ] n (*snow*) Schneematsch m; **~ fund** n Schmiergeldfonds m

slut [slʌt] n Schlampe f

sly [slaɪ] adj schlau

smack [smæk] n Klaps m ♦ vt einen Klaps geben +*dat* ♦ vi: **to ~ of** riechen nach; **to ~ one's lips** schmatzen, sich *dat* die Lippen lecken

small [smɔːl] adj klein; **in the ~ hours** in den frühen Morgenstunden; **~ ads** (*BRIT*) npl Kleinanzeigen pl; **~ change** n Kleingeld nt; **~ holder** (*BRIT*) n Kleinbauer m; **~pox** n Pocken pl; **~ talk** n Geplauder nt

smart [smɑːt] adj (*fashionable*) elegant, schick; (*neat*) adrett; (*clever*) clever; (*quick*) scharf ♦ vi brennen, schmerzen; **~en up** vi sich in Schale werfen ♦ vt herausputzen

smash [smæʃ] n Zusammenstoß m; (*TENNIS*) Schmetterball m ♦ vt (*break*) zerschmettern; (*destroy*) vernichten ♦ vi (*break*) zersplittern, zerspringen; **~ing** (*inf*) adj toll

smattering ['smætərɪŋ] n oberflächliche Kenntnis f

smear [smɪə*] n Fleck m ♦ vt beschmieren

smell [smel] (*pt, pp* smelt or smelled) n Geruch m; (*sense*) Geruchssinn m ♦ vt riechen ♦ vi: **to ~ (of)** riechen (nach); (*fragrantly*) duften (nach); **~y** adj übelriechend

smile [smaɪl] n Lächeln nt ♦ vi lächeln

smiling ['smaɪlɪŋ] adj lächelnd

smirk [smɜːk] n blödes Grinsen nt

smith [smɪθ] n Schmied m; **~y** ['smɪðɪ] n Schmiede f

smock [smɔk] n Kittel m

smoke [sməʊk] n Rauch m ♦ vt rauchen; (*food*) räuchern ♦ vi rauchen; **~d** adj (*bacon*) geräuchert; (*glass*) Rauch-; **~r** n Raucher(in) m(f); (*RAIL*) Raucherabteil nt; **~ screen** n Rauchwand f

smoking ['sməʊkɪŋ] n: **"no ~"** „Rauchen verboten"

smoky ['sməʊkɪ] adj rauchig; (*room*) verraucht; (*taste*) geräuchert

smolder ['sməʊldə*] (*US*) vi = **smoulder**

smooth [smuːð] adj glatt ♦ vt (*also*: ~ **out**) glätten, glattstreichen

smother ['smʌðə*] vt ersticken

smoulder ['sməʊldə*] (*US* **smolder**) vi schwelen

smudge [smʌdʒ] n Schmutzfleck m ♦ vt beschmieren

smug [smʌg] adj selbstgefällig

smuggle ['smʌgl] vt schmuggeln; **~r** n Schmuggler m

smuggling ['smʌglɪŋ] n Schmuggel m

smutty ['smʌtɪ] adj schmutzig

snack [snæk] n Imbiß m; ~ **bar** n Imbißstube f

snag [snæg] n Haken m

snail [sneɪl] n Schnecke f

snake [sneɪk] n Schlange f

snap [snæp] n Schnappen nt; (photograph) Schnappschuß m ♦ adj (decision) schnell ♦ vt (break) zerbrechen; (PHOT) knipsen ♦ vi (break) brechen; (speak) anfauchen; **to ~ shut** zuschnappen; ~ **at** vt fus schnappen nach; ~ **off** vt (break) abbrechen; ~ **up** vt aufschnappen; ~**py** adj flott; ~**shot** n Schnappschuß m

snare [snɛə*] n Schlinge f ♦ vt mit einer Schlinge fangen

snarl [snɑːl] n Zähnefletschen nt ♦ vi (dog) knurren

snatch [snætʃ] n (small amount) Bruchteil m ♦ vt schnappen, packen

sneak [sniːk] vi schleichen ♦ n (inf) Petze(r) mf

sneakers ['sniːkəz] (US) npl Freizeitschuhe pl

sneaky ['sniːkɪ] adj raffiniert

sneer [snɪə*] n Hohnlächeln nt ♦ vi spötteln

sneeze [sniːz] n Niesen nt ♦ vi niesen

sniff [snɪf] n Schnüffeln nt ♦ vi schnieben; (smell) schnüffeln ♦ vt schnuppern

snigger ['snɪgə*] n Kichern nt ♦ vi hämisch kichern

snip [snɪp] n Schnippel m, Schnipsel m ♦ vt schnippeln

sniper ['snaɪpə*] n Heckenschütze m

snippet ['snɪpɪt] n Schnipsel m; (of conversation) Fetzen pl

snivelling ['snɪvlɪŋ] adj weinerlich

snooker ['snuːkə*] n Snooker nt

snoop [snuːp] vi: **to ~ about** herumschnüffeln

snooty ['snuːtɪ] (inf) adj hochnäsig

snooze [snuːz] n Nickerchen nt ♦ vi ein Nickerchen machen, dösen

snore [snɔː*] vi schnarchen ♦ n Schnarchen nt

snorkel ['snɔːkl] n Schnorchel m

snort [snɔːt] n Schnauben nt ♦ vi schnauben

snout [snaʊt] n Schnauze f

snow [snəʊ] n Schnee m ♦ vi schneien; ~**ball** n Schneeball m ♦ vi eskalieren; ~**bound** adj eingeschneit; ~**drift** n Schneewehe f; ~**drop** n Schneeglöckchen nt; ~**fall** n Schneefall m; ~**flake** n Schneeflocke f; ~**man** (irreg) n Schneemann m; ~**plough** (US ~**plow**) n Schneepflug m; ~ **shoe** n Schneeschuh m; ~**storm** n Schneesturm m

snub [snʌb] vt schroff abfertigen ♦ n Verweis m; ~**-nosed** adj stupsnasig

snuff [snʌf] n Schnupftabak m

snug [snʌg] adj gemütlich, behaglich

snuggle ['snʌgl] vi: **to ~ up to sb** sich an jdn kuscheln

KEYWORD

so [səʊ] adv **1** (thus) so; (likewise) auch; **so saying he walked away** indem er das sagte, ging er; **if so** wenn ja; **I didn't do it - you did so!** ich hab das nicht gemacht - hast du wohl!; **so do I, so am I** etc ich auch; **so it is!** tatsächlich!; **I hope/think so** hoffentlich/ich glaube schon; **so far** bis jetzt

2 (in comparisons etc: to such a degree); **so quickly/big (that)** so schnell/groß, daß; **I'm so glad to see you** ich freue mich so, dich zu sehen

3: **so many** so viele; **so much work** so viel Arbeit; **I love you so much** ich liebe dich so sehr

4 (phrases): **10 or so** etwa 10; **so long!** (inf: goodbye) tschüs!

♦ conj **1** (expressing purpose): **so as to** um ... zu; **so (that)** damit

2 (expressing result) also; **so I was right after all** ich hatte also doch recht; **so you see ...** wie du siehst ...

---

soak [səʊk] vt durchnässen; (leave in liquid) einweichen ♦ vi (ein)weichen; ~ **in** vi einsickern; ~ **up** vt aufsaugen

so-and-so ['səʊənsəʊ] n (somebody) Soundso

soap [səʊp] n Seife f; ~**flakes** npl Seifenflocken pl; ~ **opera** n Familienserie f (im Fernsehen, Radio); ~ **powder** n Waschpulver nt; ~**y** adj seifig, Seifen-

soar [sɔː*] vi aufsteigen; (prices) in die Höhe schnellen

sob [sɒb] n Schluchzen nt ♦ vi schluchzen

sober ['səʊbə*] adj (also fig) nüchtern; ~ **up** vi nüchtern werden

so-called ['səʊ'kɔːld] adj sogenannt

soccer ['sɒkə*] n Fußball m

sociable ['səʊʃəbl] adj gesellig

social ['səʊʃəl] adj sozial; (friendly, living with others) gesellig ♦ n gesellige(r) Abend m; ~ **club** n Verein m (für Freizeitgestaltung); ~**ism** n Sozialismus m; ~**ist** n Sozialist(in) m(f) ♦ adj sozialistisch; ~**ize** vi: **to ~ize (with)** gesellschaftlich verkehren (mit); ~**ly** adv gesellschaftlich, privat; ~ **security** n Sozialversicherung f; ~ **work** n Sozialarbeit f; ~ **worker** n Sozialarbeiter(in) m(f)

society [sə'saɪətɪ] n Gesellschaft f; (fashionable world) die große Welt

sociology [səʊsɪ'ɒlədʒɪ] n Soziologie f

sock [sɒk] n Socke f

socket ['sɒkɪt] n (ELEC) Steckdose f; (of eye) Augenhöhle f; (TECH) Rohransatz m

sod [sɒd] n Rasenstück nt; (inf!) Saukerl m (!)

soda ['səʊdə] n Soda f; (also: ~ water) Soda(wasser) nt; (US: also: ~ pop) Limonade f

sodden ['sɒdn] adj durchweicht

sodium ['səʊdɪəm] n Natrium nt

sofa ['səʊfə] n Sofa nt

soft [sɒft] adj weich; (not loud) leise; (weak) nachgiebig; ~ **drink** n alkoholfreie(s) Getränk nt; ~**en** ['sɒfn] vt weich machen; (blow) abschwächen, mildern ♦ vi weich werden; ~**ly** adv sanft; leise; ~**ness** n Weichheit f; (fig) Sanftheit f

software ['sɒftwɛə*] n (COMPUT) Software f

soggy ['sɒgɪ] adj (ground) sumpfig; (bread) aufgeweicht

soil [sɔɪl] n Erde f ♦ vt beschmutzen; ~**ed** adj beschmutzt

solace ['sɒləs] n Trost m

solar ['səʊlə*] adj Sonnen-; ~ **cell** n Solarzelle f; ~ **energy** n Sonnenenergie f; ~ **panel** n Sonnenkollektor m; ~ **power** n Sonnenenergie f

sold [səʊld] pt, pp of sell; ~ **out** (COMM) ausverkauft

solder ['səʊldə*] vt löten ♦ n Lötmetall nt

soldier ['səʊldʒə*] n Soldat m

sole [səʊl] n Sohle f; (fish) Seezunge f ♦ adj alleinig, Allein-; ~**ly** adv ausschließlich

solemn ['sɒləm] adj feierlich

sole trader n (COMM) Einzelunternehmen nt

solicit [sə'lɪsɪt] vt (request) bitten um ♦ vi (prostitute) Kunden anwerben

solicitor [sə'lɪsɪtə*] n Rechtsanwalt m/ -anwältin f

solid ['sɒlɪd] adj (hard) fest; (of same material, not hollow) massiv; (without break) voll, ganz; (reliable, sensible) solide ♦ n Festkörper m

solidarity [sɒlɪ'dærɪtɪ] n Solidarität f

solidify [sə'lɪdɪfaɪ] vi fest werden

solitary ['sɒlɪtərɪ] adj einsam, einzeln; ~ **confinement** n Einzelhaft f

solitude ['sɒlɪtjuːd] n Einsamkeit f

solo ['səʊləʊ] n Solo nt

soloist ['səʊləʊɪst] n Solist(in) m(f)

soluble ['sɒljʊbl] adj (substance) löslich; (problem) (auf)lösbar

solution [sə'luːʃən] n (also fig) Lösung f; (of mystery) Erklärung f

solve [sɒlv] vt (auf)lösen

solvent ['sɒlvənt] adj (FIN) zahlungsfähig ♦ n (CHEM) Lösungsmittel nt

sombre ['sɒmbə*] (US **somber**) adj düster

KEYWORD

some [sʌm] adj **1** (a certain amount or number of) einige; (a few) ein paar; (with singular nouns) etwas; **some tea/biscuits** etwas Tee/ein paar Plätzchen; **I've got some money, but not much** ich habe ein bißchen Geld, aber nicht viel

2 (certain: in contrasts) manche(r, s); **some people say that …** manche Leute sagen, daß …

3 (unspecified) irgendein(e); **some woman was asking for you** da hat eine Frau nach Ihnen gefragt; **some day** eines Tages; **some day next week** irgendwann nächste Woche

♦ pron **1** (a certain number) einige; **have you got some?** haben Sie welche?

2 (a certain amount) etwas; **I've read some of the book** ich habe das Buch teilweise gelesen

♦ adv: **some 10 people** etwa 10 Leute

---

somebody ['sʌmbədɪ] pron = someone

somehow ['sʌmhaʊ] adv (in some way, for some reason) irgendwie

someone ['sʌmwʌn] pron jemand; (direct obj) jemand(en); (indirect obj) jemandem

someplace ['sʌmpleɪs] (US) adv = somewhere

somersault ['sʌməsɔːlt] n Salto m ♦ vi einen Salto machen

something ['sʌmθɪŋ] pron etwas

sometime ['sʌmtaɪm] adv (in future) (irgend)einmal

sometimes ['sʌmtaɪmz] adv manchmal

somewhat ['sʌmwɒt] adv etwas

somewhere ['sʌmwɛə*] adv irgendwo; (to a place) irgendwohin; ~ **else** irgendwo anders

son [sʌn] n Sohn m

sonar ['səʊnɑː*] n Echolot nt

song [sɒŋ] n Lied nt

sonic boom n Überschallknall m

son-in-law ['sʌnɪnlɔː] n Schwiegersohn m

sonny ['sʌnɪ] (inf) n Kleine(r) m

soon [suːn] adv bald; ~ **afterwards** kurz danach; ~**er** adv (time) früher; (for preference) lieber; ~**er or later** früher oder später

soot [sʊt] n Ruß m

soothe [suːð] vt (person) beruhigen; (pain) lindern

sophisticated [sə'fɪstɪkeɪtɪd] adj (person) kultiviert; (machinery) hochentwickelt

sophomore ['sɒfəmɔː*] (US) n College-Student m im 2. Jahr

soporific [sɒpə'rɪfɪk] adj einschläfernd

sopping ['sɒpɪŋ] adj patschnaß

soppy ['sɒpɪ] (inf) adj schmalzig

soprano [sə'prɑːnəʊ] n Sopran m

sorcerer ['sɔːsərə*] n Hexenmeister m

sordid ['sɔːdɪd] adj erbärmlich

sore [sɔː*] adj schmerzend; (point) wund ♦ n Wunde f; ~**ly** adv (tempted) stark, sehr

sorrow ['sɒrəʊ] n Kummer m, Leid nt; ~**ful** adj sorgenvoll

sorry ['sɒrɪ] adj traurig, erbärmlich; ~! Entschuldigung!; **to feel ~ for sb** jdn bemitleiden; **I feel ~ for him** er tut mir leid; **~?** (*pardon*) wie bitte?

sort [sɔːt] *n* Art *f*, Sorte *f* ♦ *vt* (*also*: ~ **out**: *papers*) sortieren; (: *problems*) sichten, in Ordnung bringen; **~ing office** *n* Sortierstelle *f*

SOS *n* SOS *nt*

so-so ['səʊ'səʊ] *adv* so(-so) la-la

sought [sɔːt] *pt, pp of* **seek**

soul [səʊl] *n* Seele *f*; (*music*) Soul *m*; **~-destroying** *adj* trostlos; **~ful** *adj* seelenvoll

sound [saʊnd] *adj* (*healthy*) gesund; (*safe*) sicher; (*sensible*) vernünftig; (*theory*) stichhaltig; (*thorough*) tüchtig, gehörig ♦ *adv*: **to be ~ asleep** fest schlafen ♦ *n* (*noise*) Geräusch *nt*, Laut *m*; (*GEOG*) Sund *m* ♦ *vt* erschallen lassen; (*alarm*) (Alarm) schlagen; (*MED*) abhorchen ♦ *vi* (*make a ~*) schallen, tönen; (*seem*) klingen; **to ~ like** sich anhören wie; **~ out** (*opinion*) erforschen; (*person*) auf den Zahn fühlen +*dat*; **~ barrier** *n* Schallmauer *f*; **~ effects** *npl* Toneffekte *pl*; **~ing** *n* (*NAUT etc*) Lotung *f*; **~ly** *adv* (*sleep*) fest; (*beat*) tüchtig; **~proof** *adj* (*room*) schalldicht; **~-track** *n* Tonstreifen *m*; (*music*) Filmmusik *f*

soup [suːp] *n* Suppe *f*; **in the ~** (*inf*) in der Tinte; **~ plate** *n* Suppenteller *m*; **~spoon** *n* Suppenlöffel *m*

sour ['saʊə*] *adj* (*also fig*) sauer; **it's ~ grapes** (*fig*) die Trauben hängen zu hoch

source [sɔːs] *n* (*also fig*) Quelle *f*

south [saʊθ] *n* Süden *m* ♦ *adj* Süd-, südlich ♦ *adv* nach Süden, südwärts; **S~ Africa** *n* Südafrika *nt*; **S~ African** *adj* südafrikanisch ♦ *n* Südafrikaner(in) *m(f)*; **S~ America** *n* Südamerika *nt*; **S~ American** *adj* südamerikanisch ♦ *n* Südamerikaner(in) *m(f)*; **~-east** *n* Südosten *m*; **~erly** ['sʌðəlɪ] *adj* südlich; **~ern** ['sʌðən] *adj* südlich, Süd-; **S~ Pole** *n* Südpol *m*; **~ward(s)** *adv* südwärts, nach Süden; **~-west** *n* Südwesten *m*

souvenir [suːvə'nɪə*] *n* Souvenir *n*

sovereign ['sɒvrɪn] *n* (*ruler*) Herrscher(in) *m(f)* ♦ *adj* (*independent*) souverän

soviet ['səʊvɪət] *adj* sowjetisch; **the S~ Union** die Sowjetunion

sow[1] [saʊ] *n* Sau *f*

sow[2] [səʊ] (*pt* **sowed**, *pp* **sown**) *vt* (*also fig*) säen

soya ['sɔɪə] (*US* **soy**) *n*: **~ bean** Sojabohne *f*; **~ sauce** Sojasauce *f*

spa [spɑː] *n* (*place*) Kurort *m*

space [speɪs] *n* Platz *m*, Raum *m*; (*universe*) Weltraum *m*, All *nt*; (*length of time*) Abstand *m* ♦ *vt* (*also*: ~ **out**) verteilen; **~craft** *n* Raumschiff *nt*; **~man** (*irreg*) *n* Raumfahrer *m*; **~ ship** *n* Raumschiff *nt*

spacing *n* Abstand *m*; (*also*: ~ **out**) Verteilung *f*

spacious ['speɪʃəs] *adj* geräumig, weit

spade [speɪd] *n* Spaten *m*; **~s** *npl* (*CARDS*) Pik *nt*

Spain [speɪn] *n* Spanien *nt*

span [spæn] *n* Spanne *f*; (*of bridge etc*) Spannweite *f* ♦ *vt* überspannen

Spaniard ['spænjəd] *n* Spanier(in) *m(f)*

Spanish ['spænɪʃ] *adj* spanisch ♦ *n* (*LING*) Spanisch *nt*; **the ~** *npl* (*people*) die Spanier *pl*

spank [spæŋk] *vt* verhauen, versohlen

spanner ['spænə*] (*BRIT*) *n* Schraubenschlüssel *m*

spar [spɑː*] *n* (*NAUT*) Sparren *m* ♦ *vi* (*BOXING*) einen Sparring machen

spare [spɛə*] *adj* Ersatz- ♦ *n* = **spare part** ♦ *vt* (*lives, feelings*) verschonen; (*trouble*) ersparen; **to ~** (*surplus*) übrig; **~ part** *n* Ersatzteil *nt*; **~ time** *n* Freizeit *f*; **~ wheel** *n* (*AUT*) Reservereifen *m*

sparing ['spɛərɪŋ] *adj*: **to be ~ with** geizen mit; **~ly** *adv* sparsam; (*eat, spend etc*) in Maßen

spark [spɑːk] *n* Funken *m*; **~(ing) plug** *n* Zündkerze *f*

sparkle ['spɑːkl] *n* Funkeln *nt*; (*gaiety*) Schwung *m* ♦ *vi* funkeln

sparkling ['spɑːklɪŋ] *adj* funkelnd; (*wine*) Schaum-; (*mineral water*) mit Kohlensäure; (*conversation*) spritzig, geistreich

sparrow ['spærəʊ] *n* Spatz *m*

sparse [spɑːs] *adj* spärlich

spasm ['spæzəm] *n* (*MED*) Krampf *m*; (*fig*) Anfall *m*; **~odic** [spæz'mɒdɪk] *adj* (*fig*) sprunghaft

spat [spæt] *pt, pp of* **spit**

spate [speɪt] *n* (*fig*) Flut *f*, Schwall *m*; **in ~** (*river*) angeschwollen

spatter ['spætə*] *vt* bespritzen, verspritzen

spatula ['spætjʊlə] *n* Spatel *m*

spawn [spɔːn] *vi* laichen ♦ *n* Laich *m*

speak [spiːk] (*pt* **spoke**, *pp* **spoken**) *vt* sprechen, reden; (*truth*) sagen; (*language*) sprechen ♦ *vi*: **to ~ (to)** sprechen (mit *or* zu); **to ~ to sb of** *or* **about sth** mit jdm über etw *acc* sprechen; **~ up!** sprich lauter!; **~er** *n* Sprecher(in) *m(f)*, Redner(in) *m(f)*; (*loudspeaker*) Lautsprecher *m*; (*POL*): **the S~** der Vorsitzende des Parlaments (*BRIT*) *or* des Kongresses (*US*)

spear [spɪə*] *n* Speer *m* ♦ *vt* aufspießen; **~head** *vt* (*attack etc*) anführen

spec [spek] (*inf*) *n*: **on ~** auf gut Glück

special ['speʃəl] *adj* besondere(r, s); **~ist** *n* (*TECH*) Fachmann *m*; (*MED*) Facharzt *m*/Fachärztin *f*; **~ity** [speʃɪ'ælɪtɪ] *n* Spezialität *f*; (*study*) Spezialgebiet *nt*; **~ize** *vi*: **to ~ize (in)** sich spezialisieren (auf +*acc*); **~ly** *adv* besonders; (*explicitly*) extra

species ['spiːʃiːz] *n* Art *f*

specific [spə'sɪfɪk] *adj* spezifisch; **~ally** *adv*

spezifisch

specification [spesɪfɪ'keɪʃən] n Angabe f; (*stipulation*) Bedingung f; ~**s** npl (*TECH*) technische Daten pl

specify ['spesɪfaɪ] vt genau angeben

specimen ['spesɪmɪn] n Probe f

speck [spek] n Fleckchen nt

speckled ['spekld] adj gesprenkelt

specs [speks] (*inf*) npl Brille f

spectacle ['spektəkl] n Schauspiel nt; ~**s** npl (*glasses*) Brille f

spectacular [spek'tækjʊlə*] adj sensationell; (*success etc*) spektakulär

spectator [spek'teɪtə*] n Zuschauer(in) m(f)

spectre ['spektə*] (*US* **specter**) n Geist m, Gespenst nt

speculate ['spekjʊleɪt] vi spekulieren

speech [spiːtʃ] n Sprache f; (*address*) Rede f; (*manner of speaking*) Sprechweise f; ~**less** adj sprachlos

speed [spiːd] n Geschwindigkeit f; (*gear*) Gang m ♦ vi (*JUR*) (zu) schnell fahren; **at full** or **top** ~ mit Höchstgeschwindigkeit; ~ **up** vt beschleunigen ♦ vi schneller werden; schneller fahren; ~**boat** n Schnellboot nt; ~**ily** adv schleunigst; ~**ing** n Geschwindigkeitsüberschreitung f, ~ **limit** n Geschwindigkeitsbegrenzung f, ~**ometer** [spɪ'dɒmɪtə*] n Tachometer m; ~**way** n (*bike racing*) Motorradrennstrecke f; ~**y** adj schnell

spell [spel] (*pt, pp* **spelt** (*BRIT*) or ~**ed**) n (*magic*) Bann m; (*period of time*) Zeitlang f ♦ vt buchstabieren; (*imply*) bedeuten; **to cast a** ~ **on sb** jdn verzaubern; ~**bound** adj (wie) gebannt; ~**ing** n Rechtschreibung f

spelt [spelt] (*BRIT*) pt, pp of **spell**

spend [spend] (*pt, pp* **spent**) vt (*money*) ausgeben; (*time*) verbringen; ~**thrift** n Verschwender(in) m(f)

spent [spent] pt, pp of **spend**

sperm [spɜːm] n (*BIOL*) Samenflüssigkeit f

spew [spjuː] vt (er)brechen

sphere [sfɪə*] n (*globe*) Kugel f; (*fig*) Sphäre f, Gebiet nt

spherical ['sferɪkəl] adj kugelförmig

spice [spaɪs] n Gewürz nt ♦ vt würzen

spick-and-span ['spɪkən'spæn] adj blitzblank

spicy ['spaɪsɪ] adj (*food*) stark gewürzt; (*fig*) pikant

spider ['spaɪdə*] n Spinne f

spike [spaɪk] n Dorn m, Spitze f

spill [spɪl] (*pt, pp* **spilt** or ~**ed**) vt verschütten ♦ vi sich ergießen; ~ **over** vi überlaufen; (*fig*) sich ausbreiten

spilt [spɪlt] pt, pp of **spill**

spin [spɪn] (*pt, pp* **spun**) n (*trip in car*) Spazierfahrt f; (*AVIAT*) (Ab)trudeln nt; (*on ball*) Drall m ♦ vt (*thread*) spinnen; (*like top*)

(herum)wirbeln ♦ vi sich drehen; ~ **out** vt in die Länge ziehen

spinach ['spɪnɪtʃ] n Spinat m

spinal ['spaɪnl] adj Rückgrat-; ~ **cord** n Rückenmark nt

spindly ['spɪndlɪ] adj spindeldürr

spin-dryer ['spɪn'draɪə*] (*BRIT*) n Wäscheschleuder f

spine [spaɪn] n Rückgrat nt; (*thorn*) Stachel m; ~**less** adj (*also fig*) rückgratlos

spinning ['spɪnɪŋ] n Spinnen nt; ~ **top** n Kreisel m; ~ **wheel** n Spinnrad nt

spin-off ['spɪnɒf] n Nebenprodukt nt

spinster ['spɪnstə*] n unverheiratete Frau f; (*pej*) alte Jungfer f

spiral ['spaɪərl] n Spirale f ♦ adj spiralförmig; (*movement etc*) in Spiralen ♦ vi sich (hoch)winden; ~ **staircase** n Wendeltreppe f

spire ['spaɪə*] n Turm m

spirit ['spɪrɪt] n Geist m; (*humour, mood*) Stimmung f; (*courage*) Mut m; (*verve*) Elan m; (*alcohol*) Alkohol m; ~**s** npl (*drink*) Spirituosen pl; **in good** ~**s** gut aufgelegt; ~**ed** adj beherzt; ~ **level** n Wasserwaage f

spiritual ['spɪrɪtjʊəl] adj geistig, seelisch; (*REL*) geistlich ♦ n Spiritual nt

spit [spɪt] (*pt, pp* **spat**) n (*for roasting*) (Brat)spieß m; (*saliva*) Spucke f ♦ vi spucken; (*rain*) sprühen; (*make a sound*) zischen; (*cat*) fauchen

spite [spaɪt] n Gehässigkeit f ♦ vt kränken; **in** ~ **of** trotz; ~**ful** adj gehässig

spittle ['spɪtl] n Speichel m, Spucke f

splash [splæʃ] n Spritzer m; (*of colour*) (Farb)fleck m ♦ vt bespritzen ♦ vi spritzen

spleen [spliːn] n (*ANAT*) Milz f

splendid ['splendɪd] adj glänzend

splendour ['splendə*] (*US* **splendor**) n Pracht f

splint [splɪnt] n Schiene f

splinter ['splɪntə*] n Splitter m ♦ vi (zer)splittern

split [splɪt] (*pt, pp* **split**) n Spalte f; (*fig*) Spaltung f; (*division*) Trennung f ♦ vt spalten ♦ vi (*divide*) reißen; ~ **up** vi sich trennen

splutter ['splʌtə*] vi stottern

spoil [spɔɪl] (*pt, pp* **spoilt** or ~**ed**) vt (*ruin*) verderben; (*child*) verwöhnen; ~**s** npl Beute f; ~**sport** n Spielverderber m; **spoilt** [spɔɪlt] pt, pp of **spoil**

spoke [spəʊk] pt of **speak** ♦ n Speiche f

spoken ['spəʊkn] pp of **speak**

spokesman ['spəʊksmən] (*irreg*) n Sprecher m

spokeswoman ['spəʊkswʊmən] (*irreg*) n Sprecherin f

sponge [spʌndʒ] n Schwamm m ♦ vt abwaschen ♦ vi: **to** ~ **on** auf Kosten leben +gen; ~ **bag** (*BRIT*) n Kulturbeutel m; ~ **cake** n Rührkuchen m

sponsor ['spɒnsə*] n Sponsor m ♦ vt fördern; **~ship** n Finanzierung f; (public) Schirmherrschaft f

spontaneous [spɒn'teɪnɪəs] adj spontan

spooky ['spu:kɪ] (inf) adj gespenstisch

spool [spu:l] n Spule f, Rolle f

spoon [spu:n] n Löffel m; **~-feed** (irreg) vt mit dem Löffel füttern; (fig) hochpäppeln; **~ful** n Löffel(voll) m

sport [spɔ:t] n Sport m; (person) feine(r) Kerl m; **~ing** adj (fair) sportlich; fair; **to give sb a ~ing chance** jdm eine faire Chance geben; **~ jacket** (US) n = sports jacket; **~s car** n Sportwagen m; **~s jacket** n Sportjackett nt; **~sman** (irreg) n Sportler m; **~smanship** n Sportlichkeit f; **~swear** n Sportkleidung f; **~swoman** (irreg) n Sportlerin f; **~y** adj sportlich

spot [spɒt] n Punkt m; (dirty) Fleck(en) m; (place) Stelle f; (MED) Pickel m ♦ vt erspähen; (mistake) bemerken; **on the ~** an Ort und Stelle; (at once) auf der Stelle; **~ check** n Stichprobe f; **~less** adj fleckenlos; **~light** n Scheinwerferlicht nt; (lamp) Scheinwerfer m; **~ted** adj gefleckt; **~ty** adj (face) pickelig

spouse [spauz] n Gatte m/Gattin f

spout [spaut] n (of pot) Tülle f; (jet) Wasserstrahl m ♦ vi speien

sprain [spreɪn] n Verrenkung f ♦ vt verrenken

sprang [spræŋ] pt of **spring**

sprawl [sprɔ:l] vi sich strecken

spray [spreɪ] n Spray nt; (off sea) Gischt f; (of flowers) Zweig m ♦ vt besprühen, sprayen

spread [spred] (pt, pp **spread**) n (extent) Verbreitung f; (inf: meal) Schmaus m; (for bread) Aufstrich m ♦ vt ausbreiten; (scatter) verbreiten; (butter) streichen ♦ vi sich ausbreiten; **~-eagled** ['spredɪ:gld] adj: **to be ~-eagled** alle viere von sich strecken

spree [spri:] n (shopping) Einkaufsbummel m; **to go on a ~** einen draufmachen

sprightly ['spraɪtlɪ] adj munter, lebhaft

spring [sprɪŋ] (pt **sprang**, pp **sprung**) n (leap) Sprung m; (metal) Feder f; (season) Frühling m; (water) Quelle f ♦ vi (leap) springen; **~ up** vi (problem) auftauchen; **~board** n Sprungbrett nt; **~-clean** n (also: **~-cleaning**) Frühjahrsputz m; **~time** n Frühling m; **~y** adj federnd, elastisch

sprinkle ['sprɪŋkl] vt (salt) streuen; (liquid) sprenkeln; **to ~ water on, to ~ with water** mit Wasser besprengen

sprinkler ['sprɪŋklə*] n (for lawn) Sprenger m; (for fire fighting) Sprinkler m

sprint [sprɪnt] n (race) Sprint m ♦ vi (gen: run fast) rennen; (SPORT) sprinten

sprite [spraɪt] n Elfe f; Kobold m

sprout [spraut] vi sprießen; **~s** npl (also: Brussels **~s**) Rosenkohl m

spruce [spru:s] n Fichte f ♦ adj schmuck, adrett

sprung [sprʌŋ] pp of **spring**

spry [spraɪ] adj flink, rege

spun [spʌn] pt, pp of **spin**

spur [spɜ:*] n Sporn m; (fig) Ansporn m ♦ vt (also: **~ on**: fig) anspornen; **on the ~ of the moment** spontan

spurious ['spjʊərɪəs] adj falsch

spurn [spɜ:n] vt verschmähen

spurt [spɜ:t] n (jet) Strahl m; (acceleration) Spurt m ♦ vi (liquid) schießen

spy [spaɪ] n Spion(in) m(f) ♦ vi spionieren ♦ vt erspähen; **~ing** n Spionage f

sq. abbr = **square**

squabble ['skwɒbl] n Zank m ♦ vi sich zanken

squad [skwɒd] n (MIL) Abteilung f; (POLICE) Kommando nt

squadron ['skwɒdrən] n (cavalry) Schwadron f; (NAUT) Geschwader nt; (air force) Staffel f

squalid ['skwɒlɪd] adj verkommen

squall [skwɔ:l] n Bö f, Windstoß m

squalor ['skwɒlə*] n Verwahrlosung f

squander ['skwɒndə*] vt verschwenden

square [skwɛə*] n Quadrat nt; (open space) Platz m; (instrument) Winkel m; (inf: person) Spießer m ♦ adj viereckig; (inf: ideas, tastes) spießig ♦ vt (arrange) ausmachen; (MATH) ins Quadrat erheben ♦ vi (agree) übereinstimmen; **all ~** quitt; **a ~ meal** eine ordentliche Mahlzeit; **2 metres ~** 2 Meter im Quadrat; **1 ~ metre** 1 Quadratmeter; **~ly** adv fest, gerade

squash [skwɒʃ] n (BRIT: drink) Saft m; (game) Squash nt ♦ vt zerquetschen

squat [skwɒt] adj untersetzt ♦ vi hocken; **~ter** n Hausbesetzer m

squawk [skwɔ:k] vi kreischen

squeak [skwi:k] vi quiek(s)en; (spring, door etc) quietschen

squeal [skwi:l] vi schrill schreien

squeamish ['skwi:mɪʃ] adj empfindlich

squeeze [skwi:z] n (POL) Geldknappheit f ♦ vt pressen, drücken; (orange) auspressen; **~ out** vt ausquetschen

squelch [skweltʃ] vi platschen

squib [skwɪb] n Knallfrosch m

squid [skwɪd] n Tintenfisch m

squiggle ['skwɪgl] n Schnörkel m

squint [skwɪnt] vi schielen ♦ n: **to have a ~** schielen; **to ~ at sb/sth** nach jdm/etw schielen

squire ['skwaɪə*] (BRIT) n Gutsherr m

squirm [skwɜ:m] vi sich winden

squirrel ['skwɪrəl] n Eichhörnchen nt

squirt [skwɜ:t] vt, vi spritzen

Sr abbr (= senior) sen.

St abbr (= saint) hl., St.; (= street) Str.

stab [stæb] n (blow) Stich m; (inf: try) Versuch m ♦ vt erstechen

stabilize ['steɪbəlaɪz] vt stabilisieren ♦ vi sich stabilisieren

stable ['steɪbl] adj stabil ♦ n Stall m

stack [stæk] n Stapel m ♦ vt stapeln

stadium ['steɪdɪəm] n Stadion nt

staff [stɑːf] n (stick, MIL) Stab m; (personnel) Personal nt; (BRIT: SCH) Lehrkräfte pl ♦ vt (with people) besetzen

stag [stæg] n Hirsch m

stage [steɪdʒ] n Bühne f; (of journey) Etappe f; (degree) Stufe f; (point) Stadium nt ♦ vt (put on) aufführen; (simulate) inszenieren; (demonstration) veranstalten; in ~s etappenweise; ~**coach** n Postkutsche f; ~ **door** n Bühneneingang m; ~ **manager** n Intendant m

stagger ['stægə*] vi wanken, taumeln ♦ vt (amaze) verblüffen; (hours) staffeln; ~**ing** adj unglaublich

stagnant ['stægnənt] adj stagnierend; (water) stehend

stagnate [stæg'neɪt] vi stagnieren

stag party n Männerabend m (vom Bräutigam vor der Hochzeit gegeben)

staid [steɪd] adj gesetzt

stain [steɪn] n Fleck m ♦ vt beflecken; ~**ed glass window** buntes Glasfenster nt; ~**less** adj (steel) rostfrei; ~ **remover** n Fleckentferner m

stair [stɛə*] n (Treppen)stufe f; ~**s** npl (flight of steps) Treppe f; ~**case** n Treppenhaus nt, Treppe f; ~**way** n Treppenaufgang m

stake [steɪk] n (post) Pfahl m; (money) Einsatz m ♦ vt (bet: money) setzen; to be at ~ auf dem Spiel stehen

stale [steɪl] adj alt; (bread) altbacken

stalemate ['steɪlmeɪt] n (CHESS) Patt nt; (fig) Stillstand m

stalk [stɔːk] n Stengel m, Stiel m ♦ vt (game) jagen; ~ **off** vi abstolzieren

stall [stɔːl] n (in stable) Stand m, Box f; (in market) (Verkaufs)stand m ♦ vt (AUT) abwürgen ♦ vi stehenbleiben; (fig) Ausflüchte machen; ~**s** npl (BRIT: THEAT) Parkett nt

stallion ['stælɪən] n Zuchthengst m

stalwart ['stɔːlwət] n treue(r) Anhänger m

stamina ['stæmɪnə] n Durchhaltevermögen nt, Zähigkeit f

stammer ['stæmə*] n Stottern nt ♦ vt, vi stottern, stammeln

stamp [stæmp] n Briefmarke f; (for document) Stempel m ♦ vi stampfen ♦ vt (mark) stempeln; (mail) frankieren; (foot) stampfen mit; ~ **album** n Briefmarkenalbum nt; ~ **collecting** n Briefmarkensammeln nt

stampede [stæm'piːd] n panische Flucht f

stance [stæns] n Haltung f

stand [stænd] (pt, pp stood) n (for objects) Gestell nt; (seats) Tribüne f ♦ vi stehen; (rise) aufstehen; (decision) feststehen ♦ vt setzen, stellen; (endure) aushalten; (person)

ausstehen; (nonsense) dulden; to make a ~ Widerstand leisten; to ~ for parliament (BRIT) für das Parlament kandidieren; ~ **by** vi (be ready) bereitstehen ♦ vt fus (opinion) treu bleiben +dat; ~ **down** vi (withdraw) zurücktreten; ~ **for** vt fus (signify) stehen für; (permit, tolerate) hinnehmen; ~ **in for** vt fus einspringen für; ~ **out** vi (be prominent) hervorstechen; ~ **up** vi (rise) aufstehen; ~ **up for** vt fus sich einsetzen für; ~ **up to** vt fus: to ~ up to sth einer Sache dat gewachsen sein; to ~ up to sb jdm gegenüber behaupten

standard ['stændəd] n (measure) Norm f; (flag) Fahne f ♦ adj (size etc) Normal-; ~**s** npl (morals) Maßstäbe pl; ~**ize** vt vereinheitlichen; ~ **lamp** (BRIT) n Stehlampe f; ~ **of living** n Lebensstandard m

stand-by ['stændbaɪ] n Reserve f; to be on ~ in Bereitschaft sein; ~ **ticket** n (AVIAT) Standby-Ticket nt

stand-in ['stændɪn] n Ersatz m

standing ['stændɪŋ] adj (erect) stehend; (permanent) ständig; (invitation) offen ♦ n (duration) Dauer f; (reputation) Ansehen nt; of many years' ~ langjährig; ~ **order** (BRIT) n (at bank) Dauerauftrag m; ~ **orders** npl (MIL) Vorschrift f; ~ **room** n Stehplatz m

stand-offish ['stænd'ɒfɪʃ] adj zurückhaltend, sehr reserviert

standpoint ['stændpɔɪnt] n Standpunkt m

standstill ['stændstɪl] n: to be at a ~ stillstehen; to come to a ~ zum Stillstand kommen

stank [stæŋk] pt of stink

staple ['steɪpl] n (in paper) Heftklammer f; (article) Haupterzeugnis nt ♦ adj Grund-, Haupt- ♦ vt (fest)klammern; ~**r** n Heftmaschine f

star [stɑː*] n Stern m; (person) Star m ♦ vi die Hauptrolle spielen ♦ vt: ~**ring** ... in der Hauptrolle/den Hauptrollen ...

starboard ['stɑːbəd] n Steuerbord nt

starch [stɑːtʃ] n Stärke f

stardom ['stɑːdəm] n Berühmtheit f

stare [stɛə*] n starre(r) Blick m ♦ vi: to ~ at starren auf +acc, anstarren

starfish ['stɑːfɪʃ] n Seestern m

stark [stɑːk] adj öde ♦ adv: ~ **naked** splitternackt

starling ['stɑːlɪŋ] n Star m

starry ['stɑːrɪ] adj Sternen-; ~-**eyed** adj (innocent) blauäugig

start [stɑːt] n Anfang m; (SPORT) Start m; (lead) Vorsprung m ♦ vt in Gang setzen; (car) anlassen ♦ vi anfangen; (car) anspringen; (on journey) aufbrechen; (SPORT) starten; (with fright) zusammenfahren; to ~ **doing** or to **do sth** anfangen, etw zu tun; ~ **off** vi (begin moving) losgehen; losfahren; ~ **up** vi anfangen; (startled) auffahren ♦ vt beginnen; (car) anlassen; (engine) starten; ~er n (AUT) Anlasser m; (for race) Starter m; (BRIT: COOK) Vorspeise f; ~ing point n Ausgangspunkt m

startle ['staːtl] vt erschrecken

startling ['staːtlɪŋ] adj erschreckend

starvation [staːˈveɪʃən] n Verhungern nt

starve [staːv] vi verhungern ♦ vt verhungern lassen; **I'm starving** ich sterbe vor Hunger

state [steɪt] n (condition) Zustand m; (POL) Staat m ♦ vt erklären; (facts) angeben; **the S~s** (USA) die Staaten; **to be in a ~** durchdrehen; ~**ly** adj würdevoll; ~**ment** n Aussage f; (POL) Erklärung f; ~**sman** (irreg) n Staatsmann m

static ['stætɪk] n (also: ~ electricity) Reibungselektrizität f

station ['steɪʃən] n (RAIL etc) Bahnhof m; (police etc) Wache f; (in society) Stand m ♦ vt stationieren

stationary ['steɪʃənərɪ] adj stillstehend; (car) parkend

stationer ['steɪʃənə*] n Schreibwarenhändler m; ~'**s** n (shop) Schreibwarengeschäft nt; ~**y** n Schreibwaren pl

station master n Bahnhofsvorsteher m

station wagon n Kombiwagen m

statistics [stəˈtɪstɪks] n Statistik f

statue ['stætjuː] n Statue f

stature ['stætʃə*] n Größe f

status ['steɪtəs] n Status m

statute ['stætjuːt] n Gesetz nt

statutory ['stætjʊtərɪ] adj gesetzlich

staunch [stɔːntʃ] adj standhaft

stave [steɪv] n (MUS) Notenlinien pl ♦ vt: **to ~ off** (threat) abwenden; (attack) abwehren

stay [steɪ] n Aufenthalt m ♦ vi bleiben; (reside) wohnen; **to ~ put** an Ort und Stelle bleiben; **to ~ the night** übernachten; ~ **behind** vi zurückbleiben; ~ **in** vi (at home) zu Hause bleiben; ~ **on** vi (continue) länger bleiben; ~ **out** vi (of house) wegbleiben; ~ **up** vi (at night) aufbleiben; ~**ing power** n Durchhaltevermögen nt

stead [sted] n: **in sb's ~** an jds Stelle dat; **to stand sb in good ~** jdm zugute kommen

steadfast ['stedfəst] adj standhaft, treu

steadily ['stedɪlɪ] adv stetig, regelmäßig

steady ['stedɪ] adj (firm) fest, stabil; (regular) gleichmäßig; (reliable) beständig; (hand) ruhig; (job, boyfriend) fest ♦ vt festigen; **to ~ o.s. on/against sth** sich stützen auf/gegen etw acc

steak [steɪk] n Steak nt; (fish) Filet nt

steal [stiːl] (pt **stole**, pp **stolen**) vt stehlen ♦ vi stehlen; (go stealthily) sich stehlen

stealth [stelθ] n Heimlichkeit f; ~**y** ['stelθɪ] adj verstohlen, heimlich

steam [stiːm] n Dampf m ♦ vt (COOK) im Dampfbad erhitzen ♦ vi dampfen; ~ **engine** n Dampfmaschine f; ~**er** n Dampfer m; ~**roller** n Dampfwalze f; ~**ship** n = steamer; ~**y** adj dampfig

steel [stiːl] n Stahl m ♦ adj Stahl-; (fig) stählern; ~**works** n Stahlwerke pl

steep [stiːp] adj steil; (price) gepfeffert ♦ vt einweichen

steeple ['stiːpl] n Kirchturm m; ~**chase** n Hindernisrennen nt

steer [stɪə*] vt, vi steuern; (car etc) lenken; ~**ing** n (AUT) Steuerung f; ~**ing wheel** n Steuer- or Lenkrad nt

stellar ['stelə*] adj Stern(en)-

stem [stem] n Stiel m ♦ vt aufhalten; ~ **from** vt fus abstammen von

stench [stentʃ] n Gestank m

stencil ['stensl] n Schablone f ♦ vt (auf)drucken

stenographer [steˈnɒɡrəfə*] (US) n Stenograph(in) m(f)

step [step] n Schritt m; (stair) Stufe f ♦ vi treten, schreiten; ~**s** npl (BRIT) = stepladder; **to take ~s** Schritte unternehmen; **in/out of ~ (with)** im/nicht im Gleichklang (mit); ~ **down** vi (fig) abtreten; ~ **off** vt fus aussteigen aus; ~ **up** vt steigern; ~**brother** n Stiefbruder m; ~**daughter** n Stieftochter f; ~**father** n Stiefvater m; ~**ladder** n Trittleiter f; ~**mother** n Stiefmutter f; ~**ping stone** n Stein m; (fig) Sprungbrett nt; ~**sister** n Stiefschwester f; ~**son** n Stiefsohn m

stereo ['sterɪəʊ] n Stereoanlage f ♦ adj (also: ~phonic) stereophonisch

stereotype ['stɪərɪətaɪp] n Prototyp m; (fig) Klischee nt ♦ vt stereotypieren; (fig) stereotyp machen

sterile ['steraɪl] adj steril; (person) unfruchtbar

sterling ['stɜːlɪŋ] adj (FIN) Sterling-; (character) gediegen ♦ n (ECON) das Pfund Sterling; **a pound ~** ein Pfund Sterling

stern [stɜːn] adj streng ♦ n Heck nt, Achterschiff nt

stew [stjuː] n Eintopf m ♦ vt, vi schmoren

steward ['stjuːəd] n Steward m; ~**ess** n Stewardess f

stick [stɪk] (pt, pp **stuck**) n Stock m; (of chalk etc) Stück nt ♦ vt (stab) stechen; (fix) stecken; (put) stellen; (gum) (an)kleben; (inf: tolerate) vertragen ♦ vi (stop) steckenbleiben; (get stuck) klemmen; (hold fast) kleben, haften; ~ **out** vi (project) hervorstehen; ~ **up** vi (project) in die Höhe stehen; ~ **up for** vt fus (defend) eintreten für; ~**er** n Aufkleber m; ~**ing plaster** n Heftpflaster nt

stickler ['stɪklə*] n: ~ (for) Pedant m (in +acc)

stick-up ['stɪkʌp] (inf) n (Raub)überfall m

sticky ['stɪkɪ] adj klebrig; (atmosphere)

stickig
stiff [stɪf] *adj* steif; *(difficult)* hart; *(paste)* dick; *(drink)* stark; **~en** *vt* versteifen, (ver)stärken ♦ *vi* sich versteifen
stifle ['staɪfl] *vt* unterdrücken
stifling ['staɪflɪŋ] *adj* drückend
stigma ['stɪgmə] (*pl BOT, MED, REL* **~ta**; *fig* **~s**) *n* Stigma *nt*
stigmata ['stɪgmətə] *npl of* **stigma**
stile [staɪl] *n* Steige *f*
stiletto [stɪ'letəʊ] *(BRIT) n (also:* **~ heel**) Pfennigabsatz *m*
still [stɪl] *adj* still ♦ *adv (immer)* noch; *(anyhow)* immerhin; **~born** *adj* totgeboren; **~ life** *n* Stilleben *nt*
stilt [stɪlt] *n* Stelze *f*
stilted ['stɪltɪd] *adj* gestelzt
stimulate ['stɪmjʊleɪt] *vt* anregen, stimulieren
stimuli ['stɪmjʊlaɪ] *npl of* **stimulus**
stimulus ['stɪmjʊləs] *(pl* **-li**) *n* Anregung *f*, Reiz *m*
sting [stɪŋ] *(pt, pp* **stung**) *n* Stich *m*; *(organ)* Stachel *m* ♦ *vi* stechen; *(on skin)* brennen ♦ *vt* stechen
stingy ['stɪndʒɪ] *adj* geizig, knauserig
stink [stɪŋk] *(pt* **stank**, *pp* **stunk**) *n* Gestank *m* ♦ *vi* stinken; **~ing** *adj (fig)* widerlich
stint [stɪnt] *n* Pensum *nt*; *(period)* Betätigung *f* ♦ *vi* knausern; **to do one's ~** seine Arbeit tun; *(share)* seinen Teil beitragen
stipulate ['stɪpjʊleɪt] *vt* festsetzen
stir [stɜː*] *n* Bewegung *f*, *(COOK)* Rühren *nt*; *(sensation)* Aufsehen *nt* ♦ *vt* (um)rühren ♦ *vi* sich rühren; **~ up** *vt (mob)* aufhetzen; *(mixture)* umrühren; *(dust)* aufwirbeln
stirrup ['stɪrəp] *n* Steigbügel *m*
stitch [stɪtʃ] *n (with needle)* Stich *m*; *(MED)* Faden *m*; *(of knitting)* Masche *f*; *(pain)* Stich *m* ♦ *vt* nähen
stoat [stəʊt] *n* Wiesel *nt*
stock [stɒk] *n* Vorrat *m*; *(COMM)* (Waren)lager *nt*; *(live~)* Vieh *nt*; *(COOK)* Brühe *f*; *(FIN)* Grundkapital *nt* ♦ *adj* stets vorrätig; *(standard)* Normal- ♦ *vt (in shop)* führen; **~s** *npl (FIN)* Aktien *pl*; **in/out of ~** vorrätig/nicht vorrätig; **to take ~ of** Inventur machen von; *(fig)* Bilanz ziehen aus; **~s and shares** Effekten *pl*; **~ up** *vi:* **to ~ up (with)** Reserven anlegen (von)
stockbroker ['stɒkbrəʊkə*] *n* Börsenmakler *m*
stock cube *n* Brühwürfel *m*
stock exchange *n* Börse *f*
stocking ['stɒkɪŋ] *n* Strumpf *m*
stockist ['stɒkɪst] *n* Händler *m*
stock: ~ market *n* Börse *f*; **~ phrase** *n* Standardsatz *m*; **~pile** *n* Vorrat *m* ♦ *vt* aufstapeln; **~taking** *(BRIT) n (COMM)* Inventur *f*, Bestandsaufnahme *f*
stocky ['stɒkɪ] *adj* untersetzt
stodgy ['stɒdʒɪ] *adj* pampig; *(fig)* trocken

stoke [stəʊk] *vt* schüren
stole [stəʊl] *pt of* **steal** ♦ *n* Stola *f*
stolen ['stəʊlən] *pp of* **steal**
stolid ['stɒlɪd] *adj* stur
stomach ['stʌmək] *n* Bauch *m*, Magen *m* ♦ *vt* vertragen; **~-ache** *n* Magen- *or* Bauchschmerzen *pl*
stone [stəʊn] *n* Stein *m*; *(BRIT: weight)* Gewichtseinheit = 6.35 kg ♦ *vt (olive)* entkernen; *(kill)* steinigen; **~-cold** *adj* eiskalt; **~-deaf** *adj* stocktaub; **~work** *n* Mauerwerk *nt*
stony ['stəʊnɪ] *adj* steinig
stood [stʊd] *pt, pp of* **stand**
stool [stuːl] *n* Hocker *m*
stoop [stuːp] *vi* sich bücken
stop [stɒp] *n* Halt *m*; *(bus ~)* Haltestelle *f*; *(punctuation)* Punkt *m* ♦ *vt* anhalten; *(bring to an end)* aufhören (mit) *(bring to end)*, sein lassen ♦ *vi* aufhören; *(clock)* stehenbleiben; *(remain)* bleiben; **to ~** sth aufhören, etw zu tun; **to ~ dead** innehalten; **~ off** *vi* kurz haltmachen; **~ up** *vt (hole)* zustopfen, verstopfen; **~gap** *n* Notlösung *f*; **~lights** *npl (AUT)* Bremslichter *pl*; **~over** *n (on journey)* Zwischenaufenthalt *m*
stoppage ['stɒpɪdʒ] *n* (An)halten *nt*; *(traffic)* Verkehrsstockung *f*; *(strike)* Arbeitseinstellung *f*
stopper ['stɒpə*] *n* Propfen *m*, Stöpsel *m*
stop press *n* letzte Meldung *f*
stopwatch ['stɒpwɒtʃ] *n* Stoppuhr *f*
storage ['stɔːrɪdʒ] *n* Lagerung *f*; **~ heater** *n* (Nachtstrom)speicherofen *m*
store [stɔː*] *n* Vorrat *m*; *(place)* Lager *nt*, Warenhaus *nt*; *(BRIT: large shop)* Kaufhaus *nt*; *(US)* Laden *m* ♦ *vt* lagern; **~s** *npl (supplies)* Vorräte *pl*; **~ up** *vt* sich eindecken mit; **~room** *n* Lagerraum *m*, Vorratsraum *m*
storey ['stɔːrɪ] *(US* **story**) *n* Stock *m*
stork [stɔːk] *n* Storch *m*
storm [stɔːm] *n (also fig)* Sturm *m* ♦ *vt, vi* stürmen; **~y** *adj* stürmisch
story ['stɔːrɪ] *n* Geschichte *f*; *(lie)* Märchen *nt*; *(US)* = **storey**; **~book** *n* Geschichtenbuch *nt*; **~teller** *n* Geschichtenerzähler *m*
stout [staʊt] *adj (bold)* tapfer; *(fat)* beleibt ♦ *n* Starkbier *nt*; *(also: sweet* **~**) ≈ Malzbier *nt*
stove [stəʊv] *n* (Koch)herd *m*; *(for heating)* Ofen *m*
stow [stəʊ] *vt* verstauen; **~away** *n* blinde(r) Passagier *m*
straddle ['strædl] *vt (horse, fence)* rittlings sitzen auf +*dat*; *(fig)* überbrücken
straggle ['strægl] *vi (branches etc)* wuchern; *(people)* nachhinken; **~r** *n* Nachzügler *m*; **straggly** *adj (hair)* zottig
straight [streɪt] *adj* gerade; *(honest)* offen, ehrlich; *(drink)* pur ♦ *adv (direct)* direkt, ge-

radewegs; **to put** or **get sth** ~ etw in Ordnung bringen; **~away** sofort; ~ **off** sofort; **~en** vt (also: **~en out**) gerade machen; (fig) klarstellen; **~-faced** adv ohne die Miene zu verziehen ♦ adj: **to be ~-faced** keine Miene verziehen; **~forward** adj einfach, unkompliziert

strain [streɪn] n Belastung f; (streak, trace) Zug m; (of music) Fetzen m ♦ vt überanstrengen; (stretch) anspannen; (muscle) zerren; (filter) (durch)seihen ♦ vi sich anstrengen; **~ed** adj (laugh) gezwungen; (relations) gespannt; **~er** n Sieb nt

strait [streɪt] n Straße f, Meerenge f; **~jacket** n Zwangsjacke f; **~-laced** adj engherzig, streng

strand [strænd] n (of hair) Strähne f; (also fig) Faden m; **~ed** adj (also fig) gestrandet

strange [streɪndʒ] adj fremd; (unusual) seltsam; **~r** n Fremde(r) mf

strangle ['stræŋgl] vt erwürgen; **~hold** n (fig) Umklammerung f

strap [stræp] n Riemen m; (on clothes) Träger m ♦ vt (fasten) festschnallen

strapping ['stræpɪŋ] adj stramm

strata ['strɑːtə] npl of **stratum**

stratagem ['strætədʒəm] n (Kriegs)list f

strategic [strə'tiːdʒɪk] adj strategisch

strategy ['strætədʒɪ] n (fig) Strategie f

stratum ['strɑːtəm] (pl **-ta**) n Schicht f

straw [strɔː] n Stroh nt; (single stalk, drinking ~) Strohhalm m; **that's the last ~!** das ist der Gipfel!

strawberry ['strɔːbərɪ] n Erdbeere f

stray [streɪ] adj (animal) verirrt; (thought) zufällig ♦ vi herumstreunen

streak ['striːk] n Streifen m; (in character) Einschlag m; (in hair) Strähne f ♦ vt streifen ♦ vi zucken; (move quickly) flitzen; ~ **of bad luck** Pechsträhne f; **~y** adj gestreift; (bacon) durchwachsen

stream [striːm] n (brook) Bach m; (fig) Strom m ♦ vt (SCH) in (Leistungs)gruppen einteilen ♦ vi strömen; **to ~ in/out** (people) hinein-/hinausströmen

streamer ['striːmə*] n (flag) Wimpel m; (of paper) Luftschlange f

streamlined ['striːmlaɪnd] adj stromlinienförmig; (effective) rationell

street [striːt] n Straße f ♦ adj Straßen-; **~car** n (US) in Straßenbahn f; ~ **lamp** n Straßenlaterne f; ~ **plan** n Stadtplan m; **~wise** (inf) adj: **to be ~wise** wissen, wo es lang geht

strength [streŋθ] n (also fig) Stärke f; Kraft f; **~en** vt (ver)stärken

strenuous ['strenjʊəs] adj anstrengend

stress [stres] n Druck m; (mental) Streß m; (GRAM) Betonung f ♦ vt betonen

stretch [stretʃ] n Strecke f ♦ vt ausdehnen, strecken ♦ vi sich erstrecken; (person) sich strecken; ~ **out** vi sich ausstrecken ♦ vt

ausstrecken

stretcher ['stretʃə*] n Tragbahre f

strewn [struːn] adj: ~ **with** übersät mit

stricken ['strɪkən] adj (person) betroffen; (city, country) heimgesucht; ~ **with** (arthritis, disease) leidend unter +dat

strict [strɪkt] adj (exact) genau; (severe) streng; **~ly** adv streng, genau

stridden ['strɪdn] pp of **stride**

stride [straɪd] (pt **strode**, pp **stridden**) n lange(r) Schritt m ♦ vi schreiten

strident ['straɪdənt] adj schneidend, durchdringend

strife [straɪf] n Streit m

strike [straɪk] (pt, pp **struck**) n Streik m; (attack) Schlag m ♦ vt (hit) schlagen; (collide) stoßen gegen; (come to mind) einfallen +dat; (stand out) auffallen +dat; (find) finden ♦ vi (stop work) streiken; (attack) zuschlagen; (clock) schlagen; **on** ~ (workers) im Streik; **to** ~ **a match** ein Streichholz anzünden; ~ **down** vt (lay low) niederschlagen; ~ **out** vt (cross out) ausstreichen; ~ **up** vt (music) anstimmen; (friendship) schließen; **~r** n Streikende(r) mf

striking ['straɪkɪŋ] adj auffallend

string [strɪŋ] (pt, pp **strung**) n Schnur f; (row) Reihe f; (MUS) Saite f ♦ vt: **to ~ together** aneinanderreihen ♦ vi: **to ~ out** (sich) verteilen; **the ~s** npl (MUS) die Streichinstrumente pl; **to pull ~s** (fig) Fäden ziehen; ~ **bean** n grüne Bohne f; **~(ed) instrument** n (MUS) Saiteninstrument nt

stringent ['strɪndʒənt] adj streng

strip [strɪp] n Streifen m ♦ vt (uncover) abstreifen, abziehen; (clothes) ausziehen; (TECH) auseinandernehmen ♦ vi (undress) sich ausziehen; ~ **cartoon** n Bildserie f

stripe [straɪp] n Streifen m; **~d** adj gestreift

strip lighting n Neonlicht nt

stripper ['strɪpə*] n Stripteasetänzerin f

strive [straɪv] (pt **strove**, pp **striven**) vi: **to ~ (for)** streben (nach)

strode [strəʊd] pt of **stride**

stroke [strəʊk] n Schlag m; (SWIMMING, ROWING) Stoß m; (TECH) Hub m; (MED) Schlaganfall m; (caress) Streicheln nt ♦ vt streicheln; **at a** ~ mit einem Schlag

stroll [strəʊl] n Spaziergang m ♦ vi schlendern; **~er** n (US) (pushchair) Sportwagen m

strong [strɒŋ] adj stark; (firm) fest; **they are 50** ~ sie sind 50 Mann stark; **~box** n Kassette f; **~hold** n Hochburg f; **~ly** adv stark; **~room** n Tresor m

strove [strəʊv] pt of **strive**

struck [strʌk] pt, pp of **strike**

structure ['strʌktʃə*] n Struktur f, Aufbau m; (building) Bau m

struggle ['strʌgl] n Kampf m ♦ vi (fight) kämpfen

strum [strʌm] *vt (guitar)* klimpern auf +dat

strung [strʌŋ] *pt, pp of* **string**

strut [strʌt] *n* Strebe *f*, Stütze *f* ♦ *vi* stolzieren

stub [stʌb] *n* Stummel *m*; *(of cigarette)* Kippe *f* ♦ *vt*: **to ~ one's toe** sich *dat* den Zeh anstoßen; **~ out** *vt* ausdrücken

stubble ['stʌbl] *n* Stoppel *f*

stubborn ['stʌbən] *adj* hartnäckig

stucco ['stʌkəu] *n* Stuck *nt*

stuck [stʌk] *pt, pp of* **stick** ♦ *adj (jammed)* klemmend; **~-up** *adj* hochnäsig

stud [stʌd] *n (button)* Kragenknopf *m*; *(place)* Gestüt *nt* ♦ *vt (fig)*: **~ded with** übersät mit

student ['stju:dənt] *n* Student(in) *m(f)*; *(US)* Student(in) *m(f)*, Schüler(in) *m(f)* ♦ *adj* Studenten-; **~ driver** *(US)* *n* Fahrschüler(in) *m(f)*

studio ['stju:dɪəu] *n* Studio *nt*; *(for artist)* Atelier *nt*; **~ apartment** *(US)* *n* Appartement *nt*; **~ flat** *n* Appartement *nt*

studious ['stju:dɪəs] *adj* lernbegierig

study ['stʌdɪ] *n* Studium *nt*; *(investigation)* Studium, Untersuchung *f*; *(room)* Arbeitszimmer *nt*; *(essay etc)* Studie *f* ♦ *vt* studieren; *(face)* erforschen; *(evidence)* prüfen ♦ *vi* studieren

stuff [stʌf] *n* Stoff *m*; *(inf)* Zeug *nt* ♦ *vt* stopfen, füllen; *(animal)* ausstopfen; **~ing** *n* Füllung *f*; **~y** *adj (room)* schwül; *(person)* spießig

stumble ['stʌmbl] *vi* stolpern; **to ~ across** *(fig)* zufällig stoßen auf +acc

stumbling block ['stʌmblɪŋ-] *n* Hindernis *nt*

stump [stʌmp] *n* Stumpf *m* ♦ *vt* umwerfen

stun [stʌn] *vt* betäuben; *(shock)* niederschmettern

stung [stʌŋ] *pt, pp of* **sting**

stunk [stʌŋk] *pp of* **stink**

stunning ['stʌnɪŋ] *adj* betäubend; *(news)* überwältigend, umwerfend

stunt [stʌnt] *n* Kunststück *nt*, Trick*m*

stunted *adj* verkümmert

stuntman *(irreg)* *n* Stuntman *m*

stupefy ['stju:pɪfaɪ] *vt* betäuben; *(by news)* bestürzen

stupendous [stju'pendəs] *adj* erstaunlich, enorm

stupid ['stju:pɪd] *adj* dumm; **~ity** [stju:'pɪdɪtɪ] *n* Dummheit *f*

stupor ['stju:pə*] *n* Betäubung *f*

sturdy ['stɜ:dɪ] *adj* kräftig, robust

stutter ['stʌtə*] *n* Stottern *nt* ♦ *vi* stottern

sty [staɪ] *n* Schweinestall *m*

stye [staɪ] *n* Gerstenkorn *nt*

style [staɪl] *n* Stil *m*; *(fashion)* Mode *f*

stylish ['staɪlɪʃ] *adj* modisch

stylist ['staɪlɪst] *n (hair ~)* Friseur *m*, Friseuse *f*

stylus ['staɪləs] *n (Grammophon)nadel *f*

suave [swɑ:v] *adj* zuvorkommend

sub... *prefix* Unter...; **~conscious** *adj* unterbewußt ♦ *n*: **the ~conscious** das Unterbewußte; **~contract** *vt (vertraglich)* untervermitteln; **~divide** *vt* unterteilen

subdue [səb'dju:] *vt* unterwerfen; **~d** *adj (lighting)* gedämpft; *(person)* still

subject [*n* 'sʌbdʒɪkt, *vb* səb'dʒekt] *n (of kingdom)* Untertan *m*; *(citizen)* Staatsangehörige(r) *mf*; *(topic)* Thema *nt*; *(SCH)* Fach *nt*; *(GRAM)* Subjekt *nt* ♦ *adj*: **to be ~ to** unterworfen sein +dat; *(exposed)* ausgesetzt sein +dat ♦ *vt (subdue)* unterwerfen; *(expose)* aussetzen; **~ive** [səb'dʒektɪv] *adj* subjektiv; **~ matter** *n* Thema *nt*

subjugate ['sʌbdʒugeɪt] *vt* unterjochen

subjunctive [səb'dʒʌŋktɪv] *adj* Konjunktiv- ♦ *n* Konjunktiv *m*

sublet ['sʌb'let] *(irreg: like* **let***) vt* untervermieten

sublime [sə'blaɪm] *adj* erhaben

submachine gun ['sʌbmə'ʃi:n-] *n* Maschinenpistole *f*

submarine [sʌbmə'ri:n] *n* Unterseeboot *nt*, U-Boot *nt*

submerge [səb'mɜ:dʒ] *vt* untertauchen; *(flood)* überschwemmen ♦ *vi* untertauchen

submission [səb'mɪʃən] *n (obedience)* Gehorsam *m*; *(claim)* Behauptung *f*; *(of plan)* Unterbreitung *f*

submissive [səb'mɪsɪv] *adj* demütig, unterwürfig *(pej)*

submit [səb'mɪt] *vt* behaupten; *(plan)* unterbreiten ♦ *vi (give in)* sich ergeben

subnormal ['sʌb'nɔ:məl] *adj* minderbegabt

subordinate [sə'bɔ:dɪnət] *adj* untergeordnet ♦ *n* Untergebene(r) *mf*

subpoena [sə'pi:nə] *n* Vorladung *f* ♦ *vt* vorladen

subscribe [səb'skraɪb] *vi*: **to ~ to** *(view etc)* unterstützen; *(newspaper)* abonnieren; **~r** *n (to periodical)* Abonnent *m*; *(TEL)* Telefonteilnehmer *m*

subscription [səb'skrɪpʃən] *n* Abonnement *nt*; *(money subscribed)* (Mitglieds)beitrag *m*

subsequent ['sʌbsɪkwənt] *adj* folgend, später; **~ly** *adv* später

subside [səb'saɪd] *vi* sich senken; **~nce** [sʌb'saɪdəns] *n* Senkung *f*

subsidiary [səb'sɪdɪərɪ] *adj* Neben- ♦ *n (company)* Tochtergesellschaft *f*

subsidize ['sʌbsɪdaɪz] *vt* subventionieren

subsidy ['sʌbsɪdɪ] *n* Subvention *f*

subsistence [səb'sɪstəns] *n* Unterhalt *m*

substance ['sʌbstəns] *n* Substanz *f*

substantial [səb'stænʃəl] *adj (strong)* fest, kräftig; *(important)* wesentlich; **~ly** *adv* erheblich

substantiate [səb'stænʃɪeɪt] *vt* begründen, belegen

substitute ['sʌbstɪtju:t] *n* Ersatz *m* ♦ *vt* ersetzen

substitution [sʌbstɪ'tjuːʃən] n Ersetzung f
subterfuge ['sʌbtəfjuːdʒ] n Vorwand m; (*trick*) Trick m
subterranean [sʌbtə'reɪnɪən] adj unterirdisch
subtitle ['sʌbtaɪtl] n Untertitel m
subtle ['sʌtl] adj fein; ~**ty** n Feinheit f
subtotal [sʌb'təʊtl] n Zwischensumme f
subtract [səb'trækt] vt abziehen; ~**ion** [səb'trækʃən] n Abziehen nt, Subtraktion f
suburb ['sʌbɜːb] n Vorort m; **the ~s** die Außenbezirke pl; ~**an** [sə'bɜːbən] adj Vorort(s)-, Stadtrand-; ~**ia** [sə'bɜːbɪə] n Vorstadt f
subversive [səb'vɜːsɪv] adj subversiv
subway ['sʌbweɪ] n (US) U-Bahn f; (BRIT) Unterführung f
succeed [sək'siːd] vi (person) erfolgreich sein, Erfolg haben; (plan etc also) gelingen ♦ vt (nach)folgen +dat; **he ~ed in doing it** es gelang ihm, es zu tun; ~**ing** adj (nach)folgend
success [sək'ses] n Erfolg m; **to be ~ful (in doing sth)** Erfolg haben (bei etw); ~**ful** adj erfolgreich; ~**fully** adv erfolgreich
succession [sək'seʃən] n (Aufeinander)folge f; (to throne) Nachfolge f
successive [sək'sesɪv] adj aufeinanderfolgend
successor [sək'sesə*] n Nachfolger(in) m(f)
succinct [sək'sɪŋkt] adj knapp
succulent ['sʌkjʊlənt] adj saftig
succumb [sə'kʌm] vi: **to ~ (to)** erliegen (+dat); (yield) nachgeben (+dat)
such [sʌtʃ] adj solche(r, s); ~ **a book** so ein Buch; ~ **books** solche Bücher; ~ **courage** so ein Mut; ~ **a long trip** so eine lange Reise; ~ **a lot of** so viel(e); ~ **as** wie; **a noise ~ as** to ein derartiger Lärm, daß; **as ~** an sich; ~-**and**-~ **a time/town** die und die Zeit/Stadt
suck [sʌk] vt saugen; (ice cream etc) lutschen; ~**er** n (inf) n Idiot m
suction ['sʌkʃən] n Saugkraft f
sudden ['sʌdn] adj plötzlich; **all of a ~** auf einmal; ~**ly** adv plötzlich
suds [sʌdz] npl Seifenlauge f; (lather) Seifenschaum m
sue [suː] vt verklagen
suede [sweɪd] n Wildleder nt
suet [suɪt] n Nierenfett nt
Suez ['suːɪz] n: **the ~ Canal** der Suezkanal
suffer ['sʌfə*] vt (er)leiden ♦ vi leiden; ~**er** n Leidende(r) m/f; ~**ing** n Leiden nt
suffice [sə'faɪs] vi genügen
sufficient [sə'fɪʃənt] adj ausreichend; ~**ly** adv ausreichend
suffix ['sʌfɪks] n Nachsilbe f
suffocate ['sʌfəkeɪt] vt, vi ersticken
suffrage ['sʌfrɪdʒ] n Wahlrecht nt
suffused [sə'fjuːzd] adj: **to be ~ with sth** von etw erfüllt sein

sugar ['ʃʊgə*] n Zucker m ♦ vt zuckern; ~ **beet** n Zuckerrübe f; ~ **cane** n Zuckerrohr nt; ~**y** adj süß
suggest [sə'dʒest] vt vorschlagen; (show) schließen lassen auf +acc; ~**ion** [sə'dʒestʃən] n Vorschlag m; ~**ive** adj anregend; (indecent) zweideutig
suicide ['sʊɪsaɪd] n Selbstmord m; **to commit ~** Selbstmord begehen
suit [suːt] n Anzug m; (CARDS) Farbe f ♦ vt passen +dat; (clothes) stehen +dat; **well ~ed** (well matched: couple) gut zusammenpassend; ~**able** adj geeignet, passend; ~**ably** adv passend, angemessen
suitcase ['suːtkeɪs] n (Hand)koffer m
suite [swiːt] n (of rooms) Zimmerflucht f; (of furniture) Einrichtung f; (MUS) Suite f
suitor ['suːtə*] n (JUR) Kläger(in) m(f)
sulfur ['sʌlfə*] (US) n = **sulphur**
sulk [sʌlk] vi schmollen; ~**y** adj schmollend
sullen ['sʌlən] adj mürrisch
sulphur ['sʌlfə*] (US **sulfur**) n Schwefel m
sultana [sʌl'tɑːnə] n (fruit) Sultanine f
sultry ['sʌltrɪ] adj schwül
sum [sʌm] n Summe f; (money) Betrag m, Summe f; (arithmetic) Rechenaufgabe f; ~ **up** vt, vi zusammenfassen
summarize ['sʌməraɪz] vt kurz zusammenfassen
summary ['sʌmərɪ] n Zusammenfassung f ♦ adj (justice) kurzerhand erteilt
summer ['sʌmə*] n Sommer m ♦ adj Sommer-; ~**house** n (in garden) Gartenhaus nt; ~**time** n Sommerzeit f
summit ['sʌmɪt] n Gipfel m; ~ (**conference**) n Gipfelkonferenz f
summon ['sʌmən] vt herbeirufen; (JUR) vorladen; (gather up) aufbringen; ~**s** (JUR) n Vorladung f ♦ vt vorladen
sump [sʌmp] (BRIT) n (AUT) Ölwanne f
sumptuous ['sʌmptjʊəs] adj prächtig
sun [sʌn] n Sonne f; ~**bathe** vi sich sonnen; ~**burn** n Sonnenbrand m
Sunday ['sʌndeɪ] n Sonntag m; ~ **school** n Sonntagsschule f
sundial ['sʌndaɪəl] n Sonnenuhr f
sundown ['sʌndaʊn] n Sonnenuntergang m
sundry ['sʌndrɪ] adj verschieden; **all and ~** alle; **sundries** npl (miscellaneous items) Verschiedene(s) nt
sunflower ['sʌnflaʊə*] n Sonnenblume f
sung [sʌŋ] pp of **sing**
sunglasses ['sʌnglɑːsɪz] npl Sonnenbrille f
sunk [sʌŋk] pp of **sink**
sun: ~**light** ['sʌnlaɪt] n Sonnenlicht nt; ~**lit** ['sʌnlɪt] adj sonnenbeschienen; ~**ny** ['sʌnɪ] adj sonnig; ~**rise** ['sʌnraɪz] n Sonnenaufgang m; ~**set** ['sʌnset] n Sonnenuntergang m; ~**shade** ['sʌnʃeɪd] n Sonnenschirm m; ~**shine** ['sʌnʃaɪn] n Sonnenschein m; ~**stroke** ['sʌnstrəʊk] n Hitzschlag m; ~**tan** ['sʌntæn] n (Sonnen)bräune f; ~**tan oil** n

Sonnenöl nt

super ['su:pə*] (inf) adj prima, klasse

superannuation ['su:pərænju'eɪʃən] n Pension f

superb [suː'pɜːb] adj ausgezeichnet, hervorragend

supercilious [su:pə'sɪlɪəs] adj herablassend

superficial [su:pə'fɪʃəl] adj oberflächlich

superfluous [su'pɜːfluəs] adj überflüssig

superhuman [su:pə'hju:mən] adj (effort) übermenschlich

superimpose ['su:pərɪm'pəuz] vt übereinanderlegen

superintendent [su:pərɪn'tendənt] n Polizeichef m

superior [su'pɪərɪə*] adj überlegen; (better) besser ♦ n Vorgesetzte(r) mf; ~**ity** [supɪərɪ'ɒrɪtɪ] n Überlegenheit f

superlative [suː'pɜːlətɪv] adj überragend

superman ['su:pəmæn] (irreg) n Übermensch m

supermarket ['su:pəmɑːkɪt] n Supermarkt m

supernatural [su:pə'nætʃərəl] adj übernatürlich

superpower ['su:pəpauə*] n Weltmacht f

supersede [su:pə'si:d] vt ersetzen

supersonic ['su:pə'sɒnɪk] adj Überschall-

superstition [su:pə'stɪʃən] n Aberglaube m

superstitious [su:pə'stɪʃəs] adj abergläubisch

supervise ['su:pəvaɪz] vt beaufsichtigen, kontrollieren

supervision [su:pə'vɪʒən] n Aufsicht f

supervisor ['su:pəvaɪzə*] n Aufsichtsperson f; ~**y** adj Aufsichts-

supine ['su:paɪn] adj auf dem Rücken liegend

supper ['sʌpə*] n Abendessen nt

supplant [sə'plɑːnt] vt (person, thing) ersetzen

supple ['sʌpl] adj geschmeidig

supplement [n 'sʌplɪmənt, vb sʌplɪ'ment] n Ergänzung f; (in book) Nachtrag m ♦ vt ergänzen; ~**ary** [sʌplɪ'mentərɪ] adj ergänzend

supplier [sə'plaɪə*] n Lieferant m

supplies [sə'plaɪz] npl (food) Vorräte pl; (MIL) Nachschub m

supply [sə'plaɪ] vt liefern ♦ n Vorrat m; (supplying) Lieferung f ♦ adj (teacher etc) Aushilfs-; see also **supplies**

support [sə'pɔːt] n Unterstützung f; (TECH) Stütze f ♦ vt (hold up) stützen, tragen; (provide for) ernähren; (be in favour of) unterstützen; ~**er** n Anhänger(in) m(f)

suppose [sə'pəuz] vt, vi annehmen; **to be** ~**d to do sth** etw tun sollen; ~**dly** [sə'pəuzɪdlɪ] adv angeblich

supposing [sə'pəuzɪŋ] conj angenommen

supposition [sʌpə'zɪʃən] n Voraussetzung f

suppress [sə'pres] vt unterdrücken; ~**ion** [sə'preʃən] n Unterdrückung f

supremacy [su'preməsɪ] n Vorherrschaft f, Oberhoheit f

supreme [su'pri:m] adj oberste(r, s), höchste(r, s)

surcharge ['sɜːtʃɑːdʒ] n Zuschlag m

sure [ʃuə*] adj sicher, gewiß; ~! (of course) klar!; **to make ~ of sth/that** sich einer Sache gen vergewissern/vergewissern, daß; ~ **enough** (with past) tatsächlich; (with future) ganz bestimmt; ~**footed** adj sicher (auf den Füßen); ~**ly** adv (certainly) sicherlich, gewiß; ~**ly it's wrong** das ist doch wohl falsch

surety ['ʃuərətɪ] n Sicherheit f; (person) Bürge m

surf [sɜːf] n Brandung f

surface ['sɜːfɪs] n Oberfläche f ♦ vt (roadway) teeren ♦ vi auftauchen; ~ **mail** n gewöhnliche Post f

surfboard ['sɜːfbɔːd] n Wellenreiterbrett nt

surfeit ['sɜːfɪt] n Übermaß nt

surfing ['sɜːfɪŋ] n Wellenreiten nt

surge [sɜːdʒ] n Woge f ♦ vi wogen

surgeon ['sɜːdʒən] n Chirurg(in) m(f)

surgery ['sɜːdʒərɪ] n (BRIT: place) Praxis f; (: time) Sprechstunde f; (treatment) Operation f; **to undergo** ~ operiert werden; ~ **hours** (BRIT) npl Sprechstunden pl

surgical ['sɜːdʒɪkəl] adj chirurgisch; ~ **spirit** (BRIT) n Wundbenzin nt

surly ['sɜːlɪ] adj verdrießlich, grob

surmount [sɜː'maunt] vt überwinden

surname ['sɜːneɪm] n Zuname m

surpass [sɜː'pɑːs] vt übertreffen

surplus ['sɜːpləs] n Überschuß m ♦ adj überschüssig, Über(schuß)-

surprise [sə'praɪz] n Überraschung f ♦ vt überraschen

surprising [sə'praɪzɪŋ] adj überraschend; ~**ly** adv überraschend(erweise)

surrender [sə'rendə*] n Kapitulation f ♦ vi sich ergeben

surreptitious [sʌrəp'tɪʃəs] adj heimlich; (look also) verstohlen

surrogate ['sʌrəgɪt] n Ersatz m; ~ **mother** n Leihmutter f

surround [sə'raund] vt umgeben; ~**ing** adj (countryside) umliegend; ~**ings** npl Umgebung f; (environment) Umwelt f

surveillance [sɜː'veɪləns] n Überwachung f

survey [n 'sɜːveɪ, vb sɜː'veɪ] n Übersicht f ♦ vt überblicken; (land) vermessen; ~**or** [sɜː'veɪə*] n Land(ver)messer(in) m(f)

survival [sə'vaɪvəl] n Überleben nt

survive [sə'vaɪv] vt, vi überleben

survivor [sə'vaɪvə*] n Überlebende(r) mf

susceptible [sə'septəbl] adj: ~ **(to)** empfindlich (gegen); (charms etc) empfänglich (für)

suspect [n, adj 'sʌspekt, vb səs'pekt] n Verdächtige(r) mf ♦ adj verdächtig ♦ vt verdächtigen; (think) vermuten

suspend [səs'pɛnd] vt verschieben; (from work) suspendieren; (hang up) aufhängen; (SPORT) sperren; ~ed **sentence** n (JUR) zur Bewährung ausgesetzte Strafe; ~er **belt** n Strumpf(halter)gürtel m; ~ers npl (BRIT) Strumpfhalter m; (: men's) Sockenhalter m; (US) Hosenträger m

suspense [səs'pɛns] n Spannung f

suspension [səs'pɛnʃən] n (from work) Suspendierung f; (SPORT) Sperrung f; (AUT) Federung f; ~ **bridge** n Hängebrücke f

suspicion [səs'pɪʃən] n Mißtrauen nt; Verdacht m

suspicious [səs'pɪʃəs] adj mißtrauisch; (causing suspicion) verdächtig

sustain [səs'teɪn] vt (maintain) aufrechterhalten; (confirm) bestätigen; (JUR) anerkennen; (injury) davontragen; ~**able** adj (development, growth etc) aufrechtzuerhalten; ~**ed** adj (effort) anhaltend

sustenance ['sʌstɪnəns] n Nahrung f

swab [swɒb] n (MED) Tupfer m

swagger ['swægə*] vi stolzieren

swallow ['swɒləʊ] n (bird) Schwalbe f; (of food etc) Schluck m ♦ vt (ver)schlucken; ~ **up** vt verschlingen

swam [swæm] pt of swim

swamp [swɒmp] n Sumpf m ♦ vt überschwemmen

swan [swɒn] n Schwan m

swap [swɒp] n Tausch m ♦ vt: **to ~ sth (for sth)** etw (gegen etw) tauschen or eintauschen

swarm [swɔ:m] n Schwarm m ♦ vi: **to ~ or be ~ing with** wimmeln von

swarthy ['swɔ:ðɪ] adj dunkel, braun

swastika ['swɒstɪkə] n Hakenkreuz nt

swat [swɒt] vt totschlagen

sway [sweɪ] vi schwanken; (branches) schaukeln, sich wiegen ♦ vt schwenken; (influence) beeinflussen

swear [sweə*] (pt **swore**, pp **sworn**) vi (promise) schwören; (curse) fluchen; **to ~ to sth** schwören auf etw acc; ~**word** n Fluch m

sweat [swɛt] n Schweiß m ♦ vi schwitzen

sweater ['swɛtə*] n Pullover m

sweatshirt ['swɛtʃɜ:t] n Sweatshirt nt

sweaty ['swɛtɪ] adj verschwitzt

Swede [swi:d] n Schwede m, Schwedin f

swede [swi:d] (BRIT) n Steckrübe f

Sweden ['swi:dn] n Schweden nt

Swedish ['swi:dɪʃ] adj schwedisch ♦ n (LING) Schwedisch nt

sweep [swi:p] (pt, pp **swept**) n (chimney ~) Schornsteinfeger m ♦ vt fegen, kehren ♦ vi (go quickly) rauschen; ~ **away** vt wegfegen; ~ **past** vi vorbeisausen; ~ **up** vt zusammenkehren; ~**ing** adj (gesture) schwungvoll; (statement) verallgemeinernd

sweet [swi:t] n (course) Nachtisch m; (candy) Bonbon nt ♦ adj süß; ~**corn** n Zuckermais m; ~**en** vt süßen; (fig) versüßen; ~**heart** n Liebste(r) mf; ~**ness** n Süße f; ~ **pea** n Gartenwicke f

swell [swel] (pt ~**ed**, pp **swollen** or ~**ed**) n Seegang m ♦ adj (inf) todschick ♦ vt (numbers) vermehren ♦ vi (also: ~ **up**) (an)schwellen; ~**ing** n Schwellung f

sweltering ['swɛltərɪŋ] adj drückend

swept [swept] pt, pp of sweep

swerve [swɜ:v] vt, vi ausscheren

swift [swɪft] n Mauersegler m ♦ adj geschwind, schnell, rasch; ~**ly** adv geschwind, schnell, rasch

swig [swɪg] n Zug m

swill [swɪl] n (for pigs) Schweinefutter nt ♦ vt spülen

swim [swɪm] (pt **swam**, pp **swum**) n: **to go for a ~** schwimmen gehen ♦ vi schwimmen ♦ vt (cross) (durch)schwimmen; ~**mer** n Schwimmer(in) m(f); ~**ming** n Schwimmen nt; ~**ming cap** n Badehaube f, Badekappe f; ~**ming costume** (BRIT) n Badeanzug m; ~**ming pool** n Schwimmbecken nt; (private) Swimmingpool m; ~**suit** n Badeanzug m

swindle ['swɪndl] n Schwindel m, Betrug m ♦ vt betrügen

swine [swaɪn] n (also fig) Schwein nt

swing [swɪŋ] (pt, pp **swung**) n (child's) Schaukel f; (movement) Schwung m; (MUS) Swing m ♦ vt schwingen ♦ vi schwingen, schaukeln; (turn quickly) schwenken; **in full ~** in vollem Gange; ~ **bridge** n Drehbrücke f; ~ **door** (BRIT) n Schwingtür f

swingeing ['swɪndʒɪŋ] (BRIT) adj hart; (taxation, cuts) extrem

swinging door (US) n Schwingtür f

swipe [swaɪp] n Hieb m ♦ vt (inf: hit) hart schlagen; (: steal) klauen

swirl [swɜ:l] vi wirbeln

swish [swɪʃ] adj (inf: smart) schick ♦ vi zischen; (grass, skirts) rascheln

Swiss [swɪs] adj Schweizer, schweizerisch ♦ n Schweizer(in) m(f); **the ~** npl (people) die Schweizer pl

switch [swɪtʃ] n (ELEC) Schalter m; (change) Wechsel m ♦ vt (ELEC) schalten; (change) wechseln ♦ vi wechseln; ~ **off** vt ab- or ausschalten; ~ **on** vt an- or einschalten; ~**board** n Zentrale f; (board) Schaltbrett nt

Switzerland ['swɪtsələnd] n die Schweiz

swivel ['swɪvl] vt (also: ~ **round**) drehen ♦ vi sich drehen

swollen ['swəʊlən] pp of swell

swoon [swu:n] vi (old) in Ohnmacht fallen

swoop [swu:p] n Sturzflug m; (esp by police) Razzia f ♦ vi (also: ~ **down**) stürzen

swop [swɒp] = swap

sword [sɔ:d] n Schwert nt; ~**fish** n Schwertfisch m

swore [swɔ:*] pt of swear

sworn [swɔːn] *pp of* **swear**
swot [swɒt] *vt, vi* pauken
swum [swʌm] *pp of* **swim**
swung [swʌŋ] *pt, pp of* **swing**
sycamore ['sɪkəmɔː*] *n* (*US*) Platane *f*; (*BRIT*) Bergahorn *m*
syllable ['sɪləbl] *n* Silbe *f*
syllabus ['sɪləbəs] *n* Lehrplan *m*
symbol ['sɪmbəl] *n* Symbol *nt*; ~**ic(al)** [sɪm'bɒlɪk(əl)] *adj* symbolisch
symmetry ['sɪmɪtrɪ] *n* Symmetrie *f*
sympathetic [sɪmpə'θetɪk] *adj* mitfühlend
sympathize ['sɪmpəθaɪz] *vi* mitfühlen; ~**r** *n* Mitfühlende(r) *mf*; (*POL*) Sympathisant(in) *m(f)*
sympathy ['sɪmpəθɪ] *n* Mitleid *nt*, Mitgefühl *nt*; (*condolence*) Beileid *nt*; **with our deepest** ~ mit tiefempfundenem Beileid
symphony ['sɪmfənɪ] *n* Sinfonie *f*
symposium [sɪm'pəʊzɪəm] *n* Tagung *f*
symptom ['sɪmptəm] *n* Symptom *nt*; ~**atic** [sɪmptə'mætɪk] *adj* (*fig*): ~**atic of** bezeichnend für
synagogue ['sɪnəgɒg] *n* Synagoge *f*
synchronize ['sɪŋkrənaɪz] *vt* synchronisieren ♦ *vi* gleichzeitig sein *or* ablaufen
syncopated ['sɪŋkəpeɪtɪd] *adj* synkopiert
syndicate ['sɪndɪkət] *n* Konsortium *nt*
synonym ['sɪnənɪm] *n* Synonym *nt*
synonymous [sɪ'nɒnɪməs] gleichbedeutend
synopsis [sɪ'nɒpsɪs] *n* Zusammenfassung *f*
syphon ['saɪfən] = **siphon**
Syria ['sɪrɪə] *n* Syrien *nt*
syringe [sɪ'rɪndʒ] *n* Spritze *f*
syrup ['sɪrəp] *n* Sirup *m*; (*of sugar*) Melasse *f*
system ['sɪstəm] *n* System *nt*; ~**atic** [sɪstə'mætɪk] *adj* systematisch; ~ **disk** *n* (*COMPUT*) Systemdiskette *f*; ~**s analyst** *n* Systemanalytiker(in) *m(f)*

T t

ta [tɑː] (*BRIT: inf*) *excl* danke
tab [tæb] *n* Aufhänger *m*; (*name* ~) Schild *nt*; **to keep** ~**s on** (*fig*) genau im Auge behalten
tabby ['tæbɪ] *n* (*also:* ~ *cat*) getigerte Katze *f*
table ['teɪbl] *n* Tisch *m*; (*list*) Tabelle *f* ♦ *vt* (*PARL: propose*) vorlegen, einbringen; **to lay** *or* **set the** ~ den Tisch decken; ~**cloth** ['teɪblklɒθ] *n* Tischtuch *nt*; ~ **of contents**

n Inhaltsverzeichnis *nt*; ~ **d'hôte** *n* Tagesmenü *nt*; ~ **lamp** *n* Tischlampe *f*; ~**mat** *n* Untersatz *m*; ~**spoon** *n* Eßlöffel *m*; ~**spoonful** *n* Eßlöffel(voll) *m*
tablet ['tæblət] *n* (*MED*) Tablette *f*; (*for writing*) Täfelchen *nt*
table tennis ['teɪbltenɪs] *n* Tischtennis *nt*
table wine ['teɪblwaɪn] *n* Tafelwein *m*
tabloid ['tæblɔɪd] *n* Zeitung *f* in kleinem Format; (*pej*) Boulevardzeitung
tabulate ['tæbjʊleɪt] *vt* tabellarisch ordnen
tacit ['tæsɪt] *adj* stillschweigend
taciturn ['tæsɪtɜːn] *adj* wortkarg
tack [tæk] *n* (*small nail*) Stift *m*; (*US: thumb*~) Reißzwecke *f*; (*stitch*) Heftstich *m*; (*NAUT*) Lavieren *nt*; (*course*) Kurs *m* ♦ *vt* (*nail*) nageln; (*stitch*) heften ♦ *vi* aufkreuzen
tackle ['tækl] *n* (*for lifting*) Flaschenzug *m*; (*NAUT*) Takelage *f*; (*SPORT*) Tackling *m* ♦ *vt* (*deal with*) anpacken, in Angriff nehmen; (*person*) festhalten; (*player*) angehen
tacky ['tækɪ] *adj* klebrig
tact [tækt] *n* Takt *m*; ~**ful** *adj* taktvoll
tactical ['tæktɪkəl] *adj* taktisch
tactics ['tæktɪks] *npl* Taktik *f*
tactless ['tæktləs] *adj* taktlos
tadpole ['tædpəʊl] *n* Kaulquappe *f*
taffy ['tæfɪ] (*US*) *n* Sahnebonbon *m*
tag [tæg] *n* (*label*) Schild *nt*, Anhänger *m*; (*maker's name*) Etikett *nt*; (*phrase*) Floskel *f*; ~ **along** *vi* mitkommen
tail [teɪl] *n* Schwanz *m*; (*of list*) Schluß *m* ♦ *vt* folgen +*dat*; ~ **away** *or* **off** *vi* abfallen, schwinden; ~**back** (*BRIT*) *n* (*AUT*) (Rück)stau *m*; ~ **coat** *n* Frack *m*; ~ **end** *n* Schluß *m*, Ende *nt*; ~**gate** *n* (*AUT*) Heckklappe *f*
tailor ['teɪlə*] *n* Schneider *m*; ~**ing** *n* Schneidern *nt*; ~**-made** *adj* maßgeschneidert; (*fig*): ~**-made for sb** jdm wie auf den Leib geschnitten
tailwind ['teɪlwɪnd] *n* Rückenwind *m*
tainted ['teɪntɪd] *adj* verdorben
take [teɪk] (*pt* **took**, *pp* **taken**) *vt* nehmen; (*trip, exam, PHOT*) machen; (*capture: person*) fassen; (: *town; also COMM, FIN*) einnehmen; (*carry to a place*) bringen; (*get for o.s.*) sich *dat* nehmen; (*gain, obtain*) bekommen; (*put up with*) hinnehmen; (*respond to*) aufnehmen; (*interpret*) auffassen; (*assume*) annehmen; (*contain*) Platz haben für; (*GRAM*) stehen mit; **to** ~ **sth from sb** jdm etw wegnehmen; **to** ~ **sth from sth** (*MATH: subtract*) etw von etw abziehen; (*extract, quotation*) etw einer Sache *dat* entnehmen; ~ **after** *vt fus* ähnlich sein +*dat*; ~ **apart** *vt* auseinandernehmen; ~ **away** *vt* (*remove*) wegnehmen; (*carry off*) wegbringen; ~ **back** *vt* (*return*) zurückbringen; (*retract*) zurücknehmen; ~ **down** *vt* (*pull down*) abreißen; (*write down*) aufschreiben; ~ **in** *vt* (*deceive*) hereinlegen; (*understand*)

begreifen; (*include*) einschließen; ~ **off** *vi* (*plane*) starten ♦ *vt* (*remove*) wegnehmen; (*clothing*) ausziehen; (*imitate*) nachmachen; ~ **on** *vt* (*undertake*) übernehmen; (*engage*) einstellen; (*opponent*) antreten gegen; ~ **out** *vt* (*girl, dog*) ausführen; (*extract*) herausnehmen; (*insurance*) abschließen; (*licence*) sich *dat* geben lassen; (*book*) ausleihen; (*remove*) entfernen; **to ~ sth out of sth** (*drawer, pocket etc*) etw aus etw herausnehmen; ~ **over** *vt* übernehmen ♦ *vi*: **to ~ over from sb** jdn ablösen; ~ **to** *vt fus* (*like*) mögen; (*adopt as practice*) sich *dat* angewöhnen; ~ **up** *vt* (*raise*) aufnehmen; (*dress etc*) kürzer machen; (*occupy*) in Anspruch nehmen; (*engage in*) sich befassen mit; ~**away** *adj* zum Mitnehmen; ~**-home pay** *n* Nettolohn *m*; **taken** ['teɪkn] *pp of* **take**; ~**off** *n* (AVIAT) Start *m*; (*imitation*) Nachahmung *f*; ~**out** (US) *adj* = **take-away**; ~**over** *n* (COMM) Übernahme *f*

takings ['teɪkɪŋz] *npl* (COMM) Einnahmen *pl*

talc [tælk] *n* (*also:* talcum powder) Talkumpuder *m*

tale [teɪl] *n* Geschichte *f*, Erzählung *f*; **to tell ~s** (*fig:* lie) Geschichten erfinden

talent ['tælənt] *n* Talent *nt*; ~**ed** *adj* begabt

talk [tɔːk] *n* (*conversation*) Gespräch *nt*; (*rumour*) Gerede *nt*; (*speech*) Vortrag *m* ♦ *vi* sprechen, reden; ~**s** *pl* (POL etc) Gespräche *pl*; **to ~ about** sprechen von +*dat* or über +*acc*; **to ~ sb into doing sth** jdn überreden, etw zu tun; **to ~ sb out of doing sth** jdm ausreden, etw zu tun; **to ~ shop** fachsimpeln; ~ **over** *vt* besprechen; ~**ative** *adj* gesprächig

tall [tɔːl] *adj* groß; (*building*) hoch; **to be 1 m 80 ~** 1,80 m groß sein; ~**boy** (BRIT) *n* Kommode *f*; ~ **story** *n* übertriebene Geschichte *f*

tally ['tælɪ] *n* Abrechnung *f* ♦ *vi* übereinstimmen

talon ['tælən] *n* Kralle *f*

tame [teɪm] *adj* zahm; (*fig*) fade

tamper ['tæmpə*] *vi:* **to ~ with** herumpfuschen an +*dat*

tampon ['tæmpɔn] *n* Tampon *m*

tan [tæn] *n* (*on skin*) (Sonnen)bräune *f*; (*colour*) Gelbbraun *nt* ♦ *adj* (gelb)braun ♦ *vt* bräunen; (*skins*) gerben ♦ *vi* braun werden

tang [tæŋ] *n* Schärfe *f*

tangent ['tændʒənt] *n* Tangente *f*; **to go off at a ~** (*fig*) vom Thema abkommen

tangerine [tændʒə'riːn] *n* Mandarine *f*

tangible ['tændʒəbl] *adj* greifbar

tangle ['tæŋgl] *n* Durcheinander *nt*; (*trouble*) Schwierigkeiten *pl*; **to get in(to) a ~** sich verheddern

tank [tæŋk] *n* (*container*) Tank *m*, Behälter *m*; (MIL) Panzer *m*

tanker ['tæŋkə*] *n* (*ship*) Tanker *m*; (*vehicle*) Tankwagen *m*

tanned [tænd] *adj* (*skin*) gebräunt

tantalizing ['tæntəlaɪzɪŋ] *adj* verlockend; (*annoying*) quälend

tantamount ['tæntəmaunt] *adj:* ~ **to** gleichbedeutend mit

tantrum ['tæntrəm] *n* Wutanfall *m*

tap [tæp] *n* Hahn *m*; (*gentle blow*) Klopfen *nt* ♦ *vt* (*strike*) klopfen; (*supply*) anzapfen; (*telephone*) abhören; **on ~** (*fig: resources*) zur Hand; ~**-dancing** ['tæpdɑːnsɪŋ] *n* Steppen *nt*

tape [teɪp] *n* Band *nt*; (*magnetic*) (Ton)band *nt*; (*adhesive*) Klebstreifen *m* ♦ *vt* (*record*) aufnehmen; ~ **measure** *n* Maßband *nt*

taper ['teɪpə*] *n* (dünne) Wachskerze *f* ♦ *vi* spitz zulaufen

tape recorder *n* Tonbandgerät *nt*

tapestry ['tæpɪstrɪ] *n* Wandteppich *m*

tar [tɑː*] *n* Teer *m*

target ['tɑːgɪt] *n* Ziel *nt*; (*board*) Zielscheibe *f*

tariff ['tærɪf] *n* (*duty paid*) Zoll *m*; (*list*) Tarif *m*

tarmac ['tɑːmæk] *n* (AVIAT) Rollfeld *nt*

tarnish ['tɑːnɪʃ] *vt* matt machen; (*fig*) beflecken

tarpaulin [tɑː'pɔːlɪn] *n* Plane *f*

tarragon ['tærəgɔn] *n* Estragon *m*

tart [tɑːt] *n* (Obst)torte *f*; (*inf*) Nutte *f* ♦ *adj* scharf; ~ **up** (*inf*) *vt* aufmachen (*inf*); (*person*) auftakeln (*inf*)

tartan ['tɑːtən] *n* Schottenkaro *nt* ♦ *adj* mit Schottenkaro

tartar ['tɑːtə*] *n* Zahnstein *m*; ~**(e) sauce** *n* Remouladensoße *f*

task [tɑːsk] *n* Aufgabe *f*; **to take sb to ~** sich *dat* jdn vornehmen; ~ **force** *n* Sondertrupp *m*

tassel ['tæsəl] *n* Quaste *f*

taste [teɪst] *n* Geschmack *m*; (*sense*) Geschmackssinn *m*; (*small quantity*) Kostprobe *f*; (*liking*) Vorliebe *f* ♦ *vt* schmecken; (*try*) probieren ♦ *vi* schmecken; **can I have a ~ of this wine?** kann ich diesen Wein probieren?; **to have a ~ for sth** etw mögen; **in good/bad ~** geschmackvoll/geschmacklos; **you can ~ the garlic (in it)** man kann den Knoblauch herausschmecken; **to ~ of sth** nach einer Sache schmecken; ~**ful** *adj* geschmackvoll; ~**less** *adj* (*insipid*) fade; (*in bad ~*) geschmacklos

tasty ['teɪstɪ] *adj* schmackhaft

tattered ['tætəd] *adj* = **in tatters**

tatters ['tætəz] *npl:* **in ~** in Fetzen

tattoo [tə'tuː] *n* (MIL) Zapfenstreich *m*; (*on skin*) Tätowierung *f* ♦ *vt* tätowieren

tatty ['tætɪ] (BRIT: *inf*) *adj* schäbig

taught [tɔːt] *pt, pp of* **teach**

taunt [tɔːnt] *n* höhnische Bemerkung *f* ♦ *vt* verhöhnen

Taurus ['tɔːrəs] *n* Stier *m*
taut [tɔːt] *adj* straff
tawdry ['tɔːdrɪ] *adj* (bunt und) billig
tawny ['tɔːnɪ] *adj* gelbbraun
tax [tæks] *n* Steuer *f* ♦ *vt* besteuern; (*strain*) strapazieren; (*strength*) angreifen; **~able** *adj* (*income*) steuerpflichtig; **~ation** [tæk'seɪʃən] *n* Besteuerung *f*; ~ **avoidance** *n* Steuerumgehung *f*; ~ **disc** (*BRIT*) *n* (*AUT*) Kraftfahrzeugsteuerplakette *f*; ~ **evasion** *n* Steuerhinterziehung *f*; **~-free** *adj* steuerfrei
taxi ['tæksɪ] *n* Taxi *nt* ♦ *vi* (*plane*) rollen; ~ **driver** *n* Taxifahrer *m*; ~ **rank** (*BRIT*) *n* Taxistand *m*; ~ **stand** *n* Taxistand *m*
tax: **~payer** ['tækspeɪə*] *n* Steuerzahler *m*; ~ **relief** *n* Steuerermäßigung *f*; ~ **return** *n* Steuererklärung *f*
TB *n abbr* (= *tuberculosis*) Tb *f*, Tbc *f*
tea [tiː] *n* Tee *m*; (*meal*) (frühes) Abendessen *nt*; **high** ~ (*BRIT*) Abendessen *nt*; ~ **bag** *n* Teebeutel *m*; ~ **break** (*BRIT*) *n* Teepause *f*
teach [tiːtʃ] (*pt, pp* **taught**) *vt* lehren; (*SCH*) lehren, unterrichten; (*show*): **to** ~ **sb sth** jdm etw beibringen ♦ *vi* lehren, unterrichten; **~er** *n* Lehrer(in) *m(f)*; **~ing** *n* (~*er's work*) Unterricht *m*; (*doctrine*) Lehre *f*
tea : ~ **cosy** *n* Teewärmer *m*; **~cup** *n* Teetasse *f*; ~ **leaves** *npl* Teeblätter *pl*
team [tiːm] *n* (*workers*) Team *nt*; (*SPORT*) Mannschaft *f*; (*animals*) Gespann *nt*
teamwork *n* Gemeinschaftsarbeit *f*, Teamarbeit *f*
teapot ['tiːpɒt] *n* Teekanne *f*
tear[1] [tɛə*] (*pt* **tore**, *pp* **torn**) *n* Riß *m* ♦ *vt* zerreißen; (*muscle*) zerren ♦ *vi* (zer)reißen; (*rush*) rasen; ~ **along** *vi* (*rush*) entlangrasen; ~ **up** *vt* (*sheet of paper etc*) zerreißen
tear[2] [tɪə*] *n* Träne *f*
tearful ['tɪəful] *adj* weinend; (*voice*) weinerlich
tear gas ['tɪəgæs] *n* Tränengas *nt*
tearoom ['tiːrum] *n* Teestube *f*
tease [tiːz] *n* Hänsler *m* ♦ *vt* necken
tea set *n* Teeservice *nt*
teaspoon ['tiːspuːn] *n* Teelöffel *m*
teat [tiːt] *n* (*of woman*) Brustwarze *f*; (*of animal*) Zitze *f*; (*of bottle*) Sauger *m*
tea time *n* (*in the afternoon*) Teestunde *f*; (*mealtime*) Abendessen *nt*
tea towel *n* Geschirrtuch *nt*
technical ['teknɪkəl] *adj* technisch; (*knowledge, terms*) Fach-; **~ity** [teknɪ'kælɪtɪ] *n* technische Einzelheit *f*; (*JUR*) Formsache *f*; **~ly** *adv* technisch; (*speak*) spezialisiert; (*fig*) genau genommen
technician [tek'nɪʃən] *n* Techniker *m*
technique [tek'niːk] *n* Technik *f*
technological [teknə'lɒdʒɪkəl] *adj* technologisch
technology [tek'nɒlədʒɪ] *n* Technologie *f*

teddy (bear) ['tedɪ(bɛə*)] *n* Teddybär *m*
tedious ['tiːdɪəs] *adj* langweilig, ermüdend
tee [tiː] *n* (*GOLF*) Abschlagstelle *f*; (*object*) Tee *nt*
teem [tiːm] *vi* (*swarm*): **to** ~ **(with)** wimmeln (von); **it is ~ing (with rain)** es gießt in Strömen
teenage ['tiːneɪdʒ] *adj* (*fashions etc*) Teenager-, jugendlich; **~r** *n* Teenager *m*, Jugendliche(r) *mf*
teens [tiːnz] *npl* Teenageralter *nt*
tee-shirt ['tiːʃɜːt] *n* T-Shirt *nt*
teeter ['tiːtə*] *vi* schwanken
teeth [tiːθ] *npl* of **tooth**
teethe [tiːð] *vi* zahnen
teething ring ['tiːðɪŋ-] *n* Beißring *m*
teething troubles ['tiːðɪŋ-] *npl* (*fig*) Kinderkrankheiten *pl*
teetotal ['tiː'təutl] *adj* abstinent
telecommunications ['telɪkəmjuːnɪ'keɪʃənz] *npl* Fernmeldewesen *nt*
telegram ['telɪgræm] *n* Telegramm *nt*
telegraph ['telɪgrɑːf] *n* Telegraph *m*
telephone ['telɪfəun] *n* Telefon *nt*, Fernsprecher *m* ♦ *vt* anrufen; (*message*) telefonisch mitteilen; **to be on the** ~ (*talking*) telefonieren; (*possessing phone*) Telefon haben; ~ **booth** *n* Telefonzelle *f*; ~ **box** (*BRIT*) *n* Telefonzelle *f*; ~ **call** *n* Telefongespräch *nt*, Anruf *m*; ~ **directory** *n* Telefonbuch *nt*; ~ **number** *n* Telefonnummer *f*
telephonist [tə'lefənɪst] (*BRIT*) *n* Telefonist(in) *m(f)*
telephoto lens ['telɪfəutəu'lenz] *n* Teleobjektiv *nt*
telescope ['telɪskəup] *n* Teleskop *nt*, Fernrohr *nt* ♦ *vt* ineinanderschieben
televise ['telɪvaɪz] *vt* durch das Fernsehen übertragen
television ['telɪvɪʒən] *n* Fernsehen *nt*; **on** ~ im Fernsehen; ~ **(set)** *n* Fernsehapparat *m*, Fernseher *m*
telex ['teleks] *n* Telex *nt* ♦ *vt* per Telex schicken
tell [tel] (*pt, pp* **told**) *vt* (*story*) erzählen; (*secret*) ausplaudern; (*say, make known*) sagen; (*distinguish*) erkennen; (*be sure*) wissen ♦ *vi* (*talk*) sprechen; (*be sure*) wissen; (*divulge*) es verraten; (*have effect*) sich auswirken; **to** ~ **sb to do sth** jdm sagen, daß er etw tun soll; **to** ~ **sb sth** *or* **sth to sb** jdm etw sagen; **to** ~ **sb by sth** jdn an etw *dat* erkennen; **to** ~ **sth from** etw unterscheiden von; **to** ~ **of sth** von etw sprechen; ~ **off** *vt*: **to** ~ **sb off** jdn ausschimpfen; **~er** *n* Kassenbeamte(r) *mf*; **~ing** *adj* verräterisch; (*blow*) hart; **~tale** *adj* verräterisch
telly ['telɪ] (*BRIT: inf*) *n abbr* (= *television*) TV *nt*
temerity [tɪ'merɪtɪ] *n* (Toll)kühnheit *f*
temp [temp] *n abbr* (= *temporary*) Aushilfs-

sekretärin *n* ♦ *vi* als Aushilfskraft arbeiten

temper ['tempə*] *n* (*disposition*) Temperament *nt*; (*anger*) Zorn *m* ♦ *vt* (*tone down*) mildern; (*metal*) härten; **to be in a (bad)** ~ wütend sein; **to lose one's** ~ die Beherrschung verlieren

temperament ['temprəmənt] *n* Temperament *nt*; ~**al** [tempərə'mentl] *adj* (*moody*) launisch

temperance ['tempərəns] *n* Mäßigung *f*; (*abstinence*) Enthaltsamkeit *f*

temperate ['tempərət] *adj* gemäßigt

temperature ['temprɪtʃə*] *n* Temperatur *f*; (*MED: high* ~) Fieber *nt*; **to have** *or* **run a** ~ Fieber haben

template ['templət] *n* Schablone *f*

temple ['templ] *n* Tempel *m*; (*ANAT*) Schläfe *f*

temporal ['tempərəl] *adj* (*of time*) zeitlich; (*worldly*) irdisch, weltlich

temporarily ['tempərərɪlɪ] *adv* zeitweilig, vorübergehend

temporary ['tempərərɪ] *adj* vorläufig; (*road, building*) provisorisch

tempt [tempt] *vt* (*persuade*) verleiten; (*attract*) reizen, (ver)locken; **to** ~ **sb into doing sth** jdn dazu verleiten, etw zu tun; ~**ation** [temp'teɪʃən] *n* Versuchung *f*; ~**ing** *adj* (*person*) verführerisch; (*object, situation*) verlockend

ten [ten] *num* zehn

tenable ['tenəbl] *adj* haltbar

tenacious [tə'neɪʃəs] *adj* zäh, hartnäckig

tenacity [tə'næsɪtɪ] *n* Zähigkeit *f*, Hartnäckigkeit *f*

tenancy ['tenənsɪ] *n* Mietverhältnis *nt*

tenant ['tenənt] *n* Mieter *m*; (*of larger property*) Pächter *m*

tend [tend] *vt* (*look after*) sich kümmern um ♦ *vi*: **to** ~ **to do sth** etw gewöhnlich tun

tendency ['tendənsɪ] *n* Tendenz *f*; (*of person*) Tendenz *f*, Neigung *f*

tender ['tendə*] *adj* zart; (*loving*) zärtlich ♦ *n* (*COMM: offer*) Kostenanschlag *m* ♦ *vt* (an)bieten; (*resignation*) einreichen; ~**ness** *n* Zartheit *f*; (*being loving*) Zärtlichkeit *f*

tendon ['tendən] *n* Sehne *f*

tenement ['tenəmənt] *n* Mietshaus *nt*

tenet ['tenət] *n* Lehre *f*

tennis ['tenɪs] *n* Tennis *nt*; ~ **ball** *n* Tennisball *m*; ~ **court** *n* Tennisplatz *m*; ~ **player** *n* Tennisspieler(in) *m(f)*; ~ **racket** *n* Tennisschläger *m*; ~ **shoes** *npl* Tennisschuhe *pl*

tenor ['tenə*] *n* Tenor *m*

tenpin bowling ['tempɪn-] *n* Bowling *nt*

tense [tens] *adj* angespannt ♦ *n* Zeitform *f*

tension ['tenʃən] *n* Spannung *f*

tent [tent] *n* Zelt *nt*

tentacle ['tentəkl] *n* Fühler *m*; (*of sea animals*) Fangarm *m*

tentative ['tentətɪv] *adj* (*movement*) unsi-

cher; (*offer*) Probe-; (*arrangement*) vorläufig; (*suggestion*) unverbindlich; ~**ly** *adv* versuchsweise; (*try, move*) vorsichtig

tenterhooks ['tentəhʊks] *npl*: **to be on** ~ auf die Folter gespannt sein

tenth [tenθ] *adj* zehnte(r, s)

tent peg *n* Hering *m*

tent pole *n* Zeltstange *f*

tenuous ['tenjuəs] *adj* schwach

tenure ['tenjuə*] *n* (*of land*) Besitz *m*; (*of office*) Amtszeit *f*

tepid ['tepɪd] *adj* lauwarm

term [tɜːm] *n* (*period of time*) Zeit(raum *m*) *f*; (*limit*) Frist *f*; (*SCH*) Quartal *nt*; (*UNIV*) Trimester *nt*; (*expression*) Ausdruck *m* ♦ *vt* (be)nennen; ~**s** *npl* (*conditions*) Bedingungen *pl*; **in the short/long** ~ auf kurze/ lange Sicht; **to be on good** ~**s with sb** gut mit jdm auskommen; **to come to** ~**s with** (*person*) sich einigen mit; (*problem*) sich abfinden mit

terminal ['tɜːmɪnl] *n* (*BRIT: also: coach* ~) Endstation *f*; (*AVIAT*) Terminal *m*; (*COMPUT*) Terminal *nt or m* ♦ *adj* Schluß-; (*MED*) unheilbar

terminate ['tɜːmɪneɪt] *vt* beenden ♦ *vi* enden, aufhören

terminus ['tɜːmɪnəs] (*pl* **termini**) *n* Endstation *f*

terrace ['terəs] *n* (*BRIT: row of houses*) Häuserreihe *f*; (*in garden etc*) Terrasse *f*; **the** ~**s** *npl* (*BRIT: SPORT*) die Ränge; ~**d** *adj* (*garden*) terrassenförmig angelegt; (*house*) Reihen-

terrain [te'reɪn] *n* Terrain *nt*, Gelände *nt*

terrible ['terəbl] *adj* schrecklich, entsetzlich, fürchterlich

terribly ['terəblɪ] *adv* fürchterlich

terrific [tə'rɪfɪk] *adj* unwahrscheinlich; ~! klasse!

terrify ['terɪfaɪ] *vt* erschrecken

territorial [terɪ'tɔːrɪəl] *adj* Gebiets-, territorial

territory ['terɪtərɪ] *n* Gebiet *nt*

terror ['terə*] *n* Schrecken *m*; (*POL*) Terror *m*; ~**ist** *n* Terrorist(in) *m(f)*; ~**ize** *vt* terrorisieren

terse [tɜːs] *adj* knapp, kurz, bündig

test [test] *n* Probe *f*; (*examination*) Prüfung *f*; (*PSYCH, TECH*) Test *m* ♦ *vt* prüfen; (*PSYCH*) testen

testicle ['testɪkl] *n* (*ANAT*) Hoden *m*

testify ['testɪfaɪ] *vi* aussagen; **to** ~ **to sth** etw bezeugen

testimony ['testɪmənɪ] *n* (*JUR*) Zeugenaussage *f*; (*fig*) Zeugnis *nt*

test match *n* (*SPORT*) Länderkampf *m*

test tube *n* Reagenzglas *nt*

testy ['testɪ] *adj* gereizt; reizbar

tetanus ['tetənəs] *n* Wundstarrkrampf *m*, Tetanus *m*

tetchy ['tetʃɪ] *adj* empfindlich

tether ['teðə*] *vt* anbinden ♦ *n*: **at the end of one's ~** völlig am Ende
text [tekst] *n* Text *m*; (*of document*) Wortlaut *m*; **~book** *n* Lehrbuch *nt*
textiles ['tekstaɪlz] *npl* Textilien *pl*
texture ['tekstʃə*] *n* Beschaffenheit *f*
Thai [taɪ] *adj* thailändisch ♦ *n* Thailänder(in) *m(f)*; (*LING*) Thailändisch *nt*; **~land** *n* Thailand *nt*
Thames [temz] *n*: **the ~** die Themse
than [ðæn, ðən] *prep* (*in comparisons*) als
thank [θæŋk] *vt* danken +*dat*; **you've him to ~ for your success** Sie haben Ihren Erfolg ihm zu verdanken; **~ you (very much)** danke (vielmals), danke schön; **~ful** *adj* dankbar; **~less** *adj* undankbar; **~s** *npl* Dank *m* ♦ *excl* danke!; **~s to** dank +*gen*; **T~sgiving (Day)** (*US*) *n* Thanksgiving Day *m*

─────────── *KEYWORD*

that [ðæt] *adj* (*demonstrative*: *pl* those) der/die/das; jene(r, s); **that one** das die
♦ *pron* **1** (*demonstrative*: *pl* those) das; **who's/what's that?** wer ist da/was ist das?; **is that you?** bist du das?; **that's what he said** genau das hat er gesagt; **what happened after that?** was passierte danach?; **that is** das heißt
2 (*relative*: *subj*) der/die/das, die; (: *direct obj*) den/die/das, die; (: *indirect obj*) dem/der/dem, denen; **all (that) I have** alles, was ich habe
3 (*relative*: *of time*): **the day (that)** an dem Tag, als; **the winter (that) he came** in dem Winter, in dem er kam
♦ *conj* daß; **he thought that I was ill** er dachte, daß ich krank sei, er dachte, ich sei krank
♦ *adv* (*demonstrative*) so; **I can't work that much** ich kann nicht soviel arbeiten

thatched [θætʃt] *adj* strohgedeckt; (*cottage*) mit Strohdach
thaw [θɔ:] *n* Tauwetter *nt* ♦ *vi* tauen; (*frozen foods, fig: people*) auftauen ♦ *vt* (auf)tauen lassen

─────────── *KEYWORD*

the [ði:, ðə] *def art* **1** der/die/das; **to play the piano/violin** Klavier/Geige spielen; **I'm going to the butcher's/the cinema** ich gehe zum Fleischer/ins Kino; **Elizabeth the First** Elisabeth die Erste
2 (+*adj to form noun*) das, die; **the rich and the poor** die Reichen und die Armen
3 (*in comparisons*): **the more he works the more he earns** je mehr er arbeitet, desto mehr verdient er

theatre ['θɪətə*] (*US* theater) *n* Theater *nt*; (*for lectures etc*) Saal *m*; (*MED*) Operations-

saal *m*; **~goer** *n* Theaterbesucher(in) *m(f)*
theatrical [θɪˈætrɪkəl] *adj* Theater-; (*career*) Schauspieler-; (*showy*) theatralisch
theft [θeft] *n* Diebstahl *m*
their [ðeə*] *adj* ihr; *see also* **my**; **~s** *pron* ihre(r, s); *see also* **mine²**
them [ðem, ðəm] *pron* (*acc*) sie; (*dat*) ihnen; *see also* **me**
theme [θi:m] *n* Thema *nt*; (*MUS*) Motiv *nt*; **~ park** *n* (thematisch gestalteter) Freizeitpark *m*; **~ song** *n* Titelmusik *f*
themselves [ðəmˈselvz] *pl pron* (*reflexive*) sich (selbst); (*emphatic*) selbst; *see also* **oneself**
then [ðen] *adv* (*at that time*) damals; (*next*) dann ♦ *conj* also, folglich; (*furthermore*) ferner ♦ *adj* damalig; **from ~ on** von da an; **by ~** bis dahin; **the ~ president** der damalige Präsident
theology [θɪˈɒlədʒɪ] *n* Theologie *f*
theoretical [θɪəˈretɪkəl] *adj* theoretisch; **~ly** *adv* theoretisch
theory ['θɪərɪ] *n* Theorie *f*
therapist ['θerəpɪst] *adj* Therapeut(in) *m(f)*
therapy ['θerəpɪ] *n* Therapie *f*

─────────── *KEYWORD*

there [ðeə*] *adv* **1**: **there is, there are** es or da ist/sind; (*there exists/exist also*) es gibt; **there are 3 of them** (*people, things*) es gibt 3 davon; **there has been an accident** da war ein Unfall
2 (*referring to place*) da, dort; (*with vb of movement*) dahin, dorthin; **put it in/on there** leg es dahinein/dorthinauf
3: **there, there** (*esp to child*) na, na

thereabouts [ðeərəˈbauts] *adv* (*place*) dort in der Nähe, dort irgendwo; (*amount*): **20 or ~** ungefähr 20
thereafter [ðeərˈɑ:ftə*] *adv* danach
thereby [ðeəˈbaɪ] *adv* dadurch, damit
therefore ['ðeəfɔ:*] *adv* deshalb, daher
there's ['ðeəz] = **there is**; **there has**
thermometer [θəˈmɒmɪtə*] *n* Thermometer *nt*
Thermos ['θɜ:məs] ® *n* Thermosflasche *f*
thesaurus [θɪˈsɔ:rəs] *n* Synonymwörterbuch *nt*
these [ði:z] *pron, adj* (*pl*) diese
theses ['θi:si:z] *npl of* **thesis**
thesis ['θi:sɪs] (*pl* theses) *n* (*for discussion*) These *f*; (*UNIV*) Dissertation *f*, Doktorarbeit *f*
they [ðeɪ] *pl pron* sie; (*people in general*) man; **~ say that ...** (*it is said that*) es wird gesagt, daß ...; **they'd** = they had; they would; **they'll** = they shall; they will; **they're** = they are; **they've** = they have
thick [θɪk] *adj* dick; (*forest*) dicht; (*liquid*) dickflüssig; (*slow, stupid*) dumm, schwer von Begriff ♦ *n*: **in the ~ of** mitten in

+*dat*; **it's 20 cm ~** es ist 20 cm dick *or* stark; **~en** *vi (fog)* dichter werden ♦ *vt (sauce etc)* verdicken; **~ness** *n* Dicke *f*; Dichte *f*; Dickflüssigkeit *f*; **~set** *adj* untersetzt; **~skinned** *adj* dickhäutig

thief [θiːf] (*pl* **thieves**) *n* Dieb(in) *m(f)*

thieving ['θiːvɪŋ] *n* Stehlen *nt* ♦ *adj* diebisch

thigh [θaɪ] *n* Oberschenkel *m*

thimble ['θɪmbl] *n* Fingerhut *m*

thin [θɪn] *adj* dünn; *(person)* dünn, mager; *(excuse)* schwach ♦ *vt*: **to ~ (down)** *(sauce, paint)* verdünnen

thing [θɪŋ] *n* Ding *nt*; *(affair)* Sache *f*; **my ~s** meine Sachen *pl*; **the best ~ would be to ...** das beste wäre, ...; **how are ~s?** wie geht's?

think [θɪŋk] (*pt, pp* **thought**) *vt, vi* denken; **what did you ~ of them?** was halten Sie von ihnen?; **to ~ about sth/sb** nachdenken über etw/jdn; **I'll ~ about it** ich überlege es mir; **to ~ of doing sth** vorhaben *or* beabsichtigen, etw zu tun; **I ~ so/ not** ich glaube (schon)/glaube nicht; **to ~ well of sb** viel von jdm halten, **~ over** *vt* überdenken; **~ up** *vt* sich *dat* ausdenken; **~ tank** *n* Expertengruppe *f*

thinly ['θɪnlɪ] *adv* dünn; *(disguised)* kaum

third [θɜːd] *adj* dritte(r, s) ♦ *n (person)* Dritte(r) *mf*; *(part)* Drittel *nt*; **~ly** *adv* drittens; **~ party insurance** (*BRIT*) *n* Haftpflichtversicherung *f*; **~-rate** *adj* minderwertig; **the T~ World** *n* die Dritte Welt *f*

thirst [θɜːst] *n (also fig)* Durst *m*; **~y** *adj (person)* durstig; *(work)* durstig machend; **to be ~y** Durst haben

thirteen ['θɜː'tiːn] *num* dreizehn

thirty ['θɜːtɪ] *num* dreißig

─────────────── KEYWORD ───────────────

this [ðɪs] *adj (demonstrative: pl* **these**) diese(r, s); **this evening** heute abend; **this one** diese(r, s) (da)
♦ *pron (demonstrative: pl* **these**) dies, das; **who/what is this?** wer/was ist das?; **this is where I live** hier wohne ich; **this is what he said** das hat er gesagt; **this is Mr Brown** *(in introductions/photo)* dies ist Mr Brown; *(on telephone)* hier ist Mr Brown
♦ *adv (demonstrative)*: **this high/long** *etc* so groß/lang *etc*

thistle ['θɪsl] *n* Distel *f*

thorn [θɔːn] *n* Dorn *m*; **~y** *adj* dornig; *(problem)* schwierig

thorough ['θʌrə] *adj* gründlich; **~bred** *n* Vollblut *nt* ♦ *adj* reinrassig, Vollblut-; **~fare** *n* Straße *f*; **"no ~fare"** „Durchfahrt verboten"; **~ly** *adv* gründlich; *(extremely)* äußerst

those [ðəuz] *pl pron* die (da), jene ♦ *adj* die, jene

though [ðəu] *conj* obwohl ♦ *adv* trotzdem

thought [θɔːt] *pt, pp of* **think** ♦ *n (idea)* Gedanke *m*; *(thinking)* Denken *nt*, Denkvermögen *nt*; **~ful** *adj (thinking)* gedankenvoll, nachdenklich; *(kind)* rücksichtsvoll, aufmerksam; **~less** *adj* gedankenlos, unbesonnen; *(unkind)* rücksichtslos

thousand ['θauzənd] *num* tausend; **two ~** zweitausend; **~s of** Tausende (von); **~th** *adj* tausendste(r, s)

thrash [θræʃ] *vt* verdreschen; *(fig)* (vernichtend) schlagen; **~ about** *vi* um sich schlagen; **~ out** *vt* ausdiskutieren

thread [θred] *n* Faden *m*, Garn *nt*; *(on screw)* Gewinde *nt*; *(in story)* Faden *m* ♦ *vt (needle)* einfädeln; **~bare** *adj (also fig)* fadenscheinig

threat [θret] *n* Drohung *f*; *(danger)* Gefahr *f*; **~en** *vt* bedrohen ♦ *vi* drohen; **to ~en sb with sth** jdm etw androhen

three [θriː] *num* drei; **~-dimensional** *adj* dreidimensional; **~-piece suit** *n* dreiteilige(r) Anzug *m*; **~-piece suite** *n* dreiteilige Polstergarnitur *f*; **~-wheeler** *n* Dreiradwagen *m*

thresh [θreʃ] *vt, vi* dreschen

threshold ['θreʃhəuld] *n* Schwelle *f*

threw [θruː] *pt of* **throw**

thrift [θrɪft] *n* Sparsamkeit *f*; **~y** *adj* sparsam

thrill [θrɪl] *n* Reiz *m*, Erregung *f* ♦ *vt* begeistern, packen; **to be ~ed with** *(gift etc)* sich unheimlich freuen über +*acc*; **~er** *n* Krimi *m*; **~ing** *adj* spannend; *(news)* aufregend

thrive [θraɪv] (*pt* **~d, throve**, *pp* **~d, thriven**) *vi*: **to ~ (on)** gedeihen (bei); **thriven** ['θrɪvn] *pp of* **thrive**

thriving ['θraɪvɪŋ] *adj* blühend

throat [θrəut] *n* Hals *m*, Kehle *f*; **to have a sore ~** Halsschmerzen haben

throb [θrɒb] *n* Pochen *nt* ♦ *vi* klopfen, pochen

throes [θrəuz] *npl*: **in the ~ of** mitten in +*dat*

throng [θrɒŋ] *n* (Menschen)schar *f* ♦ *vt* sich drängen in +*dat*

throttle ['θrɒtl] *n* Gashebel *m* ♦ *vt* erdrosseln

through [θruː] *prep* durch; *(time)* während +*gen*; *(because of)* aus, durch ♦ *adv* durch ♦ *adj (ticket, train)* durchgehend; *(finished)* fertig; **to put sb ~ (to)** jdn verbinden (mit); **to be ~** (*TEL*) eine Verbindung haben; *(have finished)* fertig sein; **no ~ way** (*BRIT*) Sackgasse *f*; **~out** [θruːˈaut] *prep (place)* überall in +*dat*; *(time)* während +*gen* ♦ *adv* überall; die ganze Zeit

throve [θrəuv] *pt of* **thrive**

throw [θrəu] (*pt* **threw**, *pp* **thrown**) *n* Wurf *m* ♦ *vt* werfen; **to ~ a party** eine Party geben; **~ away** *vt* wegwerfen; *(waste)* verschenken; (*money*) verschwenden; ~ **off** *vt* abwerfen; (*pursuer*) abschütteln; ~ **out** *vt* hinauswerfen; (*rubbish*) wegwerfen; (*plan*) verwerfen; ~ **up** *vt*, *vi* (*vomit*) speien; ~**away** *adj* Wegwerf-; ~**in** *n* Einwurf *m*; **thrown** [θrəʊn] *pp* of **throw**

thru [θru:] (*US*) = **through**

thrush [θrʌʃ] *n* Drossel *f*

thrust [θrʌst] (*pt, pp* **thrust**) *n* (*TECH*) Schubkraft *f* ♦ *vt, vi* (*push*) stoßen

thud [θʌd] *n* dumpfe(r) (Auf)schlag *m*

thug [θʌg] *n* Schlägertyp *m*

thumb [θʌm] *n* Daumen *m* ♦ *vt* (*book*) durchblättern; **to ~ a lift** per Anhalter fahren (wollen); ~**tack** (*US*) *n* Reißzwecke *f*

thump [θʌmp] *n* (*blow*) Schlag *m*, (*noise*) Bums *m* ♦ *vi* hämmern, pochen ♦ *vt* schlagen auf +*acc*

thunder [ˈθʌndə*] *n* Donner *m* ♦ *vi* donnern; (*train etc*): **to ~ past** vorbeidonnern ♦ *vi* brüllen; ~ **bolt** *n* Blitz *nt*; ~**clap** *n* Donnerschlag *m*; ~**storm** *n* Gewitter *nt*, Unwetter *nt*; ~**y** *adj* gewitterschwül

Thursday [ˈθɜːzdeɪ] *n* Donnerstag *m*

thus [ðʌs] *adv* (*in this way*) so; (*therefore*) somit, also, folglich

thwart [θwɔ:t] *vt* vereiteln, durchkreuzen; (*person*) hindern

thyme [taɪm] *n* Thymian *m*

thyroid [ˈθaɪrɔɪd] *n* Schilddrüse *f*

tiara [tɪˈɑːrə] *n* Diadem *nt*; (*of pope*) Tiara *nt*

tic [tɪk] *n* Tick *m*

tick [tɪk] *n* (*sound*) Ticken *nt*; (*mark*) Häkchen *nt* ♦ *vi* ticken ♦ *vt* abhaken; **in a ~** (*BRIT: inf*) sofort; ~ **off** *vt* abhaken; (*person*) ausschimpfen; ~ **over** *vi* (*engine*) im Leerlauf laufen; (*fig*) auf Sparflamme laufen

ticket [ˈtɪkɪt] *n* (*for travel*) Fahrkarte *f*; (*for entrance*) (Eintritts)karte *f*; (*price ~*) Preisschild *nt*; (*luggage ~*) (Gepäck)schein *m*; (*raffle ~*) Los *nt*; (*parking ~*) Strafzettel *m*; (*in car park*) Parkschein *m*; ~ **collector** *n* Fahrkartenkontrolleur *m*; ~ **office** *n* (*RAIL etc*) Fahrkartenschalter *m*; (*THEAT etc*) Kasse *f*

tickle [ˈtɪkl] *n* Kitzeln *nt* ♦ *vt* kitzeln; (*amuse*) amüsieren

ticklish [ˈtɪklɪʃ] *adj* (*also fig*) kitzlig

tidal [ˈtaɪdl] *adj* Flut-, Tide-; ~ **wave** *n* Flutwelle *f*

tidbit [ˈtɪdbɪt] (*US*) *n* Leckerbissen *m*

tiddlywinks [ˈtɪdlɪwɪŋks] *n* Floh(hüpf)spiel *nt*

tide [taɪd] *n* Gezeiten *pl*; **high/low ~** Flut *f*/Ebbe *f*

tidy [ˈtaɪdɪ] *adj* ordentlich ♦ *vt* aufräumen, in Ordnung bringen

tie [taɪ] *n* (*BRIT: neck*) Kravatte *f*, Schlips *m*; (*sth connecting*) Band *nt*; (*SPORT*) Unentschieden *nt* ♦ *vt* (*fasten, restrict*) binden ♦ *vi* (*SPORT*) unentschieden spielen; (*in competition*) punktgleich sein; **to ~ in a bow** zur Schleife binden; **to ~ a knot in sth** einen Knoten in etw *acc* machen; ~ **down** *vt* festbinden; **to ~ sb down to** jdn binden an +*acc*; ~ **up** *vt* (*dog*) anbinden; (*parcel*) verschnüren; (*boat*) festmachen; (*person*) fesseln; **to be ~d up** (*busy*) beschäftigt sein

tier [tɪə*] *n* Rang *m*; (*of cake*) Etage *f*

tiff [tɪf] *n* Krach *m*

tiger [ˈtaɪgə*] *n* Tiger *m*

tight [taɪt] *adj* (*close*) eng, knapp; (*schedule*) gedrängt; (*firm*) fest; (*control*) streng; (*stretched*) stramm, (an)gespannt; (*inf: drunk*) blau, stramm ♦ *adv* (*squeeze*) fest; ~**en** *vt* anziehen, anspannen; (*restrictions*) verschärfen ♦ *vi* sich spannen; ~**-fisted** *adj* knauserig; ~**ly** *adv* eng fest; (*stretched*) straff; ~**rope** *n* Seil *nt*; ~**s** *npl* (*esp BRIT*) Strumpfhose *f*

tile [taɪl] *n* (*on roof*) Dachziegel *m*; (*on wall or floor*) Fliese *f*; ~**d** *adj* (*roof*) gedeckt, Ziegel-; (*floor, wall*) mit Fliesen belegt

till [tɪl] *n* Kasse *f* ♦ *vt* bestellen ♦ *prep, conj* = **until**

tiller [ˈtɪlə*] *n* Ruderpinne *f*

tilt [tɪlt] *vt* kippen, neigen ♦ *vi* sich neigen

timber [ˈtɪmbə*] *n* Holz *nt*; (*trees*) Baumbestand *m*

time [taɪm] *n* Zeit *f*; (*occasion*) Mal *nt*; (*rhythm*) Takt *m* ♦ *vt* zur rechten Zeit tun, zeitlich einrichten; (*SPORT*) stoppen; **in 2 weeks'** ~ in 2 Wochen; **a long ~** lange; **for the ~ being** vorläufig; **4 at a ~** zu jeweils 4; **from ~ to ~** gelegentlich; **to have a good ~** sich amüsieren; **in ~** (*soon enough*) rechtzeitig; (*after some* ~) mit der Zeit; (*MUS*) im Takt; **in no ~** im Handumdrehen; **any ~** jederzeit; **on ~** pünktlich, rechtzeitig; **five ~s 5** fünfmal 5; **what ~ is it?** wieviel Uhr ist es?, wie spät ist es?; **at ~s** manchmal; ~ **bomb** *n* Zeitbombe *f*; ~**less** *adj* (*beauty*) zeitlos; ~ **limit** *n* Frist *f*; ~**ly** *adj* rechtzeitig; günstig; ~ **off** *n* freie Zeit *f*; ~**r** *n* (~*r switch: in kitchen*) Schaltuhr *f*; ~ **scale** *n* Zeitspanne *f*; ~**share** *adj* Time-sharing-; ~ **switch** (*BRIT*) *n* Zeitschalter *m*; ~**table** *n* Fahrplan *m*; (*SCH*) Stundenplan *m*; ~ **zone** *n* Zeitzone *f*

timid [ˈtɪmɪd] *adj* ängstlich, schüchtern

timing [ˈtaɪmɪŋ] *n* Wahl *f* des richtigen Zeitpunkts, Timing *nt*; (*AUT*) Einstellung *f*

timpani [ˈtɪmpənɪ] *npl* Kesselpauken *pl*

tin [tɪn] *n* (*metal*) Blech *nt*; (*BRIT: can*) Büchse *f*, Dose *f*; ~**foil** *n* Staniolpapier *nt*

tinge [tɪndʒ] *n* (*colour*) Färbung *f*, (*fig*) Anflug *m* ♦ *vt* färben; ~**d** **with** *adj* mit einer Spur von

tingle [ˈtɪŋgl] *n* Prickeln *nt* ♦ *vi* prickeln

tinker [ˈtɪŋkə*] *n* Kesselflicker *m*; ~ **with** *vt fus* herumpfuschen an +*dat*

tinkle ['tɪŋkl] *vi* klingeln
tinned [tɪnd] (*BRIT*) *adj* (*food*) Dosen-, Büchsen-
tin opener ['-əʊpnə*] (*BRIT*) *n* Dosen- *or* Büchsenöffner *m*
tinsel ['tɪnsəl] *n* Rauschgold *nt*
tint [tɪnt] *n* Farbton *m*; (*slight colour*) Anflug *m*; (*hair*) Tönung *f*; ~**ed** *adj* getönt
tiny ['taɪnɪ] *adj* winzig
tip [tɪp] *n* (*pointed end*) Spitze *f*; (*money*) Trinkgeld *nt*; (*hint*) Wink *m*, Tip *m* ♦ *vt* (*slant*) kippen; (*hat*) antippen; (~ *over*) umkippen; (*waiter*) ein Trinkgeld geben +*dat*; ~**-off** *n* Hinweis *m*, Tip *m*; ~**ped** (*BRIT*) *adj* (*cigarette*) Filter-
tipsy ['tɪpsɪ] *adj* beschwipst
tiptoe ['tɪptəʊ] *n*: **on** ~ auf Zehenspitzen
tiptop ['tɪp'tɒp] *adj*: **in** ~ **condition** tipptopp, erstklassig
tire ['taɪə*] *n* (*US*) = **tyre** ♦ *vt*, *vi* ermüden, müde machen/werden; ~**d** *adj* müde; **to be** ~**d of sth** etw satt haben; ~**less** *adj* unermüdlich; ~**lessly** *adv* unermüdlich; ~**some** *adj* lästig
tiring ['taɪərɪŋ] *adj* ermüdend
tissue ['tɪʃuː] *n* Gewebe *nt*; (*paper handkerchief*) Papiertaschentuch *nt*; ~ **paper** *n* Seidenpapier *nt*
tit [tɪt] *n* (*bird*) Meise *f*; ~ **for tat** wie du mir, so ich dir
titbit ['tɪtbɪt] (*US* **tidbit**) *n* Leckerbissen *m*
titillate ['tɪtɪleɪt] *vt* kitzeln
titivate ['tɪtɪveɪt] *vt* schniegeln
title ['taɪtl] *n* Titel *m*; ~ **deed** *n* Eigentumsurkunde *f*; ~ **role** *n* Hauptrolle *f*
titter ['tɪtə*] *vi* kichern
titular ['tɪtjʊlə*] *adj* (*in name only*) nominell
TM *abbr* (= *trademark*) Wz

― *KEYWORD* ―

to [tuː, tə] *prep* **1** (*direction*) zu, nach; **I go to France/school** ich gehe nach Frankreich/zur Schule; **to the left** nach links
2 (*as far as*) bis
3 (*with expressions of time*) vor; **a quarter to 5** Viertel vor 5
4 (*for, of*) für; **secretary to the director** Sekretärin des Direktors
5 (*expressing indirect object*): **to give sth to sb** jdm etw geben; **to talk to sb** mit jdm sprechen; **I sold it to a friend** ich habe es einem Freund verkauft
6 (*in relation to*) zu; **30 miles to the gallon** 30 Meilen pro Gallone
7 (*purpose, result*) zu; **to my surprise** zu meiner Überraschung
♦ *with vb* **1** (*infin*): **to go/eat** gehen/essen; **to want to do sth** etw tun wollen; **to try/start to do sth** versuchen/anfangen, etw zu tun; **he has a lot to lose** er hat viel zu verlieren

2 (*with vb omitted*): **I don't want to** ich will (es) nicht
3 (*purpose, result*) um; **I did it to help you** ich tat es, um dir zu helfen
4 (*after adj etc*): **ready to use** gebrauchsfertig; **too old/young to ...** zu alt/jung, um ... zu ...
♦ *adv*: **push/pull the door to** die Tür zuschieben/zuziehen

toad [təʊd] *n* Kröte *f*; ~**stool** *n* Giftpilz *m*
toast [təʊst] *n* (*bread*) Toast *m*; (*drinking*) Trinkspruch *m* ♦ *vt* trinken auf +*acc*; (*bread*) toasten; (*warm*) wärmen; ~**er** *n* Toaster *m*
tobacco [tə'bækəʊ] *n* Tabak *m*; ~**nist** [tə'bækənɪst] *n* Tabakhändler *m*; ~**nist's (shop)** *n* Tabakladen *m*
toboggan [tə'bɒgən] *n* (Rodel)schlitten *m*
today [tə'deɪ] *adv* heute; (*at the present time*) heutzutage
toddler ['tɒdlə*] *n* Kleinkind *nt*
toddy ['tɒdɪ] *n* (Whisky)grog *m*
to-do [tə'duː] *n* Theater *nt*
toe [təʊ] *n* Zehe *f*; (*of sock, shoe*) Spitze *f* ♦ *vt*: **to ~ the line** (*fig*) sich einfügen; ~**nail** *n* Zehennagel *m*
toffee ['tɒfɪ] *n* Sahnebonbon *nt*; ~ **apple** (*BRIT*) *n* kandierte(r) Apfel *m*
together [tə'geðə*] *adv* zusammen; (*at the same time*) gleichzeitig; ~ **with** zusammen mit; gleichzeitig mit; ~**ness** *n* (*company*) Beisammensein *nt*
toil [tɔɪl] *n* harte Arbeit *f*, Plackerei *f* ♦ *vi* sich abmühen, sich plagen
toilet ['tɔɪlət] *n* Toilette *f* ♦ *cpd* Toiletten-; ~ **bag** *n* Waschbeutel *m*; ~ **paper** *n* Toilettenpapier *nt*; ~**ries** ['tɔɪlətrɪz] *npl* Toilettenartikel *pl*; ~ **roll** *n* Rolle *f* Toilettenpapier; ~ **water** *n* Toilettenwasser *nt*
token ['təʊkən] *n* Zeichen *nt*; (*gift* ~) Gutschein *m*; **book/record** ~ (*BRIT*) Bücher-/Plattengutschein *m*
Tokyo ['təʊkjəʊ] *n* Tokio *nt*
told [təʊld] *pt*, *pp* of **tell**
tolerable ['tɒlərəbl] *adj* (*bearable*) erträglich; (*fairly good*) leidlich
tolerant ['tɒlərnt] *adj*: **be** ~ (**of**) vertragen +*acc*
tolerate ['tɒləreɪt] *vt* dulden; (*noise*) ertragen
toll [təʊl] *n* Gebühr *f* ♦ *vi* (*bell*) läuten
tomato [tə'mɑːtəʊ] (*pl* ~**es**) *n* Tomate *f*
tomb [tuːm] *n* Grab(mal) *nt*
tomboy ['tɒmbɔɪ] *n* Wildfang *m*
tombstone ['tuːmstəʊn] *n* Grabstein *m*
tomcat ['tɒmkæt] *n* Kater *m*
tomorrow [tə'mɒrəʊ] *n* Morgen *nt* ♦ *adv* morgen; **the day after** ~ übermorgen; ~ **morning** morgen früh; **a week** ~ morgen in einer Woche
ton [tʌn] *n* Tonne *f* (*BRIT* = 1016kg; *US* =

907kg); (*NAUT: also: register* ~) Registertonne *f*; ~**s of** (*inf*) eine Unmenge von

tone [təʊn] *n* Ton *m*; ~ **down** *vt* (*criticism, demands*) mäßigen; (*colours*) abtonen; ~ **up** *vt* in Form bringen; ~**-deaf** *adj* ohne musikalisches Gehör

tongs [tɒŋz] *npl* Zange *f*; (*curling* ~) Lockenstab *m*

tongue [tʌŋ] *n* Zunge *f*; (*language*) Sprache *f*; **with** ~ **in cheek** scherzhaft; ~**-tied** *adj* stumm, sprachlos; ~**-twister** *n* Zungenbrecher *m*

tonic ['tɒnɪk] *n* (*MED*) Stärkungsmittel *nt*; (*drink*) Tonic *nt*

tonight [tə'naɪt] *adv* heute abend

tonsil ['tɒnsl] *n* Mandel *f*; ~**litis** [tɒnsɪ'laɪtɪs] *n* Mandelentzündung *f*

too [tuː] *adv* zu; (*also*) auch; ~ **bad!** Pech!; ~ **many** zu viele

took [tʊk] *pt of* **take**

tool [tuːl] *n* (*also fig*) Werkzeug *nt*; ~**box** *n* Werkzeugkasten *m*

toot [tuːt] *n* Hupen *nt* ♦ *vi* tuten; (*AUT*) hupen

tooth [tuːθ] (*pl* **teeth**) *n* Zahn *m*; ~**ache** *n* Zahnschmerzen *pl*, Zahnweh *nt*; ~**brush** *n* Zahnbürste *f*; ~**paste** *n* Zahnpasta *f*; ~**pick** *n* Zahnstocher *m*

top [tɒp] *n* Spitze *f*; (*of mountain*) Gipfel *m*; (*of tree*) Wipfel *m*; (*toy*) Kreisel *m*; (~ *gear*) vierte(r)/fünfte(r) Gang *m* ♦ *adj* oberste(r, s) ♦ *vt* (*list*) an erster Stelle stehen auf +*dat*; **on** ~ **of** oben auf +*dat*; **from** ~ **to bottom** von oben bis unten; ~ **off** (*US*) *vt* auffüllen; ~ **up** *vt* auffüllen; ~ **floor** *n* oberste(s) Stockwerk *nt*; ~ **hat** *n* Zylinder *m*; ~**-heavy** *adj* kopflastig

topic ['tɒpɪk] *n* Thema *nt*, Gesprächsgegenstand *m*; ~**al** *adj* aktuell

topless ['tɒpləs] *adj* (*bather etc*) oben ohne

top-level ['tɒp'levl] *adj* auf höchster Ebene

topmost ['tɒpməʊst] *adj* oberste(r, s)

topple ['tɒpl] *vt, vi* stürzen, kippen

top-secret ['tɒp'siːkrət] *adj* streng geheim

topsy-turvy ['tɒpsɪ'tɜːvɪ] *adv* durcheinander ♦ *adj* auf den Kopf gestellt

torch [tɔːtʃ] *n* (*BRIT: ELEC*) Taschenlampe *f*; (*with flame*) Fackel *f*

tore [tɔː*] *pt of* **tear**[1]

torment [*n* 'tɔːment, *vb* tɔː'ment] *n* Qual *f* ♦ *vt* (*distress*) quälen

torn [tɔːn] *pp of* **tear**[1] ♦ *adj* hin- und hergerissen

torrent ['tɒrənt] *n* Sturzbach *m*; ~**ial** [tə'renʃəl] *adj* wolkenbruchartig

torrid ['tɒrɪd] *adj* heiß

tortoise ['tɔːtəs] *n* Schildkröte *f*; ~**shell** ['tɔːtəʃel] *n* Schildpatt *nt*

tortuous ['tɔːtjʊəs] *adj* gewunden

torture ['tɔːtʃə*] *n* Folter *f* ♦ *vt* foltern

Tory ['tɔːrɪ] (*BRIT*) *n* (*POL*) Tory *m* ♦ *adj* Tory-, konservativ

toss [tɒs] *vt* schleudern; **to** ~ **a coin** *or* **to** ~ **up for sth** etw mit einer Münze entscheiden; **to** ~ **and turn** (*in bed*) sich hin und her werfen

tot [tɒt] *n* (*small quantity*) bißchen *nt*; (*small child*) Knirps *m*

total ['təʊtl] *n* Gesamtheit *f*; (*money*) Endsumme *f* ♦ *adj* Gesamt-, total ♦ *vt* (*add up*) zusammenzählen; (*amount to*) sich belaufen auf

totalitarian [təʊtælɪ'tɛərɪən] *adj* totalitär

totally ['təʊtəlɪ] *adv* total

totter ['tɒtə*] *vi* wanken, schwanken

touch [tʌtʃ] *n* Berührung *f*; (*sense of feeling*) Tastsinn *m* ♦ *vt* (*feel*) berühren; (*come against*) leicht anstoßen; (*emotionally*) rühren; **a** ~ **of** (*fig*) eine Spur von; **to get in** ~ **with sb** sich mit jdm in Verbindung setzen; **to lose** ~ (*friends*) Kontakt verlieren; ~ **on** *vt fus* (*topic*) berühren, erwähnen; ~ **up** *vt* (*paint*) auffrischen; ~**and-go** *adj* riskant, knapp; ~**down** *n* Landen *nt*, Niedergehen *nt*; (*US*) gelandet; ~**ed** *adj* (*moved*) gerührt; ~**ing** *adj* rührend; ~**line** *n* Seitenlinie *f*; ~**-sensitive screen** *n* (*COMPUT*) berührungsempfindlicher Bildschirm *m*; ~**y** *adj* empfindlich, reizbar

tough [tʌf] *adj* zäh; (*difficult*) schwierig ♦ *n* Schläger(typ) *m*; ~**en** *vt* zäh machen; (*make strong*) abhärten

toupee ['tuːpeɪ] *n* Toupet *nt*

tour ['tʊə*] *n* Tour *f* ♦ *vi* umherreisen; (*THEAT*) auf Tour sein; auf Tour gehen; ~**ing** *n* Umherreisen *nt*; (*THEAT*) Tournee *f*

tourism ['tʊərɪzm] *n* Fremdenverkehr *m*, Tourismus *m*

tourist ['tʊərɪst] *n* Tourist(in) *m(f)* ♦ *cpd* (*class*) Touristen-; ~ **office** *n* Verkehrsamt *nt*

tournament ['tʊənəmənt] *n* Turnier *nt*

tousled ['taʊzld] *adj* zerzaust

tout [taʊt] *vi*: **to** ~ **for** auf Kundenfang gehen für ♦ *n*: **ticket** ~ Kundenschlepper(in) *m(f)*

tow [təʊ] *vt* (ab)schleppen; **on** (*BRIT*) *or* **in** (*US*) ~ (*AUT*) im Schlepp

toward(s) [tə'wɔːd(z)] *prep* (*with time*) gegen; (*in direction of*) nach

towel ['taʊəl] *n* Handtuch *nt*; ~**ling** *n* (*fabric*) Frottee *nt or m*; ~ **rack** (*US*) *n* Handtuchstange *f*; ~ **rail** *n* Handtuchstange *f*

tower ['taʊə*] *n* Turm *m*; ~ **block** (*BRIT*) *n* Hochhaus *nt*; ~**ing** *adj* hochragend

town [taʊn] *n* Stadt *f*; **to go to** ~ (*fig*) sich ins Zeug legen; ~ **centre** *n* Stadtzentrum *nt*; ~ **clerk** *n* Stadtdirektor *m*; ~ **council** *n* Stadtrat *m*; ~ **hall** *n* Rathaus *nt*; ~ **plan** *n* Stadtplan *m*; ~ **planning** *n* Stadtplanung *f*

towrope ['təʊrəʊp] *n* Abschlepptau *nt*

tow truck (*US*) *n* (*breakdown lorry*) Abschleppwagen *m*

toxic ['tɒksɪk] *adj* giftig, Gift-

toy [tɔɪ] *n* Spielzeug *nt*; ~ **with** *vt fus* spielen mit; ~**shop** *n* Spielwarengeschäft *nt*

trace [treɪs] *n* Spur *f* ♦ *vt (follow a course)* nachspüren +*dat*; *(find out)* aufspüren; *(copy)* durchpausen; **tracing paper** *n* Pauspapier *nt*

track [træk] *n (mark)* Spur *f*; *(path)* Weg *m*; *(race~)* Rennbahn *f*; *(RAIL)* Gleis *nt* ♦ *vt* verfolgen; **to keep ~ of sb** jdn im Auge behalten; ~ **down** *vt* aufspüren; ~**suit** *n* Trainingsanzug *m*

tract [trækt] *n (of land)* Gebiet *nt*; *(booklet)* Traktat *nt*

traction ['trækʃən] *n (power)* Zugkraft *f*; *(AUT: grip)* Bodenhaftung *f*; *(MED)*: **in ~** im Streckverband

trade [treɪd] *n (commerce)* Handel *m*; *(business)* Geschäft *nt*, Gewerbe *nt*; *(people)* Geschäftsleute *pl*; *(skilled manual work)* Handwerk *nt* ♦ *vi*: **to ~ (in)** handeln (mit) ♦ *vt* tauschen; ~ **in** *vt* in Zahlung geben; ~ **fair** *n* Messe *nt*; ~-**in price** *n* Preis *m*, zu dem etw in Zahlung genommen wird; ~**mark** *n* Warenzeichen *nt*; ~ **name** *n* Handelsbezeichnung *f*; ~**r** *n* Händler *m*; ~**sman** *(irreg) n (shopkeeper)* Geschäftsmann *m*; *(workman)* Handwerker *m*; *(delivery man)* Lieferant *m*; ~ **union** *n* Gewerkschaft *f*; ~ **unionist** *n* Gewerkschaftler(in) *m(f)*

trading ['treɪdɪŋ] *n* Handel *m*; ~ **estate** *(BRIT) n* Industriegelände *nt*

tradition [trə'dɪʃən] *n* Tradition *f*; ~**al** *adj* traditionell, herkömmlich

traffic ['træfɪk] *n* Verkehr *m*; *(esp in drugs)*: ~ **(in)** Handel *m* (mit) ♦ *vi*: **to ~ in** *(esp drugs)* handeln mit; ~ **circle** *(US) n* Kreisverkehr *m*; ~ **jam** *n* Verkehrsstauung *f*; ~ **lights** *npl* Verkehrsampel *f*; ~ **warden** *n* ≈ Verkehrspolizist *m (ohne amtliche Befugnisse)*, Politesse *f (ohne amtliche Befugnisse)*

tragedy ['trædʒədɪ] *n* Tragödie *f*

tragic ['trædʒɪk] *adj* tragisch

trail [treɪl] *n (track)* Spur *f*; *(of smoke)* Rauchfahne *f*; *(of dust)* Staubwolke *f*; *(road)* Pfad *m*, Weg *m* ♦ *vt (animal)* verfolgen; *(person)* folgen +*dat*; *(drag)* schleppen ♦ *vi (hang loosely)* schleifen; *(plants)* sich ranken; *(be behind)* hinterherhinken; *(SPORT)* weit zurückliegen; *(walk)* zuckeln; ~ **behind** *vi* zurückbleiben; ~**er** *n* Anhänger *m*; *(US: caravan)* Wohnwagen *m*; *(for film)* Vorschau *f*; ~ **truck** *(US) n* Sattelschlepper *m*

train [treɪn] *n* Zug *m*; *(of dress)* Schleppe *f*; *(series)* Folge *f* ♦ *vt (teach: person)* ausbilden; *(: animal)* abrichten; *(: mind)* schulen; *(SPORT)* trainieren; *(aim)* richten ♦ *vi (exercise)* trainieren; *(study)* ausgebildet werden;

~ **of thought** Gedankengang *m*; **to ~ sth on** *(aim)* etw richten auf +*acc*; ~**ed** *adj (eye)* geschult; *(person, voice)* ausgebildet; ~**ee** [treɪ'niː] *n* Lehrling *m*; Praktikant(in) *m(f)*; ~**er** *n (SPORT)* Trainer *m*; Ausbilder *m*; ~**ing** *n (for occupation)* Ausbildung *f*; *(SPORT)* Training *nt*; **in ~ing** im Training; ~**ing college** *n* Pädagogische Hochschule *f*, Lehrerseminar *nt*; ~**ing shoes** *npl* Turnschuhe *pl*

traipse [treɪps] *vi* latschen

trait [treɪ(t)] *n* Zug *m*, Merkmal *nt*

traitor ['treɪtə*] *n* Verräter *m*

trajectory [trə'dʒektərɪ] *n* Flugbahn *f*

tram ['træm] *(BRIT) n (also: ~car)* Straßenbahn *f*

tramp [træmp] *n* Landstreicher *m* ♦ *vi (walk heavily)* stampfen, stapfen; *(travel on foot)* wandern

trample ['træmpl] *vt (nieder)trampeln ♦ *vi (herum)trampeln; **to ~ (underfoot)** herumtrampeln auf +*dat*

tranquil ['træŋkwɪl] *adj* ruhig, friedlich; ~**lity** *(US* ~**ity)** *n* Ruhe *f*; ~**lizer** *(US* ~**izer)** *n* Beruhigungsmittel *nt*

transact [træn'zækt] *vt* abwickeln; ~**ion** [træn'zækʃən] *n* Abwicklung *f*; *(piece of business)* Geschäft *nt*, Transaktion *f*

transcend [træn'send] *vt* übersteigen

transcript ['trænskrɪpt] *n* Abschrift *f*, Kopie *f*; *(JUR)* Protokoll *nt*; ~**ion** [træn'skrɪpʃən] *n* Transkription *f*; *(product)* Abschrift *f*

transfer [*n* 'trænsfə*, *vt* træns'fɜː*] *n (~ring)* Übertragung *f*; *(of business)* Umzug *m*; *(being ~red)* Versetzung *f*; *(design)* Abziehbild *nt*; *(SPORT)* Transfer *m* ♦ *vt (business)* verlegen; *(person)* versetzen; *(prisoner)* überführen; *(drawing)* übertragen; *(money)* überweisen; **to ~ the charges** *(BRIT: TEL)* ein R-Gespräch führen

transform [træns'fɔːm] *vt* umwandeln; ~**ation** [trænsfə'meɪʃən] *n* Umwandlung *f*, Verwandlung *f*; ~**er** *n (ELEC)* Transformator *m*

transfusion [træns'fjuːʒən] *n* Blutübertragung *f*, Transfusion *f*

transient ['trænzɪənt] *adj* kurz(lebig)

transistor [træn'zɪstə*] *n (ELEC)* Transistor *m*; *(radio)* Transistorradio *nt*

transit ['trænzɪt] *n*: **in ~** unterwegs

transition [træn'zɪʃən] *n* Übergang *m*; ~**al** *adj* Übergangs-

transit lounge *n (at airport etc)* Warteraum *m*

transitory ['trænzɪtərɪ] *adj* vorübergehend

translate [trænz'leɪt] *vt, vi* übersetzen

translation [trænz'leɪʃən] *n* Übersetzung *f*

translator [trænz'leɪtə*] *n* Übersetzer(in) *m(f)*

transmission [trænz'mɪʃən] *n (of information)* Übermittlung *f*; *(ELEC, MED, TV)* Übertragung *f*; *(AUT)* Getriebe *nt*

transmit [trænz'mɪt] *vt* (*message*) übermitteln; (*ELEC, MED, TV*) übertragen; **~ter** *n* Sender *m*

transparency [træns'pɛərənsɪ] *n* Durchsichtigkeit *f*; (*BRIT: PHOT*) Dia(positiv) *nt*

transparent [træns'pærənt] *adj* durchsichtig; (*fig*) offenkundig

transpire [træns'paɪə*] *vi* (*turn out*) sich herausstellen; (*happen*) passieren

transplant [*vb* træns'plɑːnt, *n* 'trænsplɑːnt] *vt* umpflanzen; (*MED, also fig: person*) verpflanzen ♦ *n* (*MED*) Transplantation *f*; (*organ*) Transplantat *nt*

transport [*n* 'trænspɔːt, *vb* træns'pɔːt] *n* Transport *m*, Beförderung *f* ♦ *vt* befördern; transportieren; **means of ~** Transportmittel *nt*; **~ation** [trænspɔː'teɪʃən] *n* Transport *m*, Beförderung *f*; (*means*) Beförderungsmittel *nt*; (*cost*) Transportkosten *pl*; **~ café** (*BRIT*) *n* Fernfahrerlokal *nt*

transverse ['trænzvɜːs] *adj* Quer-; (*position*) horizontal; (*engine*) querliegend

trap [træp] *n* Falle *f*; (*carriage*) zweirädrige(r) Einspänner *m*; (*inf: mouth*) Klappe *f* ♦ *vt* fangen; (*person*) in eine Falle locken; **~door** *n* Falltür *f*

trappings ['træpɪŋz] *npl* Aufmachung *f*

trash [træʃ] *n* (*rubbish*) Plunder *m*; (*nonsense*) Mist *m*; **~ can** (*US*) *n* Mülleimer *m*

traumatic [trɔː'mætɪk] *adj* traumatisch

travel ['trævl] *n* Reisen *nt* ♦ *vi* reisen ♦ *vt* (*distance*) zurücklegen; (*country*) bereisen; **~s** *npl* (*journeys*) Reisen *pl*; **~ agency** *n* Reisebüro *nt*; **~ agent** *n* Reisebürokaufmann(frau) *m/f*; (*US ~er*) *n* Reisende(r) *mf*; (*salesman*) Handlungsreisende(r) *m*; **~ler's cheque** (*US ~er's check*) *n* Reisescheck *m*; **~ling** (*US ~ing*) *n* Reisen *nt*; **~ sickness** *n* Reisekrankheit *f*

trawler *n* (*NAUT, FISHING*) Fischdampfer *m*, Trawler *m*

tray [treɪ] *n* (*tea ~*) Tablett *nt*; (*receptacle*) Schale *f*; (*for mail*) Ablage *f*

treacherous ['tretʃərəs] *adj* verräterisch; (*road*) tückisch

treachery ['tretʃərɪ] *n* Verrat *m*

treacle ['triːkl] *n* Sirup *m*, Melasse *f*

tread [tred] (*pt* trod, *pp* trodden) *n* Schritt *m*, Tritt *m*; (*of stair*) Stufe *f*; (*on tyre*) Profil *nt* ♦ *vi* treten; **~ on** *vt fus* treten auf +acc

treason ['triːzn] *n* Verrat *m*

treasure ['treʒə*] *n* Schatz *m* ♦ *vt* schätzen

treasurer ['treʒərə*] *n* Kassenverwalter *m*, Schatzmeister *m*

treasury ['treʒərɪ] *n* (*POL*) Finanzministerium *nt*

treat [triːt] *n* besondere Freude *f* ♦ *vt* (*deal with*) behandeln; **to ~ sb to sth** jdm etw spendieren

treatise ['triːtɪz] *n* Abhandlung *f*

treatment ['triːtmənt] *n* Behandlung *f*

treaty ['triːtɪ] *n* Vertrag *m*

treble ['trebl] *adj* dreifach ♦ *vt* verdreifachen; **~ clef** *n* Violinschlüssel *m*

tree [triː] *n* Baum *m*; **~ trunk** *n* Baumstamm *m*

trek [trek] *n* Treck *m*, Zug *m*; (*inf*) anstrengende(r) Weg *m* ♦ *vi* trecken

trellis ['trelɪs] *n* Gitter *nt*; (*for gardening*) Spalier *nt*

tremble ['trembl] *vi* zittern; (*ground*) beben

trembling ['tremblɪŋ] *n* Zittern *nt* ♦ *adj* zitternd

tremendous [trə'mendəs] *adj* gewaltig, kolossal; (*inf: very good*) prima

tremor ['tremə*] *n* Zittern *nt*; (*of earth*) Beben *nt*

trench [trentʃ] *n* Graben *m*; (*MIL*) Schützengraben *m*

trend [trend] *n* Tendenz *f*; **~y** (*inf*) *adj* modisch

trepidation [trepɪ'deɪʃən] *n* Beklommenheit *f*

trespass ['trespəs] *vi*: **to ~ on** widerrechtlich betreten; **"no ~ing"** „Betreten verboten"

tress [tres] *n* Locke *f*

trestle ['tresl] *n* Bock *m*; **~ table** *n* Klapptisch *m*

trial ['traɪəl] *n* (*JUR*) Prozeß *m*; (*test*) Versuch *m*, Probe *f*; (*hardship*) Prüfung *f*; **by ~ and error** durch Ausprobieren

triangle ['traɪæŋgl] *n* Dreieck *nt*; (*MUS*) Triangel *f*

triangular [traɪ'æŋgjʊlə*] *adj* dreieckig

tribal ['traɪbəl] *adj* Stammes-

tribe [traɪb] *n* Stamm *m*; **~sman** (*irreg*) *n* Stammesangehörige(r) *m*

tribulation [trɪbjʊ'leɪʃən] *n* Not *f*, Mühsal *f*

tribunal [traɪ'bjuːnl] *n* Gericht *nt*; (*inquiry*) Untersuchungsausschuß *m*

tributary ['trɪbjʊtərɪ] *n* Nebenfluß *m*

tribute ['trɪbjuːt] *n* (*admiration*) Zeichen *nt* der Hochachtung; **to pay ~ to sb/sth** jdm/einer Sache Tribut zollen

trick [trɪk] *n* Trick *m*; (*CARDS*) Stich *m* ♦ *vt* überlisten, beschwindeln; **to play a ~ on sb** jdm einen Streich spielen; **that should do the ~** daß müßte eigentlich klappen; **~ery** *n* Tricks *pl*

trickle ['trɪkl] *n* Tröpfeln *nt*; (*small river*) Rinnsal *nt* ♦ *vi* tröpfeln; (*seep*) sickern

tricky ['trɪkɪ] *adj* (*problem*) schwierig; (*situation*) kitzlig

tricycle ['traɪsɪkl] *n* Dreirad *nt*

trifle ['traɪfl] *n* Kleinigkeit *f*; (*COOK*) Trifle *m* ♦ *adv*: **a ~ ...** ein bißchen ...

trifling ['traɪflɪŋ] *adj* geringfügig

trigger ['trɪgə*] *n* Drücker *m*; **~ off** *vt* auslösen

trim [trɪm] *adj* gepflegt; (*figure*) schlank ♦ *n* (*gute*) Verfassung *f*; (*embellishment, on car*) Verzierung *f* ♦ *vt* (*clip*) schneiden; (*trees*) stutzen; (*decorate*) besetzen; (*sails*) trim-

men; ~**mings** npl (decorations) Verzierung f, Verzierungen pl; (extras) Zubehör nt
Trinity ['trɪnɪtɪ] n: **the ~** die Dreieinigkeit f
trinket ['trɪŋkɪt] n kleine(s) Schmuckstück nt
trip [trɪp] n (kurze) Reise f; (outing) Ausflug m; (stumble) Stolpern nt ♦ vi (walk quickly) trippeln; (stumble) stolpern; **on a ~** auf Reisen; **~ up** vi stolpern; (fig) stolpern, einen Fehler machen ♦ vt zu Fall bringen; (fig) hereinlegen
tripe [traɪp] n (food) Kutteln pl; (rubbish) Mist m
triple ['trɪpl] adj dreifach
triplets ['trɪplɪts] npl Drillinge pl
triplicate ['trɪplɪkət] n: **in ~** in dreifacher Ausfertigung
tripod ['traɪpɒd] n (PHOT) Stativ nt
trite [traɪt] adj banal
triumph ['traɪʌmf] n Triumph m ♦ vi: **to ~ (over)** triumphieren (über +acc); ~**ant** [traɪ'ʌmfənt] adj triumphierend
trivia ['trɪvɪə] npl Trivialitäten pl
trivial ['trɪvɪəl] adj gering(fügig), trivial
trod [trɒd] pt of **tread**; ~**den** ['trɒdn] pp of **tread**
trolley ['trɒlɪ] n Handwagen m; (in shop) Einkaufswagen m; (for luggage) Kofferkuli m; (table) Teewagen m; ~ **bus** n Oberleitungsbus m, Obus m
trombone [trɒm'bəun] n Posaune f
troop [truːp] n Schar f, (MIL) Trupp m; ~**s** npl Truppen pl; ~ **in/out** vi hinein-/hinausströmen; ~**ing the colour** n (ceremony) Fahnenparade f
trophy ['trəufɪ] n Trophäe f
tropic ['trɒpɪk] n Wendekreis m; ~**al** adj tropisch
trot [trɒt] n Trott m ♦ vi trotten; **on the ~** (BRIT: fig: inf) in einer Tour
trouble ['trʌbl] n (problems) Ärger m; (worry) Sorge f; (in country, industry) Unruhen pl; (effort) Mühe f; (MED): **stomach ~** Magenbeschwerden pl ♦ vt (disturb) stören; ~**s** npl (POL etc) Unruhen pl; **to ~ to do sth** sich bemühen, etw zu tun; **to be in ~** Probleme or Ärger haben; **to go to the ~ of doing sth** sich die Mühe machen, etw zu tun; **what's the ~?** was ist los?; (to sick person) wo fehlt's?; ~**d** adj (person) beunruhigt; (country) geplagt; ~-**free** adj sorglos; ~**maker** n Unruhestifter m; ~-**shooter** n Vermittler m; ~**some** adj lästig, unangenehm; (child) schwierig
trough [trɒf] n (vessel) Trog m; (channel) Rinne f, Kanal m; (MET) Tief nt
trounce [trauns] vt (esp SPORT) vernichtend schlagen
trousers ['trauzəz] npl Hose f
trout [traut] n Forelle f
trowel ['trauəl] n Kelle f
truant ['truənt] n: **to play ~** (BRIT) (die Schule) schwänzen
truce [truːs] n Waffenstillstand m
truck [trʌk] n Lastwagen m; (RAIL) offene(r) Güterwagen m; ~ **driver** n Lastwagenfahrer m; ~ **farm** (US) n Gemüsegärtnerei f
truculent ['trʌkjulənt] adj trotzig
trudge [trʌdʒ] vi sich (mühselig) dahinschleppen
true [truː] adj (exact) wahr; (genuine) echt; (friend) treu
truffle ['trʌfl] n Trüffel f or m
truly ['truːlɪ] adv wirklich; **yours ~** Ihr sehr ergebener
trump [trʌmp] n (CARDS) Trumpf m; ~**ed-up** adj erfunden
trumpet ['trʌmpɪt] n Trompete f
truncheon ['trʌntʃən] n Gummiknüppel m
trundle ['trʌndl] vt schieben ♦ vi: **to ~ along** entlangrollen
trunk [trʌŋk] n (of tree) (Baum)stamm m; (ANAT) Rumpf m; (box) Truhe f, Überseekoffer m; (of elephant) Rüssel m; (US: AUT) Kofferraum m; ~**s** npl (also: swimming ~s) Badehose f
truss [trʌs] n (MED) Bruchband nt ♦ vt (also: ~ up) fesseln
trust [trʌst] n (confidence) Vertrauen nt; (for property etc) Treuhandvermögen nt ♦ vt (rely on) vertrauen +dat, sich verlassen auf +acc; (hope) hoffen; (entrust): **to ~ sth to sb** jdm etw anvertrauen; ~**ed** adj treu; ~**ee** [trʌs'tiː] n Vermögensverwalter m; ~**ful** adj vertrauensvoll; ~**ing** adj vertrauensvoll; ~**worthy** adj vertrauenswürdig; (account) glaubwürdig
truth [truːθ, pl truːðz] n Wahrheit f, ~**ful** adj ehrlich
try [traɪ] n Versuch m ♦ vt (attempt) versuchen; (test) (aus)probieren; (JUR: person) unter Anklage stellen; (: case) verhandeln; (courage, patience) auf die Probe stellen ♦ vi (make effort) versuchen, sich bemühen; **to have a ~** es versuchen; **to ~ to do sth** versuchen, etw zu tun; ~ **on** vt (dress) anprobieren; (hat) aufprobieren; ~ **out** vt ausprobieren; ~**ing** adj schwierig
T-shirt ['tiːʃɜːt] n T-shirt nt
T-square ['tiːskwɛə*] n Reißschiene f
tub [tʌb] n Wanne f, Kübel m; (for margarine etc) Becher m
tubby ['tʌbɪ] adj rundlich
tube [tjuːb] n (pipe) Röhre f, Rohr nt; (for toothpaste etc) Tube f; (in London) U-Bahn f; (AUT: for tyre) Schlauch m; ~ **station** n (in London) U-Bahnstation f
tubing ['tjuːbɪŋ] n Schlauch m
tubular ['tjuːbjulə*] adj röhrenförmig
TUC (BRIT) n abbr = **Trades Union Congress**
tuck [tʌk] n (fold) Falte f, Einschlag m ♦ vt (put) stecken; (gather) fälteln, einschlagen; ~ **away** vt wegstecken; ~ **in** vt hinein-

stecken; (*blanket etc*) feststecken; (*person*)
zudecken ♦ *vi* (*eat*) hineinhauen, zulangen;
~ **up** *vt* (*child*) warm zudecken; ~ **shop** *n*
Süßwarenladen *m*

Tuesday ['tjuːzdeɪ] *n* Dienstag *m*

tuft [tʌft] *n* Büschel *m*

tug [tʌg] *n* (*jerk*) Zerren *nt*, Ruck *m*;
(*NAUT*) Schleppdampfer *m* ♦ *vt, vi* zerren,
ziehen; (*boat*) schleppen; ~**-of-war** *n* Tau-
ziehen *nt*

tuition [tjuː'ɪʃən] *n* (*BRIT*) Unterricht *m*; (:
private ~) Privatunterricht *m*; (*US: school
fees*) Schulgeld *nt*

tulip ['tjuːlɪp] *n* Tulpe *f*

tumble ['tʌmbl] *n* (*fall*) Sturz *m* ♦ *vi* fallen,
stürzen; ~ **to** *vt fus* kapieren; ~**down** *adj*
baufällig; ~ **dryer** (*BRIT*) *n* Trockner *m*;
~**r** ['tʌmblə*] *n* (*glass*) Trinkglas *nt*

tummy ['tʌmɪ] (*inf*) *n* Bauch *m*

tumour ['tjuːmə*] (*US* **tumor**) *n* Geschwulst *f*, Tumor *m*

tumultuous [tjuː'mʌltjʊəs] *adj* (*welcome,
applause etc*) stürmisch

tuna ['tjuːnə] *n* Thunfisch *m*

tune [tjuːn] *n* Melodie *f* ♦ *vt* (*MUS*) stimmen; (*AUT*) richtig einstellen; **to sing in
~/out of** ~ richtig/falsch singen; **to be out
of** ~ **with** nicht harmonieren mit; ~ **in** *vi*
einschalten; ~ **up** *vi* (*MUS*) stimmen; ~**ful**
adj melodisch; ~**r** *n* (*person*) (Instrumen-
ten)stimmer *m*; (*part of radio*) Tuner *m*;
piano ~**r** Klavierstimmer(in) *m(f)*

tunic ['tjuːnɪk] *n* Waffenrock *m*; (*loose garment*) lange Bluse *f*

tuning ['tjuːnɪŋ] *n* (*RAD, AUT*) Einstellen *nt*;
(*MUS*) Stimmen *nt*; ~ **fork** *n* Stimmgabel *f*

Tunisia [tjuː'nɪzɪə] *n* Tunesien *nt*

tunnel ['tʌnl] *n* Tunnel *m*, Unterführung *f* ♦
vi einen Tunnel anlegen

turbulent ['tɜːbjʊlənt] *adj* stürmisch

tureen [tjʊ'riːn] *n* Terrine *f*

turf [tɜːf] *n* Rasen *m*; (*piece*) Sode *f* ♦ *vt* mit
Grassoden belegen; ~ **out** (*inf*) *vt* rauswerfen

turgid ['tɜːdʒɪd] *adj* geschwollen

Turk [tɜːk] *n* Türke *m*, Türkin *f*

Turkey ['tɜːkɪ] *n* Türkei *f*

turkey ['tɜːkɪ] *n* Puter *m*, Truthahn *m*

Turkish ['tɜːkɪʃ] *adj* türkisch ♦ *n* (*LING*)
Türkisch *nt*

turmoil ['tɜːmɔɪl] *n* Aufruhr *m*, Tumult *m*

turn [tɜːn] *n* (*rotation*) (Um)drehung *f*; (*performance*) (Programm)nummer *f*; (*MED*)
Schock *m* ♦ *vt* (*rotate*) drehen; (*change position of*) umdrehen, wenden; (*page*) umblättern; (*transform*): **to** ~ **sth into sth** etw
in etw *acc* verwandeln; (*direct*) zuwenden ♦
vi (*rotate*) sich drehen; (*change direction: in
car*) abbiegen; (: *wind*) drehen; (~ *round*)
umdrehen, wenden; (*become*) werden;
(*leaves*) sich verfärben; (*milk*) sauer werden; (*weather*) umschlagen; **to do sb a**

good ~ jdm etwas Gutes tun; **it's your** ~
du bist dran *or* an der Reihe; **in** ~, **by** ~**s**
abwechselnd; **to take** ~**s** sich abwechseln;
it gave me quite a ~ das hat mich schön
erschreckt; "**no left** ~" (*AUT*) „Linksabbie-
gen verboten"; ~ **away** *vi* sich abwenden;
~ **back** *vt* umdrehen; (*person*) zurückschicken; (*clock*) zurückstellen ♦ *vi* umkehren; ~ **down** *vt* (*refuse*) ablehnen; (*fold
down*) umschlagen; ~ **in** *vi* (*go to bed*) ins
Bett gehen ♦ *vt* (*fold inwards*) einwärts biegen; ~ **off** *vi* abbiegen ♦ *vt* ausschalten;
(*tap*) zudrehen; (*machine, electricity*) abstellen; ~ **on** *vt* (*light*) anschalten, einschalten;
(*tap*) aufdrehen; (*machine*) anstellen; ~ **out**
vi (*prove to be*) sich erweisen; (*people*) sich
entwickeln ♦ *vt* (*light*) ausschalten; (*gas*)
abstellen; (*produce*) produzieren; **how did
the cake** ~ **out?** wie ist der Kuchen geworden?; ~ **round** *vi* (*person, vehicle*) sich
herumdrehen; (*rotate*) sich drehen; ~ **up** *vi*
auftauchen; (*happen*) passieren, sich ereignen ♦ *vt* (*collar*) hochklappen, hochstellen;
(*nose*) rümpfen; (*increase: radio*) lauter stellen; (: *heat*) höher drehen; ~**ing** *n* (*in road*)
Abzweigung *f*; ~**ing point** *n* Wendepunkt
m

turnip ['tɜːnɪp] *n* Steckrübe *f*

turnout ['tɜːnaʊt] *n* (Besucher)zahl *f*;
(*COMM*) Produktion *f*

turnover ['tɜːnəʊvə*] *n* Umsatz *m*; (*of staff*)
Wechsel *m*

turnpike ['tɜːnpaɪk] (*US*) *n* ge-
bührenpflichtige Straße *f*

turnstile ['tɜːnstaɪl] *n* Drehkreuz *nt*

turntable ['tɜːnteɪbl] *n* (*of record player*)
Plattenteller *m*; (*RAIL*) Drehscheibe *f*

turn-up ['tɜːnʌp] (*BRIT*) *n* (*on trousers*)
Aufschlag *m*

turpentine ['tɜːpəntaɪn] *n* Terpentin *nt*

turquoise ['tɜːkwɔɪz] *n* (*gem*) Türkis *m*;
(*colour*) Türkis *nt* ♦ *adj* türkisfarben

turret ['tʌrɪt] *n* Turm *m*

turtle ['tɜːtl] *n* Schildkröte *f*; ~ **neck
(sweater)** *n* Pullover *m* mit Schild-
krötkragen

tusk [tʌsk] *n* Stoßzahn *m*

tussle ['tʌsl] *n* Balgerei *f*

tutor ['tjuːtə*] *n* (*teacher*) Privatlehrer *m*;
(*college instructor*) Tutor *m*; ~**ial**
[tjuː'tɔːrɪəl] *n* (*UNIV*) Kolloquium *nt*, Semi-
narübung *f*

tuxedo [tʌk'siːdəʊ] (*US*) *n* Smoking *m*

TV ['tiː'viː] *n abbr* (= *television*) TV *nt*

twang [twæŋ] *n* scharfe(r) Ton *m*; (*of
voice*) Näseln *nt*

tweezers ['twiːzəz] *npl* Pinzette *f*

twelfth [twelfθ] *adj* zwölfte(r, s)

twelve [twelv] *num* zwölf; **at** ~ **o'clock**
(*midday*) um 12 Uhr; (*midnight*) um Null
Uhr

twentieth ['twentɪɪθ] *adj* zwanzigste(r, s)

twenty ['twɛntɪ] *num* zwanzig

twice [twaɪs] *adv* zweimal; ~ **as much** doppelt soviel

twiddle ['twɪdl] *vt, vi*: to ~ (with) sth etw *dat* herumdrehen; to ~ one's thumbs (*fig*) Däumchen drehen

twig [twɪg] *n* dünne(r) Zweig *m* ♦ *vt* (*inf*) kapieren, merken

twilight ['twaɪlaɪt] *n* Zwielicht *nt*

twin [twɪn] *n* Zwilling *m* ♦ *adj* Zwillings-; (*very similar*) Doppel- ♦ *vt* (*towns*) zu Partnerstädten machen; ~**-bedded room** *n* Zimmer *nt* mit zwei Einzelbetten

twine [twaɪn] *n* Bindfaden *m* ♦ *vi* (*plants*) sich ranken

twinge [twɪndʒ] *n* stechende(r) Schmerz *m*, Stechen *nt*

twinkle ['twɪŋkl] *n* Funkeln *nt*, Blitzen *nt* ♦ *vi* funkeln

twirl [twɜːl] *n* Wirbel *m* ♦ *vt* (herum)wirbeln ♦ *vi* wirbeln

twist [twɪst] *n* (~*ing*) Drehung *f*; (*bend*) Kurve *f* ♦ *vt* (*turn*) drehen; (*make crooked*) verbiegen; (*distort*) verdrehen ♦ *vi* (*wind*) sich drehen; (*curve*) sich winden

twit [twɪt] (*inf*) *n* Idiot *m*

twitch [twɪtʃ] *n* Zucken *nt* ♦ *vi* zucken

two [tuː] *num* zwei; to put ~ and ~ together eine Schlüsse ziehen; ~**-door** *adj* zweitürig; ~**-faced** *adj* falsch; ~**fold** *adj, adv* zweifach, doppelt; to increase ~**fold** verdoppeln; ~**-piece** *adj* zweiteilig; ~**-piece (suit)** *n* Zweiteiler *m*; ~**-piece (swimsuit)** *n* zweiteilige(r) Badeanzug *m*; ~**-seater** *n* (*plane, car*) Zweisitzer *m*; ~**some** *n* Paar *nt*; ~**-way** *adj* (*traffic*) Gegen-

tycoon [taɪˈkuːn] *n*: (business) ~ (Industrie)magnat *m*

type [taɪp] *n* Typ *m*, Art *f*; (*PRINT*) Type *f* ♦ *vt, vi* maschineschreiben, tippen; ~**-cast** *adj* (*THEAT, TV*) auf eine Rolle festgelegt; ~**face** *n* Schrift *f*; ~**script** *n* maschinegeschriebene(r) Text *m*; ~**writer** *n* Schreibmaschine *f*; ~**written** *adj* maschinegeschrieben

typhoid ['taɪfɔɪd] *n* Typhus *m*

typical ['tɪpɪkəl] *adj*: ~ (of) typisch (für)

typify ['tɪpɪfaɪ] *vt* typisch sein für

typing ['taɪpɪŋ] *n* Maschineschreiben *nt*

typist ['taɪpɪst] *n* Maschinenschreiber(in) *m(f)*, Tippse *f* (*inf*)

tyrant ['taɪərnt] *n* Tyrann *m*

tyre [taɪə*] (*US* **tire**) *n* Reifen *m*; ~ **pressure** *n* Reifendruck *m*

U u

U-bend ['juːbɛnd] *n* (*in pipe*) U-Bogen *m*

ubiquitous [juːˈbɪkwɪtəs] *adj* überall zu findend; allgegenwärtig

udder ['ʌdə*] *n* Euter *nt*

UFO ['juːfəʊ] *n abbr* (= *unidentified flying object*) UFO *nt*

ugh [ɜːh] *excl* hu

ugliness ['ʌglɪnəs] *n* Häßlichkeit *f*

ugly ['ʌglɪ] *adj* häßlich; (*bad*) böse, schlimm

UK *n abbr* = **United Kingdom**

ulcer ['ʌlsə*] *n* Geschwür *nt*

Ulster ['ʌlstə*] *n* Ulster *nt*

ulterior [ʌlˈtɪərɪə*] *adj*: ~ motive Hintergedanke *m*

ultimate ['ʌltɪmət] *adj* äußerste(r, s), allerletzte(r, s); ~**ly** *adv* schließlich, letzten Endes

ultrasound ['ʌltrəsaʊnd] *n* (*MED*) Ultraschall *m*

umbilical cord [ʌmˈbɪlɪkl-] *n* Nabelschnur *f*

umbrella [ʌmˈbrɛlə] *n* Schirm *m*

umpire ['ʌmpaɪə*] *n* Schiedsrichter *m* ♦ *vt, vi* schiedsrichtern

umpteenth [ʌmpˈtiːnθ] (*inf*) *num* zig; for the ~ time zum X-ten Mal

UN *n abbr* = **United Nations**

unable ['ʌnˈeɪbl] *adj*: to be ~ to do sth etw nicht tun können

unaccompanied ['ʌnəˈkʌmpənɪd] *adj* ohne Begleitung

unaccountably ['ʌnəˈkaʊntəblɪ] *adv* unerklärlich

unaccustomed ['ʌnəˈkʌstəmd] *adj* nicht gewöhnt; (*unusual*) ungewohnt; ~ to nicht gewöhnt an +*acc*

unanimous [juːˈnænɪməs] *adj* einmütig; (*vote*) einstimmig; ~**ly** *adv* einmütig; einstimmig

unarmed [ʌnˈɑːmd] *adj* unbewaffnet

unashamed ['ʌnəˈʃeɪmd] *adj* schamlos

unassuming ['ʌnəˈsjuːmɪŋ] *adj* bescheiden

unattached ['ʌnəˈtætʃt] *adj* ungebunden

unattended ['ʌnəˈtɛndɪd] *adj* (*person*) unbeaufsichtigt; (*thing*) unbewacht

unauthorized ['ʌnˈɔːθəraɪzd] *adj* unbefugt

unavoidable [ʌnəˈvɔɪdəbl] *adj* unvermeidlich

unaware ['ʌnəˈwɛə*] *adj*: to be ~ of sth sich *dat* einer Sache *gen* nicht bewußt sein;

~s adv unversehens
unbalanced ['ʌn'bælənst] adj unausgegli-chen; (mentally) gestört
unbearable [ʌn'bɛərəbl] adj unerträglich
unbeatable ['ʌn'biːtəbl] adj unschlagbar
unbeknown(st) ['ʌnbɪ'nəʊn(st)] adv: ~ to me ohne mein Wissen
unbelievable [ʌnbɪ'liːvəbl] adj unglaublich
unbend ['ʌn'bend] (irreg: like **bend**) vt ge-radebiegen ♦ vi aus sich herausgehen
unbias(s)ed ['ʌn'baɪəst] adj unparteiisch
unbreakable ['ʌn'breɪkəbl] adj unzerbrech-lich
unbridled [ʌn'braɪdld] adj ungezügelt
unbroken ['ʌn'brəʊkən] adj (period) unun-terbrochen; (spirit) ungebrochen; (record) unübertroffen
unburden [ʌn'bɜːdn] vt: to ~ o.s. (jdm) sein Herz ausschütten
unbutton ['ʌn'bʌtn] vt aufknöpfen
uncalled-for [ʌn'kɔːldfɔː*] adj unnötig
uncanny [ʌn'kænɪ] adj unheimlich
unceasing [ʌn'siːsɪŋ] adj unaufhörlich
unceremonious ['ʌnserɪ'məʊnɪəs] adj (abrupt, rude) brüsk; (exit, departure) überstürzt
uncertain [ʌn'sɜːtn] adj unsicher; (doubtful) ungewiß; (unreliable) unbeständig; (vague) undeutlich, vag(e); **~ty** n Ungewißheit f
unchanged ['ʌn'tʃeɪndʒd] adj unverändert
unchecked ['ʌn'tʃekt] adj ungeprüft; (not stopped: advance) ungehindert
uncivilized ['ʌn'sɪvɪlaɪzd] adj unzivilisiert
uncle ['ʌŋkl] n Onkel m
uncomfortable [ʌn'kʌmfətəbl] adj unbe-quem, ungemütlich
uncommon [ʌn'kɒmən] adj ungewöhnlich; (outstanding) außergewöhnlich
uncompromising [ʌn'kɒmprəmaɪzɪŋ] adj kompromißlos, unnachgiebig
unconcerned [ʌnkən'sɜːnd] adj unbe-kümmert; (indifferent) gleichgültig
unconditional ['ʌnkən'dɪʃənl] adj bedin-gungslos
uncongenial ['ʌnkən'dʒiːnɪəl] adj unange-nehm
unconscious [ʌn'kɒnʃəs] adj (MED) be-wußtlos; (not meant) unbeabsichtigt ♦ n: **the** ~ das Unbewußte; **~ly** adv unbewußt
uncontrollable ['ʌnkən'trəʊləbl] adj un-kontrollierbar, unbändig
unconventional [ʌnkən'venʃənl] adj un-konventionell
uncouth [ʌn'kuːθ] adj grob
uncover [ʌn'kʌvə*] vt aufdecken
undecided ['ʌndɪ'saɪdɪd] adj unschlüssig
undeniable [ʌndɪ'naɪəbl] adj unleugbar
under ['ʌndə*] prep unter ♦ adv darunter; ~ **there** da drunter; ~ **repair** in Reparatur; **~age** [ʌndər'eɪdʒ] adj minderjährig
undercarriage ['ʌndəkærɪdʒ] (BRIT) n (AVIAT) Fahrgestell nt

undercharge [ʌndə'tʃɑːdʒ] vt: to ~ **sb** jdm zu wenig berechnen
underclothes ['ʌndəkləʊðz] npl Unter-wäsche f
undercoat ['ʌndəkəʊt] n (paint) Grundie-rung f
undercover ['ʌndəkʌvə*] adj Geheim-
undercurrent ['ʌndəkʌrənt] n Unter-strömung f
undercut ['ʌndəkʌt] (irreg: like **cut**) vt unterbieten
underdeveloped ['ʌndədɪ'veləpt] adj Entwicklungs-, unterentwickelt
underdog ['ʌndədɒg] n Unterlegene(r) mf
underdone ['ʌndə'dʌn] adj (COOK) nicht gar, nicht durchgebraten
underestimate ['ʌndər'estɪmeɪt] vt unter-schätzen
underexposed ['ʌndərɪks'pəʊzd] adj unter-belichtet
underfed ['ʌndə'fed] adj unterernährt
underfoot ['ʌndə'fʊt] adv am Boden
undergo ['ʌndə'gəʊ] (irreg: like **go**) vt (ex-perience) durchmachen; (operation, test) sich unterziehen +dat
undergraduate ['ʌndə'grædjʊət] n Stu-dent(in) m(f)
underground ['ʌndəgraʊnd] n U-Bahn f ♦ adj Untergrund-
undergrowth ['ʌndəgrəʊθ] n Gestrüpp nt, Unterholz nt
underhand(ed) ['ʌndə'hænd(ɪd)] adj hin-terhältig
underlie [ʌndə'laɪ] (irreg: like **lie**) vt (form the basis of) zugrundeliegen +dat
underline [ʌndə'laɪn] vt unterstreichen; (emphasize) betonen
underling ['ʌndəlɪŋ] n Handlanger m
undermine [ʌndə'maɪn] vt untergraben
underneath ['ʌndə'niːθ] adv darunter ♦ prep unter
underpaid ['ʌndə'peɪd] adj unterbezahlt
underpants ['ʌndəpænts] npl Unterhose f
underpass ['ʌndəpɑːs] (BRIT) n Unter-führung f
underprivileged ['ʌndə'prɪvɪlɪdʒd] adj be-nachteiligt, unterprivilegiert
underrate [ʌndə'reɪt] vt unterschätzen
undershirt ['ʌndəʃɜːt] (US) n Unterhemd nt
undershorts ['ʌndəʃɔːts] (US) npl Unter-hose f
underside ['ʌndəsaɪd] n Unterseite f
underskirt ['ʌndəskɜːt] (BRIT) n Unterrock m
understand [ʌndə'stænd] (irreg: like **stand**) vt, vi verstehen; **I ~ that ...** ich habe ge-hört, daß ...; **am I to ~ that ...?** soll das (etwa) heißen, daß ...?; **what do you ~ by that?** was verstehen Sie darunter?; **it is un-derstood that ...** es wurde vereinbart, daß ...; **to make o.s. understood** sich ver-

ständlich machen; **is that understood?** ist das klar?; **~able** adj verständlich; **~ing** n Verständnis nt ♦ adj verständnisvoll

understatement ['ʌndəsteɪtmənt] n (quality) Untertreibung f; **that's an ~!** das ist untertrieben!

understood [ʌndə'stʊd] pt, pp of **understand** ♦ adj klar; (implied) angenommen

understudy ['ʌndəstʌdɪ] n Ersatz(schau)spieler(in) m(f)

undertake [ʌndə'teɪk] (irreg: like **take**) vt unternehmen ♦ vi: **to ~ to do sth** sich verpflichten, etw zu tun

undertaker ['ʌndəteɪkə*] n Leichenbestatter m

undertaking [ʌndə'teɪkɪŋ] n (enterprise) Unternehmen nt; (promise) Verpflichtung f

undertone ['ʌndətəʊn] n: **in an ~** mit gedämpfter Stimme

underwater ['ʌndə'wɔːtə*] adv unter Wasser ♦ adj Unterwasser-

underwear ['ʌndəweə*] n Unterwäsche f

underworld ['ʌndəwɜːld] n (of crime) Unterwelt f

underwriter ['ʌndəraɪtə*] n Assekurant m

undesirable [ʌndɪ'zaɪərəbl] adj unerwünscht

undies ['ʌndɪz] (inf) npl (Damen)unterwäsche f

undisputed [ʌndɪs'pjuːtɪd] adj unbestritten

undo [ʌn'duː] (irreg: like **do**) vt (unfasten) öffnen, aufmachen; (work) zunichte machen; **~ing** n Verderben nt

undoubted [ʌn'daʊtɪd] adj unbezweifelt; **~ly** adv zweifellos, ohne Zweifel

undress [ʌn'dres] vt ausziehen ♦ vi sich ausziehen

undue [ʌn'djuː] adj übermäßig

undulating ['ʌndjʊleɪtɪŋ] adj wellenförmig; (country) wellig

unduly [ʌn'djuːlɪ] adv übermäßig

unearth [ʌn'ɜːθ] vt (dig up) ausgraben; (discover) ans Licht bringen

unearthly [ʌn'ɜːθlɪ] adj (hour) nachtschlafen

uneasy [ʌn'iːzɪ] adj (worried) unruhig; (feeling) ungut

uneconomic(al) ['ʌniːkə'nɒmɪk(əl)] adj unwirtschaftlich

uneducated ['ʌn'edjʊkeɪtɪd] adj ungebildet

unemployed ['ʌnɪm'plɔɪd] adj arbeitslos ♦ npl: **the ~** die Arbeitslosen pl

unemployment ['ʌnɪm'plɔɪmənt] n Arbeitslosigkeit f

unending [ʌn'endɪŋ] adj endlos

unerring ['ʌn'ɜːrɪŋ] adj unfehlbar

uneven ['ʌn'iːvən] adj (surface) uneben; (quality) ungleichmäßig

unexpected [ʌnɪk'spektɪd] adj unerwartet; **~ly** adv unerwartet

unfailing [ʌn'feɪlɪŋ] adj nie versagend

unfair ['ʌn'feə*' ˈ] adj ungerecht, unfair

unfaithful [ʌn'feɪθfʊl] adj untreu

unfamiliar [ʌnfə'mɪlɪə*] adj ungewohnt; (person, subject) unbekannt; **to be ~ with** nicht kennen +acc, nicht vertraut sein mit

unfashionable [ʌn'fæʃnəbl] adj unmodern; (area, hotel etc) nicht in Mode

unfasten ['ʌn'fɑːsn] vt öffnen, aufmachen

unfavourable ['ʌn'feɪvərəbl] (US **unfavorable**) adj ungünstig

unfeeling [ʌn'fiːlɪŋ] adj gefühllos, kalt

unfinished ['ʌn'fɪnɪʃt] adj unvollendet

unfit ['ʌn'fɪt] adj ungeeignet; (in bad health) nicht fit; **~ for sth** zu or für etw ungeeignet

unfold [ʌn'fəʊld] vt entfalten; (paper) auseinanderfalten ♦ vi (develop) sich entfalten

unforeseen ['ʌnfɔː'siːn] adj unvorhergesehen

unforgettable [ʌnfə'getəbl] adj unvergeßlich

unforgivable ['ʌnfə'gɪvəbl] adj unverzeihlich

unfortunate [ʌn'fɔːtʃnət] adj unglücklich, bedauerlich; **~ly** adv leider

unfounded ['ʌn'faʊndɪd] adj unbegründet

unfriendly [ʌn'frendlɪ] adj unfreundlich

ungainly [ʌn'geɪnlɪ] adj linkisch

ungodly [ʌn'gɒdlɪ] adj (hour) nachtschlafend; (row) heillos

ungrateful [ʌn'greɪtfʊl] adj undankbar

unhappiness [ʌn'hæpɪnəs] n Unglück nt, Unglückseligkeit f

unhappy [ʌn'hæpɪ] adj unglücklich; **~ with** (arrangements etc) unzufrieden mit

unharmed [ʌn'hɑːmd] adj wohlbehalten, unversehrt

unhealthy [ʌn'helθɪ] adj ungesund

unheard-of [ʌn'hɜːdɒv] adj unerhört

unhurt ['ʌn'hɜːt] adj unverletzt

unidentified ['ʌnaɪ'dentɪfaɪd] adj unbekannt, nicht identifiziert

uniform ['juːnɪfɔːm] n Uniform f ♦ adj einheitlich; **~ity** [juːnɪ'fɔːmɪtɪ] n Einheitlichkeit f

unify ['juːnɪfaɪ] vt vereinigen

unilateral ['juːnɪ'lætərəl] adj einseitig

uninhabited [ʌnɪn'hæbɪtɪd] adj unbewohnt

unintentional ['ʌnɪn'tenʃənl] adj unabsichtlich

union ['juːnjən] n (uniting) Vereinigung f; (alliance) Bund m, Union f; (trade ~) Gewerkschaft f; **U~ Jack** n Union Jack m

unique [juː'niːk] adj einzig(artig)

unison ['juːnɪzn] n Einstimmigkeit f; **in ~** einstimmig

unit ['juːnɪt] n Einheit f; **kitchen ~** Küchenelement nt

unite [juː'naɪt] vt vereinigen ♦ vi sich vereinigen; **~d** adj vereinigt; (together) vereint; **U~d Kingdom** n Vereinigte(s) Königreich nt; **U~d Nations (Organization)** n Vereinte Nationen pl; **U~d States (of**

America) n Vereinigte Staaten pl (von Amerika)

unit trust (BRIT) n Treuhandgesellschaft f

unity ['juːnɪtɪ] n Einheit f; (agreement) Einigkeit f

universal [juːnɪ'vɜːsəl] adj allgemein

universe ['juːnɪvɜːs] n (Welt)all nt

university [juːnɪ'vɜːsɪtɪ] n Universität f

unjust [ʌn'dʒʌst] adj ungerecht

unkempt ['ʌn'kempt] adj ungepflegt

unkind [ʌn'kaɪnd] adj unfreundlich

unknown ['ʌn'nəʊn] adj: ~ (to sb) (jdm) unbekannt

unlawful [ʌn'lɔːfʊl] adj illegal

unleaded adj (petrol) bleifrei, unverbleit; I use ~ ich fahre bleifrei

unleash ['ʌn'liːʃ] vt entfesseln

unless [ən'les] conj wenn nicht, es sei denn; ~ he comes es sei denn, er kommt; ~ otherwise stated sofern nicht anders angegeben

unlike ['ʌn'laɪk] adj unähnlich ♦ prep im Gegensatz zu

unlikely [ʌn'laɪklɪ] adj (not likely) unwahrscheinlich; (unexpected: combination etc) merkwürdig

unlimited [ʌn'lɪmɪtɪd] adj unbegrenzt

unlisted [ʌn'lɪstɪd] (US) adj nicht im Telefonbuch stehend

unload ['ʌn'ləʊd] vt entladen

unlock ['ʌn'lɒk] vt aufschließen

unlucky [ʌn'lʌkɪ] adj unglücklich; (person) unglückselig; to be ~ Pech haben

unmarried ['ʌn'mærɪd] adj unverheiratet, ledig

unmask ['ʌn'mɑːsk] vt entlarven

unmistakable ['ʌnmɪs'teɪkəbl] adj unverkennbar

unmitigated [ʌn'mɪtɪgeɪtɪd] adj ungemildert, ganz

unnatural [ʌn'nætʃrəl] adj unnatürlich

unnecessary ['ʌn'nesəsərɪ] adj unnötig

unnoticed [ʌn'nəʊtɪst] adj: to go ~ unbemerkt bleiben

UNO ['juːnəʊ] n abbr = United Nations Organization

unobtainable ['ʌnəb'teɪnəbl] adj: this number is ~ kein Anschluß unter dieser Nummer

unobtrusive [ʌnəb'truːsɪv] adj unauffällig

unofficial [ʌnə'fɪʃl] adj inoffiziell

unpack ['ʌn'pæk] vt, vi auspacken

unpalatable [ʌn'pælətəbl] adj (truth) bitter

unparalleled [ʌn'pærəleld] adj beispiellos

unpleasant [ʌn'pleznt] adj unangenehm

unplug ['ʌn'plʌg] vt den Stecker herausziehen von

unpopular [ʌn'pɒpjʊlə*] adj (person) unbeliebt; (decision etc) unpopulär

unprecedented [ʌn'presɪdəntɪd] adj beispiellos

unpredictable [ʌnprɪ'dɪktəbl] adj unvor-

hersehbar; (weather, person) unberechenbar

unprofessional [ʌnprə'feʃənl] adj unprofessionell

unqualified ['ʌn'kwɒlɪfaɪd] adj (success) uneingeschränkt, voll; (person) unqualifiziert

unquestionably [ʌn'kwestʃənəblɪ] adv fraglos

unravel [ʌn'rævəl] vt (disentangle) ausfasern, entwirren; (solve) lösen

unreal ['ʌn'rɪəl] adj unwirklich

unrealistic [ʌnrɪə'lɪstɪk] adj unrealistisch

unreasonable [ʌn'riːznəbl] adj unvernünftig; (demand) übertrieben

unrelated [ʌnrɪ'leɪtɪd] adj ohne Beziehung; (family) nicht verwandt

unrelenting ['ʌnrɪ'lentɪŋ] adj unerbittlich

unreliable [ʌnrɪ'laɪəbl] adj unzuverlässig

unremitting [ʌnrɪ'mɪtɪŋ] adj (efforts, attempts) unermüdlich

unreservedly [ʌnrɪ'zɜːvɪdlɪ] adv offen; (believe, trust) uneingeschränkt; (cry) rückhaltlos

unrest [ʌn'rest] n (discontent) Unruhe f; (fighting) Unruhen pl

unroll ['ʌn'rəʊl] vt aufrollen

unruly [ʌn'ruːlɪ] adj (child) undiszipliniert; schwer lenkbar

unsafe [ʌn'seɪf] adj nicht sicher

unsaid ['ʌn'sed] adj: to leave sth ~ etw ungesagt lassen

unsatisfactory ['ʌnsætɪs'fæktərɪ] adj unbefriedigend; unzulänglich

unsavoury ['ʌn'seɪvərɪ] (US unsavory) adj (fig) widerwärtig

unscathed [ʌn'skeɪðd] adj unversehrt

unscrew ['ʌn'skruː] vt aufschrauben

unscrupulous [ʌn'skruːpjʊləs] adj skrupellos

unsettled [ʌn'setld] adj (person) rastlos; (weather) wechselhaft

unshaven ['ʌn'ʃeɪvn] adj unrasiert

unsightly [ʌn'saɪtlɪ] adj unansehnlich

unskilled ['ʌn'skɪld] adj ungelernt

unspeakable [ʌn'spiːkəbl] adj (joy) unsagbar; (crime) scheußlich

unstable [ʌn'steɪbl] adj instabil; (mentally) labil

unsteady [ʌn'stedɪ] adj unsicher; (growth) unregelmäßig

unstuck [ʌn'stʌk] adj: to come ~ sich lösen; (fig) ins Wasser fallen

unsuccessful ['ʌnsək'sesfʊl] adj erfolglos

unsuitable ['ʌn'suːtəbl] adj unpassend

unsure [ʌn'ʃʊə*] adj (uncertain) unsicher; to be ~ of o.s. unsicher sein

unsuspecting ['ʌnsəs'pektɪŋ] adj nichtsahnend

unsympathetic ['ʌnsɪmpə'θetɪk] adj gefühllos; (response) abweisend; (unlikeable) unsympathisch

untapped ['ʌn'tæpt] adj (resources) unge-

nützt
unthinkable [ʌn'θɪŋkəbl] adj unvorstellbar
untidy [ʌn'taɪdɪ] adj unordentlich
untie ['ʌn'taɪ] vt aufschnüren
until [ən'tɪl] prep, conj bis; ~ **he comes** bis er kommt; ~ **then** bis dann; ~ **now** bis jetzt
untimely [ʌn'taɪmlɪ] adj (death) vorzeitig
untold ['ʌn'təʊld] adj unermeßlich
untoward [ʌntə'wɔːd] adj widrig
untranslatable [ʌntrænz'leɪtəbl] adj unübersetzbar
unused ['ʌn'juːzd] adj unbenutzt
unusual [ʌn'juːʒʊəl] adj ungewöhnlich
unveil [ʌn'veɪl] vt enthüllen
unwavering [ʌn'weɪvərɪŋ] adj standhaft, unerschütterlich
unwelcome [ʌn'welkəm] adj (at a bad time) unwillkommen; (unpleasant) unerfreulich
unwell ['ʌn'wel] adj: **to feel** or **be** ~ sich nicht wohl fühlen
unwieldy [ʌn'wiːldɪ] adj sperrig
unwilling ['ʌn'wɪlɪŋ] adj: **to be** ~ **to do sth** nicht bereit sein, etw zu tun; ~**ly** adv widerwillig
unwind ['ʌn'waɪnd] (irreg: like **wind**[2]) vt abwickeln ♦ vi (relax) sich entspannen
unwise [ʌn'waɪz] adj unklug
unwitting [ʌn'wɪtɪŋ] adj unwissentlich
unworkable [ʌn'wɜːkəbl] adj (plan) undurchführbar
unworthy [ʌn'wɜːðɪ] adj (person): ~ **(of sth)** (einer Sache gen) nicht wert
unwrap ['ʌn'ræp] vt auspacken
unwritten ['ʌn'rɪtn] adj ungeschrieben

─────── KEYWORD ───────

up [ʌp] prep: **to be up sth** oben auf etw dat sein; **to go up sth** (auf) ein acc hinauf gehen; **go up that road** gehen Sie die Straße hinauf
♦ adv 1 (upwards, higher) oben; **put it up a bit higher** stell es etwas weiter nach oben; **up there** da oben, dort oben; **up above** hoch oben
2: **to be up** (out of bed) auf sein; (prices, level) gestiegen sein; (building, tent) stehen
3: **up to** (as far as) bis; **up to now** bis jetzt
4: **to be up to** (depending on): **it's up to you** das hängt von dir ab; (equal to): **he's not up to it** (job, task etc) er ist dem nicht gewachsen; (inf: be doing): **what is he up to?** was führt er im Schilde?; **it's not up to me to decide** die Entscheidung liegt nicht bei mir; **his work is not up to the required standard** seine Arbeit entspricht nicht dem geforderten Niveau
♦ n: **ups and downs** (in life, career) Höhen und Tiefen pl

up-and-coming [ʌpənd'kʌmɪŋ] adj aufstrebend
upbringing ['ʌpbrɪŋɪŋ] n Erziehung f
update [ʌp'deɪt] vt auf den neuesten Stand bringen
upgrade [ʌp'greɪd] vt höher einstufen
upheaval [ʌp'hiːvəl] n Umbruch m
uphill ['ʌp'hɪl] adj ansteigend; (fig) mühsam
♦ adv: **to go** ~ bergauf gehen/fahren
uphold [ʌp'həʊld] (irreg: like **hold**) vt unterstützen
upholstery [ʌp'həʊlstərɪ] n Polster nt; Polsterung f
upkeep ['ʌpkiːp] n Instandhaltung f
upon [ə'pɒn] prep auf
upper ['ʌpə*] n (on shoe) Oberleder nt ♦ adj obere(r, s), höhere(r, s); **to have the** ~ **hand** die Oberhand haben; ~**-class** adj vornehm; ~**most** adj oberste(r, s), höchste(r, s); **what was** ~**most in my mind** was mich in erster Linie beschäftigte
upright ['ʌpraɪt] adj aufrecht
uprising ['ʌpraɪzɪŋ] n Aufstand m
uproar ['ʌprɔː*] n Aufruhr m
uproot [ʌp'ruːt] vt ausreißen
upset [n 'ʌpset, vb, adj ʌp'set] (irreg: like **set**) n Aufregung f ♦ vt (overturn) umwerfen; (disturb) aufregen, bestürzen; (plans) durcheinanderbringen ♦ adj (person) aufgeregt; (stomach) verdorben
upshot ['ʌpʃɒt] n (End)ergebnis nt
upside-down ['ʌpsaɪd'daʊn] adv verkehrt herum; (fig) drunter und drüber
upstairs ['ʌp'steəz] adv oben; (go) nach oben ♦ adj (room) obere(r, s), Ober- ♦ n obere(s) Stockwerk nt
upstart ['ʌpstɑːt] n Emporkömmling m
upstream ['ʌp'striːm] adv stromaufwärts
uptake ['ʌpteɪk] n: **to be quick on the** ~ schnell begreifen; **to be slow on the** ~ schwer von Begriff sein
uptight ['ʌp'taɪt] (inf) adj (nervous) nervös; (inhibited) verklemmt
up-to-date ['ʌptə'deɪt] adj (clothes) modisch, modern; (information) neueste(r, s)
upturn ['ʌptɜːn] n Aufschwung m
upward ['ʌpwəd] adj nach oben gerichtet; ~**(s)** adv aufwärts
uranium [jʊə'reɪnɪəm] n Uran nt
urban ['ɜːbən] adj städtisch, Stadt-
urbane [ɜː'beɪn] adj höflich
urchin ['ɜːtʃɪn] n (boy) Schlingel m; (sea ~) Seeigel m
urge [ɜːdʒ] n Drang m ♦ vt: **to** ~ **sb to do sth** jdn (dazu) drängen, etw zu tun
urgency ['ɜːdʒənsɪ] n Dringlichkeit f
urgent ['ɜːdʒənt] adj dringend
urinal ['jʊərɪnl] n (MED) Urinflasche f; (public) Pissoir nt
urinate ['jʊərɪneɪt] vi urinieren
urine ['jʊərɪn] n Urin m, Harn m
urn [ɜːn] n Urne f; (tea ~) Teemaschine f

us [ʌs] *pron* uns; *see also* **me**
US *n abbr* = **United States**
USA *n abbr* = **United States of America**
usage ['juːzɪdʒ] *n* Gebrauch *m*; (*esp LING*) Sprachgebrauch *m*
use [*n* juːs, *vb* juːz] *n* (*employment*) Gebrauch *m*; (*point*) Zweck *m* ♦ *vt* gebrauchen; **in ~** in Gebrauch; **out of ~** außer Gebrauch; **to be of ~** nützlich sein; **it's no ~** es hat keinen Zweck; **what's the ~?** was soll's?; **~d to** (*accustomed to*) gewöhnt an +*acc*; **she ~d to live here** (*formerly*) sie hat früher mal hier gewohnt; **~ up** *vt* aufbrauchen, verbrauchen; **~d** *adj* (*car*) Gebraucht-; **~ful** *adj* nützlich; **~fulness** *n* Nützlichkeit *f*; **~less** *adj* nutzlos, unnütz; **~r** *n* Benutzer *m*; **~r-friendly** *adj* (*computer*) benutzerfreundlich
usher ['ʌʃə*] *n* Platzanweiser *m*
usherette [ʌʃə'ret] *n* Platzanweiserin *f*
usual ['juːʒʊəl] *adj* gewöhnlich, üblich; **as ~** wie üblich; **~ly** *adv* gewöhnlich
usurp [juː'zɜːp] *vt* an sich reißen
utensil [juː'tensl] *n* Gerät *nt*; **kitchen ~s** Küchengeräte *pl*
uterus ['juːtərəs] *n* Gebärmutter *f*
utilitarian [juːtɪlɪ'teərɪən] *adj* Nützlichkeits-
utility [juː'tɪlɪtɪ] *n* (*usefulness*) Nützlichkeit *f*; (*also*: **public ~**) öffentliche(r) Versorgungsbetrieb *m*; **~ room** *n* Hauswirtschaftsraum *m*
utilize ['juːtɪlaɪz] *vt* benützen
utmost ['ʌtməʊst] *adj* äußerste(r, s) ♦ *n*: **to do one's ~** sein möglichstes tun
utter ['ʌtə*] *adj* äußerste(r, s), höchste(r, s), völlig ♦ *vt* äußern, aussprechen; **~ance** *n* Äußerung *f*; **~ly** *adv* äußerst, absolut, völlig
U-turn ['juː'tɜːn] *n* (*AUT*) Kehrtwendung *f*

V v

v. *abbr* = **verse**; **versus**; **volt**; (= *vide*) siehe
vacancy ['veɪkənsɪ] *n* (*BRIT*: *job*) offene Stelle *f*; (*room*) freie(s) Zimmer *nt*
vacant ['veɪkənt] *adj* leer; (*unoccupied*) frei; (*house*) leerstehend, unbewohnt; (*stupid*) (gedanken)leer; **~ lot** (*US*) *n* unbebaute(s) Grundstück *nt*
vacate [və'keɪt] *vt* (*seat*) frei machen; (*room*) räumen
vacation [və'keɪʃən] *n* Ferien *pl*, Urlaub *m*;

~ist (*US*) *n* Ferienreisende(r) *mf*
vaccinate ['væksɪneɪt] *vt* impfen
vaccine ['væksiːn] *n* Impfstoff *m*
vacuum ['vækjʊm] *n* Vakuum *nt*; **~ bottle** (*US*) *n* Thermosflasche *f*; **~ cleaner** *n* Staubsauger *m*; **~ flask** (*BRIT*) *n* Thermosflasche *f*; **~-packed** *adj* vakuumversiegelt
vagina [və'dʒaɪnə] *n* Scheide *f*
vagrant ['veɪgrənt] *n* Landstreicher *m*
vague [veɪg] *adj* vag(e); (*absent-minded*) geistesabwesend; **~ly** *adv* unbestimmt, vag(e)
vain [veɪn] *adj* eitel; (*attempt*) vergeblich; **in ~** vergebens, umsonst
valentine ['væləntaɪn] *n* (*also*: **~ card**) Valentinsgruß *m*
valet ['væleɪ] *n* Kammerdiener *m*
valiant ['væliənt] *adj* tapfer
valid ['vælɪd] *adj* gültig; (*argument*) stichhaltig; (*objection*) berechtigt; **~ity** [və'lɪdɪtɪ] *n* Gültigkeit *f*
valley ['vælɪ] *n* Tal *nt*
valour ['vælə*] (*US* **valor**) *n* Tapferkeit *f*
valuable ['væljʊəbl] *adj* wertvoll; (*time*) kostbar; **~s** *npl* Wertsachen *pl*
valuation [væljʊ'eɪʃən] *n* (*FIN*) Schätzung *f*; Beurteilung *f*
value ['væljuː] *n* Wert *m*; (*usefulness*) Nutzen *m* ♦ *vt* (*prize*) (hoch)schätzen, werthalten; (*estimate*) schätzen; **~ added tax** (*BRIT*) *n* Mehrwertsteuer *f*; **~d** *adj* (hoch)geschätzt
valve [vælv] *n* Ventil *nt*; (*BIOL*) Klappe *f*; (*RAD*) Röhre *f*
van [væn] *n* Lieferwagen *m*; (*BRIT*: *RAIL*) Waggon *m*
vandal ['vændl] *n* Rowdy *m*
vandalism ['vændəlɪzəm] *n* mutwillige Beschädigung *f*
vandalize ['vændəlaɪz] *vt* mutwillig beschädigen
vanguard ['vænguːd] *n* (*fig*) Spitze *f*
vanilla [və'nɪlə] *n* Vanille *f*; **~ ice cream** *n* Vanilleeis *nt*
vanish ['vænɪʃ] *vi* verschwinden
vanity ['vænɪtɪ] *n* Eitelkeit *f*; **~ case** *n* Schminkkoffer *m*
vantage ['vɑːntɪdʒ] *n*: **~ point** gute(r) Aussichtspunkt *m*
vapour ['veɪpə*] (*US* **vapor**) *n* (*mist*) Dunst *m*; (*gas*) Dampf *m*
variable ['veərɪəbl] *adj* wechselhaft, veränderlich; (*speed, height*) regulierbar
variance ['veərɪəns] *n*: **to be at ~** (**with**) nicht übereinstimmen (mit)
variation [veərɪ'eɪʃən] *n* Variation *f*; (*of temperature, prices*) Schwankung *f*
varicose ['værɪkəʊs] *adj*: **~ veins** Krampfadern *pl*
varied ['veərɪd] *adj* unterschiedlich; (*life*) abwechslungsreich
variety [və'raɪətɪ] *n* (*difference*) Abwechs-

lung f; (*varied collection*) Vielfalt f; (*COMM*) Auswahl f; (*sort*) Sorte f, Art f; ~ **show** n Varieté nt

various ['vɛərɪəs] adj verschieden; (*several*) mehrere

varnish ['vɑːnɪʃ] n Lack m; (*on pottery*) Glasur f ♦ vt lackieren

vary ['vɛərɪ] vt (*alter*) verändern; (*give variety to*) abwechslungsreicher gestalten ♦ vi sich (ver)ändern; (*prices*) schwanken; (*weather*) unterschiedlich sein

vase [vɑːz] n Vase f

Vaseline ['væsɪliːn] ® n Vaseline f

vast [vɑːst] adj weit, groß, riesig

VAT [væt] n abbr (= value added tax) MwSt f

vat [væt] n große(s) Faß nt

vault [vɔːlt] n (*of roof*) Gewölbe nt; (*tomb*) Gruft f; (*in bank*) Tresorraum m; (*leap*) Sprung m ♦ vt (*also*: ~ *over*) überspringen

vaunted ['vɔːntɪd] adj: **much-~** vielgerühmt

VCR n abbr = video cassette recorder

VD n abbr = venereal disease

VDU n abbr = visual display unit

veal [viːl] n Kalbfleisch nt

veer [vɪə*] vi sich drehen; (*of car*) ausscheren

vegetable ['vɛdʒətəbl] n Gemüse nt ♦ adj Gemüse-; **~s** npl (*CULIN*) Gemüse nt

vegetarian [vɛdʒɪ'tɛərɪən] n Vegetarier(in) m(f) ♦ adj vegetarisch

vegetate ['vɛdʒɪteɪt] vi (dahin)vegetieren

vehemence ['viːɪməns] n Heftigkeit f

vehement ['viːɪmənt] adj heftig

vehicle ['viːɪkl] n Fahrzeug nt; (*fig*) Mittel nt

veil [veɪl] n (*also fig*) Schleier m ♦ vt verschleiern

vein [veɪn] n Ader f; (*mood*) Stimmung f

velocity [vɪ'lɒsɪtɪ] n Geschwindigkeit f

velvet ['vɛlvɪt] n Samt m ♦ adj Samt-

vendetta [vɛn'detə] n Fehde f; (*in family*) Blutrache f

vending machine ['vɛndɪŋ-] n Automat m

vendor ['vɛndɔ:*] n Verkäufer m

veneer [və'nɪə*] n Furnier(holz) nt; (*fig*) äußere(r) Anstrich m

venereal disease [vɪ'nɪərɪəl-] n Geschlechtskrankheit f

Venetian blind [vɪ'niːʃən-] n Jalousie f

vengeance ['vɛndʒəns] n Rache f; **with a ~** gewaltig

venison ['vɛnɪsn] n Reh(fleisch) nt

venom ['vɛnəm] n Gift nt

vent [vɛnt] n Öffnung f; (*in coat*) Schlitz m; (*fig*) Ventil nt ♦ vt (*emotion*) abreagieren

ventilate ['vɛntɪleɪt] vt belüften

ventilator ['vɛntɪleɪtə*] n Ventilator m

ventriloquist [vɛn'trɪləkwɪst] n Bauchredner m

venture ['vɛntʃə*] n Unternehmung f, Projekt nt ♦ vt wagen; (*life*) aufs Spiel setzen ♦ vi sich wagen

venue ['vɛnjuː] n Schauplatz m

verb [vɜːb] n Zeitwort nt, Verb nt; **~al** adj (*spoken*) mündlich; (*translation*) wörtlich; **~ally** adv mündlich

verbatim [vɜː'beɪtɪm] adv Wort für Wort ♦ adj wortwörtlich

verbose [vɜː'bəus] adj wortreich

verdict ['vɜːdɪkt] n Urteil nt

verge [vɜːdʒ] n (*BRIT*) Rand m ♦ vi: **to ~ on** grenzen an +acc; **"soft ~s"** (*BRIT*: *AUT*) „Seitenstreifen nicht befahrbar"; **on the ~ of doing sth** im Begriff, etw zu tun

verify ['vɛrɪfaɪ] vt (über)prüfen; (*confirm*) bestätigen; (*theory*) beweisen

veritable ['vɛrɪtəbl] adj wirklich, echt

vermin ['vɜːmɪn] npl Ungeziefer nt

vermouth ['vɜːməθ] n Wermut m

vernacular [və'nækjulə*] n Landessprache f

versatile ['vɜːsətaɪl] adj vielseitig

versatility [vɜːsə'tɪlɪtɪ] n Vielseitigkeit f

verse [vɜːs] n (*poetry*) Poesie f; (*stanza*) Strophe f; (*of Bible*) Vers m; **in ~** in Versform

versed [vɜːst] adj: **(well-)~ in** bewandert in +dat, beschlagen in +dat

version ['vɜːʃən] n Version f; (*of car*) Modell nt

versus ['vɜːsəs] prep gegen

vertebrate ['vɜːtɪbrət] adj (*animal*) Wirbel-

vertical ['vɜːtɪkl] adj senkrecht

vertigo ['vɜːtɪgəu] n Schwindel m

verve [vɜːv] n Schwung m

very ['vɛrɪ] adv sehr ♦ adj (*extreme*) äußerste(r, s); **the ~ book which** genau das Buch, welches; **the ~ last** der/die/das allerletzte; **at the ~ least** allerwenigstens; **~ much** sehr

vessel ['vɛsl] n (*ship*) Schiff nt; (*container*) Gefäß nt

vest [vɛst] n (*BRIT*) Unterhemd nt; (*US*: *waistcoat*) Weste f; **~ed interests** npl finanzielle Beteiligung f; (*people*) finanziell Beteiligte pl; (*fig*) persönliche(s) Interesse nt

vestige ['vɛstɪdʒ] n Spur f

vestry ['vɛstrɪ] n Sakristei f

vet [vɛt] n abbr (= veterinary surgeon) Tierarzt m/-ärztin f ♦ vt genau prüfen

veteran ['vɛtərn] n Veteran(in) m(f)

veterinarian [vɛtrə'nɛərɪən] (*US*) n Tierarzt m/-ärztin f

veterinary ['vɛtrɪnərɪ] adj Veterinär-; **~ surgeon** (*BRIT*) n Tierarzt m/-ärztin f

veto ['viːtəu] (*pl* ~**es**) n Veto nt ♦ vt sein Veto einlegen gegen

vex [vɛks] vt ärgern; **~ed** adj verärgert; **~ed question** umstrittene Frage f

VHF abbr (= very high frequency) UKW f

via ['vaɪə] prep über +acc

viable ['vaɪəbl] adj (*plan*) durchführbar;

(*company*) rentabel

vibrant ['vaɪbrənt] *adj* (*lively*) lebhaft; (*bright*) leuchtend; (*full of emotion: voice*) bebend

vibrate [vaɪ'breɪt] *vi* zittern, beben; (*machine, string*) vibrieren

vibration [vaɪ'breɪʃən] *n* Schwingung *f*; (*of machine*) Vibrieren *nt*

vicar ['vɪkə*] *n* Pfarrer *m*; ~**age** *n* Pfarrhaus *nt*

vicarious [vɪ'kɛərɪəs] *adj* nachempfunden

vice [vaɪs] *n* (*evil*) Laster *nt*; (*TECH*) Schraubstock *m*

vice-chairman *n* stellvertretende(r) Vorsitzende(r) *m*

vice-president *n* Vizepräsident *m*

vice squad *n* ≈ Sittenpolizei *f*

vice versa ['vaɪsɪ'vɜːsə] *adv* umgekehrt

vicinity [vɪ'sɪnɪtɪ] *n* Umgebung *f*; (*closeness*) Nähe *f*

vicious ['vɪʃəs] *adj* gemein, böse; ~ **circle** *n* Teufelskreis *m*

victim ['vɪktɪm] *n* Opfer *nt*; ~**ize** *vt* benachteiligen

victor ['vɪktə*] *n* Sieger *m*

Victorian [vɪk'tɔːrɪən] *adj* viktorianisch; (*fig*) (sitten)streng

victorious [vɪk'tɔːrɪəs] *adj* siegreich

victory ['vɪktərɪ] *n* Sieg *m*

video ['vɪdɪəʊ] *adj* Fernseh-, Bild- ♦ *n* (~ *film*) Video *nt*; (*also*: ~ *cassette*) Videokassette *f*; (: ~ *cassette recorder*) Videorekorder *m*; ~ **tape** *n* Videoband *nt*

vie [vaɪ] *vi* wetteifern

Vienna [vɪ'enə] *n* Wien *nt*

view [vjuː] *n* (*sight*) Sicht *f*, Blick *m*; (*scene*) Aussicht *f*; (*opinion*) Ansicht *f*; (*intention*) Absicht *f* ♦ *vt* (*situation*) betrachten; (*house*) besichtigen; **to have sth in** ~ etw beabsichtigen; **on** ~ ausgestellt; **in** ~ **of** wegen +*gen*, angesichts +*gen*; ~**er** *n* (~*finder*) Sucher *m*; (*PHOT: small projector*) Gucki *m*; (*TV*) Fernsehzuschauer(in) *m(f)*; ~**finder** *n* Sucher *m*; ~**point** *n* Standpunkt *m*

vigil ['vɪdʒɪl] *n* (Nacht)wache *f*; ~**ance** *n* Wachsamkeit *f*; ~**ant** *adj* wachsam

vigorous ['vɪgərəs] *adj* kräftig; (*protest*) energisch, heftig; ~**ly** *adv* kräftig; energisch, heftig

vile [vaɪl] *adj* (*mean*) gemein; (*foul*) abscheulich

vilify ['vɪlɪfaɪ] *vt* verleumden

villa ['vɪlə] *n* Villa *f*

village ['vɪlɪdʒ] *n* Dorf *nt*; ~**r** *n* Dorfbewohner(in) *m(f)*

villain ['vɪlən] *n* Schurke *m*

vindicate ['vɪndɪkeɪt] *vt* rechtfertigen

vindictive [vɪn'dɪktɪv] *adj* nachtragend, rachsüchtig

vine [vaɪn] *n* Rebstock *m*, Rebe *f*

vinegar ['vɪnɪgə*] *n* Essig *m*

vineyard ['vɪnjəd] *n* Weinberg *m*

vintage ['vɪntɪdʒ] *n* (*of wine*) Jahrgang *m*; ~ **wine** *n* edle(r) Wein *m*

viola [vɪ'əʊlə] *n* Bratsche *f*

violate ['vaɪəleɪt] *vt* (*law*) übertreten; (*rights, rule, neutrality*) verletzen; (*sanctity, woman*) schänden

violation [vaɪə'leɪʃən] *n* Verletzung *f*; Übertretung *f*

violence ['vaɪələns] *n* (*force*) Heftigkeit *f*; (*brutality*) Gewalttätigkeit *f*

violent ['vaɪələnt] *adj* (*strong*) heftig; (*brutal*) gewalttätig, brutal; (*contrast*) kraß; (*death*) gewaltsam

violet ['vaɪələt] *n* Veilchen *nt* ♦ *adj* veilchenblau, violett

violin [vaɪə'lɪn] *n* Geige *f*, Violine *f*; ~**ist** *n* Geiger(in) *m(f)*

VIP *n abbr* (= *very important person*) VIP *m*

virgin ['vɜːdʒɪn] *n* Jungfrau *f* ♦ *adj* jungfräulich, unberührt; ~**ity** [vɜː'dʒɪnɪtɪ] *n* Unschuld *f*

Virgo ['vɜːgəʊ] *n* Jungfrau *f*

virile ['vɪraɪl] *adj* männlich

virility [vɪ'rɪlɪtɪ] *n* Männlichkeit *f*

virtually ['vɜːtjʊəlɪ] *adv* praktisch, fast

virtual reality *n* (*COMPUT*) virtuelle Realität *f*

virtue ['vɜːtjuː] *n* (*moral goodness*) Tugend *f*; (*good quality*) Vorteil *m*, Vorzug *m*; **by** ~ **of** aufgrund +*gen*

virtuous ['vɜːtjʊəs] *adj* tugendhaft

virulent ['vɪrjʊlənt] *adj* (*poisonous*) bösartig; (*bitter*) scharf, geharnischt

virus ['vaɪərəs] *n* (*also*: *COMPUT*) Virus *m*

visa ['viːzə] *n* Visum *nt*

vis-à-vis ['viːzəviː] *prep* gegenüber

viscous ['vɪskəs] *adj* zähflüssig

visibility [vɪzɪ'bɪlɪtɪ] *n* (*MET*) Sicht(weite) *f*

visible ['vɪzəbl] *adj* sichtbar

visibly ['vɪzəblɪ] *adv* sichtlich

vision ['vɪʒən] *n* (*ability*) Sehvermögen *nt*; (*foresight*) Weitblick *m*; (*in dream, image*) Vision *f*

visit ['vɪzɪt] *n* Besuch *m* ♦ *vt* besuchen; (*town, country*) fahren nach; ~**ing** *adj* (*professor*) Gast-; ~**ing hours** *npl* (*in hospital etc*) Besuchszeiten *pl*; ~**or** *n* (*in house*) Besucher(in) *m(f)*; (*in hotel*) Gast *m*

visor ['vaɪzə*] *n* Visier *nt*; (*on cap*) Schirm *m*; (*AUT*) Blende *f*

vista ['vɪstə] *n* Aussicht *f*

visual ['vɪzjʊəl] *adj* Seh-, visuell; ~ **aid** *n* Anschauungsmaterial *nt*; ~ **display unit** *n* Bildschirm(gerät *nt*) *m*; ~**ize** ['vɪzjʊəlaɪz] *vt* sich +*dat* vorstellen

vital ['vaɪtl] *adj* (*important*) unerläßlich; (*necessary for life*) Lebens-, lebenswichtig; (*lively*) vital; ~**ity** [vaɪ'tælɪtɪ] *n* Vitalität *f*; ~**ly** *adv*: ~**ly important** äußerst wichtig; ~ **statistics** *npl* (*fig*) Maße *pl*

vitamin ['vɪtəmɪn] *n* Vitamin *nt*

vivacious [vɪ'veɪʃəs] *adj* lebhaft
vivid ['vɪvɪd] *adj* (*graphic*) lebendig; (*memory*) lebhaft; (*bright*) leuchtend; **~ly** *adv* lebendig; lebhaft; leuchtend
V-neck ['viːnek] *n* V-Ausschnitt *m*
vocabulary [vəu'kæbjuləri] *n* Wortschatz *m*, Vokabular *nt*
vocal ['vəukəl] *adj* Vokal-, Gesang-; (*fig*) lautstark; **~ cords** *npl* Stimmbänder *pl*
vocation [vəu'keɪʃən] *n* (*calling*) Berufung *f*; **~al** *adj* Berufs-
vociferous [vəu'sɪfərəs] *adj* lautstark
vodka ['vɒdkə] *n* Wodka *m*
vogue [vəug] *n* Mode *f*
voice [vɔɪs] *n* Stimme *f*; (*fig*) Mitspracherecht *nt* ♦ *vt* äußern
void [vɔɪd] *n* Leere *f* ♦ *adj* (*invalid*) nichtig, ungültig; (*empty*) ~ **of** ohne, bar +*gen*; *see* **null**
volatile ['vɒlətaɪl] *adj* (*gas*) flüchtig; (*person*) impulsiv; (*situation*) brisant
volcano [vɒl'keɪnəu] *n* Vulkan *m*
volition [və'lɪʃən] *n* Wille *m*; **of one's own ~** aus freiem Willen
volley ['vɒlɪ] *n* (*of guns*) Salve *f*; (*of stones*) Hagel *m*; (*of words*) Schwall *m*; (*tennis*) Flugball *m*; **~ball** *n* Volleyball *m*
volt [vəult] *n* Volt *nt*; **~age** *n* (Volt)spannung *f*
voluble ['vɒljubl] *adj* redselig
volume ['vɒljuːm] *n* (*book*) Band *m*; (*size*) Umfang *m*; (*space*) Rauminhalt *m*; (*of sound*) Lautstärke *f*
voluminous [və'luːmɪnəs] *adj* üppig; (*clothes*) wallend; (*correspondence, notes*) umfangreich
voluntarily ['vɒləntrəlɪ] *adv* freiwillig
voluntary ['vɒləntərɪ] *adj* freiwillig
volunteer [vɒlən'tɪə*] *n* Freiwillige(r) *mf* ♦ *vi* sich freiwillig melden; **to ~ to do sth** sich anbieten, etw zu tun
voluptuous [və'lʌptjuəs] *adj* sinnlich
vomit ['vɒmɪt] *n* Erbrochene(s) *nt* ♦ *vt* spucken ♦ *vi* sich übergeben
vote [vəut] *n* Stimme *f*; (*ballot*) Abstimmung *f*; (*result*) Abstimmungsergebnis *nt*; (*franchise*) Wahlrecht *nt* ♦ *vt*, *vi* wählen; **~ of thanks** *n* Dankesworte *pl*; **~r** *n* Wähler(in) *m(f)*
voting ['vəutɪŋ] *n* Wahl *f*
voucher ['vautʃə*] *n* Gutschein *m*
vouch for [vautʃ-] *vt* bürgen für
vow [vau] *n* Versprechen *nt*; (*REL*) Gelübde *nt* ♦ *vt* geloben
vowel ['vauəl] *n* Vokal *m*
voyage ['vɔɪɪdʒ] *n* Reise *f*
vulgar ['vʌlgə*] *adj* (*rude*) vulgär; (*of common people*) allgemein, Volks-; **~ity** [vʌl'gærɪtɪ] *n* Vulgarität *f*
vulnerable ['vʌlnərəbl] *adj* (*easily injured*) verwundbar; (*sensitive*) verletzlich
vulture ['vʌltʃə*] *n* Geier *m*

W w

wad [wɒd] *n* (*bundle*) Bündel *nt*; (*of paper*) Stoß *m*; (*of money*) Packen *m*
waddle ['wɒdl] *vi* watscheln
wade [weɪd] *vi*: **to ~ through** waten durch
wafer ['weɪfə*] *n* Waffel *f*; (*REL*) Hostie *f*; (*COMPUT*) Wafer *f*
waffle ['wɒfl] *n* Waffel *f*; (*inf: empty talk*) Geschwafel *nt* ♦ *vi* schwafeln
waft [wɑːft] *vt*, *vi* wehen
wag [wæg] *vt* (*tail*) wedeln mit ♦ *vi* wedeln
wage [weɪdʒ] *n* (*also*: **~s**) (Arbeits)lohn *m* ♦ *vt*: **to ~ war** Krieg führen; **~ earner** *n* Lohnempfänger(in) *m(f)*; **~ packet** *n* Lohntüte *f*
wager ['weɪdʒə*] *n* Wette *f* ♦ *vt*, *vi* wetten
waggle ['wægl] *vt* (*tail*) wedeln mit ♦ *vi* wedeln
wag(g)on ['wægən] *n* (*horse-drawn*) Fuhrwerk *nt*; (*US: AUT*) Wagen *m*; (*BRIT: RAIL*) Waggon *m*
wail [weɪl] *n* Wehgeschrei *nt* ♦ *vi* wehklagen, jammern
waist [weɪst] *n* Taille *f*; **~coat** (*BRIT*) *n* Weste *f*; **~line** *n* Taille *f*
wait [weɪt] *n* Wartezeit *f* ♦ *vi* warten; **to lie in ~ for sb** jdm auflauern; **I can't ~ to see him** ich kann's kaum erwarten, ihn zu sehen; **"no ~ing"** (*BRIT: AUT*) „Halteverbot"; **~ behind** *vi* zurückbleiben; **~ for** *vt* fus warten auf +*acc*; **~ on** *vt* fus bedienen; **~er** *n* Kellner *m*; **~ing list** *n* Warteliste *f*; **~ing room** *n* (*MED*) Wartezimmer *nt*; (*RAIL*) Wartesaal *m*; **~ress** *n* Kellnerin *f*
waive [weɪv] *vt* verzichten auf +*acc*
wake [weɪk] (*pt* **woke**, **~d**, *pp* **woken**) *vt* wecken ♦ *vi* (*also*: **~ up**) aufwachen ♦ *n* (*NAUT*) Kielwasser *nt*; (*for dead*) Totenwache *f*; **to ~ up to** (*fig*) sich bewußt werden +*gen*
waken ['weɪkən] *vt* aufwecken
Wales [weɪlz] *n* Wales *nt*
walk [wɔːk] *n* Spaziergang *m*; (*gait*) Gang *m*; (*route*) Weg *m* ♦ *vi* gehen; (*stroll*) spazierengehen; (*longer*) wandern; **~s of life** Sphären *pl*; **a 10-minute ~** 10 Minuten zu Fuß; **to ~ out on sb** (*inf*) jdn sitzenlassen; **~er** *n* Spaziergänger *m*; (*hiker*) Wanderer *m*; **~ie-talkie** ['wɔːkɪ'tɔːkɪ] *n* tragbare(s) Sprechfunkgerät *nt*; **~ing** *n* Gehen *nt*; (*hiking*) Wandern *nt* ♦ *adj* Wander-; **~-**

ing shoes npl Wanderschuhe pl; **~ing stick** n Spazierstock m; **~out** n Streik m; **~over** (inf) n leichte(r) Sieg m; **~way** n Fußweg m

wall [wɔ:l] n (inside) Wand f; (outside) Mauer f; **~ed** adj von Mauern umgeben

wallet ['wɒlɪt] n Brieftasche f

wallflower ['wɔ:lflauə*] n Goldlack m; **to be a ~** (fig) ein Mauerblümchen sein

wallop ['wɒləp] (inf) vt schlagen, verprügeln

wallow ['wɒləʊ] vi sich wälzen

wallpaper ['wɔ:lpeɪpə*] n Tapete f

wally ['wɒlɪ] (inf) n Idiot m

walnut ['wɔ:lnʌt] n Walnuß f

walrus ['wɔ:lrəs] n Walroß nt

waltz [wɔ:lts] n Walzer m ♦ vi Walzer tanzen

wan [wɒn] adj bleich

wand [wɒnd] n (also: magic ~) Zauberstab m

wander ['wɒndə*] vi (roam) (herum)wandern; (fig) abschweifen

wane [weɪn] vi abnehmen; (fig) schwinden

wangle ['wæŋgl] (BRIT: inf) vt: **to ~ sth** etw richtig hindringen

want [wɒnt] n (lack) Mangel m ♦ vt (need) brauchen; (desire) wollen; (lack) nicht haben; **~s** npl (needs) Bedürfnisse pl; **for ~ of** aus Mangel an +dat; mangels +gen; **to ~ to do sth** etw tun wollen; **to ~ sb to do sth** wollen, daß jd etw tut; **~ed** adj (criminal etc) gesucht; **"cook ~ed"** (in advertisements) "Koch/Köchin gesucht"; **~ing** adj: **to be found ~ing** sich als unzulänglich erweisen

wanton ['wɒntən] adj mutwillig, zügellos

war [wɔ:*] n Krieg m; **to make ~** Krieg führen

ward [wɔ:d] n (in hospital) Station f; (of city) Bezirk m; (child) Mündel nt; **~ off** vt abwenden, abwehren

warden ['wɔ:dən] n (guard) Wächter m, Aufseher m; (BRIT: in youth hostel) Herbergsvater m; (UNIV) Heimleiter m; (BRIT: also: traffic ~) ≈ Verkehrspolizist m, ≈ Politesse f

warder ['wɔ:də*] (BRIT) n Gefängniswärter m

wardrobe ['wɔ:drəʊb] n Kleiderschrank m; (clothes) Garderobe f

warehouse ['wɛəhaʊs] n Lagerhaus nt

wares [wɛəz] npl Ware f

warfare ['wɔ:fɛə*] n Krieg m; Kriegsführung f

warhead ['wɔ:hed] n Sprengkopf m

warily ['wɛərɪlɪ] adv vorsichtig

warlike ['wɔ:laɪk] adj kriegerisch

warm [wɔ:m] adj warm; (welcome) herzlich ♦ vt, vi wärmen; **I'm ~** mir ist warm; **it's ~** es ist warm; **~ up** vt aufwärmen ♦ vi warm werden; **~-hearted** adj warmherzig; **~ly** adv warm; herzlich; **~th** n Wärme f, Herzlichkeit f

warn [wɔ:n] vt: **to ~ (of or against)** warnen (vor +dat); **~ing** n Warnung f; **without ~ing** unerwartet; **~ing light** n Warnlicht nt; **~ing triangle** n (AUT) Warndreieck nt

warp [wɔ:p] vt verziehen; **~ed** adj wellig; (fig) pervers

warrant ['wɒrənt] n (for arrest) Haftbefehl m

warranty ['wɒrəntɪ] n Garantie f

warren ['wɒrən] n Labyrinth nt

warrior ['wɒrɪə*] n Krieger m

Warsaw ['wɔ:sɔ:] n Warschau nt

warship ['wɔ:ʃɪp] n Kriegsschiff nt

wart [wɔ:t] n Warze f

wartime ['wɔ:taɪm] n Krieg m

wary ['wɛərɪ] adj mißtrauisch

was [wɒz, wəz] pt of **be**

wash [wɒʃ] n Wäsche f ♦ vt waschen; (dishes) abwaschen ♦ vi sich waschen; (do ~ing) waschen; **to have a ~** sich waschen; **~ away** vt abwaschen, wegspülen; **~ off** vt abwaschen; **~ up** vi (BRIT) spülen; (US) sich waschen; **~able** adj waschbar; **~basin** n Waschbecken nt; **~ bowl** (US) n Waschbecken nt; **~ cloth** (US) n (face cloth) Waschlappen m; **~er** n (TECH) Dichtungsring m; (machine) Waschmaschine f; **~ing** n Wäsche f; **~ing machine** n Waschmaschine f; **~ing powder** (BRIT) n Waschpulver nt

Washington n Washington nt

wash: ~ing-up n Abwasch m; **~ing-up liquid** n Spülmittel nt; **~-out** (inf) n (event) Reinfall m; (person) Niete f; **~room** n Waschraum m

wasn't ['wɒznt] = **was not**

wasp [wɒsp] n Wespe f

wastage ['weɪstɪdʒ] n Verlust m; **natural ~** Verschleiß m

waste [weɪst] n (wasting) Verschwendung f; (what is wasted) Abfall m ♦ adj (useless) überschüssig, Abfall- ♦ vt (object) verschwenden; (time, life) vergeuden ♦ vi: **to ~ away** verfallen; **~s** npl (land) Einöde f; **~ disposal unit** (BRIT) n Müllschlucker m; **~ful** adj verschwenderisch; (process) aufwendig; **~ ground** (BRIT) n unbebaute(s) Grundstück nt; **~land** n Ödland nt; **~paper basket** n Papierkorb m; **~ pipe** n Abflußrohr nt

watch [wɒtʃ] n Wache f; (for time) Uhr f ♦ vt ansehen; (observe) beobachten; (be careful of) aufpassen auf +acc; (guard) bewachen ♦ vi zusehen; **to be on the ~ (for sth)** (auf etw acc) aufpassen; **to ~ TV** fernsehen; **to ~ sb doing sth** jdm bei etw zuschauen; **~ out** vi Ausschau halten; (be careful) aufpassen; **~ out!** paß auf!; **~dog** n Wachthund m; (fig) Wächter m; **~ful** adj

wachsam; ~**maker** n Uhrmacher m;
~**man** (irreg) n (also: night ~**man**)
(Nacht)wächter m; ~ **strap** n Uhrarmband
nt

water ['wɔːtə*] n Wasser nt ♦ vt (be)gießen;
(river) bewässern; (horses) tränken ♦ vi
(eye) tränen; ~**s** npl (of sea, river etc) Gewässer nt; ~ **down** vt verwässern; ~ **closet** (BRIT) n (Wasser)klosett nt; ~**colour**
(US ~**color**) n (painting) Aquarell nt; (paint)
Wasserfarbe f; ~**cress** n (Brunnen)kresse f;
~**fall** n Wasserfall m; ~ **heater** n Heiß-
wassergerät nt; ~**ing can** n Gießkanne f;
~ **level** n Wasserstand m; ~**lily** n Seerose
f; ~**line** n Wasserlinie f; ~**logged** adj
(ground) voll Wasser; (wood) mit Wasser
vollgesogen; ~ **main** n Haupt(wasser)-
leitung f; ~**mark** n Wasserzeichen nt; (on
wall) Wasserstandsmarke f; ~**melon** n
Wassermelone f; ~ **polo** n Wasser-
ball(spiel) nt; ~**proof** adj wasserdicht;
~**shed** n Wasserscheide f; ~**skiing** n
Wasserschilaufen nt; ~ **tank** n Wassertank
m; ~**tight** adj wasserdicht; ~**way** n Was-
serweg m; ~**works** npl Wasserwerk nt; ~**y**
adj wäss(e)rig

watt [wɔt] n Watt nt

wave [weɪv] n Welle f; (with hand) Winken
nt ♦ vt (move to and fro) schwenken; (hand,
flag) winken mit; (hair) wellen ♦ vi (person)
winken; (flag) wehen; ~**length** n (also fig)
Wellenlänge f

waver ['weɪvə*] vi schwanken

wavy ['weɪvɪ] adj wellig

wax [wæks] n Wachs nt; (sealing ~) Siegel-
lack m; (in ear) Ohrenschmalz nt ♦ vt
(floor) (ein)wachsen ♦ vi (moon) zunehmen;
~**works** npl Wachsfigurenkabinett nt

way [weɪ] n Weg m; (method) Art und Weise f; (direction) Richtung f; (habit) Gewohnheit f; (distance) Entfernung f; (condition)
Zustand m; which ~? - this ~ welche
Richtung? - hier entlang; on the ~ (en
route) unterwegs; to be in the ~ im Weg
sein; to go out of one's ~ to do sth sich
besonders anstrengen, um etw zu tun; to
lose one's ~ sich verirren; "give ~" (BRIT:
AUT) „Vorfahrt achten!"; in a ~ in gewisser Weise; by the ~ übrigens; in some ~s
in gewisser Hinsicht; "~ in" (BRIT) „Eingang"; "~ out" „Ausgang"

waylay [weɪ'leɪ] (irreg: like lay) vt auflauern
+dat

wayward ['weɪwəd] adj eigensinnig

W.C. (BRIT) n WC nt

we [wiː] pl pron wir

weak [wiːk] adj schwach; ~**en** vt
schwächen ♦ vi schwächer werden; ~**ling**
n Schwächling m; ~**ness** n Schwäche f

wealth [welθ] n Reichtum m; (abundance)
Fülle f; ~**y** adj reich

wean [wiːn] vt entwöhnen

weapon ['wepən] n Waffe f

wear [wɛə*] (pt **wore**, pp **worn**) n
(clothing): **sports/baby** ~ Sport-/Babyklei-
dung f; (use) Verschleiß m ♦ vt (have on)
tragen; (smile etc) haben; (use) abnutzen ♦
vi (last) halten; (become old) (sich) verschleißen; **evening** ~ Abendkleidung f; ~
and tear Verschleiß m; ~ **away** vt verbrauchen ♦ vi schwinden; ~ **down** vt
(people) zermürben; ~ **off** vi sich verlieren;
~ **out** vt verschleißen; (person) erschöpfen

weary ['wɪərɪ] adj müde ♦ vt ermüden ♦ vi
überdrüssig werden

weasel ['wiːzl] n Wiesel nt

weather ['weðə*] n Wetter nt ♦ vt verwittern lassen; (resist) überstehen; **under the**
~ (fig: ill) angeschlagen (inf); ~**-beaten** adj
verwittert; ~**cock** n Wetterhahn m; ~
forecast n Wettervorhersage f; ~ **vane** n
Wetterfahne f

weave [wiːv] (pt **wove**, pp **woven**) vt weben; ~**r** n Weber(in) m(f); **weaving** n
(craft) Webkunst f

web [web] n Netz nt; (membrane)
Schwimmhaut f

wed [wed] (pt, pp **wedded**) vt heiraten ♦ n:
the newly-weds npl die Frischvermählten
pl

we'd [wiːd] = **we had**; **we would**

wedding ['wedɪŋ] n Hochzeit f; **silver/
golden** ~ **anniversary** Silberhochzeit f/
Goldene Hochzeit f; ~ **day** n Hochzeitstag
m; ~ **dress** n Hochzeitskleid nt; ~
present n Hochzeitsgeschenk nt; ~ **ring** n
Trauring m, Ehering m

wedge [wedʒ] n Keil m; (of cheese etc)
Stück nt ♦ vt (fasten) festklemmen; (pack
tightly) einkeilen

wedlock ['wedlɔk] n Ehe f

Wednesday ['wenzdeɪ] n Mittwoch m

wee [wiː] (SCOTTISH) adj klein, winzig

weed [wiːd] n Unkraut nt ♦ vt jäten; ~-
killer n Unkrautvertilgungsmittel nt; ~**y** adj
(person) schmächtig

week [wiːk] n Woche f; **a** ~ **today/on Friday** heute/Freitag in einer Woche; ~**day** n
Wochentag m; ~**end** n Wochenende nt;
~**ly** adj wöchentlich; (wages, magazine)
Wochen- ♦ adv wöchentlich

weep [wiːp] (pt, pp **wept**) vi weinen; ~**ing
willow** n Trauerweide f

weigh [weɪ] vt, vi wiegen; **to** ~ **anchor** den
Anker lichten; ~ **down** vt niederdrücken;
~ **up** vt abschätzen

weight [weɪt] n Gewicht nt; **to lose/put on**
~ abnehmen/zunehmen; ~**ing** n (allowance) Zulage f; ~**-lifter** n Gewichtheber m;
~**y** adj (heavy) gewichtig; (important)
schwerwiegend

weir [wɪə*] n (Stau)wehr nt

weird [wɪəd] adj seltsam

welcome ['welkəm] n Willkommen nt,

Empfang m ♦ vt begrüßen; **thank you - you're** ~! danke - nichts zu danken
welder ['weldə*] n (*person*) Schweißer(in) m(f)
welding ['weldɪŋ] n Schweißen nt
welfare ['welfeə*] n Wohl nt; (*social*) Fürsorge f; ~ **state** n Wohlfahrtsstaat m; ~ **work** n Fürsorge f
well [wel] n Brunnen m; (*oil* ~) Quelle f ♦ adj (*in good health*) gesund ♦ adv gut ♦ excl nun!, na schön!; **I'm** ~ es geht mir gut; **get** ~ **soon!** gute Besserung!; **as** ~ **auch; as** ~ **as** sowohl als auch; ~ **done!** gut gemacht!; **to do** ~ (*person*) gut zurechtkommen; (*business*) gut gehen; ~ **up** vi emporsteigen; (*fig*) aufsteigen
we'll [wi:l] = **we will; we shall**
well: ~-**behaved** ['welbɪ'heɪvd] adj wohlerzogen; ~-**being** ['welbiːɪŋ] n Wohl nt; ~-**built** ['wel'bɪlt] adj kräftig gebaut; ~-**deserved** ['weldɪ'zɜːvd] adj wohlverdient; ~-**dressed** ['wel'drest] adj gut gekleidet; ~-**heeled** ['wel'hiːld] (*inf*) adj (*wealthy*) gut gepolstert
wellingtons ['welɪŋtənz] npl (*also:* **wellington boots**) Gummistiefel pl
well: ~-**known** ['wel'nəʊn] adj bekannt; ~-**mannered** ['wel'mænəd] adj wohlerzogen; ~-**meaning** ['wel'miːnɪŋ] adj (*person*) wohlmeinend; (*action*) gutgemeint; ~-**off** ['wel'ɒf] adj gut situiert; ~-**read** ['wel'red] adj (*sehr*) belesen; ~-**to-do** ['weltə'duː] adj wohlhabend; ~-**wisher** ['welwɪʃə*] n Gönner m
Welsh [welʃ] adj walisisch ♦ n (*LING*) Walisisch nt; **the** ~ npl (*people*) die Waliser pl; ~**man/woman** (*irreg*) n Waliser(in) m(f); ~ **rarebit** n überbackene Käseschnitte pl
went [went] pt of **go**
wept [wept] pt, pp of **weep**
were [wɜː*] pt pl of **be**
we're [wɪə*] = **we are**
weren't [wɜːnt] = **were not**
west [west] n Westen m ♦ adj West-, westlich ♦ adv westwärts, nach Westen; **the W**~ der Westen; **the W**~ **Country** (*BRIT*) n der Südwesten Englands; ~**ern** adj westlich, West- ♦ n (*CINE*) Western m; **W**~ **Indian** adj westindisch ♦ n Westindier(in) m(f); **W**~ **Indies** npl Westindische Inseln pl; ~**ward(s)** adv westwärts
wet [wet] adj naß; **to get** ~ naß werden; **"**~ **paint"** „frisch gestrichen"; ~ **blanket** n (*fig*) Triefel m; ~ **suit** n Taucheranzug m
we've [wiːv] = **we have**
whack [wæk] n Schlag m ♦ vt schlagen
whale [weɪl] n Wal m
wharf [wɔːf] n Kai m
wharves [wɔːvz] npl of **wharf**

what [wɒt] adj **1** (*in direct/indirect questions*) welche(r, s), was für ein(e); **what size is it?** welche Größe ist das?
2 (*in exclamations*) was für ein(e); **what a mess!** was für ein Durcheinander!
♦ pron (*interrogative/relative*) was; **what are you doing?** was machst du gerade?; **what are you talking about?** wovon reden Sie?; **what is it called?** wie heißt das?; **what about ...?** wie wär's mit ...?; **I saw what you did** ich habe gesehen, was du gemacht hast
♦ excl (*disbelieving*) wie, was; **what, no coffee!** wie, kein Kaffee?; **I've crashed the car - what!** ich hatte einen Autounfall - was!

whatever [wɒt'evə*] adj: ~ **book** welches Buch auch immer ♦ pron: **do** ~ **is necessary** tu, was (immer auch) nötig ist; ~ **happens** egal, was passiert; **nothing** ~ überhaupt or absolut gar nichts; **do** ~ **you want** tu, was (immer) du (auch) möchtest; **no reason** ~ or **whatsoever** überhaupt or absolut kein Grund
whatsoever ['wɒtsəʊevə*] adj = **whatever**
wheat [wiːt] n Weizen m; ~ **germ** n Weizenkeim m
wheedle ['wiːdl] vt: **to** ~ **sb into doing sth** jdn dazu überreden, etw zu tun; **to** ~ **sth out of sb** jdm etw abluchsen
wheel [wiːl] n Rad nt; (*steering* ~) Lenkrad nt; (*disc*) Scheibe f ♦ vt schieben; ~**barrow** n Schubkarren m; ~**chair** n Rollstuhl m; ~ **clamp** n (*AUT*) Parkkralle f
wheeze [wiːz] vi keuchen

when [wen] adv wann
♦ conj **1** (*at, during, after the time that*) wenn; (*with past reference*) als; **she was reading when I came in** sie las, als ich hereinkam; **be careful when you cross the road** seien Sie vorsichtig, wenn Sie über die Straße gehen
2 (*on, at which*) als; **on the day when I met him** an dem Tag, an dem ich ihn traf
3 (*whereas*) wo ... doch

whenever [wen'evə*] adv wann (auch) immer ♦ conj (*any time*) wenn ♦ adv (*every time that*) jedesmal wenn
where [weə*] adv (*place*) wo; (*direction*) wohin; ~ **from** woher; **this is** ~ ... hier ...; ~**abouts** ['weərə'baʊts] adv wo ♦ n Aufenthaltsort m; **nobody knows his** ~**abouts** niemand weiß, wo er ist; ~**as** [weər'æz] conj während, wo ... doch; ~**by** pron woran, wodurch, womit, wovon; ~**upon** conj worauf, wonach; (*at beginning of sentence*)

daraufhin
wherever [wɛər'evə*] *adv* wo (immer)
wherewithal ['wɛəwɪðɔ:l] *n* nötige (Geld)mittel *pl*
whet [wet] *vt (appetite)* anregen
whether ['weðə*] *conj* ob; **I don't know ~ to accept or not** ich weiß nicht, ob ich es annehmen soll oder nicht; **~ you go or not** ob du gehst oder nicht; **it's doubtful/unclear ~ ...** est ist zweifelhaft/nicht klar ob ...

---- KEYWORD ----

which [wɪtʃ] *adj* **1** *(interrogative: direct, indirect)* welche(r, s); **which one?** welche(r, s)? **2**: **in which case** in diesem Fall; **by which time** zu dieser Zeit
♦ *pron* **1** *(interrogative)* welche(r, s); *(of people also)* wer
2 *(relative)* der/die/das; *(referring to people)* was; **the apple which you ate/which is on the table** der Apfel, den du gegessen hast/der auf dem Tisch liegt; **he said he saw her, which is true** er sagte, er habe sie gesehen, was auch stimmt

----

whichever [wɪtʃ'evə*] *adj* welche(r, s) auch immer; *(no matter which)* ganz gleich welche(r, s); **~ book you take** welches Buch du auch nimmst; **~ car you prefer** egal, welches Auto du vorziehst
whiff [wɪf] *n* Hauch *m*
while [waɪl] *n* Weile *f* ♦ *conj* während; **for a ~** eine Zeitlang; **~ away** *vt (time)* sich *dat* vertreiben
whim [wɪm] *n* Laune *f*
whimper ['wɪmpə*] *n* Wimmern *nt* ♦ *vi* wimmern
whimsical ['wɪmzɪkəl] *adj* launisch
whine [waɪn] *n* Gewinsel *nt*, Gejammer *nt* ♦ *vi* heulen, winseln
whip [wɪp] *n* Peitsche *f*; *(POL)* Fraktionsführer *m* ♦ *vt (beat)* peitschen; *(snatch)* reißen; **~ped cream** *n* Schlagsahne *f*; **~round** *(BRIT: inf)* *n* Geldsammlung *f*
whirl [wɜ:l] *n* Wirbel *m* ♦ *vt, vi* (herum)wirbeln; **~pool** *n* Wirbel *m*; **~wind** *n* Wirbelwind *m*
whirr [wɜ:*] *vi* schwirren, surren
whisk [wɪsk] *n* Schneebesen *m* ♦ *vt (cream etc)* schlagen; **to ~ sb away** *or* **off** mit jdm davon sausen
whisker ['wɪskə*] *n*: **~s** *(of animal)* Barthaare *pl*; *(of man)* Backenbart *m*
whisky ['wɪskɪ] *n (US, IRISH* **whiskey)** *n* Whisky *m*
whisper ['wɪspə*] *n* Flüstern *nt* ♦ *vt, vi* flüstern
whistle ['wɪsl] *n* Pfiff *m*; *(instrument)* Pfeife *f* ♦ *vt, vi* pfeifen
white [waɪt] *n* Weiß *nt*; *(of egg)* Eiweiß *nt* ♦ *adj* weiß; **~ coffee** *(BRIT)* *n* Kaffee *m*

mit Milch; **~-collar worker** *n* Angestellte(r) *m*; **~ elephant** *n (fig)* Fehlinvestition *f*; **~ lie** *n* Notlüge *f*; **~ paper** *n (POL)* Weißbuch *nt*; **~wash** *n (paint)* Tünche *f*; *(fig)* Ehrenrettung *f* ♦ *vt* weißen, tünchen; *(fig)* reinwaschen
whiting ['waɪtɪŋ] *n* Weißfisch *m*
Whitsun ['wɪtsn] *n* Pfingsten *nt*
whittle ['wɪtl] *vt*: **to ~ away** *or* **down** stutzen, verringern
whizz [wɪz] *vi*: **to ~ past** *or* **by** vorbeizischen, vorbeischwirren; **~ kid** *(inf)* *n* Kanone *f*

---- KEYWORD ----

who [hu:] *pron* **1** *(interrogative)* wer; *(acc)* wen; *(dat)* wem; **who is it?, who's there?** wer ist da?
2 *(relative)* der/die/das; **the man/woman who spoke to me** der Mann/die Frau, der/die mit mir sprach

----

whodu(n)nit [hu:'dʌnɪt] *(inf)* *n* Krimi *m*
whoever [hu:'evə*] *pron* wer/wen/wem auch immer; *(no matter who)* ganz gleich wer/wen/wem
whole [həʊl] *adj* ganz ♦ *n* Ganze(s) *nt*; **the ~ of the town** die ganze Stadt; **on the ~** im großen und ganzen; **as a ~** im großen und ganzen; **~hearted** *adj* rückhaltlos; **~heartedly** *adv* von ganzem Herzen; **~meal** *adj (bread, flour)* Vollkorn-; **~sale** *n* Großhandel *m* ♦ *adj (trade)* Großhandels-; *(destruction)* Massen-; **~saler** *n* Großhändler *m*; **~some** *adj* bekömmlich, gesund; **~wheat** *adj* = wholemeal
wholly ['həʊlɪ] *adv* ganz, völlig

---- KEYWORD ----

whom [hu:m] *pron* **1** *(interrogative: acc)* wen; *(: dat)* wem; **whom did you see?** wen haben Sie gesehen?; **to whom did you give it?** wem haben Sie es gegeben?
2 *(relative: acc)* den/die/das; *(: dat)* dem/der/dem; **the man whom I saw/to whom I spoke** der Mann, den ich sah/mit dem ich sprach

----

whooping cough ['hu:pɪŋ-] *n* Keuchhusten *m*
whore ['hɔ:*] *n* Hure *f*
whose [hu:z] *adj (possessive: interrogative)* wessen; *(: relative)* dessen; *(after f and pl)* deren ♦ *pron* wessen; **~ book is this?**, **~ is this book?** wessen Buch ist dies?; **~ is this?** wem gehört das?

---- KEYWORD ----

why [waɪ] *adv* warum, weshalb
♦ *conj* warum, weshalb; **that's not why I'm here** ich bin nicht deswegen hier; **that's**

the reason why deshalb
♦ *excl (expressing surprise, shock, annoyance)* na so was; *(explaining)* also dann; **why, it's you!** na so was, du bist es!

wick [wɪk] *n* Docht *m*
wicked ['wɪkɪd] *adj* böse
wicker ['wɪkə*] *n (also: ~work)* Korbgeflecht *nt*
wicket ['wɪkɪt] *n* Tor *nt*, Dreistab *m*
wide [waɪd] *adj* breit; *(plain)* weit; *(in firing)* daneben ♦ *adv:* **to open ~** weit öffnen; **to shoot ~** daneben schießen; **~-angle lens** *n* Weitwinkelobjektiv *nt*; **~-awake** *adj* hellwach; **~ly** *adv* weit; *(known)* allgemein; **~n** *vt* erweitern; **~ open** *adj* weit geöffnet; **~spread** *adj* weitverbreitet
widow ['wɪdəʊ] *n* Witwe *f*; **~ed** *adj* verwitwet; **~er** *n* Witwer *m*
width [wɪdθ] *n* Breite *f*, Weite *f*
wield [wiːld] *vt* schwingen, handhaben
wife [waɪf] *(pl* wives*) n* (Ehe)frau *f*, Gattin *f*
wig [wɪg] *n* Perücke *f*
wiggle ['wɪgl] *n* Wackeln *nt* ♦ *vt* wackeln mit ♦ *vi* wackeln
wild [waɪld] *adj* wild; *(violent)* heftig; *(plan, idea)* verrückt; **~erness** ['wɪldənəs] *n* Wildnis *f*, Wüste *f*; **~-goose chase** *n (fig)* fruchtlose(s) Unternehmen *nt*; **~life** *n* Tierwelt *f*; **~ly** *adv* wild, ungestüm; *(exaggerated)* irrsinnig; **~s** *npl:* **the ~s** die Wildnis *f*
wilful ['wɪlfʊl] *(US* willful*) adj (intended)* vorsätzlich; *(obstinate)* eigensinnig

KEYWORD

will [wɪl] *aux vb* **1** *(forming future tense)* werden; **I will finish it tomorrow** ich mache es morgen zu Ende
2 *(in conjectures, predictions):* **he will** *or* **he'll be there by now** er dürfte jetzt da sein; **that will be the postman** das wird der Postbote sein
3 *(in commands, requests, offers):* **will you be quiet!** sei endlich still!; **will you help me?** hilfst du mir?; **will you have a cup of tea?** trinken Sie eine Tasse Tee?; **I won't put up with it!** das lasse ich mir nicht gefallen!
♦ *vt* wollen
♦ *n* Wille *m*; *(JUR)* Testament *nt*

willing ['wɪlɪŋ] *adj* gewillt, bereit; **~ly** *adv* bereitwillig, gern; **~ness** *n* (Bereit)willigkeit *f*
willow ['wɪləʊ] *n* Weide *f*
willpower ['wɪlpaʊə*] *n* Willenskraft *f*
willy-nilly ['wɪlɪ'nɪlɪ] *adv* einfach so
wilt [wɪlt] *vi* (ver)welken
wily ['waɪlɪ] *adj* schlau
win [wɪn] *(pt, pp* won*) n* Sieg *m* ♦ *vt, vi* gewinnen; **to ~ sb over** *or* **round** jdn gewin-

nen, jdn dazu bringen
wince [wɪns] *n* Zusammenzucken *nt* ♦ *vi* zusammenzucken
winch [wɪntʃ] *n* Winde *f*
wind[1] [wɪnd] *n* Wind *m*; *(MED)* Blähungen *pl*
wind[2] [waɪnd] *(pt, pp* wound*) vt (rope)* winden; *(bandage)* wickeln ♦ *vi (turn)* sich winden; **~ up** *vt (clock)* aufziehen; *(debate)* (ab)schließen
windfall ['wɪndfɔːl] *n* unverhoffte(r) Glücksfall *m*
winding ['waɪndɪŋ] *adj (road)* gewunden
wind instrument ['wɪndɪnstrʊmənt] *n* Blasinstrument *nt*
windmill ['wɪndmɪl] *n* Windmühle *f*
window ['wɪndəʊ] *n* Fenster *nt*; **~ box** *n* Blumenkasten *m*; **~ cleaner** *n* Fensterputzer *m*; **~ envelope** *n* Fensterbriefumschlag *m*; **~ ledge** *n* Fenstersims *m*; **~ pane** *n* Fensterscheibe *f*; **~sill** *n* Fensterbank *f*
windpipe ['wɪndpaɪp] *n* Luftröhre *f*
wind power *n* Windenergie *f*
windscreen ['wɪndskriːn] *(BRIT) n* Windschutzscheibe *f*, **~ washer** *n* Scheibenwaschanlage *f*; **~ wiper** *n* Scheibenwischer *m*
windshield ['wɪndʃiːld] *(US) n* = **windscreen**
windswept ['wɪndswept] *adj* vom Wind gepeitscht; *(person)* zerzaust
windy ['wɪndɪ] *adj* windig
wine [waɪn] *n* Wein *m*; **~ cellar** *n* Weinkeller *m*; **~glass** *n* Weinglas *nt*; **~ list** *n* Weinkarte *f*; **~ merchant** *n* Weinhändler *m*; **~ tasting** *n* Weinprobe *f*; **~ waiter** *n* Weinkellner *m*
wing [wɪŋ] *n* Flügel *m*; *(MIL)* Gruppe *f*; **~s** *npl (THEAT)* Seitenkulisse *f*; **~er** *n (SPORT)* Flügelstürmer *m*
wink [wɪŋk] *n* Zwinkern *nt* ♦ *vi* zwinkern, blinzeln
winner ['wɪnə*] *n* Gewinner *m*; *(SPORT)* Sieger *m*
winning ['wɪnɪŋ] *adj (team)* siegreich, Sieger-; *(goal)* entscheidend; **~ post** *n* Ziel *nt*; **~s** *npl* Gewinn *m*
winter ['wɪntə*] *n* Winter *m* ♦ *adj (clothes)* Winter- ♦ *vi* überwintern; **~ sports** *npl* Wintersport *m*
wintry ['wɪntrɪ] *adj* Winter-, winterlich
wipe [waɪp] *n:* **to give sth a ~** etw (ab)wischen ♦ *vt* wischen; **~ off** *vt* abwischen; **~ out** *vt (debt)* löschen; *(destroy)* auslöschen; **~ up** *vt* aufwischen
wire ['waɪə*] *n* Draht *m*; *(telegram)* Telegramm *nt* ♦ *vt* telegrafieren; **to ~ sb** jdm telegrafieren
wireless ['waɪəlɪs] *(BRIT) n* Radio(apparat *m) nt*
wiring ['waɪərɪŋ] *n* elektrische Leitungen *pl*
wiry ['waɪərɪ] *adj* drahtig

wisdom ['wɪzdəm] n Weisheit f; (of decision) Klugheit f; ~ **tooth** n Weisheitszahn m

wise [waɪz] adj klug, weise ♦ suffix: **time-wise** zeitlich gesehen

wisecrack n Witzelei f

wish [wɪʃ] n Wunsch m ♦ vt wünschen; **best ~es** (on birthday etc) alles Gute; **with best ~es** herzliche Grüße; **to ~ sb good-bye** jdn verabschieden; **he ~ed me well** er wünschte mir Glück; **to ~ to do sth** etw tun wollen; **~ for** vt fus sich dat wünschen; **~ful thinking** n Wunschdenken nt

wishy-washy ['wɪʃɪ'wɒʃɪ] (inf) adj (colour) verwaschen; (ideas, argument) verschwommen

wisp [wɪsp] n (Haar)strähne f; (of smoke) Wölkchen nt

wistful ['wɪstful] adj sehnsüchtig

wit [wɪt] n (also: ~s) Verstand m no pl; (amusing ideas) Witz m; (person) Witzbold m

witch [wɪtʃ] n Hexe f; ~**craft** n Hexerei f

─────────── KEYWORD ───────────

with [wɪð, wɪθ] prep **1** (accompanying, in the company of) mit; **we stayed with friends** wir übernachteten bei Freunden; **I'll be with you in a minute** einen Augenblick, ich bin sofort da; **I'm not with you** (I don't understand) das verstehe ich nicht; **to be with it** (inf: up-to-date) auf dem laufenden sein; (: alert) (voll) da sein (inf)
2 (descriptive, indicating manner etc) mit; **the man with the grey hat** der Mann mit dem grauen Hut; **red with anger** rot vor Wut

withdraw [wɪθ'drɔː] (irreg: like draw) vt zurückziehen; (money) abheben; (remark) zurücknehmen ♦ vi sich zurückziehen; ~**al** n Zurückziehung f; Abheben nt; Zurücknahme f; (from drugs) Entzug m; ~**al symptom** n Entzugserscheinung f; ~**n** adj (person) verschlossen

wither ['wɪðə*] vi (ver)welken

withhold [wɪθ'həʊld] (irreg: like hold) vt: **to ~ sth (from sb)** (jdm) etw vorenthalten

within [wɪð'ɪn] prep innerhalb +gen ♦ adv innen; ~ **sight of** in Sichtweite von; ~ **the week** innerhalb dieser Woche; ~ **a mile of** weniger als eine Meile von

without [wɪð'aʊt] prep ohne; ~ **speaking/sleeping** etc ohne zu sprechen/schlafen etc

withstand [wɪθ'stænd] (irreg: like stand) vt widerstehen +dat

witness ['wɪtnəs] n Zeuge m, Zeugin f ♦ vt (see) sehen, miterleben; (document) beglaubigen; ~ **box** n Zeugenstand m; ~ **stand** (US) n Zeugenstand m

witticism ['wɪtɪsɪzəm] n witzige Bemerkung f

witty ['wɪtɪ] adj witzig, geistreich

wives [waɪvz] pl of **wife**

wizard ['wɪzəd] n Zauberer m

wk abbr = **week**

wobble ['wɒbl] vi wackeln

woe [wəʊ] n Kummer m

woke [wəʊk] pt of **wake**

woken ['wəʊkən] pp of **wake**

woman ['wʊmən] (pl **women**) n Frau f; ~ **doctor** n Ärztin f; ~**ly** adj weiblich

womb [wuːm] n Gebärmutter f

women ['wɪmɪn] npl of **woman**; ~**'s lib** (inf) n Frauenrechtsbewegung f

won [wʌn] pt, pp of **win**

wonder ['wʌndə*] n (marvel) Wunder nt; (surprise) Staunen nt, Verwunderung f ♦ vi sich wundern ♦ vt: **I ~ whether ...** ich frage mich, ob ...; **it's no ~ that** es ist kein Wunder, daß; **to ~ at** sich wundern über +acc; **to ~ about** sich Gedanken machen über +acc; ~**ful** adj wunderbar, herrlich; ~**fully** adv wunderbar

won't [wəʊnt] = **will not**

woo [wuː] vt (woman) den Hof machen +dat, umwerben; (audience etc) umwerben

wood [wʊd] n Holz nt; (forest) Wald m; ~ **carving** n Holzschnitzerei f; ~**ed** adj bewaldet; ~**en** adj (also fig) hölzern; ~**pecker** n Specht m; ~**wind** n Blasinstrumente pl; ~**work** n Holzwerk nt; (craft) Holzarbeiten pl; ~**worm** n Holzwurm m

wool [wʊl] n Wolle f; **to pull the ~ over sb's eyes** (fig) jdm Sand in die Augen streuen; ~**len** (US ~**en**) adj Woll-; ~**lens** npl Wollsachen pl; ~**ly** (US ~**y**) adj wollig; (fig) schwammig

word [wɜːd] n Wort nt; (news) Bescheid m ♦ vt formulieren; **in other ~s** anders gesagt; **to break/keep one's ~** sein Wort brechen/halten; ~**ing** n Wortlaut m; ~ **processing** n Textverarbeitung f; ~ **processor** n Textverarbeitungsgerät nt

wore [wɔː*] pt of **wear**

work [wɜːk] n Arbeit f; (ART, LITER) Werk nt ♦ vi arbeiten; (machine) funktionieren; (medicine) wirken; (succeed) klappen; ~**s** n sg (BRIT: factory) Fabrik f, Werk nt ♦ npl (of watch) Werk nt; **to be out of ~** arbeitslos sein; **in ~ing order** in betriebsfähigem Zustand; ~ **loose** vi sich lockern; ~ **on** vi weiterarbeiten ♦ vt fus (be engaged in) arbeiten an +dat; (influence) bearbeiten; ~ **out** vi (sum) aufgehen; (plan) klappen ♦ vt (problem) lösen; (plan) ausarbeiten; **it ~s out at £100** das gibt or macht £100; ~ **up** vt: **to get ~ed up** sich aufregen; ~**able** adj (soil) bearbeitbar; (plan) ausführbar; ~**a-holic** [wɜːkə'hɒlɪk] n Arbeitssüchtige(r) mf; ~**er** n Arbeiter(in) m(f); ~**force** n Arbeiterschaft f; ~**ing class** n Arbeiterklasse f; ~**ing-class** adj Arbeiter-; ~**man** (irreg) n Arbeiter m; ~**manship** n Arbeit f, Aus-

führung f; **~sheet** n Arbeitsblatt nt;
~shop n Werkstatt f; ~ **station** n Arbeitsplatz m; **~-to-rule** (BRIT) n Dienst m nach
Vorschrift

world [wɜːld] n Welt f; **to think the ~ of
sb** große Stücke auf jdn halten; **~ly** adj
weltlich, irdisch; **~-wide** adj weltweit

worm [wɜːm] n Wurm m

worn [wɔːn] pp of **wear** ♦ adj (clothes) abgetragen; **~-out** adj (object) abgenutzt;
(person) völlig erschöpft

worried ['wʌrɪd] adj besorgt, beunruhigt

worry ['wʌrɪ] n Sorge f ♦ vt beunruhigen ♦
vi (feel uneasy) sich sorgen, sich dat Gedanken machen; **~ing** adj beunruhigend

worse [wɜːs] adj schlechter, schlimmer ♦
adv schlimmer, ärger ♦ n Schlimmere(s) nt,
Schlechtere(s) nt; **a change for the ~** eine
Verschlechterung; **~n** vt verschlimmern ♦
vi sich verschlechtern; ~ **off** adj (fig)
schlechter dran

worship ['wɜːʃɪp] n Verehrung f ♦ vt anbeten; **Your W~** (BRIT: to mayor) Herr/Frau
Bürgermeister (: to judge) Euer Ehren

worst [wɜːst] adj schlimmste(r, s), schlech-
teste(r, s) ♦ adv am schlimmsten, am
ärgsten ♦ n Schlimmste(s) nt, Ärgste(s) nt;
at ~ schlimmstenfalls

worsted ['wʊstɪd] n Kammgarn nt

worth [wɜːθ] n Wert m ♦ adj wert; **it's ~ it**
es lohnt sich; **to be ~ one's while (to do
sth)** die Mühe wert sein (, etw zu tun);
~less adj wertlos; (person) nichtsnutzig;
~while adj lohnend, der Mühe wert

worthy ['wɜːðɪ] adj wert, würdig

─────────── KEYWORD ───────────

would [wʊd] aux vb **1** (conditional tense): **if
you asked him he would do it** wenn du
ihn fragtest, würde er es tun; **if you had
asked him he would have done it** wenn
du ihn gefragt hättest, hätte er es getan
2 (in offers, invitations, requests): **would
you like a biscuit?** möchten Sie ein
Plätzchen?; **would you ask him to come
in?** würden Sie ihn bitte hineinbitten?
3 (in indirect speech): **I said I would do it**
ich sagte, ich würde es tun
4 (emphatic): **it WOULD have to snow today!** es mußte ja ausgerechnet heute
schneien!
5 (insistence): **she wouldn't behave** sie
wollte sich partout nicht anständig benehmen
6 (conjecture): **it would have been midnight** es mag ungefähr Mitternacht gewesen sein; **it would seem so** es sieht wohl
so aus
7 (indicating habit): **he would go there on
Mondays** er ging jeden Montag dorthin

would-be ['wʊdbiː] (pej) adj Möchtegern-

wouldn't ['wʊdnt] = **would not**

wound¹ [wuːnd] n (also fig) Wunde f ♦ vt
verwunden, verletzen (also fig)

wound² [waʊnd] pt, pp of **wind²**

wove [wəʊv] pt of **weave**; **~n** ['wəʊvən] pp
of **weave**

wrangle ['ræŋgl] n Streit m ♦ vi sich zanken

wrap [ræp] n (stole) Schal m ♦ vt einwickeln; ~ **up** vt einwickeln; (deal) abschließen; **~per** n Umschlag m, Schutzhül-
le f; **~ping paper** n Einwickelpapier nt

wrath [rɒθ] n Zorn m

wreak [riːk] vt (havoc) anrichten; (vengeance) üben

wreath [riːθ, pl riːðz] n Kranz m

wreck [rek] n (ship) Wrack nt; (sth ruined)
Ruine f ♦ vt zerstören; **~age** n Trümmer pl

wren [ren] n Zaunkönig m

wrench [rentʃ] n (spanner) Schraubenschlüssel m; (twist) Ruck m ♦ vt reißen,
zerren; **to ~ sth from sb** jdm etw entreißen or entwinden

wrestle ['resl] vi: **to ~ (with sb)** (mit jdm)
ringen; **~r** n Ringer(in) m(f); **wrestling** n
Ringen nt

wretched ['retʃɪd] adj (hovel) elend; (inf)
verflixt; **I feel ~** mir ist elend

wriggle ['rɪgl] n Schlängeln nt ♦ vi sich
winden

wring [rɪŋ] (pt, pp **wrung**) vt wringen

wrinkle ['rɪŋkl] n Falte f, Runzel f ♦ vt runzeln ♦ vi sich runzeln; (material) knittern

wrist [rɪst] n Handgelenk nt; **~watch** n
Armbanduhr f

writ [rɪt] n gerichtliche(r) Befehl m

write [raɪt] (pt **wrote**, pp **written**) vt, vi
schreiben; ~ **down** vt aufschreiben; ~ **off**
vt (dismiss) abschreiben; ~ **out** vt (essay)
abschreiben; (cheque) ausstellen; ~ **up** vt
schreiben; **~-off** n: **it is a ~-off** das kann
man abschreiben; **~r** n Schriftsteller m

writhe [raɪð] vi sich winden

writing ['raɪtɪŋ] n (act) Schreiben nt;
(hand~) (Hand)schrift f; **in ~** schriftlich; ~
paper n Schreibpapier nt

written ['rɪtn] pp of **write**

wrong [rɒŋ] adj (incorrect) falsch; (morally)
unrecht ♦ n Unrecht nt ♦ vt Unrecht tun
+dat; **he was ~ in doing that** es war nicht
recht von ihm, das zu tun; **you are ~
about that, you've got it ~** da hast du
unrecht; **to be in the ~** im Unrecht sein;
what's ~ with your leg? was ist mit deinem Bein los?; **to go ~** (plan) schiefgehen;
(person) einen Fehler machen; **~ful** adj un-
rechtmäßig; **~ly** adv falsch; (accuse) zu
Unrecht

wrote [rəʊt] pt of **write**

wrought [rɔːt] adj: ~ **iron** Schmiedeeisen
nt

wrung [rʌŋ] pt, pp of **wring**

wry [raɪ] *adj* ironisch
wt. *abbr* = **weight**

————————— X x

Xmas ['eksməs] *n abbr* = **Christmas**
X-ray ['eksreɪ] *n* Röntgenaufnahme *f* ♦ *vt* röntgen; **~s** *npl* Röntgenstrahlen *pl*
xylophone ['zaɪləfəʊn] *n* Xylophon *nt*

————————— Y y

yacht [jɒt] *n* Jacht *f*; **~ing** *n* (Sport)segeln *nt*; **~sman** *n* Sportsegler *m*
Yank [jæŋk] (*inf*) *n* Ami *m*
yap [jæp] *vi* (*dog*) kläffen
yard [jɑːd] *n* Hof *m*; (*measure*) (englische) Elle *f*, Yard *nt* (0,91 m); **~stick** *n* (*fig*) Maßstab *m*
yarn [jɑːn] *n* (*thread*) Garn *nt*; (*story*) (Seemanns)garn *nt*
yawn [jɔːn] *n* Gähnen *nt* ♦ *vi* gähnen; **~ing** *adj* (*gap*) gähnend
yd. *abbr* = **yard(s)**
yeah [jɛə] (*inf*) *adv* ja
year [jɪə*] *n* Jahr *nt*; **to be 8 ~s old** acht Jahre alt sein; **an eight-~-old child** ein achtjähriges Kind; **~ly** *adj, adv* jährlich
yearn [jɜːn] *vi*: **to ~ (for)** sich sehnen (nach); **~ing** *n* Verlangen *nt*, Sehnsucht *f*
yeast [jiːst] *n* Hefe *f*
yell [jel] *n* gellende(r) Schrei *m* ♦ *vi* laut schreien
yellow ['jeləʊ] *adj* gelb ♦ *n* Gelb *nt*
yelp [jelp] *n* Gekläff *nt* ♦ *vi* kläffen
yeoman ['jəʊmən] (*irreg*) *n*: **Y~ of the Guard** Leibgardist *m*
yes [jes] *adv* ja ♦ *n* Ja *nt*, Jawort *nt*; **to say ~** ja sagen; **to answer ~** mit Ja antworten
yesterday ['jestədeɪ] *adv* gestern ♦ *n* Gestern *nt*; **~ morning/evening** gestern morgen/abend; **all day ~** gestern den ganzen Tag; **the day before ~** vorgestern
yet [jet] *adv* noch; (*in question*) schon; (*up*

to now) bis jetzt ♦ *conj* doch, dennoch; **it is not finished** ~ es ist noch nicht fertig; **the best** ~ das bisher beste; **as** ~ bis jetzt; (*in past*) bis dahin
yew [juː] *n* Eibe *f*
yield [jiːld] *n* Ertrag *m* ♦ *vt* (*result, crop*) hervorbringen; (*interest, profit*) abwerfen; (*concede*) abtreten ♦ *vi* nachgeben; (*MIL*) sich ergeben; "~" (*US: AUT*) „Vorfahrt gewähren"
YMCA *n abbr* (= Young Men's Christian Association) CVJM *m*
yoga ['jəʊgə] *n* Joga *m*
yoghourt ['jɒgət] *n* Joghurt *m*
yog(h)urt ['jɒgət] *n* = **yoghourt**
yoke [jəʊk] *n* (*also fig*) Joch *nt*
yolk [jəʊk] *n* Eidotter *m*, Eigelb *nt*
yonder ['jɒndə*] *adv* dort drüben, da drüben ♦ *adj* jene(r, s) dort

————————— KEYWORD

you [juː] *pron* **1** (*subj, in comparisons: German familiar form: sg*) du; (: *pl*) ihr; (*in letters also*) Du, Ihr; (: *German polite form*) Sie; **you Germans** ihr Deutschen; **she's younger than you** sie sie jünger als du/Sie
2 (*direct object, after prep +acc: German familiar form: sg*) dich; (: *pl*) euch; (*in letters also*) Dich, Euch; (: *German polite form*) Sie; **I know you** ich kenne dich/euch/Sie
3 (*indirect object, after prep +dat: German familiar form: sg*) dir; (: *pl*) euch; (*in letters also*) Dir, Euch; (: *German polite form*) Ihnen; **I gave it to you** ich gab es dir/euch/Ihnen
4 (*impers: one: subj*) man; (: *direct object*) einen; (: *indirect object*) einem; **fresh air does you good** frische Luft tut gut

you'd [juːd] = **you had**; **you would**
you'll [juːl] = **you will**; **you shall**
young [jʌŋ] *adj* jung ♦ *npl*: **the ~** die Jungen *pl*; **~ish** *adj* ziemlich jung; **~ster** *n* Junge *m*, junge(r) Bursche *m*, junge(s) Mädchen *nt*
your ['jɔː*] *adj* (*familiar: sg*) dein; (: *pl*) euer, eure *pl*; (*polite*) Ihr; *see also* **my**
you're ['jʊə*] = **you are**
yours [jɔːz] *pron* (*familiar: sg*) deine(r, s); (: *pl*) eure(r, s); (*polite*) Ihre(r, s); *see also* **mine**[2]
yourself [jɔːˈself] *pron* (*emphatic*) selbst; (*familiar: sg: acc*) dich (selbst); (: *dat*) dir (selbst); (: *pl: acc*) euch (selbst); (*polite*) sich (selbst); *see also* **oneself**
youth [juːθ, *pl* juːðz] *n* Jugend *f*; (*young man*) junge(r) Mann *m*; **~s** *npl* (*young people*) Jugendliche *pl*; ~ **club** *n* Jugendzentrum *nt*; **~ful** *adj* jugendlich; ~ **hostel** *n* Jugendherberge *f*
you've [juːv] = **you have**
YTS (*BRIT*) *n abbr* (= Youth Training

Scheme) staatliches Förderprogramm für arbeitslose Jugendliche

Yugoslav ['juːgəʊ'slɑːv] *adj* jugoslawisch ♦ *n* Jugoslawe *m*, Jugoslawin *f*

Yugoslavia ['juːgəʊ'slɑːvɪə] *n* Jugoslawien *nt*

yuppie ['jʌpɪ] *(inf) n* Yuppie *m* ♦ *adj* yuppiehaft, Yuppie-

YWCA *n abbr* (= *Young Women's Christian Association)* CVJF *m*

Z z

zany ['zeɪnɪ] *adj (ideas, sense of humour)* verrückt

zap [zæp] *vt (COMPUT)* löschen

zeal [ziːl] *n* Eifer *m*; ~**ous** ['zeləs] *adj* eifrig

zebra ['ziːbrə] *n* Zebra *nt*; ~ **crossing** *(BRIT) n* Zebrastreifen *m*

zero ['zɪərəʊ] *n* Null *f; (on scale)* Nullpunkt *m*

zest [zest] *n* Begeisterung *f*

zigzag ['zɪgzæg] *n* Zickzack *m*

zip [zɪp] *n* Reißverschluß *m* ♦ *vt (also:* ~ *up)* den Reißverschluß zumachen +*gen*; ~ **code** *(US) n* Postleitzahl *f*; ~ **fastener** *n* Reißverschluß *m*; ~**per** *(esp US) n* Reißverschluß *m*

zodiac ['zəʊdɪæk] *n* Tierkreis *m*

zombie ['zɒmbɪ] *n*: **like a** ~ *(fig)* wie im Tran

zoo [zuː] *n* Zoo *m*

zoology [zəʊ'ɒlədʒɪ] *n* Zoologie *f*

zoom [zuːm] *vi*: **to** ~ **past** vorbeisausen; ~ **lens** *n* Zoomobjektiv *nt*

zucchini [zuː'kiːnɪ] *(US) npl* Zucchini *pl*

Grammar

Using the Grammar

The Grammar section deals systematically and comprehensively with all the information you will need in order to communicate accurately in German. The user-friendly layout explains the grammar point on a left-hand page, leaving the facing page free for illustrative examples. The bracketed numbers (→1) direct you to the relevant example in every case.

The Grammar section also provides invaluable guidance on the danger of translating English structure by identical structures in German. Use of Numbers and Punctuation are important areas covered towards the end of this section. Finally, the index lists the main words and grammatical terms in both English and German.

Abbreviations

acc	accusative	*gen*	genitive
ctd	continued	*masc*	masculine
dat	dative	*neut*	neuter
fem	feminine	*nom*	nominative
ff	and following pages	*p(p)*	page(s)

4　CONTENTS

CONTENTS 5

Tense Formation

Tenses are either **simple** or **compound**. Once you know how to form the past participle, compound tenses are similar for all verbs (see pp 22 to 29). To form simple tenses you need to know whether a verb is **weak, strong** or **mixed**.

Simple Tenses

In German these are:

Present indicative   (→**1**)
Imperfect indicative   (→**2**)
Present subjunctive   (→**3**)
Imperfect subjunctive   (→**4**)

Subjunctive forms are widely used in German, especially for indirect or reported speech (see pp 66 and 67).

The simple tenses are formed by adding endings to a verb **stem**. The endings show the number, person and tense of the subject of the verb (→**5**)

The types of verb you need to know to form simple tenses are:
- **Strong verbs** (pp 12 to 15), those whose vowel usually changes in forming the imperfect indicative (→**6**)

- **Weak verbs** (pp 8 to 11), which are usually completely regular and have no vowel changes. Their endings differ from those of strong verbs (→**7**)

- **Mixed verbs** (pp 16 and 17), which have a vowel change like strong verbs, but the endings of weak verbs (→**8**)

Continued

1 ich hole
I fetch, I am fetching, I do fetch

2 ich holte
I fetched, I was fetching, I used to fetch

3 (daß) ich hole
(that) I fetch/I fetched

4 (daß) ich holte
(that) I fetched

5 ich hole	I fetch
wir holen	we fetch
du holtest	you fetched
6 singen	to sing
er singt	he sings
er sang	he sang
7 holen	to fetch
er holt	he fetches
er holte	he fetched
8 nennen	to name
er nennt	he names
er nannte	he named

Weak Verbs

Weak verbs are usually **regular** in conjugation. Their simple tenses are formed as follows:

- **Present** and **imperfect** tenses are formed by adding the endings shown below to the verb **stem**. This stem is formed by removing the **-en** ending of the infinitive (the form found in the dictionary) (→**1**)

- Where the infinitive of a weak verb ends in **-eln** or **-ern**, only the **-n** is removed to form the verb stem (→**2**)

- The endings are as follows (→**3**):

	PRESENT INDICATIVE	*PRESENT SUBJUNCTIVE*
1st singular	**-e**	**-e**
2nd	**-st**	**-est**
3rd	**-t**	**-e**
1st plural	**-en**	**-en**
2nd	**-t**	**-et**
3rd	**-en**	**-en**

	IMPERFECT INDICATIVE	*IMPERFECT SUBJUNCTIVE*
1st singular	**-te**	**-te**
2nd	**-test**	**-test**
3rd	**-te**	**-te**
1st plural	**-ten**	**-ten**
2nd	**-tet**	**-tet**
3rd	**-ten**	**-ten**

Continued

1 *INFINITIVE*   *STEM*
holen   to fetch   **hol-**
machen   to make   **mach-**
kauen   to chew   **kau-**

2 **wandern**   to roam   **wander-**
handeln   to trade,   **handel-**
                   to act

3 **holen**   to fetch

PRESENT INDICATIVE	*PRESENT SUBJUNCTIVE*	
ich hol**e**	ich hol**e**	I fetch
du hol**st**	du hol**est**	you fetch
er/sie/es hol**t**	er/sie/es hol**e**	he/she/it fetches
wir hol**en**	wir hol**en**	we fetch
ihr hol**t**	ihr hol**et**	you (*plural*) fetch
sie/Sie hol**en**	sie/Sie hol**en**	they/you (*polite*) fetch

IMPERFECT INDICATIVE AND SUBJUNCTIVE
(*These tenses are identical for weak verbs*)

ich hol**te**	I fetched
du hol**test**	you fetched
er/sie/es hol**te**	he/she/it fetched
wir hol**ten**	we fetched
ihr hol**tet**	you (*plural*) fetched
sie/Sie hol**ten**	they/you (*polite*) fetched

Weak Verbs (contd)

- Where the stem of a weak verb ends in **-d** or **-t**, an extra **-e-** is inserted before those endings where this will ease pronunciation (→**1**)

- Weak verbs whose stems end in **-m** or **-n** may take this extra **-e-**, or not, depending on whether its addition is necessary for pronunciation. If the **-m** or **-n** is preceded by a consonant *other than* **l, r** or **h**, the **-e-** is inserted (→**2**)

- Weak (and strong) verbs whose stem ends in a sibilant sound (**-s, -z, -ß**) normally lose the **-s-** of the second person singular ending (the **du** form) in the present indicative (→**3**)

  NOTE: When this sibilant is **-sch**, the **-s-** of the ending remains (→**4**)

1 reden to speak

PRESENT	IMPERFECT
ich rede	ich redete
du redest	du redetest
er redet	er redete
wir reden	wir redeten
ihr redet	ihr redetet
sie reden	sie redeten

arbeiten to work

PRESENT	IMPERFECT
ich arbeite	ich arbeitete
du arbeitest	du arbeitetest
er arbeitet	er arbeitete
wir arbeiten	wir arbeiteten
ihr arbeitet	ihr arbeitetet
sie arbeiten	sie arbeiteten

2 atmen to breathe

PRESENT	IMPERFECT
ich atme	ich atmete
du atmest	du atmetest
er atmet	er atmete
wir atmen	wir atmeten
ihr atmet	ihr atmetet
sie atmen	sie atmeten

segnen to bless

PRESENT	IMPERFECT
ich segne	ich segnete
du segnest	du segnetest
er segnet	er segnete
wir segnen	wir segneten
ihr segnet	ihr segnetet
sie segnen	sie segneten

BUT:

umarmen to embrace

PRESENT	IMPERFECT
ich umarme	ich umarmte
du umarmst	du umarmtest
er umarmt	er umarmte
wir umarmen	wir umarmten
ihr umarmt	ihr umarmtet
sie umarmen	sie umarmten

lernen to learn

PRESENT	IMPERFECT
ich lerne	ich lernte
du lernst	du lerntest
er lernt	er lernte
wir lernen	wir lernten
ihr lernt	ihr lerntet
sie lernen	sie lernten

3 grüßen to greet

PRESENT
ich grüße
du **grüßt**
er grüßt
wir grüßen
ihr grüßt
sie grüßen

4 löschen to extinguish

PRESENT
ich lösche
du löschst
er löscht
wir löschen
ihr löscht
sie löschen

Strong Verbs

A list of the most useful strong verbs is given on pp 86 to 97.

- What differentiates strong verbs from weak ones is that when forming their **imperfect indicative** tense, strong verbs undergo a vowel change and have a different set of endings (→**1**)

  Their past participles are also formed differently (see p 24).

- To form the **imperfect subjunctive** of strong verbs, the endings from the appropriate table below are added to the stem of the imperfect indicative, but the vowel is modified by an umlaut where this is possible, i.e. **a → ä, o → ö, u → ü**. Exceptions to this are clearly shown in the table of strong verbs (→**2**)

The endings for the simple tenses of strong verbs are as follows (→**3**)

	PRESENT INDICATIVE	*PRESENT SUBJUNCTIVE*
1st singular	**-e**	**-e**
2nd	**-st**	**-est**
3rd	**-t**	**-e**
1st plural	**-en**	**-en**
2nd	**-t**	**-et**
3rd	**-en**	**-en**

	IMPERFECT INDICATIVE	*IMPERFECT SUBJUNCTIVE*
1st singular	—	**-e**
2nd	**-st**	**-(e)st**
3rd	—	**-e**
1st plural	**-en**	**-en**
2nd	**-t**	**-(e)t**
3rd	**-en**	**-en**

Continued

1 Compare:

	INFINITIVE	PRESENT	IMPERFECT
WEAK	**sagen** to say	**er sagt**	**er sagte**
STRONG	**rufen** to shout	**er ruft**	**er rief**

2

	IMPERFECT INDICATIVE	IMPERFECT SUBJUNCTIVE
	er gab he gave	**er gäbe** (*umlaut added*)
BUT	**er rief** he shouted	**er riefe** (*no umlaut possible*)

3 singen to sing

PRESENT INDICATIVE	PRESENT SUBJUNCTIVE
ich singe	ich singe
du singst	du singest
er singt	er singe
wir singen	wir singen
ihr singt	ihr singet
sie singen	sie singen
Sie singen	Sie singen

IMPERFECT INDICATIVE	IMPERFECT SUBJUNCTIVE
ich sang	ich sänge
du sangst	du säng(e)st
er sang	er sänge
wir sangen	wir sängen
ihr sangt	ihr säng(e)t
sie sangen	sie sängen
Sie sangen	Sie sängen

Strong Verbs (contd)

- In the present tense of strong verbs, the vowel also often changes for the second and third persons singular (the **du** and **er/sie/es** forms).

  The pattern of possible changes is as follows:

  long **e** → **ie**
  short **e** → **i**
  a → **ä**
  au → **äu**
  o → **ö**

  Verbs which undergo these changes are clearly shown in the table on p 86 (→**1**)

- Strong (and weak) verbs whose stem ends with a sibilant sound (**-s, -z, -ß**) normally lose the **-s-** of the second person singular ending (the **du** form) in the *present indicative*, unless the sibilant is **-sch**, when it remains (→**2**)

- In the second person singular of the *imperfect* tense of strong verbs whose stem ends in a sibilant sound (including **-sch**) the sibilant remains, and an **-e-** is inserted between it and the appropriate ending (→**3**)

1 **sehen** to see   **helfen** to help
ich sehe   ich helfe
du **sieh**st   du **hilf**st
er/sie/es **sieh**t   er/sie/es **hilf**t
wir sehen   wir helfen
ihr seht   ihr helft
sie sehen   sie helfen

fahren to drive   **saufen** to booze   **stoßen** to push
ich fahre   ich saufe   ich stoße
du **fähr**st   du **säuf**st   du **stöß**t
er **fähr**t   er **säuf**t   er **stöß**t
wir fahren   wir saufen   wir stoßen
ihr fahrt   ihr sauft   ihr stoßt
sie fahren   sie saufen   sie stoßen

2 **wachsen** to grow   **waschen** to wash
ich wachse   ich wasche
du **wäch**st   du **wäsch**st
er **wäch**st   er **wäsch**t
wir wachsen   wir waschen
ihr wachst   ihr wascht
sie wachsen   sie waschen

3 **lesen** to read   **schließen** to close   **waschen** to wash
ich las   ich schloß   ich wusch
du lasest   du schlossest   du wuschest
er las   er schloß   er wusch
wir lasen   wir schlossen   wir wuschen
ihr last   ihr schloßt   ihr wuscht
sie lasen   sie schlossen   sie wuschen

Mixed Verbs

There are nine **mixed** verbs in German, and, as their name implies, they are formed according to a mixture of the rules already outlined for weak and strong verbs.

The mixed verbs are:

denken to think	**kennen** to know	**nennen** to name
rennen to run	**senden** to send	**bringen** to bring
brennen to burn	**wenden** to turn	**wissen** to know

Full details of their principal parts are given in the verb list beginning on p 86.

- Mixed verbs form their **imperfect** tense by adding the weak verb endings to a stem whose vowel has been changed as for a strong verb (→**1**)

  NOTE: **bringen** and **denken** have a consonant change too in their imperfect forms (→**2**)

- The **imperfect subjunctive** forms of mixed verbs are unusual and should be noted (→**3**)

- Other tenses of mixed verbs are formed as for strong verbs.

- The past participle of mixed verbs has characteristics of both weak and strong verbs, as shown on p 24.

1 *IMPERFECT INDICATIVE*

kennen to know	**wissen** to know	**senden** to send
ich kannte	ich wußte	ich sandte
du kanntest	du wußtest	du sandtest
er kannte	er wußte	er sandte
wir kannten	wir wußten	wir sandten
ihr kanntet	ihr wußtet	ihr sandtet
sie kannten	sie wußten	sie sandten

2 *IMPERFECT INDICATIVE*

denken to think	**bringen** to bring
ich dachte	ich brachte
du dachtest	du brachtest
er dachte	er brachte
wir dachten	wir brachten
ihr dachtet	ihr brachtet
sie dachten	sie brachten

3 *IMPERFECT SUBJUNCTIVE*

kennen	**rennen**	**senden**
ich kennte	ich rennte	ich sendete
du kenntest	du renntest	du sendetest
er kennte *etc*	er rennte *etc*	er sendete *etc*

brennen	**wissen**	**wenden**
ich brennte	ich wüßte	ich wendete
du brenntest	du wüßtest	du wendetest
er brennte *etc*	er wüßte etc	er wendete *etc*

denken	**bringen**	**nennen**
ich dächte	ich brächte	ich nennte
du dächtest	du brächtest	du nenntest
er dächte *etc*	er brächte *etc*	er nennte *etc*

The Imperative

This is the form of a verb used to give an order or a command, or to make a request:

Come here/stand up/please bring me a beer   (→**1**)

- German has three main imperative forms. These go with the three ways of addressing people **Sie**, **du** and **ihr** (see p 160)

	FORMATION	EXAMPLES	
SINGULAR	stem (+ **e**)	**hol(e)!**	*fetch!*
PLURAL	stem + **t**	**holt!**	*fetch!*
POLITE (*sing* and *pl*)	stem + **en Sie**	**holen Sie!**	*fetch!*

- The **-e** of the singular form is often dropped, BUT NOT where the verb stem ends in **-t**, **-d**, **-chn**, **-ckn**, **-dn**, **-fn**, **-gn** or **-tm** (→**2**)

- **Weak verbs** ending in **-eln** or **-ern** take the **-e** ending in the singular form, but the additional **-e-** within the stem may be dropped (→**3**)

- Any vowel change in the present tense of a **strong verb** (see p 14) occurs also in its singular imperative form and no **-e** is added (→**4**)

  BUT if the vowel modification in the present tense of a **strong verb** is the addition of an umlaut, this is not added in the singular form of the imperative (→**5**)

- In the imperative form of a **reflexive verb** (see p 30) the pronoun is placed immediately after the verb (→**6**)

- **Separable prefixes** (see p 72) are placed at the end of an imperative statement (→**7**)

Continued

1 SINGULAR: **Komm mal her!** Come here!
PLURAL: **Steht auf!** Stand up!
POLITE: **Kommen Sie herein!** Do come in

2 **Hör zu!** Listen!
Hol es! Fetch it!
BUT:
Arbeite tüchtig! Work hard!

3 **wandern** to walk **handeln** to act
wand(e)re! walk! **hand(e)le!** act!

4 **nehmen** to take **helfen** to help
du nimmst you take **du hilfst** you help
nimm! take! **hilf!** help!

EXCEPTION:
sehen to see
sieh(e)! see!

5 **laufen** to run **stoßen** to push
du läufst you run **du stößt** you push
lauf(e)! run! **stoß(e)!** push!

6 **sich setzen** to sit down:
Setz dich!
Setzt euch!
Setzen Sie sich!

7 **zumachen** to close: **aufhören** to stop:
Mach die Tür zu! **Hör aber endlich auf!**
Close the door! Do stop it!

The Imperative (contd)

- Imperatives are followed in German by an exclamation mark, unless the imperative is not intended as a command (→**1**)

- **du** and **ihr**, though not normally present in imperative forms, may be included for emphasis (→**2**)

- An imperative form also exists for the **wir** form of the verb. It consists of the normal present tense form, but with the pronoun **wir** *following* the verb. It is used for making suggestions (→**3**)

- The imperative forms of **sein** (*to be*) are irregular (→**4**)

- The particles **auch, nur, mal, doch** are frequently used with imperatives. They heighten or soften the imperative effect, or add a note of encouragement to a request or command. Often they have no direct equivalent in English and are therefore not always translated (→**5**)

Some Alternatives to the Imperative in German

- Infinitives are often used instead of the imperative in written instructions or public announcements (→**6**)

- The impersonal passive (see p 34) may be used (→**7**)

- Nouns, adjectives or adverbs can also be used with imperative effect (→**8**)
  Some of these have become set expressions (→**9**)

1 Laß ihn in Ruhe! Leave him alone
Sagen Sie mir bitte, wie spät es ist What's the time please?

2 Geht ihr voran! You go on ahead
Sag du ihm, was los ist You tell him what's wrong

3 Nehmen wir an, daß ...
Let's assume that ...
Sagen wir mal, es habe 4,000 DM gekostet
Let's just say it cost 4,000 marks

4 sein to be
sei!
seid!
seien wir!
seien Sie!

5 Geh doch! Go on!/Get going!
Sag mal, ... Tell me ...
Versuchen Sie es mal! Do give it a try!
Komm schon! Do come/Please come
Mach es auch richtig! Be sure to do it properly

6 Einsteigen!
All aboard!
Zwiebeln abziehen und in Ringe schneiden
Peel the onions and slice them

7 Jetzt wird aufgeräumt!
You're going to clear up now!

8 Ruhe! Be quiet! Silence!
Vorsicht! Careful! Look out!

9 Achtung! Listen!/Attention!
Rauchen verboten! No smoking

Compound Tenses

The present and imperfect tenses in German are **simple** tenses, as described on pp 6 to 17.

All other tenses, called **compound tenses**, are formed for all types of verb by using the appropriate tense of an **auxiliary verb** plus a part of the main verb.

There are three auxiliary verbs:
>   **haben** for past tenses
>   **sein** also for past tenses
>   **werden** for future and conditional tenses

The **compound past tenses** in German are:

Perfect indicative	(→**1**)
Perfect subjunctive	(→**2**)
Pluperfect indicative	(→**3**)
Pluperfect subjunctive	(→**4**)

These are dealt with on pp 26 ff.

The **future** and **conditional tenses** in German are all compound tenses. They are:

Future indicative	(→**5**)
Future subjunctive	(→**6**)
Future perfect	(→**7**)
Conditional	(→**8**)
Conditional perfect	(→**9**)

These are dealt with on pp 28 ff.

	with **haben**	with **sein**
1	**er hat geholt** he (has) fetched	**er ist gereist** he (has) travelled
2	**er habe geholt** he (has) fetched	**er sei gereist** he (has) travelled
3	**er hatte geholt** he had fetched	**er war gereist** he had travelled
4	**er hätte geholt** he had fetched	**er wäre gereist** he had travelled
5	**er wird holen** he will fetch	**er wird reisen** he will travel
6	**er werde holen** he will fetch	**er werde reisen** he will travel
7	**er wird geholt haben** he will have fetched	**er wird gereist sein** he will have travelled
8	**er würde holen** he would fetch	**er würde reisen** he would travel
9	**er würde geholt haben** he would have fetched	**er würde gereist sein** he would have travelled

Compound Past Tenses: Formation

- Compound past tenses are normally formed by using the auxiliary verb **haben**, plus the past participle of the main verb (see below) (→**1**)

- Certain types of verb take **sein** instead of **haben**, and this is clearly indicated in the verb tables starting on p 86. They fall into three main types:
  1. intransitive verbs (those that take no direct object, often showing a change of state or place)   (→**2**)
  2. certain verbs meaning "to happen"   (→**3**)
  3. miscellaneous others, including:
     bleiben to remain, **gelingen** to succeed
     begegnen to meet, **sein** to be
     werden to become   (→**4**)

- In some cases the verb can be conjugated with either **haben** or **sein**, depending on whether it is used transitively (with a direct object) or intransitively (where no direct object is possible) (→**5**)

The Past Participle: Formation *(see also p 50)*

- **Weak** verbs add the prefix **ge-** and the suffix **-t** to the verb stem (→**6**)

  Verbs ending in **-ieren** or **-eien** omit the **ge-** (→**7**)

- **Strong** verbs add the prefix **ge-** and the suffix **-en** to the verb stem (→**8**). The vowel of the stem may be modified (see verb list, p 86) (→**9**)

- **Mixed** verbs add the prefix **ge-** and the "weak" suffix **-t** to the stem. The stem vowel is modified as for many strong verbs (→**10**)

Continued

1 Haben Sie gut geschlafen?
Did you sleep well?
Die Kinder hatten fleißig gearbeitet
The children had worked hard

2 Wir sind nach Bonn gefahren
We went to Bonn
Er ist schnell eingeschlafen
He quickly fell asleep

3 Was ist geschehen?
What happened?

4 Er ist zu Hause geblieben
He stayed at home
Es ist uns nicht gelungen
We did not succeed
Er ist einem Freund begegnet
He met a friend

Er ist krank gewesen
He has been ill
Sie ist krank geworden
She became ill

5 Er hat den Wagen nach Köln gefahren
He drove the car to Cologne
Er ist nach Köln gefahren
He went to Cologne

6 holen to fetch
geholt fetched

7 studieren to study
studiert studied
prophezeien to prophesy
prophezeit prophesied

8 laufen to run
gelaufen run

9 singen to sing
gesungen sung

10 senden to send
gesandt sent
bringen to bring
gebracht brought

For a full list of strong and mixed verbs see p 86

Compound Past Tenses: Formation (contd)

The formation of past participles for weak, strong and mixed verbs is described on p 24, and a comprehensive list of the principal parts of the most commonly used strong and mixed verbs is provided for reference on pp 86 to 97.

How to form the compound past tenses:

Perfect indicative	the present tense of **haben** or **sein** plus the past participle of the verb (→**1**)
Perfect subjunctive	(used in indirect or reported speech) the present subjunctive of **haben** or **sein** plus the past participle (→**2**)
Pluperfect indicative	imperfect indicative of **haben** or **sein** plus the past participle (→**3**)
Pluperfect subjunctive	(for indirect or reported speech) imperfect subjunctive of **haben** or **sein** plus the past participle (→**4**)
	NOTE: The pluperfect subjunctive is a frequently used tense in German, since it can replace the much clumsier conditional perfect tense shown on p 28

with **haben**	with **sein**
1 *PERFECT INDICATIVE*	
ich habe geholt	ich bin gereist
du hast geholt	du bist gereist
er/sie/es hat geholt	er/sie/es ist gereist
wir haben geholt	wir sind gereist
ihr habt geholt	ihr seid gereist
sie/Sie haben geholt	sie/Sie sind gereist
2 *PERFECT SUBJUNCTIVE*	
ich habe geholt	ich sei gereist
du habest geholt	du sei(e)st gereist
er/sie/es habe geholt	er/sie/es sei gereist
wir haben geholt	wir seien gereist
ihr habet geholt	ihr seiet gereist
sie/Sie haben geholt	sie/Sie seien gereist
3 *PLUPERFECT INDICATIVE*	
ich hatte geholt	ich war gereist
du hattest geholt	du warst gereist
er/sie/es hatte geholt	er/sie/es war gereist
wir hatten geholt	wir waren gereist
ihr hattet geholt	ihr wart gereist
sie/Sie hatten geholt	sie/Sie waren gereist
4 *PLUPERFECT SUBJUNCTIVE*	
ich hätte geholt	ich wäre gereist
du hättest geholt	du wär(e)st gereist
er/sie/es hätte geholt	er/sie/es wäre gereist
wir hätten geholt	wir wären gereist
ihr hättet geholt	ihr wär(e)t gereist
sie/Sie hätten geholt	sie/Sie wären gereist

Future and Conditional Tenses: Formation

- The **future** and **conditional** tenses are formed in the same way for all verbs, whether weak, strong or mixed.

- The auxiliary **werden** is used for all verbs together with the infinitive of the main verb.

- The infinitive is usually placed at the end of the clause (see p 224).

How to form the future and conditional tenses:

Future indicative	present tense of **werden** plus the infinitive of the verb (→**1**)
Future subjunctive	present subjunctive of **werden** plus the infinitive (→**2**)
Future perfect	present indicative of **werden** plus the **perfect infinitive** (see below) (→**3**)
Conditional	imperfect subjunctive of **werden** plus the infinitive (→**4**)
Conditional perfect	imperfect subjunctive of **werden** plus the perfect infinitive (see below) (→**5**)
	NOTE: often replaced by the pluperfect subjunctive

- The **perfect infinitive** consists of the infinitive of **haben/sein** plus the past participle of the verb.

1 *FUTURE INDICATIVE*
ich werde holen   **wir werden holen**
du wirst holen   **ihr werdet holen**
er/sie/es wird holen   **sie/Sie werden holen**

2 *FUTURE SUBJUNCTIVE*
ich werde holen   **wir werden holen**
du werdest holen   **ihr werdet holen**
er/sie/es werde holen   **sie/Sie werden holen**

3 *FUTURE PERFECT*
ich werde geholt haben   **wir werden geholt haben**
du wirst geholt haben   **ihr werdet geholt haben**
er wird geholt haben   **sie/Sie werden geholt haben**

4 *CONDITIONAL*
ich würde holen   **wir würden holen**
du würdest holen   **ihr würdet holen**
er/sie/es würde holen   **sie/Sie würden holen**

5 *CONDITIONAL PERFECT*[1]
ich würde geholt haben   **wir würden geholt haben**
du würdest geholt haben   **ihr würdet geholt haben**
er würde geholt haben   **sie/Sie würden geholt haben**

1. *NB Often replaced by the pluperfect subjunctive (see p 26)*

Reflexive Verbs

A verb whose action is reflected back to its subject may be termed reflexive: *she* washes *herself*.
Reflexive verbs in German are recognized in the infinitive by the preceding reflexive pronoun **sich** (→**1**)
German has many reflexive verbs, a great number of which are not reflexive in English (→**1**)

- Reflexive verbs are composed of the verb and a reflexive pronoun (see p 170).
  This pronoun may be either the direct object (and therefore in the accusative case) or the indirect object (and therefore in the dative case) (→**2**)

- Many verbs in German which are not essentially reflexive may become reflexive by the addition of a reflexive pronoun (→**3**)
  When a verb with an indirect object is made reflexive (see p 170) the pronoun is usually dative (→**4**)

- A direct object reflexive pronoun changes to the dative if another direct object is present (→**5**)

- In a main clause the reflexive pronoun follows the verb (→**6**)
  After inversion (see p 226), or in a subordinate clause, the reflexive pronoun must come after the subject if the subject is a personal pronoun (→**7**)
  It may precede or follow a noun subject (→**8**)

- Reflexive verbs are always conjugated with **haben** *except* where the pronoun is used to mean *each other*. Then the verb is normally conjugated with **sein**.

- The imperative forms are show on p 19.

Continued

1 sich beeilen to hurry
wir beeilen uns we are hurrying

2 sich (*accusative*) **erinnern** **sich** (*dative*) **erlauben**
to remember   to allow oneself
ich erinnere mich   **ich erlaube mir**
du erinnerst dich   **du erlaubst dir**
er/sie/es erinnert sich **er/sie/es erlaubt sich**
wir erinnern uns   **wir erlauben uns**
ihr erinnert euch   **ihr erlaubt euch**
sie/Sie erinnern sich   **sie/Sie erlauben sich**

3 etwas melden to report something
 sich melden to report for/to volunteer for
 Ich habe mich gemeldet I volunteered
4 weh tun to hurt
 sich weh tun to get hurt
 Hast du dir weh getan? Have you hurt yourself?
kaufen to buy
 Er kaufte ihr einen Mantel He bought her a coat
 Er kaufte sich (*dative*) **einen neuen Mantel**
 He bought himself a new coat
5 Ich wasche mich I am having a wash
 Ich wasche mir die Hände I am washing my hands
6 Er wird sich darüber freuen
 He'll be pleased about that
7 Darüber wird er sich freuen
 Ich frage mich, ob er sich darüber freuen wird
 I wonder if he'll be pleased about that
8 Langsam drehten sich die Kinder um
 OR
 Langsam drehten die Kinder sich um
 The children slowly turned around

Reflexive Verbs (contd)

Some examples of verbs which can be used with a reflexive pronoun in the accusative case:

sich anziehen to get dressed (→**1**)
sich aufregen to get excited (→**2**)
sich beeilen to hurry (→**3**)
sich beschäftigen mit[1] to be occupied with (→**4**)
sich bewerben um[1] to apply for (→**5**)
sich erinnern an[1] to remember (→**6**)
sich freuen auf[1] to look forward to (→**7**)
sich interessieren für[1] to be interested in (→**8**)
sich irren to be wrong (→**9**)
sich melden to report (for duty etc)
sich rasieren to shave
sich (hin)setzen to sit down (→**10**)
sich trauen[2] to trust oneself
sich umsehen to look around (→**11**)

Some examples of verbs which can be used with a reflexive pronoun in the dative case:

sich abgewöhnen to give up (something) (→**12**)
sich aneignen to appropriate
sich ansehen to have a look at
sich einbilden to imagine (wrongly) (→**13**)
sich erlauben to allow oneself (→**14**)
sich leisten to treat oneself (→**15**)
sich nähern to get close to
sich vornehmen to plan to do (→**16**)
sich vorstellen to imagine (→**17**)
sich wünschen to want (→**18**)

1. For verbs normally followed by a preposition, the reader is referred to p 76 ff.
2. **trauen** when non-reflexive takes the dative case.

1 **Du sollst dich sofort anziehen**
You are to get dressed immediately
2 **Reg dich doch nicht so auf!**
Calm down!
3 **Wir müssen uns beeilen**
We must hurry
4 **Sie beschäftigen sich sehr mit den Kindern**
They spend a lot of time with the children
5 **Hast du dich um diese Stelle beworben?**
Have you applied for this post?
6 **Ich erinnere mich nicht daran**
I can't remember it
7 **Ich freue mich auf die Fahrt**
I am looking forward to the journey
8 **Interessierst du dich für Musik?**
Are you interested in music?
9 **Er hat sich geirrt**
He was wrong
10 **Bitte, setzt euch hin!**
Please sit down
11 **Die Kinder sahen sich erstaunt um**
The children looked around in amazement
12 **Eigentlich müßte man sich das Rauchen abgewöhnen**
One really ought to give up smoking
13 **Bilde dir doch nichts ein!**
Don't kid yourself!
14 **Eins könntest du dir doch erlauben**
You could surely allow yourself one
15 **Wenn ich mir nur einen Mercedes leisten könnte!**
If only I could afford a Mercedes!
16 **Du hast dir wieder zuviel vorgenommen!**
You've taken on too much again!
17 **So hatte ich es mir oft vorgestellt**
I had often imagined it like this
18 **Was wünscht ihr euch zu Weihnachten?**
What do you want for Christmas?

The Passive

In active tenses, the subject of a verb carries out the action of the verb, but in passive tenses the subject of the verb has something done to it.

Compare the following:

Peter kicked the cat (subject: *Peter*)
The cat was kicked by Peter (subject: *the cat*)

- English uses the verb "to be" to form its passive tenses. German uses **werden** (→**1**)
  A sample verb is conjugated in the passive on pp 39 to 41.

- In English, the word "by" usually introduces the agent through which the action of a passive tense is performed. In German this agent is introduced by:
  von for the performer of the action
  durch for an inanimate cause (→**2**)

- The passive can be used to add impersonality or distance to an event (→**3**)
  It may also be used where the identity of the cause of the deed is unknown or not important (→**4**)

- In general however the passive is used less in German than in English. The following are common replacements for the passive:

  1. an active tense with the impersonal pronoun **man** as subject (meaning *they/one*). This resembles the use of *on* in French, and **man** is not always translated as *one* or *they* (→**5**)

  2. **sich lassen** plus a verb in the infinitive (→**6**)

Continued

1 **Das Auto wurde gekauft**
  The car was bought

2 **Das ist von seinem Onkel geschickt worden**
  It was sent by his uncle
  Das Kind wurde von einem Hund gebissen
  The child was bitten by a dog
  Seine Bewerbung ist von der Firma abgelehnt worden
  (*the firm is viewed as a human agent*)
  His application was turned down by the firm

  Die Tür wurde durch den Wind geöffnet
  The door was opened by the wind
  Das Getreide wurde durch den Sturm niedergeschlagen
  The crop was flattened by the storm

3 **Die Praxis ist von Dr. Disselkamp übernommen worden**
  The practice has been taken over by Dr Disselkamp
  **Anfang 1993 wurde ein weiterer Anschlag auf sein Leben
  gemacht**
  Another attempt was made on his life early in 1993

4 **In letzter Zeit sind neue Gesetze eingeführt worden**
  New laws have recently been introduced

5 **Man hatte es schon verkauft**
  It had already been sold
  Man wird es verkauft haben
  It will have been sold

6 **Das läßt sich schnell herausfinden**
  We'll/You'll/One will be able to find that out quickly

The Passive (contd)

- In English the indirect object of an active tense can become the subject of a passive statement e.g.

    Peter gave *him* a car (*him* = to him)

    He was given a car by Peter

  This is not possible in German, where the indirect object (*him*) must remain in the dative case (see p 110). There are two ways of handling this in German:

  1. with the direct object (*car*) as the subject of a passive verb (→**1**)
  2. by means of an impersonal passive construction, with or without the impersonal subject **es** (→**1**)

  These constructions would however normally be avoided in favour of an active tense, when the agent of the action is known (→**2**)

- Verbs which are normally followed by the dative case in German and so have only an indirect object (see p 80) should therefore be especially noted, as they can only adopt the impersonal or **man**-forms of the passive (→**3**)

- Some passive tenses are avoided in German, as they are inelegant (and difficult to use!). For instance, the future perfect passives should be replaced by an active tense or a **man**-construction (→**4**)

  The conditional perfect passives are also rarely used, past conditional being shown by the pluperfect subjunctives, either passive or active (→**5**)

- English passive constructions such as
  he was heard whistling/they were thought to be dying
  are not possible in German (→**6**)

Continued

1 Ein Auto wurde ihm von Peter geschenkt
OR:
Es wurde ihm von Peter ein Auto geschenkt
OR:
Ihm wurde von Peter ein Auto geschenkt
He was given a car by Peter

2 Peter schenkte ihm ein Auto
Peter gave him a car

3 helfen (+ *dative*)   to help:

Sie half mir	**Mir wurde von ihr geholfen**
She helped me →	*OR*:
	Es wurde mir von ihr geholfen
	I was helped by her

4 Er meint, es werde schon gesehen worden sein
He thinks that it will already have been seen

BETTER: **Er meint, man werde es schon gesehen haben**

5 Es würde geholt worden sein / Man würde es geholt haben
It would have been fetched

BETTER: **Es wäre geholt worden / Man hätte es geholt**

6 Man hörte ihn singen
He was heard singing
Man sah sie ankommen
She was seen arriving
Man glaubte, er sei betrunken
He was thought to be drunk

Passive Tenses: Conjugation

Simple Tenses

Present passive indicative
e.g. *it is seen*

present indicative of **werden** + past participle of the verb (→**1**)

Present passive subjunctive

present subjunctive of **werden** + past participle of the verb (→**2**)

Imperfect passive indicative
e.g. *it was seen*

imperfect indicative of **werden** + past participle of the verb (→**3**)

Imperfect passive subjunctive

imperfect subjunctive of **werden** + past participle of the verb (→**4**)

Compound Tenses

Perfect passive indicative
e.g. *it has been seen*

present indicative of **sein** + past participle of the verb + **worden** (→**5**)

Perfect passive subjunctive

present subjunctive of **sein** + past participle of the verb + **worden** (→**6**)

Pluperfect passive indicative
e.g. *it had been seen*

imperfect indicative of **sein** + past participle + **worden** (→**7**)

Continued

1 *PRESENT PASSIVE INDICATIVE*
ich werde gesehen   **wir werden gesehen**
du wirst gesehen   **ihr werdet gesehen**
er/sie/es wird gesehen   **sie/Sie werden gesehen**

OR: **man sieht mich/man sieht dich** *etc*

2 *PRESENT PASSIVE SUBJUNCTIVE*
ich werde gesehen   **wir werden gesehen**
du werdest gesehen   **ihr werdet gesehen**
er/sie/es werde gesehen   **sie/Sie werden gesehen**

OR: **man sehe mich/man sehe dich** *etc*

3 *IMPERFECT PASSIVE INDICATIVE*
ich wurde gesehen/wir wurden gesehen *etc*

OR: **man sah mich/man sah uns** *etc*

4 *IMPERFECT PASSIVE SUBJUNCTIVE*
ich würde gesehen/wir würden gesehen *etc*

OR: **man sähe mich/man sähe uns** *etc*

5 *PERFECT PASSIVE INDICATIVE*
ich bin gesehen worden/wir sind gesehen worden *etc*

OR: **man hat mich/uns gesehen** *etc*

6 *PERFECT PASSIVE SUBJUNCTIVE*
ich sei gesehen worden/wir seien gesehen worden *etc*

OR: **man habe mich/uns gesehen** *etc*

7 *PLUPERFECT PASSIVE INDICATIVE*
ich war gesehen worden/wir waren gesehen worden *etc*

OR: **man hatte mich/uns gesehen** *etc*

Passive Tenses: Conjugation (contd)

Pluperfect passive subjunctive	imperfect subjunctive of **sein** + past participle of the verb + **worden** (→**1**)
Present passive infinitive e.g. *to be seen*	infinitive of **werden** + past participle of the verb (→**2**)
Future passive indicative e.g. *it will be seen*	present indicative of **werden** + present passive infinitive of the verb (→**3**)
Future passive subjunctive	present subjunctive of **werden** + present passive infinitive (→**4**)
Perfect passive infinitive e.g. *to have been seen*	past participle of the verb + **worden sein** (→**5**)
Future perfect passive e.g. *it will have been seen*	present indicative of **werden** + perfect passive infinitive of the verb (→**6**)
Conditional passive e.g. *it would be seen*	imperfect subjunctive of **werden** + present passive infinitive of the verb (→**7**)
Conditional perfect passive e.g. *it would have been seen*	imperfect subjunctive of **werden** + perfect passive infinitive of the verb (→**8**)

1 *PLUPERFECT PASSIVE SUBJUNCTIVE*
ich wäre gesehen worden/wir wären gesehen worden *etc*

OR: **man hätte mich/uns gesehen** *etc*

2 *PRESENT PASSIVE INFINITIVE*
gesehen werden

3 *FUTURE PASSIVE INDICATIVE*
ich werde gesehen werden/wir werden gesehen werden *etc*

OR: **man wird mich/uns sehen** *etc*

4 *FUTURE PASSIVE SUBJUNCTIVE*
ich werde gesehen werden/wir werden gesehen werden *etc*

OR: **man werde mich/uns sehen** *etc*

5 *PERFECT PASSIVE INFINITIVE*
gesehen worden sein

6 *FUTURE PERFECT PASSIVE*
ich werde/wir werden gesehen worden sein *etc*

OR: **man wird mich/uns gesehen haben** *etc*

7 *CONDITIONAL PASSIVE*
ich würde gesehen werden/wir würden gesehen werden

OR: **man würde mich/uns sehen** *etc*

8 *CONDITIONAL PERFECT PASSIVE*
ich würde/wir würden gesehen worden sein

OR: **man würde mich/uns gesehen haben** *etc*
OR: pluperfect subjunctive: **man hätte mich/uns gesehen** *etc*

Impersonal Verbs

These verbs are used only in the third person singular, usually with the subject **es** meaning *it* (→**1**)

- Intransitive verbs (verbs with no direct object) are often made impersonal in the passive to describe activity of a general nature (→**2**)
  When the verb and subject are inverted (see p 226), the **es** is omitted (→**3**)
  Impersonal verbs in the passive can also be used as an imperative form (see p 20) (→**4**)

- In certain expressions in the active, the impersonal pronoun **es** can be omitted. In this case, a personal pronoun object begins the clause (→**5**)
  In the following lists * indicates that **es** may be omitted in this way:

Some common impersonal verbs and expressions

> **es donnert** *it's thundering*
> **es fällt mir ein, daß/zu*** *it occurs to me that/to* (→**6**)
> **es fragt sich, ob** *one wonders whether* (→**7**)
> **es freut mich, daß/zu** *I am glad that/to* (→**8**)
> **es friert** *it is freezing* (→**9**)
> **es gefällt mir** *I like it* (→**10**)
> **es geht mir gut/schlecht** *I'm fine/not too good*
> **es geht nicht** *it's not possible*
> **es geht um** *it's about*
> **es gelingt mir (, zu)** *I succeed (in)* (→**11**)
> **es geschieht** *it happens* (→**12**)
> **es gießt** *it's pouring*
> **es handelt sich um** *it's a question of*

Continued

1 **Es regnet** It's raining

2 **Es wurde viel gegessen und getrunken**
There was a lot of eating and drinking

3 **Auf der Hochzeit wurde viel gegessen und getrunken**
There was a lot of eating and drinking at the wedding

4 **Jetzt wird gearbeitet!** Now you're/we're going to work

5 **Mir ist warm** I'm warm

6 **Nachher fiel (es) mir ein, daß der Mann ziemlich komisch angezogen war**
Afterwards it occurred to me that the man was rather oddly dressed

7 **Es fragt sich, ob es sich lohnt, das zu machen**
One wonders if that's worth doing

8 **Es freut mich sehr, daß du gekommen bist**
I'm so pleased that you have come

9 **Heute nacht hat es gefroren**
It was below freezing last night

10 **Ihm hat es gar nicht gefallen**
He didn't like it at all

11 **Es war ihnen gelungen, die letzten Karten zu kriegen**
They had succeeded in getting the last tickets

12 **Und so geschah es, daß ...**
And so it came about that ...

Impersonal Verbs and Expressions (contd)

es hängt davon ab *it depends*
es hat keinen Zweck (zu) *there's no point (in)* (→**1**)
es interessiert mich, daß/zu* *I am interested that/to*
es ist mir egal (ob)* *it's all the same to me (if)* (→**2**)
es ist möglich (, daß) *it's possible (that)* (→**3**)
es ist nötig *it's necessary* (→**4**)
es ist mir, als ob* *I feel as if*
es ist mir gut/schlecht *etc* **zumute*** *I feel good/bad etc* (→**5**)
es ist schade (, daß) *it's a pity (that)*
es ist (mir) wichtig* *it's important (to me)*
es ist mir warm/kalt* *I'm hot/cold*
es ist warm/kalt *it's (the weather is) warm/cold*
es ist zu hoffen/bedauern *etc* it is to be hoped/regretted etc*
es klingelt *someone is ringing the bell* (→**6**)
es klopft *someone's knocking*
es kommt darauf an (, ob) *it all depends (whether)*
es kommt mir vor (, als ob) *it seems to me (as if)*
es läutet *the bell is ringing* (→**7**)
es liegt an *it is because of* (→**8**)
es lohnt sich (nicht) *it's (not) worth it* (→**9**)
es macht nichts *it doesn't matter*
es macht nichts aus *it makes no difference* (→**10**)
es macht mir (keinen) Spaß (, zu) *it's (no) fun (to)* (→**11**)
es passiert *it happens* (→**12**)
es regnet *it's raining* (→**13**)
es scheint mir, daß/als ob* *it seems to me that/as if*
es schneit *it's snowing*
es stellt sich heraus, daß *it turns out that*
es stimmt (nicht), daß *it's (not) true, that*
es tut mir leid (, daß) *I'm sorry (that)*
wie geht es (dir)? *how are you?* (→**14**)
mir wird schlecht *I feel sick*

1 **Es hat keinen Zweck, weiter darüber zu diskutieren**
There's no point in discussing this any further

2 **Es ist mir egal, ob du kommst oder nicht**
I don't care if you come or not

3 **Es ist doch möglich, daß der Zug Verspätung hat**
It's always possible the train has been delayed

4 **Es wird nicht nötig sein, uns darüber zu informieren**
It won't be necessary to inform us of it

5 **Mir ist heute seltsam zumute** I feel strange today

6 **Es hat gerade geklingelt**
The bell just went/The phone just rang

7 **Es hat schon geläutet** The bell has gone

8 **Woran liegt es?** Why is that?

9 **Ich weiß nicht, ob es sich lohnt oder nicht**
I don't know if it's worth it or not

10 **Mir macht es nichts aus** It makes no difference to me
Macht es Ihnen etwas aus, wenn ... Would you mind if ...

11 **Hauptsache, es macht Spaß**
The main thing is to enjoy yourself

12 **Ihm ist bestimmt etwas passiert**
Something must have happened to him

13 **Es hat den ganzen Tag geregnet** It rained the whole day

14 **Wie geht's denn? — Danke, es geht**
How are things? — All right thank you

The Infinitive

Forms

There are four forms of the infinitive (→**1**). These forms are used in certain compound tenses (see p 28). The present active infinitive is the most widely used and is the form found in dictionaries.

Uses

● Preceded by **zu** (*to*)

1. as in English, after other verbs ("I tried *to come*") (→**2**)
2. as in English, after adjectives ("it was easy *to see*") (→**3**)
3. where the English equivalent is not always an infinitive:
   — after nouns, where English may use an "-ing" form (→**4**)
   — after **sein**, where the English equivalent may be a passive tense (→**5**)

● Without **zu**, the infinitive is used after the following:

modal verbs (→**6**)
lassen (→**7**)
heißen (→**8**)
bleiben (→**9**)
gehen (→**10**)
verbs of perception (→**11**)
NOTE: verbs of perception can also be followed by a subordinate clause beginning with **wie** or **daß**, especially if the sentence is long or involved (→**12**)

Continued

1 *INFINITIVES*:

PRESENT ACTIVE	*PERFECT ACTIVE*
holen	**geholt haben**
to fetch	to have fetched
PRESENT PASSIVE	*PERFECT PASSIVE*
geholt werden	**geholt worden sein**
to be fetched	to have been fetched

2 Ich versuchte zu kommen I tried to come

3 Es war leicht zu sehen It was easy to see

4 Ich habe nur wenig Gelegenheit, Musik zu hören
I have little opportunity to listen to music

5 Er ist zu bedauern He is to be pitied

6 Er kann schwimmen He can swim

7 Sie ließen uns warten They kept us waiting

8 Er hieß ihn kommen He bade him come

9 Er blieb sitzen He remained seated

10 Sie ging einkaufen She went shopping

11 Ich sah ihn kommen I saw him coming
Er hörte sie singen He heard her singing

12 Er sah, wie sie langsam auf und ab schlenderte
He watched her strolling slowly up and down

The Infinitive (contd)

Used as an imperative
● The infinitive can be used as an imperative (see p 20) (→**1**)

Used as a noun
● The infinitive can be made into a noun by giving it a capital letter. Its gender is always neuter (→**2**)

Used with modal verbs (*see p 52*)
● An infinitive used with a modal verb is always placed at the end of a clause (see p 56) (→**3**)

● If the modal verb is in a compound tense, its auxiliary will follow the subject in a main clause in the normal way, and the modal participle comes after the infinitive. *BUT* in a subordinate clause, the auxiliary immediately precedes the infinitive and the modal participle, instead of coming at the end (→**4**)

● An infinitive expressing change of place may be omitted entirely after a modal verb (see p 56) (→**5**)

Used in infinitive phrases

Infinitive phrases can be formed with:

> zu   ohne ... zu
> um ... zu   anstatt ... zu (→**6**)

● The infinitive comes at the end of its phrase (→**7**)

● In separable verbs, **zu** is inserted *between* the verb and its prefix in the present infinitive (→**8**)

● A reflexive pronoun comes first, immediately following an introductory word if there is one (→**9**)

1 Einsteigen und Türen schließen!
All aboard! Close the doors!

2 rauchen to smoke:
Er hat das Rauchen aufgegeben
He's given up smoking

3 Wir müssen morgen einkaufen gehen
We have to go shopping tomorrow

4 Sie haben gestern aufräumen müssen
They had to tidy up yesterday
BUT
Da sie gestern haben aufräumen müssen, durften sie nicht kommen
They couldn't come as they had to tidy up yesterday

5 Er will jetzt nach Hause He wants to go home now

6 es zu tun to do it
es getan zu haben to have done it
um es zu tun in order to do it
um es getan zu haben in order to have done it
ohne es zu tun without doing it
ohne es getan zu haben without having done it
anstatt es zu tun instead of doing it
anstatt es getan zu haben instead of having done it

7 Ohne ein Wort zu sagen, verließ er das Haus
He left the house without saying a word
Er ging nach Hause, ohne mit ihr gesprochen zu haben
He went home without having spoken to her

8 aufgeben to give up:
um es aufzugeben in order to give it up

9 Sie gingen weg, ohne sich zu verabschieden
They left without saying goodbye

The Present Participle

- The present participle for all verbs is formed by adding **-d** to the infinitive form (→**1**)

- The present participle may be used as an adjective.
  As with all adjectives, it is declined if used attributively (see p 140) (→**2**)

- The present participle may also be used as an adjectival noun (see p 148) (→**3**)

The Past Participle

- For weak verbs, the past participle is formed by prefixing **ge-** and adding **-t** to the verb stem (→**4**)

- For strong verbs, the past participle is formed by adding the prefix **ge-** and the ending **-en** to the verb stem (→**5**)
  The vowel is often modified too (→**6**)
  (See list of strong and mixed verbs beginning on p 86)

- Mixed verbs form their past participle by adding the **ge-** and **-t** of weak verbs, but they change their vowel as for strong verbs. (See list, p 86) (→**7**)

- The past participles of *separable* verbs are formed according to the above rules and are joined on to the separable prefix (→**8**)

- For *inseparable* verbs, past participles are formed without the **ge-** prefix (→**9**)

- Many past participles can also be used as adjectives and adjectival nouns (→**10**)

1 **lachen** to laugh
  lachend laughing

  singen to sing
  singend singing

2 **ein lachendes Kind** a laughing child
  mit klopfendem Herzen with beating heart

3 **der Vorsitzende/ein Vorsitzender** the/a chairman

4 **machen** to do/make
  gemacht done/made

5 **sehen** to see
  gesehen seen

6 **singen** to sing
  gesungen sung

7 **wissen** to know
  gewußt known

8 **aufstehen** to get up
  aufgestanden got up

  nachmachen to copy/imitate
  nachgemacht imitated

9 **bestellen** to order
  bestellt ordered

  entscheiden to decide
  entschieden decided

10 **seine verlorene Brille** his lost spectacles
   Wir aßen Gebratenes We ate fried food

Modal Auxiliary Verbs

Modal verbs, sometimes called modal auxiliaries, are used to *modify* other verbs (to show e.g. possibility, ability, willingness, permission, necessity) much as in English:

he *can* swim; *may* I come?; we *shouldn't* go

- In German the modal auxiliary verbs are: **dürfen, können, mögen, müssen, sollen** and **wollen**.

- Modal verbs have some important differences in their uses and in their conjugation from other verbs, and these are clearly shown on pp 86 to 97.

- Modal verbs have the following meanings:

dürfen   *to be allowed to/may* (→**1**)
used negatively: *must not/may not* (→**2**)
to show probability (→**3**)
also used in some polite expressions (→**4**)

können   *to be able to, can* (→**5**)
in its subjunctive forms:
would be able to/could (→**6**)
as an informal alternative to **dürfen** with the meaning: *allowed to/can* (→**7**)
to show possibility (→**8**)

mögen   *to like/to like to* (→**9**)
most common in its imperfect subjunctive form which expresses polite inquiry or request: *should like to/would like to* (→**10**)
to show possibility or probability (→**11**)

Continued

1 Darfst du mit ins Kino kommen?
Are you allowed to (can you) come with us to the cinema?
Darf ich bitte mitkommen?
May I come with you please?
Ich dürfte schon, aber ich will nicht
I could (would be allowed to), but I don't want to
2 Hier darf man nicht rauchen
Smoking is prohibited here
3 Das dürfte wohl das beste sein
That's probably the best thing
4 Was darf es sein?
Can I help you?/What would you like?
5 Wir konnten es nicht schaffen
We couldn't (weren't able to) do it
6 Er könnte noch früher kommen
He could (would be able to) come even earlier
Er meinte, er könne noch früher kommen
He thought he could come earlier
Wir könnten vielleicht morgen hinfahren?
Perhaps we could go there tomorrow?
7 Kann ich (darf ich) ein Eishaben?
Can I (may I) have an ice-cream?
8 Wer könnte es gewesen sein?
Who could it have been?
Das kann sein
That may be so
BUT: **Das kann nicht sein** That cannot be so
9 Magst du Butter?
Do you like butter?
10 Wir möchten bitte etwas trinken
We should like something to drink
Möchtest du sie besuchen?
Would you like to visit her?
11 Wie alt mag sie sein?
How old might she be?

Modal Auxiliary Verbs (contd)

müssen *to have to/must/need to* (→**1**)
certain idiomatic uses (→**2**)

NOTE: for *must have ...*, use the relevant tense of
müssen + past participle of main verb + the
auxiliary **haben** or **sein** (→**3**)
for *don't have to/need not*, a negative form of
brauchen (*to need*) may be used instead of
müssen (→**4**)

sollen *ought to/should* (→**5**)
to be (supposed) to where the demand is not self-
imposed (→**6**)
to be said to be (→**7**)
as a command, either direct or indirect (→**8**)

wollen *to want/want to* (→**9**)
used as a less formal version of **mögen** to mean:
want/wish (→**10**)
to be willing to (→**11**)
to show previous intention (→**12**)
to claim or pretend (→**13**)

Continued

1 **Er hatte jeden Tag um sechs aufstehen müssen**
  He had to get up at six o'clock every day
  Man mußte lachen
  One had to laugh/couldn't help laughing
2 **Muß das sein?** Is that really necessary?
  Ein Millionär müßte man sein!
  Oh to be a millionaire!
  Den Film muß man gesehen haben
  That film is worth seeing
3 **Es muß geregnet haben** It must have been raining
  Er meinte, es müsse am vorigen Abend passiert sein
  He thought it must have happened the previous evening
4 **Das brauchtest du nicht zu sagen**
  You didn't have to say that
5 **Man sollte immer die Wahrheit sagen**
  One should always tell the truth
  Er wußte nicht, was er tun sollte
  He didn't know what to do (*what he should do*)
6 **Ich soll dir helfen**
  I am to help you (*I have been told to help you*)
  Du sollst sofort deine Frau anrufen
  You are to phone your wife at once (*She has left a message asking you to ring*)
7 **Er soll sehr reich sein**
  I've heard he's very rich/He is said to be very rich
8 **Es soll niemand sagen, daß die Schotten geizig sind!**
  Let no-one say the Scots are mean!
  Sie sagte mir, ich solle damit aufhören
  She told me to stop it
9 **Das Kind will LKW-Fahrer werden**
  The child wants to become a lorry driver
10 **Willst du eins?** Do you want one?
  Willst du (möchtest du) etwas trinken?
  Do you want (would you like) something to drink?
11 **Er wollte nichts sagen** He refused to say anything
12 **Ich wollte gerade anrufen** I was just about to phone
13 **Keiner will es gewesen sein** No-one admits to doing it

Modal Auxiliary Verbs (contd)

Conjugation and Use

- Modal verbs have unusual present tenses (→**1**)
  Their principal parts are given on pp 86 to 97.

- Each modal verb has two past participles.
  The first, which is the more common, is the same as the infinitive form and is used where the modal is modifying a verb (→**2**)
  The second resembles a normal weak past participle and is used only where no verb is being modified (see the verb list, p 86) (→**3**)

- The verb modified by the modal is placed in its infinitive form at the end of a clause (→**4**)

- Where the modal is used in a compound tense, its past participle in the form of the infinitive is also placed at the end of a clause, immediately after the modified verb (→**5**)

- If the modal verb is modifying a verb, and if the modal is used in a compound tense in a subordinate clause, then the normal word order for subordinate clauses (see p 228) does not apply. The auxiliary used to form the compound tense of the modal is not placed right at the end of the subordinate clause, but instead comes before both infinitives (→**6**)
  Such constructions are usually avoided in German, by using a simple tense in place of a compound. (For notes on the use of tenses in German, see p 58ff) (→**7**)

- A modified verb which expresses motion may be omitted entirely if an adverb or adverbial phrase is present to indicate the movement or destination (→**8**)

1 dürfen
ich/er/sie/es darf
du darfst
wir/sie/Sie dürfen
ihr dürft

können
ich/er/sie/es kann
du kannst
wir/sie/Sie können
ihr könnt

mögen
ich/er/sie/es mag
du magst
wir/sie/Sie mögen
ihr mögt

müssen
ich/er/sie/es muß
du mußt
wir/sie/Sie müssen
ihr müßt

sollen
ich/er/sie/es soll
du sollst
wir/sie/Sie sollen
ihr sollt

wollen
ich/er/sie/es will
du willst
wir/sie/Sie wollen
ihr wollt

2 wollen: Past participle **wollen**
Er hat kommen wollen he wanted to come

3 wollen: Past participle **gewollt**
Hast du es gewollt? Did you want it?

4 Er kann gut schwimmen He can swim well

5 Wir haben das Haus nicht kaufen wollen
We didn't want to buy the house
Sie wird dich bald sehen wollen
She will want to see you soon

6 *Compare*:
Obwohl wir das Haus gekauft haben, ...
Although we bought the house ...
Obwohl wir das Haus haben kaufen wollen, ...
Although we wanted to buy the house ...

7 Obwohl wir das Haus kaufen wollten ...
Although we wanted to buy the house ...

8 Ich muß nach Hause I must go home
Die Kinder sollen jetzt ins Bett
The children have to go to bed now

Use of Tenses

Continuous Forms
- Unlike English, the German verb does not distinguish between its simple and continuous forms (→**1**)
- To emphasize continuity, the following may be used:
    simple tense plus an adverb or adverbial phrase (→**2**)
    am or **beim** plus an infinitive used as a noun (→**3**)
    eben/gerade dabei sein zu plus an infinitive (→**4**)

The Present
- The present tense is used in German with **seit** or **seitdem** where English uses a past tense to show an action which began in the past and still continues (→**5**)
    If the action is finished, or does not continue, a past tense is used (→**6**)
- The present is commonly used with future meaning (→**7**)

The Future
- The present is often used as a future tense (→**7**)
- The future tense is used however to:
    emphasize the future (→**8**)
    express doubt or supposition about the future (→**9**)
    express future intention (→**10**)

The Future Perfect
- Used as in English to mean *shall/will have done* (→**11**)
- It is used in German to express a supposition (→**12**)
- In conversation it is replaced by the perfect (→**13**)

The Conditional
- May be used in place of the imperfect subjunctive to express improbable condition (see p 62) (→**14**)
- Is used in indirect statements or questions to replace the future subjunctive in conversation or where the subjunctive form is not distinctive (→**15**)

Continued

1 **ich tue** I do (*simple form*) OR I am doing (*continuous*)
   er rauchte he smoked OR he was smoking
   sie hat gelesen she has read OR she has been reading
   es ist geschickt worden it is sent OR it is being sent
2 **Er kochte gerade das Abendessen**
   He was cooking the supper
   Nun spricht sie mit ihm Now she's talking to him
3 **Ich bin am Bügeln** I am ironing
4 **Wir waren eben dabei, einige Briefe zu schreiben**
   We were just writing a few letters
5 **Ich wohne seit drei Jahren hier**
   I have been living here for three years
   Seit ich hier wohne, fühle ich mich wohl
   I've been feeling at home since I've lived here
6 **Seit er krank ist, hat er uns nicht besucht**
   He hasn't visited us since he's been ill
   Seit seiner Verlobung habe ich ihn nicht gesehen
   I haven't seen him since his engagement
7 **Wir fahren nächstes Jahr nach Griechenland**
   We're going to Greece next year
8 **Das werde ich erst nächstes Jahr machen können**
   I won't be able to do that until next year
9 **Wenn er zurückkommt, wird er mir bestimmt helfen**
   He's sure to help me when he returns
10 **Ich werde ihm helfen** I'm going to help him
11 **Bis Sonntag wird er es gelesen haben**
   He will have read it by Sunday
12 **Das wird Herr Keute gewesen sein**
   That must have been Herr Keute
13 **Bis du zurückkommst, haben wir alles aufgeräumt**
   We'll have tidied up by the time you get back
14 **Wenn ich eins hätte, würde ich es dir geben**
   If I had one I would give it to you
   Wenn er jetzt bloß kommen würde!
   If only he would get here!
15 **Er fragte, ob wir fahren würden**
   He asked if we were going to go

Use of Tenses (contd)

The Conditional Perfect

- May be used in place of the pluperfect subjunctive in a sentence containing a **wenn**-clause (→**1**)
- But the pluperfect subjunctive is preferred (→**2**)

The Imperfect

- Is used in German with **seit** or **seitdem** where the pluperfect is used in English to show an action which began in the remote past and continued to a point in the more recent past (→**3**)
  For discontinued actions the pluperfect is used (→**4**)
- Used to describe past actions which have no link with the present as far as the speaker is concerned (→**5**)
  for narrative purposes (→**6**)
  for repeated, habitual or prolonged past action (→**7**)

See also the note on the **Perfect** (below).

The Perfect

- Is used to translate the English perfect tense *I have spoken, he has been reading* (→**8**)
- Describes past actions or events which still have a link with the present or the speaker (→**9**)
- Is used in conversation and similar communication (→**10**)

NOTE: In practice however the perfect and imperfect are often interchangeable in German usage and in spoken German a mixture of both is common.

The Pluperfect

- Is used to translate *had done/had been doing*, except in conjunction with **seit/seitdem** (see **Imperfect**) (→**11**)

The Subjunctive

For uses of the subjunctive tenses, see pp 62 to 67.

1 Wenn du es gesehen hättest, würdest du's geglaubt haben
You would have believed it if you'd seen it
2 Hättest du es gesehen, so hättest du es geglaubt
If you had seen it, you'd have believed it
Wenn ich das nur nicht gemacht hätte!
If only I hadn't done it!
Wäre ich nur da gewesen! If I'd only been there
3 Sie war seit ihrer Heirat als Lehrerin beschäftigt
She had been working as a teacher since her marriage
4 Ihren Sohn hatten sie seit zwölf Jahren nicht gesehen
They hadn't seen their son for twelve years
5 Er kam zu spät, um teilnehmen zu können
He arrived too late to take part
6 Das Mädchen stand auf, wusch sich das Gesicht, und verließ das Haus
The girl got up, washed her face and went out
7 Wir machten jeden Tag einen kleinen Spaziergang
We went (used to go) for a little walk every day
8 Ich habe ihn heute nicht gesehen
I haven't seen him today
9 Ich habe ihr nichts davon erzählt
I didn't tell her anything about it
Gestern sind wir in die Stadt gefahren und haben uns ein paar Sachen gekauft
Yesterday we went into town and bought ourselves a few things
10 Hast du den Krimi gestern abend im Fernsehen gesehen?
Did you see the thriller on television last night?
11 Sie waren schon weggefahren
They had already left
Diese Bücher hatten sie schon gelesen
They had already read these books

The Subjunctive: when to use it

The subjunctive form in English has almost died out, leaving only a few examples such as:
  if I *were* rich/if only he *were* to come/so *be* it

German however makes much wider use of subjunctive forms, especially in formal, educated or literary contexts. Although there is a growing tendency to use indicatives in spoken German, subjunctives are still very common.

• The indicative tenses in German display fact or certainty. The subjunctives show unreality, uncertainty, speculation about a situation or any doubt in the speaker's mind (→**1**)
  Subjunctives are also used in indirect speech, as shown on pp 66 and 67.

• For how to form all tenses of the subjunctive, the reader is referred to the relevant sections on Simple Tenses (pp 6 to 17) and Compound Tenses (pp 22 to 29). See also the Subjunctive in Reported Speech (p 66).

• The **imperfect subjunctive** is very common. It is important to note that the imperfect subjunctive form does not always represent actions performed in the past (→**2**)

Uses of the Subjunctive in German

• To show improbable condition (e.g. if he *came*, he would ...)
  The *if*-clause (**wenn** in German) has a verb in the imperfect subjunctive and the main clause can have either an imperfect subjunctive or a conditional (→**3**)

Continued

1 *INDICATIVE*
Das stimmt
That's true
Es ist eine Unverschämtheit
It's a scandal

SUBJUNCTIVE
Es könnte doch wahr sein
It could well be true
Sie meint, es sei eine Unverschämtheit
She thinks it's a scandal *(speaker not necessarily in*
agreement with her)

2 *imperfect subjunctive expressing the future*
Wenn ich morgen nur da sein könnte!
If only I could be there tomorrow!

expressing the present/immediate future
Wenn er jetzt nur käme!
If only he would come now!

speaker's opinion, referring to present or future
Sie wäre die Beste
She's the best

3 **Wenn du kämest, wäre ich froh**
OR
Wenn du kämest, würde ich froh sein
I should be happy if you came

Wenn es mir nicht gefiele, würde ich es nicht bezahlen
OR
Wenn es mir nicht gefiele, bezahlte ich es nicht
If I wasn't happy with it, I wouldn't pay for it
(The second form is less likely, as the imperfect subjunctive
and imperfect indicative forms of **bezahlen** *are identical)*

The Subjunctive: when to use it (contd)

- The imperfect of **sollen** or **wollen**, or a conditional tense might be used in the **wenn**-clause to replace an uncommon imperfect subjunctive, or a subjunctive which is not distinct from the same tense of the indicative (→**1**)

- To show unfulfilled condition (if he *had come*, he would have…)
  The **wenn**-clause requires a pluperfect subjunctive, the main clause a pluperfect subjunctive or conditional perfect (→**2**)
  NOTE: The indicative is used to express a *probable* condition, as in English (→**3**)
  wenn can be omitted from conditional clauses. The verb must then follow the subject and **dann** or **so** usually begins the main clause (→**4**)

- With **selbst wenn** (*even if/even though*) (→**5**)

- With **wenn … nur** (*if only …*) (→**6**)

- To speculate or make assumptions (→**7**)

- After **als** (*as if/as though*) (→**8**)

- Where there is uncertainty or doubt (→**9**)

- To make a polite enquiry (→**10**)

- To indicate theoretical possibility or unreality (→**11**)

- As an alternative to the conditional perfect (→**12**)

1 **Wenn er mich so sehen würde, würde er mich für verrückt halten!**
   OR
   Wenn er mich so sehen würde, hielte er mich für verrückt!
   OR
   Wenn er mich so sehen sollte, würde er mich für verrückt halten!
   If he saw me like this, he would think I was mad!
   (Wenn er mich so sähe *would sound rather stilted*)
2 **Wenn du pünktlich gekommen wärest, hättest du ihn gesehen**
   OR
   Wenn du pünktlich gekommen wärest, würdest du ihn gesehen haben
   If you had been on time, you would have seen him
3 **Wenn ich ihn sehe, gebe ich es ihm**
   If I see him I'll give him it
4 **Hättest du mich nicht gesehen, so wäre ich schon weg**
   If you hadn't seen me, I would have been gone by now
5 **Selbst wenn er etwas wüßte, würde er nichts sagen**
   Even if he knew about it, he wouldn't say anything
6 **Wenn wir nur erfolgreich wären!** If only we were successful!
7 **Und wenn er recht hätte?** What if he were right?
   Eine Frau, die das sagen würde (*or* die das sagte), müßte Feministin sein!
   Any woman who would say that must be a feminist!
8 **Er sah aus, als sei er krank**
   He looked as if he were ill
9 **Er wußte nicht, wie es ihr jetzt ginge**
   He didn't know how she was
10 **Wäre da sonst noch etwas?** Will there be anything else?
11 **Er stellte sich vor, wie gut er in dem Anzug aussähe**
   He imagined how good he would look in the suit
12 **Ich hätte ihn gesehen = Ich würde ihn gesehen haben**
   I would have seen him

The Subjunctive in Indirect Speech

What a person asks or thinks can be reported in one of two ways,
either **directly**:
> *Tom said, "I have been on holiday"*
> OR **indirectly**:
> *Tom said (that) he had been on holiday*

- In English, indirect, or reported, speech can be indicated by a
  change in tense of what has been reported:
  > He said, "*I know* your sister"
  > He said (that) *he knew* my sister
  In German the change is not in tense, but from indicative to
  subjunctive (→**1**)

- These are two ways of introducing indirect speech in German,
  similar to the parallel English constructions:
  1. The clause which reports what is said may be introduced by
     daß (*that*). The finite verb or auxiliary comes at the end of
     the clause (→**2**)
  2. **daß** may be omitted. The verb in this case must stand in
     second position in the clause, instead of being placed at the
     end (→**3**)

Forms of the Subjunctive in Indirect Speech

See the conjugation of verbs in the subjunctive (pp 8 to 15 and 26
to 31). In indirect (or reported) speech, wherever the present
subjunctive is identical to the present indicative form, the
imperfect subjunctive is used instead (→**4**)

1 Er sagte: "Sie kennt deine Schwester"
He said, "She knows your sister"
Er sagte, sie kenne meine Schwester
He said she knew my sister
"Habe ich zu viel gesagt?", fragte er
"Did I say too much?", he asked
Er fragte, ob er zuviel gesagt habe
He asked if he had said too much

2 Er hat uns gesagt, daß er Italienisch spreche
He told us that he spoke Italian

3 Er hat uns gesagt, er spreche Italienisch
He told us he spoke Italian

4 *PRESENT SUBJUNCTIVE IN INDIRECT SPEECH*

WEAK VERBS e.g. **holen** to fetch:

ich holte	**wir holten**
du holest	ihr holet
er hole	**sie holten**

STRONG VERBS e.g. **singen** to sing:

ich sänge	**wir sängen**
du singest	ihr singet
er singe	**sie sängen**

Verbs with Prefixes

Many verbs in German begin with a prefix. A prefix is a word or part of a word which precedes the verb stem (→**1**)

- Often the addition of a prefix changes the meaning of the basic verb (→**2**)

- Prefixes may be found in strong, weak or mixed verbs. Adding a prefix may occasionally change the verb conjugation (→**3**)

- There are four kinds of prefix and each behaves in a slightly different way, as shown on the following pages. Prefixes may be:

  inseparable (→**4**)

  separable (→**5**)

  double (→**6**)

  variable, i.e. either separable or inseparable, depending on the verb (→**7**)

Continued

1 zu   +   **geben**   =   **zugeben**
  an   +   **ziehen**   =   **anziehen**

2 **nehmen** to take
  zunehmen to put on weight, to increase
  sich benehmen to behave

3 *WEAK*:   *STRONG*:

WEAK:		*STRONG*:	
suchen	to look for	**stehen**	to stand
versuchen	to try	**verstehen**	to understand
besuchen	to visit	**aufstehen**	to get up

WEAK:		*WEAK*:	
löschen	to extinguish	**fehlen**	to be missing
STRONG:		*STRONG*:	
erlöschen	to go out	**empfehlen**	to recommend

4 **entdecken** to discover
  er entdeckt, er entdeckte, er hat entdeckt

5 **mitmachen** to join in
  er macht mit, er machte mit, er hat mitgemacht

6 **ausverkaufen** to sell off
  er verkauft aus, er verkaufte aus, er hat ausverkauft

7 **wiederholen** to repeat
  er wiederholt, er wiederholte, er hat wiederholt

  wieder(-)holen to fetch back
  er holt wieder, er holte wieder, er hat wiedergeholt

Verbs with Prefixes (contd)

Inseparable Prefixes

● The eight inseparable prefixes are:

be-	**emp-**
ge-	**ent-**
er-	**miß-**
ver-	**zer-** (→1)

● These exist only as prefixes, and cannot be words in their own right.

● They are never separated from the verb stem, whatever tense of the verb is used (→2)

● Inseparable prefixes are always unstressed (→3)

● They have no **ge-** in their past participles (see p 50) (→4)

Continued

1 beschreiben to describe
  gehören to belong
  erhalten to contain
  verlieren to lose
  empfangen to receive
  enttäuschen to disappoint
  mißtrauen to mistrust
  zerlegen to dismantle

2 besuchen to visit:

Er besucht uns regelmäßig
He visits us regularly
Er besuchte uns jeden Tag
He used to visit us every day
Er hat uns jeden Tag besucht
He visited us every day
Er wird uns morgen besuchen
He will visit us tomorrow
Besuche sofort deine Tante!
Visit your aunt at once

3 erlauben, verstehen, empfangen, vergessen

4 COMPARE:
verstehen: wir haben verstanden we understood
stehen: wir haben gestanden we stood

empfangen: wir haben empfangen we received
fangen: wir haben gefangen we caught

Verbs with Prefixes (contd)

Separable Prefixes

Some common examples are:

ab	empor	herbei	hinauf	nieder
an	entgegen	herein	hinaus	vor
auf	fest	herüber	hindurch	vorbei
aus	frei	herum	hinein	vorüber
bei	her	herunter	hinüber	weg
da(r)	herab	hervor	hinunter	zu
davon	heran	hierher	los	zurecht
dazu	herauf	hin	mit	zurück
ein	heraus	hinab	nach	zusammen

- Unlike inseparable prefixes, separable prefixes may be words in their own right. Indeed, nouns, adjectives, adverbs and even other verbs are often used as separable prefixes (→**1**)

- The past participle of a verb with a separable prefix is formed with **ge-**. It comes between the verb and the prefix (→**2**)

- In main clauses, the prefix is placed at the end of the clause if the verb is in a simple tense (i.e. present, imperfect or imperative form) (→**3**)

- In subordinate clauses, whatever the tense of the verb, the prefix is attached to the verb and the resulting whole placed at the end of the clause (→**4**)

- Where an infinitive construction requiring **zu** is used (see p 46), the **zu** is placed between the infinitive and prefix to form one word (→**5**)

1 *noun + verb*: **teilnehmen** to take part
  verb + verb: **kennenlernen** to get to know
  adjective + verb: **loswerden** to get free of
  adverb + verb: **niederlegen** to lay down

2 **Er ist gestern spazierengegangen**
  He went for a walk yesterday
  Wir sind an der Grenze zurückgewiesen worden
  We were turned back at the border

3 **wegbringen**: to take for repair, to take away
  PRESENT: **Wir bringen das Auto weg**
  IMPERFECT: **Wir brachten das Auto weg**
  IMPERATIVE: **Bringt das Auto weg!**

  CONDITIONAL: **Wir würden das Auto wegbringen**
  FUTURE: **Wir werden das Auto wegbringen**
  PERFECT: **Wir haben das Auto weggebracht**
  PERFECT PASSIVE: **Das Auto ist weggebracht worden**
  PLUPERFECT SUBJUNCTIVE: **Wir hätten das Auto weggebracht**

4 *PRESENT*: **Weil wir das Auto wegbringen, ...**
  IMPERFECT: **Daß wir das Auto wegbrachten, ...**
  PERFECT: **Nachdem wir das Auto weggebracht haben, ...**
  PLUPERFECT SUBJUNCTIVE: **Wenn wir das Auto weggebracht
  hätten, ...**
  FUTURE: **Obwohl wir das Auto wegbringen werden, ...**

5 **Um das Auto rechtzeitig wegzubringen, müssen wir morgen
  früh aufstehen**
  In order to take the car in on time, we shall have to get up early
  tomorrow

Verbs with Prefixes (contd)

Variable Prefixes

These are: **über**   **um**
             unter   **voll**
             durch   **wider**
             hinter   **wieder**

- These can be separable or inseparable (→**1**)

- Often they are used separably and inseparably with the same verb. In such cases the verb and prefix will tend to retain their basic meanings if the prefix is used separably, but adopt figurative meanings when the prefix is used inseparably (→**2**)

- Variable prefixes behave as separable prefixes when used separably, and as inseparable prefixes when used inseparably (→**3**)

Double Prefixes

These occur where a verb with an inseparable prefix is preceded by a separable prefix (→**4**)

- The separable prefix behaves as described on p 72, the verb plus inseparable prefix representing the basic verb to which the separable prefix is attached (→**5**)

- Unlike other separable verbs, however, verbs with double prefixes have no **ge-** in their past participles (→**6**)

1 unternehmen (*inseparable*) to undertake, take on:

Wir haben in den Ferien vieles unternommen
We did a great deal in the holidays
Du unternimmst zuviel
You take on too much

untergehen (*separable*) to sink, go down:

Die Sonne ist untergegangen
The sun has gone down/has set
Die Sonne geht unter
The sun is going down/is setting

2 etwas wiederholen (*separable*) to retrieve something
etwas wiederholen (*inseparable*) to repeat something

3 Er holte ihr die Tasche wieder
He brought her back her bag
Er wiederholte den Satz
He repeated the sentence

4 ausverkaufen to sell off

5 Er verkauft alles aus
He's selling everything off
Um alles auszuverkaufen ...
In order to sell everything off ...
Er wird alles ausverkaufen
He'll be selling everything off

6 Aber er hat doch alles ausverkauft
But he's sold everything off

Verbs followed by Prepositions

- Some verbs in English usage require a preposition (*for/with/by* etc) for their completion.
  This also happens in German, though the prepositions used with German verbs may not be those expected from their English counterparts (→**1**)

- The preposition used may significantly alter the meaning of a verb in German (→**2**)

- Occasionally German verbs use a preposition where their English equivalents do not (→**3**)

- Prepositions used with verbs behave as normal prepositions and affect the *case* of the following noun (see p 198).

- A verb plus preposition may be followed by a clause containing another verb rather than by a noun or pronoun. This often corresponds to an *-ing* construction in English:
  Thank you for *coming*
  In German, this is dealt with in two ways:
  1.   Where the "verb-plus-preposition" construction has the same subject as the following verb, the preposition is preceded by **da-** or **dar-** and the following verb becomes an infinitive used with **zu** (→**4**)
  2.   Where the subject of the "verb-plus-preposition" is not the same as for the following verb, a **daß** clause is used (→**5**)

- Following clauses may also be introduced by interrogatives (**ob**, **wie** etc) if the meaning demands them (→**6**)

Continued

1 Compare:

GERMAN	ENGLISH
sich sehnen **nach**	to long *for*
warten **auf**	to wait *for*
bitten **um**	to ask *for*

2 **bestehen** to pass (an examination/a test *etc*)
bestehen aus to consist of
bestehen auf to insist on

sich freuen auf to look forward to
sich freuen über to be pleased about

3 **diskutieren über** to discuss

4 **Ich freue mich sehr darauf, mal wieder mit ihm zu arbeiten**
I am looking forward to working with him again

5 **Ich freue mich sehr darauf, daß du morgen kommst**
I am looking forward to your coming tomorrow
Er sorgte dafür, daß die Kinder immer gut gepflegt waren
He saw to it that the children were always well cared for

6 **Er dachte lange darüber nach, ob er es wirklich kaufen wollte**
He thought for ages about whether he really wanted to buy it
Sie freut sich darüber, wie schnell ihre Schüler gelernt haben
She is pleased at how quickly her students have learned

Verbs followed by Prepositions (contd)

Common verbs followed by preposition + accusative case:
achten auf to pay attention to, keep an eye on (→**1**)
sich amüsieren über to laugh at, smile about
sich ärgern über to get annoyed about/with
sich bewerben um to apply for (→**2**)
bitten um to ask for (→**3**)
denken an to be thinking of (→**4**)
denken über to hold an opinion of, think about (→**5**)
sich erinnern an to remember
sich freuen auf to look forward to
sich freuen über to be pleased about (→**6**)
sich gewöhnen an to get used to (→**7**)
sich interessieren für to be interested in (→**8**)
kämpfen um to fight for
sich kümmern um to take care of, see to
nachdenken über to ponder, reflect on (→**9**)
sich unterhalten über to talk about
sich verlassen auf to rely on, depend on (→**10**)
warten auf to wait for

Common verbs followed by preposition + dative case:
abhängen von to be dependent on (→**11**)
sich beschäftigen mit to occupy oneself with (→**12**)
bestehen aus to consist of (→**13**)
leiden an/unter to suffer from (→**14**)
neigen zu to be inclined to
riechen nach to smell of (→**15**)
schmecken nach to taste of
sich sehnen nach to long for
sterben an to die of
teilnehmen an to take part in (→**16**)
träumen von to dream of (→**17**)
sich verabschieden von to say goodbye to
sich verstehen mit to get along with, get on with
zittern vor to tremble with (→**18**)

1 **Er mußte auf die Kinder achten**
   He had to keep an eye on the children
2 **Sie hat sich um die Stelle als Sekretärin beworben**
   She applied for the post of secretary
3 **Die Kinder baten ihre Mutter um Plätzchen**
   The children asked their mother for some biscuits
4 **Woran denkst du?** What are you thinking about?
   Daran habe ich gar nicht mehr gedacht
   I'd forgotten about that
5 **Wie denkt ihr darüber?** What do you think about it?
6 **Ich freute mich sehr darüber, Johannes besucht zu haben**
   I was very glad I had visited Johannes
7 **Man gewöhnt sich an alles** One gets used to anything
8 **Sie interessiert sich sehr für Politik**
   She is very interested in politics
9 **Er hatte schon lange darüber nachgedacht**
   He had been thinking about it for a long time
10 **Er verläßt sich darauf, daß seine Frau alles tut**
   He relies on his wife to do everything
11 **Das hängt davon ab** It all depends
12 **Sie sind im Moment sehr damit beschäftigt, ihr neues Haus
   in Ordnung zu bringen**
   They are very busy sorting out their new house at the moment
13 **Dieser Kuchen besteht aus Eiern, Mehl und Zucker**
   This cake consists of eggs, flour and sugar
14 **Sie hat lange an dieser Krankheit gelitten**
   She suffered from this illness for a long time
   Alte Leute können sehr unter der Einsamkeit leiden
   Old people can suffer dreadful loneliness
15 **Der Kuchen roch nach Zimt**
   The cake smelled of cinnamon
16 **Sie hat an der Bonner Tagung teilnehmen müssen**
   She had to attend the Bonn conference
17 **Er hat von seinem Urlaub geträumt**
   He dreamt of his holiday
18 **Er zitterte vor Freude** He was trembling with joy

Verbs followed by the Dative

Some verbs have a direct object and an indirect object. In the
English sentence *He gave me a book, me* (= *to me*) is the
indirect object and would appear in the dative case in German; *a
book* is the direct object of *gave* and would be in the accusative
(→**1**)

- In German, as in English, this type of verb is usually concerned
  with giving or telling something to someone, or with performing
  an action for someone (→**2**)

- The normal word order after such verbs is for the direct object
  to follow the indirect, *except* where the direct object is a
  personal pronoun (see p 224) (→**2**)
  This order may be reversed for emphasis (→**3**)

- Some examples of verbs followed by the dative in this way:

anbieten	**bringen**	**beweisen**
erzählen	**geben**	**gönnen**
kaufen	**leihen**	**mitteilen**
schenken	**schicken**	**schreiben**
schulden	**verkaufen**	**zeigen** (→**4**)

- Certain verbs in German however can be followed *only* by an
  indirect object in the dative case. These should be noted
  especially, since most of them are quite different from their
  English equivalents:

begegnen	**danken**	**fehlen**
gefallen	**gehören**	**gelingen**
gleichen	**gratulieren**	**helfen**
imponieren	**mißtrauen**	**nachgehen**
schaden	**schmecken**	**schmeicheln**
trauen	**trotzen**	**vorangehen**
weh tun	**widersprechen**	**widerstehen** (→**5**)

- For how to form the passive of such verbs, see p 36.

1 Er gab mir ein Buch He gave me a book

2 Er wusch dem Kind (*indirect*) **das Gesicht** (*direct*)
He washed the child's face
Er erzählte ihm (*indirect*) **eine Geschichte** (*direct*)
He told him a story
BUT
Er hat sie (*direct*) **meiner Mutter** (*indirect*) **gezeigt**
He showed it to my mother
Kaufst du es (*direct*) **mir** (*indirect*)?
Will you buy it for me?

3 Er wollte das Buch (*direct*) **seiner Mutter** (*indirect*) **geben**
(*This emphasises* **seiner Mutter**)
He wanted to give the book to his mother

4 Er bot ihr die Arbeitsstelle an He offered her the job
Bringst du mir eins? Will you bring me one?
Ich gönne dir das neue Kleid
I want you to have the new dress
Er hat ihr mitgeteilt, daß … He told her that …
Ich schenke meiner Mutter Parfüm zum Geburtstag
I am giving my mother perfume for her birthday
Das schulde ich ihm I owe him that
Zeig es mir! Show me it!

5 Er ist seinem Freund in der Stadt begegnet
He bumped into his friend in town
Mir fehlt der Mut dazu I don't have the courage
Es ist ihnen gelungen They succeeded
Wem gehört dieses Buch? Whose book is this?
Er wollte ihr nicht helfen He refused to help her
Ich gratuliere dir! Congratulations!
Rauchen schadet der Gesundheit
Smoking is bad for your health
Das Essen hat ihnen gut geschmeckt
They enjoyed the meal

There is/There are

There are three ways of expressing this in German:

es gibt

- This is always used in the singular form, and is followed by an accusative object which may be either singular or plural (→**1**)
- **es gibt** is used to refer to things of a general nature or location (→**2**)
- It also has some idiomatic usages (→**3**)

es ist/es sind

- The **es** here merely introduces the real subject. The verb therefore becomes plural where the real subject is plural. The real subject is in the nominative case (→**4**)
- The **es** is not required and is therefore omitted when the verb and real subject come together. This happens when inversion of subject and verb occurs (see p 226) and in subordinate clauses (→**5**)
- **es ist** or **es sind** are used to refer to
  1. subjects with a specific and confined location.
     This location must always be mentioned either by name or by **da, darauf, darin** etc (→**6**)
  2. temporary existence (→**7**)
  3. as a beginning to a story (→**8**)

The Passive Voice

Often *there is/there are* in English will be rendered by a verb in the passive voice in German (→**9**)

1 Es gibt zu viele Probleme dabei
There are too many problems involved
Es gibt kein besseres Bier There's no better beer

2 Es gibt bestimmt Regen
It's definitely going to rain
Ruhe hat es bei uns nie gegeben
There has never been any peace here

3 Was gibt's (= gibt es) zum Essen? What's there to eat?
Was gibt's? What's wrong? What's up?
So was gibt's doch nicht! That's impossible!

4 Es waren zwei ältere Leute unten im Hof
There were two elderly people down in the yard
Es sind so viele Touristen da
There are so many tourists there

5 Unten im Hof waren zwei ältere Leute
Down in the yard were two elderly people
Wenn so viele Touristen da sind ...
If there are so many tourists there ...

6 Es waren viele Flaschen Sekt im Keller
There were a lot of bottles of champagne in the cellar
Ein Brief lag auf dem Tisch. Es waren auch zwei Bücher darauf
A letter lay on the table. There were also two books on it

7 Es war niemand da There was no-one there

8 Es war einmal ein König ...
Once upon a time there was a king ...

9 Es wurde auf der Party viel getrunken
There was a lot of drinking at the party

Use of "es" as an anticipatory object

Many verbs can have as their object a **daß** clause or an infinitive with **zu** (→**1**)

- With some verbs **es** is used as an object to anticipate this clause or infinitive phrase (→**2**)
- When the clause or infinitive phrase begins the sentence, **es** is not used in the main clause but its place may be taken by an optional **das** (→**3**)

Common verbs which usually have the "es" object

es ablehnen, zu to refuse to
es aushalten, zu tun/daß to stand doing (→**4**)
es ertragen, zu tun/daß to endure doing
es leicht haben, zu to find it easy to (→**5**)
es nötig haben, zu to need to (→**6**)
es satt haben, zu to have had enough of (doing)
es verstehen, zu to know how to (→**7**)

Common verbs which often have the "es" object

es jemandem anhören/ansehen, daß to tell by listening to/looking at someone that (→**8**)
es begreifen, daß/warum/wie to understand that/why/how
es bereuen, zu tun/daß to regret having done/that
es leugnen, daß to deny that (→**9**)
es unternehmen, zu to undertake to
es jemandem verbieten, zu to forbid someone to
es jemandem vergeben, daß to forgive someone for (doing)
es jemandem verschweigen, daß not to tell someone that
es jemandem verzeihen, daß to forgive someone for (doing)
es wagen zu to dare to

1 Er wußte, daß wir pünktlich kommen würden
He knew that we would come on time
Sie fing an zu lachen
She began to laugh

2 Er hatte es abgelehnt mitzufahren
He had refused to come

3 Daß es Wolfgang war, das haben wir ihr verschwiegen
OR: **Daß es Wolfgang war, haben wir ihr verschwiegen**
We didn't tell her that it was Wolfgang

4 Ich halte es nicht mehr aus, bei ihnen zu arbeiten
I can't stand working for them any longer

5 Er hatte es nicht leicht, sie zu überreden
He didn't have an easy job persuading them

6 Ich habe es nicht nötig, mit dir darüber zu reden
I don't have to talk to you about it

7 Er versteht es, Autos zu reparieren
He knows about repairing cars

8 Man hörte es ihm sofort an, daß er kein Deutscher war
OR: **Daß er kein Deutscher war, (das) hörte man ihm sofort an**
One could tell immediately (from the way he spoke) that he
wasn't German

Man sieht es ihm sofort an, daß er dein Bruder ist
OR: **Daß er dein Bruder ist, (das) sieht man ihm sofort an**
One can tell at a glance that he's your brother

9 Er hat es nie geleugnet, das Geld genommen zu haben
He has never denied taking the money

Strong and Mixed Verbs - Principal Parts

INFINITIVE		*3RD PERSON PRESENT*
backen	to bake	**er bäckt**
befehlen	to command	**er befiehlt**
beginnen	to begin	**er beginnt**
beißen	to bite	**er beißt**
bergen	to rescue	**er birgt**
bersten	to burst *intr*	**er birst**
betrügen	to deceive	**er betrügt**
biegen	to bend *tr*/to turn *intr*	**er biegt**
bieten	to offer	**er bietet**
binden	to tie	**er bindet**
bitten	to ask for	**er bittet**
blasen	to blow	**er bläst**
bleiben	to remain	**er bleibt**
braten	to fry	**er brät**
brechen	to break	**er bricht**
brennen	to burn	**er brennt**
bringen	to bring	**er bringt**
denken	to think	**er denkt**
dreschen	to thresh	**er drischt**
dringen	to penetrate	**er dringt**
dürfen	to be allowed to	**er darf**
empfehlen	to recommend	**er empfiehlt**
erlöschen	to go out (*fire, light*)	**er erlischt**
erschallen	to resound	**er erschallt**
erschrecken	to be startled[1]	**er erschrickt**
erwägen	to weigh up	**er erwägt**
essen	to eat	**er ißt**
fahren	to travel	**er fährt**

1. **erschrecken** meaning "to frighten" is **weak**:
    erschrecken, erschreckt, erschreckte, hat erschreckt

3RD PERSON IMPERFECT	*PERFECT*	*IMPERFECT SUBJUNCTIVE*
er backte	er hat gebacken	er backte
er befahl	er hat befohlen	er befähle
er begann	er hat begonnen	er begänne
er biß	er hat gebissen	er bisse
er barg	er hat geborgen	er bärge
er barst	er ist geborsten	er bärste
er betrog	er hat betrogen	er betröge
er bog	er hat/ist gebogen	er böge
er bot	er hat geboten	er böte
er band	er hat gebunden	er bände
er bat	er hat gebeten	er bäte
er blies	er hat geblasen	er bliese
er blieb	er ist geblieben	er bliebe
er briet	er hat gebraten	er briete
er brach	er hat/ist gebrochen	er bräche
er brannte	er hat gebrannt	er brennte
er brachte	er hat gebracht	er brächte
er dachte	er hat gedacht	er dächte
er drosch	er hat gedroschen	er drösche
er drang	er ist gedrungen	er dränge
er durfte	er hat gedurft/dürfen[1]	er dürfte
er empfahl	er hat empfohlen	er empfähle
er erlosch	er ist erloschen	er erlösche
er erschallte	er ist erschollen	er erschölle
er erschrak	er ist erschrocken	er erschräke
er erwog	er hat erwogen	er erwöge
er aß	er hat gegessen	er äße
er fuhr	er ist gefahren	er führe

1. The second (infinitive) form is used when combined with an infinitive construction (see p 56).

Continued

INFINITIVE		*3RD PERSON PRESENT*
fallen	to fall	er fällt
fangen	to catch	er fängt
fechten	to fight	er ficht
finden	to find	er findet
fliegen	to fly	er fliegt
fliehen	to flee *tr/intr*	er flieht
fließen	to flow	er fließt
fressen	to eat (*of animals*)	er frißt
frieren	to be cold; freeze over	er friert
gebären	to give birth to	sie gebärt
geben	to give	er gibt
gedeihen	to thrive	er gedeiht
gehen	to go	er geht
gelingen	to succeed	es gelingt
gelten	to be valid	er gilt
genesen	to get well	er genest
genießen	to enjoy	er genießt
geraten	to get into (*a state etc*)	er gerät
geschehen	to happen	es geschieht
gewinnen	to win	er gewinnt
gießen	to pour	er gießt
gleichen	to resemble; equal	er gleicht
gleiten	to glide	er gleitet
glimmen	to glimmer	er glimmt
graben	to dig	er gräbt
greifen	to grip	er greift
haben	to have	er hat
halten	to hold, stop	er hält
hängen	to hang *intr*[1]	er hängt
heben	to lift	er hebt
heißen	to be called	er heißt

1. **hängen** is **weak** when used transitively.

3RD PERSON IMPERFECT	PERFECT	IMPERFECT SUBJUNCTIVE
er fiel	er ist gefallen	er fiele
er fing	er hat gefangen	er finge
er focht	er hat gefochten	er föchte
er fand	er hat gefunden	er fände
er flog	er hat/ist geflogen	er flöge
er floh	er hat/ist geflohen	er flöhe
er floß	er ist geflossen	er flösse
er fraß	er hat gefressen	er fräße
er fror	er hat/ist gefroren	er fröre
sie gebar	sie hat geboren	sie gebäre
er gab	er hat gegeben	er gäbe
er gedieh	er ist gediehen	er gediehe
er ging	er ist gegangen	er ginge
es gelang	es ist gelungen	es gelänge
er galt	er hat gegolten	er gälte
er genas	er ist genesen	er genäse
er genoß	er hat genossen	er genösse
er geriet	er ist geraten	er geriete
es geschah	es ist geschehen	es geschähe
er gewann	er ist gewonnen	er gewönne
er goß	er hat gegossen	er gösse
er glich	er hat geglichen	er gliche
er glitt	er ist geglitten	er glitte
er glomm	er hat geglommen	er glömme
er grub	er hat gegraben	er grübe
er griff	er hat gegriffen	er griffe
er hatte	er hat gehabt	er hätte
er hielt	er hat gehalten	er hielte
er hing	er hat gehangen	er hinge
er hob	er hat gehoben	er höbe
er hieß	er hat geheißen	er hieße

Continued

INFINITIVE		*3RD PERSON PRESENT*
helfen	to help	**er hilft**
kennen	to know (*someone etc*)	**er kennt**
klingen	to sound	**er klingt**
kommen	to come	**er kommt**
kneifen	to pinch	**er kneift**
können	to be able to	**er kann**
kriechen	to crawl	**er kriecht**
laden	to load	**er lädt**
lassen	to allow	**er läßt**
laufen	to walk; run	**er läuft**
leiden	to suffer	**er leidet**
leihen	to lend	**er leiht**
lesen	to read	**er liest**
liegen	to lie	**er liegt**
lügen	to tell a lie	**er lügt**
mahlen	to grind	**er mahlt**
messen	to measure	**er mißt**
mißlingen	to fail	**es mißlingt**
mögen	to like to	**er mag**
müssen	to have to	**er muß**
nehmen	to take	**er nimmt**
nennen	to call	**er nennt**
pfeifen	to whistle	**er pfeift**
preisen	to praise	**er preist**
quellen	to gush	**er quillt**
raten	to advise; guess	**er rät**
reiben	to rub	**er reibt**
reißen	to tear *tr/intr*	**er reißt**
reiten	to ride *tr/intr*	**er reitet**

3RD PERSON IMPERFECT	*PERFECT*	*IMPERFECT SUBJUNCTIVE*
er half	er hat geholfen	er hülfe
er kannte	er hat gekannt	er kennte
er klang	er hat geklungen	er klänge
er kam	er ist gekommen	er käme
er kniff	er hat gekniffen	er kniffe
er konnte	er hat gekonnt/können[1]	er könnte
er kroch	er ist gekrochen	er kröche
er lud	er hat geladen	er lüde
er ließ	er hat gelassen	er ließe
er lief	er ist gelaufen	er liefe
er litt	er hat gelitten	er litte
er lieh	er hat geliehen	er liehe
er las	er hat gelesen	er läse
er lag	er hat gelegen	er läge
er log	er hat gelogen	er löge
er mahlte	er hat gemahlen	er mahlte
er maß	er hat gemessen	er mäße
es mißlang	es ist mißlungen	es mißlänge
er mochte	er hat gemocht/mögen[1]	er möchte
er mußte	er hat gemußt/müssen[1]	er müßte
er nahm	er hat genommen	er nähme
er nannte	er hat gennant	er nennte
er pfiff	er hat gepfiffen	er pfiffe
er pries	er hat gepriesen	er priese
er quoll	er ist gequollen	er quölle
er riet	er hat geraten	er riete
er rieb	er hat gerieben	er riebe
er riß	er hat/ist gerissen	er risse
er ritt	er hat/ist geritten	er ritte

1. The second (infinitive) form is used when combined with an infinitive construction (see p 56).

Continued

INFINITIVE		*3RD PERSON PRESENT*
rennen	to run	**er rennt**
riechen	to smell	**er riecht**
ringen	to wrestle	**er ringt**
rinnen	to flow	**er rinnt**
rufen	to shout	**er ruft**
salzen	to salt	**er salzt**
saufen	to booze; drink	**er säuft**
saugen	to suck	**er saugt**
schaffen	to create[1]	**er schafft**
scheiden	to separate *tr/intr*	**er scheidet**
scheinen	to seem; shine	**er scheint**
schelten	to scold	**er schilt**
scheren	to shear	**er schert**
schieben	to shove	**er schiebt**
schießen	to shoot	**er schießt**
schlafen	to sleep	**er schläft**
schlagen	to hit	**er schlägt**
schleichen	to creep	**er schleicht**
schleifen	to grind	**er schleift**
schließen	to close	**er schließt**
schlingen	to wind	**er schlingt**
schmeißen	to fling	**er schmeißt**
schmelzen	to melt *tr/intr*	**er schmilzt**
schneiden	to cut	**er schneidet**
schreiben	to write	**er schreibt**
schreien	to shout	**er schreit**
schreiten	to stride	**er schreitet**
schweigen	to be silent	**er schweigt**

1. **schaffen** meaning "to work hard/manage" is **weak**:
   schaffen, schafft, schaffte, hat geschafft

3RD PERSON IMPERFECT	PERFECT	IMPERFECT SUBJUNCTIVE
er rannte	er ist gerannt	er rennte
er roch	er hat gerochen	er röche
er rang	er hat gerungen	er ränge
er rann	er ist geronnen	er ränne
er rief	er hat gerufen	er riefe
er salzte	er hat gesalzen	er salzte
er soff	er hat gesoffen	er söffe
er sog	er hat gesogen	er söge
er schuf	er hat geschaffen	er schüfe
er schied	er hat/ist geschieden	er schiede
er schien	er hat geschienen	er schiene
er schalt	er hat gescholten	er schölte
er schor	er hat geschoren	er schöre
er schob	er hat geschoben	er schöbe
er schoß	er hat geschossen	er schösse
er schlief	er hat geschlafen	er schliefe
er schlug	er hat geschlagen	er schlüge
er schlich	er ist geschlichen	er schliche
er schliff	er hat geschliffen	er schliffe
er schloß	er hat geschlossen	er schlösse
er schlang	er hat geschlungen	er schlänge
er schmiß	er hat geschmissen	er schmisse
er schmolz	er hat/ist geschmolzen	er schmölze
er schnitt	er hat geschnitten	er schnitte
er schrieb	er hat geschrieben	er schriebe
er schrie	er hat geschrie(e)n	er schriee
er schritt	er ist geschritten	er schritte
er schwieg	er hat geschwiegen	er schwiege

Continued

INFINITIVE		*3RD PERSON PRESENT*
schwellen	to swell *intr*[1]	**er schwillt**
schwimmen	to swim	**er schwimmt**
schwingen	to swing	**er schwingt**
schwören	to vow	**er schwört**
sehen	to see	**er sieht**
sein	to be	**er ist**
senden	to send[2]	**er sendet**
singen	to sing	**er singt**
sinken	to sink	**er sinkt**
sinnen	to ponder	**er sinnt**
sitzen	to sit	**er sitzt**
sollen	to be supposed to be	**er soll**
spalten	to split *tr/intr*	**er spaltet**
speien	to spew	**er speit**
spinnen	to spin	**er spinnt**
sprechen	to speak	**er spricht**
sprießen	to sprout	**er sprießt**
springen	to jump	**er springt**
stechen	to sting/prick	**er sticht**
stehen	to stand	**er steht**
stehlen	to steal	**er stiehlt**
steigen	to climb	**er steigt**
sterben	to die	**er stirbt**
stinken	to stink	**er stinkt**
stoßen	to knock/come across	**er stößt**
streichen	to stroke/wander	**er streicht**
streiten	to quarrel	**er streitet**

1. **schwellen** is **weak** when used transitively:
   schwellen, schwellt, schwellte, hat geschwellt
2. **senden** meaning "to broadcast" is **weak**:
   senden, sendet, sendete, hat gesendet

3RD PERSON IMPERFECT	*PERFECT*	*IMPERFECT SUBJUNCTIVE*
er schwoll	**er ist geschwollen**	**er schwölle**
er schwamm	**er ist geschwommen**	**er schwömme**
er schwang	**er hat geschwungen**	**er schwänge**
er schwor	**er hat geschworen**	**er schwüre**
er sah	**er hat gesehen**	**er sähe**
er war	**er ist gewesen**	**er wäre**
er sandte	**er hat gesandt**	**er sendete**
er sang	**er hat gesungen**	**er sänge**
er sank	**er ist gesunken**	**er sänke**
er sann	**er hat gesonnen**	**er sänne**
er saß	**er hat gesessen**	**er säße**
er sollte	**er hat gesollt/sollen**[1]	**er sollte**
er spaltete	**er hat/ist gespalten**	**er spaltete**
er spie	**er hat gespie(e)n**	**er spiee**
er spann	**er hat gesponnen**	**er spönne**
er sprach	**er hat gesprochen**	**er spräche**
er sproß	**er ist gesprossen**	**er sprösse**
er sprang	**er ist gesprungen**	**er spränge**
er stach	**er hat gestochen**	**er stäche**
er stand	**er hat gestanden**	**er stünde**
er stahl	**er hat gestohlen**	**er stähle**
er stieg	**er ist gestiegen**	**er stiege**
er starb	**er ist gestorben**	**er stürbe**
er stank	**er hat gestunken**	**er stänke**
er stieß	**er hat/ist gestoßen**	**er stieße**
er strich	**er hat/ist gestrichen**	**er striche**
er stritt	**er hat gestritten**	**er stritte**

1. The second (infinitive) form is used when combined with an infinitive construction (see p 56).

Continued

INFINITIVE		*3RD PERSON PRESENT*
tragen	to carry; wear	**er trägt**
treffen	to meet	**er trifft**
treiben	to drive; engage in	**er treibt**
treten	to kick/step	**er tritt**
trinken	to drink	**er trinkt**
tun	to do	**er tut**
verderben	to spoil/go bad	**er verdirbt**
verdrießen	to irritate	**er verdrießt**
vergessen	to forget	**er vergißt**
verlieren	to lose	**er verliert**
vermeiden	to avoid	**er vermeidet**
verschwinden	to disappear	**er verschwindet**
verzeihen	to pardon	**er verzeiht**
wachsen	to grow	**er wächst**
waschen	to wash	**er wäscht**
weichen	to yield	**er weicht**
weisen	to point	**er weist**
wenden	to turn	**er wendet**
werben	to recruit	**er wirbt**
werden	to become	**er wird**
werfen	to throw	**er wirft**
wiegen	to weigh[1]	**er wiegt**
winden	to wind	**er windet**
wissen	to know	**er weiß**
wollen	to want to	**er will**
ziehen	to pull	**er zieht**
zwingen	to force	**er zwingt**

1. **wiegen** meaning "to rock" is **weak**

3RD PERSON IMPERFECT	PERFECT	IMPERFECT SUBJUNCTIVE
er trug	er hat getragen	er trüge
er traf	er hat getroffen	er träfe
er trieb	er hat getrieben	er triebe
er trat	er hat/ist getreten	er träte
er trank	er hat getrunken	er tränke
er tat	er hat getan	er täte
er verdarb	er hat/ist verdorben	er verdürbe
er verdroß	er hat verdrossen	er verdrösse
er vergaß	er hat vergessen	er vergäße
er verlor	er hat verloren	er verlöre
er vermied	er hat vermieden	er vermiede
er verschwand	er ist verschwunden	er verschwände
er verzieh	er hat verziehen	er verziehe
er wuchs	er ist gewachsen	er wüchse
er wusch	er hat gewaschen	er wüsche
er wich	er ist gewichen	er wiche
er wies	er hat gewiesen	er wiese
er wandte	er hat gewandt	er wendete
er warb	er hat geworben	er würbe
er wurde	er ist geworden	er würde
er warf	er hat geworfen	er würfe
er wog	er hat gewogen	er wöge
er wand	er hat gewunden	er wände
er wußte	er hat gewußt	er wüßte
er wollte	er hat gewollt/wollen[1]	er wollte
er zog	er hat gezogen	er zöge
er zwang	er hat gezwungen	er zwänge

1. The second (infinitive) form is used when combined with an infinitive construction (see p 56).

The Declension of Nouns

In German, all nouns may be declined. This means that they may change their form according to their

gender (i.e. masculine, feminine or neuter) (→**1**)

case (i.e. their function in the sentence) (→**2**)

number (i.e. singular or plural) (→**3**)

- Nearly all *feminine* nouns change in the *plural* form by adding **-n** or **-en**. Many *masculine* and *neuter* nouns also change (→**4**)

- *Masculine* and *neuter* nouns, with a few exceptions, add **-s** (**-s** or **-es** for nouns of one syllable) in the *genitive singular* (but see p 110) (→**5**)

- All nouns end in **-n** or **-en** in the *dative plural*. This is added to the nominative plural form, where this does not already end in **-n** (→**6**)

- A good dictionary will provide guidance on how to decline a noun:
  The nominative singular form is given in full, followed by the gender of the noun, then the genitive singular and nominative plural endings are shown where appropriate (→**7**)

- Adjectives used as nouns are declined as adjectives rather than nouns. Their declension endings are therefore dictated by the preceding article, as well as by number, case and gender (see p 140) (→**8**)

Continued

1 der Tisch (*masculine*) the table
die Gabel (*feminine*) the fork
das Mädchen (*neuter*) the girl

2 des Tisches of the table
auf den Tischen on the tables

3 die Tische the tables
die Gabeln the forks
die Mädchen the girls

4	NOM SING	NOM PLURAL
MASC	**der Apfel**	**die Äpfel**
FEM	**die Schule**	**die Schulen**
NEUT	**das Kind**	**die Kinder**

5	NOM SING	GEN SING
MASC	**der Apfel**	**des Apfels**
FEM	**die Schule**	**der Schule**
NEUT	**das Kind**	**des Kind(e)s**

6 den Äpfeln
den Schulen
den Kindern

7 Tiger *m* -s, -

NOM SING	**der Tiger**	the tiger
GEN SING	**des Tigers**	of the tiger, the tiger's
NOM PL	**die Tiger**	the tigers

8 der Angestellte the employee
ein Angestellter an employee
(die) Angestellten (the) employees

The Gender of Nouns

In German a noun may be masculine, feminine or neuter. Gender is relatively unpredictable and has to be learned for each noun. This is best done by learning each noun with its definite article, i.e.

der Teppich, die Zeit, das Bild

The following are intended therefore only as guidelines in helping decide the gender of a word.

- Nouns denoting male people and animals are masculine (→**1**)

- Nouns denoting the female of the species, as shown on p 104 are of course feminine (→**2**)

- But nouns denoting an entire species can be of any gender (→**3**)

- Makes of cars identify with **der Wagen** and so are usually masculine (→**4**)

- Makes of aeroplane usually identify with **die Maschine** and so are feminine (→**5**)

- Seasons, months, days of the week, weather features and north, south, east, and west are masculine (→**6**)

- Names of objects that perform an action are usually masculine (→**7**)

- Foreign nouns ending in **-ant, -ast, -ismus, -or** are masculine (→**8**) (But see the list of exceptions below)

- Nouns ending in **-ich, -ig, -ing, -ling** are masculine (→**9**)

Continued

1 **der Hörer** (male) listener
  der Löwe (male) lion
  der Onkel uncle
  der Vetter (male) cousin

2 **die Hörerin** (female) listener
  die Löwin lioness
  die Tante aunt
  die Kusine (female) cousin

3 **der Hund** dog
  die Schlange snake
  das Vieh cattle

4 **der Mercedes** Mercedes
  der VW Volkswagen

5 **die Boeing** Boeing
  die Concorde Concorde

6 **der Sommer** summer
  der Winter winter
  der August August
  der Freitag Friday
  der Wind wind
  der Schnee snow
  der Norden north
  der Osten east

7 **der Wecker** alarm clock
  der Computer computer

8 **der Ballast** ballast
  der Chauvinismus chauvinism

9 **der Essig** vinegar
  der Schmetterling butterfly

The Gender of Nouns (contd)

- Cardinal numbers are mostly feminine, but fractions are neuter (→**1**)

- Most nouns ending in **-e** are feminine (→**2**)
  EXCEPTIONS: male people or animals are masculine (→**3**)
  nouns beginning with **Ge-** are normally neuter (*see below*)

- Nouns ending in **-heit, -keit, -schaft, -ung, -ei** are feminine (→**4**)

- Foreign nouns ending in **-anz, -enz, -ie, -ik, -ion, -tät, -ur** are generally feminine (→**5**)

- Nouns denoting the young of a species are neuter (→**6**)

- Infinitives used as nouns are neuter (→**7**)

- Most nouns beginning with **Ge-** are neuter (→**8**)

- **-chen** or **-lein** may be added to many words to give a diminutive form. These words are then neuter (→**9**)
  Note that the vowel adds an umlaut where possible (i.e. on **a, o, u** or **au**) and a final **-e** is dropped before these endings (→**10**)

- Nouns ending in **-nis** or **-tum** are neuter (→**11**)

- Foreign nouns ending in **-at, -ett, -fon, -ma, -ment, -um, -ium** are mainly neuter (→**12**)

- Adjectives and participles may be used as masculine, feminine or neuter nouns (see p 148) (→**13**)

Continued

1 **Er hat eine Drei gekriegt** He got a three (*mark*)
   ein Drittel davon a third of it
2 **die Falte** crease, wrinkle
   die Brücke bridge
3 **der Löwe** lion
   der Matrose sailor
4 **die Eitelkeit** vanity
   die Gewerkschaft trade union
   die Scheidung divorce
   die Druckerei printing works
5 **die Distanz** distance
   die Konkurrenz rivalry
   die Theorie theory
   die Panik panic
   die Union union
   die Elektrizität electricity
   die Partitur score (*musical*)
6 **das Baby** baby
   das Kind child
7 **das Schwimmen** swimming
8 **das Geschirr** crockery, dishes
   das Geschöpf creature
   das Getreide crop
9 **das Kindlein** child
10 **das Bächlein** (small) stream (*from* **der Bach**)
   das Kätzchen kitten (*from* **die Katze**)
11 **das Ereignis** event
   das Altertum antiquity
12 **das Tablett** tray
   das Telefon telephone
   das Testament will
   das Podium platform, podium
13 **der Verwandte** male relative
   die Verwandte female relative
   das Gehackte minced meat

The Gender of Nouns

The following are some common exceptions to the gender guidelines shown on pp 100 to 103

das Weib woman, wife
die Person person
die Waise orphan
das Mitglied member
das Genie genius
die Wache sentry, guard
das Restaurant restaurant

The Formation of Feminine Nouns

As in English, male and female forms are sometimes shown by two completely different words, e.g.

mother/father, uncle/aunt etc (→**1**)

Where such separate forms do not exist, however, German often differentiates between male and female forms in one of two ways:

- The masculine form may sometimes be made feminine by the addition of **-in** in the singular and **-innen** in the plural (→**2**)

- An adjective may be used as a feminine noun (see p 148). It has feminine adjective endings which change according to the article which precedes it (see p 140) (→**3**)

Continued

1 der Vater   **die Mutter**
father   mother
der Bulle   **die Kuh**
bull   cow
der Mann   **die Frau**
man   woman

2 der Lehrer   **die Lehrerin**
(male) teacher   (female) teacher
der König   **die Königin**
king   queen
der Hörer   **die Hörerin**
(male) listener   (female) listener

HENCE:
Liebe Hörer und Hörerinnen! Dear listeners!
unsere Leser und Leserinnen our readers

3 eine Deutsche a German woman
Er ist mit einer Deutschen verheiratet
He is married to a German
die Abgeordnete the female MP
Nur Abgeordnete durften dabeisein
Only MPs were allowed in

The Gender of Nouns: miscellaneous points

Compound Nouns

Compound nouns, i.e. nouns composed of two or more nouns put together, are a regular feature of German.

- They normally take their gender and declension from the last noun of the compound word (→**1**)

- Exceptions to this are compounds ending in **-mut, -scheu** and **-wort**, which do not always have the same gender as the last word when it stands alone (→**2**)

Nouns with more than one gender

- A few nouns have two genders, one of which may only be used in certain regions (→**3**)

- Other nouns have two genders, each of which gives the noun a different meaning (→**4**)

Abbreviations

- These take the gender of their principal noun (→**5**)

1 **die Armbanduhr** wristwatch (*from* **die Uhr**)
der Tomatensalat tomato salad (*from* **der Salat**)
der Fußballspieler footballer (*from* **der Spieler**)

2 **der Mut** courage
die Armut poverty
die Demut humility

die Scheu fear, shyness, timidity
der Abscheu repugnance, abhorrence

das Wort word
die Antwort reply

3 **das/der Radio** radio
das/der Keks biscuit

4 **der Band** volume, book
das Band ribbon, band, tape, bond
der See lake
die See sea
der Leiter leader, manager
die Leiter ladder
der Tau dew
das Tau rope, hawser

5 **der DGB** the Federation of German Trade Unions (*from* **der Deutsche Gewerkschaftsbund**)
die EG the EC (*from* **die Europäische Gemeinschaft**)
das AKW nuclear power station (*from* **das Atomkraftwerk**)

The Cases

There are four grammatical *cases*, which are generally shown by the form of the article used before the noun (see p 118).

The nominative case

- The nominative singular is the form shown in full in dictionary entries. The nominative plural is formed as described on p 98.

- The nominative case is used for:
  - the subject of a verb (→**1**)
  - the complement of **sein** or **werden** (→**2**)

The accusative case

- The noun in the accusative case usually has the same form as in the nominative (→**3**)
  Exceptions to this are "weak" masculine nouns (see p 115) and adjectives used as nouns (see p 148).

- It is used:
  - for the direct object of the verb (→**4**)
  - after those prepositions which always take the accusative case (see p 206 ff) (→**5**)
  - to show change of location after prepositions of place (see p 210) (→**6**)
  - in many expressions of time and place which do not contain a preposition (→**7**)
  - in certain fixed expressions (→**8**)

Continued

1 Das Mädchen singt The girl is singing

2 Er ist ein guter Lehrer He's a good teacher
Das wird ein Pullover It's going to be a jumper

3 das Lied the song (*nominative*)
das Lied the song (*accusative*)
der Wagen the car (*nominative*)
den Wagen the car (*accusative*)
die Dose the tin (*nominative*)
die Dose the tin (*accusative*)

4 Er hat ein Lied gesungen He sang a song

5 für seine Freundin for his girlfriend
ohne diesen Wagen without this car
durch das Rauchen through smoking

6 in die Stadt (*accusative*) into town
BUT:
in der Stadt (*dative*) in town

7 Das macht sie jeden Donnerstag
She does that every Thursday
Die Schule ist einen Kilometer entfernt
The school is a kilometre away

8 Guten Abend! Good evening!
Vielen Dank! Thank you very much!

The Cases (contd)

The genitive case

- In the genitive singular, *masculine* and *neuter* nouns take endings as follows:
  1) **-s** is added to nouns ending in **-en, -el, -er** (→**1**)
  2) **-es** is added to nouns ending in **-tz, -sch, -st** or **-ß** (→**2**)
  3) For nouns of one syllable, either **-s** or **-es** may be added (→**3**)
- *Feminine singular* and all *plural* nouns have the same form as their nominative.
- The genitive is used:
  - to show possession (→**3**)
  - after prepositions taking the genitive (see p 212) (→**4**)
  - in expressions of time when the exact occasion is not specified (→**5**)

The dative case

- Singular nouns in the dative have the same form as in the nominative (→**6**)
- **-e** may be added to the dative singular of *masculine* and *neuter* nouns if the sentence rhythm needs it (→**7**)
  This **-e** is always used in certain set phrases (→**8**)
- Dative plural forms for all genders end in **-n** (→**9**)
  The only exceptions to this are some nouns of foreign origin that end in **-s** in all plural forms, including the dative plural (see p 114) (→**10**)
- The dative is used:
  - as the indirect object (→**11**)
  - after verbs taking the dative (see p 80) (→**12**)
  - after prepositions taking the dative (see p 202) (→**13**)
  - in certain idiomatic expressions (→**14**)
  - instead of the possessive adjective to refer to parts of the body and items of clothing (see p 122) (→**15**)

1 der Wagen car → **des Wagens** of the car
   das Rauchen smoking → **des Rauchens** of smoking
   der Computer computer → **des Computers** of the computer
   der Reiter rider → **des Reiters** of the rider
2 der Sitz seat; residence → **des Sitzes** of the seat/residence
   der Arzt doctor → **des Arztes** of the doctor
   das Schloß castle → **des Schlosses** of the castle
3 das Kind →
   Die Zähne des Kindes waren faul geworden
   The child's teeth had decayed
   Der Name des Kinds war ihm unbekannt
   The child's name was not known to him
4 wegen seiner Krankheit because of his illness
   trotz ihrer Bemühungen despite her efforts
5 eines Tages one day
6 dem Wagen to the car
   der Frau to the woman
   dem Mädchen to the girl
7 zu welchem Zwecke? to what purpose?
8 nach Hause home
   sich zu Tode trinken/arbeiten
   to drink/work oneself to death
9 mit den Anwälten with the lawyers
   nach den Kindern after the children
10 SINGULAR   PLURAL
   das Auto   **die Autos**
   das Auto   **die Autos**
   des Autos   **der Autos**
   dem Auto   **den Autos**
11 Er gab dem Mann das Buch He gave the man the book
12 Sie half ihrer Mutter She helped her mother
13 Nach dem Essen ... After eating ...
14 Mir ist kalt I'm cold
15 Ich habe mir die Hände gewaschen I've washed my hands

The Formation of Plurals

The following pages show full noun declensions in all their singular and plural forms.

Those nouns shown represent the most common types of plural.

- Most feminine nouns add -**n,** -**en** or -**nen** to form their plurals:

	SINGULAR	PLURAL
NOM	die Frau	die Frauen
ACC	die Frau	die Frauen
GEN	der Frau	der Frauen
DAT	der Frau	den Frauen

- Many nouns have no plural ending.

  These are mainly masculine or neuter nouns ending in -**en,** -**er,** -**el**.

  An umlaut is sometimes added to the vowel in the plural forms.

	SINGULAR	PLURAL
NOM	der Onkel	die Onkel
ACC	den Onkel	die Onkel
GEN	des Onkels	der Onkel
DAT	dem Onkel	den Onkeln

	SINGULAR	PLURAL
NOM	der Apfel	die Äpfel
ACC	den Apfel	die Äpfel
GEN	des Apfels	der Äpfel
DAT	dem Apfel	den Äpfeln

Continued

The Formation of Plurals (contd)

● Many nouns form their plurals by adding ¨e

	SINGULAR	PLURAL
NOM	der Stuhl	die Stühle
ACC	den Stuhl	die Stühle
GEN	des Stuhl(e)s	der Stühle
DAT	dem Stuhl(e)	den Stühlen

	SINGULAR	PLURAL
NOM	die Angst	die Ängste
ACC	die Angst	die Ängste
GEN	der Angst	der Ängste
DAT	der Angst	den Ängsten

● Masculine and neuter nouns often add -e in the plural

	SINGULAR	PLURAL
NOM	das Schicksal	die Schicksale
ACC	das Schicksal	die Schicksale
GEN	des Schicksals	der Schicksale
DAT	dem Schicksal(e)	den Schicksalen

● Masculine and neuter nouns sometimes add ¨er or -er

	SINGULAR	PLURAL
NOM	das Dach	die Dächer
ACC	das Dach	die Dächer
GEN	des Dach(e)s	der Dächer
DAT	dem Dach(e)	den Dächern

Continued

The Formation of Plurals (contd)

Some Unusual Plurals

das Ministerium, die Ministerien department(s)
das Prinzip, die Prinzipien principle(s)
das Thema, die Themen theme(s), topic(s), subject(s)
das Drama, die Dramen drama(s)
die Firma, die Firmen firm(s)
das Konto, die Konten bank account(s)
das Risiko, die Risiken risk(s)
das Komma, die Kommas *or* **Kommata** comma(s); decimal point(s)
das Baby, die Babys baby (babies)
der Klub, die Klubs club(s)
der Streik, die Streiks strike(s)
der Park, die Parks park(s)
der Chef, die Chefs boss(es), chief(s), head(s)
der Israeli, die Israelis Israeli(s)
das Restaurant, die Restaurants restaurant(s)
das Bonbon, die Bonbons sweet(s)
das Hotel, die Hotels hotel(s)
das Niveau, die Niveaus standard(s), level(s)

German singular/English plural nouns

Some nouns are always plural in English, but singular in German:
• Some of the most common examples are:

   eine Brille glasses, spectacles
   eine Schere scissors
   eine Hose trousers

• They are only used in the plural in German to mean more than one pair, e.g. **zwei Hosen** *two pairs of trousers*

The Declension of Nouns (contd)

"Weak" Masculine nouns

Some masculine nouns have a weak declension, which means that in all cases apart from the nominative singular, they end in **-en** or, if the word ends in a vowel, in **-n**

- The dictionary will often show such nouns as
  Junge *m* **-n, -n** boy
  Held *m* **-en, -en** hero

- Weak masculine nouns are declined as follows:

	SINGULAR	PLURAL
NOM	**der Junge**	**die Jungen**
ACC	**den Jungen**	**die Jungen**
GEN	**des Jungen**	**der Jungen**
DAT	**dem Jungen**	**den Jungen**

- Masculine nouns falling into this category include:
  - those ending in **-og(e)** referring to males:
    der Psychologe, der Geologe, der Astrologe
  - those ending in **-aph** or **-oph**:
    der Paragraph, der Philosoph
  - those ending in **-nom** referring to males:
    der Astronom, der Gastronom
  - those ending in **-ant**:
    der Elefant, der Diamant
  - those ending in **-t** which refer to males:
    der Astronaut, der Komponist, der Architekt
  - miscellaneous others:
    der Chirurg, der Bauer, der Ochse, der Kollege, der Spatz, der Mensch, der Katholik, der Franzose

- **der Name** (*name*) has a different ending in the genitive singular, **-ns**: **des Namens**. Otherwise it is the same as **der Junge** shown above. Others in this category are: **der Buchstabe, der Glaube, der Gedanke, der Haufe, der Funke**.

The Declension of Proper Nouns

- Names of people and places add **-s** in the genitive singular unless they are preceded by the definite article or a demonstrative (→**1**)

- Where proper names end in a sibilant (**-s, -sch, -ß, -x, -z, -tz**) and this makes the genitive form with **-s** almost impossible to pronounce, they are best avoided altogether by using **von** followed by the dative case (→**2**)

- Personal names can be given diminutive forms if desired. These may be used as a sign of affection as well as with diminutive meaning (→**3**)

- **Herr** (*Mr*) is always declined where it occurs as part of a proper name (→**4**)

- When articles or adjectives form part of a proper name (e.g. in the names of books, plays, hotels, restaurants *etc*), these are declined in the normal way (see pp 118 and 140) (→**5**)

- Surnames usually form their plurals by adding **-s**, unless they end in a sibilant, in which case they sometimes add **-ens**. They are often preceded by the definite article (→**6**)

Nouns of Measurement and Quantity

- These usually remain singular, even if preceded by a plural number (→**7**)

- The substance which they measure follows in the same case as the noun of quantity, and not in the genitive case as in English (→**8**)

1 **Annas Buch** Anna's book
Klaras Mantel Klara's coat
die Werke Goethes Goethe's works
BUT: **die Versenkung der Bismarck**
the sinking of the Bismarck

2 **das Buch von Hans** Hans' book
die Werke von Marx the works of Marx
die Freundin von Klaus Klaus's girlfriend

3 **von Deinem Sabinchen** from your Sabine
das kleine Kläuschen hat uns dann ein Lied gesungen
Then little Klaus sang us a song

4 **an Herrn Schmidt** to Mr Schmidt
Sehr geehrte Herren Dear Sirs

5 **im Weißen Schwan** in the White Swan
Er hat den "Zauberberg" schon gelesen
He has already read "The Magic Mountain"
nach Karl dem Großen after Charlemagne

6 **Die Schmidts haben uns eingeladen**
The Schmidts have invited us
Die Zeißens haben uns eingeladen
Mr and Mrs Zeiß have invited us

7 **Möchten Sie zwei Stück?**
Would you like two?

8 **Er wollte zwei Kilo Kartoffeln**
He wanted two kilos of potatoes
Sie hat drei Tassen Kaffee getrunken
She drank three cups of coffee
Drei Glas Weißwein, bitte!
Three glasses of white wine please

The Definite Article

In English the definite article *the* always keeps the same form
  the book/*the* books/with *the* books
In German, however, the definite article has many forms:

- In its singular form it changes for masculine, feminine and
  neuter nouns (→**1**)

- In its plural forms, it is the same for all genders (→**2**)

- The definite article is also used to show the function of the
  noun in the sentence by showing which case it is.
  There are four cases, as explained more fully on p 108:
    nominative for the subject or complement of the verb (→**3**)
    accusative for the object of the verb and after some
    prepositions (→**4**)
    genitive to show possession and after some prepositions (→**5**)
    dative for an indirect object (*to* or *for*) and after some
    prepositions and certain verbs (→**6**)

- The forms of the definite article are as follows:

| | | SINGULAR | | PLURAL |
	MASC	FEM	NEUT	ALL GENDERS
NOM	der	die	das	die
ACC	den	die	das	die
GEN	des	der	des	der
DAT	dem	der	dem	den (→**7**)

Continued

1 *MASCULINE*:   **der Mann** the man
                der Wagen the car
FEMININE: **die Frau** the wife/woman
                die Blume the flower
NEUTER: **das Ding** the thing
                das Mädchen the girl

2 die Männer/die Frauen/die Dinge
the men/the women/the things

3 Der Mann ist jung The man is young
Die Frau/das Kind ist jung The woman/the child is young

4 Ich kenne den Mann/die Frau/das Kind
I know the man/the woman/the child

5 der Kopf des Mannes/der Frau/des Kindes
the man's/woman's/child's head
wegen des Mannes/der Frau/des Kindes
because of the man/the woman/the child

6 Ich gab es dem Mann/der Frau/dem Kind
I gave it to the man/to the woman/to the child

7

	SINGULAR		
	MASC	FEM	NEUT
NOM	**der Mann**	**die Frau**	**das Kind**
ACC	**den Mann**	**die Frau**	**das Kind**
GEN	**des Mann(e)s**	**der Frau**	**des Kind(e)s**
DAT	**dem Mann(e)**	**der Frau**	**dem Kind(e)**

	PLURAL		
	MASC	FEM	NEUT
NOM	**die Männer**	**die Frauen**	**die Kinder**
ACC	**die Männer**	**die Frauen**	**die Kinder**
GEN	**der Männer**	**der Frauen**	**der Kinder**
DAT	**den Männern**	**den Frauen**	**den Kindern**

Uses of the Definite Article

When to use and when not to use the definite article in German is one of the most difficult areas for the learner. The following guidelines show where German practice varies from English.

The definite article is used with:

- abstract and other nouns where something is being referred to as a whole or as a general idea (→**1**)
  Where these nouns are quantified or modified, the article is not used (→**2**)

- the genitive, unless the noun is a proper name or is acting as a proper name (→**3**)

- occasionally with proper names to make the sex or case clearer (→**4**)

- always with proper names preceded by an adjective (→**5**)

- sometimes with proper names in familiar contexts or for slight emphasis (→**6**)

- with masculine and feminine countries and districts (→**7**)

- with geographical names preceded by an adjective (→**8**)

- with names of seasons (→**9**)

- often with meals (→**10**)

- with the names of roads (→**11**)

Continued

1 **Das Leben ist schön** Life is wonderful
2 **Es braucht Mut** It needs (some) courage
   Gibt es dort Leben? Is there (any) life there?
3 **das Auto des Lehrers** the teacher's car
   Günters Auto Günter's car
   Muttis Auto Mummy's car
4 **Er hat es Frau Lehmann gegeben**
   Er hat es der Frau Lehmann gegeben
   He gave it to Frau Lehmann
5 **Der alte Herr Brockhaus ist gestorben**
   Old Mr Brockhaus has died
6 **Ich habe heute den Christoph gesehen**
   I saw Christoph today
   Du hast es aber nicht der Petra geschenkt!
   You haven't given it to *Petra*!
7 **Deutschland ist sehr schön** Germany is very beautiful
   Die Schweiz ist auch schön Switzerland is also lovely
8 **im (= in dem) heutigen Deutschland**
   in today's Germany
9 **Im (= in dem) Sommer gehen wir schwimmen**
   We go swimming in summer
   Der Winter kommt bald
   Soon it will be winter
10 **Das Abendessen wird ab acht Uhr serviert**
   Dinner is served from eight o'clock
   Was gibt's zum (= zu dem) Mittagessen?
   What's for lunch?
   BUT:
   Um 8 Uhr ist Frühstück
   Breakfast is at 8 o'clock
11 **Sie wohnt jetzt in der Geisenerstraße**
   She lives in Geisener Road now

Uses of the Definite Article (contd)

- with months of the year except after **seit/nach/vor** (→**1**)

- instead of the possessive adjective to refer to parts of the body and items of clothing (→**2**)
  A reflexive pronoun or noun in the dative case is used if it is necessary to clarify to whom the parts of the body belong (→**3**)

- in expressions of price, to mean *each/per/a* (→**4**)

- with certain common expressions (→**5**)

Others Uses

- The definite article can be used with demonstrative meaning (→**6**)

- After certain prepositions, forms of the definite article can be shortened (see p 198 ff).
  Some of these forms are best used in informal situations (→**7**)
  Others are commonly and correctly used in formal contexts (→**8, 1, 5**)

The definite article may be omitted in German:

- in certain set expressions (→**9**)

- in *preposition + adjective + noun* combinations (→**10**)
  For the declension of adjectives without the article see p 142.

1 Wir fahren im (= in dem) September weg
We are going away in September
Wir sind seit September hier
We have been here since September

2 Er legte den Hut auf den Tisch
He laid his hat on the table
Ich drücke Ihnen die Daumen I'm keeping my fingers crossed
for you

3 Er hat sich die Hände schon gewaschen
He has already washed his hands
Er hat dem Kind schon die Hände gewaschen
He has already washed the child's hands

4 Die kosten ...   They cost ...
 ... fünf Mark das Pfund   ... five marks a pound
 ... sechs Mark das Stück   ... six marks each

5 in die Stadt fahren to go into town
zur (= zu der) Schule gehen to go to school
mit der Post by post
mit dem Zug/Bus/Auto by train/bus/car
im (= in dem) Gefängnis in prison

6 Du willst das Buch lesen!
You want to read *that* book!

7 für das → fürs; vor dem → vorm; um das → ums *etc*

8 an dem → am; zu dem → zum; zu der → zur *etc*

9 von Beruf by profession
nach Wunsch as desired
Nachrichten hören to listen to the news

10 Mit gebeugtem Rücken ... Bending his back, ...

The Indefinite Article

Like the definite article, the form of the indefinite article varies depending on the gender and case of the noun (→**1**). It has no plural forms (→**2**)

The indefinite article is declined as follows:

	MASC	FEM	NEUT
NOM	ein	eine	ein
ACC	einen	eine	ein
GEN	eines	einer	eines
DAT	einem	einer	einem (→**3**)

- The indefinite article is omitted in the following:

  - descriptions of people by profession, religion, nationality *etc* (→**4**)
    But note that the article is included when an adjective precedes the noun (→**5**)

  - in certain fixed expressions (→**6**)

  - after **als** *as a* (→**7**)

Continued

1 **Da ist ein Auto** There's a car
  Er hat eine Wohnung He has a flat
  Sie gab es einem Kind She gave it to a child

2 **Autos sind in letzter Zeit teurer geworden**
  Cars have become more expensive recently

3

	MASC	SINGULAR FEM	NEUT
NOM	ein Mann	eine Frau	ein Kind
ACC	einen Mann	eine Frau	ein Kind
GEN	eines Mann(e)s	einer Frau	eines Kind(e)s
DAT	einem Mann(e)	einer Frau	einem Kind(e)

4 **Sie ist Kinderärztin** She's a paediatrician
  Sie ist Deutsche She's (a) German

5 **Sie ist eine sehr geschickte Kinderärztin**
  She's a very clever paediatrician

6 **Es ist Geschmacksache** It's a question of taste
  Tatsache ist ... It's a fact ...
  Ich habe Kopfschmerzen I've got a headache

7 **Als Ausländer ist er hier nicht wahlberechtigt**
  As a foreigner he doesn't have the vote here
  ... und ich rede nun als Vater von vier Kindern
  ... and I'm talking now as a father of four

The Indefinite Article (contd)

In German, a separate negative form of the indefinite article exists. It is declined exactly like **ein** in the singular and also has plural forms:

| | SINGULAR | | | PLURAL |
	MASC	FEM	NEUT	ALL GENDERS
NOM	**kein**	**keine**	**kein**	**keine**
ACC	**keinen**	**keine**	**kein**	**keine**
GEN	**keines**	**keiner**	**keines**	**keiner**
DAT	**keinem**	**keiner**	**keinem**	**keinen** (→**1**)

- It has the meaning *no/not a/not one/not any* (→**2**)

- It is used even where the equivalent *positive* phrase has no article (→**3**)

- It is also used in many idiomatic expressions (→**4**)

- **nicht ein** may be used instead of **kein** where the **ein** is to be emphasized (→**5**)

1

	MASC	SINGULAR FEM	NEUT
NOM	kein Mann	keine Frau	kein Kind
ACC	keinen Mann	keine Frau	kein Kind
GEN	keines Mann(e)s	keiner Frau	keines Kind(e)s
DAT	keinem Mann(e)	keiner Frau	keinem Kind(e)

		PLURAL	
NOM	keine Männer	keine Frauen	keine Kinder
ACC	keine Männer	keine Frauen	keine Kinder
GEN	keiner Männer	keiner Frauen	keiner Kinder
DAT	keinen Männern	keinen Frauen	keinen Kindern

2 Er hatte keine Geschwister
He had no brothers or sisters
Ich sehe keinen Unterschied I don't see any difference
Das ist keine richtige Antwort That's no answer
Kein Mensch hat es gesehen Not one person has seen it

3 Er hatte Angst davor He was frightened
Er hatte keine Angst davor He wasn't frightened

4 Er hatte kein Geld mehr All his money was gone
Es waren keine drei Monate vergangen, als ...
It was less than three months later that ...
Es hat mich keine zehn Mark gekostet
It cost me less than ten marks

5 Nicht ein Kind hat es singen können
Not *one* child could sing it

Words declined like the Definite Article

The following have endings similar to those of the definite article shown on p 118:

> **jeder, jede, jedes** each, each one, every
> **jener, jene, jenes** that, that one, those
> **dieser, diese, dieses** this, this one, these
> **solcher, solche, solches** such/such a
> **sämtliche** all, entire (*usually plural*)
> **mancher, manche, manches** many a/some
> **einiger, einige, einiges** some, a few, a little
> **welcher, welche, welches** which, which one
> **aller, alle, alles** all, all of them
> **irgendwelcher, -e, -es** some or other
> **beide** both (*plural only*)

- These words can be used as: articles (→**1**)
  pronouns (→**2**)

- They have the following endings:

		SINGULAR		PLURAL
	MASC	FEM	NEUT	ALL GENDERS
NOM	-er	-e	-es	-e
ACC	-en	-e	-es	-e
GEN	-es/-en	-er	-es/-en	-er
DAT	-em	-er	-em	-en

Example declensions are shown on p 134 ff.

- **einiger** and **irgendwelcher** use the **-en** genitive ending before masculine or neuter nouns ending in **-s** (→**3**)
  jeder, welcher, mancher and **solcher** may also do so (→**4**)

Continued

1 Dieser Mann kommt aus Südamerika
This man comes from South America
Er geht jeden Tag ins Büro
He goes to the office every day
Manche Leute können das nicht
A good many people can't do it

2 Willst du diesen? Do you want this one?
In manchem hat er recht He's right about some things
Mann kann ja nicht alles wissen
You can't know everything
Es gibt manche, die keinen Alkohol mögen
There are some people who don't like alcohol

3 wegen irgendwelchen Geredes
on account of some gossip

4 der Besitz solchen Reichtums
the possession of such wealth
trozt jeden Versuchs
despite all attempts

Words declined like the Definite Article

(contd)

- Adjectives following these words have the weak declension (see p 140) (→**1**)
  Exceptions are the plural forms of **einige**, which are followed by the strong declension (see p 142) (→**2**)

Further points

- **solcher, beide, sämtliche** may be used after another article or possessive adjective. They then take weak (see p 140) or mixed (see p 142) adjectival endings, as appropriate (→**3**)

- Although **beide** generally has plural forms only, one singular form does exist. This is in the neuter nominative and accusative: **beides** (→**4**)

- **dies** often replaces the nominative and accusative **dieses** and **diese** when used as a pronoun (→**5**)

- A fixed form **all** exists which is used together with other articles or possessive pronouns (→**6**)

- **ganz** can also be used to replace both the inflected form **aller/ alle/alles** and the uninflected **all das/dieses/sein** *etc*.
  It is declined as a normal adjective (see p 140) (→**7**)
  It must be used with collective nouns, in time phrases and geographical references (→**8**)

Continued

1 dieses alte Auto this old car
aus irgendwelchem dummen Grund
for some stupid reason or other
welche neuen Waren? which new goods?

2 Dies sind einige gute Freunde von mir
These are some good friends of mine

3 Ein solches Kleid habe ich früher auch getragen
I used to wear a dress like that too
Diese beiden Männer haben es gesehen
Both of these men have seen it

4 Beides ist richtig Both are right
Sie hat beides genommen She took both

5 Hast du dies schon gelesen?
Have you already read this?
Dies sind meine neuen Sachen
These are my new things

6 All sein Mut war verschwunden
All his courage had vanished
mit all diesem Geld with all this money

7 mit dem ganzen Geld with all this money

8 die ganze Gesellschaft the entire company
Es hat den ganzen Tag geschneit
It snowed the whole day long
Im ganzen Land gab es kein besseres
There wasn't a better one in the whole country

Words declined like the Definite Article
(contd)

- **derjenige/diejenige/dasjenige** (*the one, those*) is declined exactly as the definite article plus an adjective in the weak declension (see p 140) (→**1**)

- **derselbe/dieselbe/dasselbe** (*the same, the same one*) is declined in the same way as **derjenige** (→**2**)

After prepositions, however, the normal contracted forms of the definite article are used for the appropriate parts of **derselbe** (→**3**)

Continued

1
	SINGULAR	
MASC	*FEM*	*NEUT*
derjenige Mann	**die**jenige Frau	**das**jenige Kind
denjenigen Mann	**die**jenige Frau	**das**jenige Kind
desjenigen Mann(e)s	**der**jenigen Frau	**des**jenigen Kind(e)s
demjenigen Mann(e)	**der**jenigen Frau	**dem**jenigen Kind(e)

	PLURAL	
MASC	*FEM*	*NEUT*
diejenigen Männer	**die**jenigen Frauen	**die**jenigen Kinder
diejenigen Männer	**die**jenigen Frauen	**die**jenigen Kinder
derjenigen Männer	**der**jenigen Frauen	**der**jenigen Kinder
denjenigen Männern	**den**jenigen Frauen	**den**jenigen Kindern

2
	SINGULAR	
MASC	*FEM*	*NEUT*
derselbe Mann	**die**selbe Frau	**das**selbe Kind
denselben Mann	**die**selbe Frau	**das**selbe Kind
desselben Mann(e)s	**der**selben Frau	**des**selben Kind(e)s
demselben Mann(e)	**der**selben Frau	**dem**selben Kind(e)

	PLURAL	
MASC	*FEM*	*NEUT*
dieselben Männer	**die**selben Frauen	**die**selben Kinder
dieselben Männer	**die**selben Frauen	**die**selben Kinder
derselben Männer	**der**selben Frauen	**der**selben Kinder
denselben Männern	**den**selben Frauen	**den**selben Kindern

3 zur selben (= zu derselben) Zeit at the same time
   im selben (= in demselben) Zimmer in the same room

Words declined like the Definite Article
(contd)

Sample Declensions in full

dieser, diese, dieses this, this one

	MASC	SINGULAR FEM	NEUT
NOM	dieser Mann	diese Frau	dieses Kind
ACC	diesen Mann	diese Frau	dieses Kind
GEN	dieses Mann(e)s	dieser Frau	dieses Kind(e)s
DAT	diesem Mann(e)	dieser Frau	diesem Kind(e)

	MASC	PLURAL FEM	NEUT
NOM	diese Männer	diese Frauen	diese Kinder
ACC	diese Männer	diese Frauen	diese Kinder
GEN	dieser Männer	dieser Frauen	dieser Kinder
DAT	diesen Männern	diesen Frauen	diesen Kindern

jener, jene, jenes that, that one

	MASC	SINGULAR FEM	NEUT
NOM	jener Mann	jene Frau	jenes Kind
ACC	jenen Mann	jene Frau	jenes Kind
GEN	jenes Mann(e)s	jener Frau	jenes Kind(e)s
DAT	jenem Mann(e)	jener Frau	jenem Kind(e)

	MASC	PLURAL FEM	NEUT
NOM	jene Männer	jene Frauen	jene Kinder
ACC	jene Männer	jene Frauen	jene Kinder
GEN	jener Männer	jener Frauen	jener Kinder
DAT	jenen Männern	jenen Frauen	jenen Kindern

jeder, jede, jedes each, every, everybody

	MASC	FEM	NEUT
		SINGULAR	
NOM	jed**er** Wagen	jed**e** Minute	jed**es** Bild
ACC	jed**en** Wagen	jed**e** Minute	jed**es** Bild
GEN	jed**es** Wagens	jed**er** Minute	jed**es** Bild(e)s
	(jed**en** Wagens)		(jed**en** Bild(e)s)
DAT	jed**em** Wagen	jed**er** Minute	jed**em** Bild(e)

welcher, welche, welches which?, which

	MASC	FEM	NEUT
		SINGULAR	
NOM	welch**er** Preis	welch**e** Sorte	welch**es** Mädchen
ACC	welch**en** Preis	welch**e** Sorte	welch**es** Mädchen
GEN	welch**es** Preises	welch**er** Sorte	welch**es** Mädchens
	(welch**en** Preises)		(welch**en** Mädchens)
DAT	welch**em** Preis	welch**er** Sorte	welch**em** Mädchen

	MASC	FEM	NEUT
		PLURAL	
NOM	welch**e** Preise	welch**e** Sorten	welch**e** Mädchen
ACC	welch**e** Preise	welch**e** Sorten	welch**e** Mädchen
GEN	welch**er** Preise	welch**er** Sorten	welch**er** Mädchen
DAT	welch**en** Preisen	welch**en** Sorten	welch**en** Mädchen

Words declined like the Indefinite Article

The following have the same declension pattern as the indefinite articles **ein** and **kein** (see pp 124 and 126):

The possessive adjectives

mein my (→**1**)
dein your (*singular familiar*)
sein his/its
ihr her/its (→**2**)
unser our
euer your (*plural familiar*)
ihr their (→**2**)
Ihr your (*polite singular and plural*)

These words are declined as follows:

		SINGULAR		PLURAL
	MASC	FEM	NEUT	ALL GENDERS
NOM	—	-e	—	-e
ACC	-en	-e	—	-e
GEN	-es	-er	-es	-er
DAT	-em	-er	-em	-en

- Adjectives following these determiners have the mixed declension forms (see p 142), e.g.:

  sein altes Auto   his old car

- **irgendein** *some ... or other* also follows this declension pattern in the singular.
  Its plural form is **irgendwelche** (see p 128).

1 mein, meine, mein my

	MASC	SINGULAR FEM	NEUT
NOM	mein Bruder	meine Schwester	mein Kind
ACC	mein**en** Bruder	mein**e** Schwester	mein Kind
GEN	mein**es** Bruders	mein**er** Schwester	mein**es** Kind(e)s
DAT	mein**em** Bruder	mein**er** Schwester	mein**em** Kind(e)

	MASC	PLURAL FEM	NEUT
NOM	mein**e** Brüder	mein**e** Schwestern	mein**e** Kinder
ACC	mein**e** Brüder	mein**e** Schwestern	mein**e** Kinder
GEN	mein**er** Brüder	mein**er** Schwestern	mein**er** Kinder
DAT	mein**en** Brüdern	mein**en** Schwestern	mein**en** Kindern

2 ihr, ihre, ihr her/its/their

	MASC	SINGULAR FEM	NEUT
NOM	ihr Bruder	ihre Schwester	ihr Kind
ACC	ihr**en** Bruder	ihre Schwester	ihr Kind
GEN	ihr**es** Bruders	ihr**er** Schwester	ihr**es** Kind(e)s
DAT	ihr**em** Bruder	ihr**er** Schwester	ihr**em** Kind(e)

	MASC	PLURAL FEM	NEUT
NOM	ihr**e** Brüder	ihre Schwestern	ihre Kinder
ACC	ihr**e** Brüder	ihre Schwestern	ihre Kinder
GEN	ihr**er** Brüder	ihr**er** Schwestern	ihr**er** Kinder
DAT	ihr**en** Brüdern	ihr**en** Schwestern	ihr**en** Kindern

Indefinite Adjectives

These are adjectives used in place of, or together with, an article:
mehrere (*plural only*) several
viel much, a lot, many
wenig little, a little, few
ander other, different

- After the definite article and words declined like it (see p 128) these adjectives have weak declension endings (→**1**)
  Adjectives following the indefinite adjectives are also weak (→**2**)

- After **ein, kein, irgendein** or the possessive adjectives, they have mixed declension endings (→**3**)
  Adjectives following the indefinite adjectives are also mixed in declension (→**4**)

- When used without a preceding article, **ander** and **mehrere** have strong declension endings (→**5**)

- When used without a preceding article, **viel** and **wenig** may be declined as follows, though in the singular they are usually undeclined (→**6**):

	SINGULAR			PLURAL
	MASC	FEM	NEUT	ALL GENDERS
NOM	**viel**	**viel**	**viel**	**viele**
ACC	**viel**	**viel**	**viel**	**viele**
GEN	**vielen**	**vieler**	**vielen**	**vieler**
DAT	**viel(em)**	**vieler**	**viel(em)**	**vielen**

- Any adjective following **viel** or **wenig** has strong endings (→**7**)

1 **Die wenigen Kuchen, die übriggeblieben waren ...**
The few cakes which were left over ...

2 **Die vielen interessanten Ideen, die ans Licht kamen**
The many interesting ideas which came to light

3 **Ihr anderes Auto ist in der Werkstatt**
Their other car is in for repair

4 **Mehrere gute Freunde waren gekommen**
Several good friends had come

5 **Mehrere prominente Gäste sind eingeladen**
Various prominent guests are invited

Er war anderer Meinung
He was of a different opinion

6 **Es wurde viel Bier getrunken**
They drank a lot of beer

Sie essen nur wenig Obst
They don't eat a lot of fruit

7 **Er kaufte viele billige Sachen**
He bought a lot of cheap things

Es wurde viel gutes Bier getrunken
They drank a lot of good beer

Sie essen wenig frisches Obst
They don't eat a lot of fresh fruit

The Declension of Adjectives

There are two ways of using adjectives.

- They can be used **attributively**, where the adjective comes before the noun: *the new book*

- They can be used **non-attributively**, where the adjective comes after the verb: *the book is new*

- In English the adjective does not change its form no matter how it is used.
  In German, however, adjectives remain unchanged only when used the second way (non-attributively) (→**1**)
  Used attributively, adjectives change to show the number, gender and case of the noun they precede (→**2**)
  The endings also depend on the nature of the article which precedes them (→**3**)

There are three sets of endings:

1 The weak declension

These are the endings used after **der** and those words declined like it as shown on p 128 (→**4**)

	SINGULAR			PLURAL
	MASC	FEM	NEUT	ALL GENDERS
NOM	-e	-e	-e	-en
ACC	-en	-e	-e	-en
GEN	-en	-en	-en	-en
DAT	-en	-en	-en	-en

Continued

1 Das Buch ist neu The book is new
Der Vortrag war sehr langweilig
The lecture was very boring

2 Das neue Buch ist da The new book has arrived
Während des langweiligen Vortrags sind wir alle einge-schlafen
We all fell asleep during the boring lecture

3 der junge Rechtsanwalt the young lawyer
ein junger Rechtsanwalt a young lawyer
manch junger Rechtsanwalt many a young lawyer

4

	SINGULAR		
	MASC	*FEM*	*NEUT*
NOM	der alte Mann	die alte Frau	das alte Haus
ACC	den alten Mann	die alte Frau	das alte Haus
GEN	des alten Mann(e)s	der alten Frau	des alten Hauses
DAT	dem alten Mann(e)	der alten Frau	dem alten Haus(e)

	PLURAL		
	MASC	*FEM*	*NEUT*
NOM	die alten Männer	die alten Frauen	die alten Häuser
ACC	die alten Männer	die alten Frauen	die alten Häuser
GEN	der alten Männer	der alten Frauen	der alten Häuser
DAT	den alten Männern	den alten Frauen	den alten Häusern

The Declension of Adjectives (contd)

2 The mixed declension

These are the endings used after **ein, kein, irgendein** and the possessive adjectives (see p 136) (→**1**):

| | SINGULAR | | | PLURAL |
	MASC	FEM	NEUT	ALL GENDERS
NOM	-er	-e	-es	-en
ACC	-en	-e	-es	-en
GEN	-en	-en	-en	-en
DAT	-en	-en	-en	-en (→**2**)

3 The strong declension

Strong declension endings:

| | SINGULAR | | | PLURAL |
	MASC	FEM	NEUT	ALL GENDERS
NOM	-er	-e	-es	-e
ACC	-en	-e	-es	-e
GEN	-en	-er	-en	-er
DAT	-em	-er	-em	-en (→**3**)

These endings are used where there is no preceding article. The article is omitted more frequently in German than in English, especially in combinations "preposition + adjective + noun" (see p 122).

These endings enable the adjective to do the work of the missing article by showing case, number and gender (→**4**)

Continued

1 Meine neue Stelle ist bei einer großen Druckerei
My new job is with a large printing works
Ihre frühere Theorie ist jetzt bestätigt worden
Her earlier theory has now been proved true

2

	SINGULAR	
MASC	*FEM*	*NEUT*
ein lang**er** Weg	eine lang**e** Reise	ein lang**es** Spiel
einen lang**en** Weg	eine lang**e** Reise	ein lang**es** Spiel
eines lang**en** Wegs	einer lang**en** Reise	eines lang**en** Spieles
einem lang**en** Weg	einer lang**en** Reise	einem lang**en** Spiel

PLURAL
ALL GENDERS

NOM	ihre lang**en** Wege / Reisen / Spiele
ACC	ihre lang**en** Wege / Reisen /Spiele
GEN	ihrer lang**en** Wege / Reisen /Spiele
DAT	ihren lang**en** Wegen / Reisen / Spielen

3

	SINGULAR	
	MASC	*FEM*	*NEUT*
NOM	gut**er** Käse	gut**e** Marmelade	**gutes** Bier
ACC	gut**en** Käse	gut**e** Marmelade	**gutes** Bier
GEN	gut**en** Käses	gut**er** Marmelade	**guten** Biers
DAT	gut**em** Käse	gut**er** Marmelade	**gutem** Bier

PLURAL
ALL GENDERS

NOM	gut**e** Käse / Marmeladen / Biere
ACC	gut**e** Käse / Marmeladen / Biere
GEN	gut**er** Käse / Marmeladen / Biere
DAT	gut**en** Käsen / Marmeladen / Bieren

4 nach kurzer Fahrt after a short journey
mit gleichem Gehalt with the same salary

The Declension of Adjectives (contd)

- Strong declension endings are also used after any of the following where they are not preceded by an article or other determiner:

    ein bißchen a little, a bit of
    ein wenig a little
    ein paar a few, a couple (→1)
    weniger fewer, less
    einige (*plural forms only*) some
    allerlei/allerhand all kinds of, all sorts of
    keinerlei no … whatsoever, no … at all
    mancherlei various, a number of
    etwas some, any (*singular*) (→2)
    mehr more
    lauter nothing but, sheer, pure
    solch such
    vielerlei various, all sorts of, many different
    mehrerlei several kinds of
    was für what, what kind of
    (*note that* **was für ein** *takes the mixed declension*)
    welcherlei what kind of, what sort of
    viel much, many, a lot of
    wievielerlei how many kinds of
    welch! what! what a! (→3)
    manch many a
    wenig little, few, not much (→4)
    zweierlei/dreierlei *etc* two/three *etc* kinds of
    zwei, drei *etc* two, three *etc* (→5)
        (*but note that the mixed declension is used after* **ein**)

- The strong declension is also required after possessives where no other word indicates the case, gender and number (→6)

Continued

1 ein paar gute Tips (*strong declension*)
a couple of good tips

2 Etwas starken Pfeffer zugeben (*strong*)
Add a little strong pepper

3 Welch herrliches Wetter! (*strong*)
What splendid weather!

4 Es gab damals nur wenig frisches Obst (*strong*)
At that time there was little fresh fruit
BUT:
Das wenige frische Obst, das es damals gab ... (*weak*)
The little fresh fruit that was then available ...

5 Zwei große Jungen waren gekommen (*strong*)
Two big boys had come along
BUT:
Die zwei großen Jungen, die gekommen waren (*weak*)
The two big boys who had come along
Meine zwei großen Jungen (*mixed*)
My two big sons

6 Herberts altes Buch (*strong*)
Herbert's old book

Muttis neues Auto (*strong*)
Mum's new car

The Declension of Adjectives (contd)

Some spelling changes when adjectives are declined

- When the adjective **hoch** (*high*) is declined, its stem changes to **hoh-** (→**1**)

- Adjectives ending in **-el** lose the **-e-** of their stem when inflected, i.e. when endings are added (→**2**)

- Adjectives with an **-er** ending often lose the **-e-** from the ending when inflected (→**3**)

The participles as adjectives

- The present participle can be used as an adjective with normal adjectival endings (pp 140 to 143) (→**4**)
  The present participles of **sein** and **haben** cannot be used in this way

- The past participle can also be used as an adjective in this way (→**5**)

Adjectives followed by the dative case

A *dative case* is required after many adjectives e.g. (→**6**):
  ähnlich similar to
  bekannt familiar to
  dankbar grateful to
  fremd alien to
  gleich all the same to; like
  leicht easy for
  nah close to
  peinlich painful for
  unbekannt unknown to

1 Das Gebäude ist hoch The building is high
BUT:
ein hohes Gebäude a high building

2 Das Zimmer ist dunkel The room is dark
BUT:
in dem dunklen Zimmer in the dark room

3 Das Auto war teuer The car was expensive
BUT:
Er kaufte ein teures Auto He bought an expensive car

4 die werdende Mutter the mother-to-be
ein lachendes Kind a laughing child

5 meine verlorenen Sachen my lost things
die ausgebeuteten Arbeiter
the exploited workers

6 Ist dir das bekannt? Do you know about it?
Ich wäre Ihnen dankbar, wenn …
I should be grateful to you if …
Diese Sache ist mir etwas peinlich
This matter is somewhat embarrassing for me
Solche Gedanken waren ihm fremd
Such thoughts were alien to him

Adjectives used as nouns

All adjectives in German, and those participles used as adjectives, can also be used as nouns. These are often called **adjectival nouns**.

- Adjectives and participles used as nouns have:
  a capital letter like other nouns (→**1**)
  declension endings like other adjectives, depending on the preceding article, if any (see below) (→**2**)

Declension endings for adjectives used as nouns:

- after **der, dieser** and words like it shown on p 128, the normal *weak* adjective endings apply (see p 140) (→**3**)
  Der Junge (*the boy*) is an exception and is declined like a weak masculine noun, as shown on p 115.

- after **ein, kein, irgendein** and the possessive adjectives shown on p 136, the *mixed* adjective endings apply (see p 142) (→**4**)

- where no article is present, or after those words shown on p 144, the *strong* adjective endings are used (see p 142) (→**5**)
  When another adjective precedes the adjectival noun, the *strong* endings become *weak* in two instances:

  in the *dative singular* (→**6**)

  in the *nominative and accusative plural* after a possessive, where the strong endings might cause confusion with the singular feminine form (→**7**)

- Some adjectival nouns have become part of set expressions, and these tend to be written without the capital letter (→**8**)

1 der Angestellte the employee

2 die Angestellte the female employee
das Neue daran ist ... the new thing about it is ...

3 für den Angeklagten for the accused
mit dieser Bekannten with this (*female*) friend

4 Kein Angestellter darf hier rauchen
No employee may smoke here
Sie machten einen Ausflug mit ihren Bekannten zusammen
They went on a trip with their friends

5 Etwas Besonderes ist geschehen
Something special has happened

6 Ich hatte es Rudis jüngerem Verwandten versprochen
I had promised it to Rudi's young relative

7 Rudis jüngere Verwandten wollten es haben
Rudi's young relatives wanted to have it

8 Es bleibt beim alten Things remain as they were
Er hat den ersten besten genommen
He took the first that came to hand

Miscellaneous points

Adjectives of nationality

- These are not spelt with a capital letter in German except in public or official names (→**1**)

- However, when used as a noun to refer to the language, a capital is used (→**2**)

- In German, for expressions like *he is English/he is German etc* a noun or adjectival noun is used instead of an adjective (→**3**)

Adjectives derived from place names

- These are formed by adding **-er** to names of towns (→**4**)

- They are never inflected (→**5**)

- Adjectives from **die Schweiz** and from certain regions can also be formed in this way (→**6**)

- Such adjectives may be used as nouns denoting the inhabitants of a town.
  They are then declined as normal nouns (see p 98ff) (→**7**) The feminine form is made by adding **-in** in the singular and **-innen** in the plural (→**8**)

- Certain names ending in **-en** drop the **-e-** or the **-en** of their ending before adding **-er** (→**9**)

- A second type of adjective formed from place names exists, ending in **-isch** and spelt with a small letter. It is inflected as a normal adjective (see p 140).
  It is used mainly where the speaker is referring to the mood of, or something typical of, that place (→**10**)

1 **die deutsche Sprache** the German language
   das französische Volk the French people
   BUT **die Deutsche Bundesbahn**

2 **Sie sprechen kein Englisch** They don't speak English

3 **Er ist Deutscher** He is German
   Sie ist Deutsche She is German

4 **Kölner, Frankfurter, Leipziger** *etc*

5 **der Kölner Dom** Cologne cathedral
   ein Frankfurter Würstchen a frankfurter sausage

6 **Schweizer Käse** Swiss cheese

7 **Die Sprache des Kölners heißt Kölsch**
   von den Frankfurtern

8 **Die Kölnerin, die Kölnerinnen**
   Die Londonerin, die Londonerinnen

9 **München → der Münchner**
   Bremen → der Bremer
   Göttingen → der Göttinger

10 **ein echt frankfurterischer Ausdruck**
   a real Frankfurt expression
   Er spricht etwas münchnerisch
   He has something of a Munich accent

The Comparison of Adjectives

Adjectives have three basic forms of comparison:

A simple form used to describe something or someone:

e.g. a *little* house/the house is *little*

- This form is fully dealt with on pp 140 to 147.

- Simple forms are used in *as ... as / not as ... as* comparisons (→**1**)

A comparative form used to compare two things or persons:

e.g. he is *bigger* than his brother

- In German, comparatives are formed by adding **-er** to the simple form (→**2**)

- *than* in comparative statements is translated by **als** (→**3**)

- Unlike English, the vast majority of German adjectives, including those of several syllables, form their comparatives in this way (→**4**)

- Many adjectives modify the stem vowel when forming their comparatives, as in the common examples shown opposite (→**5**)

Continued

1 so ... wie as ... as:
Er ist so gut wie sein Bruder
He is as good as his brother

ebenso ... wie just as ... as:
Er war ebenso glücklich wie ich
He was just as happy as I was

zwei-/dreimal *etc* **so ... wie**
twice/three *etc* times as ... as:
Er war zweimal so groß wie sein Bruder
He was twice as big as his brother

nicht so ... wie not as ... as:
Er ist nicht so alt wie du
He is not as old as you

2 klein / kleiner   small / smaller
schön / schöner   lovely / lovelier

3 Er ist kleiner als seine Schwester
He is smaller than his sister

4 bequem / bequemer   comfortable / more comfortable
gebildet / gebildeter   educated / more educated
effektiv / effektiver   effective / more effective

5 alt / älter   old / older
stark / stärker   strong / stronger
schwach / schwächer   weak / weaker
scharf / schärfer   sharp / sharper
lang / länger   long / longer
kurz / kürzer   short / shorter
warm / wärmer   warm / warmer
kalt / kälter   cold / colder
hart / härter   hard / harder
groß / größer   big / bigger

Comparison of Adjectives (contd)

- Adjectives whose simple form ends in **-el** lose the **-e-** before adding the comparative ending **-er** (→**1**)

- Adjectives with a diphthong followed by **-er** in their simple forms also drop the **-e-** before adding **-er** (→**2**)

- Adjectives whose simple form ends in **-en** or **-er** may drop the **-e-** of the simple form when adjectival endings are added to their comparative forms (→**3**)

- With a few adjectives, comparative forms may be used not only for comparison, but also to render the idea of "-ish" or "rather ..."
  Some common examples are:

älter elderly	**dünner** thinnish
größer largish	**kürzer** shortish
kleiner smallish	**jünger** youngish
dicker fattish	**neuer** newish (→**4**)

- When used attributively (*before* the noun), comparative forms are declined in exactly the same way as simple adjectives (see pp 140 to 147) (→**4, 5**)

A superlative form used to compare three or more persons or things:

  e.g. he is *the biggest/the best*

- Superlatives are formed by adding **-st** to the simple adjective. The vowel is modified, as for comparative forms, where applicable.
  Superlative forms are generally used with an article and take endings accordingly (see p 140) (→**6**)

Continued

1 eitel / eitler vain / vainer
dunkel / dunkler dark / darker

2 sauer / saurer sour / more sour
die saurere Zitrone the sourer lemon
Der Wein ist saurer geworden
The wine has grown more sour
teuer / teurer expensive / more expensive
Das ist eine teurere Sorte
That is a more expensive kind
Die Neuen sind teurer
The new ones are more expensive

3 finster / finsterer dark / darker
ein finstreres Gesicht
OR
ein finstereres Gesicht
a grimmer face

4 ein älterer Herr an elderly gentleman
eine größere Summe a rather large sum
von jüngerem Aussehen of youngish appearance

5 Die jüngere Schwester ist größer als die ältere
The younger sister is bigger than the older one
Mein kleinerer Bruder geht jetzt zur Schule
My younger brother goes to school now

6 Er ist der Jüngste He is the youngest
Ihr erfolgreichster Versuch war im Herbst 1990
Her most successful attempt was in the autumn of 1990

Comparison of Adjectives (contd)

- Many adjectives form their superlative forms by adding **-est** instead of **-st** where pronunciation would otherwise be difficult or unaesthetic (→**1**)

- The English superlative *most* meaning *very* can be shown in German by any of the following (→**2**):

äußerst
sehr
besonders
außerordentlich
höchst (not with monosyllabic words)
furchtbar (conversational only)
richtig (conversational only)

Some irregular comparative and superlative forms

SIMPLE FORM	COMPARATIVE	SUPERLATIVE
gut	besser	der beste
hoch	höher	der höchste
viel	mehr	der meiste
nah	näher	der nächste

1 der/die/das schlechteste the worst
der/die/das schmerzhafteste the most painful
der/die/das süßeste the sweetest
der/die/das neueste the newest
der/die/das stolzeste the proudest
der/die/das frischeste the freshest

2 Er ist ein äußerst begabter Mensch
He is a most gifted person

Das Essen war besonders schlecht
The food was really/most dreadful

Der Wein war furchtbar teuer!
The wine was dreadfully/most expensive!

Das sieht richtig komisch aus
That looks really/most funny

Personal Pronouns

As in English, personal pronouns change their form depending on their function in the sentence:

I saw *him* / *He* saw *me* / *We* saw *her* (→**1**)

The personal pronouns are declined as follows (→**2**):

NOMINATIVE	ACCUSATIVE	DATIVE
ich I	**mich** me	**mir** to/for me
du you	**dich** you	**dir** to/for you
er he/it	**ihn** him/it	**ihm** to/for him/it
sie she/it	**sie** her/it	**ihr** to/for her/it
es it/he/she	**es** it/him/her	**ihm** to/for it/him/her
wir we	**uns** us	**uns** to/for us
ihr you (*plural*)	**euch** you	**euch** to/for you
sie they	**sie** them	**ihnen** to/for them
Sie you (*polite*)	**Sie** you	**Ihnen** to/for you
man one	**einen** one	**einem** to/for one

- As can be seen from the above table, there are three ways of addressing people in German, by **du, ihr** or **Sie**.
  All three forms are illustrated overleaf.

- Personal pronouns in the dative require no preposition when acting as indirect object, i.e. *to* me, *to* him *etc* (→**3**)

Continued

1 Ich sah ihn I saw him
Er sah mich He saw me
Wir sahen sie We saw her

2 Wir sind mit ihnen spazierengegangen
We went for a walk with them
Sie haben uns eine tolle Geschichte erzählt
They told us a great story
Soll ich Ihnen etwas mitbringen?
Shall I bring something back for you?

3 Er hat es ihr gegeben
He gave it to her
Ich habe ihm ein neues Buch gekauft
I bought a new book for him/I bought him a new book

Personal Pronouns (contd)

- **du** is a singular form, used only when speaking to one person. It is used to talk to children, close friends and relatives, animals and objects of affection such as a toy, one's car etc.
  When in doubt it is always best to use the more formal **Sie** form.

- **ihr** is simply the plural form of **du** and is used in exactly the same situations wherever more than one person is to be addressed (→**1**)

- The familiar forms and their possessives are usually written with a small letter (→**2**)
  In letters, however, they must begin with a capital letter (→**3**)

- **Sie** is the polite, or formal, way of addressing people. It is written in all its declined forms with a capital letter, including the possessive (→**4**)

  Sie is used:
  a) by children talking to adults outside their immediate family
  b) by adults talking to older children from mid-teens onwards. Teachers use it to their senior classes and bosses to their trainees etc.
  c) among adult strangers meeting for the first time
  d) among colleagues, friends and acquaintances unless a suggestion has been formally made by one party and accepted by the other that the familiar forms should be used. Familiar forms must then continue to be used at all times, as a reversion to the formal might be considered insulting.

Continued

1 Kinder, was wollt ihr essen?
Children, what do you want to eat?

2 Er hat mir gesagt, du sollst deine Frau mitbringen
He told me you were to bring your wife

3 Liebe Elke,
Gestern bin ich Deinem Bruder begegnet. Er wollte wissen,
warum Du nichts von Dir hören läßt!
Dear Elke,
I met your brother yesterday. He was wondering why you
haven't been in touch!

4 Was haben Sie gesagt?
What did you say?

Ich habe es Ihnen schon gegeben
I have already given it to you

Ja, Ihre Sachen sind jetzt fertig
Yes, your things are ready now

Personal Pronouns (contd)

er/sie/es

All German nouns are masculine, feminine or neuter (→**1**)
The personal pronoun must agree in number and in gender with
the noun which it represents.

> **es** is used only for neuter nouns, and not for all inanimate
> objects (→**2**)
> Inanimate objects which are masculine use the pronoun **er**
> (→**3**)
> Feminine inanimate objects use the pronoun **sie** (→**4**)
> Neuter nouns referring to people have the neuter pronoun
> **es** (→**5**)

A common error for English speakers is to call all objects **es**.

man

This is used in much the same way as the pronoun **one** in English,
but it is much more commonly used in German (→**6**)
It is also used to make an alternative passive form (see p 34) (→**7**)

The genitive personal pronoun

Genitive forms of the personal pronouns do exist (→**8**)
In practice, however, these are rarely used. Wherever possible,
alternative expressions are found which do not require the genitive
personal pronoun.

Special genitive forms exist for use with the prepositions **wegen**
and **willen** (→**9**)

Continued

1 der Tisch the table (*masculine*)
die Gardine the curtain (*feminine*)
das Baby the baby (*neuter*)

2 Das Bild ist schön   →   **Es ist schön**
The picture is beautiful   →   It is beautiful

3 Der Tisch ist groß   →   **Er ist groß**
The table is large   →   It is large

4 Die Gardine ist weiß   →   **Sie ist weiß**
The curtain is white   →   It is white

5 Das Kind stand auf   →   **Es stand auf**
The child stood up   →   He/she stood up

6 Es tut einem gut It does one good

7 Man holt mich um sieben ab
I am being picked up at seven

8 meiner	of me	**unser**	of us
deiner	of you	**euer**	of you (*plural*)
seiner	of him/of it	**ihrer**	of them
ihrer	of her/it	**Ihrer**	of you (*polite*)

9 meinetwegen because of me, on my account
deinetwegen because of you, on your account *etc*
seinetwegen
ihretwegen
unsertwegen
euretwegen
Ihretwegen

meinetwillen for my sake, for me *etc*
deinetwillen
ihretwillen *etc*

Personal Pronouns (contd)

The use of pronouns after prepositions

- Personal pronouns used after prepositions and referring to a person are in the *case* required by the preposition in question (see p 198 ff) (→**1**)

- When, however, a *thing* rather than a person is referred to, the construction:

    preposition + pronoun

    becomes:

    da- + *preposition* (→**2**) Before a preposition beginning with a vowel, the form: **dar-** + *preposition* is used (→**3**)

    This affects the following prepositions:

an	**auf**	**aus**
bei	**durch**	**für**
in	**mit**	**nach**
neben	**über**	**unter**
zwischen		

- These contracted forms are used after verbs followed by a preposition (see p 76 ff) (→**4**)

- After prepositions used to express motion the form with **da(r)-** is not felt to be sufficiently strong. Forms with **hin** and **her** are used as follows:

    aus : heraus / hinaus
    auf : herauf / hinauf
    in : herein / hinein (→**5**)

1 Ich bin mit ihm spazierengegangen
I went for a walk with him

2 Klaus hatte ein Messer geholt und wollte damit den Kuchen schneiden
Klaus had brought a knife and was about to cut the cake with it

3 Lege es bitte darauf
Put it there please

4 Der Unterschied liegt darin, daß ...
The difference is that ...
Ich erinnere mich nicht daran
I don't remember (it)

5 Er sah eine Treppe und ging leise hinauf
He saw some stairs and climbed them quietly
Endlich fand er unser Zelt und kam herein
He finally found our tent and came in
Er öffnete den Koffer und legte das Hemd hinein
He opened his suitcase and put in his shirt

Possessive Pronouns

meiner mine
deiner yours
seiner his/its
ihrer hers/its
uns(e)rer ours
eu(e)rer yours (*plural*)
ihrer theirs
Ihrer yours (*polite form*)

These have the same endings as **dieser**. Their declension is therefore the same as for possessive adjectives (see p 136) except in the masculine nominative singular and the neuter nominative and accusative singular:

	SINGULAR			PLURAL
	MASC	FEM	NEUT	ALL GENDERS
NOM	-er	-e	-(e)s	-e
ACC	-en	-e	-(e)s	-e
GEN	-es	-er	-es	-er
DAT	-em	-er	-em	-en

- The bracketed (**e**) is often omitted, especially in spoken German

- Possessive pronouns must agree in number, gender and case with the noun they replace (→**1**)

- Note the translation of *of mine, of yours* etc (→**2**)

- **meiner** is declined in full opposite (→**3**)
  Like **meiner** are **deiner, seiner** and **ihrer**.
  Unserer and **euerer** are shown in full, since they have slightly different forms with an optional -**e**- (→**4**)

Continued

1 Der Wagen da drüben ist meiner. Er ist kleiner als deiner
The car over there is mine. It is smaller than yours

2 Er ist ein Bekannter von mir
He is an acquaintance of mine

3 meiner mine

		SINGULAR		PLURAL
	MASC	FEM	NEUT	ALL GENDERS
NOM	meiner	meine	mein(e)s	meine
ACC	meinen	meine	mein(e)s	meine
GEN	meines	meiner	meines	meiner
DAT	meinem	meiner	meinem	meinen

4 uns(e)rer ours

		SINGULAR		PLURAL
	MASC	FEM	NEUT	ALL GENDERS
NOM	uns(e)rer	uns(e)re	uns(e)res	uns(e)re
ACC	uns(e)ren	uns(e)re	uns(e)res	uns(e)re
GEN	uns(e)res	uns(e)rer	uns(e)res	uns(e)rer
DAT	uns(e)rem	uns(e)rer	uns(e)rem	uns(e)ren

eu(e)rer yours (*plural*)

		SINGULAR		PLURAL
	MASC	FEM	NEUT	ALL GENDERS
NOM	eu(e)rer	eu(e)re	eu(e)res	eu(e)re
ACC	eu(e)ren	eu(e)re	eu(e)res	eu(e)re
GEN	eu(e)res	eu(e)rer	eu(e)res	eu(e)rer
DAT	eu(e)rem	eu(e)rer	eu(e)rem	eu(e)ren

Possessive Pronouns (contd)

Alternative forms

There are two alternatives to the **meiner/deiner** *etc* forms shown on p 167:

- **der, die, das meinige** mine
  der, die, das deinige yours
  der, die, das seinige his/its
  der, die, das ihrige hers/its
  der, die, das uns(e)rige ours
  der, die, das eu(e)rige yours (*plural*)
  der, die, das ihrige theirs
  der, die, das Ihrige yours (*polite form*)

These are not as common as the **meiner/deiner** *etc* forms (→**1**)

These forms are declined as the definite article plus a weak adjective (see p 140) (→**2**)

The bracketed (**e**) of the first and second person plural is often omitted in spoken German.

- **der, die, das meine** mine
  der, die, das deine yours
  der, die, das seine his/its
  der, die, das ihre hers/its
  der, die, das uns(e)re ours
  der, die, das eu(e)re yours (*plural*)
  der, die, das ihre theirs
  der, die, das Ihre yours (*polite form*)

These forms are also less common than the **meiner/deiner** *etc* forms. They are declined as the definite article followed by a weak adjective (→**3**)

1 Ihr Auto ist aber neuer als das meinige
Your car is newer than mine
Paul hat seiner Freundin Blumen gekauft. Ich habe der meinigen Parfüm geschenkt
Paul bought his girlfriend some flowers. I bought mine perfume

2

	SINGULAR		
	MASC	FEM	NEUT
NOM	der meinige	die meinige	das meinige
ACC	den meinigen	die meinige	das meinige
GEN	des meinigen	der meinigen	des meinigen
DAT	dem meinigen	der meinigen	dem meinigen

	PLURAL ALL GENDERS
NOM	die meinigen
ACC	die meinigen
GEN	der meinigen
DAT	den meinigen

3

	SINGULAR		
	MASC	FEM	NEUT
NOM	der meine	die meine	das meine
ACC	den meinen	die meine	das meine
GEN	des meinen	der meinen	des meinen
DAT	dem meinen	der meinen	dem meinen

	PLURAL ALL GENDERS
NOM	die meinen
ACC	die meinen
GEN	der meinen
DAT	den meinen

Reflexive Pronouns

Reflexive pronouns, used to form reflexive verbs, have two forms, accusative and dative, as follows (→**1**)

ACCUSATIVE	DATIVE	
mich	**mir**	myself
dich	**dir**	yourself
sich	**sich**	himself/herself/itself/ themselves
uns	**uns**	ourselves
euch	**euch**	yourselves
sich	**sich**	yourself/yourselves (*polite forms*)

- Unlike personal pronouns and possessives, the polite forms have no capital letter (→**2**)

- For the position of reflexive pronouns within a sentence see p 30 (reflexive verbs) and pp 224 to 235 (sentence structure).

- Reflexive pronouns are also used after prepositions when the pronoun has the function of "reflecting back" to the subject of the sentence (→**3**)

- A further use of reflexive pronouns in German is with transitive verbs where the action is performed for the benefit of the subject, as in the English phrase:

  I bought *myself* a new hat

  The pronoun is not always translated in English (→**4**)

Continued

1 Er hat sich rasiert He had a shave
 Du hast dich gebadet You had a bath
 Ich will es mir zuerst überlegen
 I'll have to think about it first

2 Setzen Sie sich bitte Please take a seat

3 Er hatte nicht genug Geld bei sich (*NOT* **bei ihm**)
 He didn't have enough money on him

4 Ich hole mir ein Bier
 I'm going to get a beer (for myself)
 Er hat sich einen neuen Anzug gekauft
 He bought (himself) a new suit

Reflexive Pronouns (contd)

- Reflexive pronouns may be used for *reciprocal* actions, usually rendered by "each other" in English (→**1**)

  Reciprocal actions may also be expressed by **einander**.
  This does not change in form (→**2**)

  einander is always used in place of the reflexive pronoun after prepositions. Note that the preposition and **einander** come together to form one word (→**3**)

Emphatic reflexive pronouns

In English, these have the same forms as the normal reflexive pronouns:

    The queen *herself* has given the order
    I haven't read it *myself*, but ...

In German, this idea is expressed not by the reflexive pronouns, but by **selbst** or (in colloquial speech) **selber** placed at some point in the sentence after the noun or pronoun to which they refer (→**4**)

- **selbst/selber** do not change their form, regardless of number and gender of the noun to which they refer (→**4**)

- They are always stressed, regardless of their position in the sentence.

1 Wir sind uns letzte Woche begegnet
We met (each other) last week
Sie hatten sich auf einer Tagung kennengelernt
They had got to know each other at a conference

2 Wir kennen uns schon
OR:
Wir kennen einander schon
We already know each other

Sie kennen sich schon
OR:
Sie kennen einander schon
They already know each other

3 Sie redeten miteinander
They were talking to each other

4 Die Königin selbst hat es befohlen
The queen herself has given the order
Ich selbst habe es nicht gelesen, aber ...
I haven't read it myself, but ...

Relative Pronouns

These have the same forms as the definite article, except in the dative plural and genitive cases.

They are declined as follows:

	SINGULAR			PLURAL
	MASC	FEM	NEUT	ALL GENDERS
NOM	**der**	**die**	**das**	**die**
ACC	**den**	**die**	**das**	**die**
GEN	**dessen**	**deren**	**dessen**	**deren**
DAT	**dem**	**der**	**dem**	**denen**

- Relative pronouns must agree in gender and number with the noun to which they refer. They take their case however from the function they have in their own relative clause (→**1**)

- The relative pronoun cannot be omitted in German as it sometimes is in English (→**2**)

- The genitive forms are used in relative clauses in much the same way as in English (→**3**)
  Note however the translation of certain phrases (→**4**)

- When a preposition introduces the relative clause, the relative pronoun may be replaced by **wo-** or **wor-** if the noun or pronoun it stands for refers to an inanimate object or abstract concept (→**5**)
  The full form of relative pronoun plus preposition is however stylistically better.

- Relative clauses are always divided off by commas from the rest of the sentence (→**1-5**)

Continued

1 Der Mann, den ich gestern gesehen habe, kommt aus Hamburg
The man whom I saw yesterday comes from Hamburg

2 Die Frau, mit der ich gestern gesprochen habe, kennt deine Mutter
The woman I spoke to yesterday knows your mother

3 Das Kind, dessen Fahrrad gestohlen worden war, ...
The child whose bicycle had been stolen ...

4 Die Kinder, von denen einige schon lesen konnten, ...
The children, some of whom could read, ...
Meine Freunde, von denen einer ...
My friends, one of whom ...

5 Das Buch, woraus ich vorgelesen habe, ...
OR:
Das Buch, aus dem ich vorgelesen habe, ...
The book I read aloud from ...

Relative Pronouns (contd)

welcher

A second relative pronoun exists. This has the same forms as the interrogative adjective **welcher** without the genitive forms:

		SINGULAR		PLURAL
	MASC	FEM	NEUT	ALL GENDERS
NOM	welcher	welche	welches	welche
ACC	welchen	welche	welches	welche
GEN	—	—	—	—
DAT	welchem	welcher	welchem	welchen

- These forms are used only infrequently as relative pronouns, where sentence rhythm might benefit.

- They are also useful used as articles or adjectives to connect a noun in the relative clause with the contents of the main clause (→**1**)

wer, was

These are normally used as interrogative pronouns meaning *who?, what?* and are declined as such on p 178.

- They may, however, also be used without interrogative meaning to replace both subject and relative pronoun in English:
  he who, a woman who, anyone who, those who etc (→**2**)

- **was** is the relative pronoun used in set expressions with certain neuter forms (→**3**)

1 Er glaubte, mit der Hausarbeit nicht helfen zu brauchen, mit welcher Idee seine Mutter nicht einverstanden war!
He thought he didn't have to help in the house, an idea with which his mother was not in agreement!

2 Wer das glaubt, ist verrückt
Anyone who believes that is mad
Was mich angeht, ... For my part ...
Was du gestern gekauft hast, steht dir ganz gut
The things you bought yesterday suit you very well

3 nichts, was ... nothing that
vieles, was ... a lot that
einiges, was ... some that
dasselbe, was ... the same one that
wenig, was ... little that
dasjenige, was ... that which
folgendes, was ... the following which
manches, was ... some which
allerlei, was ... all kinds of things that
alles, was ... everything which
das, was ... that which

Nichts, was er sagte, hat gestimmt
Nothing that he said was right
Das, was du jetzt machst, ist reiner Unsinn!
What you are doing now is sheer nonsense!
Mit allem, was du gesagt hast, sind wir einverstanden
We agree with everything you said

Interrogative Pronouns

These are the pronouns used to ask questions.

As in English, they have few forms, singular and plural being the same.

They are declined as follows:

	PERSONS	THINGS
NOM	**wer?**	**was?**
ACC	**wen?**	**was?**
GEN	**wessen?**	**wessen?**
DAT	**wem?**	—

- They are used in direct questions   (→**1**)
                or in indirect questions   (→**2**)

- When used as the subject of a sentence, they are always followed by a singular verb (→**3**)
  EXCEPTION:
  When followed by a verb and taking a noun complement, the verb may be plural if the sense demands it (→**4**)

- The interrogative pronouns can be used in rhetorical questions or in exclamations (→**5**)

Continued

1 Wer hat es gemacht? Who did it?
   Mit wem bist du gekommen?
   Who did you come with?

2 Ich weiß nicht, wer es gemacht hat
   I don't know who did it
   Er wollte wissen, mit wem er fahren sollte
   He wanted to know who he was to travel with

3 Wer kommt heute? Who's coming today?

4 Wer sind diese Leute? Who are these people?

5 Was haben wir gelacht! How we laughed!

Interrogative Pronouns (contd)

- When used with prepositions, **was** usually becomes **wo-** and is placed in front of the preposition to form one word with it (→**1**) Where the preposition begins with a vowel, **wor-** is used instead (→**2**) This construction is similar to **da(r)-** + *preposition* shown on p 164

  As with **da(r)-** + *preposition,* this construction is not used when the preposition is intended to convey movement. **Wohin** (*where to*) and **woher** (*where from*) are used instead (→**3**)

was für ein?, welcher?

- These are used to mean *what kind of one?* and *which one?*

- They are declined as shown on pp 124 and 128.

- They are used to form either direct or indirect questions (→**4**)

- They may refer either to persons or to things with the appropriate declension endings (→**5**)

1 Wonach sehnst du dich? What do you long for?
Wodurch ist es zerstört worden?
How was it destroyed?

2 Worauf kann man sich heutzutage noch verlassen?
What is there left to rely on these days?

3 Wohin fährst du? Where are you going?
Woher kommt das?
Where has this come from?/How has this come about?

4 Was für eins hat er?
What kind (of one) does he have?
Welches hast du gewollt?
Which one did you want?

5 Für welchen hat sie sich entschieden?
Which one (*man/hat etc*) did she choose?

Indefinite Pronouns

jemand someone, somebody

NOM	**jemand**
ACC	**jemanden, jemand**
GEN	**jemand(e)s**
DAT	**jemandem, jemand** (→1)

niemand no-one, nobody

NOM	**niemand**
ACC	**niemanden, niemand**
GEN	**niemand(e)s**
DAT	**niemandem, niemand** (→2)

- The forms without endings are used in conversational German, but the inflected forms are preferred in literary and written styles.

- When **niemand** and **jemand** are used with a following adjective, they are usually not declined, but the adjective takes a capital letter and is declined as follows:

NOM	**jemand/niemand Neues**
ACC	**jemand/niemand Neues**
GEN	**—**
DAT	**jemand/niemand Neuem** (→3)

- When **jemand** and **niemand** are followed by **ander(e)s,** this is written with a small letter, e.g. **jemand/niemand ander(e)s.**

Continued

1 Ich habe es jemandem (*dat*) **gegeben**
I gave it to someone

Irgend jemand (*nom*) **hat es genommen**
Someone or other has stolen it

2 Er hat niemanden (*acc*) **gesehen**
He didn't see anyone

Er ist unterwegs niemandem (*dat*) **begegnet**
He encountered no-one on the way

3 Diese Aufgabe erfordert jemand Intelligentes
Someone intelligent is needed for this task

Indefinite Pronouns (contd)

keiner none

		SINGULAR		PLURAL
	MASC	FEM	NEUT	ALL GENDERS
NOM	keiner	keine	keins	keine
ACC	keinen	keine	keins	keine
GEN	keines	keiner	keines	keiner
DAT	keinem	keiner	keinem	keinen

- It is declined like the article **kein, keine, kein** (see p 126) except in the nominative masculine and nominative and accusative neuter forms (→**1**)

- It may be used to refer to people or things (→**1**)

einer one

		SINGULAR	
	MASC	FEM	NEUT
NOM	einer	eine	ein(e)s
ACC	einen	eine	ein(e)s
GEN	eines	einer	eines
DAT	einem	einer	einem

- This pronoun may be used to refer to either persons or things (→**2**)

- It exists only in the singular forms.

Continued

1 Keiner von ihnen hat es tun können
Not one of them was able to do it

Gibst du mir eine Zigarette? — Tut mir leid, ich habe keine
Will you give me a cigarette? — Sorry, I haven't got any

2 Sie ist mit einem meiner Verwandten verlobt
She is engaged to one of my relatives

Wo sind die anderen Kinder? Ich sehe hier nur eins
Where are the rest of the children? I can only see one here

Gibst du mir einen? (e.g. **einen Whisky, einen Zehner** *etc*)
Gibst du mir eine? (e.g. **eine Zigarette, eine Blume** *etc*)
Gibst du mir eins? (e.g. **ein Buch, ein Butterbrot** *etc*)
Will you give me one?

Indefinite Pronouns (contd)

- Certain adjectives and articles can be used as pronouns.

- The following are all declined to agree in gender and number with the noun or pronoun they represent (→**1**):

  mehrere several
  ander other

  derjenige that one
  derselbe the same one

  mancher some
  jeder each (one), every one
  jener that one
  dieser this one
  solcher such as that, such a one
  mancher some, quite a few
  einiger some
  welcher which one
  aller all
  irgendwelcher someone or other; something or other
  beide both
  sämtliche all, the lot

- The following do not change whatever the gender or number of the noun or pronoun they represent (→**2**):

etwas some, something	**nichts** nothing, none
ein paar a few	**ein wenig** a little, a few
mehr more	**ein bißchen** a bit, a little

- When an adjective follows **etwas** or **nichts**, it takes a capital letter and declension endings: **etwas/nichts Gutes** something/nothing good.

1 Andere machen es besser (e.g. **Leute, Waschmaschinen** *etc*)
Others do it better

Mit einem solchen kommst du nicht bis nach Hause (e.g. **Wagen** *etc*)
You won't make it home in one like that

Alles, was er ihr schenkte, schickte sie sofort zurück
Everything that he gave her she sent back at once

Er war mit beiden zufrieden (e.g. **Computern, Autos** *etc*)
He was satisfied with both

2 Ich muß dir etwas sagen
I must tell you something

Etwas ist herausgefallen
Something fell out

Nichts ist geschehen
Nothing happened

Er ist mit nichts zufrieden
He is content with nothing

Gibst du mir bitte ein paar?
Will you give me a few?

Er hatte ein wenig bei sich
He had a little with him

Er braucht immer mehr, um zu überleben
He needs more and more to survive

Use of Adverbs

- Adverbs, or phrases which are used as adverbs, may:

  a) modify a verb (→**1**)

  b) modify an adjective (→**2**)

  c) modify another adverb (→**3**)

  d) modify a conjunction (→**4**)

  e) ask a question (→**5**)

  f) form verb prefixes (see p 72) (→**6**)

- Adverbs are also used, in much the same way as in English, to make the meaning of certain tenses more precise e.g.

  a) with continuous tenses (→**7**)

  b) to show a future meaning where the tense used is not future (→**8**)

Continued

1 Er ging langsam über die Brücke
He walked slowly over the bridge

2 Er ist ein ziemlich großer Kerl
He's quite a big chap

3 Sie arbeitet heute besonders tüchtig
She's working exceptionally well today

4 Wenn er es nur aufgeben wollte!
If only he would give it up!

5 Wann kommt er an?
When does he arrive?

6 falsch spielen to cheat (*at cards*)
hintragen to carry (*to a place*)

7 Er liest gerade die Zeitung
He's just reading the paper

8 Er wollte gerade aufstehen, als ...
He was just about to get up when ...

Wir fahren morgen nach Köln
We're driving to Cologne tomorrow

The Formation of Adverbs

- Many adverbs are simply adjectives used as adverbs. Used in this way, unlike adjectives, they are not declined (→**1**)

- Some adverbs are formed by adding **-weise** or **-sweise** to a noun (→**2**)

- Some adverbs are also formed by adding **-erweise** to an uninflected adjective.
  Such adverbs are used mainly to show the speaker's opinion (→**3**)

- There is also a class of adverbs which are not formed from other parts of speech e.g.
  unten, oben, leider (→**4**)
  and those shown in the paragraphs below.

- For the position of adverbs within a clause or sentence, see the section on sentence structure, pp 224 to 235.

- The following are some common adverbs of time:
  morgen tomorrow
  morgens in the mornings
  heute today
  endlich finally
  sofort at once
  immer always   (→**5**)

- The following are some common adverbs of degree:
  äußerst extremely
  besonders especially
  ziemlich fairly
  beträchtlich considerably   (→**6**)

Continued

1 Habe ich das richtig gehört?
Is it true what I've heard?

Sie war modern angezogen
She was fashionably dressed

2 beispielsweise for example
beziehungsweise or; or rather; that is to say
schrittweise step by step
zeitweise at times
zwangsweise compulsorily

3 glücklicherweise fortunately
komischerweise strangely enough
erstaunlicherweise astonishingly enough

4 Unten wohnte Frau Schmidt
Mrs Schmidt lived downstairs

Leider können wir nicht kommen
Unfortunately we cannot come

5 Ich kann erst morgen kommen
I can't come till tomorrow

Das Kind hat immer Hunger
The child is always hungry

6 Das Paket war besonders schwer
The parcel was unusually heavy

Diese Übung ist ziemlich leicht
This exercise is quite easy

Adverbs of place

In certain respects German adverbs of place behave very differently from their English counterparts:

- Where no movement, or movement within the same place, is involved, the adverb is used in its simple dictionary form (→**1**)

- Movement *away from the speaker* is shown by the presence of **hin** (→**2**)
  The following compound adverbs are therefore often used when movement away from the original position is concerned, even though a simple adverb would be used in English:

  wohin? where (to)?
  irgendwohin (to) somewhere or other
  überallhin everywhere
  dahin (to) there
  hierhin here
  dorthin there   (→**3**)

- Movement *towards the speaker* or central person is shown by the presence of **her**.
  The following compound adverbs are therefore often used to show movement towards a person:

  woher? where from?
  hierher here
  irgendwoher from somewhere or other
  daher from there
  überallher from all over   (→**4**)

Continued

1 Wo ist er? Where is he?
Er is nicht da He isn't there

Hier darf man nicht parken
You can't park here

2 Klaus und Ulli geben heute eine Party. Gehen wir hin?
Klaus and Ulli are giving a party today. Shall we go?

3 Wohin fährst du? Where are you going?

Sie liefen überallhin They ran everywhere

4 Woher kommst du? Where do you come from?

Woher hast du das? Where did you get that from?

Das habe ich irgendwoher gekriegt
I got that from somewhere or other

Comparison of Adverbs

- The **comparative** form of the adverb is obtained in exactly the same way as that of adjectives, i.e. by adding **-er** (→**1**)

- The **superlative** form is formed as follows:
  $$\text{am} + \textit{adverb} + \text{-sten/-esten}$$
  It is not declined (→**2**)

- Note the use of the comparative adverb with **immer** to show progression (→**3**)

- *the more ... the more ...* is expressed in German by **je ... desto ...** or **je ... um so ...** (→**4**)

- Some adverbial superlatives are used to show the extent of a quality rather than a comparison with others. These are as follows:
  spätestens at the latest
  höchstens at the most; at best
  wenigstens at least
  meistens mostly; most often
  strengstens strictly, absolutely
  bestens very well; very warmly (→**5**)

- Two irregular comparatives and superlatives:
  gern → lieber → am liebsten (used with **haben**)
  well → better → best

  bald → eher → am ehesten
  soon → sooner → soonest (→**6**)

1 Er läuft schneller als seine Schwester
He runs faster than his sister

Ich sehe ihn seltener als früher
I see him less often than before

2 Wer von ihnen arbeitet am schnellsten?
Which of them works fastest?

Er ißt am meisten He eats most

3 Die Mädchen sprachen immer lauter
The girls were talking more and more loudly

Er fuhr immer langsamer
He drove more and more slowly

4 Je eher, desto besser The sooner the better

5 Er kommt meistens zu spät an
He usually arrives late

Rauchen strengstens verboten!
Smoking strictly prohibited

6 Welches hast du am liebsten?
Which do you like best?

Emphasizers

These are words commonly used in German, as indeed in English, especially in the spoken language, to emphasize or modify in some way the meaning of the sentence. The following are some of the most common:

aber
Used to lend emphasis to a statement (→**1**)

denn
As well as its uses as a conjunction (see p 214), **denn** is widely used to emphasize the meaning. It often cannot be directly translated (→**2**)

doch
Is used as a positive reply in order to correct negative assumptions or impressions (→**3**)

It can strengthen an imperative (→**4**)

It can make a question out of a statement (→**5**)

mal
May be used with imperatives (→**6**)

It also has several idiomatic uses (→**7**)

ja
Strengthens a statement (→**8**)

It also has several idiomatic uses (→**9**)

schon
Is used familiarly with an imperative (→**10**)

It is also used in various idiomatic ways (→**11**)

1 Das ist aber schön! Oh that's pretty!
   Aber ja! Yes indeed!

2 Was ist denn hier los?
   What's going on here then?
   Wo denn? Where?

3 Hat es dir nicht gefallen? — Doch!
   Didn't you like it? — Oh yes, I did!

4 Laß ihn doch! Just leave him

5 Das schaffst du doch?
   You'll manage it, won't you?

6 Komm mal her! Come here!
   Moment mal! Just a minute!

7 Mal sehen We'll see
   Er soll es nur mal versuchen!
   Just let him try it!
   Hören Sie mal ... Look here now ...

8 Er sieht ja wie seine Mutter aus
   He looks like his mother
   Das kann ja sein That may well be

9 Ja und? So what?/What then?
   Das ist ja lächerlich That's ridiculous
   Das ist es ja That's just it

10 Mach schon! Get on with it!

11 Wenn schon! What of it?/So what?
   Schon gut Okay/Very well

Prepositions

In English, a preposition does not affect the word or phrase which it introduces e.g.

> the women / a large meal / these events
>
> *with* the women / *after* a large meal / *before* these events

In German, however, the noun following a preposition must be put in a certain *case*:   *accusative*   (→**1**)

dative   (→**2**)

genitive   (→**3**)

It is therefore important to learn each preposition with the case, or cases, it governs.

The following guidelines will help you:

- Prepositions which take the accusative or dative cases are much more common than those taking the genitive case.

- Certain prepositions may take a dative or accusative case, depending on whether *movement* is involved or not. This is explained further on pp 202 ff (→**4**)

- Prepositions are often used to complete the sense of certain verbs, as shown on p 76 ff (→**5**)

- After many prepositions, a shortened or *contracted* form of the definite article may be merged with the preposition to form one word, e.g.

auf + **das**	becomes **aufs**
bei + **dem**	becomes **beim**
zu + **der**	becomes **zur**

Continued

1 Es ist für dich
It's for you
Wir sind durch die ganze Welt gereist
We travelled all over the world

2 Er ist mit seiner Frau gekommen
He came with his wife

3 Es ist ihm trotz seiner Bemühungen nicht gelungen
Despite his efforts, he still didn't succeed

4 Es liegt auf dem Tisch
It's on the table (*dative*: no movement implied)
Lege es bitte auf den Tisch Please put it on the table
(*accusative*: movement *onto* the table)

5 Ich warte auf meinen Mann
I'm waiting for my husband

Prepositions: contracted forms (contd)

Such contractions are possible with the following prepositions:

preposition	+ **das**	+ **den**	+ **dem**	+ **der**
hinter	hinters*	hintern*	hinterm*	
über	übers*	übern*	überm*	
unter	unters*	untern*	unterm*	
zu			zum	zur
an	ans		am	
vor	vors*		vorm*	
in	ins		im	
bei			beim	
von			vom	
durch	durchs*			
für	fürs*			
auf	aufs*			
um	ums*			

- Those forms marked with an asterisk are suitable only for use in colloquial, spoken German.
  All other forms (not marked with an asterisk) may be safely used in any context, formal or informal (→**1**)

- Contracted forms are obviously not used where the article is to be stressed (→**2**)

- Other contracted forms involving prepositions, as shown on pp 164 and 174, occur:
  1) in the introduction to relative clauses (→**3**)
  2) with personal pronouns representing inanimate objects (→**4**)

Continued

1 **Wir gehen heute Abend ins Theater**
  We are going to the theatre this evening

  Er geht zur Schule
  He goes to school

  Das kommt vom Trinken
  That comes from drinking

2 **In dem Anzug kann ich mich nicht sehen lassen!**
  I can't go out in that suit!

3 **Die Bank, worauf wir saßen, war etwas wackelig**
  The bench we were sitting on was rather wobbly

4 **Er war damit zufrieden**
  He was satisfied with that

  Er hat es darauf gesetzt
  He put it on it

Prepositions followed by the Dative Case

Some of the most common prepositions taking the dative case are:

aus	**gegenüber**	**seit**
außer	**mit**	**von**
bei	**nach**	**zu**

aus
- as a preposition meaning *out of/from* (→**1**)
- as a separable verbal prefix (see p 72) (→**2**)

außer
- as a preposition meaning: *out of* (→**3**)
  except (→**4**)

bei
- as a preposition meaning: *at the home/shop/work (etc) of* (→**5**)
  near (→**6**)
  in the course of/during (→**7**)
- as a separable verbal prefix (see p 72) (→**8**)

gegenüber
- as a preposition meaning: *opposite* (→**9**)
  to(wards) (→**10**)
  NOTE: when used as a preposition, **gegenüber** is placed *after a pronoun*, but may be placed *before or after a noun*
- as a separable verbal prefix (→**11**)

Continued

1 Er trinkt aus der Flasche
He is drinking out of the bottle
Er kommt aus Essen He comes from Essen

2 aushalten to endure →
Ich halte es nicht mehr aus
I can't stand it any longer

3 außer Gefahr/Betrieb out of danger/order

4 alle außer mir all except me

5 Bei uns in Schottland
At home in Scotland
Er wohnt immer noch bei seinen Eltern
He still lives with his parents

6 Er saß bei mir
He was sitting next to me

7 Ich singe immer beim Arbeiten
I always sing when I'm working
Bei unserer Ankunft ...
On our arrival ...

8 Er stand seinem Freund bei
He stood by his friend

9 Er wohnt uns gegenüber
He lives opposite us

10 Er ist mir gegenüber immer sehr freundlich gewesen
He has always been very friendly towards me

11 gegenüberstehen to face/to have an attitude towards →
Er steht ihnen kritisch gegenüber
He takes a critical view of them

Prepositions followed by the Dative Case

(contd)

mit
- as a preposition meaning *with* (→**1**)
- as a separable verbal prefix (see p 72) (→**2**)

nach
- as a preposition meaning: *after* (→**3**)
  - *to* (→**4**)
  - *according to* (it can be placed after the noun with this meaning) (→**5**)
- as a separable verbal prefix (see p 72) (→**6**)

seit
- as a preposition meaning: *since* (→**7**)
  - *for* (of time; note the tense!) (→**8**)

von
- as a preposition meaning: *from* (→**9**)
  - *about* (→**10**)
- as an alternative, often preferred, to the genitive case (→**11**)
- meaning *by*, to introduce the agent of a passive action (see p 34) (→**12**)

zu
- as a preposition meaning: *to* (→**13**)
  - *for* (→**14**)
- as a separable verbal prefix (see p 72) (→**15**)

Continued

1 **Er ging mit seinen Freunden spazieren**
  He went walking with his friends
2 **jemanden mitnehmen** to give someone a lift →
  Nimmst du mich bitte mit?
  Will you give me a lift please?
3 **Nach zwei Stunden kam er wieder**
  He returned two hours later
4 **Er ist nach London gereist**
  He went to London
5 **Ihrer Sprache nach ist sie Süddeutsche**
  From the way she spoke I would say she is from southern
  Germany
6 **nachmachen** to copy →
  Sie macht mir alles nach
  She copies everything I do
7 **Seit der Zeit ...**
  Since then ...
8 **Ich wohne seit zwei Jahren in Frankfurt**
  I've been living in Frankfurt for two years
9 **Von Frankfurt sind wir weiter nach München gefahren**
  From Frankfurt we went on to Munich
10 **Ich weiß nichts von ihm**
   I know nothing about him
11 **Die Mutter von diesen Mädchen ...**
   The mother of these girls ...
   Sie ist eine Freundin von Horst
   She is a friend of Horst's
12 **Er ist von unseren Argumenten überzeugt worden**
   He was convinced by our arguments
13 **Er ging zum Arzt**
   He went to the doctor's
14 **Wir sind zum Essen eingeladen**
   We're invited for dinner
15 **zumachen** to shut →
   Mach die Tür zu
   Shut the door

Prepositions followed by the Accusative Case

The most common of these are:

durch	**für**	**ohne**	**wider**
entlang	**gegen**	**um**	

durch

- as a preposition meaning *through* (→**1**)
- preceding the inanimate agent of a passive action (see p 34) (→**2**)
- as a separable verbal prefix

entlang

- as a preposition meaning *along*, in which case it follows the noun (→**3**)
- as a separable verbal prefix (→**4**)

für

- as a preposition meaning: *for*   (→**5**)
-                            *to*   (→**6**)
- in **was für/was für ein** *what kind of/what*, as shown on p 144 and p 180 (→**7**)

gegen

- as a preposition meaning: *against* (→**8**)
-                            *towards/getting on for* (→**9**)
- as a separable verbal prefix

Continued

1 durch das Fenster blicken
to look through the window

2 Durch seine Bemühungen wurden alle gerettet
Everyone was saved through his efforts

3 die Straße entlang
along the street

4 Wir gingen die Straße entlang
We went along the street

5 Ich habe es für dich getan
I did it for you

6 Das ist für ihn sehr wichtig
That is very important to him

7 Was für Äpfel sind das?
What kind of apples are they?

8 Stelle es gegen die Mauer
Put it against the wall
Haben Sie ein Mittel gegen Schnupfen?
Have you something for (= against) colds?
Ich habe nichts dagegen
I've got nothing against it

9 Wir sind gegen vier angekommen
We arrived at getting on for/around four o'clock

Prepositions followed by the Accusative Case (contd)

ohne

● as a preposition meaning *without* (→**1**)

um

● as a preposition meaning: *(a)round/round about* (→**2**)
          at (in time expressions) (→**3**)
          for (after certain verbs) (→**4**)
          about (after certain verbs) (→**5**)
          by (in expressions of quantity) (→**6**)
● as a variable verbal prefix (see p 74) (→**7**)

wider

● as a preposition meaning *contrary to/against* (→**8**)
● as a variable verbal prefix (see p 74) (→**9**)

Continued

1 Ohne ihn geht's nicht
It won't work without him

2 um die Ecke (a)round the corner

3 Es fängt um neun Uhr an It begins at nine

4 Sie baten ihre Mutter um Kekse
They asked their mother for some biscuits

5 Es handelt sich um dein Benehmen
It's a question of your behaviour

6 Es ist um zehn Mark billiger
It is cheaper by ten marks

7 umarmen to embrace (*inseparable*) →
Er hat sie umarmt
He gave her a hug

umfallen to fall over (*separable*) →
Er ist umgefallen
He fell over

8 Das geht mir wider die Natur
That's against my nature

9 widersprechen to go against (*inseparable*) →
Das hat meinen Wünschen widersprochen
That went against my wishes

(sich) widerspiegeln to reflect (*separable*) →
Der Baum spiegelt sich im Wasser wider
The tree is reflected in the water

Prepositions followed by the Dative or the Accusative

These prepositions are followed by:

the **accusative** when *movement towards* a different place is involved

the **dative** when *position* is described as opposed to movement, or when the movement is *within* the same place.

- The most common prepositions in this category are:

in *in/into/to* (→**1**)
an *on/at/to*
auf *on/in/to/at*
unter *under/among* (→**2**)
über *over/across/above*
vor *in front of/before*
hinter *behind*
neben *next to/beside*
zwischen *between* (→**3**)

- These prepositions may also be used with figurative meanings as part of a *verb + preposition* construction (see p 76).
  The case following **auf** or **an** is then not the same after all verbs (→**4**)
  It is therefore best to learn such constructions together with the case which follows them.

- Many of these prepositions are also used as verb prefixes in the same way as the prepositions described on pp 202 to 209 (→**5**)

Continued

1 Er ging ins Zimmer (*acc*)
He entered the room

Im Zimmer (*dat*) **warteten viele Leute auf ihn**
A lot of people were waiting for him in the room

2 Er stellte sich unter den Baum (*acc*)
He (came and) stood under the tree

Er lebte dort unter Freunden (*dat*)
There he lived among friends

3 Er legte es zwischen die beiden Teller (*acc*)
He put it between the two plates

Das Dorf liegt zwischen den Bergen (*dat*)
The village lies between the mountains

4 sich verlassen auf (+ *acc*) to depend on
bestehen auf (+ *dat*) to insist on

glauben an (+ *acc*) to believe in
leiden an (+ *dat*) to suffer from

5 anrechnen to charge for (*separable*) →
Das wird Ihnen später angerechnet
You'll be charged for that later

aufsetzen to put on (*separable*) →
Sie setzte sich den Hut auf
She put her hat on

überqueren to cross (*inseparable*) →
Sie hat die Straße überquert
She crossed the street

Prepositions followed by the Genitive Case

The following are some of the more common prepositions which take the genitive case:

diesseits *on this side of*
jenseits *on the other side of* (→**1**)
beiderseits *on both sides of*
innerhalb *within/inside* (→**2**)
außerhalb *outside*
während* *during* (→**3**)
statt* *instead of*
trotz* *in spite of* (→**4**)
wegen* *on account of* (→**5**)
infolge *as a result of*
hinsichtlich *with regard to*
... halber *for ... sake/because of ...*
um ... willen *for ... sake/because of ...*

- Those prepositions marked with an asterisk may also be followed by the dative case (→**6**)

- Note that special forms of the possessive and relative pronouns are used with **wegen, halber** and **willen** (→**7**)

1 jenseits der Grenze
on the other side of the frontier

2 innerhalb dieses Zeitraums
within this period of time

3 während der Vorstellung
during the performance

4 trotz seiner Befürchtungen
despite his fears

5 wegen der neuen Stelle
because of the new job

6 trotz allem in spite of everything
wegen mir because of me

7 meinetwegen on my account, because of me
deinetwegen on your account, because of you
seinetwegen on his account, because of him
ihretwegen on her/their account, because of her/them
unsertwegen on our account, because of us
euertwegen on your account, because of you
Ihretwegen on your account, because of you (*polite*)
derentwegen for whose sake, for her/their/its sake
dessentwegen for whose sake, for his/its sake

meinethalben *etc* on my *etc* account
derenthalben on whose account, on her/their/its account
dessenthalben on whose account, on his/its account

meinetwillen *etc* for my *etc* sake
derentwillen for whose sake, for her/its/their sake
dessentwillen for whose sake, for his/its sake

Co-ordinating Conjunctions

These are used to link words, phrases or clauses (→**1**)

● These are the main co-ordinating conjunctions:

und	and (→**1**)
oder	or (→**2**)
aber	but (→**3**) however (→**4**)
denn	for (→**5**)
sondern	but (after a negative construction) (→**6**)

● These do not cause subject-verb inversion, i.e. the verb follows the subject in the normal way (see p 224) (→**1-6**)

● Inversion may however be caused by something other than the co-ordinating conjunction, e.g. **dann, trotzdem, montags** in the examples opposite (→**7**)

● When used with the meaning of *however*, **aber** is placed within the clause, and not at the beginning (→**4**)

● When linked by co-ordinating conjunctions, no comma is required between clauses (cf p 240).

Continued

1 **Horst und Veronika** Horst and Veronika
 Er ging in die Stadt und kaufte sich ein neues Hemd
 He went into town and bought himself a new shirt

2 **Er hatte noch nie Whisky oder Schnaps getrunken**
 He had never drunk whisky or schnapps
 Willst du eins, oder hast du vielleicht keinen Hunger?
 Do you want one or aren't you hungry?

3 **Wir wollten ins Kino, aber wir hatten kein Geld**
 We wanted to go to the cinema but we had no money

4 **Ich wollte ins Theater; er aber wollte nicht mit**
 I wanted to go the theatre; however he wouldn't come

5 **Wir wollten heute fahren, denn montags ist weniger Verkehr**
 We wanted to travel today because the traffic is lighter on Mondays

6 **Er ist nicht alt, sondern jung**
 He isn't old, but young

7 **Er hat sie besucht, und dann ist er wieder nach Hause gegangen**
 He paid her a visit and then went home again
 Wir wollten doch ins Kino, aber trotzdem sind wir zu Hause geblieben
 We wanted to go to the cinema, but even so we stayed at home
 Wir wollten heute fahren, denn montags ist der Verkehr geringer
 We wanted to travel today because there is less traffic on Mondays

Double Co-ordinating Conjunctions

These conjunctions consist of two separate elements, like their English counterparts e.g.

not only ... but also ...

The following are widely used:

sowohl ... als (auch) *both ... and*

- This may link words or phrases (→**1**)

- The verb is usually plural, whether the subjects are singular or plural (→**1**)

weder ... noch *neither ... nor*

- This may link words or phrases (→**2**)

- It may also link clauses, and inversion of subject and verb then takes place in both clauses (→**3**)

- The verb is plural unless both subjects are singular (→**4**)

Continued

1 Sowohl sein Vater als auch seine Mutter haben sich darüber gefreut
Both his father and his mother were pleased about it
Sowohl unser Lehrkörper als auch unsere Schüler haben teilgenommen
Both our staff and our pupils took part

2 Weder Georg noch sein Bruder kannte das Mädchen
Neither Georg nor his brother knew the girl

3 Weder mag ich ihn, noch respektiere ich ihn
I neither like nor respect him

4 Weder die Befürworter noch die Gegner haben recht
Neither the supporters nor the opponents are right
Weder du noch ich würde es schaffen
Neither you nor I would be able to do it

Double Co-ordinating Conjunctions (contd)

nicht nur ... sondern auch *not only ... but also*

- This is used to link clauses as well as words and phrases (→**1**)

- The word order is: inversion of subject and verb in the first clause, and normal order in the second (→**2**)
  However, if **nicht nur** does not begin the clause, normal order prevails (→**3**)

- The verb agrees in number with the subject nearest to it (→**4**)

entweder ... oder *either ... or*

- The verb agrees with the subject nearest it (→**5**)

- The normal word order is: inversion in the first clause, and normal order in the second (→**6**)
  However, it is possible to use normal order in the first clause, and this may lend a more threatening tone to the statement (→**7**)

teils ... teils *partly ... partly*

- The verb is normally plural unless both subjects are singular (→**8**)

- Inversion of subject and verb takes place in both clauses (→**9**)

1 **Er ist nicht nur geschickt, sondern auch intelligent**
  Nicht nur ist er geschickt, sondern er ist auch intelligent
  He is not only skilful but also intelligent

2 **Nicht nur hat es die ganze Zeit geregnet, sondern ich habe**
  mir auch noch das Bein gebrochen
  Not only did it rain the whole time, but I also broke my leg

3 **Es hat nicht nur die ganze Zeit geregnet, sondern ich habe**
  mir auch noch das Bein gebrochen
  Not only did it rain the whole time, but I also broke my leg

4 **Nicht nur ich, sondern auch die Mädchen sind dafür**
  verantwortlich
  Not just me, but the girls too are responsible
  Nicht nur sie, sondern auch ich habe es gehört
  It wasn't only they who heard it — I heard it too

5 **Entweder du oder Georg muß es getan haben**
  It must have been either you or Georg who did it

6 **Entweder komme ich morgen vorbei, oder ich rufe dich an**
  I'll either drop in tomorrow or I'll give you a ring

7 **Entweder du gibst das sofort auf, oder du kriegst kein**
  Taschengeld mehr
  Either you give it up immediately, or you get no more pocket
  money

8 **Die Studenten waren teils Deutsche, teils Ausländer**
  The students were partly German and partly from abroad

9 **Teils bin ich überzeugt, teils bleibe ich skeptisch**
  A bit of me is convinced, and a bit remains sceptical

Subordinating Conjunctions

These are used to link clauses in such a way as to make one clause dependent on another for its meaning. The dependent clause is called a **subordinate clause** and the other a **main clause**.

- The subordinate clause is always separated from the rest of the sentence by commas (→**1**)

- The subordinate clause may precede the main clause. When this happens, the verb and subject of the main clause are inverted, i.e. they swap places, as shown as p 226 (→**2**)

- The finite part of the verb (i.e. the conjugated part) is always at the end of a subordinate clause (see p 228) (→**3**)

- For compound tenses in subordinate clauses, it is the **auxiliary** (the main part of the verb) which comes last, after the participle or infinitive used to form the compound tense (see the section on compound tenses) (→**4**)

- Any **modal verb** (**mögen, können** etc − p 52 ff) used in a subordinate clause is placed last in the clause (→**5**)

  EXCEPTION: when the modal verb is in a compound tense, the order is as shown (→**6**)

Continued

    MAIN CLAUSE   *SUBORDINATE CLAUSE*

1 Er ist zu Fuß gekommen, weil der Bus zu teuer ist
He came on foot because the bus is too dear
Ich trinke viel Bier, obwohl es nicht gesund ist
I drink a lot of beer although it isn't good for me
Wir haben weiter gefeiert, nachdem sie gegangen waren
We carried on the party after they went

    SUBORDINATE CLAUSE   *MAIN CLAUSE*

2 Weil der Bus zu teuer ist, geht er zu Fuß
Obwohl es nicht gesund ist, trinke ich viel Bier
Nachdem sie gegangen waren, haben wir weiter gefeiert

3 Als er uns sah, ist er davongelaufen
Er ist davongelaufen, als er uns sah
He ran away when he saw us

4 Nachdem er gegessen hatte, ging er hinaus
He went out after he had eaten

5 Da er nicht mit uns sprechen wollte, ist er davongelaufen
Since he didn't want to speak to us he ran away

6 Da er nicht mit uns hat sprechen wollen, ist er davongelaufen
Since he didn't want to speak to us, he ran away

Subordinating conjunctions (contd)

- Here are some common examples of subordinating conjunctions and their uses:

nachdem after (→**1**)
indem while
wenn when/whenever; if (→**2**)
als when (→**3**)
wann when (*interrogative*) (→**4**)
während while (→**5**)
bevor before
sobald as soon as
wohin to where
worin in which
inwiefern to what extent
soweit as far as
worauf whereupon; on which
als ob as if/as though
weil because (→**6**)
seitdem since
bis until (→**7**)
wo where
wie as/like
da as/since (→**8**)
obwohl although
damit so (that)
so daß such that, so that
ob whether, if

Continued

1 **Er wird uns Bescheid sagen können, nachdem er angerufen hat**
Nachdem er angerufen hat, wird er uns Bescheid sagen können
He will be able to let us know for certain, once he has phoned

2 **Wenn ich ins Kino gehe …**
When(ever) I go to the cinema …
Ich komme, wenn du willst
I'll come if you like

3 **Es regnete, als ich in Köln ankam**
Als ich in Köln ankam, regnete es
It was raining when I arrived in Cologne

4 **Er möchte wissen, wann der Zug ankommt**
He would like to know when the train is due to arrive

5 **Während seine Frau die Koffer auspackte, machte er das Abendessen**
Er machte das Abendessen, während seine Frau die Koffer auspackte
He made the supper while his wife unpacked the cases

6 **Wir haben den Hund nicht mitgenommen, weil im Auto nicht genug Platz war**
Weil im Auto nicht genug Platz war, haben wir den Hund nicht mitgenommen
We didn't take the dog because there wasn't enough room in the car

7 **Ich warte, bis du zurückkommst**
I'll wait till you get back

8 **Da er nicht kommen wollte, …**
Since he didn't want to come …

Word Order: Main Clauses

- In a main clause the subject comes first and is followed by the verb, as in English:

  His mother (*subject*) drinks (*verb*) whisky (→**1**)

- If the verb is in a compound or passive tense, the auxiliary follows the subject and the past participle or infinitive goes to the end of the clause (→**2**)

- The verb is the second concept in a main clause. The first concept may be a word, phrase or clause (→**3**)

- Any reflexive pronoun *follows* the main verb in simple tenses and the auxiliary in compound tenses (→**4**)

- The order for articles, adjectives and nouns is as in English: "a/the/this/that" + *adjective(s)* + *noun* (→**5**)

- A direct object usually follows an indirect, except where the direct object is a personal pronoun.

  But the indirect object can be placed last for emphasis, providing it is not a pronoun (→**6**)

- The position of adverbial expressions (see p 188) is not fixed. As a general rule they are placed close to the words to which they refer. Adverbial items of *time* often come first in the clause, but this is flexible (→**7**)

  Adverbials of *place* can be placed at the beginning of a clause when emphasis is required (→**8**)

  Adverbial items of *manner* are more likely to be within the clause, close to the word to which they refer (→**9**)

- Where there is more than one adverb, a useful rule of thumb is "time, manner, place" (→**10**)

Continued

1 Seine Mutter trinkt Whisky
His mother drinks whisky

2 Sie wird dir etwas sagen She will tell you something
Sie hat mir nichts gesagt She told me nothing
Es ist für ihn gekauft worden It was bought for him

	1	2

3 Die neuen Waren   kommen   morgen
The new goods   are coming   tomorrow

Was du gesagt hast,   stimmt nicht
What you said   isn't true

4 Er rasierte sich He shaved
Er hat sich rasiert He (has) shaved

5 ein alter Mann an old man
diese alten Sachen these old things

6 Ich gab dem Mann das Geld I gave the man the money
Ich gab ihm das Geld I gave him the money
Ich gab es ihm I gave him it/I gave it to him
Ich gab es dem Mann I gave it to the man
Er gab das Geld seiner Schwester
He gave the money to his sister (*not his brother*)

7 Gestern gingen wir ins Theater ⎫ We went to the theatre
Wir gingen gestern ins Theater ⎭   yesterday

8 Dort haben sie Fußball gespielt ⎫ They played football
Sie haben dort Fußball gespielt ⎭   there

9 Sie spielen gut Fußball They play football well
Das war furchtbar teuer It was terribly expensive

10 Wir haben gestern gut hierhin gefunden
We found our way here all right yesterday

Word Order: Main Clauses (contd)

- A pronoun object precedes all adverbs (→**1**)
- While the main verb must normally remain the second concept, the first concept need not always be the subject. Main clauses can begin with many things, including:
    an adverb (→**2**)
    a direct or indirect object (→**3**)
    an infinitive phrase (→**4**)
    a complement (→**5**)
    a past participle (→**6**)
    a prepositional phrase (→**7**)
    a clause acting as the object of the verb (→**8**)
    a subordinate clause (→**9**)
- If the subject does not begin a main clause, the verb and subject must be turned around or "inverted" (→**2-9**)
- Beginning a sentence with something other than the subject is frequent in German.
    It may however also be used for special effect to:
    highlight whatever is placed first in the clause (→**10**)
    emphasize the subject of the clause by forcing it from its initial position to the end of the clause (→**11**)
- After inversion, any reflexive pronoun precedes the subject, unless the subject is a pronoun (→**12**)
- The following do not cause inversion when placed at the beginning of a main clause, although inversion may be caused by something else placed after them:
    und, allein, oder, sondern, denn (→**13**)
    ja and **nein** (→**14**)
    certain exclamations: **ach, also, nun** *etc* (→**15**)
    words or phrases qualifying the subject: **nur, sogar, auch** *etc* (→**16**)

1 **Sie haben es gestern sehr billig gekauft**
   They bought it very cheaply yesterday
2 **Gestern sind wir ins Theater gegangen**
   We went to the theatre yesterday
3 **So ein Kind habe ich noch nie gesehen!**
   I've never seen such a child!
   Seinen Freunden wollte er es nicht zeigen
   He wouldn't show it to his friends
4 **Seinen Freunden zu helfen, hat er nicht versucht**
   He didn't try to help his friends
5 **Deine Schwester war es** It was your sister
6 **Geraucht hatte er nie** He had never smoked
7 **In diesem Haus ist Mozart auf die Welt gekommen**
   Mozart was born in this house
8 **Was mit ihm los war, haben wir nicht herausgefunden**
   We never discovered what was wrong with him
9 **Nachdem ich ihn gesehen hatte, ging ich nach Hause**
   I went home after seeing him
10 **Dem würde ich nichts sagen!** I wouldn't tell *him* anything
11 **An der Ecke stand eine riesengroße Fabrik**
   A huge factory stood on the corner
12 **Daran erinnerten sich die Zeugen nicht**
   The witnesses didn't remember that
   Daran erinnerten sie sich nicht They didn't remember that
13 **Peter ging nach Hause, und Elsa blieb auf der Party**
   Peter went home and Elsa stayed at the party
   BUT   **Peter ging nach Hause, und unterwegs sah er Kurt**
   Peter went home and on the way he saw Kurt
14 **Nein, ich will nicht** No, I don't want to
   BUT   **Nein, das tue ich nicht** No I won't do that
15 **Also, wir fahren nach Hamburg** So we'll go to Hamburg
   BUT   **Also, nach Hamburg wollt ihr fahren**
   So you want to go to Hamburg
16 **Sogar seine Mutter wollte es ihm nicht glauben**
   Even his mother wouldn't believe him
   BUT   **Sogar mit dem Zug ginge es nicht schneller**
   It would be no faster even by train

Word Order: Subordinate Clauses

- A subordinate clause may be introduced by:
    - a relative pronoun (see p 174) (→**1**)
    - a subordinating conjunction (see p 222) (→**2-3**)

- The subject follows the opening conjunction or relative pronoun
  — **wir** and **er** in examples **1-3**

- The main verb almost always goes to the end of a subordinate
  clause (→**1-3**)

    The exceptions to this are:

    1.   in a **wenn** clause where **wenn** is omitted (see p 64) (→**4**)
    2.   in an indirect statement without **daß** (see p 64) (→**5**)

- The order for articles, nouns, adjectives, adverbs, direct and
  indirect objects is the same as for main clauses (see
  p 224), but they are all placed between the subject of the clause
  and the verb (→**6**)

- If the subject of a reflexive verb in a subordinate clause is a
  pronoun, the order is *subject pronoun* + *reflexive pronoun*
  (→**7**) If the subject is a noun, the reflexive pronoun may follow
  or precede it (→**8**)

- Where one subordinate clause lies inside another, both still obey
  the order rule for subordinate clauses (→**9**)

1 Die Kinder, die wir gesehen haben ...
The children whom we saw ...
2 Da er nicht schwimmen wollte, ist er nicht mitgekommen
As he didn't want to swim he didn't come
3 Ich weiß, daß er zur Zeit in London wohnt
I know he's living in London at the moment
Ich weiß nicht, ob er kommt
I don't know if he's coming
4 Findest du meine Uhr, so ruf mich bitte an
(= Wenn du meine Uhr findest, ruf mich bitte an)
If you find my watch, please give me a ring
5 Er meint, er werde es innerhalb einer Stunde schaffen
(= Er meint, daß er es innerhalb einer Stunde schaffen werde)
He thinks (that) he would manage it inside an hour
6 *main clause:*
Er ist gestern mit seiner Mutter in die Stadt gefahren
He went to town with his mother yesterday
subordinate clauses:
Da er gestern mit seiner Mutter in die Stadt gefahren ist ...
Since he went to town with his mother yesterday ...
Der Junge, der gestern mit seiner Mutter in die Stadt gefahren ist ...
The boy who went to town with his mother yesterday ...
Ich weiß, daß er gestern mit seiner Mutter in die Stadt gefahren ist
I know that he went to town with his mother yesterday
7 Weil er sich nicht setzen wollte ...
Because he wouldn't sit down ...
8 Weil das Kind sich nicht setzen wollte, ...
   OR   **Weil sich das Kind nicht setzen wollte, ...**
        Because the child wouldn't sit down ...
9 Er wußte, daß der Mann, mit dem er gesprochen hatte, bei einer Baufirma arbeitete
He knew that the man he had been speaking to worked for a construction company

Word Order (contd)

In the Imperative

- normal order (→**1**)

- with reflexive verbs (→**2**)

- with separable verbs (→**3**)

- with separable reflexive verbs (→**4**)

In Direct and Indirect speech

- the verb of saying ("he replied/he said") must be inverted if it is placed within a quotation (→**5**)

- the position of the verb in indirect speech depends on whether or not **daß** (see p 66) is used (→**6**)

Verbs with Separable Prefixes (see pp 72 to 75)

- in main clauses the verb and prefix are separated in simple tenses and imperative forms (→**7**)

- for compound tenses of main clauses and all tenses of subordinate clauses, the verb and its prefix are united at the end of the clause (→**8**)

- in a present infinitive phrase (see p 46), the verb and prefix are joined together by **zu** and placed at the end of the phrase (→**9**)

1 Hol mir das Buch! (*singular*)
  Holt mir das Buch! (*plural*) ⎫
  Holen Sie mir das Buch! (*polite*) ⎬ Fetch me that book!
  ⎭

2 Wasch dich sofort! Wash yourself at once!
  Wascht euch sofort! Wash yourselves at once!
  Waschen Sie sich sofort! (*polite*)

3 Hör jetzt auf! (*singular*)
  Hört jetzt auf! (*plural*) ⎫
  Hören Sie jetzt auf! (*polite*) ⎬ Stop it!
  ⎭

4 Dreh dich um! (*singular*)
  Dreht euch um! (*plural*) ⎫
  Drehen Sie sich um! (*polite*) ⎬ Turn round!
  ⎭

5 "Meine Mutter" sagte er, "kommt erst morgen an"
  "My mother", he said, "won't arrive till tomorrow"

6 Er sagte, daß sie erst am nächsten Tag ankomme
  He said that she would not arrive until the next day
  Er sagte, sie komme erst am nächsten Tag an
  He said she would not arrive until the next day

7 Er machte die Tür zu He closed the door
  Ich räume zuerst auf I'll clean up first
  Hol mich um 7 ab! Pick me up at 7 o'clock!

8 Er hat die Tür zugemacht He closed the door
  Ich werde zuerst aufräumen I'll clean up first
  Er wurde um 7 abgeholt He was picked up at 7
  Wenn du mich um 7 abholst, ... If you pick me up at 7 ...
  Nachdem du mich abgeholt hast, ...
  After you've picked me up ...

9 Um frühzeitig anzukommen, fuhren wir sofort ab
  In order to arrive early we left immediately

Question Forms

Direct Questions

- In German, a direct question is formed by simply inverting the verb and subject (→**1**)

- In compound tenses (see pp 22 ff), the past participle or infinitive goes to the end of the clause (→**2**)

- A statement can be made into a question by the addition of **nicht, nicht wahr** or **doch**, as with "isn't it" in English (→**3**)
  Questions formed in this way normally expect the answer to be "yes".

- When a question is put in the negative, **doch** can be used to answer it more positively than **ja** (→**4**)

Questions Formed Using Interrogative Words

- When questions are formed with **interrogative adverbs**, the subject and verb are inverted (→**5**)

- When questions are formed with **interrogative pronouns** and **adjectives** (see pp 144 and 176 to 178), the word order is that of direct statements:
  1. as the subject of the verb at the beginning of the clause they do not cause inversion (→**6**)
  2. if *not* the subject of the verb *and* at the beginning of the clause they do cause inversion (→**7**)

Indirect Questions

These are questions following verbs of asking and wondering etc. The verb comes at the end of an indirect question (→**8**)

1 Magst du ihn?
Do you like him?
Gehst du ins Kino?
Do you go to the cinema? Are you going to the cinema?

2 Hast du ihn gesehen?
Did you see him? Have you seen him?
Wird sie mit ihm kommen?
Will she come with him?

3 Das stimmt, nicht (wahr)? That's true, isn't it?
Das schaffst du doch? You'll manage, won't you?

4 Glaubst du mir nicht? — Doch!
Don't you believe me? — Yes I do!

5 Wann ist er gekommen? When did he come?
Wo willst du hin? Where are you off to?

6 Wer hat das gemacht? Who did this?

7 Wem hast du es geschenkt? Who did you give it to?

8 Er fragte, ob du mitkommen wolltest
He asked if you wanted to come
Er möchte wissen, warum du nicht gekommen bist
He would like to know why you didn't come

Negatives

A statement or question is made negative by adding:

nicht (*not*) or **nie** (*never*)

- The negative may be placed next to the phrase or word to which it refers. The negative meaning can be shifted from one element of the sentence to another in this way (→**1**)

- **nie** can be placed at the beginning of a sentence for added emphasis, in which case subject-verb inversion occurs (→**2**)

- **nicht** comes at the end of a negative imperative, except when the verb is separable, in which case **nicht** *precedes* the separable prefix (→**3**)

- The combination **nicht ein** is usually replaced by forms of **kein** (see p 126) (→**4**)

- **doch** (see p 196) is used in place of **ja** to contradict a negative statement (→**5**)

- Negative comparison is made with **nicht ... sondern** (*not ... but*). This construction is used to correct a previous false impression or idea (→**6**)

1 Mit ihr wollte er nicht sprechen
He didn't want to speak to *her*
Er wollte nicht mit ihr sprechen
He didn't *want* to speak to her

Er will nicht morgen nach Hause
OR **Morgen will er nicht nach Hause**
He doesn't want to go home *tomorrow*
Er will morgen nicht nach Hause
He doesn't want to go *home* tomorrow

Wohnen Sie nicht in Dortmund?
Don't you live in Dortmund?
Warum ist er nicht mitgekommen?
Why didn't he come with you?
Waren Sie nie in Dortmund?
Have you never been to Dortmund?

2 Nie war sie glücklicher gewesen
She had never been happier

3 Iß das nicht! Don't eat that!
Beeilen Sie sich nicht! Don't hurry!
BUT **Geh nicht weg!** Don't go away!

4 Gibt es keine Plätzchen? Aren't there any biscuits?
Kein einziges Kind hatte die Arbeit geschrieben
Not a single child had done the work

5 Du kommst nicht mit — Doch, ich komme mit
You're not coming — Yes I am

6 Nicht Joachim, sondern sein Bruder war es
It wasn't Joachim, but his brother

Numbers

Cardinal (*one, two etc*)   **Ordinal** (*first, second etc*)

null	0		
eins	1	der erste[2]	1.
zwei[1]	2	der zweite[1]	2.
drei	3	der dritte	3.
vier	4	der vierte	4.
fünf	5	der fünfte	5.
sechs	6	der sechste	6.
sieben	7	der siebte	7.
acht	8	der achte	8.
neun	9	der neunte	9.
zehn	10	der zehnte	10.
elf	11	der elfte	11.
zwölf	12	der zwölfte	12.
dreizehn	13	der dreizehnte	13.
vierzehn	14	der vierzehnte	14.
fünfzehn	15	der fünfzehnte	15.
sechzehn	16	der sechzehnte	16.
siebzehn	17	der siebzehnte	17.
achtzehn	18	der achtzehnte	18.
neunzehn	19	der neunzehnte	19.
zwanzig	20	der zwanzigste	20.
einundzwanzig	21	der einundzwanzigste	21.
zweiundzwanzig[1]	22	der zweiundzwanzigste[1]	22.
dreißig	30	der dreißigste	30.
vierzig	40	der vierzigste	40.

1. **zwo** often replaces **zwei** in speech, to distinguish it clearly from **drei**: **zwo, zwoundzwanzig** *etc*.

2. The ordinal number and the preceding definite article (and adjective if there is one) are declined e.g.:
   sie ist die zehnte *she's the tenth*
   bei seinem dritten Versuch *at his third attempt*

fünfzig	50	**der fünfzigste**	50.
sechzig	60	**der sechzigste**	60.
siebzig	70	**der siebzigste**	70.
achtzig	80	**der achtzigste**	80.
neunzig	90	**der neunzigste**	90.
hundert	*a hundred*	**der hundertste**	100.
einhundert	*one hundred*		
hunderteins	101	**der hunderterste**	101.
hundertzwei	102	**der hundertzweite**	102.
hunderteinundzwanzig	121	**der hunderteinundzwanzigste**	121.
zweihundert	200	**der zweihundertste**	200.
tausend	*a thousand*	**der tausendste**	1000.
eintausend	*one thousand*		
tausendeins	1001	**der tausenderste**	1001.
zweitausend	2000	**der zweitausendste**	2000.
hunderttausend	100 000	**der hunderttausendste**	100 000.
eine Million	1 000 000	**der millionste**	1 000 000.

- With large numbers, spaces or full stops are used where English uses a comma e.g.:
  1.000.000 or 1 000 000 for 1,000,000 (*a million*).

- Decimals are written with a comma instead of a full stop e.g.:
  7,5 (**sieben Komma fünf**) for 7.5 (*seven point five*).

Fractions

halb	half (a)
die Hälfte	half (the)
eine halbe Stunde	half an hour
das Drittel	third
das Viertel	quarter
zwei Drittel	two thirds
dreiviertel	three quarters
anderthalb/eineinhalb	one and a half
zweieinhalb	two and a half

Time

Wie spät ist es?   What time is it?
Wieviel Uhr ist es?

Es ist ...   It's ...

00.00	**Mitternacht / null Uhr / vierundzwanzig Uhr / zwölf Uhr**
00.10	**zehn (Minuten) nach zwölf / null Uhr zehn**
00.15	**Viertel nach zwölf / null Uhr fünfzehn**
00.30	**halb eins / null Uhr dreißig**
00.40	**zwanzig (Minuten) vor eins / null Uhr vierzig**
00.45	**viertel vor eins / dreiviertel eins / null Uhr fünfundvierzig**
01.00	**ein Uhr**
01.10	**zehn (Minuten) nach eins / ein Uhr zehn**
01.15	**Viertel nach eins / ein Uhr fünfzehn**
01.30	**halb zwei / ein Uhr dreißig**
01.40	**zwanzig (Minuten) vor zwei / ein Uhr vierzig**
01.45	**viertel vor zwei / dreiviertel zwei / ein Uhr fünfundvierzig**
01.50	**zehn (Minuten) vor zwei / ein Uhr fünfzig**
12.00	**zwölf Uhr**
12.30	**halb eins / zwölf Uhr dreißig**
13.00	**ein Uhr / dreizehn Uhr**
16.30	**halb fünf / sechzehn Uhr dreißig**
22.00	**zehn Uhr / zweiundzwanzig Uhr / zwoundzwanzig Uhr**

morgen um halb drei at half past two tomorrow
um drei Uhr (nachmittags) at three (pm)
kurz vor zehn Uhr just before ten
gegen vier Uhr (nachmittags) towards four (in the afternoon)
erst um halb neun not until half past eight
ab neun Uhr from nine o'clock onwards
morgen früh/abend tomorrow morning/evening

The Calendar

Dates

Der wievielte ist heute?	What's the date today?
Welches Datum haben wir heute?	

Heute ist ...	It's ...
der zwanzigste März	the twentieth of March
der Zwanzigste	the twentieth

Heute haben wir ...	It's ...
den zwanzigsten März	the twentieth of March
den Zwanzigsten	the twentieth

Am wievielten findet es statt?	When does it take place?
Es findet am ersten April statt	... on the first of April
Es findet am Ersten statt	... on the first

Es findet (am) Montag, den ersten April statt
Es findet Montag, den 1. April statt
It takes place on Monday, the first of April/April 1st

Years

(im Jahre) 1994 (neunzehnhundertvierundneunzig) in 1994
Er wurde 1970 (neunzehnhundertsiebzig) geboren
He was born in 1970

Other Expressions

Im Dezember/Januar *etc* in December/January *etc*
im Winter/Sommer/Herbst/Frühling
in winter/summer/autumn/spring
Anfang September at the beginning of September
nächstes Jahr next year

Punctuation

German punctuation differs from English in the following cases:

Commas

- Decimal places are always shown by a comma (→**1**)

- Large numbers are separated off by means of a space or a full stop (→**2**)

- Subordinate clauses are always marked off from the rest of the sentence by a comma (→**3**)
  This applies to all types of subordinate clause e.g.:

  clauses with an adverbial function (→**3**)

  relative clauses (→**4**)

  clauses containing indirect speech (→**5**)

- A comma is not required between two main clauses linked by a co-ordinating conjunction (→**6**)

Exclamation Marks

- An exclamation mark is occasionally used after the name at the beginning of a letter, but this tends to be rather old-fashioned (→**7**)

- Exclamation marks are used after imperative forms unless these are not intended as commands (→**8**)

1 3,4 (drei Komma vier) 3.4 (three point four)

2 20 000 OR **20.000 (zwanzigtausend)**
20,000 (twenty thousand)

3 Als er nach Hause kam, war sie schon weg
She had already gone when he came home
Er bleibt gesund, obwohl er zuviel trinkt
He stays healthy, even though he drinks too much

4 Der Mann, mit dem sie verheiratet ist, soll sehr reich sein
The man she is married to is said to be very rich

5 Er sagt, es gefällt ihm nicht
He says he doesn't like it

6 Ich möchte hin aber ich darf nicht
I would love to go but I can't

7 Liebe Elke! ... Dear Elke, ...
Sehr geehrter Herr Braun! ... Dear Mr. Braun, ...

8 Steh auf! Get up
Bitte nehmen Sie doch Platz
Do please sit down

The following index lists comprehensively both grammatical terms and key words in German and English contained in this book.